COLLECTION « BEST-SELLERS »

DEAN KOONTZ

MÉMOIRE TRUQUÉE

roman

traduit de l'américain par Dominique Defert

ROBERT LAFFONT

Titre original : FALSE MEMORY
© Dean Koontz, 1999
Traduction française : Éditions Robert Laffont, S.A., Paris, 2001

ISBN 2-221-09326-7
(édition originale : ISBN 0-553-10666-X Bantam Books, New York)

À Tim Hely Hutchinson.
Pour sa foi en mon travail,
qui, depuis toujours
— et pour longtemps encore —,
m'a donné du cœur à l'ouvrage
lorsque j'en avais le plus besoin.
Et à Jane Morpeth,
mon éditeur.
Notre entente professionnelle
— la plus longue de ma carrière —
est la preuve de sa patience exceptionnelle,
de sa bonté d'âme et de sa grande tolérance
pour les fous de mon acabit !

L'autophobie est un trouble psychique réel. Ce terme désigne trois pathologies différentes :

1. La peur d'être seul
2. La peur d'être égotiste
3. La peur de soi

Cette dernière pathologie est la plus rare des trois.

Ce rêve
de pétales tombant s'évanouit
dans la lune et les fleurs…
Okyo

Les moustaches d'un chat,
les pieds palmés de mon chien nageant dans l'eau :
Dieu est dans les détails.
The Book of Counted Sorrows

Dans le monde réel
comme dans les rêves,
rien n'est tout à fait ce qu'il semble être.
The Book of Counted Sorrows

La vie est une comédie implacable.
C'est là que réside toute sa tragédie.
Martin Stillwater

1.

Un mardi de janvier, la vie de Martine Rhodes bascula à jamais Elle se réveilla avec un mal de crâne carabiné, sentit son estomac se retourner lorsqu'elle voulut avaler deux aspirines avec son jus de pamplemousse – promesse d'un ulcère ? –, se trompa de shampooing – elle utilisa celui de Dustin au lieu du sien, gage d'une coiffure rebelle pour toute la journée –, se cassa un ongle et fit brûler ses toasts ; ensuite elle découvrit une armada de fourmis qui galopaient sous l'évier et fut contrainte d'exterminer ces *aliens* à la bombe insecticide avec la férocité d'une Sigourney Weaver brandissant son lance-flamme, de nettoyer le champ de bataille au Sopalin et de fredonner le *Requiem* de Mozart en jetant d'un air solennel les petits cadavres dans la poubelle. Pour couronner le tout, elle reçut un coup de fil de sa mère, Sabrina, qui lui fit savoir, une fois de plus, qu'elle espérait toujours, trois ans après les noces de sa fille, voir son mariage capoter. Pourtant, Martie restait de bonne humeur – enthousiaste, même – à l'idée de la journée à venir. Elle avait hérité de feu son père Robert Woodhouse, le bien nommé Bob la Banane, une nature optimiste, un don de s'arranger de tout et un profond amour de la vie – en plus de ses yeux bleus, de ses cheveux ébène et de ses gros orteils disgracieux.

Merci papa. Merci pour tout.

Après avoir convaincu sa mère – malgré les rêves de désastre conjugal dont elle l'accablait – que son couple était parfaitement heureux, Martie enfila une veste de cuir et emmena Valet, son golden retriever, faire sa promenade du matin. Sitôt que la jeune femme fut dehors, sa migraine diminua et, au bout de quelques pas, elle finit par disparaître.

Sur le bord effilé du ciel d'orient, le soleil aiguisait ses premiers rayons. À l'ouest, toutefois, un vent froid poussait des nuées noires et menaçantes.

Le chien regardait les cieux avec inquiétude, humant l'air avec crainte, soulevant ses oreilles pendantes pour écouter le bruissement des feuilles de palmiers agitées par le vent. À l'évidence, Valet sentait qu'un grain approchait.

Valet était un chien doux et joueur. Les bruits violents l'effrayaient, comme s'il avait été soldat dans une autre vie et que son esprit était encore hanté par les canonnades des champs de bataille.

Par chance, le mauvais temps en Californie du Sud était rarement accompagné de tonnerre. La pluie tombait subitement ; elle ruisselait sur les arbres en chuintant, cliquetait sur les feuilles, produisant une musique que Valet trouvait rassurante.

D'ordinaire, Martie promenait son chien pendant une bonne heure, et s'enfonçait dans les rues étroites bordées d'arbres de Corona Del Mar ; mais aujourd'hui, comme tous les mardis et jeudis, un rendez-vous la contraignait à réduire la sortie à un quart d'heure. Valet semblait disposer d'un calendrier biologique sous son crâne poilu, car, ces jours-là, il s'empressait de faire ses besoins et ne musardait jamais en route.

Ce matin-là, donc, à moins de cent mètres de la maison, le chien s'approcha d'une bande de pelouse coincée entre le trottoir et la rue, jeta un regard circulaire, souleva discrètement sa patte droite et urina, selon son habitude, d'un air chagrin, comme s'il était gêné par le manque d'intimité.

Une centaine de mètres plus loin, il s'apprêtait à accomplir la seconde partie de ses affaires du matin lorsque les pétarades d'un camion-poubelle l'effrayèrent. Il fila se cacher derrière un palmier, puis sortit alternativement sa tête d'un côté et de l'autre du tronc pour surveiller les alentours, jusqu'à être certain que l'engin terrifiant avait bel et bien disparu.

— C'est fini, le rassura Martie. Le vilain camion est parti. Tout va bien. La zone de largage est libre. Tu peux y aller.

Valet ne semblait guère convaincu. Il restait sur ses gardes.

Martie avait également hérité de Bob la Banane sa patience infinie, en particulier envers Valet, qu'elle aimait presque autant que l'enfant qu'elle n'avait pas encore. Il était si gentil et si beau avec sa robe dorée, son plumet or et blanc sur les pattes, ses longs poils blancs et soyeux sur la croupe et sa queue en panache.

Bien entendu, lorsque le chien s'accroupissait pour déféquer, Martie détournait la tête, pour qu'il ne soit pas aussi gêné qu'une bonne sœur devant un peep-show. En attendant qu'il finisse son affaire, elle fredonna une chanson de Jim Croce : *Time in a Bottle*. Cet air le détendait.

Alors qu'elle allait entamer le second couplet, un brusque frisson traversa sa colonne vertébrale, la faisant taire dans l'instant. Martie n'était pas sujette aux prémonitions, mais, lorsque la vibration glacée atteignit la base de sa nuque, elle sut qu'un danger imminent approchait.

Elle se retourna, s'attendant presque à se retrouver nez à nez avec un agresseur ou une voiture fonçant sur elle à toute allure. Mais rien ; elle était seule dans cette tranquille rue pavillonnaire. Personne ne fondait sur elle dans un dessein funeste. Les seuls mouvements perceptibles provenaient du vent : des arbres et des buissons qui oscillaient, quelques feuilles mortes qui glissaient sur le macadam, une guirlande de Noël oubliée qui tintinnabulait sous l'auvent d'une maison.

Encore mal à l'aise, mais se sentant un peu ridicule de cette terreur subite, Martie poussa un soupir pour libérer l'air qu'elle avait retenu dans ses poumons. En entendant son souffle s'échapper dans un sifflement, elle s'aperçut qu'elle avait encore les mâchoires crispées.

Elle devait être perturbée par le cauchemar qui l'avait réveillée en pleine nuit, un rêve récurrent qui venait la hanter depuis quelques soirs. Un homme tout en feuilles mortes et en humus, un monstre furieux tourbillonnant comme une tornade.

Le regard de Martie s'arrêta sur son ombre étirée qui courait dans l'herbe fraîchement tondue, s'enroulait le long du trottoir et s'étalait sur le bitume craquelé de la rue. Sans raison, son malaise vira aussitôt à l'angoisse.

Elle fit un pas en avant, un autre, et, bien sûr, son ombre se déplaça avec elle. Ce ne fut qu'au troisième pas qu'elle comprit que c'était précisément cette silhouette qui l'effrayait.

Absurde ! Encore plus absurde que son cauchemar ! Et pourtant quelque chose dans cette ombre clochait : une distorsion insidieuse, une menace invisible.

Son cœur se mit à tambouriner dans sa poitrine, pareil à des coups de poing affolés contre une porte.

Sous les rayons obliques du matin, les maisons et les arbres aussi projetaient des ombres déformées, mais Martie ne discernait rien d'inquiétant dans ces taches étirées et gauchies. Seule sa propre ombre lui faisait peur.

Une peur stupide, bien sûr, mais ce constat ne diminuait en rien son anxiété. La terreur la guettait, la panique la prenait déjà par la main.

L'ombre semblait se soulever au rythme des battements caverneux de son propre cœur. Lorsque Martie perçut cette pulsation dans la forme noire, une vague d'effroi la submergea.

Elle ferma les yeux, tentant de reprendre ses esprits.

Pendant un moment, elle se sentit si légère qu'elle craignit que le vent ne l'emportât vers l'est avec les cohortes de nuages noirs qui achevaient de manger la bande de ciel azur à l'horizon. Heureusement, après avoir pris plusieurs inspirations profondes, elle sentit son corps reprendre sa substance et sa réalité.

Lorsqu'elle osa rouvrir les yeux, son ombre avait perdu son caractère menaçant. Elle poussa un soupir de soulagement.

Son cœur continuait de battre la chamade, pressé non plus par une peur irrationnelle, mais par une inquiétude bien légitime : que s'était-il passé ? pourquoi une telle panique ? Jamais Martie n'avait été victime de ce genre de trouble.

Elle jeta un regard rapide autour d'elle. Valet l'observait, elle avait lâché sa laisse. Elle essuya ses mains moites de sueur sur son jean.

Puis elle se rendit compte que le chien avait assouvi ses besoins naturels ; elle sortit de sa poche un sac en plastique ramasse-crotte et l'enfila comme un gant. En bonne voisine, pleine de civisme, elle ramassa l'offrande de Valet, retourna le sachet bleu pour emprisonner hermétiquement l'étron et referma le col du sac d'un double nœud.

Le retriever la regarda faire d'un air penaud.

– Si tu doutes de mon amour, mon garçon, lança Martie, souviens-toi que je fais ça tous les jours !

Valet eut l'air reconnaissant – ou soulagé.

L'accomplissement de cette humble tâche quotidienne rasséréna Martie et lui remit les idées en place. Le petit sac bleu et son contenu encore chaud l'ancraient à la réalité. L'étrange épisode qui venait de se dérouler l'intriguait, la troublait, même, mais ne l'effrayait plus.

2.

Skeet était perché sur le toit, silhouette noire contre le ciel sombre, l'esprit assailli par des hallucinations et des idées suicidaires. Trois gros corbeaux tournaient au-dessus de lui, comme s'ils devinaient un imminent festin.

En bas, sur le plancher des vaches, Motherwell se tenait dans l'allée, ses grosses mains coincées sur ses hanches. Bien qu'il tournât le dos à la route, Dusty, qui arrivait dans sa camionnette, vit tout de suite qu'il était furieux. Le preux Motherwell était d'humeur à réduire quelques crânes d'infidèles en bouillie.

Dusty gara son van le long du trottoir, derrière une voiture de patrouille de la société de vigiles qui assurait la sécurité de cette enclave résidentielle de luxe, défendue par des grilles et des portails électroniques. Un grand type en uniforme se tenait à côté du véhicule, veillant à ce que sa présence sur les lieux paraisse à la fois empreinte d'autorité et parfaitement superflue.

Le bâtiment de deux étages, au sommet duquel Skeet Caulfield contemplait sa fragile condition de mortel, était un parallélépipède de béton de mille mètres carrés, une horreur de quatre millions de dollars. Divers styles méditerranéens – espagnol moderne, toscan classique, néogrec, et le tout nouveau look Taco Bell – avaient été représentés pêle-mêle par un architecte qui possédait un mauvais goût rare, ou un grand sens de l'humour. C'était un imbroglio de toits pentus, recouverts de tuiles provençales, qui se chevauchaient les uns les autres dans une exubérance chaotique, hérissés d'une forêt de cheminées déguisées tant bien que mal en campaniles et de tours d'horloge chapeautées de coupoles.

Le pauvre Skeet était perché au faîte du toit le plus élevé, à côté de la tour la plus disgracieuse.

Le vigile, qui ne savait trop quel rôle tenir dans cette situation mais qui voulait faire illusion, se tourna vers Dusty.

— Je peux vous aider ? demanda-t-il.

— Je suis le responsable de l'entreprise de peinture.

Apparemment le garde se méfiait de Dusty. À moins que son air suspicieux ne s'expliquât par la morsure du soleil qui avait fripé son visage comme un vieux parchemin.

— L'entreprise de peinture ? ah oui ? répéta-t-il, sceptique.

Dusty portait un pantalon de toile blanche, un polo blanc, une veste blanche en jean, ainsi qu'une casquette blanche qui annonçait, en lettres bleues, au-dessus de la visière : « Les Peintures Rhodes ». Une série d'indices suffisante, songeait Dusty, pour donner quelque crédibilité à son affirmation. À voir la mine patibulaire du vigile, le quartier devait être assiégé par tout un gang de cambrioleurs déguisés en peintres en bâtiment, en plombiers et en ramoneurs ! Mais Dusty choisit de ne pas jeter d'huile sur le feu et se contenta de répondre :

— Cet homme sur le toit est un gars de mon équipe.

— Une équipe ? – le vigile fronça les sourcils – vous appelez ça une équipe ?

Était-ce du sarcasme ou simplement le signe que le pauvre homme n'était pas doué pour faire la conversation ?

— Oui, la plupart des entrepreneurs utilisent ce terme, répondit Dusty, en regardant Skeet qui, du haut du toit, lui faisait « coucou » de la main. Avant, on appelait ça des brigades d'intervention, mais cela faisait fuir le client. Trop agressif, vous comprenez ? Alors on parle simplement d'équipe.

— Ouais...

Les yeux du vigile se plissèrent davantage. Soit il était en train d'essayer de comprendre de quoi parlait Dusty, soit il s'apprêtait à lui coller son poing sur la figure.

— Ne vous inquiétez pas, on va faire descendre Skeet de là-haut, le rassura Dusty.

— Qui ça ?

— Celui qui veut sauter, expliqua Dusty, en remontant l'allée pour rejoindre Motherwell.

– Vous pensez que je devrais appeler les pompiers ? s'enquit le garde en lui emboîtant le pas.

– Non. Il ne va pas s'immoler par le feu avant de sauter.

– C'est un coin tranquille, ici.

– Tranquille ? C'est le paradis, vous voulez dire !

– Un suicide serait très mal vu par les habitants. Cela les mettrait dans tous leurs états.

– Ne vous en faites pas. On ramassera les boyaux : les gros morceaux dans un sac, un coup de jet pour nettoyer le sang et hop ! ni vu ni connu !

Dusty était à la fois surpris et soulagé de voir qu'aucun voisin n'était venu assister au drame. À cette heure matinale, peut-être étaient-ils encore occupés à grignoter leurs muffins au caviar et à boire du champagne et du jus d'orange dans des gobelets en or ? Par bonheur, les clients de Dusty – les Sorenson –, sur le toit desquels Skeet papotait avec la mort, étaient en vacances à Londres.

– Salut, Ned, lança Dusty.

– Petit enfoiré ! marmonna Motherwell.

– Qui ça ? Moi ?

– Lui, répondit Motherwell en tendant le doigt vers Skeet.

Avec son mètre quatre-vingt-dix et ses cent trente kilos, Ned Motherwell dépassait Dusty d'une tête et comptabilisait près de cinquante kilos de plus. Ses bras étaient épais comme des jambes de percheron. Et, malgré le vent froid, il portait un simple T-shirt. La météo ne semblait pas avoir plus d'emprise sur Motherwell que sur une statue d'Hercule.

Il tapota son téléphone accroché à sa ceinture.

– Merde, patron, cela fait des heures que je vous ai appelé ! Qu'est-ce que vous fichiez ?

– Tu m'as appelé il y a dix minutes ; pour gagner du temps, j'ai grillé tous les feux et écrasé quelques écoliers sur les passages cloutés !

– La vitesse est limitée à trente kilomètres-heure dans la résidence, précisa le vigile avec solennité.

Motherwell leva un poing vengeur vers Skeet Caulfield.

– Je vais réduire en charpie cette petite ordure !

– C'est juste un gamin un peu paumé, répondit Dusty.

– C'est un junkie, oui ! railla Motherwell.

– Il n'y touche plus ces derniers temps.

– C'est qu'une raclure de bidet.

– Ton bon cœur me ravira toujours, Ned.

– Tout ce que je sais, c'est que j'ai un cerveau, moi, et que je ne veux pas le bousiller avec des drogues, ni me trouver à côté d'épaves comme lui qui s'autodétruisent.

Ned Motherwell, le contremaître, était un irréprochable, membre d'un mouvement invraisemblable (mais qui avait de plus en plus

18

d'adeptes parmi les adolescents et les jeunes adultes), qui demandait à ses sympathisants de bannir de leur vie drogue, alcool et sexe – sauf lorsqu'il s'agissait de la reproduction de l'espèce. C'étaient des fans de hard rock, de pogo et d'autorestriction qui vouaient à leur propre personne la plus haute estime. Tous les partis politiques auraient bien aimé récupérer cette nouvelle mouvance culturelle pour redorer leur blason, mais les irréprochables méprisaient le système et honnissaient les républicains comme les démocrates. De temps en temps, lorsque, dans une boîte de nuit ou pendant un concert, ils tombaient sur un drogué, ils passaient à tabac le malheureux sans scrupules ni remords – une pratique qui leur permettait de se démarquer des grands courants politiques du moment.

Dusty estimait tout autant Motherwell que Skeet, quoique pour des raisons différentes. Motherwell était intelligent, drôle et fiable – malgré ses jugements à l'emporte-pièce. Skeet était un être doux et gentil, bien que condamné, sans doute, à une quête sans joie du plaisir, à de longs jours d'errance et à des nuits remplies de solitude.

Motherwell était de loin le meilleur employé des deux. Si Dusty avait suivi à la lettre les règles d'or de la gestion d'entreprise, il aurait licencié Skeet depuis longtemps. La vie serait plus simple si le bon sens l'emportait toujours... mais, parfois, la solution la plus simple ne lui paraissait pas pour autant la meilleure.

– Il y a de fortes chances qu'on reçoive une rincée d'ici peu, déclara Dusty. Pourquoi l'as-tu envoyé là-haut ?

– Je l'ai envoyé nulle part ! Je lui ai dit de décaper les entourages de fenêtres et les boiseries du rez-de-chaussée. Un moment plus tard, il était scotché là-haut, en train de dire à qui voulait l'entendre qu'il allait faire le saut de l'ange dans l'allée.

– Je vais aller le chercher.

– J'ai déjà essayé. Plus je m'approche, plus il devient hystérique.

– Il doit avoir peur de toi.

– J'espère bien ! Si je le chope, il va regretter de ne pas s'être fracassé le crâne sur le bitume, c'est moi qui vous le dis !

Le vigile saisit son téléphone portable.

– Je ferais bien d'appeler la police, déclara-t-il.

– *Non !*

Se rendant compte de la virulence de sa réaction, Dusty prit une profonde inspiration et reprit calmement. Le voisinage n'apprécierait guère ; les gens n'aiment pas que l'on fasse du remue-ménage pour rien.

Si les flics débarquaient, ils parviendraient peut-être à faire descendre Skeet de ce toit sain et sauf, mais ce serait pour l'envoyer dans un asile d'aliénés, où on le garderait en observation pendant trois jours – sinon plus. Se retrouver à la merci de ces médecins qui se plaisent à concocter des cocktails détonants de psychotropes et autres ingrédients de la pharmacopée psychiatrique était bien la dernière chose qu'il fallait à Skeet. Pour un effet apaisant à court terme, leurs punchs chimiques ne feraient que griller à ce pauvre gamin quelques synapses de plus.

— Dans ce genre de quartier, on n'est guère amateur de spectacles de rue, insista Dusty.

Le vigile contempla les alignements de maisons, avec leurs grands palmiers, leurs ficus élégants, leurs pelouses et leurs parterres de fleurs manucurés.

— Je vous donne dix minutes, déclara-t-il.

Motherwell leva le poing vers Skeet et l'agita d'un air rageur.

Sous la ronde des corbeaux, Skeet lui retourna un petit coucou.

— Il ne semble pas si suicidaire que ça, lança le garde.

— Ce petit connard est heureux parce qu'un ange de la mort est assis à côté de lui, expliqua Motherwell. Et cet ange lui a montré ce qu'il y avait de l'autre côté, à quoi ça ressemble et tout ça. Il paraît que c'est supercool par là-bas, à ce qu'il dit !

— Je monte lui parler, lâcha Dusty.

— Vous feriez mieux de le pousser dans le dos un grand coup ! maugréa Motherwell.

3.

Martie et Valet prirent le chemin du retour au petit trot, chassés par le ciel de plomb qui se refermait au-dessus de leurs têtes et le vent qui pressait à nouveau les nuées chargées de pluie. À plusieurs reprises, la jeune femme jeta un coup d'œil sur son ombre qui courait à côté d'elle sur le macadam ; mais les nuages achevèrent d'occulter le soleil et son noir compagnon disparut soudain de sa vue, comme s'il s'était infiltré sous terre pour retourner dans son Atlantide engloutie.

Martie surveillait discrètement les façades des maisons. Quelqu'un, caché derrière une fenêtre, avait peut-être remarqué son comportement étrange ? À moins que son trouble fût moins visible de l'extérieur qu'elle ne le supposait ?

Dans ce quartier pittoresque, les maisons étaient vieilles et petites, mais la minutie des détails qui ornaient les façades leur conférait davantage de charme et de personnalité que n'en possédaient la plupart des êtres de chair et de sang que Martie connaissait. Le style hispanique dominait, mais on trouvait également des cottages anglais, des chaumières à la française, des *Häuschen* allemandes et des bungalows Art déco. Ce méli-mélo éclectique, unifié par un canevas de lauriers, de palmiers, d'eucalyptus parfumés, de fougères et de cascades de bougainvillées, était un tableau agréable à l'œil.

Martie, Dusty et Valet habitaient une charmante maison victorienne à un étage, une miniature tout en moulures et en bois sculpté. Dusty avait peint les murs dans des tons colorés, dans la tradition des demeures victoriennes chics de San Francisco : un fond jaune pâle avec des ornementations bleues, grises et vertes, rehaussées çà et là d'une touche judicieuse de rose pour souligner la corniche et les entourages des fenêtres.

Martie adorait cette maison ; elle était la preuve tangible de l'habileté et du talent inventif de Dusty.

Sa mère, évidemment, en découvrant le travail de son gendre, avait déclaré :

— On croirait une maison de clowns !

Martie ouvrit le portail de bois sur le côté nord et emboîta le pas à Valet sur la petite allée de briquettes qui rejoignait l'arrière de l'habitation, tout en se demandant si son trouble du matin n'était pas dû à la conversation téléphonique déprimante qu'elle avait eue avec sa mère un peu plus tôt. Après tout, la plus grande source de tension dans la vie de Martie provenait de sa mère et du rejet total qu'elle manifestait à l'égard de Dusty. Sa mère et Dusty étaient les êtres qui lui étaient les plus chers... elle aurait tant voulu que la paix et l'harmonie règnent entre eux.

Dusty n'avait aucune responsabilité dans ce conflit, Sabrina en était la seule belligérante. Que Dusty refuse de s'y engager ne faisait que renforcer l'hostilité de Sabrina, frustrée de ne pouvoir livrer combat.

Martie fit une halte devant les poubelles pour jeter le petit sac bleu renfermant les offrandes de Valet.

Peut-être son angoisse soudaine avait-elle été générée par les lamentations de sa mère au sujet du « manque d'ambition » de Dusty, de sa « mauvaise éducation ». Le venin de Sabrina risquait d'empoisonner peu à peu le mariage de Martie. Malgré elle, la jeune femme pourrait commencer à considérer son mari avec le regard critique et sans pitié de sa mère. Ou Dusty pourrait prendre ombrage du peu d'estime que lui portait Sabrina et en tenir rigueur à Martie.

En fait, Dusty était l'homme le plus avisé et le plus intelligent qu'elle eût connu. Le moteur entre ses oreilles tournait encore plus rond que celui de son père, qui était déjà un modèle d'intelligence, malgré son surnom ridicule de Bob la Banane. Quant à l'ambition... Eh bien, elle préférait avoir un mari gentil qu'un mari ambitieux ; il y avait plus de gentillesse chez Dusty que d'avidité dans les casinos de Las Vegas.

Autre pierre d'achoppement, la carrière de Martie était loin de combler toutes les attentes de sa mère. Après une licence de gestion, option marketing, suivi d'un MBA, elle s'était détournée du chemin doré qui l'aurait conduite à un poste à haute responsabilité dans une grande entreprise pour devenir conceptrice indépendante de jeux vidéo. Elle avait vendu quelques titres entièrement de sa création qui avaient rencontré un succès d'estime et, à présent, elle écrivait les scénarios ou concevait les personnages et les mondes imaginaires de projets de jeux forgés par d'autres.

Martie gagnait honorablement sa vie, à défaut d'être riche, et restait persuadée qu'être une femme dans un secteur d'activité dominé par les hommes constituait pour elle un atout de taille car elle y apportait un regard nouveau. Elle aimait son travail et avait récemment signé un contrat pour créer un jeu inspiré de la trilogie du *Seigneur des anneaux* de J. R. R. Tolkien, une commande qui risquait de lui rapporter des royalties à en faire pâlir d'envie l'oncle Picsou.

Aux yeux de sa mère, toutefois, c'était là une « occupation de saltimbanque ». Sans doute parce que Sabrina associait les jeux vidéo aux jeux d'arcades, les jeux d'arcades aux parcs d'attractions et les parcs d'attractions aux saltimbanques. CQFD. Encore heureux, se félicitait Martie, qu'elle n'eût pas poussé plus avant son raisonnement et décrit sa fille comme un monstre de foire.

— Peut-être qu'un psychanalyste en déduirait que mon ombre a été le symbole, l'espace d'un instant, des ondes négatives que me lance maman ? lâcha Martie en suivant Valet qui montait les marches du perron vers la porte d'entrée.

Valet lui retourna un sourire et agita sa queue en panache.

— Et peut-être, poursuivit-elle, que ma peur panique était la manifestation d'une angoisse inconsciente en moi, celle que ma mère finisse par me contaminer… me polluer l'esprit de façon irréversible à force de déverser sur moi tout son fiel.

Martie sortit son trousseau de clés de sa poche et ouvrit la porte.

— Dieu du ciel, on croirait entendre les platitudes d'un étudiant en première année de psycho !

Martie parlait souvent à son chien. Valet l'écoutait et ne la contredisait jamais. Son silence était l'un des piliers de leur relation unique.

— À mon avis, reprit-elle en suivant l'animal dans la cuisine, il n'y a aucun transfert symbolique derrière tout ça. Je suis simplement en train de devenir maboule.

Valet souffla bruyamment comme pour manifester son assentiment puis se dirigea vers son bol pour laper avec enthousiasme une grande rasade d'eau.

Cinq matins par semaine, après la promenade, Martie ou Dusty passaient une demi-heure à brosser et à peigner le chien sous le porche arrière de la maison. Les mardis et vendredis, la toilette avait lieu après la sortie de l'après-midi. De cette façon, la maison était à peu près exempte de poils de chien ; Martie tenait à ce que son intérieur reste propre.

— Tu serais bien aimable, lança Martie à Valet, de ne pas mettre des poils partout ! Interdiction de se gratter jusqu'à nouvel ordre. Et ce n'est pas parce que nous ne sommes pas là pour te gronder que tu dois te croire autorisé à aller sur les fauteuils et à te servir dans le frigo ! Un chien averti en vaut deux !

Valet roula des yeux comme s'il était offensé par ce manque caractérisé de confiance. Puis il recommença à boire.

Martie se rendit dans la salle d'eau attenante à la cuisine et alluma la lumière pour vérifier son maquillage et se recoiffer.

Au moment de s'approcher du lavabo, une terreur subite lui comprima la poitrine. Son cœur semblait pris dans un étau. Ce n'était pas la présence supposée d'un danger dans son dos qui la terrorisait, comme plus tôt. Cette fois, c'était l'idée de se regarder dans le miroir qui lui glaçait le sang.

Se sentant soudain sans force, elle s'appuya sur le rebord de la vasque, le dos voûté comme sous un bloc de pierre. Les mains agrippées de part et d'autre du lavabo, elle regardait fixement la bonde. Elle était tellement écrasée par cette peur irrationnelle qu'elle était incapable de relever la tête.

Un de ses cheveux noirs gisait dans le fond de la vasque de faïence, une extrémité coincée sous le bouchon de vidange en cuivre. Ce simple filament avait quelque chose de menaçant. N'osant toujours pas lever les yeux, Martie chercha à tâtons le robinet d'eau chaude, l'ouvrit et chassa le cheveu sous le jet.

Elle laissa l'eau couler, inhalant le nuage de vapeur qui s'élevait vers elle, mais cela ne suffit pas à faire refluer les frissons qui l'assaillaient de nouveau. Alors que les rebords du lavabo tiédissaient sous ses doigts crispés, ses mains restaient désespérément glacées.

Le miroir l'attendait ! Ce n'était plus un simple objet inanimé, une paroi de verre argenté. *Il* l'attendait.

Ou, plutôt, quelque chose à l'intérieur du miroir attendait un contact visuel avec elle. Une existence, une présence l'attendait.

Sans relever la tête, elle jeta un coup d'œil sur sa droite et aperçut Valet, immobile sur le seuil de la salle de bains. En d'autres circonstances, l'expression perplexe du chien l'aurait fait éclater de rire ; mais, là, elle restait transie d'angoisse, et quand bien même elle se serait forcée à se détendre, ce n'est pas un rire qui serait sorti de sa bouche.

À sa peur du miroir s'ajoutait la terreur — plus intense encore — inspirée par la bizarrerie de son comportement, par cette perte totale de maîtrise de soi.

La vapeur d'eau se condensait sur son visage, s'accumulait dans sa gorge, la faisant suffoquer. Et le gargouillis liquide qui s'écoulait commençait à ressembler à un concert de voix malveillantes, de gloussements sarcastiques.

Martie ferma le robinet. Dans le silence qui suivit, sa respiration courte et sifflante avait quelque chose de sinistre et de désespéré.

Plus tôt, dans la rue, respirer profondément l'avait aidée à reprendre pied, à chasser sa peur ; son ombre distordue avait alors cessé de représenter une menace. Cette fois, au contraire, chaque inspiration semblait alimenter sa terreur.

Elle se serait bien enfuie, mais toutes ses forces l'avaient quittée. Ses jambes étaient comme du coton ; elle craignait même de tomber et de s'ouvrir le crâne dans sa chute. Elle avait besoin du lavabo pour tenir debout.

Elle tenta de se raisonner, espérant retrouver ses moyens à la lumière d'une réflexion logique. Le miroir ne pouvait pas lui faire de mal. Il n'avait pas d'existence propre. Ce n'était qu'une chose. Un objet inanimé. Du verre. Du simple verre, bonté divine !

Rien de ce qu'elle pouvait y voir n'était susceptible de représenter une menace pour elle. Elle ne se trouvait pas face à la lucarne ouverte de la cellule d'un psychopathe au sourire grimaçant, les yeux brûlant d'une lueur assassine, comme dans certains films d'horreur. Le miroir ne pouvait rien lui offrir d'autre que le reflet de la salle d'eau, et d'elle-même.

Mais la logique ne servait à rien ! Dans des replis obscurs de son esprit où elle ne s'était jamais aventurée s'ouvraient désormais les terres torturées de la superstition.

Peu à peu, Martie eut la conviction qu'une entité dans le miroir prenait corps et se développait, engendrée justement par ses efforts pour se raisonner et infirmer le bien-fondé de sa terreur. Elle ferma les yeux, de crainte d'apercevoir, ne serait-ce qu'à la périphérie de son champ de vision, cet être hostile. Tous les enfants savent qu'à chaque fois que l'on nie son existence le croque-mitaine, caché sous le lit, devient de plus en plus féroce et redoutable et que la meilleure des attitudes est de ne pas penser à ce monstre affamé tapi avec les moutons sous le sommier, son haleine fétide encore lourde de l'odeur du sang des derniers enfants dévorés. *Ne pas y penser.* Ne pas penser à ses yeux jaunes, à sa langue noire fourchue. *Ne pas y penser.* À un moment ou à un autre, tout ça va s'évanouir, et un sommeil paisible viendra, comme une bénédiction, puis le soleil se lèvera et ce sera le réveil dans un lit douillet, pelotonnée sous les couvertures bien chaudes, et non dans l'estomac pestilentiel d'un monstre.

Valet vint soudain se frotter contre la jambe de Martie ; elle faillit hurler.

Lorsqu'elle rouvrit les yeux, elle vit que le chien l'observait avec cet air tour à tour implorant et soucieux que les golden retrievers ont peaufiné à la perfection au fil de l'évolution.

Malgré la certitude qu'elle tomberait aussitôt le lavabo lâché, Martie souleva une main du rebord de faïence pour caresser le retriever du bout de ses doigts tremblants.

Comme si le chien avait été un phare dans la tourmente, ce contact charnel sortit Martie de son égarement ; en une décharge crépitante, une part de son anxiété inhibitrice s'échappa d'elle. La terreur indicible reflua pour laisser place à une simple peur.

En dépit de sa beauté, de sa douceur et de son caractère affectueux, Valet était un animal farouche. Si rien dans cette pièce ne l'avait effrayé, c'est qu'il n'y avait aucun danger. Comme pour lui faire savoir son accord avec ce raisonnement, le retriever se mit à lui lécher la main.

Martie rassembla son courage, puis, finalement, releva la tête, lentement, frissonnant à l'idée de ce qui l'attendait.

Le miroir ne révéla aucune créature monstrueuse, aucun monde étrange, aucun fantôme ; juste le reflet de son visage, un peu pâle, et le mur familier de la salle d'eau derrière elle.

Lorsqu'elle contempla ce visage aux yeux bleus, son cœur se mit de nouveau à tambouriner dans sa poitrine. Elle était devenue une étrangère pour elle-même. Cette femme tremblante qui était terrifiée par sa propre ombre, prise de panique à l'idée de se regarder dans une glace… ce n'était pas Martine Rhodes, la fille de Bob la Banane, celui qui avait toujours tenu ferme les rênes de la réalité et chevauché la vie avec équilibre et enthousiasme. Ce ne pouvait être elle.

— Qu'est-ce qui m'arrive ? demanda-t-elle à la femme dans le miroir.

Mais son reflet ne put rien lui répondre, pas plus que le chien.

Le téléphone sonna. Martie se rendit dans la cuisine pour décrocher.

Valet la suivit. Il la regardait fixement, intrigué, la queue battant l'air, puis immobile.

— Désolée, c'est un faux numéro, répondit finalement Martie avant de raccrocher. Elle remarqua l'attitude bizarre du chien. Qu'est-ce que tu as ?

Valet la contempla, les poils du cou légèrement dressés.

— Je te jure que ce n'était pas la petite caniche du voisin qui t'appelait.

Lorsqu'elle retourna dans la salle d'eau pour affronter de nouveau le miroir, elle n'aima toujours pas ce qu'elle y vit, mais à présent elle était préparée au choc.

4.

Dusty longea la maison, marchant sous les frondaisons bruissantes des palmiers agités par le vent. Il y retrouva Foster « Fig » Newton, le troisième membre de son équipe.

Accrochée à la ceinture de son ouvrier, il portait sa sempiternelle radio – une perfusion électronique branchée vingt-quatre heures sur vingt-quatre – et, vissée sur ses oreilles, une paire d'écouteurs.

Fig n'écoutait pas les débats politiques ni les émissions sur la vie pratique. À n'importe quelle heure du jour ou de la nuit, il savait sur quelle fréquence entendre parler d'ovnis, d'enlèvements perpétrés par des extraterrestres, de messages téléphoniques de l'au-delà, d'entités de la quatrième dimension et de Big Foot.

— Salut, Fig.

— Salut.

Fig ponçait avec application un encadrement de fenêtre. Ses mains calleuses étaient recouvertes de poudre blanche.

— Tu es au courant pour Skeet ? lança Dusty en suivant l'allée dallée qui contournait la maison.

Fig hocha la tête.

— Pour le toit ?

— Il dit qu'il va sauter.

— Alors, c'est qu'il va le faire.

Dusty s'arrêta et se tourna vers Fig, surpris.

— Tu crois vraiment ?

Newton était d'ordinaire si taciturne que Dusty s'attendait à un haussement d'épaules pour toute réponse. Mais, au lieu de ça, son employé articula d'une voix claire :

— Skeet ne croit plus en rien.

— Comment ça, « en rien » ?

— En rien. Point barre.

— Ce n'est pas un méchant garçon.

— Son problème, c'est qu'il n'est pas grand-chose.

La réponse de Fig sonna comme un mauvais trait d'esprit de fin de soirée.

Foster Newton, avec son visage rond comme une tarte, ses joues rebondies, son double menton, sa bouche lippue, son nez rouge et globuleux comme une cerise, aurait dû passer aux yeux de tous pour un grand hédoniste devant l'Éternel. Mais il échappait à cette carica-ture grâce à ses yeux gris clair qui, grossis par ses verres de lunettes, étaient chargés de regrets. Cette affliction n'était en rien liée aux pulsions suicidaires de Skeet ; cette tristesse perpétuelle, Fig semblait en entourer chaque être, chaque chose qu'il contemplait en ce bas monde.

— Il est vide, ajouta-t-il.

— Qui ça ? Skeet ?

— Un trou béant.

— Il finira bien par se trouver.

— Il ne cherche plus.

— Pessimiste ! répliqua Dusty, contaminé par le style lapidaire de Fig.

— Non, réaliste.

Fig inclina la tête, son attention attirée par une discussion à la radio. Tout ce que pouvait entendre Dusty, c'était un faible murmure qui s'échappait des écouteurs. Fig était juché en équilibre sur l'encadrement de la fenêtre, son carré de toile émeri à la main, les yeux noyés d'un regret encore plus profond que d'habitude, généré sans doute par les propos étranges qu'il entendait ; il restait figé sur place, comme frappé par le rayon paralysant d'un alien.

Troublé par les prédictions sinistres de Fig, Dusty s'empressa de rejoindre l'échelle d'aluminium que Skeet avait empruntée pour grimper sur le toit. Un instant, il envisagea de monter côté façade, mais une approche aussi directe risquait d'effrayer Skeet et de l'inciter à sauter avant qu'il n'ait le temps de lui dire un mot pour l'en dissuader. Les échelons grincèrent sous ses pieds pendant son ascension.

Il atteignit le toit de la maison par l'arrière. Skeet Caulfield se trouvait côté façade, hors de vue, derrière une pente abrupte de tuiles orange, pareille au flanc écailleux d'un dragon endormi.

La maison était perchée sur une colline ; à cinq kilomètres à l'ouest, au-delà de l'enchevêtrement d'immeubles de Newport Beach et de son petit port, s'étendait le grand Pacifique. Le bleu de l'eau semblait s'être déposé comme un sédiment au fond de l'océan, et la houle dessinait des myriades de moutons gris boursouflés de noir — une image des cieux menaçants. À l'horizon, mer et ciel semblaient se rejoindre pour former une gigantesque vague sombre qui, si elle avait été réelle, aurait eu assez de force pour déferler sur tout le pays et battre le pied des montagnes Rocheuses, à mille kilomètres à l'est.

Derrière la maison, douze mètres plus bas, s'ouvrait le patio dallé — un danger plus immédiat que la mer et la tempête imminente. Dusty se voyait déjà écrabouillé sur ces dalles ; une image qui s'offrait à lui avec bien plus de vivacité que celle des Rocheuses battues par les flots furieux.

Dos à l'océan et à l'abîme périlleux, le corps plié en deux, les bras écartés et tendus devant lui pour contrecarrer la gravité qui l'attirait en arrière, Dusty entreprit de gravir le toit pentu. Le vent qui se levait de la mer n'était qu'une brise soutenue, il n'atteignait pas encore la force 8 ; mais Dusty était bien content de le sentir dans son dos, le pousser vers le toit plutôt que vers le vide. Arrivé au sommet de la longue pente, il s'assit à califourchon sur les tuiles faîtières et tourna la tête en direction de l'avant du bâtiment, où se succédaient d'autres plans inclinés de cette toiture complexe.

Skeet était perché sur une crête parallèle à celle où se tenait Dusty, à côté d'une cheminée à double conduit déguisée en beffroi trapu. La tour de plâtre était surmontée d'arches palladiennes, des colonnes de ciment imitant le calcaire supportaient une coupole en cuivre d'inspiration espagnole et, au sommet de la coupole, trônait une flèche gothique miniature lourdement ouvragée aussi adaptée à cet ensemble fantasque qu'une enseigne au néon pour la bière Budweiser.

Tournant le dos à Dusty, assis les genoux repliés sous son menton, Skeet regardait la ronde des corbeaux au-dessus de lui ; les bras en croix, tendus vers eux en un geste suppliant, il semblait inviter les oiseaux à se poser sur sa tête et ses épaules ; il n'était plus un peintre en bâtiment, mais saint François d'Assise en communion avec ses frères ailés.

Progressant avec une démarche de pingouin, Dusty suivit la crête du toit vers le nord jusqu'à son extrémité, quelques mètres plus bas, où elle croisait un autre toit orienté est-ouest. Abandonnant son perchoir et sa relative sécurité, Dusty se laissa descendre le long des tuiles cylindriques, dos à la pente, penché en avant pour lutter contre la gravité qui le tirait inexorablement vers l'abîme. Il hésita un moment, prostré sur les dernières pannes du pignon, puis se décida à enjamber la gouttière et à sauter sur le toit en contrebas. Il atterrit sur la ligne de crête, un pied de part et d'autre des tuiles faîtières.

Mais son centre de gravité se retrouva déporté sur la droite. Dusty voulut se redresser ; voyant qu'il n'arriverait pas à retrouver son équilibre et que la chute était imminente, il plongea tête la première pour s'aplatir sur les tuiles, jambe et bras droits plaqués contre la pente sud, membres du côté gauche accrochés tant bien que mal à la face nord ; on eût dit un cow-boy de rodéo s'agrippant à un taureau furieux.

Dusty resta un moment dans cette position, contemplant le camaïeu de bruns des tuiles et le glacis de mousses mortes qui les recouvrait. Cela lui rappelait un Pollock, mais les motifs étaient plus complexes – un effet plus pénétrant pour le cœur et plus inquiétant pour l'esprit.

Lorsque la pluie se mettrait à tomber, la couche de lichens deviendrait glissante comme du savon et les tuiles de terre cuite seraient autant de chausse-trappes vers la mort. Il fallait rejoindre Skeet et descendre de ce toit avant que l'orage éclate.

Après plusieurs secondes d'efforts intenses, Dusty parvint à ramper jusqu'à un clocheton. Celui-ci n'était pas chapeauté d'une coupole de cuivre mais d'un dôme miniature qui évoquait le sommet d'une mosquée. La couverture de carreaux de céramique représentait un motif islamique baptisé l'arbre du paradis. Les propriétaires de la maison n'étaient pas musulmans – ils devaient avoir choisi cet ornement exotique par souci esthétique, même si les seules personnes susceptibles d'admirer cette construction étaient les couvreurs, les peintres et les ramoneurs.

Prenant appui sur le clocheton, Dusty se remit debout. S'accrochant aux orifices d'aération qui crénelaient la paroi sous la rive du dôme, il parvint à contourner la construction pour gagner l'autre portion de toit qui s'étendait au-delà.

Il reprit aussitôt sa progression, aplati comme une crêpe sur la ligne de crête, jusqu'à rejoindre une autre tour, surmontée elle aussi d'un dôme avec son arbre du paradis. Il avait l'impression d'être Quasimodo – même s'il n'était pas tout à fait aussi hideux que ce pauvre diable, et, en tout cas, bien loin d'avoir son agilité.

Il contourna cette seconde tour et poursuivit son périple jusqu'à l'extrémité du toit, croisant, à angle droit, la toiture du bâtiment de façade. Skeet avait laissé une petite échelle d'aluminium contre le mur de pignon. Dusty l'emprunta pour rejoindre la rive supérieure, puis progressa à quatre pattes comme un singe le long de la pente du toit.

Lorsque, enfin, Dusty atteignit le faîte, Skeet ne sembla ni surpris ni inquiet de le voir débarquer.

– Salut, Dusty.

– Salut, gamin.

Dusty avait vingt-neuf ans ; il n'était que de cinq ans l'aîné de son employé, mais Skeet restait un enfant à ses yeux.

– Cela te dérange si je m'assois un peu pour reprendre mon souffle ? s'enquit Dusty.

– Pas du tout. J'aime bien ta compagnie, répondit Skeet dans un sourire.

Dusty posa ses fesses sur la crête, les genoux relevés, les pieds solidement plaqués sur les tuiles canal.

Loin à l'est, derrière la cime des arbres agités par le vent et les toits des autres maisons, derrière les autoroutes et d'autres zones d'habitation, derrière les collines de San Joaquin, s'élevaient les montagnes Santa Ana, brunes et desséchées comme à leur habitude au début de la saison des pluies. Autour de leurs couronnes millénaires s'enroulaient des nuages, tels des turbans gris et sales.

Dans l'allée en contrebas, Motherwell avait étendu une grande bâche sur le sol. Le vigile, lui, regardait Dusty et Skeet d'un air renfrogné en consultant sa montre. Il avait donné dix minutes à Dusty avant d'appeler la police.

– Je suis désolé, déclara Skeet d'une voix étrangement calme.

– Désolé de quoi ?

– D'avoir décidé de sauter pendant mes heures de boulot.

– C'est vrai que tu aurais pu choisir de faire ça comme un violon d'Ingres, pendant ton temps libre, concéda Dusty.

– Ouais, mais je voulais sauter à un moment où je suis heureux, pas où je suis malheureux ; et pendant le travail, je suis heureux.

– J'essaie, effectivement, de créer une ambiance de travail conviviale !

Skeet rit doucement puis essuya son nez morveux sur le revers de sa manche.

Autrefois mince et musclé, il était aujourd'hui d'une maigreur famélique. Il gardait cependant son visage doux d'antan, comme si les kilos avaient fondu de façon sélective. Il était pâle, beaucoup trop pâle, bien qu'il travaillât souvent au soleil – une pâleur cadavérique qui transparaissait sous le hâle léger de sa peau, plus proche du gris que du marron. Avec ses tennis de toile noire, ses chaussettes rouges, son pantalon blanc et son sweater jaune passé dont les manches élimées pendaient sur ses poignets squelettiques, il ressemblait à un enfant, un enfant perdu qui aurait erré des jours durant dans le désert, sans boire ni manger.

– J'ai dû attraper un rhume, dit-il en s'essuyant de nouveau le nez.

– À moins que ce nez qui coule ne soit un effet secondaire d'autre chose ?

D'ordinaire, les yeux de Skeet étaient d'un brun lumineux, couleur miel ; mais, aujourd'hui, ils étaient si délavés qu'ils ne reflétaient plus qu'un fond jaunâtre.

– Tu me prends pour un lâcheur, pas vrai ?

– Pas du tout.

– Bien sûr que si. Mais c'est comme ça. Je me suis fait une raison.

– Ce n'est pas moi que tu lâches, le rassura Dusty.

– Si, je te lâche. On savait tous les deux que cela arriverait un jour.

– C'est toi que tu lâches, toi seul.

– Ne te bile pas, vieux, répondit Skeet en tapotant le genou de Dusty. Je ne te reproche pas d'avoir trop misé sur moi, pas plus que je ne me reproche d'avoir tout fichu en l'air. J'ai dépassé tout ça.

Douze mètres plus bas, Motherwell sortit de la maison, tenant sous un seul bras un matelas à deux places.

Les propriétaires, partis en vacances, avaient laissé les clés à Dusty, parce que certains murs intérieurs nécessitaient un coup de peinture.

Motherwell lâcha le matelas sur la bâche, jeta un coup d'œil vers Dusty et Skeet puis disparut de nouveau à l'intérieur. Même de sa hauteur, Dusty lisait de la désapprobation sur le visage du vigile : celui-ci n'approuvait pas que Motherwell dépouille la maison pour confectionner une aire de réception de fortune.

– Qu'est-ce que tu as pris ? demanda Dusty.

Skeet haussa les épaules et releva la tête vers les corbeaux au-dessus de lui. Avec son sourire niais et son regard chargé d'un respect extatique, on eût dit un ermite adepte de la macrobiotique qui s'était mis en train avec une orange pressée bio, un muffin au son sans sucre, une omelette au tofu et une promenade méditative de quinze kilomètres.

— Dis-moi ce que tu as pris. Fais un effort de mémoire ! insista Dusty.

— Je ne sais pas. Un mélange. Des cachets, des trucs en poudre.

— Des tranquillisants ou des excitants ?

— Probablement les deux. Et d'autres trucs encore. Mais je ne me sens pas mal. Il détourna son regard des oiseaux et posa la main sur l'épaule de Dusty. Je me sens bien. En paix avec moi-même.

— J'aimerais quand même savoir ce que tu as avalé.

— Pourquoi ? Même si c'est le meilleur cocktail de tous les temps, tu n'y goûteras jamais, toi. Skeet lui pinça la joue d'un air taquin. Jamais. Tu n'es pas comme moi.

Motherwell sortit de nouveau de la maison, avec un deuxième matelas provenant d'un autre lit de deux places. Il le déposa sur le premier.

— C'est idiot, lâcha Skeet en désignant la portion de toit surplombant l'empilage de matelas. Il suffit que je saute à côté.

— Il est hors de question que tu fasses un saut de l'ange dans l'allée des Sorenson, lâcha Dusty avec autorité.

— Ils s'en fichent. Ils sont à Paris.

— À Londres.

— Peu importe.

— Et ils ne s'en fichent pas du tout ! Ils vont très mal le prendre.

Skeet écarquilla les yeux.

— Ils sont hyperémotifs ou quoi ?

Motherwell était en train de discuter avec le gardien. Dusty entendait leurs voix mais leurs paroles restaient inintelligibles.

Skeet avait toujours la main posée sur l'épaule de son patron.

— Tu as froid, dit-il.

— Non. Tout va bien.

— Tu trembles.

— Ce n'est pas de froid, c'est de peur…

— Tu as peur, toi ? L'incrédulité raviva un instant les yeux éteints de Skeet. Mais de quoi ?

— De la hauteur.

Motherwell et le vigile pénétrèrent dans la maison. De là-haut, on eût dit que Motherwell, qui avait passé son bras dans le dos du vigile, le soulevait de terre pour lui faire presser le pas.

— De la hauteur ? répéta Skeet, hoquetant encore de surprise. Chaque fois qu'il y a quelque chose à repeindre sur un toit, tu insistes pour le faire toi-même.

— N'empêche que j'ai l'estomac en vrac chaque fois.

— Arrête tes bêtises. Tu n'as peur de rien.

— Je t'assure que c'est vrai.

— Pas toi.

— Si, moi.

— Pas toi ! insista Skeet dans un brusque accès de colère.

— Même moi.

L'humeur de Skeet changea soudain ; l'air déprimé, il retira sa main de l'épaule de Dusty, enroula ses bras autour de son torse et se mit à se balancer d'avant en arrière sur le siège de fortune que lui offrait la ligne de tuiles faîtières. Sa voix vibrait d'angoisse, comme si Dusty n'avait pas simplement annoncé qu'il avait peur du vide mais qu'il avait un cancer au stade terminal.

— Pas toi, pas toi, pas toi…

Dans son état, Skeet pouvait peut-être être réconforté par des paroles de sympathie ; mais, s'il les jugeait trop apitoyées, il se replierait aussitôt dans sa coquille, inaccessible, voire hostile – une réaction déjà fâcheuse en temps ordinaire mais qui pouvait avoir des conséquences fatales à douze mètres au-dessus du sol. Généralement, il acceptait mieux l'humour, la vérité nue et une bonne remontée de bretelles que des propos hypocrites et sirupeux.

Pendant que Skeet psalmodiait ses « *pas toi, pas toi…* » Dusty articula :

— Tu es un gros mou, voilà ce que tu es.

— C'est toi, le mou !

— Pas du tout.

— Je t'assure que tu es mou de chez mou.

Dusty secoua la tête.

— Je ne suis pas mou, je suis psychoprogériaque.

— Psycho quoi ?

— *Progériaque.* C'est celui qui est atteint de *progeria* – un dysfonctionnement génétique qui se caractérise par une dégénérescence des tissus et un vieillissement accéléré. Un enfant souffrant de ce mal passe pour un vieillard.

Skeet dodelina du chef.

— Ah ouais, ça me dit quelque chose. J'ai vu un truc là-dessus dans *60 minutes.*

— Un psychoprogériaque, c'est donc un type qui est mentalement vieux, même lorsqu'il est enfant ; c'est comme ça que me surnommait mon père. Parfois, il se contentait des initiales : PP. « Alors, comment va mon petit PéPé, aujourd'hui ? » il disait. Ou bien : « Si ça te défrise de me voir boire un verre de whisky, petit PéPé, va donc jouer avec des allumettes dans ta cabane en bois au fond du jardin. »

Chassant l'angoisse et la colère aussi brusquement qu'elles étaient apparues, Skeet eut un élan de sollicitude :

— Eh bien, c'était l'amour vache, entre vous.

— Ça, c'est sûr. Nos rapports n'avaient rien de mou.

— C'était lequel ton père, au fait, demanda Skeet en fronçant les sourcils.

— Mr. Trevor Penn Rhodes, professeur de littérature, adepte du déconstructionnisme.

— Ah oui, Pr Doute-de-tout.

Contemplant les monts Santa Ana, Dusty paraphrasa son père : « Le langage ne peut décrire la réalité. La littérature ne possède aucun système de référence fixe, aucune signification réelle. Toutes les interprétations des lecteurs sont valables et prévalent sur les intentions de l'auteur. En fait, rien dans la vie n'a de sens. La réalité est purement subjective. Vérité et valeur sont des notions subjectives. La vie n'est qu'une illusion. Blablabla et blablabla, sur ce, buvons un autre verre de whisky. »

Les montagnes au loin semblaient pourtant belles et bien réelles aux yeux de Dusty, le toit sous son postérieur tout autant ; et, s'il tombait la tête la première sur les dalles de l'allée, il serait tué sur le coup ou estropié à vie. Cela ne prouvait peut-être rien pour le Pr Doute-de-tout, mais c'était amplement convaincant pour sa progéniture.

— C'est pour ça que tu as peur du vide ? À cause de ce qu'il a fait ?

— Qui ça ? Doute-de-tout ? Non. Les hauteurs me fichent les jetons, c'est tout.

Skeet se montra soudain soucieux et plein de bienveillance :

— Tu devrais consulter un psy.

— Je préfère rentrer chez moi et parler à mon chien.

— J'ai fait pas mal de thérapie et...

— Et cela t'a fait un grand bien, ça saute aux yeux !

Skeet éclata de rire. Il rit si fort qu'une coulée de morve s'échappa de ses narines.

Dusty sortit un Kleenex de sa poche et le lui offrit.

— Eh bien, disons que... commença Skeet en s'essuyant le nez... que je n'ai pas le même parcours. Moi, c'est de *tout* que j'ai peur. C'est comme ça depuis toujours, je crois bien.

— Je sais.

— Se lever le matin, se coucher le soir, et tout ce qu'il y a entre les deux. Mais je n'ai plus peur, maintenant.

Il acheva de se moucher et tendit le Kleenex à Dusty.

— C'est bon, tu peux le garder.

— Merci. Et tu sais pourquoi je n'ai plus peur ?

— Parce que tu es raide def ?

Skeet se mit à rire en hochant la tête.

— Peut-être... Mais aussi parce que j'ai vu l'Autre Côté.

— L'autre côté de quoi ?

– L'Autre Côté. Grand A, grand C. J'ai reçu la visite d'un ange de la mort, et il m'a montré ce qui nous attendait là-bas.

– Je croyais que tu étais athée ?

– Plus maintenant. Tout ça, c'est du passé. Tu devrais être content d'entendre ça, pas vrai, grand frère ?

– C'est facile, pour toi. Tu avales une pilule et hop, tu trouves Dieu.

Le sourire de Skeet étira la peau de son visage, laissant transparaître les os de son crâne.

– C'est cool, non ? L'ange me demande de sauter, je saute. Je suis ses instructions.

Brusquement le vent se leva, hululant entre les tuiles du toit – un air plus froid, chargé de l'odeur iodée de la mer, suivie soudain, comme un sinistre augure, par l'odeur fétide des algues en décomposition.

Devoir arpenter ce toit pentu sous la bourrasque était bien le dernier souhait de Dusty ; il fit une prière rapide pour que le vent retombe au plus vite.

Il fallait agir ; les pulsions suicidaires de Skeet devaient avoir monté d'un cran depuis que le jeune homme s'était découvert ce nouveau courage… peut-être une bonne giclée de terreur l'inciterait-il à se raccrocher à la vie ?

– Nous ne sommes qu'à douze mètres du sol, commença Dusty, et sûrement pas à plus de dix depuis le bord du toit. Sauter serait encore un acte typique de mollasson ; tout ce que tu vas gagner, ce n'est pas de mourir, mais de rester paralysé à vie, relié à des machines pour les quarante prochaines années, un vrai légume.

– Non, je vais mourir, répliqua Skeet en gonflant la poitrine avec fierté.

– Ce n'est pas du cent pour cent.

– Arrête de prendre des airs supérieurs avec moi, Dusty.

– Mais je ne prends aucun air !

– À d'autres ! Dire qu'on n'a pas d'air supérieur, c'est déjà en avoir un !

– D'accord. J'avais un air supérieur.

– Tu vois, c'est ce que je disais.

Dusty prit une profonde inspiration.

– Écoute, c'est boiteux, ton truc. Descendons de ce toit, je t'emmènerai à l'hôtel Four Seasons à Fashion Island. On montera tout en haut, sur la terrasse ; il y a bien quatorze ou quinze étages. Tu pourras sauter, et là, tu seras sûr que ça marchera.

– Tu ne me laisserais pas faire.

– Si, promis. Si tu veux vraiment te tuer, fais-le bien. Il ne faut pas te louper. Pas question que tu rates aussi ton suicide !

– Dusty, je suis peut-être raide def, mais je ne suis pas stupide.

Motherwell et le vigile ressortirent de la maison avec un troisième matelas dans les bras, tels Laurel et Hardy ; ils étaient comiques à voir ainsi, mais le rire de Skeet fut sans joie.

Les deux hommes lâchèrent leur fardeau encombrant sur la pile déjà constituée. Motherwell redressa la tête vers Dusty et leva les bras au ciel, comme pour lui dire : *Alors, qu'est-ce que vous attendez ?*

L'un des corbeaux quitta sa formation de vol et fondit en piqué pour un lâcher de bombes à faire pâlir d'envie les top-guns de l'US Air Force. Une ogive blanche et gluante s'écrabouilla sur la chaussure gauche de Skeet.

Le jeune homme regarda alternativement le volatile incontinent et sa tennis souillée. Son humeur changea si vite et si brutalement que sa tête aurait pu se mettre à osciller sous la secousse. Son sourire béat se recroquevilla comme un paquet de terre emporté par le vortex d'un lavabo et son visage se fixa en un masque de désespoir.

— Voilà toute ma vie, articula-t-il d'une voix sourde. Il se baissa pour plonger le doigt dans la substance blanche qui maculait sa chaussure. La voilà.

— Ne sois pas ridicule. Et ne te lance pas dans les métaphores, tu n'as pas le niveau pour ça.

Cette fois, Dusty ne put arracher un sourire à Skeet.

— Je suis si fatigué, reprit le jeune homme en écrasant la déjection entre le pouce et l'index. Il est temps pour moi d'aller au lit.

Skeet ne pensait pas à ce que l'on appelle communément « lit ». Il n'imaginait pas non plus aller faire un petit somme sur le tas de matelas dans l'allée. Il parlait du grand sommeil, celui que l'on fait sous une couverture de terre, en compagnie d'une colonie de vers.

Skeet se mit debout sur le sommet du toit. Malgré son poids plume, il restait solidement campé sur ses deux jambes, apparemment insensible aux bourrasques.

Lorsque Dusty tenta de se relever, le vent le frappa de plein fouet, manquant de le faire décoller ; il lutta un moment, puis, s'avouant vaincu, s'accroupit pour abaisser son centre de gravité et préserver un semblant d'équilibre.

Soit il s'agissait d'un vent déconstructionniste – un vent dont l'effet était différent selon le point de vue de chaque personne, une simple brise pour l'un, un ouragan pour l'autre –, soit la peur du vide de Dusty aiguisait ses sens et lui donnait une perception hypertrophiée de la moindre risée. Ayant depuis longtemps jeté aux oubliettes les théories tordues de son père, Dusty décida que si Skeet pouvait tenir debout sans être emporté comme un Frisbee, il pouvait en être de même pour sa propre personne.

— C'est ce que j'ai de mieux à faire, Dusty, lança Skeet, en élevant la voix contre les hululements du vent.

— Voilà que tu sais ce qui est bien ou non pour toi, maintenant ! Première nouvelle !

– N'essaie pas de m'en empêcher.

– Il le faut bien, pourtant.

– Tu ne pourras pas me convaincre.

– Je m'en suis rendu compte.

Ils se tenaient face à face, tels deux athlètes prêts à s'affronter dans un sport qui se pratiquerait sur un terrain en pente perché à douze mètres au-dessus du sol – Skeet était dressé de toute sa hauteur, un basketteur attendant que l'arbitre lance la balle dans un entre-deux, et Dusty, ramassé sur ses jambes, un lutteur de sumo poids coq cherchant le meilleur appui.

– Je ne veux pas te faire de mal, déclara Skeet.

– Je n'y tiens pas non plus.

Si Skeet était décidé à sauter du toit des Sorenson, il ne pouvait l'en empêcher. La pente du toit, la rotondité des tuiles canal, le vent et la loi de la gravitation universelle étaient de son côté. Tout ce que pouvait tenter Dusty, c'était de s'arranger pour que cet idiot saute au bon endroit et atterrisse sur les matelas.

– Tu es mon ami, Dusty. Mon seul et vrai ami.

– Merci pour le vote de confiance, gamin.

– C'est ce qui fait de toi mon meilleur ami.

– Par faute de concurrence, précisa Dusty.

– Et le meilleur ami de quelqu'un ne devrait pas le détourner du chemin de la gloire.

– De la gloire ?

– C'est ça qu'il y a de l'Autre Côté. La gloire.

La seule façon d'être sûr que Skeet retombe sur les matelas était de l'attraper au passage et de le pousser dans le vide au point d'envol idéal. Ce qui voulait dire courir sur le toit et sauter avec lui.

Le vent agitait les longs cheveux blonds de Skeet, dernière relique de son charme d'antan. Il avait été, autrefois, un jeune homme séduisant ; toutes les filles lui couraient après.

À l'exception de cette crinière jaune, Skeet était d'une immobilité totale. Bien qu'il fût plus gavé de substances hallucinogènes qu'une sorcière de Salem, son esprit restait vif et alerte, occupé à trouver le meilleur moyen de se débarrasser de Dusty et d'effectuer un plongeon irréprochable et définitif sur les dalles de l'allée.

– Je me suis toujours demandé, reprit Dusty, espérant détourner Skeet de ses desseins suicidaires ou tout au moins gagner un peu de temps, à quoi pouvait bien ressembler un ange de la mort.

– Pourquoi ?

– Tu l'as vu, non ?

Skeet fronça les sourcils.

– Oui. Il était normal.

Une bourrasque arracha la casquette de Dusty et l'emporta dans son tourbillon vers le monde d'Oz ; Dusty ignora ce détail matériel et continua à presser Skeet de questions :

— À quoi il ressemblait ? À Brad Pitt ?

— Pourquoi aurait-il la tête de Brad Pitt ? rétorqua Skeet, en jetant de petits coups d'œil vers le bord du toit.

— Il a joué le rôle d'un ange de la mort dans *Rencontre avec Joe Black.*

— J'ai pas vu le film.

Avec un désespoir croissant, Dusty poursuivit :

— Il ne ressemblait pas à Jack Benny ?

— Pourquoi tu me demandes ça ?

— Jack Benny a joué un ange aussi, dans un vieux film. Tu ne te souviens pas ? On l'a regardé ensemble.

— Je ne me souviens pas de grand-chose. C'est toi qui as une mémoire photographique.

— Eidétique. Pas photographique. Une mémoire eidétique et auditive.

— Tu vois ! Je ne me rappelle même pas le nom. Toi, tu te souviens de ce que tu as mangé il y a cinq ans. Moi, je ne suis pas capable de dire ce que j'ai avalé hier soir.

— C'est juste une bizarrerie, la mémoire eidétique. Ça ne sert à rien, de toute façon.

Les premières gouttes de pluie se mirent à tomber, laissant des ronds noirs sur les tuiles du toit. Le lichen mort se transformait en une pellicule grasse et visqueuse — inutile de baisser les yeux pour s'en assurer, Dusty le sentait à l'odeur, une odeur d'humus et de moisi, mêlée à celle d'argile humide qui montait des tuiles. Une image lui traversa l'esprit et lui donna le frisson : *lui et Skeet glissaient le long du toit, puis tombaient dans le vide comme des pierres ; Skeet atterrissait sur les matelas, sans la moindre égratignure ni le moindre bleu, mais lui, Dusty, tombait à côté et se cassait la colonne vertébrale sur les dalles.*

— Billy Crystal, lâcha Skeet.

— Quoi ? La mort ? Ton ange de la mort ressemblait à Billy Crystal ?

— Ça t'embête ?

— Nom de Dieu, Skeet, comment peux-tu faire confiance à un ange tchatcheur et baratineur comme Billy Crystal !

— Moi, il m'a bien plu, répondit Skeet.

Et il se mit à courir vers le vide.

5.

Comme si une armada de destroyers lançait un tir de barrage avant l'assaut de l'infanterie, une succession d'explosions retentit sur la côte. De gigantesques vagues frappèrent le rivage, et les embruns, arrachés des crêtes des lames par le vent, retombaient en pluie crépitante dans les dunes et les herbes.

Martie Rhodes pressa le pas le long de la promenade Balboa Peninsula, une large jetée de béton bordée d'un côté de maisons et de l'autre de plages immenses. Pourvu qu'il ne pleuve pas avant une demi-heure, priait Martie.

La petite maison à deux étages de Susan Jagger était prise en sandwich entre deux autres constructions similaires. Le bardage de planches de cèdre décolorées par les intempéries et les volets blancs rappelaient le style des maisons de Cape Cod, bien que l'espace alentour fût trop exigu pour mettre en valeur ce type d'architecture. La maison, comme ses voisines, ne disposait pas de terrain en façade ni de terrasse couverte, mais seulement d'une petite cour agrémentée de quelques plantes en pot. Celle de Susan était pavée de briques et fermée par une barrière blanche. Le portail, non verrouillé, grinça sur ses gonds lorsque Martie le poussa.

Susan occupait autrefois le rez-de-chaussée et le premier étage avec son mari, Eric, qui avait transformé le deuxième étage – équipé d'une salle de bains et d'une cuisine – en bureau. Ils étaient aujourd'hui séparés. Eric avait déménagé depuis un an et Susan avait émigré en haut, afin de louer les deux premiers niveaux à un couple de retraités tranquilles dont le seul vice était de boire un Martini avant le dîner et d'avoir quatre perroquets pour animaux de compagnie.

Sur le côté de la maison, un escalier extérieur raide courait jusqu'au deuxième étage. Tandis que Martie montait les marches vers le petit palier de bois couvert d'un auvent, des mouettes passèrent au-dessus de sa tête en poussant des cris ; elles quittaient le Pacifique, traversaient la péninsule et filaient vers le port pour se protéger de la tempête.

Martie frappa à la porte, mais ouvrit le verrou sans attendre de réponse. Susan avait toujours du mal à venir accueillir un visiteur, de crainte d'apercevoir fugitivement le monde extérieur derrière lui ; elle avait donc donné à Martie un jeu de clés voilà près d'un an.

Rassemblant son courage en prévision de la tâche qui l'attendait, Martie pénétra dans la cuisine, éclairée par une unique lampe au-dessus de l'évier. Les volets étaient fermés, et des ombres pourpres couvraient le sol et les murs comme de lourdes draperies.

La pièce ne sentait ni les épices ni les odeurs de cuisine ; il planait dans l'air le relent ténu mais acide de désinfectant, de poudre à récurer et de produit lustrant.

— C'est moi ! lança Martie.

Susan ne répondit pas.

La seule lumière dans la salle à manger provenait de l'éclairage d'une petite vitrine où était exposée une collection de porcelaines de Majorque. L'air ici sentait la cire d'antiquaire.

Si toutes les lampes avaient été allumées, l'appartement se serait révélé d'une propreté irréprochable, plus aseptisé encore qu'un bloc opératoire. Susan avait tout le temps possible pour parfaire son ménage.

À en juger par le mélange d'odeurs qui régnaient au salon, la moquette avait été shampouinée récemment, les meubles cirés, les cousins nettoyés au K2R, et Martie remarqua que deux pots-pourris senteur citron avaient été placés sur des guéridons dans des petits creusets en céramique rouge.

Les grandes fenêtres, qui offraient une vue magnifique sur l'océan, étaient occultées par des stores, doublés de gros rideaux de velours.

Il y a quatre mois, Susan était encore capable de contempler le monde extérieur avec envie, même si, pendant les seize mois précédents, elle n'avait plus osé s'y aventurer, n'acceptant de quitter sa maison qu'assurée du soutien moral d'une âme protectrice. Aujourd'hui, la simple vue de cet espace ouvert, sans murs ni toit rassurants, déclenchait chez elle une réaction phobique.

Toutes les lampes étaient allumées dans le salon. Mais les lourdes tentures et l'atmosphère bizarrement feutrée à cette heure de la journée plongeaient la pièce dans une atmosphère de veillée funéraire.

Épaules voûtées, tête baissée, Susan attendait dans un fauteuil ; avec sa jupe et son chandail noirs, elle avait l'allure d'une pleureuse. Il ne lui manquait plus qu'une bible dans les mains.

— C'est qui l'assassin ? Le majordome ? demanda Martie en s'asseyant sur le bord du canapé.

— Non, la nonne, répondit Susan sans relever la tête.

— Comment ? Avec du poison ?

Toujours sans quitter son livre des yeux, Susan énuméra :

— Deux avec une hache. Un avec un marteau. Un étranglé avec un fil de fer. Un autre au chalumeau. Et deux avec une clouteuse.

— Houah ! Une nonne *serial killer* !

— On peut cacher plein de trucs sous une robe de religieuse.

— Décidément, les romans policiers ont bien changé depuis ma jeunesse.

— Et pas toujours en mieux, lâcha Susan en refermant son livre.

Elles étaient amies depuis la fin de l'école primaire — dix-huit années à tout partager : cela dépassait leur goût commun pour les romans policiers. Elles avaient connu ensemble les espoirs et les peurs de la jeunesse, les bonheurs et les regrets, les rires, les larmes, les commérages, les enthousiasmes d'adolescentes, les rêves et les retours amers à la réalité. Durant ces seize derniers mois, depuis l'inexplicable crise d'agoraphobie de Susan, elles avaient partagé plus de peines que de joies.

— J'aurais dû t'appeler, commença Susan. Je suis désolée, mais je ne peux pas aller à la séance aujourd'hui.

C'était un rituel ; Martie ne dérogea pas à son rôle :

— Bien sûr que tu le peux, Susan. Et tu vas le faire.

La jeune femme posa le livre à côté d'elle et secoua la tête.

— Non, je vais appeler le Dr Ahriman et lui dire que je suis malade. J'ai attrapé un rhume, peut-être même la grippe.

— Tu n'as pas l'air très enrhumée.

— C'est plus une grippe intestinale, grimaça Susan.

— Où est ton thermomètre ? On ferait bien de prendre ta température.

— Allons, Martie, regarde-moi. J'ai une tête de déterrée. Mes joues sont flasques, mes yeux rouges et mes cheveux sont de la vraie filasse. Je ne peux pas sortir dans cet état !

— Arrête tes enfantillages, Sooz. Tu as la même tête que d'habitude.

— Je suis horrible !

— Julia Roberts, Sandra Bullock, Cameron Diaz… toutes autant qu'elles sont, elles aimeraient être aussi jolies que toi, même lorsque tu es malade comme un chien et que tu vomis partout. Ce qui n'est même pas le cas !

— Je suis un monstre.

— Ben voyons, tu es Elephant Woman. On va te mettre un sac sur la tête et dire aux enfants de ne pas s'approcher.

Si la beauté avait été un fardeau, Susan aurait été écrasée au sol sous son poids. Avec ses cheveux blond cendré, ses yeux verts, son corps svelte, son délicat visage de statue Renaissance et sa peau immaculée digne d'une pêche sortie tout droit du jardin d'Éden, elle avait fait tourner plus de têtes sur son passage qu'un bataillon de chiropracteurs.

— Je déborde de partout dans cette jupe. Je suis grosse.

— Une quasi-obèse, railla Martie. Que dis-je ! Un dirigeable, un zeppelin, un bibendum femelle !

Malgré son confinement, qui limitait ses activités physiques au ménage et à des marches fastidieuses sur le tapis roulant installé dans sa chambre, Susan restait mince.

— J'ai encore pris cinq cents grammes, insista-t-elle.

— Fichtre ! Il faut aller tout de suite à SOS Lipo, lança Martie en se levant d'un bond du canapé. Je vais chercher ton imper. On appellera le chirurgien depuis la voiture. Il va lui falloir une pompe industrielle à gros débit pour aspirer toute ta graisse !

La penderie se trouvait dans le petit couloir qui menait à la chambre, fermée par deux portes coulissantes à miroirs. En s'approchant, Martie se raidit, prête à rebrousser chemin. Allait-elle être de nouveau victime de cette peur irrationnelle qui l'avait étreinte un peu plus tôt ?

Elle devait passer outre ses angoisses. Susan avait besoin d'elle. Si elle se laissait impressionner par ces bizarreries, sa peur alimenterait celle de Susan, et vice versa.

Lorsqu'elle fut face au grand miroir, rien de ce qu'il renvoya ne la fit tressaillir. Elle se força à sourire – un sourire pitoyable qui ne pouvait faire illusion. Quand elle croisa son regard dans la glace, elle détourna aussitôt les yeux et ouvrit l'un des battants.

Alors qu'elle décrochait l'imperméable de son cintre, Martie se demanda pour la première fois si ses récents accès de terreur n'étaient pas un effet insidieux du temps passé en compagnie de Susan. Peut-être ingérait-on un peu d'angoisse à force de fréquenter une personne atteinte de phobie aiguë ?

À cette idée, une vague de honte colora fugitivement les joues de Martie. Ce genre de crainte tenait davantage de la superstition et de telles pensées étaient bien injustes et bien peu charitables envers la pauvre Susan. Les phobies et autres crises de panique n'étaient pas contagieuses, n'importe qui de sensé le savait.

Elle se détourna de la penderie et, sans se retourner, referma la porte coulissante derrière elle. Quel terme emploient les psychologues pour désigner quelqu'un qui a peur de sa propre ombre ? se demanda-t-elle. La terreur inhibitrice des grands espaces, mal qui affectait Susan, était appelée agoraphobie. Mais quand il s'agissait d'ombres ? de reflets ?

Ce ne fut qu'une fois de retour dans le salon que Martie se rendit compte qu'elle venait de refermer la porte de la penderie en lui tournant le dos, pour ne pas affronter son image dans la glace. Troublée par cette aversion instinctive, elle s'immobilisa, prête à aller se planter devant le miroir.

Susan, toujours assise dans son fauteuil, l'observait.

Le miroir attendrait.

Elle ouvrit l'imperméable et s'approcha de son amie.

— Allez, debout. Enfile ça et allons-y.

Susan referma les mains sur les accoudoirs, s'accrochant à son fauteuil, paniquée à l'idée de quitter son sanctuaire.

— Je ne peux pas.

— Si tu annules une séance à moins de quarante-huit heures du rendez-vous, la séance est due.

— J'ai les moyens.

— Non, ce n'est pas vrai, tu n'as pas les moyens. Tu n'as aucun revenu.

Le seul désordre psychique qui aurait pu ruiner aussi irrémédiablement la carrière d'agent immobilier de Susan que l'agoraphobie aurait été une pyromanie aiguë. Tant qu'elle faisait visiter les maisons à ses clients, cela se passait sans trop de problèmes, mais sitôt qu'elle mettait le pied dehors, qu'elle devait se déplacer d'un logement à l'autre, elle était prise d'une terreur qui la paralysait, au point de ne plus même pouvoir conduire.

— J'ai une rente, répondit Susan en faisant allusion au loyer mensuel que lui versaient ses retraités amateurs de perroquets.

— Qui ne couvre pas les traites des emprunts, ni les impôts, l'eau, l'électricité et le quotidien.

— J'ai mis beaucoup d'argent dans cette maison.

C'est peut-être bien la seule chose qui te sauvera de la ruine totale si tu ne te débarrasses pas de cette saleté de phobie, pesta Martie intérieurement. Mais elle ne pouvait exprimer ses pensées à voix haute. Ces prévisions sinistres auraient pourtant été un bon aiguillon pour pousser Susan à quitter son siège.

Relevant son menton délicat d'un air bravache, Susan ajouta :

— En plus, Eric m'envoie un chèque.

— C'est pas grand-chose. À peine de l'argent de poche. Et si ce porc divorce, tu ne toucheras plus rien de lui, c'est couru d'avance, vu que tu avais plus de biens que lui au moment de votre mariage et que tu n'as pas d'enfants.

— Eric n'est pas un porc.

— Tu as raison. C'est un salaud.

— Sois gentille, Martie.

— Mais je suis gentille. C'est une ordure, un point, c'est tout.

Susan ne voulait ni s'apitoyer ni pleurer sur son sort, ce qui était hautement respectable, mais elle s'interdisait, du même coup, de laisser exprimer sa colère, ce qui était pour le moins discutable.

— Il a été si choqué de me voir comme ça… Il n'a pas pu le supporter.

— Oh, le pauvre petit chéri, railla Martie. Et j'en déduis qu'il était aussi trop troublé pour se souvenir de ce passage du serment du mariage qui dit que les époux se jurent fidélité et assistance pour « le meilleur et pour le pire. »

La rancœur de Martie à l'encontre d'Eric était authentique, mais elle se devait de l'entretenir, de l'attiser sans cesse. Eric avait toujours été calme, effacé, doux et gentil : bien qu'il eût abandonné sa femme, on avait du mal à le haïr. Martie aimait trop Susan toutefois pour ne pas honnir ouvertement son ex-époux ; en outre, elle jugeait que cette colère était une béquille précieuse dans la lutte de la jeune femme contre son agoraphobie.

— Eric serait là si j'avais un cancer ou quelque chose de ce genre, insista Susan. Je n'ai pas une maladie normale, Martie. Je suis folle, voilà ce que je suis !

— Tu n'es pas folle. Les phobies ou les crises d'angoisse n'ont rien à voir avec la folie.

— J'ai l'impression de devenir maboule, d'être en plein delirium tremens.

— Il n'a pas tenu quatre mois. C'est un porc, un salaud, un lâche, et pire encore.

Elles arrivaient à la partie la plus délicate de sa mission – celle qu'elle avait baptisée la phase d'expulsion. L'opération était stressante pour Susan et éreintante pour Martie. Afin de faire sortir son amie récalcitrante de sa tanière, Martie devait se montrer d'une fermeté d'airain et sourde à toute doléance. Bien que cette dureté fût justifiée par de nobles sentiments, Martie avait l'impression d'être un garde-chiourme se plaisant à tourmenter Susan. Ce n'était pas dans le caractère de Martie d'être autoritaire, même pour la bonne cause ; à l'issue de chacune de ces épreuves marathons, qui duraient au bas mot quatre à cinq heures, elle rentrait chez elle dans un état d'épuisement total.

— Sooz, tu es belle, gentille, unique et suffisamment intelligente pour te débarrasser de cette saloperie. Martie agita l'imperméable. Maintenant, lève ton cul de cette chaise !

— Pourquoi le Dr Ahriman ne vient-il pas ici pour les séances ?

— Quitter ta maison deux fois par semaine fait partie de la thérapie. Tu connais le principe ; il faut t'immerger dans la chose même qui te terrifie. Une sorte d'inoculation.

— Ça ne marche pas.

— Ben voyons !

— C'est de pire en pire.

— Allez, debout !

— C'est trop cruel, protesta Susan. Elle lâcha les accoudoirs et posa les mains, les poings serrés, sur ses cuisses. Tellement cruel.

— Geignarde !

Elle jeta un regard noir à Martie.

— Tu es parfois une vraie salope !

— Que veux-tu, on ne se refait pas ! Si Joan Crawford était encore en vie, je la provoquerais dans un duel à coups de cintre, et j'en ferais de la bouillie !

Susan rit puis, en secouant la tête, se leva de son siège.

— Je suis désolée d'avoir dit ça. Excuse-moi. Je ne sais pas ce que je ferais sans toi.

— Si tu es bien gentille pendant le voyage, annonça Martie tandis qu'elle aidait Susan à enfiler son imperméable, on s'arrêtera chez le traiteur chinois. On s'ouvrira deux Tsingtao et on fera un pinocle pendant le déjeuner, à cinquante cents le point.

— Tu me dois déjà six cent mille dollars !

— Alors il ne te reste plus qu'à me briser les jambes. Les dettes de jeu ne sont pas reconnues juridiquement !

Susan éteignit toutes les lampes à l'exception d'une, prit son sac à main sur la table basse et se dirigea vers la sortie, Martie sur ses talons.

Au moment de traverser la cuisine derrière Susan, le regard de Martie fut attiré par un objet étrange reposant sur la planche à découper à côté de l'évier, une *mezzaluna*, un ustensile de cuisine courant en Italie. En abaissant de gauche à droite la lame en inox pareille à un croissant de lune et munie de poignées à chaque extrémité, on pouvait hacher toutes sortes d'aliments.

Comme un courant électrique, une lumière scintillante semblait courir sur le fil courbe de l'instrument. Martie n'arrivait pas à en détacher les yeux. Ce n'est que lorsque Susan lui demanda si tout allait bien qu'elle prit conscience de l'attraction qu'exerçait sur elle la *mezzaluna*

Sa gorge était sèche, sa bouche en carton. Avec difficulté, elle articula : « Qu'est-ce que c'est ? », alors qu'elle connaissait déjà la réponse.

— Tu t'en es jamais servie ? C'est un ustensile génial ! Tu peux hacher un oignon en un tournemain.

La vue de la lame ne terrifiait pas Martie autant que son ombre ou son reflet dans le miroir. Elle la mettait néanmoins mal à l'aise, sans qu'elle puisse savoir pourquoi.

— Martie ? Ça va ?

— Oui, bien sûr. Allons-y.

Susan tourna la poignée de la porte d'entrée, puis hésita à poursuivre son geste. Martie referma sa main sur celle de son amie et ouvrit avec elle la porte d'entrée. Une lumière blafarde et un vent froid pénétrèrent dans la pièce.

Le visage de Susan pâlit aussitôt à l'idée de s'aventurer au-dehors, sans la protection d'un toit au-dessus d'elle.

— On a fait ça des centaines de fois déjà, la rassura Martie.

Susan se cramponnait au chambranle.

— Je ne peux pas sortir là-dedans…

— Si, tu le peux.

Susan voulut rebrousser chemin et se réfugier dans la cuisine. Martie lui bloqua le passage.

— Laisse-moi rentrer, c'est trop dur. C'est une souffrance pour moi.

— Pour moi aussi, c'est une souffrance…

— Foutaises ! Le désespoir déformait les traits délicats de son visage, une peur sauvage assombrissait le vert de ses yeux. Ça t'amuse, tout ça. Tu prends ton pied, oui. Tu es folle !

— Non, je suis méchante. Martie lui barrait le passage, les mains agrippées de part et d'autre de l'encadrement de la porte. Moi, je suis la méchante ; c'est toi, la folle.

Soudain, Susan cessa de pousser Martie et s'accrocha à elle, cherchant son soutien.

— Allons-y ! J'ai trop envie de manger chinois à midi !

Martie enviait Dusty ; son seul souci du matin, c'était de savoir si son équipe aurait le temps de terminer le travail prévu avant qu'il ne se mette à pleuvoir.

De grosses gouttes de pluie commencèrent à tinter sur l'auvent qui protégeait le perron de l'appartement – quelques cliquetis épars, qui se muèrent bientôt en staccato.

Enfin, elles passèrent le seuil et s'engouffrèrent à l'extérieur. Martie tira la porte derrière elle et donna un tour de clé.

La phase d'expulsion était terminée. Mais le pire restait à venir, et, cette fois, Martie ne pouvait s'y préparer…

6.

Skeet courait avec enthousiasme sur le toit pentu en direction du vide, visant un point d'envol qui lui garantirait un atterrissage sur les dalles de l'allée et non sur les matelas. Il faisait des sauts de cabri sur les tuiles orange tel un enfant se précipitant chez le marchand de glaces de l'autre côté de la rue, et Dusty courait derrière lui telle une mère affolée.

Pour ceux qui les observaient depuis le plancher des vaches, les deux hommes semblaient aussi dérangés l'un que l'autre, participant à un suicide collectif.

À mi-pente, Dusty parvint à attraper Skeet. D'une poussée, il le fit dévier de sa trajectoire et l'entraîna avec lui dans une diagonale. Des tuiles cédèrent sous leurs pieds, projetant des éclats de mortier qui dévalèrent la pente en tintinnabulant. Rester debout sur ces débris roulants était aussi délicat que de marcher sur des billes. Et c'était oublier la pluie et les lichens glissants ainsi que la résistance enthousiaste de Skeet qui battait des bras, jouait des coudes en poussant des gloussements d'enfant que l'on chatouille. La partenaire invisible de Skeet dans cette gigue, dame la Mort, donnait au garçon une grâce et un équilibre surnaturels. Dusty parvint finalement à plaquer le jeune homme sur le toit et leurs deux corps enlacés dévalèrent les trois mètres qui les séparaient du précipice… vers les matelas… ? Non, peut-être pas – Dusty avait perdu tout sens de l'orientation. À leur passage, la gouttière de cuivre, fléchissant sous leur poids, émit un son de contrebasse.

Tandis qu'il fendait l'air comme une pierre, se précipitant vers le sol avec Skeet contre lui, Dusty songea à Martie : l'odeur de ses cheveux bruns, la courbe malicieuse de son sourire, l'honnêteté qui illuminait ses yeux.

Dix mètres n'étaient pas grand-chose, à peine la hauteur de trois étages, mais c'était amplement suffisant pour fendre en deux le crâne de n'importe quelle tête de mule ou briser une colonne vertébrale aussi facilement que l'on casse un bretzel ; c'est pourquoi, dès que Dusty sentit sous son dos le contact mou de la pile de matelas, il remercia Dieu. Puis il se rendit compte que durant sa chute, alors que la plus fugitive de ses pensées risquait d'être sa dernière, son esprit avait été tout entier focalisé sur Martie. Dieu était venu après – après elle.

Les Sorenson avaient acheté des matelas de première qualité. L'impact ne lui coupa même pas le souffle.

Skeet avait également atterri dans la zone de sécurité. Il gisait là où il était tombé, le visage enfoui dans la toile tissée de satin, les bras sur la nuque, aussi immobile que si son arrivée sur des épaisseurs de bourre, de mousse expansée et de duvet moelleux, avait mis en miettes ses os fragiles comme une coquille d'œuf.

La surface du dernier matelas fut rapidement détrempée sous la pluie ; Dusty se redressa et retourna le garçon sur le dos.

La joue de Skeet était égratignée et une légère coupure au menton barrait sa fossette. Ces deux blessures provenaient sans doute de leur roulade sur le toit ; ni l'une ni l'autre ne versait beaucoup de sang.

— Où suis-je ? articula-t-il.

— Pas là où tu voulais être.

Les yeux jaunes du garçon s'assombrirent d'un voile d'angoisse ; il avait perdu ce regard enflammé qui l'animait durant les derniers instants de folie.

— Au paradis ?

— Plutôt en enfer, petite ordure ! lança Motherwell en se penchant au-dessus d'eux.

Il attrapa Skeet par le col et le mit debout. Si à cet instant le ciel avait été traversé d'éclairs et de coups de tonnerre, Motherwell aurait pu passer pour Thor, le dieu viking des tempêtes.

— Tu ne fais plus partie de mon équipe. Tu es viré, espère de sous-merde !

— Tout doux, tout doux, intervint Dusty en descendant des matelas pour retrouver la terre ferme.

46

Sans lâcher Skeet, dont les pieds ne touchaient plus le sol, Motherwell se tourna vers Dusty.

— Je suis sérieux, patron. Soit il s'en va, et on l'oublie vite, soit c'est moi qui pars.

— Ça va, ça va. Pour l'instant, repose-le par terre, Ned.

Au lieu de relâcher Skeet, Motherwell le secoua et lui hurla au visage, l'aspergeant de postillons :

— En attendant, on est bons pour racheter trois matelas ! Trois matelas de luxe ! Voilà ce que tes conneries nous rapportent ! Tu sais combien ça coûte ce genre de truc, petit con ?

Se laissant ballotter comme un pantin entre les bras de Motherwell, Skeet répondit :

— Je ne t'avais pas demandé de mettre des matelas.

— C'était pour te sauver, tête de bite !

— Tu m'as toujours traité de tous les noms. Je ne t'ai jamais fait ça, moi.

— T'es qu'un tas de merde puante ambulante !

Les irréprochables de la trempe de Motherwell rejetaient beaucoup de choses, mais jamais la colère. Dusty admirait les efforts que déployaient ces gens pour vivre une vie saine au milieu de ce cloaque qu'on leur avait légué ; il comprenait leur colère, même si, à la longue, cela devenait usant.

— Mais moi, je t'aime bien, expliqua Skeet à Motherwell. Je regrette que l'on ne soit pas sur la même longueur d'onde tous les deux.

— Tu es un furoncle sur le trou du cul de l'humanité, tonna Motherwell, en jetant Skeet à terre comme un sac-poubelle.

Skeet faillit heurter Foster Newton qui passait à proximité. Fig s'arrêta au moment où le garçon s'effondrait dans l'allée, se tourna vers Dusty et déclara :

— Je viendrai finir demain s'il ne pleut pas.

Il enjamba Skeet recroquevillé sur le sol et se dirigea vers sa voiture en continuant d'écouter ses causeries radiophoniques au casque, comme s'il voyait tous les jours des gens tomber des toits.

— Quel merdier ! lâcha Ned en contemplant les matelas trempés.

— Je suis en charge de sa réinsertion, expliqua Dusty à Motherwell, en aidant Skeet à se relever.

— Je vais m'occuper de tout ce bazar, le rassura Motherwell. Emmenez juste cette raclure de chiottes hors de ma vue.

Tout le temps qu'ils descendirent l'allée circulaire qui rejoignait la rue, Skeet s'appuya sur Dusty. Qu'elle provînt de l'ingestion de drogue ou de la perspective de réussir son suicide, toute son énergie s'était envolée ; il était désormais exsangue, sur le point de dormir debout.

Le vigile se planta à côté d'eux alors qu'ils atteignaient le van blanc de Dusty.

— Je dois faire un rapport.

— Ah oui ? Et à qui ?

— Au président de l'assemblée des copropriétaires. Avec copie au syndic.

— Ils ne vont pas me briser les genoux à coups de crosse de fusil, au moins ? s'enquit Dusty en adossant Skeet contre la camionnette.

— Non, ils n'écoutent jamais mes conseils, répondit le vigile.

Dusty fut contraint de réviser son jugement le concernant ; finalement, il avait de la repartie.

Sortant de son hébétude, Skeet intervint :

— Ils vont te prendre ton âme, Dusty. Je connais ces salauds.

— Ils risquent de vous mettre sur la liste des entrepreneurs indésirables. Mais, à mon avis, tout ce qu'ils se borneront à faire, ce sera d'interdire à ce type de passer les portes. Comment il s'appelle, au fait — son nom entier ?

Ouvrant la porte du Ford, côté passager, Dusty répondit :

— Bruce Wayne.

— Je croyais que c'était Skeet quelque chose ?

Dusty aida Skeet à monter à bord.

— C'est juste un surnom, expliqua-t-il.

— Il me faut ses papiers.

— Je vous apporterai ça demain, répondit Dusty en claquant la porte. Pour l'instant, je dois l'emmener chez le médecin.

— Il s'est cassé quelque chose ? demanda le vigile en suivant Dusty qui faisait le tour du van pour rejoindre sa place.

— Tout est pété chez lui, une vraie épave ! lança Dusty en s'installant au volant et en refermant la porte.

Le garde frappa au carreau.

Dusty tourna la clé de contact d'une main et de l'autre baissa la vitre.

— Quoi ?

— Revenez donc à l'appellation brigade d'intervention ; équipe, ça ne marche pas. Vous pourriez aussi essayer cirque Barnum, ou bordel ambulant !

— Vous avez raison, répondit Dusty. Je vous aime bien, au fond.

Le garde sourit et le salua en touchant le bord de sa casquette ruisselante de pluie.

Dusty remonta la vitre, mit en marche les essuie-glaces et s'éloigna de la maison des Sorenson.

7.

Susan descendait l'escalier extérieur qui desservait son apparte-ment en rasant le mur. Elle laissait sa main droite frotter contre les planches à clin, comme rassurée par la présence de son refuge, et, de la main gauche, elle s'accrochait au bras de Martie. La tête baissée, elle concentrait son attention sur ses pieds, descendant chaque marche avec la précaution d'une varappeuse.

Susan était plus petite que Martie ; son visage, protégé par sa capuche, restait invisible à son amie. Mais, pour avoir fait maintes fois ce genre d'excursion sous une météo plus clémente, Martie n'avait pas besoin de regarder Susan pour connaître son expression – sa peau d'une pâleur cadavérique, ses mâchoires crispées, sa bouche pincée, ses yeux verts exorbités de terreur, comme si elle voyait un fantôme ; mais le seul fantôme, en l'occurrence, c'était son esprit, autrefois plein de vie, et aujourd'hui réduit à l'état d'ectoplasme par l'agoraphobie.

– Qu'est-ce qu'il y a dans l'air ? demanda Susan en tremblant.
– Rien du tout.
– J'ai du mal à respirer. C'est épais. Et il y a une odeur bizarre.
– C'est juste l'humidité. L'odeur, c'est moi. Un nouveau parfum.
– Toi ? Du parfum ?
– J'ai des accès de féminité, de temps en temps.
– On est si vulnérable, à découvert comme ça.
– La voiture est garée juste à côté.
– Tout peut nous arriver, ici.
– Rien ne va nous arriver, je te le promets.
– On n'a nulle part où se cacher.
– On n'aura aucun besoin d'une cachette.

Des litanies religieuses bimillénaires n'étaient pas moins rigides que cet échange bihebdomadaire qui précédait chaque visite chez le Dr Ahriman.

Quand elles parvinrent au bas de l'escalier, la pluie se mit à tomber plus dru, faisant bruisser les feuilles des plantes en pot, tintant contre les briques de la cour.

Susan s'arrêta, hésitant à dépasser le coin de la maison. Martie referma un bras autour de ses épaules.

– Prends appui sur moi, si tu veux.
Susan s'exécuta.
– Tout est si bizarre, ici ; ce n'était pas comme ça, avant.
– Rien n'a changé. C'est juste la pluie.
– C'est un monde nouveau, insista Susan. Et il n'est pas animé de bonnes intentions.

Serrées l'une contre l'autre, elles s'élancèrent dans ce nouveau

lartie s'efforçant de soutenir Susan, voûtée comme une
lle. Celle-ci progressait de plus en plus difficilement,
ussée en avant par la perspective de se réfugier dans l'habi-
ement protégé de la voiture, mais bien vite terrassée par le
vide immense pesant sur ses épaules. Fouettées par le vent et les
trombes d'eau, protégées par leurs capuches et leurs grands imper-
méables, les deux jeunes femmes ressemblaient à deux nonnes terro-
risées cherchant avec désespoir un sanctuaire où se réfugier, après les
premiers coups de tonnerre de l'Armagédon.

Sans doute l'imminence de la tempête ou les souffrances de son
amie affectaient-elles Martie plus qu'elle ne le supposait. Tandis
qu'elle pressait le pas sur le front de mer pour rejoindre la rue latérale
où sa voiture était garée, elle se sentait de plus en plus mal à l'aise. La
sensation était là, presque palpable et pourtant impossible à définir.
Sur la jetée de béton, des flaques pareilles à des miroirs d'obsidienne
semblaient grouiller d'images étranges ; la pluie, criblant leur surface,
empêchait la jeune femme de discerner leur contenu mais leur seule
présence suffisait à l'inquiéter. Les grandes feuilles des palmiers agités
par le vent étaient passées du vert au noir et griffaient l'air rageuse-
ment, produisant un bruissement continu qui la pénétrait jusqu'au
tréfonds. Sur sa droite, le sable était lisse et pâle, telle la peau distendue
d'une grande bête endormie ; sur sa gauche, chaque maison paraissait
abriter sa propre tempête, renvoyant par leurs baies vitrées les nuages
sans couleur et les silhouettes noires des arbres du rivage.

Toutes ces perceptions étranges faisaient grandir l'inquiétude de
Martie, comme si le paysage recelait quelque menace surnaturelle.
Mais ce qui l'angoissait le plus, c'était l'étrangeté qu'elle ressentait en
elle, un malaise que la tempête toute proche semblait cristalliser. Les
battements de son cœur s'accélérèrent, elle était prise du désir irrationnel de se laisser emporter par la puissance maléfique des éléments
déchaînés. Brusquement, elle fut terrorisée par l'existence possible
d'une force obscure en elle, par l'idée de perdre soudain tout contrôle
d'elle-même, de sombrer dans le trou noir et de reprendre ses esprits
en découvrant qu'elle avait commis un acte terrible… indicible.

Jusqu'à cette matinée, ce genre d'idées bizarres ne lui avaient jamais
traversé l'esprit. Maintenant, elles déferlaient en un flot constant.

Elle se souvint du jus de pamplemousse aigre qu'elle avait bu au
petit déjeuner ; n'était-il pas frelaté ? Elle n'avait pas mal au ventre,
mais peut-être souffrait-elle d'une sorte d'empoisonnement alimentaire, provoquant des troubles mentaux et non physiques.

Encore une idée bizarre. Le coup du jus de fruit périmé n'était pas
plus recevable qu'avancer que la CIA lui envoyait des messages dans
le cerveau par l'intermédiaire d'émetteurs à micro-ondes. Si elle
s'aventurait plus avant sur ces terres irrationnelles, elle ne tarderait pas

50

à déambuler avec un casque en aluminium sur la tête pour se prémunir des lavages de cerveau à distance.

Lorsqu'elle descendit la volée de marches débouchant dans la rue où elle avait laissé sa voiture, Martie profitait autant du soutien de Susan qu'elle lui en offrait ; elle priait simplement pour que son amie ne s'aperçoive pas de la réciprocité de leurs besoins.

Martie ouvrit la porte côté passager, aida Susan à s'installer dans la Saturn rouge, puis fit le tour du véhicule pour aller s'asseoir au volant.

La pluie martelait le toit, un son froid et caverneux qui rappelait le bruit d'une cavalcade, les quatre cavaliers de l'Apocalypse – la pestilence, la guerre, la famine et la mort – remontant la plage au grand galop.

Martie repoussa sa capuche, fouilla dans une poche, puis dans l'autre, avant de retrouver ses clés de voiture.

À côté d'elle, Susan resta couverte, tête baissée, les mains serrées contre ses joues, les yeux fermés, tout son visage crispé, comme si la Saturn se trouvait dans l'une de ces grandes presses hydrauliques de ferrailleurs, sur le point de la réduire à un cube de métal d'un mètre de côté.

Martie concentra son attention sur sa clé de contact ; elle l'avait utilisée des centaines de fois, elle la connaissait par cœur. Mais aujourd'hui l'objet semblait aussi tranchant qu'un rasoir, dangereux à glacer le sang. Les dentelures ressemblaient à celles d'un couteau à pain, et, soudain, Martie revit en pensée la *mezzaluna* de Susan.

Cette clé pouvait servir d'arme. Dans une ronde échevelée, Martie fut assaillie par une série d'images représentant tous les sévices que l'on pouvait infliger avec cette pièce métallique.

— Qu'est-ce qui ne va pas ? demanda Susan, qui n'avait pourtant pas rouvert les yeux.

— Je ne retrouvais plus mes clés, répondit Martie d'un ton léger en enfonçant l'objet dentelé dans le Neiman.

Le moteur toussota puis démarra. Lorsque Martie voulut boucler sa ceinture de sécurité, ses mains tremblaient tellement que la languette métallique se mit à cliqueter contre le fermoir en plastique comme un dentier à ressort de farces et attrapes.

— Et s'il m'arrive quelque chose dehors et que je ne puisse pas rentrer chez moi ? s'inquiéta Susan.

— Je suis là pour veiller sur toi, lui assura Martie, même si en son for intérieur cette promesse sonnait creux.

— Mais s'il t'arrive quelque chose à toi ?

— Rien ne va m'arriver, répondit Martie en priant intérieurement que ce fût vrai.

Elle mit les essuie-glaces en marche.

— Il peut toujours arriver quelque chose. Regarde ce qui m'est tombé dessus.

Martie s'engagea dans la rue et tourna à gauche dans le boulevard Balboa.

— Encore un petit effort. On sera chez le psychiatre en un rien de temps.

— Sauf si on a un accident.

— Je suis une bonne conductrice.

— La voiture peut tomber en panne.

— La voiture va bien.

— Il pleut à verse. Les rues pourraient être inondées…

— On peut aussi se faire enlever par une bande de gros martiens tout verts et tout gluants, railla Martie. Ils nous transporteraient dans leur vaisseau mère et nous forceraient à copuler avec des calmars géants !

— Il y a réellement des inondations sur la péninsule, répliqua Susan, sur la défensive.

— À cette époque de l'année, Big Foot traîne sur le port aussi et croque les têtes des imprudents. Tu as raison, il vaut mieux ne pas tomber en panne dans le coin !

— Tu es méchante, geignit Susan.

— Le diable en personne, renchérit Martie.

— Tu es cruelle, je t'assure.

— Je suis un être immonde.

— Ramène-moi à la maison.

— Non.

— Je te hais.

— Moi, je t'aime.

— Ça va, soupira Susan d'un air misérable. Moi aussi, je t'aime.

— Accroche-toi, on est bientôt arrivées.

— C'est si dur.

— Je sais, ma belle.

— Et si on tombe en panne d'essence ?

— J'ai fait le plein.

— Je ne peux pas respirer. Vraiment…

— Sooz, allons, tu respires…

— Mais l'air est comme… comme de la purée. J'ai mal dans toute la poitrine.

— Et à moi, tu me fais mal au crâne.

— Tu n'es qu'une salope.

— Ce n'est pas nouveau.

— Je te hais.

— Je t'aime, répéta Martie avec une patience d'airain.

Susan commença à pleurer. Elle s'enfouit la tête dans les mains.

— Je ne peux pas continuer comme ça. Je ne peux pas.

— On est presque arrivées.

— C'est moi que je hais. Moi !

Martie fronça les sourcils.

— Ne dis jamais ça. Jamais.

— Je hais ce que je suis devenue. Cette petite chose pleurnicheuse et terrorisée.

Les yeux de Martie se voilèrent de compassion. Elle battit des paupières pour chasser l'émotion qui lui brouillait la vue.

Sur le bord du Pacifique, des vagues de nuages noirs roulaient dans le ciel, comme si la nuit, telle une grande marée montante, s'apprêtait à submerger ce jour glauque. Presque toutes les voitures roulant vers le nord sur la Pacific Coast Highway avaient leurs feux de croisement allumés et ces myriades de lumières faisaient luire le bitume détrempé.

Martie ne sentait plus planer autour d'elle de menace invisible. Son oppression était passée. Cette journée de pluie avait enfin perdu son étrangeté. Tout était redevenu normal. Le monde était soudain d'une beauté saisissante, si réel, si tangible et si normal, jusqu'au moindre détail. Il ne renfermait plus aucun danger terrible… La seule peur qu'elle éprouvait désormais, c'était de ne plus pouvoir un jour le contempler.

— Est-ce que tu te souviens comment j'étais…, articula Susan d'une voix chargée de désespoir, comment j'étais avant ?

— Bien sûr. Comme si c'était hier.

— Moi, je n'y arrive pas. Parfois, j'ai l'impression que j'ai toujours été dans cet état. Et ça me fiche la frousse, Martie. Je n'ai pas seulement peur du monde extérieur, de me retrouver hors de la maison… ce sont toutes ces années qui m'attendent qui me terrifient.

— On va s'en sortir, je te le promets. Et il y aura encore plein de belles années.

De grands palmiers bordaient la route d'accès à Fashion Island, le premier centre d'affaires et de commerce de Newport Beach. Sous les bourrasques, les arbres, tels des lions agacés se préparant à rugir, agitaient leurs crinières de feuilles.

Le cabinet du Dr Mark Ahriman se trouvait au treizième étage de l'un des plus hauts immeubles jouxtant les boutiques de la place centrale. Faire descendre Susan de voiture et lui faire traverser le parking puis l'interminable hall dallé de granit du bâtiment jusqu'aux ascenseurs était une expédition aussi ardue que le voyage de Frodon depuis la paisible Comté jusqu'au pays de Mordor pour y détruire le Grand Anneau de Puissance. Martie poussa un soupir de soulagement lorsque les portes de la cage métallique se refermèrent enfin et que la cabine s'éleva dans un bourdonnement électrique.

— Presque sauvée, murmura Susan, qui regardait clignoter l'indicateur d'étage au-dessus des portes, attendant avec impatience que s'affiche le chiffre 13, le sésame de son refuge tant espéré.

Malgré la présence de Martie à ses côtés et des parois protectrices tout autour d'elle, Susan ne se sentait jamais en sécurité dans un ascenseur. Martie gardait donc un bras autour des épaules de son amie, sachant que, du point de vue distordu de Susan, le palier et les couloirs du treizième étage – ainsi que la salle d'attente du Dr Ahriman – étaient des terres hostiles qui recelaient mille et une menaces. Tous les lieux publics, y compris lorsqu'ils étaient protégés et reclus, restaient des espaces ouverts, car n'importe qui pouvait y pénétrer, à n'importe quel moment. Susan ne se sentait à l'abri que dans deux lieux : dans sa maison de la péninsule et dans le cabinet privé du Dr Ahriman – dans ce repaire feutré, même la vue panoramique qu'offraient les baies sur le rivage ne l'effrayait pas.

– Presque sauvée, répéta Susan lorsque les portes s'ouvrirent au treizième étage.

Martie se surprit à songer une nouvelle fois à Frodon, le héros du *Seigneur des anneaux* : dans le tunnel secret qui conduisait au pays de Mordor, Frodon avait affronté la gardienne du tunnel, Arachné, un monstre aux allures d'araignée géante. Celle-ci l'avait piqué et il gisait au sol, apparemment sans vie, mais simplement paralysé : Arachné le dévorerait plus tard.

– Allons-y ! souffla Susan avec impatience.

Pour la première fois depuis qu'elles avaient quitté la maison, Susan était pressée.

Une impulsion subite étreignit Martie : retenir son amie, la ramener dans l'ascenseur, redescendre au rez-de-chaussée et retourner dans la voiture. De nouveau, elle percevait quelque chose d'étrange dans le monde qui l'entourait, comme si devant elles s'ouvrait non pas un simple palier mais le tunnel où Frodon et son compagnon Sam Gamgee avaient combattu la gigantesque araignée aux multiples yeux.

Un bruit la fit se retourner. Le visage pâle comme un linge, elle s'attendait presque à voir Arachné fondre sur elle.

Dans son imagination, une membrane entre deux mondes s'était rompue, et l'univers de Tolkien s'insinuait inexorablement dans Newport Beach. Peut-être avait-elle travaillé trop dur et trop longtemps sur l'adaptation de ce jeu vidéo ? Avec son souci obsessionnel de vouloir faire honneur au *Seigneur des anneaux*, et toute la fatigue accumulée les derniers jours, finissait-elle par confondre fiction et réalité ?

Non. Ce n'était pas ça. La vérité était moins fantastique – mais tout aussi étrange.

Ce fut alors que Martie surprit son reflet dans les miroirs tapissant la niche logeant un tuyau de pompe à incendie. Aussitôt, elle détourna la tête, saisie par l'anxiété qui émanait de son visage. Ses traits semblaient déformés, les rides de sourire creusant de profondes entailles pareilles à des estafilades de couteau, la bouche comme une plaie béante, les yeux brûlant d'une lueur farouche. Cette expression disgracieuse n'expliquait pas à elle seule sa réaction de fuite. Il y avait autre chose dans cette image, de bien pire. Quelque chose qu'elle ne pouvait encore nommer.

Que m'arrive-t-il ?

— Allons-y, répéta Susan avec plus d'insistance que la première fois. Qu'est-ce qu'on attend, Martie ? Allez !

À contrecœur, Martie sortit avec Susan sur le palier. Elles prirent le couloir sur leur gauche.

Susan ne cessait de psalmodier pour se donner du courage : « Presque sauvée, presque sauvée », mais Martie n'y trouvait aucun réconfort.

8.

Sous les bourrasques de vent qui arrachaient aux arbres des paquets de feuilles détrempées, Dusty et Skeet descendirent les collines de Newport vers la côte, accompagnés par les rus déchaînés des caniveaux saturés d'eau.

— Je suis trempé et j'ai froid, se plaignait Skeet.

— Moi aussi. Une chance que nous soyons des primates supérieurs et que nous ayons plein de gadgets à notre disposition pour lutter contre les intempéries ! lança Dusty.

Et, joignant le geste à la parole, il alluma le chauffage du van.

— J'ai tout raté, marmonna Skeet.

— Qui ça ? Toi ?

— Je rate toujours tout.

— Allons, tout le monde est bon à quelque chose.

— Tu es en colère ?

— Pour l'instant, j'en ai plus que marre de toi, répondit Dusty avec honnêteté.

— Tu me hais ?

— Non.

Skeet poussa un soupir et s'avachit encore un peu plus sur son siège. Dans cette position, ses vêtements mouillés tout fripés, il ressemblait moins à un humain qu'à un tas de linge sale. Ses paupières enflées se fermèrent. Sa bouche s'ouvrit. Il devait s'être endormi.

Le ciel plombé devenait aussi gris que de la cendre mouillée. La pluie n'avait pas ses familiers reflets argent ; elle était noire et sale – comme si dame Nature passait la serpillière dans les cieux.

Dusty s'éloigna de Newport Beach et prit la direction du sud, vers Irvine. Il espérait que la clinique de La Nouvelle Vie, un établissement spécialisé dans les cures de désintoxication, aurait un lit disponible.

Skeet avait déjà suivi deux cures, dont une dans cette même clinique, six mois plus tôt. Il en était sorti remis d'aplomb, prêt à vivre une vie saine. Malheureusement, après chaque thérapie, il replongeait peu à peu dans la drogue.

Pour l'instant, il n'était jamais descendu aussi bas, au point de vouloir se suicider. Peut-être avait-il entrevu dans cet acte, du loin de ces nouveaux abysses, sa dernière planche de salut.

Sans relever la tête, Skeet murmura :

– Je suis désolé… pour tout à l'heure. Désolé de ne pas m'être rappelé qui était ton père, Pr Doute-de-tout. Je suis une telle ruine.

– Ce n'est pas grave. J'ai passé le plus clair de ma vie à tenter de l'oublier.

– Je suis sûr que, toi, tu te souviens de mon père.

– Pr Holden Caulfield, spécialiste de littérature.

– Un vrai con.

– Ils le sont tous. Ma mère a toujours été attirée par les gros cons.

Skeet releva lentement la tête, comme si elle pesait des tonnes et qu'un système de vérins hydrauliques était nécessaire pour la mouvoir.

– Holden Caulfield n'est pas son vrai nom, tu sais.

Dusty s'arrêta à un feu rouge et jeta vers Skeet un regard perplexe. Le nom, le même que celui du héros de *L'Attrape-cœur*, semblait trop connu pour être une invention.

– Il a changé de nom lorsqu'il avait vingt et un an. Avant, il s'appelait Sam Farner.

– C'est du délire de junkie ou la vérité ?

– La vérité. Le vieux de mon vieux était un militaire de carrière : le colonel Thomas Jackson Farner. Sa mère, Luanne, était institutrice. Mon vieux s'est brouillé avec eux – après qu'ils lui ont payé l'université et qu'il a décroché une bourse pour sa maîtrise.

Dusty connaissait le père de Skeet – le faux Holden Caulfield –, il ne le connaissait que trop bien. Ce connard prétentieux était son beau-père. Trevor Penn Rhodes, le père de Dusty, était le deuxième des quatre maris successifs de sa mère. Holden Sam Caulfield Farner était le troisième sur la liste. Des quatre ans aux quatorze ans passés de Dusty, ce despote soi-disant aristocrate avait régné sur la famille avec une sorte de droit divin, doublé d'une férocité maladive des éloges d'Hannibal Lecter [1].

---

1. Le psychopathe anthropophage dans *Le Silence des agneaux*. *(N.d.T.)*

— Il disait que sa mère enseignait à Princeton et son père à Rutgers.

— Tu parles d'une bio ! railla Skeet. De la pure fantaisie !

— Et leur mort tragique au Chili ?

— Un autre mensonge.

Dans les yeux injectés de sang de Skeet brillait une lumière ardente — peut-être celle de la vengeance. Pendant un moment, le gamin ne parut ni déprimé ni au bout du rouleau, mais empli d'une joie intense.

— C'est parce qu'il en voulait à son colonel de père au point de ne pas vouloir porter son nom ? s'enquit Dusty.

— Faut croire qu'il aimait bien *L'Attrape-cœur.*

Dusty n'en revenait pas.

— Il aimait peut-être l'histoire, mais l'a-t-il comprise ?

La réponse à cette question était évidente. L'esprit du père de Skeet était aussi profond qu'une boîte de Petri ; il y mettait en culture ses enthousiasmes successifs qui se révélaient, pour la plupart, aussi dangereux et nocifs que la salmonelle.

— Qui voudrait être Holden Caulfield ?

— Sam Farner, mon vieux ! Et je parie que cela n'a même pas entravé la carrière universitaire de ce salaud. Dans son milieu, on ne risquait pas de l'oublier avec un nom pareil !

On klaxonna derrière eux. Le feu était passé au vert.

— Comment as-tu appris tout ça ? s'enquit Dusty en reprenant la route vers La Nouvelle Vie.

— Dans un premier temps, sur Internet.

Skeet se redressa sur son siège et, de ses mains osseuses, plaqua ses cheveux humides sur son crâne.

— D'abord, j'ai consulté les archives de Rutgers sur leur site web. J'ai passé au crible tous les profs qui ont enseigné là-bas. Puis pareil à Princeton. Personne du nom de ses parents — de ses parents inventés.

Avec une fierté évidente, Skeet narra les voies tortueuses qu'il avait dû emprunter pour découvrir la vérité sur son père. Ses recherches avaient exigé du jeune homme des efforts, de la réflexion et une dose impressionnante d'invention et de ténacité, sans parler d'un travail de pure logique. Dusty était stupéfait que ce gamin fragile, usé par la vie et par ses consommations compulsives, fût capable de mener à bien cette tâche de longue haleine qui exigeait persévérance et concentration.

— Le vieux de mon vieux, le colonel Farner, est mort depuis long-temps, poursuivit Skeet. Mais Luanne, sa mère, est encore en vie. Elle a soixante-dix-huit ans et vit à Cascade, dans le Colorado.

— Ta grand-mère.

— Il y a trois semaines, je savais même pas qu'elle existait ! Je lui ai parlé deux fois au téléphone. Elle a vraiment l'air gentille, Dusty. Ça lui a brisé le cœur que son fils unique coupe les ponts avec eux.

— Pourquoi il a fait ça ?

— Convictions politiques. Ne m'en demande pas plus.

— Il change de bord comme de chemise, répliqua Dusty. Il doit y avoir autre chose.

— D'après Luanne, c'est simplement ça.

La bouffée de fierté qui lui avait donné la force de se redresser et de relever la tête ne pouvait le soutenir plus longtemps. Peu à peu, Skeet glissa de nouveau sur son siège, sa tête rentrant, telle celle d'une tortue, dans les replis fumants de ses habits détrempés.

— Tu ne peux payer encore un séjour, articula Skeet tandis que Dusty s'engageait sur le parking de la clinique de La Nouvelle Vie.

— Ne t'inquiète pas de ça. J'ai deux gros chantiers prévus. En plus, Martie invente toutes sortes de morts les plus horribles les unes que les autres pour les orques et consorts, et ça paye bien.

— Je ne sais pas si je vais pouvoir supporter le programme une nouvelle fois.

— Tu le pourras. Tu as sauté d'un toit ce matin. À côté de ça, la cure, c'est une promenade de santé !

La clinique privée ressemblait au siège social d'une grande chaîne de fast-food tex-mex : une hacienda à deux niveaux avec des arches au rez-de-chaussée et des balcons couverts au premier, ornée de bougain-villées violettes un peu trop apprêtées qu'on avait enroulées avec minutie autour des colonnes et des corniches. La perfection était recherchée avec tant d'ostentation que l'édifice avait l'artifice des palais de Disney — des fondations au toit, tout semblait en Lego. Même la pluie, ici, paraissait plus propre qu'ailleurs.

Dusty se gara près du porche d'entrée, dans la zone réservée aux admissions. Il arrêta les essuie-glaces mais laissa le moteur tourner.

— Tu lui as dit ce que tu as découvert ?

— Au vieux ? Skeet ferma les yeux et secoua la tête. Non. C'est déjà bien assez que je le sache moi-même.

En vérité, Skeet avait peur du professeur Caulfield, né Farner ; autant que lorsqu'il était enfant. Et peut-être y avait-il de bonnes raisons à cela.

— Cascade, Colorado, répéta Skeet comme s'il évoquait un endroit magique sur terre, le territoire des fées, des griffons et des licornes.

— Tu veux aller là-bas, voir ta grand-mère ?

— C'est trop loin. Trop dur, articula Skeet. Je ne peux plus conduire.

Suite à de multiples infractions, on lui avait retiré son permis. Skeet venait au travail tous les jours avec Fig Newton.

— Écoute-moi. Si tu suis ta cure jusqu'au bout, je t'emmène là-bas.

Skeet rouvrit les yeux.

— Dis donc, c'est risqué !

— Pourquoi ? je suis un bon conducteur !

— Je veux dire, les gens, normalement, te laissent tomber. À part toi et Martie — et Dominique… elle non plus ne m'a jamais laissé tomber.

Dominique était leur demi-sœur, issue du premier mariage de leur mère commune. Née mongolienne, elle était morte très jeune. Ni l'un ni l'autre ne l'avait connue, mais, de temps en temps, Skeet se rendait sur sa tombe. Il l'appelait : Celle qui a trouvé la sortie.

— Les gens finissent toujours par te laisser tomber, reprit-il. Et il ne faut jamais trop attendre des autres.

— Tu as dit qu'au téléphone elle te paraissait gentille, cette grand-mère. Et à l'évidence ton père la méprise, ce qui est un bon signe. Un sacré bon signe, même ! Si elle se révèle une méchante sorcière, je serai avec toi et je lui ferai la peau.

Skeet sourit. Il fixa avec intensité un point derrière le pare-brise ruisselant de pluie, sans doute pas le paysage mais peut-être plus loin, jusque dans le Colorado, pour contempler le Cascade de ses rêves.

— Elle a dit qu'elle m'aimait. Elle ne m'a jamais vu, et pourtant elle a dit ça.

— Tu es son petit-fils, répondit Dusty en coupant le moteur.

Le yeux du jeune homme, enflés et injectés de sang, semblaient aussi meurtris, comme s'ils avaient vu trop de choses douloureuses. Cependant, sur son visage squelettique, d'une pâleur de mort, le sourire de Skeet était vivant et chaleureux.

— Tu n'es pas mon demi-frère. Tu es mon frère et demi.

Dusty referma la main sur la nuque de Skeet et l'attira vers lui, jusqu'à ce que leurs fronts se touchent. Ils restèrent immobiles un moment, tête contre tête, sans que ni l'un ni l'autre ne prononce un mot.

Puis ils sortirent de la camionnette, sous la pluie battante et glacée.

9.

La salle d'attente du Dr Ahriman était meublée de quatre fauteuils en bois laqué finement sculptés et tapissés de cuir noir. Le sol était dallé de granit noir, ainsi que les deux dessertes, qui offraient aux visiteurs leurs collections défraîchies de l'*Architectural Digest* et de *Vanity Fair*. La couleur des murs se mariait aux tons miel du bois.

Deux tableaux Art déco et des paysages urbains nocturnes rappelant la première période de Georgia O'Keefe étaient les seules œuvres d'art de la pièce.

Ce décor raffiné avait sur les esprits un effet curieusement apaisant. Comme à l'accoutumée, les terreurs de Susan s'évanouirent sitôt qu'elle eut passé le seuil. Pour la première fois depuis qu'elle avait quitté la maison, elle n'avait plus besoin du soutien de Martie pour avancer. Son maintien s'améliora ; elle redressa la tête, repoussa la capuche de son imperméable et prit de grandes inspirations, semblant remonter des profondeurs froides et glauques d'un étang.

Curieusement, Martie aussi se sentait soulagée. Son anxiété diffuse et latente, qui paraissait capable de se nourrir de toute chose, reflua quelque peu lorsqu'elle referma la porte derrière elle.

Un téléphone en main, Jennifer, la secrétaire du psychiatre, leur fit un petit signe depuis la cage de verre du standard.

Une porte intérieure s'ouvrit sans bruit. Le Dr Ahriman, comme s'il était informé par télépathie de l'arrivée de sa patiente, sortit du bureau où il menait ses séances. Vêtu d'un costume Vestimenta anthracite d'un raffinement semblable à celui de l'ameublement de son cabinet, le sémillant médecin avait la démarche souple et gracieuse des sportifs de haut niveau.

Grand, la quarantaine, bronzé à souhait, des cheveux poivre et sel, il était aussi séduisant que sur les photos des jaquettes de ses essais de psychologie. Malgré ses yeux noisette qui vrillaient les vôtres, son regard n'était jamais inquisiteur ou oppressant, mais chaleureux et rassurant. Le Dr Ahriman ne ressemblait en rien au père de Martie, pourtant, il partageait avec Bob la Banane cet intérêt pour autrui, cette présence affable et sereine qui avait le don d'apaiser son entourage. Aux yeux de la jeune femme, le médecin avait un air paternel.

Plutôt que d'insister sur le mal de Susan en la questionnant sur le déroulement du trajet, il se mit à parler avec enthousiasme de la beauté des éléments déchaînés, semblant trouver à cette matinée pluvieuse l'éclat d'un Renoir. Lorsqu'il évoqua le plaisir d'une promenade sous une averse, le froid et la pluie devinrent aussi apaisants pour l'âme qu'un jour de farniente sur une plage en plein soleil.

Quand Susan retira son imperméable et le tendit à Martie, elle avait le sourire aux lèvres. Toute angoisse s'était envolée de son visage, même s'il restait de l'inquiétude au fond de ses yeux. En se dirigeant vers le bureau du psychiatre, elle n'avait plus l'air d'une vieille femme mais d'une jeune fille, nullement intimidée par la vue panoramique sur la côte qui s'offrait au regard.

Cette fois encore, Martie fut saisie par l'effet immédiat qu'avait le médecin sur Susan et elle faillit renoncer au projet de lui confier ses craintes. Mais, avant qu'il rejoigne Susan dans le bureau, elle lui demanda si elle pouvait lui dire un mot.

— J'arrive tout de suite, annonça-t-il à Susan avant de refermer la porte derrière elle.

Ils se dirigèrent vers le centre de la salle d'attente et Martie déclara à voix basse :

— Je suis inquiète pour elle, docteur.

Le sourire du Dr Ahriman était aussi réconfortant qu'un thé chaud accompagné de sablés devant un feu de cheminée.

— Elle va bien, Mrs. Rhodes. Je suis on ne peut plus confiant.

— Ne pourrait-on pas lui donner quelque chose ? Des médicaments pour l'aider ? J'ai lu qu'il y a des cachets contre l'anxiété qui…

— Dans son cas, traiter son anxiété par des médicaments serait une grave erreur. La chimie n'est pas toujours la réponse, Mrs. Rhodes. Croyez-moi, si ces produits pouvaient l'aider, je lui en aurais prescrit dans la minute.

— Mais cela fait seize mois qu'elle est dans cet état.

Le médecin inclina la tête et la regarda avec l'air de celui qui croit à une taquinerie.

— Vous n'avez réellement noté aucun changement, en particulier durant ces derniers mois ?

— Oh si ! plein ! Et il me semble que… je sais que je ne suis pas médecin, ni psy, pourtant il me semble que Susan va plus mal. De plus en plus mal.

— Vous avez raison. Elle va de mal en pis, mais ce n'est pas du tout mauvais signe.

— Ah bon ? bredouilla Martie, interloquée.

Sentant le grand désarroi de Martie, percevant peut-être intuitivement que cette inquiétude n'était pas uniquement due à l'état de son amie, le Dr Ahriman l'entraîna vers un fauteuil. Il s'assit à côté d'elle.

— L'agoraphobie, commença-t-il, apparaît presque toujours d'un coup ; elle gagne rarement le patient de façon graduelle. La terreur est aussi vive durant la première crise que lors de la centième. Donc, lorsque l'on note un changement dans l'intensité de cette peur, cela indique souvent que le patient est sur le point de trouver une brèche.

— Même si elle a de plus en plus peur ?

— Surtout si cela empire, justement. Ahriman marqua un temps d'hésitation. Vous comprenez que je ne peux violer le secret professionnel me liant à Susan et trop entrer dans les détails de son cas. Mais, en règle générale, la personne agoraphobe utilise sa peur comme un refuge contre le monde, une échappatoire pour éviter de s'engager vis-à-vis d'autres gens ou d'assumer quelque traumatisme personnel. Il y a un confort pervers à s'isoler…

— Mais Susan déteste être terrorisée de cette façon, piégée et confinée chez elle.

Il hocha la tête.

— Son désespoir est profond et authentique. Toutefois, son besoin d'isolement est encore plus fort que l'angoisse de se voir prisonnière de son agoraphobie.

Martie avait effectivement remarqué que Susan, parfois, semblait se reclure dans sa maison davantage parce qu'elle s'y trouvait heureuse que parce que le monde au-dehors lui faisait peur.

— Si le patient commence à comprendre pourquoi il choisit la réclusion, poursuivit Ahriman, s'il commence à identifier le traumatisme réel qu'il répugne à affronter, alors parfois, en un ultime geste de refus, il s'accroche encore plus farouchement à l'agoraphobie. Une aggravation des symptômes signifie le plus souvent que le patient élève un dernier rempart pour se protéger de la vérité. Lorsque cette défense tombera, Susan verra enfin en face ce qui la terrifie vraiment — ce ne sont pas les grands espaces, mais quelque chose de plus personnel, de plus immédiat.

Les explications du psychiatre paraissaient sensées, cependant, Martie avait du mal à accepter l'idée que plus un état pathologique empirait, plus on s'approchait de la rémission. L'année passée, le combat de son père contre le cancer avait été une spirale infernale et, au bout, il n'y avait eu aucune issue heureuse, juste la mort. Bien sûr, on ne pouvait comparer maladie psychique et maladie physique. Malgré tout…

— Vous ai-je rassurée, Mrs. Rhodes ? Une étincelle d'humour brillait dans ses yeux. Ou pensez-vous que tout cela n'est que des élucubrations de psy ?

Martie fut gagnée par son charme. La collection de diplômes qui décorait les murs de son cabinet, sa réputation de grand spécialiste californien des phobies ainsi que son esprit vif et pénétrant contribuaient à redonner confiance à ses patients autant que ses manières ouvertes et amicales.

Elle esquissa un sourire et secoua la tête.

— Non. Les seules pensées qu'on puisse qualifier d'élucubrations viennent de moi. C'est juste que… j'ai l'impression que je n'arrive pas à l'aider, que je ne suis pas à la hauteur.

— Non, non, non — il posa une main rassurante sur son épaule —, Mrs. Rhodes, je ne saurais dire à quel point vous êtes importante dans la guérison de Susan. Votre engagement à ses côtés compte plus que tout ce que je pourrais faire moi-même. Vous devez toujours vous sentir libre de me confier vos inquiétudes. Votre sollicitude envers elle est le roc sur lequel elle s'appuie.

La gorge de Martie se noua.

— Nous sommes amies depuis l'enfance ; nous ne nous sommes presque jamais quittées. Je l'aime tant. Je ne l'aimerais pas plus si elle était ma propre sœur.

— C'est précisément ce que je veux dire. L'amour peut faire plus de miracle que la thérapie, Mrs. Rhodes. Peu de patients ont dans leur vie quelqu'un comme vous. À cet égard, Susan a beaucoup de chance.

Les yeux de Martie s'embuèrent de larmes.

— Elle semble si perdue, murmura-t-elle.

La main du médecin serra un peu plus fort son épaule.

— Elle trouvera son chemin. J'en suis certain.

Elle était à présent prête à le croire. Le Dr Ahriman l'avait si bien réconfortée qu'elle faillit même lui confier ses angoisses de la matinée : son ombre, le miroir, le hachoir, le bord dentelé de la clé de contact…

Dans le bureau, Susan attendait le psychiatre. C'est à elle que la séance était destinée, pas à Martie.

— Vous vouliez me dire autre chose ? demanda le Dr Ahriman.

— Non. Me voilà rassurée, répondit-elle en se levant. Merci, docteur. Merci beaucoup.

— Gardez espoir, Mrs. Rhodes.

— Promis.

Il lui lança un sourire, levant son pouce en l'air en signe d'encouragement, puis pénétra dans son bureau et referma la porte derrière lui.

Martie suivit un étroit couloir jusqu'à une seconde salle d'attente, plus petite que la première, mais très semblable. Dans cette pièce se trouvaient deux portes : l'une donnant dans le bureau du psychiatre, et l'autre directement dans le couloir de l'immeuble. Le principe d'une double salle d'attente permettait d'éviter que les patients et accompagnateurs entrants croisent les sortants, préservant ainsi l'intimité de chacun.

Martie suspendit l'imperméable de Susan et le sien à deux patères de bois fixées au mur à côté de la porte de sortie. Elle avait apporté un roman à suspense pour passer le temps, mais elle n'arrivait pas à se concentrer sur l'intrigue. Aucun des terribles événements qui arrivaient aux protagonistes n'était aussi inquiétant que ceux, réels, qu'elle venait de vivre.

Quelques minutes plus tard, Jennifer, la secrétaire, lui apporta une tasse de café — noir avec deux sucres, comme l'aimait Martie — accompagnée d'une gaufrette au chocolat.

— Je ne vous ai pas demandé si vous préfériez un soda. Avec ce temps, je me suis dit qu'un café s'imposait.

— C'est parfait. Merci, Jenny.

La première fois que Martie avait accompagné Susan chez le Dr Ahriman, elle avait été surprise par cette petite attention. Bien qu'auparavant elle n'ait jamais mis les pieds dans le cabinet d'un psychiatre, elle était certaine que ce genre de geste d'hospitalité n'était pas coutumier dans la profession. Et cette attention la touchait toujours autant.

Le café était fort mais pas âcre et la gaufrette excellente — il faudrait qu'elle demande à Jennifer où elle achetait ces biscuits.

C'était drôle de voir à quel point une gourmandise pouvait apaiser l'esprit et même exalter une âme troublée.

Après un moment, elle put de nouveau se concentrer sur son roman. Le style était plaisant. L'intrigue originale. Les personnages hauts en couleur. Un bon livre.

Cette deuxième salle d'attente constituait un salon de lecture idéal. Pas de fenêtre, pas de musique de fond. Rien qui vienne distraire l'esprit.

Un des personnages de l'histoire était un médecin qui aimait les haïkus. Grand, beau, doté par la nature d'une voix chaude, il récitait un haïku tout en contemplant un orage par une grande fenêtre.

Le vent dans les pins,
la pluie véloce, le store déchiré,
qui bat et se plaint.

Martie trouvait ce poème charmant. Et ces quelques lignes succinctes illustraient parfaitement l'ambiance de ce grain de janvier qui balayait la côte, derrière la fenêtre. Charmants – l'évocation de cet orage et les mots pour le décrire.

Mais le haïku l'avait aussi troublée. Quelque chose d'inquiétant, de menaçant, était caché derrière ses belles images. Une brusque angoisse étreignit Martie, la sensation que rien n'était exactement ce qu'il paraissait être.

Que m'arrive-t-il ?

Martie était désorientée. Elle se retrouva debout, sans avoir le souvenir de s'être levée de son fauteuil. Nom de Dieu, que faisait-elle ici ?

— Que m'arrive-t-il ? articula-t-elle cette fois à haute voix.

Puis elle ferma les yeux ; il fallait qu'elle retrouve son calme. Qu'elle reprenne ses esprits. Garder l'espoir – toujours.

Peu à peu, elle s'apaisa.

Elle décida de tromper le temps en lisant. Les livres étaient une bonne thérapie. On pouvait se perdre dans un livre, oublier ses soucis, ses peurs.

Celui-ci était une très bonne échappatoire à soi-même. Un vrai roman à suspense. Le style était plaisant. L'intrigue originale. Les personnages hauts en couleur. Un bon livre…

10.

La seule chambre disponible à la clinique de La Nouvelle Vie se trouvait au premier étage, ses fenêtres donnant sur un parc paysager – des palmiers royaux, des fougères malmenées par le vent, des parterres de cyclamens rouge sang se couchant sous les bourrasques. La pluie tapait si fort contre les vitres qu'on aurait dit qu'il tombait de la grêle.

Presque sec à présent, Skeet s'était installé dans un fauteuil tapissé de tweed bleu. Il feuilletait d'un air las un vieux numéro du *Time.*

C'était une chambre particulière : un lit d'une place recouvert d'un dessus de lit à damier jaune et vert, une table de nuit en Formica jaune imitation pin, une petite commode assortie. Les murs étaient blanc cassé, les rideaux orange, la moquette vert bile. En enfer, c'était dans ce genre de lieu que l'on enfermait les décorateurs d'intérieur impies pour qu'ils expient leurs péchés.

La salle de bains attenante offrait une douche aussi exiguë qu'une cabine téléphonique. Une étiquette rouge fixée à un coin du miroir au-dessus du lavabo annonçait VERRE DE SÉCURITÉ, prévenant son utilisateur qu'une fois brisé le verre ne fournirait aucun éclat tranchant susceptible d'entailler une veine.

Bien que la chambre fût spartiate, elle coûtait cher à la journée, car les soins prodigués par le personnel de la clinique étaient de bien meilleure qualité que la décoration intérieure. L'assurance de Skeet ne couvrait pas les dommages du type *j'ai été stupide et autodestructeur et maintenant j'ai besoin d'un lavage de cerveau complet,* si bien que Dusty avait déjà fait un chèque couvrant la chambre et la pension complète pour les quatre semaines à venir et signé un document où il s'engageait à honorer tous les frais inhérents au séjour du patient : soins, psys, médecins et infirmières.

Comme c'était la troisième cure de désintoxication de Skeet – la deuxième à La Nouvelle Vie – Dusty commençait à se dire que pour qu'elle ait une chance de réussir il fallait non pas des psys, des médecins et des infirmières autour du garçon, mais des magiciens et des sorcières, secondés par une bonne lampe d'Aladin.

Skeet allait rester quatre semaines à La Nouvelle Vie, peut-être six. À cause de sa tentative de suicide, un bataillon d'infirmières allait se relayer à son chevet vingt-quatre heures sur vingt-quatre pendant au moins trois jours d'affilée.

Même avec ses chantiers en prévision et le nouveau jeu adapté du *Seigneur des anneaux* qu'on avait commandé à Martie, ils ne pourraient pas s'offrir des vacances à Hawaii cette année. Tout au plus pourraient-ils planter quelques lanternes *tiki* dans le jardin, mettre des chemises à fleurs, passer un bon vieux CD de Don Ho et organiser un *luau*[1] avec du jambon en boîte. Ce serait amusant aussi. Tout ce qu'il faisait avec Martie était amusant, surfer sur les rouleaux de Waimea Bay autant que repeindre la barrière de leur jardin.

Lorsque Dusty s'assit sur le lit, Skeet lâcha l'exemplaire du *Times*.

— Ce magazine est nul depuis qu'ils ont arrêté de mettre des filles à poil dedans. Voyant que Dusty ne répondait pas, il ajouta : Hé, c'est juste une blague, frangin ! c'est pas l'effet des médocs. Je ne plane plus.

— Tu étais plus drôle tout à l'heure quand tu planais.

— Oui, mais après une descente en piqué et un crash sur des matelas, il est rare d'avoir beaucoup humour.

Sa voix vacilla comme une toupie en fin de rotation.

Le cliquetis de la pluie sur les toits avait d'ordinaire un effet apaisant sur le jeune homme, mais aujourd'hui cela lui rappelait toutes ses années perdues dans la défonce, tous ses rêves engloutis dans le flot des événements. Un bruit sinistre et terrifiant.

Skeet plaqua ses mains pâles et fripées sur ses paupières.

— J'ai vu mes yeux dans le miroir de la salle de bains. On croirait deux glaviots dans un cendrier sale. C'est exactement comme ça que je me sens, d'ailleurs.

— Tu as besoin de quelque chose, en plus de tes affaires ? Des magazines, des livres, une radio ?

— Non. Je vais passer mes journées à dormir – il fixa du regard ses doigts, comme si un fragment de ses yeux avait pu y rester collé. C'est vraiment gentil ce que tu fais pour moi, Dusty. Je ne le mérite pas, mais j'apprécie le geste. Et je te rembourserai.

— Oublie ça.

— Non, j'y tiens. Il se coula encore un peu plus dans le fauteuil, telle une flaque de suif à forme humaine. C'est important pour moi. Peut-être que je vais gagner à la loterie ? C'est possible, non ?

— Possible, reconnut Dusty.

Même s'il ne croyait pas aux jeux de hasard, il croyait aux miracles.

Le premier infirmier de garde arriva, un jeune Asiatique nommé Tom Wong ; son air serein et détendu de professionnel ainsi que son sourire enfantin rassurèrent Dusty. Skeet serait entre de bonnes mains.

Le nom inscrit sur le badge de Skeet était Holden Caulfield Junior, mais, lorsque Tom le lut à voix haute, le garçon sortit soudain de sa léthargie :

— *Skeet !* lâcha-t-il d'un air féroce, en se redressant et en serrant les poings. C'est mon nom. Skeet et rien que Skeet. Ne m'appelez jamais Holden. Jamais ! Comment pourrais-je être le Holden junior alors que mon imposteur de connard de père n'est même pas un Holden

---

1. L'équivalent de notre barbecue : on y fait griller du poisson au lieu de viande.

senior ! Je devrais m'appeler Sam Farner junior. Mais ne m'appelez pas comme ça non plus ! Si vous vous avisez de m'appeler autrement que Skeet, je me fiche à poil, je me fous le feu aux cheveux et je saute par cette fenêtre à la con ! Vu ? C'est ça que vous voulez, que je fasse le saut de l'ange en homme torche dans votre putain de parterre de fleurs ?

Tom Wong sourit en secouant la tête.

— En tout cas, pas pendant ma garde, Skeet. Les cheveux en feu, cela doit faire son petit effet, mais je suis moins sûr d'apprécier de te voir tout nu.

Dusty eut une bouffée de soulagement. Tom avait trouvé exactement la bonne attitude.

— Vous avez bien raison, Mr. Wong, répondit Skeet en s'affalant de nouveau dans son fauteuil.

— Appelle-moi Tom.

Skeet secoua la tête.

— Je suis un cas aigu de croissance interrompue ; je suis bloqué dans la première adolescence, et plus tordu et emmêlé dans ma tête que deux vers de terre en train de faire des bébés. Je n'ai pas besoin de nouveaux amis, Mr. Wong. Ce qu'il me manque, vous voyez, ce sont des figures d'autorité, des gens pour me montrer le chemin, parce que je ne peux plus continuer comme ça, et que je veux trouver la sortie, de toutes mes forces. D'accord ?

— D'accord, répondit Tom Wong.

— Je vais revenir avec tes affaires, annonça Dusty.

Lorsque Skeet voulut se mettre debout, il n'eut pas la force de se soulever du fauteuil.

Dusty se pencha pour l'embrasser.

— Je t'aime, petit frère.

— La vérité, c'est que je ne te rembourserai jamais.

— Mais si. La loterie, tu te souviens ?

— Je n'ai jamais de chance.

— Alors j'achèterai un billet pour toi.

— C'est vrai ? Tu ferais ça ? Toi, tu as de la chance. Tu en as toujours eu. La preuve, tu as trouvé Martie !

— La roue va tourner. Je t'achèterai deux billets par semaine.

— Ce serait cool… Skeet ferma les yeux. Sa voix s'éteignit dans un murmure. Vraiment cool…

Il s'était endormi.

— Pauvre gosse, lança Tom Wong

Dusty acquiesça.

Il quitta la chambre et se rendit directement au poste de garde des infirmières. L'infirmière en chef de l'étage s'appelait Colleen O'Brien, une femme trapue, constellée de taches de rousseur, avec des cheveux blancs et un regard bienveillant – une vraie mère supérieure. Elle assura être au courant de tous les détails du dossier médical de Skeet, mais Dusty tint à les lui rappeler.

— Pas de médicaments. Pas de tranquillisants, pas de sédatifs. Pas d'antidépresseurs non plus. Il a été bourré de toutes ces saloperies dès l'âge de cinq ans, parfois les deux ou les trois à la fois. Il avait un trouble de l'acquisition, un désordre comportemental, comme on dit, et son père l'a gavé de cachets pour soigner ça. Quand un médicament avait des effets secondaires, on lui donnait d'autres médicaments pour les contrecarrer, et ceux-ci produisaient à leur tour d'autres effets secondaires, nécessitant une troisième génération de médicaments, et ainsi de suite… Pendant toute son enfance, il a été une vraie usine de retraitement chimique : c'est ça qui l'a mis dans cet état. Il est tellement habitué à prendre des pilules ou à recevoir des piqûres qu'il ne s'imagine même plus pouvoir vivre sans elles.

— Le Dr Donklin est d'accord là-dessus, annonça l'infirmière en chef en sortant le dossier de Skeet. Il a consigné un ordre de non-médication.

— Le métabolisme de Skeet est si usé et son système nerveux si shooté qu'on ne peut pas savoir comment il réagira sur le plus anodin des médicaments.

— Il n'aura même pas un Doliprane.

Dusty se rendait compte qu'il radotait, mais il était trop inquiet pour pouvoir s'arrêter :

— Il a failli mourir un jour avec des tablettes de caféine ; une sale habitude qu'il avait. Il a eu des symptômes psychotiques à cause de ça, des hallucinations terribles, et finalement des convulsions. Aujourd'hui il est devenu hypersensible à cette substance, complètement allergique. Si vous lui donnez un café, un Coca, il peut faire un choc anaphylactique.

— Écoutez, fiston, tout ça est aussi dans le dossier. Rassurez-vous, nous prendrons bien soin de lui.

À la grande surprise de Dusty, Colleen O'Brien se signa et lui lança un clin d'œil.

— Rien de fâcheux n'arrivera à votre petit frère pendant mon service.

Avec son air de mère supérieure, elle semblait parler à la fois en son nom et au nom de Dieu.

— Je vous remercie, Mrs. O'Brien, murmura Dusty. Merci beaucoup.

De retour dans sa camionnette, il n'alluma pas tout de suite le moteur. Ses mains tremblaient trop pour tenir le volant. Les tremblements étaient dus au contrecoup de sa chute du toit des Sorenson ; mais Dusty éprouvait de la colère aussi – contre ce pauvre crétin de Skeet, contre ce boulet qu'il traînait partout avec lui. Et, derrière cette colère, il y avait de la honte, parce que Dusty aimait Skeet, de tout son être, qu'il se sentait responsable du gamin et qu'il ne pouvait désormais plus rien pour lui. Se savoir impuissant était pire que tout.

Dusty replia les bras sur le volant, posa le front sur ses poignets et, chose qui lui était rarement arrivée au cours de ses vingt-neuf années d'existence, il se mit à pleurer.

11.

Après la séance avec le Dr Ahriman, Susan Jagger paraissait redevenue celle qu'elle était avant que l'agoraphobie se déclare. Elle enfila son imperméable en déclarant qu'elle avait faim. Avec une sagacité pleine d'humour, elle évalua la qualité des trois restaurants chinois que lui suggéra Martie.

— Je n'ai rien contre le soja transgénique, ni contre le bœuf.

Se Tchouan trop relevé, mais je dois écarter le candidat numéro trois car je n'ai aucune envie qu'on me serve en garniture une colonie de cafards.

Rien dans son visage ou ses manières ne laissait supposer qu'elle était prisonnière d'un mal insidieux.

Au moment de quitter le cabinet, elle lança à Martie :

— Tu oublies ton livre !

L'ouvrage était posé sur la petite table à côté du fauteuil que Martie avait occupé. Celle-ci retourna dans la pièce mais hésita un instant avant de reprendre son roman.

— Qu'est-ce qu'il y a ? s'enquit Susan.

— Quoi ? Oh ! rien. Je crois que j'ai perdu mon marque-page, répondit Martie en enfouissant le livre dans la poche de son manteau.

Pendant toute la traversée du couloir, Susan garda sa bonne humeur, mais, pendant la descente en ascenseur, son comportement s'altéra. Une fois arrivée au rez-de-chaussée, elle avait le visage pâle comme du petit-lait et le tremblement de sa voix trahissait une anxiété sourde. Elle rentra la tête dans les épaules et se courba en avant, semblant déjà lutter contre le froid et les trombes d'eau qui les attendaient dehors.

Susan sortit de l'ascenseur toute seule. Pourtant, après quatre ou cinq pas dans le hall, elle fut contrainte de s'agripper à Martie. Lorsqu'elles approchèrent des portes donnant dans la rue, elle était presque entièrement paralysée par la peur, réduite à une petite chose fragile et honteuse de son état.

Le voyage du retour fut éprouvant. Quand elle ouvrit la voiture, Martie avait l'épaule droite et le cou tout endoloris tant Susan l'avait serrée dans sa détresse.

Susan se pelotonna sur le siège passager, se balançant d'avant en arrière comme si elle avait mal au ventre, la tête baissée pour ne pas risquer d'apercevoir le monde sans fin derrière les vitres.

– Je me sentais si bien là-haut, bredouilla-t-elle d'un air misérable. J'allais si bien pendant la séance avec le Dr Ahriman. Je me sentais *normale*. J'étais persuadée que j'irais mieux en sortant, un petit peu mieux, mais non, c'est pire qu'à mon arrivée.

– Ce n'est pas vrai, ma belle, répondit Martie en tournant la clé de contact. Ce n'est pas pire. Tu étais déjà une emmerdeuse à l'allée, je t'assure.

– Eh bien, disons que je me sens encore plus mal. C'est comme si quelque chose allait nous tomber dessus. Et je sais que je vais être écrasée sous le choc.

– C'est la pluie qui nous tombe dessus, rien d'autre, rétorqua Martie tandis que les trombes d'eau martelaient l'habitacle, faisant un raffut de tous les diables.

– Non, ce n'est pas la pluie. C'est autre chose. Quelque chose de très lourd, là, suspendu juste au-dessus de nous, prêt à se décrocher. Et je déteste ça.

– On va se boire une Tsingtao.

– Ça ne changera pas grand-chose.

– Deux Tsingtao alors !

– C'est une barrique qu'il me faut.

– Deux barriques ! Et je me saoulerai avec toi.

Sans relever la tête, Susan articula :

– Tu es une véritable amie, Martie.

– On verra si tu penses encore ça lorsqu'on sera en cure de désintoxication !

12.

Après avoir quitté la clinique de La Nouvelle Vie, Dusty, la gorge serrée, rentra chez lui pour enfiler des vêtements secs. Il trouva Valet derrière la porte de la cuisine ; celui-ci accueillit son maître avec un enthousiasme typiquement canin, la queue fouettant l'air si ardemment que tout son arrière-train battait la cadence avec elle. La simple vue du retriever desserra un peu l'étreinte qui nouait l'estomac de Dusty.

Il s'accroupit devant le chien et entreprit de lui dire bonjour dans les règles : grattage copieux des oreilles, du menton, puis le long du cou et jusqu'à l'épaisse fourrure couvrant sa poitrine.

L'homme appréciait ce moment autant que le chien. Grattouiller et caresser Valet pouvaient être aussi apaisants pour l'esprit que la plus profonde des méditations – et presque aussi rassérénant pour l'âme qu'une prière en bonne et due forme.

Lorsque Dusty alluma la machine à café et versa dans le filtre quelques mesures d'un mélange colombien, Valet roula sur le dos, les quatre pattes en l'air, quémandant un grattage de ventre.

– Tu es un amour de chien, lança Dusty.

La queue de Valet se mit à balayer le sol comme un essuie-glace.

– Une petite séance de grattouillis me ferait le plus grand bien, reconnut Dusty, mais j'ai encore plus besoin d'un café. Ne m'en veux pas.

Son cœur semblait pomper du fréon glacé au lieu de sang. Le froid s'insinuait jusqu'à ses os, les étreignait. Même poussé à son maximum, le chauffage de la camionnette n'avait pas réussi à le réchauffer. Il comptait sur un café fumant pour régler ça.

Lorsque Valet comprit qu'il n'aurait pas droit à son grattage de ventre, il se remit debout et traversa la cuisine en direction de la salle d'eau. La porte était entrouverte et le chien glissa sa truffe dans l'entrebâillement, humant les ténèbres de l'autre côté.

– Tu as une belle gamelle d'eau bien fraîche ici, lança Dusty. Pourquoi veux-tu aller boire dans les toilettes ?

Valet le regarda un instant puis reporta son attention sur la salle d'eau plongée dans l'obscurité.

Le café commençait à goutter dans la cafetière et un délicieux fumet emplissait la cuisine.

Dusty monta dans la chambre passer un jean sec, une chemise blanche et un pull bleu marine.

D'ordinaire, lorsque Dusty était seul à la maison, le chien le suivait partout, espérant une caresse, une friandise, une séance de jeu ou juste un mot gentil. Cette fois, Valet resta en bas.

Quand Dusty revint dans la cuisine, le golden retriever était toujours posté devant la porte de la salle d'eau. Il s'approcha de son maître, l'observa remplir une tasse du café fumant, puis repartit vers la porte entrebâillée.

Le breuvage était fort et brûlant, pourtant, la chaleur qu'il diffusait restait à la surface du corps de Dusty. Ses os glacés ne risquaient pas de dégeler !

Alors qu'il était appuyé contre le comptoir de la cuisine et observait

Valet en train de renifler, le museau enfoncé dans l'interstice de la porte de la salle d'eau, une nouvelle chape de froid l'envahit.

— Qu'est-ce qu'il y a de bizarre là-dedans, cul poilu ?

Valet tourna la tête vers lui et émit un gémissement.

Dusty se servit une autre tasse de café, mais, avant d'y tremper les lèvres, il se dirigea vers la salle d'eau ; il écarta Valet de son chemin, ouvrit la porte et alluma la lumière.

Quelques Kleenex usagés avaient été retirés de la poubelle en cuivre et abandonnés dans le lavabo. Le réceptacle métallique, quant à lui, gisait couché sur le couvercle des toilettes.

Quelqu'un, apparemment, s'était servi de la poubelle pour briser le miroir de l'armoire à pharmacie. Des morceaux de verre, pareils à des éclairs d'orage solidifiés, constellaient le sol carrelé.

13.

Martie partit au restaurant chercher leurs plats à emporter – nouilles asiatiques, bœuf Se Tchouan, petits pois, brocolis, riz et un pack de six Tsingtao – et laissa Susan dans la voiture, avec le moteur en marche et la radio réglée sur une station de rock. Elle avait passé commande sur son portable, en route, et les plats étaient prêts à son arrivée. Pour les protéger de la pluie, les boîtes en carton contenant la nourriture et le pack de bières avaient été emballés dans deux sacs plastique.

Martie ressortit du restaurant à peine quelques minutes plus tard. Le volume de l'autoradio était poussé si fort qu'elle entendait Gary US Bond chanter *School is Out* comme s'il s'agissait d'un live.

Elle grimaça en pénétrant dans la voiture. Les membranes des haut-parleurs vibraient tellement qu'elles faisaient s'entrechoquer les pièces enfermées dans le porte-monnaie de bord.

Seule dans une voiture, Susan risquait d'être submergée par la présence du vaste monde, bien qu'il ne s'agît pas à proprement parler d'un espace ouvert et qu'elle gardât la tête baissée pour ne pas voir le paysage à travers les fenêtres ; la musique, parfois – à condition d'être tonitruante –, l'aidait à oublier cette présence oppressante, détournait son attention et faisait refluer sa terreur. La gravité de la crise pouvait se mesurer aux décibels. Celle-ci était sérieuse : le bouton du volume était en butée.

Martie baissa le son. La musique rythmée de *School is Out* avait totalement masqué les bruits de l'orage. Les staccatos des gouttes sur le toit et le fond de cymbales et de maracas de l'eau ruisselant sur la carrosserie reprirent leurs droits.

Frissonnante, le souffle court, Susan resta immobile et silencieuse, la tête baissée.

Martie ne dit rien. Souvent, il fallait bousculer Susan, la cajoler, la conseiller, parfois lui botter les fesses pour la faire sortir de sa terreur ; mais, de temps en temps, la meilleure façon de l'aider à redescendre un à un les degrés de terreur sur son échelle de panique consistait à ne faire aucune allusion à son état, à agir comme si de rien n'était ; évoquer son trouble n'aurait fait qu'accentuer son angoisse.

Après avoir roulé sur deux ou trois cents mètres, Martie annonça :

— Je nous ai pris des baguettes.

— Je préfère une fourchette, merci.

— La cuisine chinoise ne livre pas ses véritables saveurs avec une fourchette.

— Et le lait de vache ? Il faut le téter au pis pour connaître son vrai goût ?

— Faut croire.

— Je me contenterai d'une approximation. Je préfère passer pour une béotienne et avoir une fourchette.

Lorsqu'elles arrivèrent près de la maison, Susan était redevenue suffisamment sereine pour envisager de rejoindre son appartement au deuxième étage. Toutefois, elle dut s'appuyer sur Martie pendant l'ascension, ce qui rendit leur progression des moins aisées.

Une fois qu'elle eut retrouvé la sécurité de son chez-soi, avec ses volets fermés et ses doubles rideaux tirés, Susan put se redresser, les épaules droites et la tête haute. Son visage n'était plus déformé par la peur ; et ses yeux verts, encore animés d'une lueur farouche, n'étaient plus exorbités de terreur.

— Pendant que je fais réchauffer les boîtes au micro-ondes, annonça-t-elle, tu n'as qu'à mettre la table.

Martie se rendit dans la salle à manger, mais, au moment de poser une fourchette à côté de l'assiette de Susan, sa main trembla. Les dents en inox tintèrent contre la faïence.

Martie lâcha la fourchette avec effroi. Sa répulsion fut telle qu'elle dut s'éloigner de la table. Les dents semblaient effilées comme des poignards. Une simple fourchette devenait une arme terrible si on la laissait entre de mauvaises mains. Jamais elle ne s'en était rendu compte auparavant. On pouvait arracher un œil, lacérer un visage, perforer le cou de quelqu'un et entortiller la carotide comme un vulgaire spaghetti. On pouvait aussi…

Prise du besoin impérieux d'occuper ses mains, de les occuper à *quelque chose d'inoffensif,* Martie ouvrit l'un des tiroirs du buffet, aperçut le jeu de pinocle de soixante-quatre cartes qu'elles avaient coutume d'utiliser et le sortit de sa boîte. Debout, à côté de la table, le plus loin possible de la fourchette, elle se mit à battre les cartes. Ses premiers gestes furent malhabiles, des cartes lui échappaient des mains, mais peu à peu elle parvint à coordonner ses mouvements.

Elle ne pouvait pourtant pas battre ces cartes jusqu'à la saint-glinglin !

Rester occupée. Faire quelque chose. Quelque chose qui ne soit pas dangereux. Surtout, ne pas s'arrêter, jusqu'à ce que la crise soit passée.

Faisant de son mieux pour dissimuler son émoi, elle retourna dans la cuisine où Susan attendait la sonnerie de la minuterie du micro-ondes. Martie sortit deux Tsingtao du réfrigérateur.

Les parfums complexes des plats chinois planaient dans la pièce.

— Tu crois que j'ai droit à l'odeur authentique de la cuisine chinoise si je reste habillée à l'occidentale ? lança Susan.

— Quoi ?

— Ou est-ce que pour vraiment en sentir tous les fumets, je dois enfiler un kimono ?

— Ha ! ha ! ha ! se contenta de lâcher Martie, trop troublée pour espérer trouver une réplique spirituelle.

Elle voulut poser les deux bouteilles de bière sur la planche à découper pour les décapsuler, mais la *mezzaluna* était là, avec son croissant d'acier luisant. Son cœur se mit à tambouriner dans sa poitrine. Elle posa alors les bouteilles sur la petite table de cuisine puis elle sortit deux verres du placard et les plaça à côté.

Rester occupée. Ne pas s'arrêter.

Elle fouilla dans un tiroir rempli de divers ustensiles à la recherche d'un décapsuleur. Sitôt l'instrument trouvé, elle s'en empara et se dirigea vers les Tsingtao.

L'ouvre-bouteille possédait une extrémité ronde, servant à soulever les capsules, mais l'autre côté était pointu et crochu, pour ouvrir les boîtes de conserve.

Le temps d'arriver à la petite table, l'extrémité pointue lui parut une arme aussi dangereuse que la fourchette ou le hachoir. Elle posa rapidement le décapsuleur à côté des bouteilles avant qu'il tombe de ses mains tremblantes.

— Tu veux bien ouvrir les bières ? lança-t-elle à Susan en quittant la cuisine pour que la jeune femme ne remarque pas son trouble. J'ai une envie pressante.

Elle traversa la salle à manger en évitant de regarder la table où reposait la fourchette, ses quatre dents dressées comme un défi.

Dans le couloir, elle détourna les yeux du miroir couvrant les portes coulissantes de la penderie.

Puis la salle de bains. Encore un miroir.

Elle faillit reculer dans le couloir. Mais où aller ? où trouver un coin tranquille pour reprendre ses esprits ? Elle ne voulait pas que Susan la surprenne dans cet état.

Rassemblant tout son courage, elle fit face à la glace au-dessus du lavabo et n'y trouva rien d'effrayant. L'angoisse qui se lisait sur son visage était inquiétante, mais pas aussi visible qu'elle le supposait.

Martie referma rapidement la porte derrière elle, baissa l'abattant de la cuvette des toilettes et s'assit pour retrouver son calme. Ce n'est que lorsqu'elle entendit l'air de ses poumons s'échapper en un long sifflement qu'elle s'aperçut qu'elle était en apnée depuis un long moment.

14.

En découvrant les éclats de verre qui jonchaient le sol de la salle d'eau, Dusty pensa tout d'abord qu'un vandale ou un cambrioleur s'était introduit dans la maison.

Valet ne montrait pas, toutefois, de réel signe d'inquiétude. Son poil n'était pas dressé. Le chien avait même affiché une humeur joueuse à l'arrivée de Dusty.

Certes, Valet avait un cœur d'artichaut et était un piètre gardien. Il pouvait avoir pris en sympathie l'intrus – comme c'était le cas pour quatre-vingt-dix pour cent des gens qu'il rencontrait –, l'avoir suivi dans toute la maison et lui avoir léché les mains pendant qu'il remplissait ses sacs avec les biens de la famille.

Le chien cette fois sur les talons, Dusty entreprit de fouiller les lieux, pièce par pièce, meuble par meuble, tiroir par tiroir – d'abord le rez-de-chaussée, puis l'étage. Il ne remarqua rien : ni trace de vandalisme ni objets manquants.

Dusty ordonna à Valet de rester dans la cuisine pendant qu'il nettoyait la salle de bains pour éviter que le chien ne se coupe sur les éclats de verre. Peut-être Martie lui apporterait-elle une explication… C'était peut-être un accident qui s'était produit juste avant qu'elle parte voir Susan ? À moins qu'un fantôme coléreux n'ait emménagé chez eux !

Ils auraient décidément beaucoup de choses à se raconter au dîner : le plongeon suicidaire de Skeet, la nouvelle expédition avec Susan chez son psy, les poltergeists…

Tout en faisant des exercices de respiration pour retrouver son calme, Martie songea une nouvelle fois à l'origine de ses malaises. Le stress, assurément ! C'était l'explication la plus probable ; tant de choses lui occupaient l'esprit, tant de responsabilités pesaient sur ses épaules...

Concevoir ce nouveau jeu inspiré du *Seigneur des anneaux* était le travail le plus important et le plus complexe de sa carrière. Et la commande était accompagnée d'une cohorte de dates butoirs qui ne faisait qu'accentuer la pression – une pression peut-être plus forte encore qu'elle ne l'avait supposé.

Sabrina, sa mère, et son aversion indéfectible contre Dusty... en voilà une autre source de stress, et de longue date !

Et puis, l'an passé, elle avait vu son cher père mourir du cancer. Les trois derniers mois furent pour lui une longue descente aux Enfers, qu'il endura avec sa bonne humeur légendaire, refusant de reconnaître le prix de la douleur et les humiliations que lui infligeait son état. Son rire doux et son charme n'avaient pu, cette fois, remonter le moral de sa fille et alléger sa peine. Au contraire, chacun de ses sourires lui transperçait le cœur ; et même si de ces blessures-là aucune goutte de sang n'avait coulé, quelques centilitres d'optimisme avaient été perdus dans l'affaire et ne seraient jamais remplacés.

Susan, bien entendu, représentait une autre source de stress, et pas des moindres. L'amour était un vêtement sacré, tissé dans un fil si fin qu'il en était invisible et pourtant si solide que même la mort ne pouvait le rompre, un vêtement qui ne s'élimait pas avec le temps, qui apportait à l'âme chaleur et réconfort dans un monde d'un froid insupportable sans cela – mais, parfois, l'amour pouvait être aussi une lourde chaîne... Porter le fardeau de l'amour, dans les occasions où il était d'un poids écrasant, le rendait plus précieux encore que lorsqu'en des circonstances meilleures il attrapait le vent dans ses ailes et vous soulevait de terre. Et, malgré le stress que lui infligeaient ces deux sorties hebdomadaires, Martie ne pouvait pas plus prendre ses distances avec Susan qu'avec son père mourant, sa mère éreintante ou Dusty.

Elle retournerait dans cette salle à manger, savourerait ce repas chinois, boirait une bouteille de bière, jouerait au pinocle et ferait comme si elle n'était pas hantée par une foule de sinistres augures. Une fois de retour chez elle, elle appellerait le Dr Closterman, son médecin traitant, et lui demanderait un check-up complet, au cas où son propre diagnostic, imputant tous ses maux au stress, était erroné. Elle se sentait physiquement en forme, mais c'était le cas aussi de Bob la Banane lorsque l'apparition de cette bizarre petite douleur lui avait révélé le stade terminal de son cancer.

Aussi fou que cela puisse paraître, elle soupçonnait encore son jus de pamplemousse du matin d'être le responsable. Cela faisait plusieurs jours qu'elle en buvait, à la place du jus d'orange, parce que le pamplemousse était moins calorique. Peut-être cela expliquait-il également son rêve de l'homme-feuille – ce personnage furieux fait de feuilles mortes et pourrissantes... Peut-être devrait-elle confier au Dr Closterman un échantillon du jus de pamplemousse pour le faire analyser ?

Au bout d'un moment, elle se lava les mains et se résolut à affronter de nouveau le miroir. La glace renvoyait d'elle l'image d'une femme relativement saine d'esprit.

Peu importe à quoi elle ressemblait à l'extérieur, à l'intérieur, elle avait la certitude d'être devenue, définitivement et irrémédiablement, folle.

Une fois que Dusty eut fini de ramasser les débris de verre, il gratifia Valet, qui avait été un gentil chien et s'était tenu sagement à l'écart de la zone de danger, d'un petit cadeau : les restes du poulet rôti de la veille. Le retriever prit chaque morceau des doigts de son maître avec la délicatesse d'un oiseau-mouche butinant de l'eau sucrée dans une mangeoire de jardin ; le festin terminé, Valet contempla Dusty avec une adoration qui devait approcher l'amour des anges pour Dieu.

— Mais oui, toi aussi, tu es un ange, lança Dusty en grattouillant le cou du chien. Un ange poilu. Avec des oreilles si grandes que tu n'as pas besoin d'ailes pour voler !

Il décida d'emmener Valet avec lui ; il devait aller chercher quelques affaires dans l'appartement de Skeet, puis les lui apporter à la clinique de La Nouvelle Vie. Bien qu'aucun intrus ne se fût introduit dans la maison, Dusty n'était pas tranquille à l'idée d'y laisser le chien tout seul, tant qu'il ne savait pas ce qui était arrivé au miroir de la salle d'eau.

— Eh bien, si je suis surprotecteur comme ça avec toi, qu'est-ce que ça va être avec mes enfants ?

Le chien découvrit ses dents, semblant sourire à l'idée d'avoir une ribambelle de gamins autour de lui. Puis, faisant preuve d'un don de télépathe surprenant, il se dirigea tout droit vers la porte du garage et se planta devant, battant la queue d'impatience.

Au moment où Dusty enfilait un coupe-vent, le téléphone se mit à sonner. Il alla décrocher.

Lorsqu'il raccrocha, il se tourna vers Valet :

— On voulait me vendre un abonnement au *Times* de LA, expliqua-t-il comme si le chien devait savoir qui avait téléphoné.

Valet n'était plus debout devant la porte du garage mais couché sur le seuil, à moitié endormi, dans la même attitude que si Dusty avait parlé dix minutes au téléphone et non pas trente secondes.

Dusty fronça les sourcils :

— Tu t'es fait un shoot de protéines avec ce poulet rôti. Allez, debout, gros fainéant !

Lâchant un soupir de lassitude, Valet se releva.

Dans le garage, Dusty passa un collier autour du cou du chien.

— La dernière chose dont j'ai besoin, c'est bien d'un journal ! annonça-t-il en accrochant la laisse à la courroie de cuir. Tu sais ce qu'il y a dans les journaux, golden poilu ?

Valet le regarda, dans l'expectative.

— Des nouvelles du gotha. Et qui forme le gotha ? Des politiciens, des gens des médias, des intellectuels et des huiles des grosses universités, des gens qui pensent trop à eux-mêmes et trop tout court. Des gens comme le Pr Trevor Penn Rhodes, mon paternel, et comme le Pr Holden Caulfield, le paternel de Skeet.

Valet renifla.

— Exactement !

Dusty ne s'attendait pas que le chien accepte de voyager à l'arrière de la camionnette, parmi les pinceaux et les pots de peinture. Le golden retriever se dirigea directement vers la cabine et s'installa sur la banquette ; il adorait regarder le paysage derrière le pare-brise. Dusty boucla la ceinture de sécurité autour de son passager, qui le remercia pour ce geste d'affection d'une rasade de coups de langue sur la figure.

Dusty démarra et sortit du garage en marche arrière.

— Le gotha fout le monde en l'air à force de vouloir le sauver. Et tu sais ce que valent leurs profondes pensées, pomme poilue ? Pas plus que ce qu'on ramasse derrière toi dans nos petits sacs bleus.

Le chien lui fit un grand sourire.

Tout en appuyant sur la télécommande pour refermer la porte du garage, Dusty se demanda pourquoi il n'avait pas dit tout ça à la prospectrice qui avait voulu lui vendre un abonnement. Les appels incessants des meutes de démarcheurs du *Times* étaient l'un des grands maux de la Californie du Sud, à part égale avec les tremblements de terre, les incendies de forêt et les glissements de terrain. S'il avait tenu ce discours à son interlocutrice — à moins que ce ne fût un interlocuteur ? —, peut-être son nom aurait-il été enfin rayé de leurs listes.

Tandis qu'il rejoignait la rue en marche arrière sous la pluie battante, Dusty fut saisi par le fait qu'il était incapable de se rappeler s'il avait eu un homme ou une femme au bout du fil. Cela n'était pas si étonnant, pourtant, puisqu'il n'avait écouté que le strict minimum pour comprendre de quoi il s'agissait avant de raccrocher.

D'ordinaire, il concluait la conversation avec ce genre de démarcheurs en leur faisant une proposition, juste pour s'amuser. *D'accord, je m'abonne à condition qu'on fasse du troc. Je repeins votre bureau et en échange vous me donnez un abonnement pour trois ans. Et je suis même prêt à prendre un abonnement à perpétuité si votre journal cesse d'appeler les vedettes du sport des « héros ».*

Cette fois, il n'avait fait aucune proposition. Mais il ne pouvait se souvenir de ce qu'il avait dit à la place, ne serait-ce qu'un « non, merci » ou un « cessez de m'importuner ».

Bizarre. Son esprit était comme une feuille blanche.

À l'évidence, la tentative de suicide de Skeet l'avait plus ébranlé qu'il ne le supposait.

15.

Au dire de Susan, les plats chinois étaient délicieux, mais Martie, malgré ses exclamations démonstratives, trouvait la nourriture insipide. Et la Tsingtao avait un goût aigre aujourd'hui.

Ni la cuisine ni la bière n'étaient en faute. L'anxiété de Martie, qui menaçait à tout moment de revenir parasiter son esprit, l'empêchait de profiter de ces plaisirs terrestres.

Elle mangeait avec des baguettes ; au début, elle avait craint que le simple fait de voir la fourchette entre les mains de Susan ne déclenche chez elle une nouvelle crise d'angoisse. Mais cette fois la vue des dents d'acier recourbées ne l'inquiéta pas. Elle n'avait pas peur de la fourchette *en soi* ; ce qui la terrorisait, c'était le mal que cet objet pouvait causer s'il se trouvait *entre ses propres mains*. Une fois en possession de Susan, cet ustensile semblait redevenu parfaitement inoffensif.

Martie était terrifiée par l'idée qu'elle puisse abriter en elle quelque force occulte, capable d'une violence indescriptible. Cette pensée la mettait si mal à l'aise qu'elle la chassa aussitôt de son esprit. Il s'agissait d'une crainte totalement irrationnelle ; ni son âme, ni son corps, ni son esprit n'inclinaient à la violence, elle en était certaine. Et, pourtant, elle n'avait pas aimé avoir cet ouvre-bouteille dans les mains…

Étant donné l'anxiété qui imprégnait toutes ses pensées, Susan allait sûrement la battre à plate couture au pinocle ; du moins c'était ce que croyait Martie, occupée qu'elle était à dissimuler son malaise devant son amie. Mais la chance lui sourit ; à chaque donne, elle reçut de bonnes cartes et joua avec ruse et adresse, tirant avantage de chaque ouverture, sans doute parce que le jeu lui faisait oublier ses considérations morbides.

— Tu es en forme aujourd'hui ! s'exclama Susan.

— J'ai enfilé mes chaussettes porte-bonheur !

— Tu ne me dois plus six cent mille dollars, mais simplement cinq cent quatre-vingt-dix-huit mille.

— Génial. Dusty va enfin pouvoir dormir serein.

— Comment va-t-il, au fait ?

— Il est encore plus gentil que Valet.

— Tu as un homme plus adorable qu'un golden retriever, soupira Susan. Et moi, j'ai épousé un porc égoïste !

— Tout à l'heure tu défendais Eric.

— C'est un connard.

— Tu reprends mon texte.

— Et je le contresigne.

Au-dehors, le vent frappait aux fenêtres, poussait de longues plaintes en s'insinuant sous les toits.

— Pourquoi ce revirement ? s'enquit Martie.

— Mon agoraphobie a peut-être été engendrée par des problèmes que nous avons connus, Eric et moi, il y a deux ans… des choses que j'aurais refoulées.

— C'est ce que dit Ahriman ?

— Il n'a pas été aussi directif que cela ; il a juste ouvert la voie. C'est moi qui me pose la question à présent.

Martie joua une reine de trèfle.

— Tu ne m'as jamais dit que vous aviez des problèmes tous les deux avant qu'il ne puisse supporter ta… maladie.

— Mais je suppose que nous en avions avant.

— Tu *supposes* ? répéta Martie en fronçant les sourcils.

— Non. Ce n'est pas une supposition. On avait bel et bien *un* problème.

— Pinocle ! lança Martie en ramassant le dernier pli. Quel problème ?

— Une femme.

Martie resta bouche bée. Deux sœurs ne pouvaient être plus proches qu'elle et Susan. Même si leur pudeur les empêchait de se raconter les détails de leur vie sexuelle, elles ne se cachaient presque rien ; Martie n'avait jamais entendu parler d'une autre femme.

— Ce salaud t'a trompée ?

— Quand ça te tombe dessus, ça te fiche un coup, tu te sens plutôt vulnérable, répondit Susan d'un ton neutre qui contrastait avec la teneur de ses propos, comme si elle lisait un manuel de psychologie. Et c'est cela qui se cache derrière l'agoraphobie – un sentiment insurmontable et absolu de vulnérabilité.

— Tu ne m'as jamais parlé de ça, même à demi-mot.

Susan haussa les épaules.

— Sans doute parce que j'avais trop honte.

— Honte ? Mais de quoi, grands dieux ?

— Je ne sais pas… Elle la regarda, perplexe, puis articula : Oui, c'est vrai. Pourquoi est-ce que j'avais honte ?

Cette pensée semblait effleurer l'esprit de Susan pour la première fois.

— Eh bien… parce que… parce que cela voulait dire que je n'étais pas assez bien pour lui… pas assez bonne au lit.

Martie hoqueta de stupeur.

— Quoi ? C'est toi qui dis ça ? Toi, Sooz, qui es si belle, si bandante, qui as un sex-appeal incroyable.

— Ou alors c'était mentalement que je n'étais pas à la hauteur… peut-être que je ne le soutenais pas assez ?

Martie repoussa les cartes, sans prendre le temps de compter ses points.

— Je n'en crois pas mes oreilles !

— Je ne suis pas parfaite, Martie. Loin de là.

Sa voix était chargée d'un regret silencieux mais aussi lourd que du plomb.

Elle baissa les yeux, l'air gênée :

— D'une certaine manière, je l'ai trahi.

Sa contrition semblait tellement hors de propos que Martie sentit la moutarde lui monter au nez.

— Tu lui as tout donné — ton corps, ton esprit, ton cœur, ta vie —, et tout ça les yeux fermés, sans protéger tes arrières, la bonne vieille méthode du *tout ou rien* qui t'est si chère, la fameuse Susan Jagger's *touch*. Il t'a trompée, dupée, et c'est toi qui te fais des reproches ?

Susan fronça les sourcils, faisant tourner entre ses doigts graciles la bouteille de bière vide, la fixant des yeux comme s'il s'agissait d'une boule de cristal qui, à force de manipulations, aurait pu dissiper d'un coup tout le mystère.

— Tu mets peut-être le doigt dessus, Martie. Peut-être que la Susan's *touch* l'a… étouffé.

— Étouffé ? Foutaises !

— Non, c'est possible. Peut-être que…

— Arrête avec tout tes « peut-être ». Pourquoi cherches-tu à inventer tout un tas d'excuses pour ce porc ? Et lui, c'est quoi, son excuse ?

Les trombes d'eau produisaient une musique cacophonique derrière les vitres et, au loin, montaient les coups de boutoir des grandes vagues qui martelaient le rivage.

— Et lui, c'est quoi, son excuse ? insista Martie.

Susan ralentit la rotation de sa bouteille entre ses mains ; la Tsingtao tourna de plus en plus lentement et, lorsqu'elle s'arrêta, le visage de Susan n'était qu'un masque fripé de confusion.

— Alors, Susan ? C'était quoi, son excuse ?

81

La jeune femme reposa la bouteille, contempla ses mains vides qu'elle étendit sur la table.

– Son excuse ? Je… je ne sais pas.

– On est au fond du terrier du lapin blanc et en pleine *tea party*, lâcha Martie, exaspérée. Comment ça, tu ne sais pas ? Tu le surprends en train de te tromper avec une autre femme, et tu ne veux pas savoir pourquoi ?

Susan remua sur sa chaise, mal à l'aise.

– On n'en a pas beaucoup parlé.

– C'est vrai, ce mensonge ? Cela ne te ressemble pas, ma belle. Tu es bien trop soupe au lait pour laisser passer ça !

Susan parla plus lentement que de coutume, avec la voix pâteuse et encombrée d'une personne qu'on vient d'arracher au sommeil.

– Oui… on a bien parlé un peu… et cela pourrait bien être la cause de mon agoraphobie… mais nous ne sommes pas entrés dans les détails sordides.

La conversation avait pris une tournure si étrange que Martie avait l'impression de sentir qu'une vérité fatale se cachait derrière les mots, la clé peut-être de tous les problèmes de son amie… un sésame à portée des mains mais insaisissable.

Les déclarations de Susan étaient à la fois révoltantes et vagues. Bien trop vagues.

– Comment s'appelait cette femme ? demanda Martie.

– Je ne sais pas.

– Dieu du ciel ! Eric ne te l'a donc pas dit ?

Susan releva enfin la tête. Ses yeux étaient lointains, elle semblait ne pas regarder Martie mais un être situé dans un autre lieu, un autre temps.

– Eric ?

Susan prononça ce prénom avec un tel ahurissement que Martie se retourna pour surveiller ses arrières, comme si l'ancien mari de Susan avait pu pénétrer sans bruit dans la maison. Personne.

– Oui, Sooz. Eric, ce bon vieil Eric, ça te dit quelque chose ? Le connard, le porc, le salaud.

– Je ne l'ai pas…

– Quoi ?

La voix de Susan se mua en un murmure, son visage se dépouilla de toute expression, semblable à celui d'une poupée.

– Je ne l'ai pas appris par Eric.

– Qui te l'a dit, alors ?

Pas de réponse.

Le vent tomba d'un coup – plus de hurlements de loups éplorés. Cependant, les chuintements et bruissements sinistres qu'il poussait maintenant mettaient autant les nerfs en pelote que ses lamentations canines.

— Sooz ? Qui t'a dit qu'Eric te trompait ?

Les joues de Susan n'étaient plus couleur pêche mais pâles et translucides. Une goutte de transpiration apparut sur son front, à la lisière de ses cheveux.

Martie se pencha au-dessus de la table et agita la main devant le visage de la jeune femme. Susan semblait ne pas la voir, son regard paraissait la traverser.

— Qui te l'a dit ? insista doucement Martie.

Soudain de nombreuses gouttes de sueur perlèrent sur le front de Susan. Ses mains posées sur la table étaient à présent fermement serrées, leur peau pâle tendue aux articulations, les ongles enfoncés dans les chairs.

Un frisson parcourut la colonne vertébrale de Martie.

— Qui t'a dit qu'Eric te trompait ?

Les yeux rivés sur quelque ectoplasme invisible, Susan voulut articuler un mot. Aucun son ne sortit de sa bouche. Les lèvres molles et tremblantes, elle semblait sur le point d'éclater en sanglots.

Susan paraissait réduite au silence par une main fantôme, celle de quelqu'un qui se trouvait dans la pièce. L'impression était si forte que Martie brûlait de se retourner de nouveau pour regarder derrière elle malgré sa certitude de ne découvrir personne.

Sa main était toujours levée devant les yeux de Susan. Elle claqua brusquement des doigts.

Susan sursauta, battit des paupières. Elle contempla les cartes que Martie avait repoussées sur le côté et esquissa un curieux sourire.

— Dis donc, tu m'as mis une belle déculottée ! Tu veux une autre bière pour fêter ta victoire ?

Son comportement avait changé du tout au tout en un instant.

— Tu n'as pas répondu à ma question, insista Martie.

— Quelle question ?

— Qui t'a dit qu'Eric te trompait ?

— Oh, Martie, changeons de sujet. C'est si ennuyeux tout ça.

— Je ne trouve pas ça ennuyeux, je…

— Je ne veux plus en parler, répondit Susan.

Son refus paraissait motivé par une réelle lassitude et non par la colère ou la pudeur, qui auraient paru plus appropriées en l'occurrence.

Elle agita mollement la main, comme pour chasser une mouche invisible.

— Je n'aurais pas dû mettre ça sur le tapis.

— Exact. Tu ne peux lâcher une bombe et ne pas…

— Je suis de bonne humeur. Je ne veux pas tout gâcher. Parlons plutôt potins ou chiffons, ou de quelque chose de bien frivole.

Elle se leva de sa chaise avec l'enthousiasme d'une petite fille et se dirigea vers la cuisine en lançant :

– Alors, cette bière ? Tu en veux une ou non ?

Un jour comme celui-ci n'incitait guère à la sobriété, pourtant, Martie déclina l'offre.

Dans la cuisine, Susan se mit à chanter *New Attitude*, un classique de Patti LaBelle. Elle avait une belle voix et chantait avec entrain et conviction : « Je tiens les rênes de ma vie, et j'avance sans angoisse. »

Même si Martie venait de rencontrer Susan, elle aurait perçu quelque chose de faux dans cette joie. Ce brusque changement d'humeur, de la catatonie à l'exubérance insouciante, faisait froid dans le dos.

Dans la cuisine, Susan continuait à chantonner :

– « Je me sens bien, dans ma tête comme dans mes baskets. » Dans ses baskets, peut-être. Dans sa tête, sûrement pas.

16.

À chacune de ses visites dans l'appartement de Skeet, Dusty était surpris. Les trois petites pièces et la salle de bains étaient rangées et nettoyées avec un soin presque obsessionnel. Skeet était dans un tel état de décrépitude, physique et psychique, que Dusty s'attendait chaque fois à tomber sur un indescriptible chaos.

Pendant que son maître remplissait deux sacs avec des vêtements de rechange et un nécessaire de toilette, Valet fit le tour des pièces, reniflant le sol et les meubles, appréciant les arômes de cire, de lustrant et de produits nettoyants – un bouquet d'odeurs totalement différent de celui qui emplissait la maison des Rhodes.

Quand Dusty eut emballé les affaires de Skeet, il ouvrit la porte du réfrigérateur ; l'appareil semblait avoir été approvisionné par un anorexique en phase terminale – une briquette de lait périmée depuis trois jours, qu'il vida dans l'évier, une demi-tranche de pain de mie rassis qui se retrouva à la poubelle, suivie par un reste de mortadelle, une chose moisie et hérissée de poils verts sur le point de naître à la vie. Des bières, des sodas, des condiments, telles étaient les seules richesses culinaires de Skeet et elles seraient encore consommables à son retour.

Sur le bar de la cuisine, à côté du téléphone, Dusty remarqua la seule fausse note dans l'ordre spartiate de l'appartement : des pages arrachées d'un calepin. En les rassemblant pour les mettre à la poubelle, il s'aperçut que chaque feuille portait la même inscription, parfois une fois, parfois trois ou quatre. Sur les quatorze pages (il venait de les compter) un seul et unique nom apparaissait : *Dr Yen Lo* – et ce, à trente-neuf reprises. Pas de numéro de téléphone ni aucune note annexe.

L'écriture était bien celle de Skeet. Sur quelques feuilles, le trait était fluide et net. Sur d'autres, la main de Skeet paraissait hésitante ; sur d'autres encore, il avait appuyé fort sur le stylo et les sept lettres paraissaient gravées dans le papier. Détail troublant, sur plus de la moitié des pages, l'émotion de Skeet semblait avoir été si grande – ou le combat si rude – que la bille du stylo avait traversé le papier.

Un stylo avait également été abandonné sur le bar, le tube transparent brisé en deux. La cartouche d'encre saillait du réceptacle, plié en deux. Perplexe, Dusty rassembla les débris pour en faire un petit tas.

En quelques instants, il retrouva l'emplacement des quatorze feuillets dans le calepin, en les classant par ordre décroissant de lisibilité. Il en ressortait une détérioration évidente de l'écriture. Sur la dernière page, le nom apparaissait une seule fois et de façon incomplète – *Dr Ye* –, sans doute parce que le stylo s'était cassé au moment de former le *n*. Il apparaissait clairement que l'angoisse ou la colère de Skeet s'étaient intensifiées au fur et à mesure de ces pages d'écriture, jusqu'à ce que le stylo cède sous la pression.

L'angoisse, pas la colère.

Skeet n'était pas sujet à la colère. Loin s'en fallait.

C'était un être doux par nature, et son caractère avait été attendri par des marinades de produits modifiant le comportement, prescrites par des bataillons de psychiatres adeptes des traitements agressifs, sous les encouragements du cher père de Skeet, le Pr Holden Caulfield, alias Sam Farner. Le Moi du garçon avait été si effacé par ses années de lessivage chimique qu'il ne restait plus la moindre once de colère dans ses neurones ; les pires insultes, qui auraient rendu fou furieux n'importe qui, ne provoquaient chez Skeet qu'un haussement d'épaules accompagné d'un timide sourire de résignation. L'aigreur qu'il ressentait envers son père – le sentiment le plus proche de la colère que son métabolisme pût concevoir – lui avait donné la force de mener à bien sa quête de vérité concernant les origines de son géniteur, mais pas celle d'affronter ce salaud en tête à tête pour lui faire savoir qu'il connaissait son imposture.

Dusty plia les pages avec soin, les glissa dans sa poche et ramassa les débris du stylo. C'était un stylo bon marché, mais de belle facture. Le corps transparent était rigide et résistant. Il avait fallu exercer une pression hors du commun pour le casser.

Skeet était incapable de développer la rage nécessaire à cet exploit… Difficile, dans ces conditions, d'imaginer ce qui avait pu provoquer chez lui une angoisse telle qu'il brise ainsi ce stylo.

Après un instant d'hésitation, Dusty jeta les morceaux à la poubelle.

Valet plongea son nez dans le réceptacle, s'assurant que ce qui venait d'y être déposé n'était pas comestible.

Dusty dénicha un annuaire dans un tiroir ; il l'ouvrit et chercha à la rubrique des médecins généralistes. Pas de Dr Yen Lo.

Il tenta sa chance chez les psychiatres. Puis les psychothérapeutes. Et enfin les psychanalystes. En vain. Pas le moindre Dr Yen Lo.

17.

Tandis que Susan rangeait le jeu de cartes et le calepin pour compter les points, Martie lavait les assiettes, faisant son possible pour ne pas regarder le hachoir posé sur la planche à découper à côté d'elle.

Susan arriva dans la cuisine sa fourchette à la main.

— Tu as oublié ça, dit-elle.

Voyant que Martie était déjà en train de se sécher les mains, Susan entreprit de laver le couvert elle-même.

Les deux femmes s'installèrent ensuite au salon ; Susan savourait sa deuxième bière et avait choisi comme musique de fond les *Variations Goldberg* interprétées par Glenn Gould.

Lorsqu'elle était enfant, Susan rêvait de jouer dans un grand orchestre symphonique. Elle était bonne violoniste – pas suffisamment virtuose pour donner des récitals à travers le monde, mais bien assez pour espérer y trouver un agréable moyen de subsistance. La vie, finalement, l'avait orientée vers le négoce de l'immobilier.

Jusqu'à sa dernière année de lycée, Martie avait voulu être vétérinaire. Aujourd'hui, elle concevait des jeux vidéo.

La vie pavait son chemin de bifurcations infinies. Parfois c'était la raison qui choisissait la route, parfois c'était le cœur. Parfois encore, pour le meilleur ou pour le pire, la raison comme le cœur devaient se plier à la volonté aveugle du destin.

Par intermittence, les notes cristallines de Gould rappelaient à Martie qu'au-dehors la pluie glacée continuait à tomber derrière les épais doubles rideaux, même si le vent avait cessé de mugir. L'appartement était un nid si douillet et reclus qu'elle se prenait à imaginer qu'il n'y avait rien d'autre que le néant de l'autre côté de ces murs protecteurs – dangereuse tentation.

Elle parlait avec Susan du bon vieux temps, des vieux amis. Pas une fois elles n'évoquèrent le futur.

Susan n'avait guère l'habitude de boire. Deux bières, pour elle, constituaient la dose critique. D'ordinaire, l'alcool ne la rendait ni hilare ni méchante, mais sentimentale, ce qui était plutôt charmant. Cette fois, elle devint grave et silencieuse.

Martie se retrouva bientôt à converser toute seule. Elle se sentit soudain stupide et déplacée, et cessa son soliloque.

Leur amitié était suffisamment forte pour s'accommoder d'un silence. Celui-ci, toutefois, avait quelque chose d'étrange et de pesant, peut-être parce que Martie surveillait du coin de l'œil Susan, de crainte de la voir entrer dans une nouvelle transe.

Peu à peu, les *Variations Goldberg* lui devinrent insupportables ; la beauté poignante de la mélodie était déprimante. Elle n'entendait plus dans ces notes que solitude, abandon et désespoir. L'appartement n'était plus ce nid cosy mais un lieu étouffant d'où elle avait envie de s'échapper.

Voyant que Susan s'apprêtait à repasser le même CD, Martie consulta sa montre et inventa une liste de courses imaginaires à faire sans tarder.

Son imperméable sur le dos, Martie embrassa Susan — une coutume entre elles deux au moment de se quitter —, mais, cette fois, leur étreinte fut plus forte, comme si les deux femmes tentaient de se dire des choses enfouies au fond d'elles que les mots ne pouvaient transmettre.

Au moment où Martie tourna la poignée de la porte, Susan recula d'un pas pour ne pas apercevoir le monde terrifiant du dehors. Avec un tremblement dans la voix, semblant décidée à révéler un secret trop lourd à porter pour elle seule, Susan articula :

— Il est venu ici, cette nuit, pendant que je dormais.

Martie avait entrouvert la porte de quelques centimètres. Elle la referma aussitôt, mais laissa la main sur la poignée.

— Quoi ? Qui est venu pendant que tu dormais ?

Les prunelles émeraude de Susan s'assombrirent encore, leur pigment semblant se saturer sous l'effet d'une nouvelle peur.

— Enfin, je crois que c'est lui, souffla-t-elle en baissant les yeux. Ses joues pâles s'empourprèrent. Je n'ai pas de preuve que c'est bien lui, pourtant, cela ne pouvait être qu'Eric.

Martie lâcha la poignée et se retourna vers Susan.

— Eric vient ici la nuit pendant ton sommeil ?

— Il dit que ce n'est pas lui, mais je crois qu'il ment.

— Il a une clé ?

— Je ne lui en ai pas donné.

— Et tu as changé les serrures…

— C'est vrai. Il n'empêche qu'il est entré.

— Par les fenêtres ?

— Au matin… lorsque je me suis aperçue de son passage, j'ai vérifié toutes les fenêtres ; elles étaient toutes fermées.

— Comment sais-tu qu'il était là ? Qu'est-ce qu'il a fait chez toi ?

Susan déclara en réprimant un frisson :

— Il est venu… rôder, fureter comme un rat.

Martie n'avait jamais beaucoup porté Eric dans son cœur, toutefois, elle avait du mal à l'imaginer monter les escaliers en pleine nuit et s'introduire dans l'appartement de Susan en catimini. Une chose était sûre, il n'avait pas assez d'imagination pour trouver un moyen de rentrer chez elle sans se faire remarquer. Eric était conseiller financier, il avait la tête pleine de chiffres et de statistiques, et aucun goût pour le mystère. En outre, il savait que Susan gardait un pistolet à portée de main sur sa table de nuit ; il n'était pas du genre à prendre des risques inconsidérés ; il aurait été le dernier à mettre sa vie en péril pour jouer les cambrioleurs, même s'il pouvait avoir le désir pervers de tourmenter son ex-femme.

— Au réveil, tu as trouvé que des choses avaient été déplacées ?

Susan ne répondit pas.

— Tu ne l'as jamais entendu fureter dans l'appartement ? Tu ne t'es jamais réveillée quand il était là ?

— Non.

— Alors ? Au matin, tu as trouvé des traces de son passage, des indices ?

— Des indices, concéda Susan, sans donner davantage de détails.

— Des objets qui n'étaient plus à leur place ? L'odeur de son eau de toilette ? Des choses comme ça ?

Sans relever les yeux, Susan acquiesça.

— Mais quoi exactement ? insista Martie.

Pas de réponse.

— Hé, Sooz, regarde-moi.

Lorsque Susan releva la tête ses joues étaient rouges fluo – de gêne, et de honte aussi.

— Sooz ? Qu'est-ce que tu me caches ?

— Rien. Je dois devenir paranoïaque…

— Il y a quelque chose que tu ne me dis pas. À quoi bon avoir abordé le sujet si tu ne veux pas m'en parler ?

Susan referma les bras autour d'elle et frissonna.

— Je croyais être prête, mais je ne le suis pas. Je dois… je dois mettre tout ça au clair dans ma tête.

— Eric vient rôder chez toi la nuit – ce n'est pas rien. Cela fiche carrément la frousse, oui ! Qu'est-ce qu'il vient faire ? Te regarder dormir ?

— Une autre fois, Martie. Je dois encore réfléchir à tout ça, trouver le courage qui me manque. Je t'appellerai.

— Non. Maintenant !

— Tu as des courses à faire.

— Aucune importance.

Susan fronça les sourcils.

— Ce n'était pas ce que tu disais il y a une minute.

Martie risquait de blesser Susan si elle reconnaissait avoir inventé cette excuse pour s'échapper de son appartement étouffant, pour retrouver l'air frais et cette bonne pluie glacée d'hiver.

— Si tu ne m'appelles pas tout à l'heure pour me donner tous les détails, je reviens ce soir et je te lis, in extenso, le dernier essai littéraire du paternel de Dusty. Ça s'appelle *Le Sens du non-sens ou la Structure du chaos*. Et je t'assure qu'après dix lignes tu auras l'impression qu'une armée de fourmis rouges te grignote le cerveau. Ou alors je te fais entendre sur cassette le dernier bouquin de son beau-père : *Osez être votre meilleur ami*. Après deux minutes, tu m'imploreras de te crever les tympans, crois-moi ! Ce sont tous des dingues dans sa famille, je n'ai que l'embarras du choix.

Susan esquissa un pâle sourire.

— C'est bon, je suis morte de peur. Je t'appellerai.

— Promis ?

— Parole d'honneur.

Martie s'apprêta de nouveau à tourner la poignée de la porte, puis elle interrompit son geste.

— Tu es certaine d'être en sécurité ici ?

— Bien sûr, répondit Susan.

Pourtant, Martie vit briller dans les yeux de son amie une lueur d'incertitude.

— Mais s'il vient rôder la nuit…

— Eric est encore mon mari.

— Regarde la télé. Les maris font des choses terribles.

— Tu connais Eric. C'est peut-être un salaud mais…

— *C'est* un salaud.

— … mais il n'est pas dangereux.

— C'est une chiffe molle.

— Exactement.

Martie hésita encore, puis se résolut à ouvrir la porte.

— On aura fini de dîner vers 8 heures, peut-être plus tôt. On sera au lit à 11 heures, comme d'hab. J'attends ton coup de fil.

— Merci, Martie.

— *De nada.*

— Embrasse Dusty pour moi.

— Ce sera un petit bisou tout sec sur la joue. Les bonnes choses mouillées me sont strictement réservées.

Martie remonta sa capuche sur sa tête, sortit sur le palier et referma la porte derrière elle.

Le vent s'était évanoui, comme dissous par ces trombes d'eau qui tombaient du ciel et pétaradaient aussi bruyamment que des cataractes de billes d'acier.

Martie attendit d'entendre Susan refermer le verrou – une solide serrure résistant à tout – puis descendit rapidement l'escalier.

Arrivée en bas des marches, elle se retourna pour observer l'escalier et la porte de l'appartement.

Susan Jagger semblait une de ces jolies princesses de contes de fées, emprisonnée dans un donjon, assiégée par les trolls et les esprits malveillants, sauf qu'elle n'avait pas de Prince charmant pour venir la délivrer.

Accompagnée par les coups de boutoir des vagues qui résonnaient sous le ciel gris, Martie traversa la portion de jetée à pas vifs en direction de sa voiture. L'eau débordait des caniveaux et roulait en flots boueux autour des pneus de la Saturn.

Pourvu que Dusty ait profité du mauvais temps pour jouer les maîtres queux et lui préparer ses incomparables boulettes de viande à la sauce tomate. Rien ne serait plus rassurant que de le trouver affairé derrière les fourneaux, son tablier de cuisine sur le ventre et un verre de vin rouge à portée de main. L'air serait plein d'arômes délicieux. La chaîne diffuserait un bon vieux tube – peut-être Dean Martin. Il y aurait le sourire de Dusty, puis ses bras autour d'elle, et son baiser. Après cette journée bizarre, elle avait grand besoin d'un réconfort purement terrestre – sa maison, son foyer, son mari.

Lorsque Martie démarra, une vision horrible lui emplit l'esprit, faisant partir en fumée tout espoir que cette journée puisse lui réserver le moindre moment de paix et de tranquillité. La chose était plus réelle qu'une simple image mentale ; c'était si détaillé, si intense que cela semblait se produire à cet instant précis, juste sous ses yeux. Il ne pouvait s'agir que d'une vision prémonitoire. Quelque chose de terrible allait se produire ; elle apercevait une fraction fatale du futur vers laquelle elle fonçait aussi sûrement que si elle s'était jetée du haut d'une falaise. Quand elle avait enfoncé la clé dans le Neiman, une image avait assailli son esprit : un œil transpercé par la pointe de la clé, le globe déchiré, le bord dentelé de l'acier fouillant le cerveau au fond de l'orbite. Et, lorsqu'elle avait tourné la clé pour lancer le moteur, l'objet avait également tourné dans sa vision, déchirant l'œil.

Sans avoir conscience d'ouvrir la portière, Martie se retrouva dehors, adossée contre l'aile, rendant son déjeuner dans la rue détrempée.

Elle resta ainsi prostrée un long moment, tête baissée.

Sa capuche avait glissé dans son dos. Rapidement, ses cheveux dégoulinèrent d'eau.

Une fois certaine que son estomac était vide, elle rouvrit la portière, attrapa son paquet de Kleenex et s'essuya le visage.

Il y avait toujours une bouteille d'eau dans la voiture. Elle en but une gorgée pour se rincer la bouche.

Malgré ses tremblements persistants, elle retourna dans la Saturn et referma la portière.

Le moteur tournait au ralenti. Elle n'aurait donc pas à toucher de nouveau la clé pour se rendre jusque chez elle, à Corona Del Mar.

Trempée, congelée, misérable et perdue, elle brûlait de retrouver la sécurité de sa maison, d'être sèche, bien au chaud, entourée de ses objets familiers.

Elle tremblait trop pour être en mesure de conduire. Elle dut attendre un quart d'heure avant de pouvoir desserrer le frein à main et enclencher la première.

Malgré son désir de rentrer chez elle, elle était terrorisée à l'idée de ce qui pouvait se passer là-bas… Non. Elle n'était pas honnête avec elle-même. Ce n'était pas ce qui risquait de se passer là-bas qui lui faisait peur, mais ce qu'elle *risquait d'y faire.*

L'œil qu'elle avait vu dans sa vision prémonitoire – si c'en était bien une – n'était pas n'importe quel œil. Il était d'un gris-bleu lumineux qu'elle ne connaissait que trop bien. C'était l'œil de Dusty.

18.

À la clinique de La Nouvelle Vie, la direction considérait que la présence d'animaux pouvait avoir une influence positive sur certains malades ; Valet était donc le bienvenu. Dusty se gara près du porche d'entrée. Ils étaient à peine mouillés lorsqu'ils arrivèrent dans le hall, au grand dam de Valet qui, doté par la nature de pieds palmés, comme tout retriever, adorait l'eau et aurait pu, grâce à son agilité dans le milieu liquide, tenir la dragée haute aux championnes olympiques de natation synchronisée.

Dans sa chambre du premier étage, Skeet s'était endormi comme une masse, étendu sur le couvre-lit, sans même prendre le temps de retirer ses chaussures.

L'hiver, en cette fin d'après-midi, pressait sa face grise contre la fenêtre, noyant d'ombre la pièce. La seule autre lumière provenait d'une petite lampe de lecture, fixée sur le livre que Tom Wong, l'infirmier, lisait dans un coin.

Après avoir grattouillé le chien entre les oreilles, Tom profita de la visite de Dusty pour faire une pause.

Dusty ouvrit sans bruit les deux valises, rangea les vêtements dans les tiroirs de la commode et s'installa dans le fauteuil pour prendre son tour de veille. Valet se coucha à ses pieds.

Il ne ferait nuit que dans deux heures, pourtant les ombres, telles des toiles d'araignées noires, mangeaient si vite l'espace que Dusty dut allumer la lampe de l'armoire à pharmacie à côte du fauteuil.

Malgré la position fœtale dans laquelle Skeet s'était endormi, il ne ressemblait en rien à un enfant – plutôt à un cadavre desséché, si maigre et si osseux que ses vêtements paraissaient envelopper un squelette.

Sur le chemin du retour, Martie conduisit avec une extrême prudence, les conditions climatiques l'y incitaient, mais aussi son état mental. L'idée d'être victime d'une crise d'angoisse à quatre-vingts kilomètres à l'heure n'avait rien de réjouissant. Par chance, Balboa Peninsula et Corona Del Mar n'étaient pas reliées par des voies rapides ; le trajet se faisait par de grandes rues urbaines, et Martie veilla à rester derrière les véhicules les plus lents.

Sur la Pacific Coast Highway, alors qu'elle n'avait pas fait la moitié du chemin, la circulation fut bloquée. Trente à quarante voitures devant la Saturn, les gyrophares des ambulances et de voitures de police tournoyaient sur les lieux d'un accident. Prise dans l'embouteillage, Martie appela, de son portable, le Dr Closterman, son médecin traitant, espérant obtenir un rendez-vous le lendemain, si possible dès le matin.

— C'est un peu une urgence. Enfin, je n'ai ni mal ni rien, mais j'aimerais le voir le plus vite possible.

— Quels sont vos symptômes ? demanda la standardiste.

Martie hésita.

— C'est plutôt personnel. Je préférerais en parler directement au docteur.

— Il est sorti pour la journée. Si vous voulez, on peut vous glisser entre deux rendez-vous. Venez demain matin, vers 8 h 30.

— Merci, j'y serai, répondit Martie avant de raccrocher.

Une nappe de brouillard montait du port, et la pluie, comme autant d'aiguilles, semblait vouloir la coudre sur le jour mourant. Une ambulance, quittant l'accident, croisa Martie sur la voie montante, où la circulation était fluide. Aucune sirène, aucun gyrophare. À l'évidence, la médecine ne pouvait plus rien pour le blessé – qui n'en était plus un, d'ailleurs, mais un colis pour la morgue. Martie sentit la mort passer à côté d'elle.

Dusty était assis dans le fauteuil, à veiller sur le sommeil de Skeet en attendant le retour de Tom Wong. Le passé était la dernière des choses à laquelle il voulait penser, pourtant, les souvenirs d'enfance revenaient dans sa mémoire malgré lui. Il songeait à tous ces moments partagés avec son jeune demi-frère, à son père qui se prenait pour un roi et à l'autre, pis encore, qui avait pris la succession de ce salaud et avait régné en tyran sur le foyer. Le mari numéro quatre. Pr Derek Lampton – psychologue néofreudien, psychiatre, conférencier et essayiste. Leur mère, Claudette, avait une inclination pour les intellectuels – avec une nette préférence pour les mégalomanes.

Le père de Skeet, le faux Holden, avait occupé le trône jusqu'à ce que Skeet eût neuf ans et Dusty quatorze. Les deux garçons avaient célébré sa destitution et son départ en passant une nuit entière à regarder des films d'horreur et à s'empiffrer de chips et de glace au chocolat Baskin Robbins fourrée au beurre de cacahuète – denrées strictement prohibées sous son règne dictatorial où les enfants (mais pas les adultes) s'étaient vu imposer un régime draconien : pas de graisse, pas de sel, pas de sucre, pas de colorants ni d'agents de saveur, rien que du sain et du sérieux. Au matin, le cœur au bord des lèvres, l'œil glauque de fatigue, mais encore tout grisés par leur nouvelle liberté, ils étaient restés éveillés quelques heures supplémentaires afin de collecter dans le quartier un kilo de déjections canines qu'ils avaient rassemblées dans un paquet et envoyées à la nouvelle adresse de leur despote honni.

Bien que les deux garçons aient camouflé leur identité, en inscrivant sur le colis une fausse adresse de retour, ils savaient que le professeur n'aurait aucun mal à deviner sa provenance. Après deux Martini, il déclarait souvent, devant les déboires scolaires de son fils, qu'un tas d'étrons avait plus de dons pour les études que Skeet : « Tu es aussi savant qu'un tas d'excréments, mon garçon ; ton esprit est moins ouvert qu'une fiente de pigeon, moins cultivé qu'une merde, et moins intelligent qu'une bouse de vache. » En lui envoyant les crottes de chien, ils le mettaient au défi de prouver le bien-fondé de ses théories. Les étrons allaient-ils se révéler de meilleurs élèves que Skeet ?

Quelques jours après l'éviction du faux Caulfield, le Pr Lampton prit possession des lieux. Tous les protagonistes adultes de cette histoire étant extrêmement civilisés et désireux de faciliter la vie de leur prochain, Claudette annonça à ses enfants qu'un divorce à l'amiable serait très vite prononcé et un nouveau mariage célébré dans la foulée.

Dusty et Skeet mirent un terme aux célébrations. En vingt-quatre heures, ils surent qu'ils regretteraient bientôt le règne du tyran Holden, un âge d'or révolu, car le Pr Derek Lampton allait imprimer au fer rouge dans leur chair sa marque de fabrique : 666.

Skeet tira soudain Dusty de ses rêveries.

– Tu en fais une tête. À quoi tu pensais ?

Le jeune homme était recroquevillé sur le lit, toujours dans une position fœtale, mais ses yeux chassieux étaient ouverts.

– À Lampton le Lézard, répondit Dusty.

— Tu penses trop à lui. Si tu continues, on retourne sauter d'un toit.

Skeet glissa ses jambes hors du lit et s'assit.

— Comment te sens-tu ?

— Comme un postsuicidaire.

— Le préfixe « post » est de bon augure. Dusty sortit de sa poche deux tickets de loterie et les tendit à Skeet. Tiens. Comme promis. Je les ai pris au tabac d'à côté, ils ont vendu le billet du gros lot en novembre. Un jackpot de trente millions de dollars !

— Laisse-les loin de moi. Si je les touche, je vais leur porter la poisse.

Dusty se dirigea vers la table de nuit et prit la bible dans le tiroir. Il la feuilleta, parcourut des yeux quelques versets, puis lut un passage de Jérémie :

— « Béni soit l'homme qui a confiance en Dieu ! »

— Moi, j'ai appris à me méfier des amphets !

— C'est déjà ça, railla Dusty.

Il glissa les deux tickets dans la bible, à la page qu'il venait de lire, et rangea le livre à sa place dans le tiroir.

Skeet se leva et se rendit d'un pas chancelant dans la salle de bains.

— Faut que je pisse.

— Faut que je regarde.

Il alluma la lumière de la petite pièce.

— Ne te fais pas de bile, frérot. Il n'y a rien là-dedans avec quoi je puisse me tuer.

— Tu pourrais essayer de plonger la tête dans la cuvette et tirer la chasse d'eau, répliqua Dusty en se postant sur le seuil.

— Ou me pendre avec une corde de PQ tressé !

— Je n'avais pas pensé à ça. Tu mérites donc une surveillance rapprochée.

La cuvette des toilettes était équipée d'un couvercle inamovible et d'un bouton pressoir riveté pour déclencher la chasse d'eau ; aucune pièce métallique tranchante ou perforante ne pouvait être facilement démontée.

Une minute plus tard, tandis que Skeet se lavait les mains, Dusty sortit les pages du bloc-notes trouvés chez le garçon et lut à haute voix :

— Dr Yen Lo.

Le morceau de savon glissa des mains de Skeet et tomba dans le lavabo. Il ne fit aucun geste pour le récupérer. Il se pencha au-dessus de la vasque, laissant ses mains sous le jet et l'eau achever de dissoudre la mousse de ses doigts.

Il avait articulé quelques mots en lâchant le savon, mais le bruit de l'eau avait empêché Dusty de les comprendre.

— Qu'est-ce que tu as dit ?

Skeet, élevant un peu la voix, répéta :

— J'écoute.

Déconcerté, Dusty demanda :

– Qui est le Dr Yen Lo ?

Pas de réponse.

Skeet tournait le dos à Dusty. Il gardait la tête baissée, seuls ses cheveux se reflétaient dans le miroir. Il semblait regarder ses mains, qu'il tenait encore sous l'eau bien que toute trace de savon fût rincée.

– Hé, gamin !

Silence.

Dusty pénétra dans la petite salle de bains et s'approcha de son frère. Skeet fixait ses mains, les yeux brillants d'émerveillement, la bouche ouverte en une muette stupeur, comme s'il avait devant lui la réponse au grand mystère de la vie. Un nuage de vapeur, dégageant une odeur de savon, commençait à s'élever du lavabo. L'eau qui coulait était brûlante. Les mains de Skeet, d'ordinaire pâles, étaient rouge pivoine.

– Nom de Dieu ! lâcha Dusty en se précipitant pour fermer le robinet.

Le métal était si chaud qu'il avait peine à tenir la manette entre ses doigts.

Skeet, apparemment, ne ressentait aucune douleur et continuait à garder ses mains à moitié ébouillantées sous le jet pendant que Dusty achevait d'abaisser le levier en inox.

Dusty ouvrit l'eau froide ; le garçon reçut ce nouveau torrent sur les paumes sans le moindre changement d'expression. Il semblait aussi insensible au chaud qu'au froid – ni inconfort dans le premier cas, ni soulagement dans l'autre.

Planté sur le seuil de la salle de bains, Valet se mit à gémir. La tête levée, les oreilles dressées, il recula de quelques pas. Il savait que quelque chose d'inquiétant se passait.

Dusty entraîna son frère dans la chambre. Les bras tendus devant lui, les yeux rivés sur ses mains, Skeet se laissa faire. Il s'assit sur le lit, les mains sur les genoux, paumes ouvertes, comme s'il essayait d'y lire son avenir.

– Ne bouge pas, souffla Dusty.

Et il se précipita dans le couloir à la recherche de Tom Wong.

19.

En arrivant chez elle, Martie fut déçue de ne pas voir la camionnette dans le garage. À cause de la pluie, elle espérait trouver Dusty à la maison.

Dans la cuisine, un petit mot l'attendait sur la porte du réfrigérateur, glissé sous un aimant en forme de tomate : *Ô toi, ma beauté, je serai de retour vers 17 heures. On sortira dîner. Je t'aime encore plus que les tacos. Dusty.*

Elle se rendit dans la petite salle d'eau. Ce n'est qu'en se lavant les mains qu'elle s'aperçut que le miroir avait disparu de l'armoire à pharmacie. Il ne restait plus qu'un éclat de verre argenté dans le coin inférieur droit du cadre métallique.

À l'évidence, Dusty l'avait cassé accidentellement. À part ce morceau oublié dans le cadre, il avait tout nettoyé.

Si casser du verre risquait d'apporter sept ans de malheur, c'était le plus mauvais jour pour vérifier la véracité de cette superstition.

Bien qu'elle eût rendu tout son déjeuner, Martie se sentait encore nauséeuse. Elle se servit un verre de Canada Dry avec des glaçons. D'ordinaire, absorber quelque chose de froid et sucré soulageait son estomac.

Dusty, où qu'il soit parti, avait dû emmener Valet avec lui. Leur maison petite et douillette paraissait aujourd'hui à Martie immense et glacée – coupée du monde.

Elle s'assit pour boire son verre derrière la table de la cuisine, face à la fenêtre ruisselante de pluie, se demandant si elle préférait sortir ce soir ou rester à la maison. Pendant le repas – si tant est qu'elle pût avaler quoi que ce soit – elle comptait raconter à Dusty les événements bizarres dela journée, et elle n'avait aucune envie que la serveuse ou les autres clients l'entendent. De surcroît, elle ne tenait pas à ce qu'une nouvelle crise lui arrive en public.

D'un autre côté, s'ils restaient à la maison, comment réagirait-elle lorsqu'elle se mettrait au fourneau ?

Elle leva les yeux vers le porte-couteaux fixé au-dessus de l'évier. Les glaçons tintèrent dans son verre qu'elle tenait trop serré dans sa main droite. Les lames en acier inox semblaient luire d'un feu intérieur et non pas simplement réfléchir la lumière.

Elle lâcha son verre, s'essuya la main sur son jean et détourna la tête des couteaux. Mais aussitôt son regard y revint, attiré comme par un aimant.

Elle se savait incapable d'actes violents à l'encontre d'autrui, sauf pour se protéger, elle, ceux qu'elle aimait, ou encore des victimes innocentes. Elle ne se voyait guère non plus se faire du mal à elle-même.

Toutefois, la vue des couteaux la mettait mal à l'aise au point de ne pouvoir rester assise devant eux. Elle se leva de sa chaise, indécise, puis décida de s'exiler dans la salle à manger. De là elle se rendit au salon, tournant en rond, sans autre but que de se tenir loin du porte-couteaux.

Après avoir ajusté quelques bibelots qui étaient parfaitement à leur place, redressé un abat-jour parfaitement d'équerre, retapé des coussins bien ronds et ventrus, Martie alla dans l'entrée, ouvrit la porte et sortit sur le perron.

Son cœur battait si fort que tout son corps en était secoué. À chaque contraction, le sang qui affluait envahissait ses artères au point de brouiller sa vue.

Elle avança jusqu'aux marches, vacilla sur ses jambes et dut se soutenir contre le poteau du perron.

Pour s'éloigner davantage des couteaux, il lui aurait fallu marcher sous la pluie qui tombait encore dru. Mais où qu'elle aille, à chaque coin de rue, que ce soit par beau temps ou sous le grain, le jour ou la nuit, elle rencontrerait sur son chemin des objets pointus ou tranchants, des outils, des ustensiles de cuisine, des instruments qui, tous, pouvaient être détournés de leur utilisation première.

Elle devait se reprendre, ralentir les battements de son cœur, chasser ses pensées aberrantes. Du calme. Du calme avant tout.

Mon Dieu, aidez-moi.

Elle tenta de prendre de longues inspirations, lentes et profondes. Mais ses poumons s'y refusaient et continuaient de se soulever spasmodiquement.

Lorsqu'elle ferma les yeux, cherchant une paix intérieure, elle eut l'impression d'être emportée dans un tourbillon, dans des ténèbres vertigineuses.

Elle ne pourrait retrouver son calme tant qu'elle n'aurait pas le courage de retourner dans la cuisine affronter la cause même de cette nouvelle crise. Les couteaux. Elle devait régler ça, et vite, avant que l'angoisse ne se mue en panique irrépressible.

Les couteaux !

À contrecœur, elle fit volte-face et se dirigea vers la porte d'entrée.

Derrière le seuil, le hall d'entrée semblait une terre interdite. C'était pourtant sa chère petite maison, son foyer, l'endroit où elle avait vécu les jours les plus heureux de sa vie. Et voilà qu'aujourd'hui elle s'y sentait intruse.

Les couteaux !

Prenant son courage à deux mains, elle franchit le seuil et referma la porte derrière elle.

20.

Bien que les mains de Skeet fussent sérieusement irritées, elles avaient moins triste mine que quelques minutes plus tôt et ne présentaient aucune brûlure sérieuse. Tom Wong les avait enduites d'une pommade à la cortisone.

Constatant l'état hagard de Skeet et son incapacité à répondre aux questions, l'infirmier lui fit une prise de sang pour rechercher d'éventuelles toxines. À son arrivée à la clinique, Skeet avait été fouillé minutieusement. On n'avait trouvé aucune substance illicite sur lui, ni dans ses vêtements, ni dans les cavités intimes de son corps.

— C'est peut-être un effet secondaire des produits qu'il a pris ce matin, suggéra Tom en quittant la chambre avec son échantillon de sang.

Au cours des dernières années, au pire de ses descentes dans les enfers de la toxicomanie, Skeet avait eu des comportements plus étranges qu'un Donald Duck sous PCP. Dusty ne l'avait toutefois jamais vu dans cet état quasi catatonique.

Valet savait qu'il n'avait pas le droit de s'installer dans les fauteuils, mais il semblait si décontenancé par l'attitude de Skeet qu'il en oublia cette règle de conduite et se pelotonna sur le siège qu'occupait Dusty quelques instants plus tôt.

Comprenant sa détresse de chien, son maître ne lui fit aucune remontrance et s'installa sur le bord du lit, à côté de son frère.

Skeet était allongé sur le dos à présent, la tête soutenue par trois oreillers. Il fixait le plafond des yeux. À la lueur de la lampe de la table de nuit, son visage était aussi serein que celui d'un yogi en méditation.

Se souvenant de l'émotion que trahissait l'inscription sur les feuilles du calepin, Dusty murmura :

— Dr Yen Lo.

Bien qu'encore coupé du monde réel, Skeet eut une réaction — la première depuis que Dusty avait prononcé ce nom dans la salle de bains.

— J'écoute, lâcha-t-il.

— Exactement les mêmes mots que la première fois.

— Tu écoutes quoi ?

— J'écoute quoi ?

— À quoi tu joues ?

— À quoi je joue ?

— Je te demande ce que tu écoutes.

— Vous.

— C'est ça. Alors dis-moi qui est le Dr Yen Lo.

— Vous.

— Moi ? Je suis ton frère, ça te revient ?

— C'est ça que vous voulez que je dise ?

Dusty fronça les sourcils.

— Quoi, c'est la vérité, non ?

Le visage lisse et sans expression, Skeet articula :

— C'est la vérité ? Alors, je n'y comprends rien.

— Bienvenue au club !

— Voulez-vous que je devienne membre de ce club ? demanda le jeune homme avec le plus grand sérieux.

— Skeet ?

— Mmm ?

Dusty hésita un instant. À quel point Skeet était-il détaché de la réalité ?

— Tu sais où tu es ?

— Où je suis ?

— Tu le sais ou pas ?

— Je devrais ?

— Regarde donc autour de toi.

— Je peux ?

— À quoi tu joues ? C'est un vieux sketch d'Abbott et Costello [1] que tu me fais ?

— C'est ce que vous voulez que je fasse ?

Agacé, Dusty répéta :

— Regarde autour de toi.

Immédiatement, Skeet releva la tête et jeta un regard circulaire dans la pièce.

— Je suis sûr que tu sais où tu es.

— À la clinique de La Nouvelle Vie.

Skeet laissa retomber sa tête sur les oreillers. Ses yeux se rivèrent une nouvelle fois au plafond ; au bout d'un moment, quelque chose d'étrange se produisit.

Doutant de ce qu'il avait vu, Dusty se pencha au-dessus de son frère pour observer de plus près son visage.

Dans la lumière jaunâtre, l'œil droit de Skeet était doré et le gauche marron, ce qui donnait au garçon un curieux regard, comme si deux personnes habitaient en lui. Toutefois, ce n'était pas cet effet de couleur qui avait attiré l'attention de Dusty. Il attendit plus d'une minute avant que le phénomène se reproduise : les yeux de Skeet se mirent à s'agiter rapidement de gauche à droite, pendant quelques secondes, puis se figèrent de nouveau.

— Oui, la clinique de la Nouvelle Vie, confirma Dusty après un instant. Et tu sais pourquoi tu es ici ?

— Débarrasser mon corps de tout un tas de poisons.

---

1. Comiques des années 40 aussi célèbres que Laurel et Hardy.

— Exactement. As-tu pris quelque chose depuis ton arrivée ? As-tu réussi à passer de la drogue avec toi ?

Skeet soupira.

— Que désirez-vous que je réponde ?

Les yeux du jeune homme s'agitèrent. Dusty compta mentalement les secondes — cinq. Puis Skeet battit des paupières et ses prunelles s'immobilisèrent.

— Que désirez-vous que je réponde ? répéta-t-il.

— La simple vérité, l'encouragea Dusty. As-tu, oui ou non, pris de la drogue depuis que tu es ici ?

— Non.

- Alors qu'est-ce qui ne va pas ?

— Qu'est-ce qui ne doit pas aller ?

— Arrête ça, Skeet !

De timides rides strièrent le front du garçon.

— Ce n'était pas censé se passer comme ça.

— Qu'est-ce qui n'était pas censé se passer comme ça ?

— Ça. Les coins de sa bouche se plissèrent sous la tension. Vous ne suivez pas les règles.

— Quelles règles ?

La main molle de Skeet se referma en une ébauche de poing.

Ses yeux tressautèrent de nouveau, d'un bord à l'autre de leurs orbites, cette fois en roulant également d'avant en arrière — sept secondes.

Des MOR. Des mouvements oculaires rapides. Selon les psychologues, de tels mouvements observés pendant le sommeil indique que le dormeur est en train de rêver. Mais les yeux de Skeet étaient grands ouverts et, malgré son état étrange, il ne dormait pas.

— Aide-moi, Skeet, souffla Dusty. Je ne suis pas sur la même longueur d'onde que toi. De quelles règles parles-tu ? En quoi consistent-elles ?

Skeet resta un moment silencieux. Peu à peu, les rides sur son front s'effacèrent. Sa peau redevint lisse et translucide, comme du beurre clarifié, si bien qu'on avait l'impression d'apercevoir ses os en transparence. Son regard resta rivé au plafond.

Ses yeux s'agitèrent encore. Quand les mouvements cessèrent, il parla d'une voix sans tension et un peu moins atone que précédemment.

— Les cascades claires, murmura-t-il.

Les deux mots semblaient avoir été choisis au hasard, telles deux boules du Loto expulsées de la sphère de tirage.

— Les cascades claires, répéta Dusty. Voyant que son frère ne répondait pas, il insista : Il faut que tu m'aides, gamin.

— Dans les vagues dispersent, chuchota Skeet.

Il y eut un bruit derrière Dusty.

C'était Valet qui descendait du fauteuil. Le chien sortit de la chambre et se planta dans le couloir, devant le seuil de la pièce, les oreilles dressées, la queue rentrée entre les cuisses, les regardant d'un air inquiet.

Dans les vagues dispersent.

D'autres boules de Loto.

Un petit papillon, ses ailes délicates ouvragées comme de la dentelle, venait de se poser sur la main droite de Skeet. Ses doigts ne frémirent même pas lorsque l'insecte arpenta sa paume. Sa bouche restait entrouverte, les lèvres molles. Son souffle était si lent que sa poitrine se soulevait à peine. Ses yeux tressautèrent une nouvelle fois. Quand cette agitation silencieuse des globes oculaires cessa, Skeet aurait pu passer pour mort.

— Les cascades claires, répéta Dusty, dans les vagues dispersent. Qu'est-ce que cela veut dire, gamin ?

— Cela veut dire quelque chose ? Vous m'avez simplement demandé en quoi consistaient les règles.

— C'est ça, les règles ?

Les yeux de Skeet tressaillirent quelques secondes, puis il articula :

— Vous connaissez très bien les règles.

— Supposons que non.

— Ce sont deux d'entre elles.

— Deux règles ?

— Oui.

— Elles sont moins évidentes que celles du poker.

Skeet ne répondit pas.

Même si tout cela ressemblait à du charabia, à des divagations d'un esprit saturé de drogue, Dusty restait persuadé que cette conversation étrange avait un sens caché, qui serait la clé d'une grande révélation.

En scrutant le visage de son frère, Dusty demanda :

— Combien y a-t-il de règles ?

— Vous le savez.

— Supposons que non.

— Il y en a trois.

— Quelle est la troisième règle ?

— La troisième règle ? Des aiguilles de pin bleues.

Les cascades claires. Dans les vagues dispersent. Des aiguilles de pin bleues.

Valet, qui aboyait rarement, et grognait moins souvent encore, se leva sur ses pattes et scruta la chambre en poussant un long et caverneux grondement. Ses poils étaient dressés comme ceux d'un chien de dessin animé tombant nez à nez avec un fantôme. Sans en être absolument certain, Dusty avait l'impression que c'était après le malheureux Skeet que le chien en avait.

Après avoir médité la question une minute ou deux, Dusty reprit le fil de son interrogatoire.

— Explique-moi ces règles, Skeet. Dis-moi ce qu'elles signifient.

— Je suis les vagues.

— D'accord, l'encouragea Dusty, même si cela n'avait pas plus de sens que si Skeet avait répondu, imitant les paroles psychédéliques des Beatles, « je suis le morse ».

— Vous, vous êtes les cascades claires, poursuivit Skeet.

— Bien sûr, l'encouragea de nouveau Dusty.

— Et les aiguilles sont nos missions.

— Nos missions ?

— Oui.

— Et tout cela est limpide pour toi ?

— Cela doit l'être ?

— C'est ce qui me semble.

— Alors, d'accord.

— Mais cela n'est pas limpide pour moi.

Skeet resta silencieux.

— Qui est le Dr Yen Lo ? demanda Dusty.

— Qui est le Dr Yen Lo ?

Un silence.

— C'est vous.

— Je croyais que j'étais les cascades claires ?

— C'est une seule et même chose.

— Sauf que je ne suis pas le Dr Yen Lo.

Le front de Skeet se rida de nouveau. Et de nouveau ses mains se refermèrent en ébauche de poing. Le petit papillon se faufila entre les doigts pâles à demi repliés et s'envola. Il y eut une nouvelle série de mouvements oculaires.

Dusty attendit la fin du phénomène pour demander :

— Skeet, es-tu réveillé ou endormi ?

Après une hésitation, le jeune homme répondit :

— Je ne sais pas.

— Tu ne sais pas si tu es réveillé. Cela veut donc dire que tu dors.

— Non, je ne dors pas.

— Si tu ne dors pas et que tu n'es pas certain d'être réveillé, dans quel état es-tu ?

— Dans quel état je suis ?

— Je te le demande.

— J'écoute.

— Tu recommences !

— Que dois-je recommencer ?

— Quoi ?

— Dites-moi ce que je dois recommencer.

Dusty commençait à perdre espoir que cette conversation aboutisse à une révélation répondant à toutes ses questions. Bien que d'un genre spécial, cet échange se déroulait de façon aussi irrationnelle et déprimante que tous ceux qu'il avait pu avoir avec Skeet lorsque celui-ci avait dépassé les doses critiques.

— Que dois-je recommencer ? insista Skeet.

— Ça suffit, maintenant ! Dors et tais-toi !

Obéissant, Skeet ferma aussitôt les yeux. Son visage redevint impassible et serein dans l'instant, ses mains crispées se détendirent, son souffle se fit profond et régulier. Il se mit à ronfler doucement.

— Qu'est-ce qui se passe, nom de Dieu ? lâcha Dusty.

Il se frotta la nuque pour chasser le frisson et la chair de poule qui le gagnaient ; sa main glacée ne fit que renforcer la sensation de froid dans tout son corps.

Valet, qui n'avait plus le poil hérissé, revint dans la chambre, scrutant chaque recoin, reniflant sous le lit, comme s'il cherchait quelqu'un ou quelque chose. Apparemment, ce qui l'avait effrayé avait disparu.

Skeet semblait s'être endormi parce que Dusty le lui avait ordonné. Il n'était pourtant pas possible de s'endormir aussi vite sur commande…

— Skeet ?

Dusty posa la main sur l'épaule de son frère et la secoua doucement, puis de plus en plus fort.

Aucune réaction. Skeet continuait de ronfler. Ses paupières bougeaient : de nouveaux mouvements oculaires. Il rêvait pour de bon, cette fois.

Dusty prit le poignet de Skeet et pressa deux doigts sur l'artère radiale pour sentir le pouls. Celui-ci était fort et régulier, mais lent. Dusty compta les battements. Quarante-huit par minute. Une lenteur effarante, même pour un homme en plein sommeil.

Skeet avait plongé dans le pays des rêves, c'était entendu. Seulement il y était en apnée profonde.

21.

Le porte-couteaux était fixé au mur par deux crochets, tel le totem de quelque secte satanique qui utiliserait la cuisine à des fins autrement sinistres que la préparation des repas.

Sans toucher aux couteaux, Martie décrocha le présentoir ; elle le rangea dans le buffet et referma rapidement la porte.

Mais cela ne suffisait pas. Une chose hors de vue n'était pas hors de l'esprit. Les couteaux restaient accessibles. Trop accessibles. Il fallait les mettre dans un lieu plus sûr.

Elle partit chercher dans le garage un carton vide et un rouleau de ruban adhésif et revint dans la cuisine.

Lorsqu'elle s'accroupit devant le buffet contenant les couteaux, elle fut incapable d'ouvrir la porte. La simple idée de toucher la poignée la terrifiait, comme si elle se trouvait face à un reliquaire diabolique où était conservée une rognure des sabots fendus de Belzébuth. Martie dut rassembler tout son courage pour passer à l'action. Et lorsque, avec d'infinies précautions, elle retira de sa cache le jeu de couteaux, ses mains tremblaient si fort que les lames s'entrechoquaient.

Elle lâcha les ustensiles au-dessus du carton, referma vite les rabats et commença à sceller le tout avec du ruban adhésif. Puis elle s'aperçut avec effroi qu'elle aurait besoin d'un outil pour le couper.

Elle repéra dans un tiroir une paire de ciseaux, mais ne put s'en saisir. C'était une arme trop évidemment mortelle. Elle avait vu tant de films où le tueur avait troqué le couteau de boucher contre une paire de ciseaux !

Il y avait tant d'endroits tendres, de chairs vulnérables dans un corps humain. L'aine, le ventre, les interstices entre les côtes qui menaient droit au cœur, la gorge, les carotides…

Comme un jeu de cartes du parfait tueur en série, des images sanguinolentes et cauchemardesques se succédèrent dans son esprit – quarante-huit dessins représentant tous les meurtres de Jack l'Éventreur avec un souci du détail digne de planches anatomiques, et quatre jokers en quadrichromie pour la collection de têtes coupées et congelées de Jeffrey Dhamer !

Affolée, Martie referma le tiroir et se retourna pour ne plus le voir, tentant de chasser ces visions d'épouvante dont quelques-unes rencontraient des échos jubilatoires dans certaines parties aliénées de son être.

Elle était seule à la maison. Elle ne pouvait blesser personne. À l'exception d'elle-même, bien entendu.

Depuis sa réaction étrange face au hachoir de Susan et à la clé de contact de la Saturn quelques minutes plus tôt, Martie avait l'impression de posséder – ou d'être possédée par – un nouveau potentiel de violence. Dieu seul savait quel mal elle pouvait se causer ou causer à un innocent lors d'une crise de démence ! Pour la première fois, elle se percevait comme un danger pour elle-même.

Elle observa le carton où elle avait emballé les couteaux. Si elle les abandonnait dans un coin du garage sous un tas de vieilles bricoles, elle pourrait facilement les récupérer. La bande de Scotch et le rouleau qui pendaient au bout pouvaient aisément être retirés, les rabats du carton rouverts, et les couteaux exposés…

Même si le couteau de boucher était invisible dans la boîte avec tous les autres, elle avait l'impression de le sentir dans sa main – son pouce pressé sur le plat de la lame, les autres doigts refermés sur la poignée de bois, l'index coincé contre la garde, le petit doigt calé contre le pommeau. C'était la prise qu'elle utiliserait pour porter un coup de bas en haut, un coup rapide et profond – une éventration.

Sa main commença à trembler, puis son bras, puis tout son corps. Elle ouvrit les doigts, comme pour lâcher ce couteau imaginaire ; elle s'attendait presque à entendre tinter l'acier sur le carrelage.

Non, Seigneur, elle n'était pas capable de commettre de telles atrocités. Ni de se suicider ni de se défigurer...

Accroche-toi.

Mais des images de lames brillantes et tranchantes, perçant, découpant, continuaient de la hanter. Lorsqu'elle parvint à chasser de son esprit le jeu de cartes de Jack l'Éventreur, un autre le remplaça, les scènes horribles se succédant en un staccato endiablé, *flic-flic-flic*, jusqu'à ce qu'un spasme vertigineux lui traverse le crâne, puis la poitrine, en une spirale infernale, et explose dans son estomac.

Elle ne s'était pas vue tomber à genoux devant le carton. Elle ne se rappelait pas non plus avoir attrapé le rouleau de Scotch. Quand elle reprit pied dans la réalité, elle était en train de sceller frénétiquement le carton avec le ruban adhésif, tournant et retournant la boîte, plusieurs tours dans la longueur, plusieurs dans la hauteur, d'autres encore en diagonale.

Son ardeur l'effraya. Elle voulut lâcher le rouleau, se détourner de l'emballage, mais c'était plus fort qu'elle, elle ne pouvait s'arrêter.

Travaillant avec tant d'acharnement qu'elle fut bientôt moite de sueur, le souffle court, tremblante d'angoisse, Martie déroula tout le rouleau d'adhésif pour ne pas avoir à le couper avec une paire de ciseaux. Elle acheva d'emmailloter le carton avec une méticulosité digne des embaumeurs de pharaons.

Elle ne fut pas pour autant satisfaite. Elle savait toujours où se trouvaient les couteaux. Certes, ils étaient moins faciles d'accès sous les nombreuses couches d'adhésif et, par bonheur, jamais elle n'aurait le courage de prendre une lame de rasoir ou une paire de ciseaux pour les trancher. C'était une compensation dans son malheur... La boîte, toutefois, n'était pas un coffre-fort à l'abri de toute effraction ; ce n'était que du carton.

Une brume d'angoisse envahit l'âme de Martie, un brouillard glacé et bouillonnant montant du tréfonds obscur de son être, submergeant son esprit, voilant ses pensées, exacerbant sa confusion et sa terreur.

Le carton dans les bras, elle sortit de la maison par la porte de service, avec l'intention d'enterrer son butin dans le jardin. Mais elle allait devoir creuser un trou... utiliser une pelle, ou une pioche... Il ne s'agissait pas de simples outils. C'étaient des armes potentielles. Dieu savait ce qu'elle pouvait faire avec !

Elle lâcha son paquet. Les couteaux tintèrent dans la chute, un bruit étouffé, qui restait inquiétant.

Il fallait se débarrasser de ces couteaux. Il n'y avait pas d'autre solution.

Le lendemain était le jour du ramassage des ordures. Si elle mettait les couteaux à la poubelle, la benne les emporterait.

Martie ne savait pas où se trouvait la décharge. Pas la moindre idée. Quelque part à l'est de la ville… dans un coin isolé… Peut-être même se situait-elle dans un autre comté. Jamais elle ne pourrait retrouver les couteaux. Après le passage des éboueurs, elle serait en sécurité, oui.

Le cœur tambourinant, elle ramassa le carton et descendit les marches du perron.

Tom Wong prit le pouls de Skeet, écouta son cœur et mesura sa tension. Le disque froid du stéthoscope plaqué sur la poitrine nue du garçon et l'étreinte du brassard sur son bras droit ne provoquèrent aucune réaction chez lui. Pas le moindre tressaillement de peau, le moindre grognement ou gémissement. Il restait aussi pâle et amorphe qu'une courgette pelée.

— Son pouls était à quarante-huit lorsque je l'ai pris, expliqua Dusty, observant la scène depuis le bout du lit.

— Il est à quarante-six, maintenant.

— Ce n'est pas dangereux ?

— Pas nécessairement. Je ne détecte aucun signe de détresse cardiaque ou respiratoire.

Selon son dossier, le pouls moyen de Skeet, lorsqu'il était en bonne santé et réveillé, était de soixante-six. Ce chiffre baissait de dix ou douze points pendant le sommeil.

— Il arrive qu'on atteigne des taux aussi bas que quarante pendant le sommeil, poursuivit Tom Wong, mais c'est rare.

Il souleva, l'une après l'autre, les paupières de Skeet et examina ses yeux avec un ophtalmoscope.

— Les pupilles sont de taille identique, mais il pourrait quand même bien s'agir d'une apoplexie.

— Une hémorragie cérébrale ?

— Ou une embolie. Même s'il n'est pas apoplectique, il peut s'agir d'un autre type de coma. Un coma diabétique ou urémique.

— Il ne fait pas de diabète.

— Je ferais mieux d'appeler un médecin, lança Wong en quittant la chambre.

La pluie avait cessé de tomber, mais les feuilles ovales des lauriers ruisselaient comme des milliers d'yeux émeraude emplis de larmes.

Son paquet honni dans les bras, Martie trotta jusqu'au mur est de la maison. Elle ouvrit la porte du coin poubelle.

Une part d'elle – une part saine – observait son manège et avait conscience que ses gestes ressemblaient à ceux d'une marionnette : le menton pointé en avant sur un cou trop raide et vertical, les épaules excessivement relevées, la démarche impatiente et saccadée.

Si elle était une marionnette, alors le marionnettiste était Johnny Panic. À l'université, certaines de ses amies vouaient un véritable culte à la poésie de Sylvia Plath. Même si Martie avait trouvé ses écrits trop nihilistes et trop déprimants pour rejoindre ses fans, elle se souvenait d'une observation poignante de la poétesse, expliquant pourquoi les hommes pouvaient se montrer si cruels entre eux et pourquoi tant de leurs choix se révélaient autodestructeurs. « De l'endroit où je me trouve, écrivait Sylvia Plath, je me dis que le monde est mené par une chose, une seule et unique chose : la panique. Avec une tête de chien ou de démon, de sorcière ou de putain, en lettres majuscules et sans aucun visage – c'est toujours le même Johnny Panic qui est à l'œuvre, de jour comme de nuit. »

Depuis vingt-huit ans qu'elle vivait sur cette terre, Martie n'avait guère connu la panique – plutôt la sérénité, celle de se sentir maîtresse de sa vie, en paix avec soi et les autres, et connectée à la création, parce que son père lui avait appris que toutes les vies avaient un sens, qu'aucune n'était vaine. Bob la Banane disait que si l'on avait pour guide le courage, l'honneur, le respect de soi, l'honnêteté et la compassion, si l'on gardait ouverts son esprit et son cœur aux enseignements de ce monde, alors, tôt ou tard, le sens de notre passage sur terre nous apparaîtrait, peut-être même avant de quitter celle-ci. Une telle philosophie était la garante d'une existence heureuse et lumineuse, jamais obscurcie par les ombres de la peur comme c'était le cas pour ceux qui affirmaient que la vie n'avait aucun sens. Et pourtant, subitement et sans raison apparente, Johnny Panic venait de faire son entrée dans la vie de Martie. Le voilà qui tirait les ficelles de sa conscience et la faisait se mouvoir à la façon d'un pantin, la contraignant à rejoindre la grande farandole des fous.

Martie souleva le couvercle de la troisième poubelle, la seule encore vide. Elle y jeta le carton de couteaux, referma rapidement l'abattant et, avec des gestes maladroits, replaça tant bien que mal le crochet de fermeture dans son logement.

Elle aurait dû se sentir soulagée.

Mais son angoisse grandit.

Au fond, rien n'avait changé. Elle savait toujours où se trouvaient les couteaux… Elle pouvait les récupérer si elle le voulait. Ils resteraient à sa portée jusqu'à ce que les éboueurs les emportent.

Pis encore, les couteaux n'étaient pas les seuls ustensiles susceptibles de servir toutes les pensées violentes qui polluaient son esprit. Sa petite maison, avec ses jolies boiseries sculptées, un havre de paix au premier regard, était en fait un abattoir suréquipé, un arsenal débordant d'armes en tout genre. Si vous aviez des instincts d'équarrisseur, bien des objets d'apparence anodine pouvaient devenir des tranchoirs ou des assommoirs.

Agacée par son impuissance, Martie pressa les mains sur ses tempes, comme si elle pouvait étouffer la foule de pensées rageuses qui envahissaient les allées sombres et tortueuses de son esprit. Son sang battait sous ses paumes et ses doigts, son crâne lui sembla tout à coup élastique. Plus elle exerçait de pression, plus le tumulte intérieur grandissait.

Agir. Toujours agir. Selon Bob la Banane, l'action était la réponse à la plupart des problèmes. La peur, le désespoir, la dépression, et même la colère pour une grande part, provenaient de notre sentiment d'impuissance. Agir pour résoudre nos problèmes était une attitude saine et salutaire – à condition de faire fonctionner son intelligence et son sens moral afin d'avoir une chance de faire le *bon* acte, le plus juste et le plus efficace.

Comment savoir si elle faisait le bon choix en traînant la grosse poubelle jusqu'à la porte de service ? Personne n'était là pour lui indiquer la marche à suivre. Faire appel à l'intelligence ou à quelque principe moral requérait un esprit calme et serein, or elle était la proie d'une tempête intérieure, et les vents forcissaient d'instant en instant. Pour l'heure, elle ignorait si son action était la plus juste et la plus efficace ; c'était celle qui s'imposait à elle, voilà ce qui importait. Elle ne pouvait attendre une accalmie pour analyser les possibilités qui s'offraient à elle. Elle devait faire quelque chose, n'importe quoi, car si elle restait inactive, ne serait-ce qu'une seconde, une tornade de pensées lugubres assaillirait son esprit. Si elle se risquait à s'asseoir, ou à faire une courte pause pour reprendre son souffle, elle serait emportée comme un fétu de paille par la bourrasque, mise en pièces, dispersée aux quatre vents. Et pourtant, si elle continuait à s'agiter ainsi, sans prendre le temps de réfléchir, elle pouvait commettre des erreurs irréparables, enchaîner des actes stupides… Il y avait toutefois une chance, infime, que son instinct la guidât vers le bon choix, celui qui, à défaut de la sortir de cette crise, lui apporterait un peu de répit.

En outre, au niveau purement corporel, là où la raison et la réflexion n'avaient pas droit de cité, où seules importaient les sensations, elle devait tout faire pour alléger son angoisse avant le crépuscule et retrouver son sang-froid. Chaque nuit, l'être primitif enfoui au plus profond de notre être remontait les méandres de notre esprit et s'approchait dangereusement de la surface, parce que la lune l'appelait de ses chants, parce que le vide intersidéral parlait sa langue… Pour ce moi sauvage, le malin pouvait sembler bien séduisant dans la pénombre. Une crise de panique pouvait alors dégénérer rapidement en une pathologie bien plus grave, voire en folie furieuse.

Bien que la pluie eût cessé, un océan de nuages roulait au-dessus de Martie, recouvrant le ciel d'un horizon à l'autre. La véritable tombée de la nuit n'était pas loin, et, dès que le soleil disparaîtrait, les nuages vireraient au noir charbon.

Déjà, trompés par la météo, des animaux nocturnes s'aventuraient sur la pelouse et dans l'allée ; des escargots étaient sortis de leurs cachettes, laissant derrière eux leur sillage argenté.

Une odeur d'humus planait autour de Martie, s'élevant de l'herbe humide, du terreau gras des parterres de fleurs, des buissons et des arbres ruisselants de pluie.

Dans cette lumière entre chien et loup, la jeune femme ressentait avec un certain malaise la présence de cette vie grouillante, bannie par le jour, à qui la nuit offrait son hospitalité. Elle sentait également qu'une part reptilienne d'elle-même partageait cet enthousiasme pour l'obscurité et ces myriades rampantes et suintantes qui sortaient de leurs cachettes entre le crépuscule et l'aube. Les pulsations qui résonnaient dans les profondeurs de son être n'étaient pas dues qu'à la peur ; il y avait là une faim, un besoin, une urgence qu'elle n'osait écouter plus attentivement.

Agir, agir vite, faire de cette maison un lieu sûr, un refuge, une retraite où aucun objet ne pourrait plus se révéler dangereux entre des mains malintentionnées.

La clinique de La Nouvelle Vie travaillait surtout avec des infirmières et des psychologues, mais une équipe de médecins assurait une garde de 6 heures du matin à 8 heures du soir. Le service ce jour-là était assuré par le Dr Henry Donklin. Dusty l'avait rencontré lors du premier séjour de Skeet dans l'établissement.

Avec ses cheveux blancs et bouclés, sa peau rose de bébé, particulièrement lisse et souple pour son âge, le Dr Donklin avait l'air poupin d'un télé-évangéliste, sans toutefois cet aspect onctueux que l'on retrouvait chez la plupart des prêcheurs du tube cathodique et qui trahissait leur inclination à se laisser glisser sur la pente savonneuse de la damnation.

Arrivé à l'âge de la retraite, le Dr Donklin avait jugé la perspective qui s'ouvrait à lui aussi séduisante qu'une lente agonie. Il avait pris ce poste à la clinique parce que le travail y était intéressant, à défaut d'être passionnant, et parce qu'il lui permettait d'échapper, selon ses propres termes, au « purgatoire des cours de golf ou à l'enfer du jeu de palets ».

Donklin prit la main gauche de Skeet et la serra. Dans son sommeil, le garçon répondit à la pression exercée par le médecin. Le docteur réitéra le test avec la main droite – réponse identique.

— Pas de signe de paralysie ni de respiration ronflante, constata-t-il, pas de tremblements des joues à l'expiration.

— Les pupilles sont identiquement dilatées, ajouta Tom Wong.

Après avoir contrôlé lui-même la taille des pupilles, Donklin poursuivit son rapide examen.

— La peau n'est pas moite. La température de l'épiderme est normale. Cela m'étonnerait qu'il s'agisse d'un coma apoplectique. Pas d'hémorragie, ni d'embolie, ni de thrombose. Mais nous serons contraints d'envisager de nouveau ces éventualités et de le transférer dans un hôpital pour de plus amples examens si nous n'identifions pas rapidement la cause du problème.

Dusty se laissa gagner par une bouffée d'espoir.

Valet se tenait dans un coin, tête dressée, suivant avec intérêt le déroulement des événements — peut-être pressentait-il le retour ou la réapparition du phénomène qui lui avait fait dresser les poils et quitter la chambre quelques minutes plus tôt.

Suivant les consignes du médecin, Wong se prépara à placer une sonde dans l'urètre de Skeet pour prélever un échantillon d'urine.

Après s'être penché au-dessus du patient, Donklin déclara :

— Son haleine n'a pas une odeur de pomme. Je préfère toutefois faire une recherche d'albumine et de sucre dans les urines.

— Il n'est pas diabétique, précisa une nouvelle fois Dusty.

— Cela ne ressemble pas non plus à un coma urémique, observa le médecin. Son pouls n'est ni lent ni brutal. Aucun symptôme d'hypertension.

— Ne pourrait-il pas être simplement endormi ? avança Dusty.

— Pour dormir aussi profondément, répondit Donklin, il faudrait qu'une sorcière lui ait jeté un sort, ou qu'il ait mangé toute la pomme de Blanche-Neige.

— Il y a que… à un moment donné… il a commencé à m'agacer, à cause de son comportement étrange. Alors je lui ai dit de dormir, un peu sèchement, et, sitôt que j'ai dit ça, il est tombé comme une masse.

— Vous n'êtes pas une sorcière, à ce que je sache, lui retourna Donklin d'un ton si glacé qu'il aurait fallu un chalumeau pour le dégeler.

— Non, un simple peintre en bâtiment.

Ayant écarté l'hypothèse de l'apoplexie, Donklin tenta de réveiller Skeet avec des sels ; mais la bouffée de carbonate d'ammonium ne suffit pas à tirer pour autant Skeet des bras voluptueux de Morphée.

— S'il ne fait que dormir, lâcha le médecin, alors la Belle au bois dormant est sa grand-mère !

La grande poubelle était vide, à l'exception du carton de couteaux, et équipée de larges roues. Martie put la hisser sur le perron sans trop de difficultés. Dans ses entrailles de plastique les lames de couteau s'entrechoquaient en une musique dissonante qui évoquait des voix en colère.

Martie avait prévu de tirer le conteneur à l'intérieur de la maison. Mais les couteaux se retrouvaient dans les murs.

Les mains tétanisées sur la poignée, elle était figée par l'indécision.

Débarrasser la maison de tout ustensile représentant un danger potentiel était la priorité numéro un. Et ce, avant que la nuit tombe… avant qu'elle perde toute maîtrise d'elle-même et que son Moi primitif ne prenne définitivement le dessus.

Durant cet instant d'immobilité, les vents de la terreur se déchaînèrent en elle, battant aux portes et aux fenêtres de son âme.

Agir, agir, agir.

Elle laissa ouverte la porte de service et plaça la poubelle sous l'auvent, juste sur le seuil pour qu'elle soit à portée de main. Elle retira le couvercle et le posa sur le sol du perron.

Dans la cuisine, elle ouvrit un tiroir pour en examiner le contenu : cuillère à salade, fourchettes, couteaux de table et couteaux à beurre à bouts ronds. Mais aussi dix couteaux à steak avec des manches en bois.

Elle ne toucha pas aux ustensiles dangereux. Elle retira avec précaution les pièces inoffensives – cuillères à soupe, cuillères à café – et les déposa sur le bar. Puis elle sortit le tiroir du meuble, le transporta jusqu'au perron à bout de bras et le retourna au-dessus de la poubelle.

Avec le casier à couverts en plastique, une cascade scintillante de fourchettes et de couteaux se déversa en tintinnabulant dans le réceptacle. Toute la moelle de ses os frémit de plaisir au son de cette cacophonie métallique.

Elle abandonna le tiroir dans un coin de la cuisine, hors du passage. Le temps pressait… elle rangerait tout ça plus tard.

Le crépuscule virait au pourpre. Le soleil se couchait pour de bon cette fois. Par la porte ouverte montaient les premiers coassements des petits crapauds qui sortaient de leur trou à la nuit tombée.

Un autre tiroir. Des instruments de cuisine divers et des gadgets : un ouvre-bouteille, un éplucheur, un zesteur, un thermomètre à rôti pointu comme un pic à glace, un attendrisseur de viande, un tire-bouchon, un porte-maïs en plastique jaune équipé de deux longues pointes destiné à maintenir l'épi pour qu'il puisse être mangé plus facilement. Incroyable, le nombre d'objets d'une cuisine qui pouvaient être transformés en armes ! Un bourreau de l'Inquisition aurait trouvé là un outillage parfait pour accomplir sa besogne.

Le tiroir contenait également de grands clips en plastique pour fermer les sacs de chips, des cuillères et des verres doseurs, une gouge à melon, quelques spatules, un fouet manuel et quelques autres objets qui pouvaient difficilement représenter un danger mortel, y compris entre les mains du psychopathe le plus ingénieux.

D'un geste hésitant, Martie avança la main vers le tiroir, dans l'intention d'en retirer les ustensiles inoffensifs, mais elle la retira aussitôt. Elle ne pouvait se faire confiance.

— Je suis dingue, complètement dingue ! articula-t-elle.

Sa voix était à ce point déformée par la peur et le désespoir qu'elle la reconnut à peine.

Elle jeta tout le contenu du tiroir dans la poubelle et déposa l'élément vide sur le premier qu'elle avait abandonné dans la cuisine.

Dusty, où es-tu, nom de Dieu ? Viens à mon secours ! Rentre vite. Je t'en prie. Rentre vite.

Ne pouvant rester sans rien faire, au risque de se retrouver paralysée par la peur, Martie trouva le courage d'ouvrir le troisième tiroir. De grandes fourchettes de service. Des fourchettes à viande. Un couteau électrique…

Dehors, le concert des crapauds avait commencé. La nuit était tombée.

22.

Martie Rhodes tentait de ne pas succomber à la panique, emportée qu'elle était par son obsession compulsive. Elle s'affairait frénétiquement dans sa cuisine qui semblait regorger d'autant d'armes mortelles qu'un champ de bataille au moment de l'assaut.

Elle trouva un rouleau à pâtisserie dans un tiroir près des fours. On pouvait mettre un visage en charpie avec un tel objet, écraser le nez, éclater les lèvres, cogner et cogner encore jusqu'à ce que la boîte crânienne cède, que la personne s'écroule, inanimée, et qu'elle vous contemple de ses yeux aveugles noyés de sang…

Il n'y avait pas de victime potentielle à portée de gourdin, et Martie se savait incapable de rouer quelqu'un de coups, pourtant elle n'osait toucher au rouleau.

— Allez, prends-le, se houspillait-elle. Prends-le, nom de Dieu ! Débarrasse toi de ce truc. Vite !

À mi-chemin de la poubelle, elle lâcha le rouleau, qui fit un bruit assourdissant en rebondissant au sol. N'ayant pas la force de le ramasser, elle le poussa du pied et le fit rouler jusqu'à la porte.

Le vent était tombé, mais les courants d'air froid du crépuscule hantaient le perron et soufflaient jusqu'à la porte de la cuisine.

Peut-être qu'un peu d'air frais lui ferait du bien ? Martie prit plusieurs longues inspirations, frissonnant de tout son être à chacune d'elles.

Elle baissa les yeux vers le rouleau à pâtisserie qui gisait à ses pieds. Elle n'avait qu'à ramasser cet instrument de malheur et le mettre à la poubelle. Il ne séjournerait dans sa main qu'une seconde ou deux. Elle ne pouvait blesser personne puisqu'elle était seule. En supposant qu'elle soit soudain prise d'une pulsion autodestructrice, un rouleau à pâtisserie n'était pas l'outil idéal pour se faire hara-kiri, même s'il était un peu moins inoffensif qu'une spatule en caoutchouc.

Réconfortée par ce trait d'humour, elle parvint à ramasser le rouleau et à le jeter dans la poubelle.

Lorsqu'elle explora le tiroir suivant, elle découvrit une collection d'objets et d'ustensiles qui ne pouvaient guère représenter de menace sérieuse pour la vie humaine – un saupoudroir à farine, un minuteur pour les œufs à la coque, un presse-ail, un pinceau pour arroser les rôtis, une passoire, un chinois, un panier à salade…

Un mortier et son pilon… *Faute !* Le mortier, taillé dans un bloc de granit bien dense, avait la taille d'une balle de base-ball. On pouvait fracasser un crâne comme un rien avec un engin circulaire. En s'approchant par-derrière, d'un mouvement circulaire du bras, un grand arc de haut en bas, et vlan ! l'occiput cédait.

Le mortier devait disparaître, sans délai, avant que Dusty revienne à la maison ou que quelque voisin inconscient ne s'avise de sonner à la porte.

Le pilon semblait sans danger, mais les deux objets allaient ensemble ; Martie emporta donc le tout vers la poubelle. Le mortier de granit était une masse froide dans ses mains refermées en coupe. Même après qu'elle s'en fut débarrassée, le souvenir de ce contact froid et pesant continuait de la troubler ; elle avait eu raison de jeter cet ustensile.

Au moment où elle ouvrait un autre tiroir, le téléphone se mit à sonner. Elle décrocha, pleine d'espoir :

– Dusty ?

– C'est moi, répondit Susan.

– Oh !

Son cœur se serra de déception. Elle fit de son mieux pour ne pas laisser transparaître son désarroi.

– Alors, quoi de neuf, docteur ?

– Tout va bien, Martie ?

– Oui. Bien sûr.

– Tu es bizarre.

– Ça va, je t'assure.

– On dirait que tu es hors d'haleine.

– Je viens juste de porter quelque chose de lourd.

– Ça ne va pas, je le sens.

— Mais non. Tout va bien. Ne commence pas à m'embêter, Sooz. J'ai assez de ma mère pour ça. Vas-y, je t'écoute. Qu'est-ce qu'il y a ?

Martie brûlait de raccrocher. Elle avait tant à faire. Tant de tiroirs, de placards à fouiller… Tant d'ustensiles dangereux, tant d'armes fatales l'attendaient encore dans les autres pièces… Des instruments de mort et de torture étaient disséminés dans toute la maison ; elle devait les retrouver, tous, et les faire disparaître jusqu'au dernier.

— C'est un peu embarrassant, répondit Susan.

— Comment ça ?

— Je ne suis pas paranoïaque, Martie.

— Je le sais bien.

— Il vient vraiment ici de temps en temps, tu sais, la nuit, pendant que je dors.

— Eric ?

— Cela ne peut être que lui. D'accord, il n'a pas de clé, et la porte et les fenêtres sont fermées à double tour. Il n'y a aucun moyen d'entrer, mais cela ne peut être que lui. Il *faut* que ce soit lui.

Martie ouvrit l'un des tiroirs à côté du téléphone. Parmi d'autres objets, elle aperçut la paire de ciseaux dont elle n'avait pas osé s'approcher.

— Tout à l'heure, poursuivait Susan, tu m'as demandé comment je savais qu'il était venu chez moi… s'il avait déplacé des objets, laissé l'odeur de son eau de toilette, des traces de ce genre…

Les manches des ciseaux étaient recouverts de caoutchouc noir pour assurer une meilleure prise en main.

— Mais ce qu'il laisse derrière lui est bien pire que l'eau de toilette, Martie. C'est terrible… et embarrassant.

Les lames d'acier étaient polies comme des miroirs sur leur face extérieure et d'un fini brossé sur la face interne.

— Martie ?

— Oui, je t'écoute — elle pressa si fort le téléphone contre sa tempe qu'elle en eut l'oreille douloureuse. Dis-moi ce qui est terrible.

— Je sais qu'il est venu parce qu'il laisse sa… sa chose derrière lui.

L'une des lames des ciseaux était droite et tranchante, l'autre dentelée. Toutes deux extrêmement pointues…

Malgré l'image scintillante des ciseaux qui s'ouvraient et se refermaient devant ses yeux, Martie s'efforçait de ne pas perdre le fil de la conversation. Les lames coupaient et tranchaient, perçaient et déchiraient des chairs.

— Sa chose ?

— Tu sais bien.

— Non.

— Sa chose, quoi.

— Quelle chose ?

Gravées sur l'une des lames, juste au-dessus de l'axe de rotation, quatre lettres, *clic*, sans doute la marque du fabricant. Ce nom, toutefois, rencontrait d'étranges résonances chez Martie, comme s'il s'agissait d'un mot magique cachant des pouvoirs secrets.

— Sa chose… son sperme, disait Susan.

Pendant un moment, Martie ne comprit pas le sens du mot « sperme », parce qu'elle n'arrivait pas à le rapprocher du contexte. Il sonnait comme un mot inventé. Son esprit était tellement accaparé par la vue des ciseaux dans le tiroir qu'elle ne parvenait pas à se concentrer sur les paroles de Susan.

— Martie ?

— Son sperme, répéta Martie comme une automate, fermant les yeux pour tenter de chasser de son esprit l'image des ciseaux.

— Sa semence, précisa Susan.

— Ah ! sa chose…

— Oui.

— C'est comme ça que tu sais qu'il était là ?

— Cela paraît impossible, mais c'est pourtant bien ce qui se passe.

— Sa semence…

— Oui.

Clic.

Le bruit des mâchoires des ciseaux se refermant. *Clic-clic.* Martie n'avait pas touché à l'objet. Bien qu'elle eût les yeux fermés, elle savait que l'ustensile était toujours dans le tiroir ; il ne pouvait être autre part. *Clic-clic.*

— J'ai peur, Martie.

Moi aussi, Seigneur, moi aussi.

La main gauche de Martie était crispée sur le téléphone, la droite pendait contre sa hanche, vide. Les ciseaux ne pouvaient se mouvoir tout seuls et pourtant… *Clic-clic.*

— J'ai peur, répéta Susan.

Si Martie n'avait pas été elle aussi emplie de terreur et tout entière occupée à dissimuler son anxiété, si ses pensées avaient été plus claires, peut-être aurait-elle jugé étranges les propos de Susan. Seulement, dans son état, chaque bribe de leur dialogue la plongeait plus profondément dans la confusion.

— Tu dis qu'il laisse sa chose… mais où ça ?

— Eh bien… en moi.

Pour se prouver à elle-même que sa main droite était bel et bien vide, que les ciseaux ne s'y trouvaient pas, Martie porta la main à la poitrine et la plaqua contre son cœur battant. *Clic-clic.*

— En toi.

Susan lui faisait des révélations déroutantes, ayant des implications terrifiantes et des conséquences terribles, pourtant, Martie était incapable de concentrer son esprit sur le sort de son amie avec cet infernal *clic-clic, clic-clic, clic-clic* qui résonnait dans sa tête.

— Je dors en culotte et en T-shirt.

— Moi aussi, précisa stupidement Martie.

— Parfois, à mon réveil, il y a dans ma culotte cette... cette chose, chaude et gluante, tu sais.

Clic-clic. Le son devait provenir de son imagination. Martie brûlait de rouvrir les yeux pour s'assurer que les ciseaux étaient bien à leur place, dans le tiroir. Mais si elle les regardait ne serait-ce qu'une seconde, elle risquait de succomber à leur emprise — non, elle ne devait pas ouvrir les yeux. Surtout pas !

— Je ne comprends pas comment c'est possible, poursuivait Susan. C'est dingue, je sais. Comment ? Comment ?

— Tu te réveilles et...

— ... et je dois changer de culotte.

— Tu es sûre qu'il s'agit bien de ça ? de sperme ?

— C'est dégoûtant. Je me sens sale, souillée. J'ai besoin d'aller prendre une douche immédiatement pour me laver de tout ça.

Clic-clic. Le cœur de Martie battait déjà à toute allure, et elle savait que la vue des ciseaux allait déclencher en elle une panique totale, pire que toutes celles qu'elle avait connues jusque-là. *Clic-clic-clic.*

— Mais Sooz, nom de Dieu, tu veux dire qu'il te fait l'amour et que...

— Il n'y a pas d'amour là-dedans.

— Il te le fait et...

— C'est du viol. Il est toujours mon mari, on est simplement séparés, je sais... mais c'est du viol.

— Mais tu ne te réveilles pas pendant qu'il...

— Il faut me croire, Martie.

— Bien sûr que je te crois, chérie.

— Peut-être qu'il me drogue.

— Et quand Éric pourrait-il te droguer ?

— Je ne sais pas. Oui, tout ça paraît complètement dingue. Du grand délire paranoïaque. Mais c'est la vérité vraie. Cela se passe réellement comme ça.

Clic-clic.

Sans ouvrir les yeux, Martie referma le tiroir.

— Quand tu te réveilles, articula-t-elle d'une voix tremblante, tu as encore tes sous-vêtements ?

— Oui.

Elle souleva les paupières, aperçut sa main droite refermée autour de la poignée du tiroir.

— Alors il pénètre chez toi, te déshabille, te viole. Et, avant de repartir, il te remet ton T-shirt et ta culotte. Pourquoi ?

— Peut-être pour que je ne m'aperçoive pas de son passage.

— Mais il y a son sperme.

— Je reconnaîtrais cette odeur entre mille.

— Sooz…

— Je sais, je sais. Je suis agoraphobe, mais pas totalement psychotique. Ce sont tes propres paroles. Et attends, ce n'est pas tout. Il y a autre chose.

À l'intérieur du tiroir montait un *clic-clic* étouffé.

— Parfois, poursuivait Susan, j'ai mal.

— Mal ?

— À l'intérieur, précisa Susan avec une pudeur qui en révélait davantage sur l'ampleur de son angoisse et de son humiliation que tout ce qu'elle avait pu dire jusqu'ici. Il n'est pas… gentil.

Dans le secret du tiroir, les lames s'entrechoquaient. *Clic-clic, clic-clic.*

Susan chuchotait à présent. Sa voix paraissait provenir de très loin, comme si une grande vague avait arraché sa maison du front de mer et l'avait emportée au large, l'entraînant inexorablement vers un horizon noir et implacable.

— Parfois j'ai aussi les seins douloureux ; une fois, il y avait même des bleus, les marques de ses doigts là où il avait serré.

— Et Eric nie tout en bloc ?

— Il nie être venu chez moi. Je… je ne suis pas entrée dans les détails.

— Comment ça ?

— Je ne l'ai pas accusé.

La main droite de Martie restait plaquée sur le tiroir, exerçant une pression constante contre la poignée, comme pour empêcher que quelque chose ne s'en échappe. Elle pressait si fort qu'elle en avait mal dans tout l'avant-bras.

Clic-clic.

— Sooz, pour l'amour du ciel, tu penses qu'il te drogue et te baise pendant ton sommeil et tu ne lui as même pas demandé d'explication à ce sujet ?

— Je n'ai pas pu. Je ne peux pas. C'est interdit.

— Interdit ?

— Eh bien, je n'ai pas le droit, c'est quelque chose que je ne peux pas faire, tu comprends.

— Non, je ne comprends pas. Quel drôle de mot : « interdit ». Interdit par qui ?

— Je ne voulais pas vraiment dire « interdit ». Ma langue a fourché. Tout ce que je voulais dire, c'est que… c'est que… Oh, je ne sais plus. Tout s'embrouille dans ma tête.

Malgré sa propre angoisse, Martie sentit que Susan n'avait pas employé ce mot par hasard. Elle ne comptait pas déposer les armes si vite.

— Interdit par qui ? insista-t-elle.

— J'ai changé les serrures trois fois, annonça Susan au lieu de répondre à la question.

Sa voix monta d'un cran, passant du simple murmure à un souffle rauque, chargé d'une panique naissante qu'elle tentait de toutes ses forces de juguler.

— Chaque fois j'ai fait appel à une société différente. Eric ne peut pas avoir des taupes dans toutes les entreprises de serrurerie de la ville, quand même ! Il y a une chose encore que je ne t'ai pas dite, parce que cela aurait rendu mon histoire encore plus invraisemblable… Il se trouve que je saupoudre de talc les encadrements des fenêtres… s'il passe par les fenêtres, bien qu'elle soient fermées à double tour, il laisse forcément des traces, des empreintes de mains, des traînées de chaussures, je ne sais quoi… mais il n'y a rien. La poudre est intacte au matin. Et je coince aussi une chaise sous la poignée de la porte d'entrée. Comme ça, même si ce salaud a une clé, il ne peut pas entrer. Et le lendemain matin, la chaise est toujours là, à sa place. Pourtant j'ai son sperme en moi, dans ma culotte, et j'ai mal partout, et je sais – *je sais* – que j'ai été souillée, je sais qu'on m'a fait mal… alors je me douche, je me douche à n'en plus finir, avec de l'eau de plus en plus chaude, parfois jusqu'à me brûler, mais je n'arrive pas à me sentir propre. Je reste salie, au-dedans. Ô Seigneur ! je me demande si ce n'est pas un exorciste qu'il me faut ! – parce que ce qui se passe défie toute logique, parce que c'est surnaturel, sur-naturel.

« Je sais ce que tu es en train de te dire… ça y est, elle est devenue définitivement folle, mais ce n'est pas le cas, Martie, je te le jure… Je suis perturbée, d'accord à cent pour cent, seulement ce qui se passe n'a rien à voir avec mon agoraphobie ; cela arrive réellement ! Et je ne peux plus continuer comme ça, me réveiller le matin et trouver cette chose… c'est horrible… dégoûtant… Cela me tue à petit feu. Je ne sais pas quoi faire. Je suis si désemparée, Martie. Si vulnérable.

Clic-clic.

Martie avait mal du poignet à l'épaule à présent, à force de pousser sur le tiroir de tout son poids. Elle avait les mâchoires crispées, les dents serrées.

Des aiguilles de douleur lui traversaient le cou et remontaient sous son crâne, comme pour rapiécer les trames déchirées de son esprit. Peu à peu, la raison et le bon sens lui revenaient. Au fond d'elle, Martie ne craignait pas que quoi que ce soit s'échappe du tiroir. Une paire de ciseaux n'avait pas de vie propre, il ne s'agissait pas des balais de l'apprenti sorcier de *Fantasia*. Le tintement insistant – *clic-clic* – était dans sa tête. Elle n'avait pas réellement peur des ciseaux, ni du rouleau à pâtisserie, ni des couteaux, des fourchettes, du tire-bouchon et du thermomètre à rôti. Depuis des heures déjà, elle connaissait la véritable cause de sa terreur. Elle l'avait entraperçue plusieurs fois durant cette journée étrange, mais elle n'avait pas encore osé la regarder en face, ni affronter la vérité sans se chercher de fausses excuses. La seule menace qui la terrifiait portait un seul nom : Martie Eugenia Rhodes. C'était d'elle-même dont elle avait peur, et non des couteaux, des marteaux ou des ciseaux. Juste d'*elle*. Elle maintenait le tiroir fermé avec une telle détermination car elle était convaincue qu'au premier signe de faiblesse elle l'ouvrirait tout grand et s'emparerait des ciseaux… Et, en l'absence d'une tierce personne, c'est dans sa propre chair qu'elle enfoncerait les lames pointues.

— Martie ? Tu es toujours là ?

Clic-clic.

— Qu'est-ce que je peux faire, Martie ?

Lorsque Martie répondit, sa voix tremblait. Elle s'inquiétait pour son amie, mais aussi elle avait peur… peur pour elle-même et peur d'elle-même.

— Sooz, c'est un truc à glacer le sang, c'est pire encore que de l'envoûtement vaudou !

Une pellicule de sueur glacée enrobait tout son corps, comme si elle sortait de l'océan. *Clic-clic.* Son bras, son épaule et son cou la faisaient tellement souffrir qu'elle en avait les larmes aux yeux.

— Écoute, il me faut un peu de temps pour tirer tout ça au clair et te donner un conseil, trouver une idée pour t'aider.

— C'est la vérité, je te le jure.

— Je te crois, Sooz.

Elle brûlait de raccrocher. Il fallait qu'elle s'éloigne de ce tiroir, de ces ciseaux qui l'attendaient à l'intérieur, parce qu'elle ne pouvait plus contenir ses pulsions de mort.

— C'est réellement ce qui se passe, insista Susan.

— Je le sais. Tu m'as convaincue. C'est pourquoi je dois réfléchir à tout ça. C'est si bizarre. Nous devons agir avec précaution, être certaines de faire le bon choix.

— J'ai peur. Je suis si seule ici.

— Tu n'es pas toute seule, répondit Martie, sentant sa voix commencer à se briser – ce n'était plus un trémolo, mais un craquement, une fissure qui s'ouvrait. Je ne te laisserai pas toute seule. Je te rappelle.

— Martie…

— Il faut que je réfléchisse, que je réfléchisse à tout ça…

— … mais si quelque chose…

— … le temps de trouver une solution…

— … si quelque chose m'arrive…

— … je te rappelle…

— … Martie…

— … je te rappelle bientôt, promis.

Elle raccrocha le téléphone mural mais ne put détacher sa main du combiné. Ses doigts restaient crispés sur l'appareil. Lorsqu'elle parvint enfin à relâcher son étreinte, sa main resta repliée, comme si elle tenait encore un téléphone fantôme.

Quand elle cessa d'appuyer sur le tiroir, Martie grimaça de douleur. Sa paume avait gardé l'empreinte de la poignée du tiroir et les articulations de ses doigts, blanchies sous l'effort, provoquaient des contractions dans toute sa main.

Elle recula de plusieurs pas, jusqu'à buter contre le réfrigérateur. Dans les entrailles de l'appareil, les bouteilles tintèrent doucement. Il y avait, entre autres, une bouteille de chardonnay à moitié vide, relief du dîner de la veille… Une bouteille de vin était faite d'un verre épais, en particulier le fond, avec son cône pour recueillir les dépôts… Un objet lourd, massif, efficace. En s'en servant comme d'un gourdin, on pouvait fracasser le crâne de n'importe qui.

Cassée à la base, la bouteille pouvait aussi constituer une arme de taille et d'estoc redoutable. En la tenant par le goulot, les bords déchiquetés en avant, on pouvait lacérer un visage, perforer un larynx…

Son cœur se mit à tambouriner dans sa poitrine. Des claquements de portes dans un couloir n'auraient pas fait plus de bruit.

23.

— L'urine ne ment pas, annonça le Dr Donklin.

De son poste de vigie près de la porte, Valet releva la tête et dressa les oreilles en signe d'assentiment.

Skeet, relié désormais à un électrocardiographe, dormait toujours de son sommeil de plomb, si profond qu'il semblait en fugue cryogénique.

Dusty observait le tracé du spot vert sur l'écran du moniteur cardiaque. Le pouls de son frère était lent, mais régulier.

La clinique de La Nouvelle Vie n'était ni un hôpital ni un laboratoire de recherche. Cependant, pour contrecarrer l'ingéniosité autodestructrice de ses patients, l'établissement s'était équipé de matériel de pointe en matière de dépistage de drogues et de toxines dans les fluides corporels.

Plus tôt, grâce aux échantillons de sang prélevés à l'arrivée de Skeet, la clinique avait pu établir la composition exacte du cocktail chimique qu'avait ingéré le garçon pour commencer sa journée : amphétamines, cocaïne, DMT. Amphets et coke étaient des stimulants. La diméthyltryptamine – ou DMT – était un hallucinogène de synthèse, semblable à la psilocybine, un alcaloïde extrait du fameux champignon mexicain le *teonqnacatl.* La triade absorbée au petit déjeuner était plus détonante qu'une assiette de céréales et un jus d'orange.

L'analyse du dernier échantillon sanguin, prélevé pendant le coma de Skeet, n'était pas encore terminée ; toutefois, l'urine collectée grâce au cathéter indiquait qu'aucune substance nouvelle n'avait été introduite dans son organisme et, en outre, que son corps avait pour une grande part éliminé les amphétamines, la coke et la DMT. Exit l'ange de la mort qui lui avait conseillé de sauter du toit des Sorenson. C'était déjà une consolation.

— L'analyse sanguine confirmera les résultats, prédit Donklin. Parce que c'est une loi de la nature, *in urina veritas.* En termes profanes... la vérité tient dans les grelots. Le pipi ne connaît pas la dissimulation.

Le médecin se laissait-il aller à ce genre de langage dans son cabinet privé, se demanda Dusty, ou cela lui était-il venu sur le tard, avec la retraite, lorsqu'il avait pris ce poste à la clinique ? Quelle qu'en soit l'explication, ce trait d'humour était le bienvenu.

On avait aussi cherché dans l'échantillon d'urine des rejets urétraux, sucre et albumine. Les résultats infirmaient l'hypothèse d'un coma diabétique ou urémique.

— Si l'analyse de sang ne nous donne pas de renseignements, déclara le Dr Donklin, on devra le transférer dans un hôpital.

Dans le réfrigérateur, derrière Martie, les tintements de verre cessèrent peu à peu.

Les crampes dans sa main lui arrachèrent des larmes. D'un revers de manche, elle s'essuya les yeux, mais sa vue resta brouillée.

Ses doigts étaient tétanisés, comme si elle s'accrochait à un adversaire ou au rebord d'un précipice. On aurait dit ceux, menaçants, d'un démon.

Elle restait figée sur place, avec devant les yeux l'image dansante de la bouteille au bord aussi acéré que des dents de requin, terrifiée par le potentiel de violence prêt à jaillir hors d'elle.

Agis ! la houspillait son père. *L'espoir réside toujours dans l'action.* Mais elle n'avait pas les pensées assez claires pour réfléchir à sa situation, en analyser tous les éléments et décider de la bonne action.

Elle ne pouvait pourtant pas rester les bras ballants ; si elle ne faisait rien sur-le-champ, elle allait s'écrouler au sol, se recroqueviller comme un cloporte et rester prostrée jusqu'au retour de Dusty. Lorsqu'il arriverait, elle se serait tellement repliée sur elle-même qu'elle resterait dans cet état jusqu'à la fin de ses jours.

Avec une détermination chancelante, elle se résolut à agir. D'abord se redresser, s'écarter du réfrigérateur dont elle sentait le contact froid dans son dos, traverser la cuisine et retourner près du tiroir. Puis refermer les doigts sur la poignée – *clic-clic* –, rassembler à nouveau son courage, ouvrir le tiroir…

Les ciseaux, soudain, luisant d'une aura intérieure…

Martie faillit s'évanouir à leur vue. Sa détermination fondit comme neige au soleil.

Agir ! *Maintenant.* Extraire ce tiroir de malheur du meuble. Le retirer tout entier.

L'objet, dans ses mains, était plus lourd qu'elle ne l'imaginait. À moins que ce ne fût pas le tiroir qui pesât, mais les ciseaux… De leur poids psychologique, moral – le poids d'un dessein malveillant niché entre les atomes du métal.

Et maintenant ouvrir la porte de la cuisine. Puis tout droit vers la poubelle promise.

Tenant le tiroir haï à bout de bras, Martie le pencha au-dessus du réceptacle pour se débarrasser des ciseaux sans avoir à les toucher. Malheureusement, en glissant, ces derniers heurtèrent d'autres ustensiles. Le bruit fut terrifiant. Sous le choc, Martie lâcha brutalement le tiroir qui disparut dans la poubelle avec tout son contenu.

Tom Wong rapporta les résultats de l'analyse sanguine. Les prévisions du Dr Donklin se révélèrent exactes. L'étrange sommeil de Skeet restait un mystère.

Le garçon n'avait ingéré aucune drogue ni substance chimique depuis plusieurs heures. Les traces de son cocktail matinal étaient désormais à peine perceptibles. Son taux de globules blancs était normal et il n'avait pas de fièvre, ce qui écartait l'hypothèse d'une méningite et de quelque infection que ce soit.

S'il s'était agi d'un empoisonnement alimentaire, en particulier un cas de botulisme, le coma aurait été précédé de vomissements et de douleurs abdominales, et sans doute de diarrhée. Or Skeet n'avait souffert d'aucun de ces maux.

Même si l'on n'observait chez le jeune homme aucun des symptômes classiques de l'apoplexie, la possibilité d'une grave hémorragie cérébrale, d'une embolie ou d'une thrombose devait être envisagée.

— Il ne peut plus s'agir d'une simple cure. Ce cas ne relève plus de notre compétence, annonça le Dr Donklin. Dans quel hôpital voulez-vous le faire transporter ?

— À l'hôpital Hoag, répondit Dusty. S'ils ont un lit de libre.

— Regardez ça, souffla Wong en montrant du doigt le tracé de l'électrocardiographe.

Le retour audio avait été coupé sur l'électrocardiogramme, pour ne pas emplir la chambre de bip-bip lancinants, si bien que Dusty et Donklin n'avaient pas remarqué que le pouls de Skeet s'était accéléré. Le spot vert et le compteur digital indiquaient cinquante-quatre pulsations par minute, soit huit points d'augmentation.

Soudain, Skeet bâilla, s'étira et rouvrit les yeux. Ses battements cardiaques qui dépassaient à présent les soixante continuaient à grimper.

Il battit des paupières en regardant tour à tour Tom Wong, le Dr Donklin et Dusty.

— Salut les gars ! Vous avez organisé une petite sauterie ou quoi ?

La bouteille ouverte de chardonnay et les deux bouteilles de chablis non débouchées : poubelle !

Dans la buanderie, d'autres armes hideuses et terrifiantes – un bidon d'ammoniaque aux vapeurs suffocantes, de l'eau de Javel, du Destop : tout ça à la poubelle !

Martie songea soudain aux allumettes. Dans un placard de la cuisine. Une ancienne boîte à gâteaux en fer-blanc. Elle contenait plusieurs boîtes d'allumettes. Certaines en carton, d'autres en bois, et aussi, rassemblées en paquets, des grands modèles, avec une hampe de vingt centimètres pour allumer les lampes à pétrole.

Si elle était capable de casser une bouteille pour lacérer le visage d'une pauvre victime innocente, si elle était dangereuse et violente au point de vouloir plonger une clé de contact dans l'œil de l'être aimé, elle n'aurait aucun état d'âme à l'immoler par le feu ou à incendier la maison.

Sans même l'ouvrir, Martie jeta la boîte en fer-blanc dans la poubelle. Les allumettes émirent un bruit de serpent à sonnette qui résonna comme une mise en garde.

Vite, dans le salon, maintenant ! Il y avait tant de choses à faire, tant. La cheminée à gaz était décorée de fausses bûches en céramique, un allume-feu à butane était posé au coin de l'âtre.

Lorsqu'elle retourna jusqu'à la porte de la cuisine et jeta le briquet dans la poubelle, Martie fut soudain prise d'un grand doute. N'avait-elle pas ouvert le robinet de gaz de la cheminée ? Elle n'avait aucune raison de faire une chose pareille, et n'avait aucun souvenir de l'avoir fait, mais elle se méfiait d'elle au plus haut point.

Ne jamais se faire confiance. *Jamais.*

Le robinet ouvert, un flot de gaz mortel se répandrait dans les pièces en une minute ou deux. La moindre étincelle suffirait à provoquer une explosion qui détruirait toute la maison.

Martie retourna au salon. Un personnage hystérique de jeu vidéo, allant de péril en péril…

Pas d'odeur d'œuf pourri.

Pas de sifflement continu.

Le robinet saillait du mur à côté de l'âtre. Il fallait une clé pour ouvrir la vanne ; or celle-ci reposait à sa place sur le manteau de la cheminée.

Soulagée, Martie quitta la pièce.

Elle n'était pas revenue dans la cuisine qu'un nouveau doute l'assaillit. Et si elle avait ouvert le robinet *après* s'être assurée qu'il était bien fermé ?

C'était ridicule. Elle ne pouvait passer le reste de sa vie à faire la navette entre le salon et la cuisine pour vérifier que le gaz était bel et bien coupé. Elle n'avait jamais été victime d'absences ni d'amnésie passagère, et avait encore moins commis d'actes de sabotage, ne serait-ce qu'inconsciemment.

Pour des raisons qui lui restaient inconnues, Martie songea à la deuxième salle d'attente du Dr Ahriman, là où elle avait lu quelques pages de son roman pour tuer le temps. C'était une pièce parfaite pour la lecture. Pas de fenêtres, pas de musique d'ambiance. Aucune source de distraction.

Des murs aveugles... Et, pourtant, ne s'était-elle pas approchée d'une grande baie pour regarder la pluie grise noyer la côte ?

Non, c'était une scène du roman.

– C'est un bon roman à suspense, articula-t-elle à haute voix, bien qu'elle fût toute seule. Le style est plaisant, l'intrigue originale. Les personnages hauts en couleur. Un bon livre...

Debout au milieu de sa cuisine sens dessus dessous, Martie se figea sur place, saisie par une sensation de fuite temporelle – l'impression qu'il y avait un grand trou dans sa journée, durant lequel un événement terrible s'était produit.

Elle consulta sa montre. 17 h 12. Déjà ! L'après-midi était terminée, dissoute et emportée par la pluie.

Quand était-elle venue pour la première fois inspecter la cheminée à gaz ? Il y avait une minute ? deux ? quatre ? dix ?

La brise hivernale du soir pénétrait par la porte ouverte de la cuisine. Impossible de se rappeler s'il faisait nuit lorsqu'elle s'était rendue dans le salon... S'il y avait eu un trou dans le temps, il avait dû se produire lorsqu'elle était dans cette pièce, devant cette cheminée.

Martie se précipita vers le salon. Les lieux lui restaient familiers, pourtant ils avaient quelque chose de différent ; ce n'était plus exactement les mêmes qu'au matin. Aucun espace n'était tout à fait rectangulaire ou d'équerre ; leur géométrie paraissait fluide – du rectangle, on passait au triangle, puis à l'hexagone, et maintenant à l'arc de cercle –, ou bien c'étaient leurs proportions qui étaient altérées. Les plafonds n'étaient plus plans, mais discrètement gauchis. Elle sentait le sol s'incliner sous ses pieds, comme sur le pont d'un bateau virant de bord. L'angoisse qui comprimait son esprit semblait distordre le monde physique autour d'elle, lui donner des formes étranges. Même si c'était son imagination qui lui jouait des tours, l'illusion était saisissante.

Dans le salon, pas de sifflement de gaz. Pas d'odeur suspecte.

La clé était toujours sur le manteau de la cheminée. Elle n'y avait pas touché. Sans quitter des yeux l'objet de cuivre, Martie s'éloigna à reculons de l'appareil de chauffage, se faufilant entre les fauteuils. Lorsqu'elle fut dans le couloir, elle consulta de nouveau sa montre. 17 h 13. Une minute s'était écoulée. Pas de saute de temps. Pas de trou.

Dans la cuisine, d'une main tremblante, elle regarda de nouveau sa montre. 17 h 13 encore. Tout allait bien. Toujours pas de trou. Elle n'était pas retournée au salon pour ouvrir le robinet du gaz. Un chiffre changea sous ses yeux. 17 h 14.

Dans son mot, Dusty avait dit qu'il rentrerait vers 17 heures. Il était en retard. Dusty était ponctuel, d'ordinaire. Et c'était quelqu'un de parole.

— Mon Dieu, je vous en prie, souffla-t-elle, terrifiée par la misère qui vibrait dans sa voix, déformant chaque syllabe. Faites qu'il vienne ! Je vous en prie. Ramenez-le à la maison. Tout de suite !

En arrivant, Dusty rentrerait sa camionnette dans le garage, à côté de la Saturn.

Non ! pas le garage ! Le garage était un endroit dangereux. D'innombrables outils tranchants y étaient stockés, ainsi que des machines meurtrières, des bidons de poison, des produits inflammables…

Elle resterait dans la cuisine, elle l'attendrait ici. Rien ne pouvait arriver à Dusty si elle ne se trouvait pas dans le garage à son arrivée. C'était elle le véritable danger, elle seule la menace.

Une fois sorti de voiture, il se rendrait directement dans la cuisine. Il fallait donc s'assurer qu'il ne restait aucun objet dangereux dans cette pièce.

Mais poursuivre cette chasse aux instruments pointus, contondants ou aux fluides toxiques relevait de la pure folie. Jamais elle ne ferait du mal à Dusty. Elle l'aimait plus que tout au monde, plus que sa propre vie. Elle serait morte pour lui, et il ferait de même pour elle. On ne pouvait tuer quelqu'un que l'on aimait à ce point.

Il n'empêchait que ces peurs irrationnelles la rongeaient de l'intérieur, infectaient son sang, se répandaient dans la moelle de ses os et proliféraient avec une vélocité bactérienne dans son esprit. D'instant en instant, son mal s'aggravait.

24.

Skeet était assis sur le lit, adossé contre les oreillers, le visage pâle, les paupières lourdes, les lèvres presque grises… et, pourtant, il émanait de sa personne une sorte de dignité tragique, comme s'il n'était pas l'une de ces brebis égarées qui hantent les décombres de notre civilisation, mais un poète poitrinaire d'une époque moins cynique que celle-ci, venu suivre une cure dans un sanatorium – un pauvre hère luttant non contre ses propres obsessions, ni contre un siècle de philosophies désenchantées qui niaient que l'existence ici-bas eût un sens, mais simplement contre une bactérie pugnace.

Dusty, derrière la fenêtre, semblait contempler le ciel nocturne, cherchant à lire son avenir dans les formes des nuages. La coque des grands vaisseaux de pluie paraissait recouverte de feuilles d'or, éclairée par les reflets que renvoyait la mer sous leur sillage.

En vérité, la nuit transformait la vitre en véritable miroir, et permettait à Dusty d'observer Skeet à son insu. Il s'attendait à surprendre chez son frère quelque comportement étrange et révélateur. Une idée curieusement paranoïaque, qui s'accrochait à l'esprit de Dusty comme un fil barbelé.

Cette journée bizarre et pluvieuse avait fait pousser en lui une forêt de doutes et de suspicions – des inquiétudes informes et sans objet, mais qui n'en restaient pas moins dérangeantes.

Skeet dînait avec appétit : soupe de tomate au basilic parsemée de copeaux de parmesan et poulet au romarin accompagné de pommes de terre et d'asperges. Les repas à La Nouvelle Vie étaient d'un raffinement supérieur à ceux de l'hôpital – même si les aliments arrivaient prédécoupés, Skeet étant encore considéré en phase suicidaire.

Assis dans le fauteuil, Valet contemplait le jeune homme avec un intérêt gourmand. C'était un gentil chien toutefois car l'heure de son propre dîner était largement dépassée et il n'avait toujours rien quémandé.

Tout en mastiquant une généreuse portion de poulet, Skeet lança :

– Je n'ai pas mangé comme ça depuis des semaines. À croire que ça ouvre drôlement l'appétit de tomber d'un toit !

Le garçon était si maigre qu'il ressemblait à un mannequin victime d'une crise de boulimie aiguë. Avec un estomac aussi rétréci que le sien, on se demandait où il pouvait stocker la quantité de nourriture qu'il absorbait.

– Tu es tombé raide, sitôt que je t'ai demandé de dormir, annonça Dusty, feignant toujours de lire des augures dans les nuages.

– Ah oui ? Il y a un début à tout, frérot. À partir d'aujourd'hui, ce sera comme ça : je ferai tout ce que tu voudras.

— Ça m'étonnerait !

— Tu verras, tu verras.

Dusty glissa sa main droite dans la poche de son jean et sentit sous ses doigts les pages du carnet qu'il avait trouvées chez Skeet. Il songea un instant à le questionner de nouveau sur le fameux Dr Yen Lo, mais un pressentiment lui disait qu'en entendant ce nom Skeet sombrerait dans un nouvel état catatonique qui serait aussitôt suivi d'un dialogue aussi surréaliste et frustrant que le précédent.

— Les cascades claires…, préféra prononcer Dusty.

Sur la vitre, le reflet de Skeet au corps fantomatique et transparent ne releva même pas le nez de son assiette.

— Quoi ?

— Dans les vagues dispersent…

Cette fois, Skeet redressa la tête mais il ne dit rien.

— Des aiguilles de pin bleues, poursuivit Dusty.

— Bleues ?

Dusty se retourna vers le jeune homme.

— Cela éveille quelque écho en toi ?

— Les aiguilles de pin sont vertes, non ?

— Apparemment, il doit en exister des bleues.

Ayant terminé son plat, Skeet repoussa son assiette pour approcher une coupe de fraises à la crème.

— J'ai entendu ça quelque part…

— Pas étonnant. C'est toi qui me l'as appris.

— Moi ? Skeet semblait réellement surpris. Quand ça ?

— Tout à l'heure. Quand tu étais… parti.

Finissant de déguster ses fraises, Skeet articula :

— C'est bizarre. Je détesterais savoir que j'ai la fibre littéraire !

— C'est quoi ? Une énigme ?

— Non. Un poème.

— Tu écris des poèmes ? s'exclama Dusty avec un étonnement sincère.

Skeet évitait tout ce qui touchait de près ou de loin au monde de son écrivaillon de père.

— Il n'est pas de moi.

Skeet lécha la cuillère couverte de crème avec la délectation d'un garçonnet gourmand. Je ne connais pas le nom de l'auteur. C'est un ancien haïku. J'ai dû le lire quelque part.

— Un haïku, répéta Dusty, essayant de discerner un indice, l'ébauche d'une piste dans cette nouvelle information.

En vain.

En agitant sa cuillère comme une baguette de chef d'orchestre, Skeet scanda le poème.

Les cascades claires
dans les vagues dispersent
des aiguilles de pin bleues.

La structure et le rythme des vers ainsi restitués, ces douze mots ne semblaient plus du charabia.

Dusty se souvint d'une illusion d'optique reproduite dans une revue parue des années plus tôt. Il s'agissait d'un dessin intitulé *Forêt* qui représentait une série de pins, de sapins, d'épicéas et d'aulnes, alignés en rang serrés. La légende disait que ce paysage boisé dissimulait une autre scène, qui s'offrait au regard à la condition expresse que l'observateur ne cherche pas à voir ce à quoi il s'attendait, qu'il soit capable de faire abstraction du mot « forêt ». Si l'on parvenait à regarder derrière cette image superficielle, on découvrait un tout autre panorama qui n'avait rien de sylvestre. Quelques minutes suffisaient à certains pour l'apercevoir, à d'autres, il fallait batailler plus d'une heure avant d'assister à la révélation. Au bout de dix minutes d'efforts vains et frustrants, Dusty avait abandonné et repoussé le magazine… et c'était alors qu'à la périphérie de son champ de vision un paysage urbain lui était apparu. En approchant son visage, il avait contemplé une grande ville gothique, composée d'un entrelacs de constructions ; les allées sinuant entre les troncs d'arbres étaient devenues des rues serpentant à l'ombre de grandes falaises de pierre, édifiées par la main de l'homme, qui élevaient leurs faces froides et grises dans un ciel morne.

De la même manière, un sens nouveau perlait de ces douze mots depuis qu'il les avait entendus, enchaînés dans un haïku. L'intention du poète était évidente : les cascades claires étaient des bourrasques de vent, qui arrachaient les aiguilles aux branches des pins et les projetaient dans la mer. C'était une observation poignante et évocatrice de la nature ; une analyse plus approfondie révélerait sans doute d'autres sens métaphoriques, des échos de la condition humaine.

Les intentions du poète, toutefois, ne constituaient pas les seuls sens cachés de ces trois vers. Il existait une autre interprétation, d'une importance cruciale pour Skeet lorsqu'il était dans sa transe – et qu'il semblait à présent avoir totalement oubliée. Il avait dit que chaque vers était une règle, mais il n'avait guère été cohérent en expliquant ce qu'ordonnaient ces règles cryptées ; étaient-ce des règles de conduite, des règles de procédure, de sport, de jeu ?

Dusty eut envie de s'asseoir sur le lit à côté de son frère, et de l'interroger plus précisément à ce sujet. Mais la crainte que Skeet ne retombe en catatonie – et que son réveil ne se révèle plus difficile cette fois – l'en dissuada.

En outre, ils avaient eu, l'un comme l'autre, une journée

éprouvante. Skeet, malgré son somme et sa solide collation, devait se sentir aussi flapi et mal en point que Dusty.

Une pelle !
Une pioche !
Une hache !
Des marteaux en pagaille, des tournevis, des scies, des forets, des pinces, des clés, de longs clous par poignées !
La cuisine n'était pas encore totalement sécurisée et il restait d'autres pièces à inspecter et à « nettoyer » ; pourtant, c'est le garage qui obsédait Martie, occupée à faire mentalement l'inventaire de tous les instruments de torture et de mort qu'il recelait.
Impossible de tenir ses bonnes résolutions, impossible de rester loin du garage plus longtemps, même si elle risquait de se retrouver environnée par ces funestes tentations au moment où Dusty arriverait à la maison… Il fallait qu'elle se débarrasse de tout cet arsenal !
Martie ouvrit la porte de service de la cuisine et chercha à tâtons l'interrupteur qui commandait les tubes fluorescents.
Sitôt qu'elle eut passé le seuil, son regard fut attiré par le support en plastique où était suspendue une collection d'outils de jardin. Elle les avait oubliés, ceux-là ! Un transplantoir, un sécateur, une bêche à main, une cisaille avec des lames en Téflon, un taille-haie électrique. Un émondoir.

À coups de raclements de cuillère, Skeet récupéra les dernières traces de crème et de sucre dans la coupe.
Comme attirée par le bruit, une nouvelle infirmière se présenta pour la garde de nuit, une dénommée Jasmine Hernandez – petite, mignonne, la trentaine, avec des yeux prune et étonnamment clairs. Sa tenue, d'une blancheur impeccable, était à la hauteur de son allure professionnelle, d'une raideur stricte et sans le moindre faux pli, mais ses tennis rouges ornées de lacets verts laissaient supposer un tempérament fantasque – un point de sa personnalité qui allait bientôt se vérifier.
— Hé ! vous êtes une demi-portion, Jasmine ! s'exclama Skeet en lançant un clin d'œil à Dusty. S'il me prend l'envie de me jeter par la fenêtre, je ne vois pas comment vous pourriez m'en empêcher !
L'infirmière retira le plateau de la table roulante et le posa sur la commode.
— Écoutez-moi, mon petit *chupaflor*, si la seule façon de vous empêcher de vous faire du mal, c'est de vous casser les os et de vous accrocher au plafond la tête en bas, sachez que je suis parfaitement en mesure de le faire.
— Putain de merde ! s'exclama Skeet. Où avez-vous appris à être infirmière ? Chez Dracula ?

– Pire que ça encore. Chez les nonnes, les sœurs de la Pitié ! Une dernière chose, *chupaflor* : pas de gros mots pendant mon service !

– Désolé, répondit Skeet, réellement chagriné, quoique toujours d'humeur taquine. Et qu'est-ce qui se passe si je dois aller faire pipi ?

Tout en grattant Valet entre les oreilles, Jasmine rassura Skeet :

– J'en ai vu d'autres, et sûrement plus gros que ce que vous avez, ne vous faites pas d'illusion.

Dusty lança un sourire au garçon.

– À partir de maintenant, il serait sage de ne rien dire d'autre que « oui, m'dame ».

– Qu'est-ce que ça veut dire, *chupaflor* ? s'enquit Skeet. Vous n'oseriez pas utiliser de gros mots à mon sujet, n'est-ce pas ?

– *Chupaflor* signifie oiseau-mouche, répondit Jasmine Hernandez en lui enfonçant un thermomètre dans la bouche.

– Alors vous m'appelez oiseau-mouche, marmonna Skeet, le thermomètre planté entre les dents.

– *Chupaflor*, confirma-t-elle.

Skeet n'étant plus relié à l'électrocardiographe, elle saisit son poignet osseux pour lui prendre le pouls.

Un nouveau sentiment de malaise, glacé comme une lame de rasoir entre les côtes, étreignit Dusty sans qu'il puisse en identifier la cause. Voilà que ça recommençait ! C'était ce même sentiment de suspicion qui l'avait incité à observer Skeet dans son reflet sur la fenêtre. Il y avait quelque chose de bizarre ici, et cela ne provenait pas uniquement de l'état de son jeune demi-frère. Ses doutes se focalisèrent alors sur le lieu, la clinique.

– C'est plutôt mignon, un oiseau-mouche, lança Skeet à la jeune femme.

– Gardez le thermomètre dans la bouche ! le sermonna-t-elle.

De nouveau marmonnant, il insista :

– Vous me trouvez mignon, alors ?

– Vous êtes beau garçon, répondit l'infirmière comme si elle s'adressait au Skeet d'autrefois, en pleine forme, rasé de près et l'œil lumineux.

– Les oiseaux-mouches sont de charmantes petites bêtes, libres comme l'air.

Sans cesser de compter les pulsations, l'infirmière rétorqua :

– C'est vrai. Le *chupaflor* est mignon, charmant et libre comme l'air… un petit oiseau de rien du tout sur terre.

Skeet lança un regard à son frère en roulant des yeux.

Si réellement quelque chose clochait à cet instant, en ce lieu, avec ceux qui l'entouraient, Dusty restait incapable de détecter la supercherie. Le fils naturel de Sherlock Holmes et de Miss Marple aurait eu du mal à trouver une explication au malaise de Dusty. Cette soudaine inquiétude provenait sans doute de son état d'épuisement nerveux et physique. Tant qu'il n'aurait pas pris un peu de repos, il ne pourrait accorder foi à ses impressions.

En réponse à l'œillade de son jeune frère, Dusty lâcha :

– Je t'ai prévenu. Deux mots seulement : « Oui, m'dame. » Tu ne peux pas faire de gaffe avec « Oui, m'dame ». C'est du cent pour cent.

Lorsque Jasmine lâcha le poignet de Skeet, le thermomètre émit un bip. Elle le lui retira de la bouche.

– Je dois filer, annonça Dusty en s'approchant du lit. J'ai promis à Martie de l'emmener dîner et je suis en retard.

– Tiens toujours tes promesses envers Martie. C'est quelqu'un de rare.

– Je l'ai épousée, non ?

– J'espère qu'elle ne me déteste pas trop.

– Ne dis pas de sottises.

Les yeux de Skeet s'embuèrent soudain de larmes.

– Je l'aime beaucoup, tu sais. Martie a toujours été si gentille avec moi.

– Elle t'aime beaucoup aussi, gamin.

– C'est un tout petit club, le club de ceux qui aiment Skeet. En revanche, celui des fans de Martie est plus grand que le Rotary et le Lion's Club réunis.

Dusty ne savait que répondre qui eût pu réconforter Skeet, car c'était la stricte vérité.

Toutefois, le garçon ne versa pas dans l'apitoiement :

– C'est un gros fardeau ; je n'aurais aucune envie de le porter. Tu sais comment ça se passe : les gens t'aiment, ils attendent de toi des tas de choses… Ça te fait de sacrées responsabilités. Plus il y a de gens qui t'aiment, plus il en arrive, c'est une spirale infernale.

– L'amour pèse lourd, pas vrai ?

Skeet hocha la tête.

– L'amour, c'est un sacré poids, tu l'as dit ! Allez, va retrouver Martie et emmène-la dîner, boire du bon vin, et n'oublie pas de lui dire comme elle est belle.

– Je passe te voir demain, lui promit Dusty en attrapant la laisse de Valet.

– Je n'aurai pas bougé d'ici. Je serai dans le plâtre de la tête aux pieds !

Au moment où Dusty et Valet quittaient la chambre, Jasmine s'approcha de Skeet avec un brassard gonflable.

– Il faut que je mesure votre tension artérielle, *chupaflor*.

– Oui, m'dame, répondit sagement Skeet.

De nouveau cette sensation bizarre, cette impression que quelque chose clochait… Dusty s'efforça de la chasser de son esprit. Le contre-coup sans doute, l'imagination. Un bon verre de vin et le doux visage de Martie, et il n'y paraîtrait plus.

Il emprunta le couloir pour rejoindre l'ascenseur, accompagné par le cliquetis des ongles de Valet sur le linoléum.

Infirmières et aides-soignantes lancèrent des sourires au chien.

— Oh ! le gentil toutou !

— Hé ! t'as de beaux yeux, tu sais !

— Il est trognon !

Dusty et Valet prirent l'ascenseur avec un aide-soignant qui, visiblement, connaissait chez les chiens le point G des grattouillis : dès qu'il se mit à frotter doucement ses ongles entre les oreilles de Valet, celui-ci leva vers lui des yeux luisant de béatitude.

— Moi aussi j'ai eu un golden retriever. Une femelle nommée Sassy. Elle a eu un cancer, et j'ai dû la faire piquer, il y a un mois. Sa voix chevrota un peu à ce souvenir. Je n'ai jamais pu lui faire rapporter un Frisbee, mais elle courait toute la journée derrière des balles de tennis.

— Lui aussi. Il ne veut pas lâcher la première balle lorsqu'on lui en envoie une deuxième ; il rapporte les deux dans sa gueule, comme s'il avait deux énormes chiques. Vous allez prendre un nouveau chien ?

— Pas pour le moment, répondit l'homme, sous-entendant : lorsque le chagrin se sera un peu atténué.

Au rez-de-chaussée, dans le foyer attenant au hall, une dizaine de patients, installés à des tables, jouaient aux cartes. Leurs bavardages entrecoupés de rires, le frottement des cartes, les notes langoureuses de la radio diffusant un air de Glenn Miller donnaient au lieu l'atmosphère cosy d'une réunion entre amis dans un country-club ou un salon. Jamais on n'aurait pu imaginer qu'il s'agissait de fumeurs de crack, renifleurs de poudre, suceurs d'amphets, coincés sous acides, mangeurs de cactus et piquouseurs d'héro aux veines trouées comme du gruyère.

Au bureau d'accueil un vigile s'assurait qu'en cas de départ inopiné d'un patient les membres de la famille ou les représentants de la loi, selon la gravité du cas, étaient prévenus.

Ce soir-là, le garde en poste était un homme d'une cinquantaine d'années en tenue civile – pantalon de toile, chemise bleu ciel, cravate rouge et blazer outremer. Son badge annonçait Wally Clark. Le vigile lisait un roman d'amour à l'eau de rose. Avec son visage dodu, ses joues rebondies rasées de près, ses cheveux coiffés avec un soin maniaque, son après-rasage aux senteurs épicées, ses yeux bleus et compatissants de pasteur et son sourire gentil – mais pas trop, juste ce qu'il faut : une pincée de sucre pour adoucir l'amertume d'un Martini dry –, Wally aurait fait le bonheur d'un directeur de casting de Hollywood en quête du mentor de service, du prof dévoué, du père aimant ou de l'ange gardien.

— J'étais là, lors du précédent séjour de votre frère chez nous, déclara Wally Clark en se penchant pour caresser Valet. Je ne m'attendais pas à le revoir. J'aurais préféré, en tout cas. C'est un gentil garçon.

– Merci.

– Il descendait ici jouer au backgammon avec moi. Ne vous faites pas de soucis, Mr. Rhodes. Votre frère, au fond de lui, est solide comme un roc. Il s'en sortira pour de bon cette fois, j'en suis sûr.

Dehors, la nuit était fraîche et humide, mais l'atmosphère n'était pas désagréable. Les nuages d'orage s'étaient effilochés, laissant apparaître une lune argentée, glissant d'un air placide sur le miroir du ciel, avant d'être avalée par un nouveau cortège floconneux.

Des flaques d'eau parsemaient le parking et Valet tirait sur sa laisse pour aller y patauger. Lorsque Dusty arriva à côté de sa camionnette, il se retourna pour contempler la clinique à l'allure d'hacienda mexicaine. Avec ses hauts palmiers murmurant des berceuses sous la brise du soir, ses bougainvillées s'enroulant aux colonnes des loggias et couvrant les arches de guirlandes de verdure, on eût dit la demeure de Morphée.

Toutefois, Dusty n'arrivait pas à dissiper complètement ses doutes, comme si ce tableau pittoresque cachait une autre réalité, plus sombre. Un endroit bourdonnant d'activités, une ruche laborieuse s'affairant en secret, ourdissant de sinistres desseins.

Tom Wong, le Dr Donklin, Jasmine Hernandez, Wally Clark et tout le personnel de La Nouvelle Vie paraissaient compétents, dévoués et pleins de sollicitude. Rien dans leur attitude ne pouvait donner à Dusty la moindre raison de remettre en cause la noblesse de leurs intentions.

Peut-être lui paraissaient-ils tous trop irréprochables, trop parfaits pour être honnêtes ? Si un employé de la clinique s'était montré lent, mollasson, déplaisant ou mal organisé, cela aurait, paradoxalement, rassuré Dusty, et il n'aurait pas éprouvé cette soudaine méfiance.

Certes, la compétence, le zèle, la chaleur humaine de l'équipe soignante prouvaient simplement que la clinique était bien dirigée. Apparemment, le directeur du personnel avait le don pour choisir et conserver des collaborateurs de premier ordre. Tout cela aurait dû inspirer de la gratitude à Dusty, et non de la méfiance.

Et pourtant quelque chose clochait ; cette impression ne voulait pas le lâcher. Skeet était-il réellement en sécurité ici ? Plus il regardait le bâtiment, plus ses soupçons grandissaient. Mais la raison qui nourrissait ses doutes continuait à lui échapper. Pas le moindre indice, pas le moindre signe pour le mettre sur la voie.

Les cisailles avec leurs longues lames et le taille-haie électrique avaient l'air si dangereux que Martie ne pouvait se contenter de les jeter. Elle ne serait tranquille que lorsque ces deux objets auraient été réduits en miettes.

Les grands outils de jardin étaient rangés dans un placard. Râteau, raclette à feuilles, bêche, houe, masse.

Martie posa le taille-haie au sol et abattit la masse dessus. Sous le choc, l'appareil émit le gémissement d'un être vivant, mais Martie jugea les dommages insuffisants. Elle souleva de nouveau la masse et l'abattit une deuxième fois, puis une troisième, une quatrième...

Des pièces de plastique arrachées de la poignée ainsi que des vis et d'autres débris divers volèrent dans la pièce et rebondirent contre la voiture. À chaque coup, les fenêtres du garage vibraient dans leurs cadres et des éclats de ciment jaillissaient du sol.

Toute cette mitraille fouettait le visage de Martie. Malgré le danger pour ses yeux, elle n'osait pas s'interrompre pour chausser des lunettes de protection. Il lui restait tant de menaces à écarter... et, à tout moment, la porte du garage pouvait s'ouvrir sur Dusty.

Elle jeta les cisailles au sol et se mit à les marteler avec hargne, jusqu'à ce que le ressort saute et que les poignées se brisent.

Puis ce fut le tour d'une fourche de jardinier. Elle cogna et cogna encore, jusqu'à ce que le manche vole en éclats et que les dents, leurs pointes érodées, décrivent des angles improbables.

La masse était plutôt légère – un kilo et demi au lieu des trois habituels. Il fallait donc frapper fort et juste si on voulait qu'elle s'acquitte de sa mission destructrice. Haletante, en sueur, la bouche sèche et la gorge en feu, Martie brandissait sa masse et l'abattait avec une régularité de métronome, tel un tambour-major marquant la cadence.

Elle aurait des courbatures dans tout le corps demain matin, chaque muscle de ses épaules et de ses bras lui demanderait des comptes. Mais, pour l'heure, elle maniait sa masse comme un étendard glorieux et se fichait du prix qu'elle aurait à payer pour ses efforts. Un flot d'énergie courait dans ses veines ; pour la première fois de la journée, elle était de nouveau maîtresse de sa vie. Chaque impact de la tête d'acier l'ébranlait tout entière. L'onde courait sur le manche, remontait dans son bras, son épaule, sa nuque ; c'était une sensation agréable, presque érotique. Elle inspirait une bouffée d'air avant chaque moulinet, poussait un grognement animal au moment du choc et lâchait un cri de plaisir lorsqu'elle entendait l'outil se tordre ou se briser.

Et, soudain, elle prit conscience qu'elle n'avait plus rien d'un être humain...

Le souffle court, les mains encore refermées sur le manche de la masse, Martie détourna les yeux du champ de bataille qui s'étendait à ses pieds et surprit son reflet dans une vitre de la Saturn. Ses épaules étaient voûtées, la tête projetée en avant, selon un angle étrange, celui du cou d'un pendu déformé par le nœud coulant du bourreau. Ses cheveux étaient hirsutes et dressés sur son crâne, comme si elle avait reçu une décharge électrique. La démence distordait ses traits. Elle avait une tête de sorcière et, dans ses yeux, brillait une lueur sauvage.

Une illustration d'un livre qui l'avait marquée enfant lui revint en mémoire : un troll sous un vieux pont de pierre, penché au-dessus d'une forge luisante, en train de façonner des chaînes et des menottes pour ses victimes.

Qu'allait-elle faire à Dusty s'il arrivait au moment où elle levait sa masse, ou s'il arrivait maintenant, à cet instant précis ?

Avec un frisson de répulsion, elle lâcha la masse d'acier.

25.

Se doutant qu'ils ne seraient pas rentrés à la maison pour l'heure de la pâtée, Dusty avait, par précaution, emporté le dîner de Valet dans un sac plastique : deux portions de croquettes mouton et riz soufflé. Il versa le tout dans une écuelle en plastique et la déposa sur le trottoir, à côté du van.

— Désolé, il y a plus cosy comme ambiance !

Si le parking de la clinique avait été une prairie verdoyante, Valet n'aurait pas montré plus d'entrain à avaler son dîner. Comme tous ses congénères, le golden retriever ne manifestait guère d'exigences en matière de décorum.

Les chiens avaient tant de qualités admirables que Dusty, parfois, se demandait si Dieu n'avait pas créé ce monde spécialement pour eux. Les humains avaient été déposés sur cette planète après coup, afin que les chiens aient des compagnons pour leur préparer leurs repas, les brosser, leur dire des mots doux et leur frotter le ventre.

Tandis que Valet engloutissait sa pâtée en quelques bouchées, Dusty sortit son téléphone portable, dissimulé sous son siège, et appela chez lui. À la troisième sonnerie, le répondeur se mit en marche.

Supposant que Martie filtrait les appels, il lança :

— Scarlett, c'est moi, Rhett. Juste pour te dire que finalement j'ai décidé de rester avec toi.

Elle ne décrochait toujours pas.

— Martie, tu es là ?

Il attendit quelques instants, puis laissa un message, à rallonge, pour lui laisser le temps de se rendre jusqu'au bureau où se trouvait le répondeur.

— Je suis désolé, mais je vais rentrer en retard. Ç'a été une rude journée. Je serai à la maison dans une demi-heure ; on sortira dîner. Dans un restau hors de prix ! J'en ai marre d'être si raisonnable. Choisis le plus luxueux et le plus cher que tu puisses trouver ! Pourquoi pas un endroit où la bouffe arrive dans de vraies assiettes et non dans des barquettes en alu ? On fera un emprunt à la banque s'il le faut !

Soit elle n'avait pas entendu sonner, soit elle n'était pas à la maison.

Valet avait terminé ses croquettes. Faisant tourner sa langue sur trois cent soixante degrés, comme une hélice d'hélicoptère, il racla le pourtour de sa gamelle pour récolter les derniers reliefs du repas.

Dusty avait toujours une bouteille d'eau pour le chien dans sa camionnette. Il en versa un peu dans l'écuelle en plastique.

Une fois que Valet eut épanché sa soif, maître et chien se dirigèrent vers les pelouses chichement éclairées qui bordaient les trois côtés de la clinique de la Nouvelle Vie. Cette petite marche était destinée à permettre au chien de déposer son tribut post-dîner, mais également à Dusty d'examiner de plus près le bâtiment.

Si la clinique était effectivement moins irréprochable qu'elle ne voulait le faire croire, Dusty ne possédait aucune idée des indices à chercher susceptibles de lui révéler sa face cachée. Il ne trouverait aucune porte dérobée menant à des salles de contrôle souterraines dignes du PC du méchant dans un bon vieux James Bond ; ni le majordome mort vivant du comte Dracula en train de décharger d'une charrette le cercueil de son maître immortel pour le descendre dans les sous-sols du bâtiment. On était en Californie, au tout début d'un nouveau millénaire, contrée peuplée de créatures bien plus étranges que Goldfinger ou des vampires transylvaniens, mais, pour l'heure, aucune d'entre elles ne pointait le bout de son nez.

Les soupçons de Dusty vacillaient quelque peu devant l'apparence parfaitement anodine de la clinique et de ses alentours. Les pelouses étaient soignées, le sol légèrement spongieux après les dernières pluies, les haies, en rangs disciplinés, taillées à l'équerre. Les ombres nocturnes étaient de simples ombres.

Valet, pourtant poltron par nature, se sentait si à l'aise qu'il assouvit ses besoins sans une once d'hésitation. Il accomplit sa besogne sous la flaque orangée d'un lampadaire, ce qui permit à son maître de repérer l'offrande sans difficulté et de la ramasser.

Le sac en plastique bleu lesté de son précieux chargement fournissait à Dusty un parfait alibi pour explorer l'arrière du bâtiment. Il repéra une benne à ordures, y déposa son sachet et examina cette facette plus humble de la clinique qui abritait les entrées du personnel, les quais de livraison, les armoires techniques ainsi qu'une autre benne à ordures.

Ni l'apprenti Sherlock Holmes qu'était Dusty ni son Dr Watson à quatre pattes ne repéra quoi que ce soit de bizarre dans cette allée de service, à l'exception d'un Big Mac abandonné à côté de la poubelle, qui aurait fait les délices du chien – à s'en lécher les babines pendant des heures.

Alors qu'ils contournaient de nouveau le bâtiment, en coupant par les pelouses sous la face sud de la clinique, Dusty repéra la chambre de Skeet – un homme se tenait à la fenêtre. Une simple ombre chinoise, silhouettée par la lampe de chevet – un personnage sans visage.

Malgré l'angle de vue trompeur, Dusty était certain qu'il ne s'agissait pas de Skeet ni du Dr Donklin – trop grand, trop large d'épaules… Quant à Tom Wong, il était rentré chez lui, et, de toute façon, ce n'était pas non plus sa silhouette.

Dusty ne pouvait distinguer le visage de l'homme, et encore moins ses yeux. Mais il avait la conviction que l'inconnu l'observait.

Comme s'il voulait la défier, Dusty fixa des yeux la fenêtre jusqu'à ce que la forme noire, avec une souplesse ectoplasmique, s'esquive de l'encadrement de la fenêtre et disparaisse de sa vue.

Un instant, l'idée de remonter dans la chambre de Skeet pour connaître l'identité de cet inconnu effleura l'esprit de Dusty. Il y avait de fortes chances pour qu'il s'agisse d'un simple membre de l'équipe soignante, ou bien d'un autre patient, venu rendre une petite visite au jeune homme.

D'un autre côté, si ses craintes étaient fondées, et non issues d'un simple accès de paranoïa, si l'homme à la fenêtre ourdissait réellement de vils desseins, il n'allait pas rester dans les parages maintenant qu'il se savait repéré par Dusty. Il avait déjà filé, sans nul doute.

Tout concourait à infirmer ses doutes, le bon sens le plus élémentaire : Skeet n'avait pas d'argent, pas de projets mirifiques et aucun pouvoir – rien qui puisse exciter la convoitise d'autrui et donner l'envie à quelqu'un de s'en prendre à sa personne.

En outre, un ennemi – si tant est que le doux Skeet en eût un – aurait deviné qu'il était parfaitement inutile de poursuivre quelque plan machiavélique à l'encontre du gamin. Livré à lui-même, Skeet se faisait plus de mal que n'aurait su le concevoir le plus cruel des maîtres du donjon, et parachèverait sans l'aide de quiconque sa destruction totale et définitive.

Peut-être n'était-ce même pas la chambre de Skeet… Au premier coup d'œil Dusty avait été certain qu'il s'agissait de la bonne fenêtre, mais à présent… la chambre n'était-elle pas plus à gauche ?

Dusty poussa un soupir. Valet, toujours plein de sollicitude, soupira de concert.

– Ton vieux maître perd la boule.

Il avait hâte de rejoindre Martie, de tirer un trait sur cette journée de folie et de retrouver cette chère et bonne réalité.

Lizzie Borden prit une hache et donna quarante coups à son mari.

Le refrain de cette vieille comptine allait et venait dans l'esprit de Martie, rompant régulièrement le fil de ses pensées, l'obligeant à déployer de grands efforts pour rester concentrée sur sa tâche.

L'établi dans le garage était équipé d'un étau. Martie glissa le manche de la hache entre les mâchoires et tourna la vis jusqu'à le bloquer solidement.

Après maintes hésitations, elle parvint à saisir la scie à métaux par sa poignée en forme de crosse de pistolet. C'était un instrument très dangereux, mais moins terrifiant que la hache ! La hache devait être détruite sans tarder. Après, Martie se débarrasserait de la scie. Après.

Elle attaqua le manche à la base de la lame. La tête de métal resterait un objet aux potentialités meurtrières. Cependant, la hache entière dégageait une aura insoutenable, bien plus maléfique que chacun de ses éléments.

Lizzie Borden prit une hache et donna quarante coups à son mari.

La lame se tordait, rebondissait sur le manche, entaillant à peine le bois dur et compact. De rage, Martie jeta la scie au sol.

Dans la boîte à outils, elle trouva deux scies de charpentier. L'une à refendre, pour couper le bois dans le sens des fibres, l'autre passe-partout, pour travailler en contre-taille, mais Martie ne savait les différencier. Avec des gestes hésitants, elle en essaya une, puis l'autre ; les deux se révélèrent inefficaces.

Lorsqu'elle eut fini, elle lui en donna un quarante et unième.

Parmi les outils électriques, il y avait une scie égoïne munie d'une lame si longue que Martie dut rassembler toute sa détermination pour trouver le courage de brancher l'appareil, de le prendre dans ses mains et d'appuyer sur le bouton « on ». Au début, les dents de la lame rebondirent sur le manche de chêne, l'entamant à peine, et l'appareil sautait comme un cabri entre les mains de la jeune femme ; mais Martie resserra son étreinte et pressa de tout son poids sur l'engin ; la lame, alors, s'enfonça dans le bois. La tête de la hache tomba sur l'établi avec un impact lourd et puissant.

Martie éteignit aussitôt la scie électrique et la posa loin d'elle. Elle ouvrit les mâchoires de l'étau, dégagea le manche et le jeta au sol.

Elle décapita de la même manière la masse.

Puis la pelle. Un manche très long cette fois. Difficile à manier. Le glisser dans l'étau se révéla une tâche moins aisée que pour les deux outils précédents. La scie le trancha net cependant et la panne d'acier retomba sur l'établi dans un tintement sonore.

Martie scia aussi la houe.

Et le râteau.

Quoi d'autre encore ?

Le pied-de-biche, tout en acier trempé, était impossible à scier.

Elle s'en servit pour mettre en pièces la scie électrique. L'acier du pied-de-biche frappant contre l'acier des pièces mécaniques, le garage en béton résonna comme une grande cloche.

Une fois la scie électrique réduite en miettes, Martie se retrouva avec le pied-de-biche à la main, un instrument aussi dangereux que la masse…

Elle tournait en rond. Elle n'avait pas avancé d'un pouce. Le pied-de-biche se révélait une arme encore plus terrible que la masse, du fait de son maniement aisé.

C'était sans fin. Un combat perdu d'avance ! Il n'existait donc aucun moyen de rendre cette maison inoffensive ? Ni même une pièce ? Ni même un coin de cette pièce ? C'était une tâche impossible, tant qu'elle restait dans les murs. C'était elle, plus que tout autre objet inanimé, la source du mal, elle qui donnait naissance à ces visions de cauchemars, elle seule, le vrai danger.

Elle aurait dû coincer la scie dans l'étau, appuyer sur « on » et se couper les deux mains.

Elle tenait maintenant le pied-de-biche à deux mains. Dans sa tête fusaient des visions sanguinolentes, des images terrifiantes.

Soudain le moteur de la porte du garage se mit en marche. La porte grinça, commença à se relever. Martie se retourna, paniquée.

Des roues, des phares, un pare-brise… et, derrière, Dusty et Valet. La vie normale, arrivant sur quatre pneus, allait pénétrer dans la quatrième dimension de Martie. Le choc de deux univers, qu'elle redoutait tant depuis qu'elle s'était vue enfoncer la clé de contact dans l'œil de Dusty. La vision lui vrilla de nouveau l'estomac, faisant remonter son déjeuner dans son œsophage aussi rapidement qu'un boulet dans une catapulte.

— N'approche pas ! cria-t-elle. Ne t'approche pas de moi, pour l'amour du ciel ! Il y a un truc qui ne tourne pas rond chez moi !

Presque aussi fidèle qu'un reflet dans un miroir, l'expression de Dusty lui en dit long sur son allure – une folle, une folle hystérique.

— Oh ! mon Dieu…

Elle lâcha le pied-de-biche, mais les têtes de la hache et de la masse étaient à portée de main sur l'établi… Elle pouvait facilement s'en emparer, les projeter sur le pare-brise.

La clé dans l'œil. Planter, enfoncer et tourner.

Soudain, Martie se souvint qu'elle n'avait pas jeté la clé de contact. Pourquoi ne s'en était-elle pas débarrassée aussitôt revenue à la maison, avant même de s'occuper des couteaux, du rouleau à pâtisserie, des outils de jardin et de tout le reste ? Si sa vision était prémonitoire, la clé de contact était la première chose à détruire !

Arrivée de Dusty. Accès au niveau deux du jeu. La petite clé innocente du niveau un devenait un objet magique aussi influent que l'anneau de puissance, le plus redoutable des anneaux, celui qui devait être rapporté à Mordor et détruit par le même feu qui lui avait donné le jour, avant qu'il tombe entre les mains des forces du Mal. Mais ce n'était pas un jeu, cette fois. Ces horreurs étaient réelles. Le sang, lorsqu'il coulerait, serait chaud et épais, non un arrangement mouvant de pixels rouges en deux D.

Martie se détourna de la camionnette et courut se réfugier dans la maison.

La clé de contact n'était pas accrochée à son clou !

Le verre de Schweeps à moitié plein et le décapsuleur étaient les seuls objets posés sur la table.

Sur le dossier de la chaise, son imperméable gisait en vrac. Deux grandes poches. Quelques Kleenex dans l'une, son livre dans l'autre.

Pas de clé !

Du garage montait la voix de Dusty qui l'appelait. Il devait être sorti du van, occupé à se frayer un chemin parmi les débris d'outils jonchant le sol. Chaque fois qu'elle entendait son nom, sa voix était plus claire et plus forte. *Plus proche.*

Elle sortit de la cuisine, traversa le couloir, laissant derrière elle le salon et la salle à manger, pour se ruer vers la porte d'entrée, dans le seul but de mettre une distance de sécurité entre elle et Dusty. Elle était incapable de songer à la suite des événements. Où aller ? Que faire ensuite ? Tout ce qui comptait, c'était de s'éloigner suffisamment de son mari pour ne pas risquer de le blesser.

Le tapis de l'entrée, un petit rectangle d'inspiration persane, glissa sur le parquet ciré. Pendant un moment, elle se crut sur une planche de surf, puis elle perdit l'équilibre et chuta lourdement sur le flanc droit. Lorsque son coude heurta les planches de chêne, une décharge douloureuse descendit son avant-bras et tourbillonna dans sa main. Une autre onde lui traversa les côtes, une autre lui transperça la hanche.

La douleur la plus vive fut paradoxalement la plus diffuse, un impact sur le haut de sa cuisse droite. Elle avait heurté un objet en tombant, un objet qui était dans la poche de son jean.

La clé !

C'était la preuve, incontestable, qu'elle ne pouvait se faire confiance. Quelque part dans son subconscient, elle savait que la clé se trouvait dans son pantalon lorsqu'elle avait vérifié le porte-clés, examiné la table ou fouillé son imper. Elle s'était dupée elle-même. Et quelle autre raison avait-elle d'agir ainsi sinon de conserver cette clé pour crever un œil, pour tuer ? En elle se cachait une autre Martie, un être dérangé qui la terrifiait, une créature capable de toutes les atrocités et qui avait décidé de réaliser cette horrible prémonition : *La clé dans l'œil. Planter, enfoncer et tourner.*

Martie se releva tant bien que mal et se dirigea en titubant vers la porte d'entrée décorée de vitraux.

Au même instant, Valet se dressa de l'autre côté de la porte, les pattes posées à la base du vitrail, les oreilles dressées, la langue pendante. La succession de carrés, de triangles et de cercles colorés, parsemés de perles de verre et de prismes, transformait la face velue du chien en un portrait d'inspiration cubique à la fois cocasse et démoniaque.

Martie recula ; non pas parce que Valet l'effrayait, mais parce qu'elle craignait de lui faire du mal, à lui aussi. Si elle était capable de blesser Dusty, le pauvre toutou n'était pas plus en sécurité.

Dusty était arrivé dans la cuisine.

— Martie ?

Elle ne répondit pas.

— Martie, où es-tu ? Qu'est-ce qui se passe ?

Elle gravit l'escalier en silence. À pas rapides. Deux marches à chaque enjambée. Le corps plié en deux, à cause de la douleur à la hanche. La main gauche étreignant la rampe, la droite fouillant le fond d'une poche.

Elle referma la main sur le haut de la clé, la petite pointe argentée saillant entre ses doigts. Une dague miniature !

Elle aurait peut-être le temps de la lancer par la fenêtre dans la nuit noire ? Dans la haie épaisse, ou par-dessus la barrière du jardin des voisins, là où il ne lui serait pas facile de la retrouver ?

Une fois sur le palier noyé d'ombres, éclairé par la seule lumière du hall d'entrée qui remontait dans la cage d'escalier, Martie s'immobilisa, indécise. Certaines fenêtres ne s'ouvraient pas, la plupart d'entre elles étaient fixes. Quant aux autres, elles risquaient de se révéler difficilement manœuvrables, à cause de la pluie qui avait fait gonfler le bois, les empêchant de coulisser dans leurs rainures.

L'œil. La clé. Planter, enfoncer et tourner.

Le temps filait à toute allure ! Dusty allait arriver d'un instant à l'autre.

Martie ne voulait pas prendre le risque de s'échiner sur une fenêtre qui ne s'ouvrirait pas et de se retrouver face à face avec Dusty, la clé à la main… Elle risquait de commettre l'irréparable, d'exaucer l'une des atrocités qui avaient hanté son esprit tout l'après-midi. Alors, direction la salle de bains ! Vite ! Les toilettes ! Emporter cette clé de malheur d'un coup de chasse d'eau !

C'est de la folie !

Fais-le ! Agis ! Que ce soit dingue ou non, fais-le !

Sur le perron, le museau collé contre les vitraux, Valet, d'ordinaire silencieux, commença à aboyer.

Martie fonça dans la chambre à coucher, alluma le plafonnier et se dirigea vers la salle de bains. Pour se figer comme une statue au moment où son regard, aussi cinglant et fugace que la chute d'une guillotine, s'arrêta sur la table de nuit de Dusty…

Dans sa frénésie de vouloir débarrasser la maison de tout danger,

141

elle avait jeté des ustensiles inoffensifs, économe, pinces à maïs... elle n'avait pas songé un instant à l'objet le plus dangereux de la maison : une arme véritable et non un rouleau à pâtisserie ou une râpe à fromage – un .45 semi-automatique que Dusty avait acheté pour se défendre !

Encore un parfait exemple d'autoduperie. L'autre Martie – la violente, enfouie en elle depuis des lustres, mais qui venait à la surface à présent – l'avait conduite sur une fausse piste, avait encouragé son affolement hystérique afin de tromper sa vigilance jusqu'au moment critique, lorsqu'elle serait le moins à même d'agir avec raison, que Dusty serait tout près d'elle... et là, à cet instant seulement, l'autre Martie l'avait autorisée – encouragée – à se souvenir du pistolet !

En bas, dans l'entrée, Dusty s'adressait au chien de l'autre côté de la porte vitrée :

— Du calme ! Valet. Du calme !

Le retriever cessa aussitôt d'aboyer.

Lorsque Dusty avait acheté le pistolet, il avait insisté pour que Martie prenne des leçons avec lui. Ils s'étaient rendus à un club de tir une dizaine de fois. Martie n'aimait pas les armes à feu, ne voulait pas du .45 chez elle, même si elle comprenait qu'il fallait pouvoir se défendre dans un monde où le progrès et la sauvagerie croissaient au même rythme. Contre toute attente, elle était devenue très adroite avec cette arme de poing – une version custom, tout en acier anodisé, du célèbre colt Commander.

— C'est bien, tu es un bon chien, lança Dusty en bas, dans le hall, pour féliciter Valet de son obéissance.

Il fallait à tout prix se débarrasser de ce colt ! Dusty ne serait pas en sécurité tant que cette arme se trouverait dans la maison. Personne dans tout le quartier ne l'était si cette arme venait à lui tomber dans les mains...

Elle se dirigea vers la table de nuit.

Pour l'amour du ciel, laisse-le où il est !

Elle ouvrit le tiroir.

— Martie, chérie, où es-tu ? Qu'est-ce qui se passe ?

Il était dans l'escalier. Il montait au premier...

— Va-t'en ! répondit-elle.

Elle voulait crier d'une voix de stentor, mais c'est un faible grognement qui sortit de sa bouche tant sa gorge était nouée par la peur – mais aussi, peut-être, parce que la Martie meurtrière tapie en elle ne tenait pas tant que ça à ce qu'il rebrousse chemin.

Dans le tiroir, entre une boîte de Kleenex et la télécommande pour la télévision, le pistolet luisait faiblement. Sous ses yeux, un morceau de destin enchâssé dans une pièce de métal parfaitement usinée – son destin.

Comme une vrillette, agitant ses mandibules cliquetantes pour creuser un tunnel dans une poutre, l'*autre* se frayait un chemin dans la chair de Martie, forant ses os, mastiquant les fibres de son âme.

Martie ramassa le colt. Avec son système d'armement à simple action, son recul parfaitement maîtrisable, sa tension de gâchette à seulement quatre livres et demie et son chargeur de sept balles quasiment inenrayable, ce .45 était l'arme d'autodéfense rapprochée idéale.

Lorsqu'elle se détourna avec horreur de la table de nuit, elle marcha sur quelque chose. Sans s'en rendre compte, elle avait lâché la clé...

26.

Comparativement, tomber du toit n'était pas si effrayant. Cette fois, il avait peur, pas pour lui-même, mais pour Martie.

Le visage de la jeune femme, avant qu'elle lâche le pied-de-biche et ne s'enfuie, était aussi pâle et rigide que celui d'un acteur de kabuki, la peau comme recouverte d'un masque de crème blanche, les yeux cerclés de noir, non par un trait de mascara, mais par l'angoisse, la bouche rouge, semblable à une plaie ouverte.

N'approche pas ! Ne t'approche pas de moi, pour l'amour du ciel ! Il y a un truc qui ne tourne pas rond chez moi.

Malgré le bruit du moteur, il avait entendu ses paroles et perçu la terreur qui faisait vibrer sa voix.

Des débris de toutes sortes dans le garage... la cuisine sens dessus dessous... la poubelle tirée sous l'auvent arrière, devant la porte ouverte, renfermant tout un tas d'ustensiles mais pas un seul détritus... Que s'était-il passé ?

Les pièces du rez-de-chaussée étaient glaciales, car la porte de la cuisine était restée ouverte. Mais, devant ce spectacle de désolation, comment ne pas être tenté de croire que ce froid était plutôt dû au passage d'un esprit qui avait ravagé les lieux en ouvrant une autre porte, celle-là invisible, et autrement plus inquiétante ?

Les chandeliers d'argent sur la table de la salle à manger luisaient d'un éclat translucide, comme s'ils étaient sculptés dans de la glace.

Le salon scintillait sous les reflets froids et givrés des bibelots de verre, des lampes de porcelaine et du serviteur de cheminée en cuivre. La grande horloge était arrêtée, ses aiguilles indiquant 11 heures.

Elle datait de leur lune de miel. Ils l'avaient trouvée chez un antiquaire et obtenue pour un prix raisonnable car elle ne fonctionnait plus. Ils ne comptaient nullement la faire réparer : les aiguilles étaient figées à l'heure de leur mariage, et cela leur avait semblé un heureux présage.

Après avoir fait taire Valet, Dusty laissa le chien sur le perron et gravit l'escalier quatre à quatre. Bien qu'il montât vers des strates d'air plus chaudes, il emportait avec lui la chape de froid qui lui était tombée dessus lorsqu'il avait aperçu le visage torturé de Martie dans le garage.

Il la trouva dans leur chambre à coucher, debout près de la table de nuit, le colt .45 à la main.

Elle avait éjecté le chargeur. En marmonnant pour elle-même, elle tentait d'en extraire les cartouches. Des balles à pointe creuse.

Sitôt qu'elle eut extirpé une balle de son logement, elle la jeta à l'autre bout de la pièce. La cartouche heurta le miroir de la coiffeuse sans le briser, rebondit sur le couvercle du vanity case et acheva sa course parmi les barrettes de fantaisie et les brosses de Martie.

Dusty ne comprenait pas ce qu'elle disait, mais, peu à peu, le sens de son murmure lui apparut :

— ... Mère pleine de grâce, le Seigneur est avec toi, bénie sois-tu entre toutes les femmes...

De la voix d'un enfant terrorisé, à peine audible et rendue aiguë par l'angoisse, Martie récitait l'Ave Maria tandis qu'elle sortait, une à une, les cartouches du chargeur, comme si les balles étaient les perles d'un rosaire qu'elle égrenait en psalmodiant des prières pour faire pénitence.

Dusty resta figé sur le pas de la porte, le cœur serré à la vue de ce spectacle ; l'inquiétude comprimait sa poitrine comme une presse ; il en avait mal dans tout le corps.

Une nouvelle balle vola à travers la pièce en direction de la coiffeuse. C'est alors qu'elle l'aperçut sur le seuil. Son visage, déjà blanc comme neige, pâlit encore.

— Martie...

— Non ! hoqueta-t-elle dès qu'il fit un pas vers elle.

Elle lâcha le pistolet et l'envoya d'un coup de pied à l'autre bout de la chambre. L'arme finit sa glissade contre la porte du placard.

— Ce n'est que moi, Martie.

— Sors d'ici ! Sors d'ici !

— Qu'est-ce qui se passe ? Pourquoi as-tu peur de moi ?

— C'est de moi que j'ai peur !

Ses doigts, telles des tiges d'albâtre, fouillèrent les entrailles du chargeur avec une opiniâtreté de vautour, puis exhumèrent une nouvelle balle.

— Pour l'amour du ciel, va-t'en !

— Mais, Martie...

— Ne t'approche pas de moi, méfie-toi de moi. Surtout, ne me fais pas confiance.

Sa voix était grêle, chancelante, pressante, pareille à celle d'un funambule se sentant perdre l'équilibre au-dessus de l'abîme.

— Je suis devenue folle, complètement folle.

— Chérie, écoute-moi. Je n'irai nulle part tant que je ne saurai pas ce qui se passe.

Il fit un nouveau pas vers elle.

Dans un vagissement désespéré, Martie lança la balle et le chargeur à moitié plein chacun dans une direction opposée et partit se réfugier dans la salle de bains.

Dusty lui emboîta le pas.

— Je t'en supplie, insista Martie en tentant de refermer la porte sous son nez.

Jamais Dusty n'aurait pu imaginer en quelles circonstances il aurait eu à faire usage de la force contre Martie ; son estomac se révulsait à l'idée d'en être réduit à cette extrémité. Il passa un genou entre la porte et le chambranle et exerça une pression croissante de l'épaule sur le battant.

Martie cessa soudain toute résistance et recula.

La porte s'ouvrit à la volée ; Dusty faillit en perdre l'équilibre.

Martie recula encore, jusqu'à buter contre la cabine de douche.

Dusty rattrapa la porte qui avait rebondi contre le tampon en caoutchouc puis reporta son attention sur Martie. Il chercha à tâtons l'interrupteur et alluma la frise fluorescente surplombant les deux vasques.

La lumière dure ricocha contre les miroirs, la porcelaine, les carreaux de céramique verts et blancs et sur les porte-accessoires en nickel, immaculés comme de l'acier chirurgical.

Martie était dos à la porte de la cabine de douche, les yeux clos, le visage fripé, les mains pressées sur les tempes.

Ses lèvres étaient parcourues de mouvements, mais aucun son n'en sortait, comme si la terreur l'avait rendue muette.

Elle devait de nouveau prier…

Dusty s'approcha, lui effleura le bras.

Ses yeux s'ouvrirent d'un coup, révélant un bleu aussi profond et aussi chargé de menace qu'un ouragan en pleine mer.

— Va-t'en !

Saisi par sa véhémence, il recula d'un pas.

La porte de la cabine de douche céda sous la pression et s'ouvrit dans un cliquetis ; toujours à reculons, elle grimpa dans le bac.

— Tu ne sais pas ce que je vais te faire, Seigneur, tu ne peux pas savoir ! Tu ne peux imaginer à quel point c'est horrible – *horrible* !

Avant qu'elle ait pu repousser la porte de la douche, Dusty s'avança et bloqua le battant.

— Je n'ai pas peur de toi, Martie.

— Tu devrais ! Il *faut* avoir peur de moi !

— Dis-moi ce qui ne va pas, articula-t-il, totalement abasourdi.

Les stries lumineuses dans ses yeux bleus ressemblaient à des fêlures dans du verre, ses pupilles étaient noires comme deux trous faits par des balles de revolver.

Un staccato de mots jaillit soudain de sa bouche.

— Il n'y a pas que moi qui suis devant toi, il y a un autre moi, à l'intérieur de moi. Je le sens plein de haine, prêt à faire du mal, à couper des chairs, à écraser des visages… ou peut-être qu'il n'y a personne d'autre… qu'il n'y a que moi, et que je ne suis pas celle que je croyais être… peut-être que c'est moi qui suis ce monstre cruel et horrible, moi…

Dans ses pires cauchemars, dans les moments les plus désespérés de sa vie, Dusty n'avait jamais éprouvé une telle terreur ; jamais, dans sa chair d'homme, il n'aurait pu envisager la possibilité d'être un jour ébranlé à ce point, terrassé par cette peur absolue.

Martie – *sa* Martie – celle qu'il avait toujours connue, s'éloignait de lui, lui filait entre les doigts comme du sable, aspirée inexorablement dans un vortex psychique plus étrange encore que tous les trous noirs perçant les confins de l'Univers. Même si certains aspects de sa personne demeuraient inchangés, une fois que le tourbillon se serait refermé sur elle, Martie resterait aussi impénétrable et mystérieuse qu'un extraterrestre.

Dusty découvrait seulement maintenant les profondeurs abyssales où pouvait l'entraîner sa terreur mais savait depuis toujours à quel point ce monde serait vide sans Martie. La perspective d'une vie sans elle, morne et solitaire, était à l'origine même de ce gouffre béant qui s'ouvrait à présent en lui.

Martie recula encore, se pelotonnant dans le coin opposé de la cabine, les épaules repliées en avant, les bras croisés sur la poitrine, les poing serrés sous les aisselles. Tous ses os semblaient saillir sous la peau – genoux, hanches, coudes, omoplates, crâne – comme si son squelette entier avait décidé de quitter son enveloppe charnelle.

Voyant que Dusty pénétrait à son tour dans la cabine de douche, Martie lança :

— Non, ne fais pas ça, je t'en prie… non…

Sa voix résonnait, caverneuse, sur les carreaux de faïence.

— Je peux t'aider.

En sanglots, le visage distordu, la bouche molle et tremblante, elle bredouilla :

— Non, chéri. Ne t'approche pas de moi.

— Crois-moi, je peux t'aider.

Lorsque Dusty se pencha vers elle, Martie se laissa glisser contre le mur, parce qu'elle ne pouvait pas reculer davantage, et se recroquevilla sur le sol.

146

Dusty s'agenouilla à ses côtés.

Lorsqu'il posa la main sur son épaule, elle tressaillit.

— La clé !

— Quoi ?

— La clé ! La clé !

Elle sortit ses poings cachés sous ses bras et les leva vers son visage. Un à un, elle déplia ses doigts, révélant une main droite vide, puis une main gauche tout aussi vide. Martie parut éberluée, comme si un magicien avait fait disparaître une pièce ou un foulard dans sa paume sans qu'elle se soit rendu compte de quoi que ce soit.

— Non, je l'avais. Je l'ai encore ! La clé de contact. Elle est forcément quelque part !

Prise de panique, elle commença à tâter ses poches.

Dusty se rappelait avoir aperçu les clés de la voiture par terre, près de la table de nuit.

— Tu les as laissées tomber dans la chambre.

Elle le regarda fixement, incrédule, puis, peu à peu, la mémoire sembla lui revenir.

— Je suis désolée. Quand je pense à ce que j'allais faire. Planter la clé, l'enfoncer, tourner… Oh ! Seigneur Dieu !

Elle frissonna. La honte embua ses yeux et redonna un semblant de couleur à ses joues d'une pâleur anormale.

Dusty voulut passer son bras autour de ses épaules, mais Martie s'y refusa, le mettant de nouveau en garde contre elle-même. Qu'il protège ses yeux – *ses yeux* ! Même si elle n'avait plus la clé, il lui restait ses faux ongles acérés, durcis par le vernis ; c'était bien suffisant pour lui déchirer les globes oculaires… Alors elle tenta d'arracher ses griffes en acrylique, agrippant ses doigts, ongles contre ongles, tels des insectes rubis montant les uns sur les autres, dans une orgie cliquetante de chitine. Finalement, Dusty la prit dans ses bras de force – tant pis, il ne pouvait la laisser dans cet état ; il l'attira à lui, la pressa contre sa poitrine, comme si ce contact corporel pouvait la ramener à la réalité. Martie resta toute raide, retirée dans sa carapace, et se recroquevilla encore, tout au-dedans d'elle, la peur semblant la comprimer de toutes parts, la rendre rigide comme de la pierre, dure comme un diamant, jusqu'à ce que quelque chose implose au tréfonds de son être, que s'ouvre en elle un trou noir prêt à l'emporter dans cet univers parallèle dont elle avait entrevu l'existence lorsque avait disparu cette maudite clé et qu'elle avait contemplé ses deux mains vides – parce que c'était là-bas que la clé était partie, c'était sûr !

Dusty ne relâcha pas pour autant son étreinte et se mit à la bercer doucement, serré contre elle dans le bac de la douche, lui assurant qu'il l'aimait, qu'elle était le trésor de sa vie, qu'elle n'était pas un orque démoniaque mais une gentille Hobbit, et que si elle ne le croyait pas elle n'avait qu'à regarder ses gros orteils bizarres et pourtant charmants, hérités de son père Bob la Banane, pour être convaincue qu'elle avait du sang de gnome dans les veines ; il lui parla ainsi longuement, lui disant tout ce qui lui passait par la tête pour la faire sourire.

Il ne pouvait savoir s'il y parvenait car la jeune femme gardait la tête baissée, le visage caché à sa vue. Peu à peu, toutefois, la résistance de Martie faiblit, ses muscles se détendirent. Au bout d'un long moment encore, son corps se déplia enfin et elle lui rendit son étreinte, d'abord avec hésitation, puis de plus en plus fort, jusqu'à ce qu'elle se love dans ses bras, s'accroche à lui avec tout son amour et son désespoir, avec la conscience aiguë que leur vie ne serait plus jamais comme avant, que, désormais, une grande ombre inconnue obscurcissait leur ciel.

27.

Après avoir regardé les infos au JT du soir, Susan Jagger se rendit dans toutes les pièces de son appartement pour régler les réveils et les horloges à l'heure de sa montre – un rite qu'elle accomplissait tous les mardis soir.

Dans la cuisine, il y avait trois horloges, deux intégrées dans la cuisinière et le four à micro-ondes, et une troisième suspendue au mur ; une pendule Art déco à piles trônait sur le manteau de la cheminée du salon et, sur la table de nuit à côté de son lit, se trouvait un radio-réveil.

En moyenne, aucun de ces mécanismes ne prenait ou ne perdait plus d'une minute durant la semaine, mais Susan avait plaisir à les régler avec précision, au tic-tac près.

Après seize mois de réclusion quasi totale et d'angoisse chronique, les rites étaient autant de bouées pour sauver son esprit de la noyade.

Pour chaque tâche ménagère, elle établissait des protocoles complexes qu'elle accomplissait avec une rigueur et une méticulosité extrêmes, dignes d'un ingénieur atomiste travaillant à la mise en marche d'un réacteur nucléaire et sachant que le moindre écart par rapport aux règles pouvait entraîner l'explosion de toute la centrale. Laver les sols, cirer les meubles devenaient des entreprises épiques qui occupaient bien des heures creuses. Viser la perfection dans la moindre tâche et suivre scrupuleusement les codes immémoriaux de la femme au foyer donnaient à Susan l'impression d'être encore maîtresse de sa vie, un réconfort bien qu'en son for intérieur elle sache que c'était une illusion.

Après avoir synchronisé toutes les horloges, elle se rendit dans la cuisine pour préparer le dîner. Une salade endives-tomates et du poulet au marsala.

Cuisiner était son occupation favorite. Elle suivait les recettes avec une précision scientifique, mesurant les ingrédients, les combinant entre eux avec le soin d'un fabricant de bombes manipulant des substances instables hautement explosives. Les rites culinaires et religieux avaient le don d'apaiser le cœur et l'esprit comme nul autre, peut-être parce que les premiers nourrissaient le corps et les seconds l'âme.

Ce soir-là, cependant, Susan ne parvenait même pas à se concentrer sur les gestes élémentaires de l'art d'accommoder les mets, que ce soit découper, râper, peser ou touiller. Son attention était sans cesse attirée vers le téléphone silencieux. Elle était impatiente que Martie rappelle maintenant qu'elle avait enfin trouvé le courage de parler de son mystérieux visiteur nocturne.

Avant ces derniers événements, elle avait toujours cru qu'elle pouvait tout raconter à Martie sans la moindre gêne ni la moindre appréhension. Pendant six mois, toutefois, elle avait été incapable d'évoquer devant son amie les viols dont elle était victime pendant son sommeil. La honte clouait ses lèvres. Mais la honte l'inhibait moins que la crainte de passer pour folle. Elle-même avait du mal à croire que l'on puisse la déshabiller, la violenter et la rhabiller, comme ce fut le cas à maintes reprises, sans la réveiller.

Eric n'était pas un sorcier, ni un passe-muraille capable d'aller et venir chez elle – et en elle – sans jamais se faire repérer. Même s'il était aussi vil et sans morale que le prétendait Martie, Susan ne pouvait imaginer qu'il puisse la haïr au point de lui faire subir de telles horreurs – car c'est bien la haine qui animait l'auteur de ces sévices. Eric et Susan s'étaient aimés, leur séparation avait été marquée par le regret, non par la colère.

S'il avait envie d'elle, sans pour autant s'engager à demeurer à ses côtés pour l'aider à traverser l'épreuve de la maladie, il aurait été le bienvenu, finalement. Alors pourquoi ? Pourquoi inventer un stratagème si compliqué dans le seul but de la prendre contre sa volonté ? C'était absurde !

Et s'il ne s'agissait pas d'Eric, de qui pouvait-il s'agir ?

Après avoir vécu dans cette maison avec elle, Eric pouvait avoir trouvé le moyen de contourner les fenêtres et les portes. Cela paraissait invraisemblable, mais personne ne pouvait connaître aussi bien les lieux pour entrer et sortir sans être détecté…

La main de Susan se mit à trembler, le sel déborda de la cuillère qu'elle tenait au-dessus de la casserole. Elle se détourna du plan de travail et de ses victuailles, et essuya sur un torchon ses paumes soudain moites.

Elle vérifia les verrous de la porte d'entrée : tous fermés. La chaîne de sécurité était bien en place.

Elle s'adossa contre le battant.

Non, je ne suis pas folle !

Au téléphone, Martie avait semblé accorder foi à ses propos. Mais les autres seraient moins faciles à convaincre...

Susan n'avait guère de preuves tangibles pour étayer son histoire de viol. Parfois son vagin était douloureux, mais pas toujours. Des hématomes en forme d'empreintes de doigts persistaient sur ses cuisses et ses seins, mais comment prouver qu'il s'agissait de l'œuvre d'un violeur et non d'un partenaire invité à des ébats ardents ?

Dès son réveil, et bien que sa peau ne portât aucun stigmate visible, elle savait si son intrus fantôme lui avait rendu une visite nocturne... elle le savait avant même qu'elle ne perçoive la présence de sa semence au fond d'elle, parce qu'elle se sentait violée, salie.

Malheureusement les sensations n'avaient jamais fait office de preuves.

La semence était le seul élément tangible attestant qu'il y avait bien eu relation sexuelle. Cependant, cela ne suffirait pas à affirmer qu'il y avait eu viol.

En outre, aller présenter aux autorités sa culotte souillée, ou, pis encore, se rendre à l'hôpital pour subir un prélèvement vaginal, était au-dessus de ses forces.

Son agoraphobie était la principale raison qui l'avait dissuadée, jusqu'ici, de se confier à Martie. Quant à oser s'adresser à la police ou à des étrangers... Même si les gens éclairés savaient qu'une phobie aiguë n'avait rien à voir avec la folie, ils ne pouvaient s'empêcher de considérer les victimes de ce mal comme des animaux bizarres. Lorsqu'elle prétendrait avoir été violée dans son sommeil par un assaillant fantôme qu'elle n'avait jamais vu, qui pouvait passer les murailles et les portes blindées... ses amis, y compris les plus fidèles, commenceraient à se demander si l'agoraphobie, sans être une forme de folie pure, n'en était pas moins le signe annonciateur.

Après avoir vérifié une seconde fois les verrous, Susan se dirigea avec impatience vers le téléphone. Elle ne pouvait pas attendre davantage de connaître le fruit des réflexions de Martie. Elle avait besoin d'être rassurée, de savoir que sa meilleure amie croyait à son histoire de violeur fantôme, même si elle devait être la seule.

Susan composa les quatre premiers chiffres du numéro de Martie, puis raccrocha. Du calme. Un peu de patience. Si elle paraissait trop excitée, trop impatiente, son histoire risquait de paraître moins crédible.

Elle retourna donc à ses fourneaux et à sa sauce au marsala, mais elle s'aperçut bien vite qu'elle était trop nerveuse pour s'intéresser aux rites culinaires. En outre, elle n'avait pas faim.

Elle ouvrit une bouteille de merlot, se versa un verre et s'assit à la table de la cuisine. Ces derniers temps, elle buvait plus que d'habitude.

Après avoir avalé une gorgée, elle leva son verre à la lumière. Le liquide rubis était clair, apparemment dépourvu de substance étrangère.

Pendant un temps, elle avait été convaincue qu'on la droguait. Cette possibilité trouvait encore en elle des échos troublants, mais lui paraissait moins vraisemblable qu'auparavant.

Le Rohypnol – la « drogue des violeurs », comme l'avaient surnommé les médias – pouvait expliquer qu'elle restât inconsciente pendant ces visites nocturnes, ou du moins qu'elle n'en ait aucun souvenir au matin, y compris lorsqu'elle avait subi des brutalités. Mettez du Rohypnol dans le verre d'une femme convoitée et ses défenses s'effondrent comme un château de cartes, l'esprit confus, docile, elle devient une proie vulnérable, puis la docilité laisse place à un sommeil profond ; au matin, il ne reste quasiment aucun souvenir de ce qui s'est passé durant la nuit.

Toutefois, Susan n'avait jamais éprouvé les effets secondaires connus du Rohypnol – pas de nausées, pas de bouche sèche, pas de vision brouillée, pas de maux de tête, aucune trace de confusion mentale. Comme les autres jours, elle s'éveillait les idées claires, parfois même en pleine forme, malgré cette sensation de souillure.

Elle avait cependant jugé plus prudent de changer à plusieurs reprises d'épicerie. Parfois, elle demandait à Martie de faire ses courses, mais la plupart du temps elle passait ses commandes dans diverses petites échoppes familiales qui livraient à domicile. Peu d'épiceries, en fait, offraient ce service, même contre rémunération. Bien qu'elle veillât à assurer un roulement entre ces boutiques, ces changements de fournisseurs n'avaient pas fait cesser les visites nocturnes.

En désespoir de cause, elle avait cherché des réponses dans le domaine des phénomènes paranormaux. Le bibliobus lui apportait des livres où l'on racontait des histoires sinistres de fantômes, de vampires, de démons, d'exorcisme, de magie noire et d'enlèvements d'humains par des extraterrestres. Le bibliothécaire, à sa décharge, n'avait jamais fait le moindre commentaire – pas même un haussement de sourcils – sur l'appétit insatiable de Susan pour cette littérature. C'était, de toute façon, une lecture plus salutaire pour l'esprit que les essais politiques ou les ragots des journaux à scandale.

Susan avait été particulièrement captivée par la légende de l'incube, cet esprit démoniaque qui rendait visite aux femmes la nuit et copulait avec elles pendant qu'elles rêvaient dans les bras de Morphée. Mais cette fascination était restée d'ordre purement littéraire. Susan n'en était pas arrivée au point de s'endormir avec des exemplaires de la

Bible aux quatre coins de son lit et le cou orné d'une guirlande d'ail tressée.

Finalement, elle abandonna le monde du paranormal, parce que ses explorations dans ce domaine ne faisaient qu'aggraver son agoraphobie. En acceptant de prendre place au banquet de l'irrationnel, elle avait l'impression de nourrir la part malade de son psychisme et, par suite, d'aggraver sa peur inexplicable du monde extérieur.

Son verre de merlot était à moitié vide. Elle s'en versa une nouvelle rasade.

Le verre à la main, elle fit le tour de l'appartement, pièce par pièce, afin de s'assurer que toutes les issues étaient bien fermées.

Les deux fenêtres de la salle à manger faisaient face à la maison des voisins, toute proche. Elles étaient parfaitement bloquées.

Dans le salon, elle éteignit les lampes et s'installa dans un fauteuil, sirotant son merlot tandis que ses yeux s'acclimataient à la pénombre.

Sa phobie avait progressé au point qu'elle avait des difficultés à regarder, en plein jour, le monde extérieur depuis ses fenêtres, mais elle pouvait encore supporter cette vue de nuit, lorsque le ciel était nuageux et qu'aucune mer d'étoiles ne risquait d'attirer son regard vers ses abysses infinis. Par temps orageux, comme aujourd'hui, Susan s'infligeait cette épreuve. Elle se lançait ainsi des défis régulièrement, de crainte que les ressorts de son courage ne s'usent, comme le reste de son corps.

Lorsque sa vision nocturne s'améliora et que le vin eut lubrifié le petit moteur de sa volonté, elle se dirigea vers le panneau central de la baie vitrée faisant face à l'océan. Après un bref moment d'hésitation, elle prit une profonde inspiration et remonta le store.

Juste devant la maison, la promenade dallée s'offrit à son regard, éclaboussée par les flaques de lumière blafarde que projetait çà et là la rangée de réverbères. Bien que la soirée ne fût pas très avancée, la promenade était presque déserte dans le frimas de janvier. Un jeune couple passa en rollers. Un chat furtif se mouvait parmi les ombres. De fins tortillons de brume s'accrochaient comme des lianes entre les réverbères et les faîtes des palmiers. Dans l'air froid et figé, les tentacules translucides flottaient, donnant au brouillard des allures de pieuvre silencieuse et menaçante.

Susan distinguait à peine la plage plongée dans la nuit. L'océan Pacifique était parfaitement invisible, un banc de brouillard épais s'était approché jusqu'au rivage. Elle apercevait ses miroitements laiteux par intermittence. On eût dit un grand tsunami gris, figé dans son élan juste au moment où il allait déferler sur la côte.

À l'abri du plafond nuageux qui cachait les étoiles, de l'obscurité et du brouillard qui divisaient le monde extérieur en petits espaces, Susan aurait pu rester des heures à la fenêtre, protégée de sa peur. Et, pourtant, les battements de son cœur s'accéléraient. Cette fois l'agora-phobie n'était pas la cause de sa soudaine angoisse : Susan avait la nette impression que quelqu'un l'observait.

Depuis les visites nocturnes de son fantôme, elle souffrait de ce nouveau mal : la scoptophobie – la peur d'être observée.

Il ne s'agissait pas seulement d'une phobie mais d'une peur bien rationnelle. Si son violeur invisible était réel, il devait surveiller sa maison de temps en temps, afin de s'assurer qu'elle serait seule lorsqu'il lui rendrait visite. Susan, toutefois, s'inquiétait de ces nouvelles strates de peur qui se déposaient sur celles de son agora-phobie. N'allait-elle pas finir entravée de toutes parts, comme une momie égyptienne, paralysée, embaumée vivante ?

La jetée était déserte. Et les troncs des palmiers n'étaient pas assez larges pour dissimuler un adulte.

Pourtant, il est là, quelque part...

Cela faisait trois nuits que Susan n'avait pas été violée. Une éternité pour son tortionnaire. Car celui-ci avait des besoins récurrents, plus fréquents – mais tout aussi irrépressibles – que ceux des loups-garous inspirés par la pleine lune.

À plusieurs reprises, elle avait essayé de rester éveillée les nuits où elle pressentait sa venue. Lorsqu'elle y parvenait, elle voyait poindre l'aurore, les yeux brûlants de sommeil, sans que son visiteur se soit montré. Mais, chaque fois que sa volonté faiblissait et qu'elle se lais-sait surprendre par le sommeil, l'incube la gratifiait d'une visite. Une fois, elle s'était endormie tout habillée dans un fauteuil... et s'était réveillée habillée à l'identique, mais dans son lit, avec la faible odeur de la sueur du fantôme sur son corps, et sa semence collante et cauche-mardesque dans sa culotte. Comme s'il était doté d'un sixième sens, son visiteur savait quand elle dormait, quand elle était le plus vulnérable.

Il est là, dehors...

Sur la plage, quelques dunes s'élevaient, presque indiscernables, se perdant dans la brume et les ténèbres. Un observateur aurait pu se cacher derrière l'une d'elles, à condition, certes, de rester bien allongé sur le sable.

Elle sentait son regard posé sur elle – ou, du moins, en avait l'impression tenace.

Susan referma rapidement les stores, occultant la baie vitrée.

Furieuse de se laisser aussi facilement effaroucher, elle tremblait davantage de colère que de peur ; elle en avait assez d'être une victime sans défense ! Cela durait depuis presque toujours ! Maintenant elle voulait renverser la vapeur, surmonter son agoraphobie, sortir, se ruer vers la plage, décapiter à coups de pied le sommet de chaque dune, affronter face à face son tortionnaire ou bien se prouver à elle-même qu'il n'était pas là. Malheureusement, elle n'avait ni la force ni le courage de partir dénicher son chasseur dans son affût et en était réduite à se terrer et à attendre.

Elle ne pouvait pas même se raccrocher à quelque espoir de délivrance, parce que ses réserves d'espoir, qui l'avaient depuis si longtemps maintenue en vie, étaient devenues si minuscules qu'il aurait fallu une loupe ou un microscope pour les repérer.

Une loupe…

Au moment où elle lâcha le cordon du store, une idée lui traversa l'esprit. Elle l'attrapa au vol et se mit à la retourner en tout sens. Une jolie idée, qui faisait plaisir rien qu'à la regarder… Puisqu'elle était clouée ici par son agoraphobie, puisqu'elle ne pouvait pourchasser son chasseur sur ses terres, peut-être pouvait-elle l'observer pendant qu'il l'observait, lui. Lui faire le coup de l'espion espionné.

Dans le placard de la chambre, au-dessus de la penderie, il y avait une paire de jumelles dans sa sacoche noire de transport. En des temps plus heureux, lorsqu'elle n'était pas encore tétanisée par la simple vue du monde extérieur, révélée dans son immensité par la lumière du jour, elle adorait regarder les régates de bateaux depuis le rivage, ainsi que le ballet des cargos en partance pour l'Amérique du Sud ou arrivant au port de San Francisco.

Elle prit un petit escabeau dans la cuisine et se précipita dans la chambre. Les jumelles étaient bien là. Sur la même étagère, entre autres objets, elle découvrit un appareil dont elle avait oublié jusqu'à la simple existence : une caméra vidéo.

Le Caméscope était le reliquat de l'un des nombreux coups de cœur – aussi vifs qu'éphémères – d'Eric. Bien avant son départ de la maison, il avait perdu tout intérêt pour le tournage et le montage de films de famille.

Une nouvelle possibilité jaillit dans l'esprit de Susan, court-circuitant son intention première de scruter les dunes à la recherche de son observateur. Elle laissa les jumelles à leur place et s'empara de la lourde mallette en plastique renfermant la caméra et ses accessoires. Elle la posa sur le lit et l'ouvrit.

En plus du Caméscope, la mallette contenait une batterie de rechange, deux cassettes vierges et un manuel d'instruction.

Elle n'avait jamais utilisé cet appareil. C'était toujours Eric qui filmait. Avec un intérêt fébrile, elle se plongea dans la lecture du mode d'emploi.

Comme de coutume lorsqu'il se découvrait un nouveau hobby, Eric ne se contentait pas de l'équipement de base ; il lui fallait ce qui se faisait de mieux, le nec plus ultra dans le domaine, avec plein de gadgets. La caméra était compacte, mais équipée d'un objectif ultralumineux, d'un capteur à haute résolution et d'un mécanisme insonorisé pour ne pas gêner la prise de son synchrone. Elle pouvait accepter des cassettes de deux heures. Elle offrait également un mode d'enregistrement longue durée ne consommant que quelques centimètres de bande magnétique par minute. Ainsi, une cassette de deux heures pouvait recevoir trois heures d'enregistrement, la qualité de l'image, comme le spécifiait le manuel, se voyant alors dégradée de dix pour cent par rapport à une prise de vues à vitesse normale.

Le Caméscope était si peu gourmand en énergie qu'une batterie pouvait assurer un enregistrement non-stop de deux à trois heures, selon que l'on utilisait ou non le moniteur de contrôle et d'autres accessoires consommant de l'électricité. À en croire la jauge de charge, la batterie montée sur le Caméscope était vide. Susan vérifia la batterie de rechange – chargée à cinquante pour cent.

Ne sachant si la batterie vide était encore en état de fonctionnement, elle brancha le chargeur sur la batterie à moitié vide et raccorda le tout sur une prise de courant dans la salle de bains.

Elle récupéra le verre de merlot qu'elle avait laissé dans le salon et le leva, comme pour porter un toast silencieux. Cette fois, elle ne but pas pour oublier son désarroi, mais pour célébrer cet instant unique.

Pour la première fois depuis des mois, elle reprenait les rênes de sa vie. Même s'il ne s'agissait que d'un tout petit pas vers la résolution des problèmes qui l'assaillaient, même si elle ne tenait les rênes que pour un temps infime, elle se sentait pleine de joie et d'excitation. Elle faisait enfin quelque chose. Comme c'était bon de se sentir portée, soutenue par cette vague d'optimisme !

Dans la cuisine, tout en débarrassant les ingrédients du poulet au marsala et en sortant une pizza du congélateur, elle s'interrogeait sur son manque de lucidité ; pourquoi n'avait-elle pas pensé au Caméscope plus tôt ? Cela faisait des semaines, des mois que l'idée aurait dû lui venir ! Quand elle songeait aux tourments et à l'horreur qu'elle avait dû endurer, sa propre passivité la laissait interdite.

Bien sûr, elle avait cherché à se soigner. Deux fois par semaine, depuis près de seize mois – ce n'était pas rien. Elle avait mené un véritable combat contre elle-même pour trouver le courage de se rendre à chaque séance, preuve d'une belle ténacité au regard des faibles résultats obtenus. Restait que suivre cette thérapie était une réaction bien timide quand toute sa vie tombait en miettes. « Suivre » une thérapie… là était justement le mot clé. Elle s'en remettait en effet au Dr Ahriman avec une docilité surprenante… Dans le passé, elle se montrait aussi sceptique avec les médecins qu'avec les vendeurs de voitures, vérifiant leurs diagnostics, cherchant systématiquement un second avis.

Elle glissa la pizza dans le four à micro-ondes, trop heureuse de n'avoir pas à se lancer dans une fastidieuse préparation pour son repas du soir. C'est dans une sorte de révélation presque mystique qu'elle comprit que les rites qu'elle s'imposait pour conserver un semblant de santé mentale étaient accomplis au détriment de l'action. Les rites l'anesthésiaient, rendaient la misère de son existence supportable, mais ne la faisaient pas avancer d'un pouce sur la voie de la rémission. Ils ne soignaient pas.

Susan remplit de nouveau son verre. Le vin ne soignait pas non plus, elle devait veiller à conserver la maîtrise de toutes ses facultés si elle voulait être en mesure d'accomplir la tâche qui l'attendait. Elle était toutefois si débordante d'énergie, si saturée d'adrénaline qu'elle aurait pu boire la bouteille entière sans autre effet. Tout l'alcool aurait été brûlé et métabolisé avant l'heure du coucher !

Tandis qu'elle faisait les cent pas devant le four à micro-ondes en attendant que la pizza soit chaude, son étonnement à l'égard de sa passivité se mua en effroi. En songeant à cette année écoulée, Susan, forte de sa toute nouvelle lucidité, avait l'impression d'avoir vécu sous le joug d'un sortilège qui aurait étouffé son esprit, sapé sa volonté et emprisonné son âme.

Eh bien, le mauvais sort était brisé ! L'ancienne Susan était de retour ! – les idées nettes et claires, prête à puiser dans sa colère pour modifier le cours de sa vie.

Il était dehors, soit ! Peut-être même derrière l'une de ces dunes, en train de l'observer. À moins qu'il n'arpente les alentours de la maison en rollers, ou en feignant de faire son jogging, ou encore en VTT, un spécimen anodin de la *fun generation* californienne ou de la caste des excités de la forme physique. Peu importait. Il était dehors.

L'ordure ne lui avait pas rendu visite depuis trois nuits, et, à en croire ses habitudes, il viendrait l'honorer de sa présence avant l'aube. Même si Susan ne pouvait échapper au sommeil, même si elle était droguée par quelque moyen mystérieux, elle saurait tout sur lui au matin. Avec un peu de chance, le Caméscope aurait filmé ses exploits.

Si c'était Eric, elle lui réduirait les couilles en bouillie à coups d'escarpin et le chasserait définitivement de sa vie. S'il s'agissait d'un inconnu, ce qui était hautement invraisemblable, elle aurait une preuve à fournir à la police. Elle passerait outre l'humiliation de présenter les images de son propre viol, elle irait jusqu'au bout.

Susan se retourna vers la table pour prendre son verre de vin avec une soudaine appréhension. Et si... et si...

Et si elle se réveillait, tout endolorie et souillée, sentant la tiédeur immonde de sa semence en elle... et qu'il n'y avait personne sur la bande, hormis elle seule, se cabrant d'extase ou de terreur, telle une possédée comme si le visiteur était un spectre, l'incube du livre, dont aucun miroir, aucun système optique ne pouvait capter l'image... ?

Absurde !

La vérité était ailleurs, d'accord, mais elle n'avait rien de surnaturel.

Susan leva son verre de merlot pour boire une gorgée et en avala la moitié d'un seul trait.

28.

Le salon semblait une châsse dédiée à Martha Stewart, la déesse du foyer américain moderne – deux lampes avec des abat-jour à franges, deux gros fauteuils avec repose-pieds se faisant face de part et d'autre d'une table basse, leur assise décorée de coussins brodés, une cheminée à gaz sur le côté.

De toute la maison, c'était l'endroit favori de Martie. Elle et Dusty y avaient passé de nombreuses soirées, un livre dans les mains, chacun abîmé dans sa lecture, et pourtant aussi proches l'un de l'autre que s'ils s'étaient tenu les doigts enlacés et dévorés des yeux.

Les jambes étendues sur le repose-pieds, elle était allongée, le corps légèrement tourné sur le flanc, immobile et silencieuse, en une posture alanguie qui aurait pu passer pour l'expression d'une sérénité inté-rieure, alors qu'elle trahissait un pur épuisement.

Dans l'autre fauteuil, Dusty tentait d'adopter une posture manifes-tant le calme et la réflexion, mais à plusieurs reprises il se redressa, la tension le poussant, malgré lui, sur le bord du siège.

Martie narrait son supplice par petites bribes, souvent interrompue par l'embarras ou sombrant dans le silence, prise de stupéfaction à l'évocation des détails curieux de son comportement. Dusty, en lui posant des questions, l'encourageait gentiment à reprendre le fil de son récit.

La simple vue de Dusty à côté d'elle apaisait Martie et lui redonnait espoir, pourtant elle n'osait croiser son regard. Elle fixait des yeux la cheminée, semblant abîmée dans une contemplation hypnotique.

Curieusement, la présence du serviteur en cuivre, avec ses usten-siles pointus, ne l'effrayait pas – une petite pelle, une longue pince à bois, un tisonnier. Il y a peu de temps encore, la vue du tisonnier effilé aurait mis ses nerfs à rude épreuve, leur arrachant des arpèges de terreur comme les cordes pincées d'une harpe.

Des braises d'angoisse luisaient encore devant ses yeux, mais, pour l'heure, elle était plus effrayée par la montée éventuelle d'un nouvel accès de panique que par son potentiel interne de violence.

Elle racontait par le menu les différentes phases de sa crise sans pouvoir décrire ce qu'elle avait ressenti sur le moment. Elle éprouvait des difficultés à se remémorer l'intensité de sa terreur. C'était l'autre Martie Rhodes qui en avait été victime, cet être troublé qui avait surgi à la surface de son esprit et qui, à présent, avait replongé dans ses abysses et disparu.

De temps en temps, Dusty faisait tinter ses glaçons dans son verre de whisky pour attirer l'attention de Martie. Lorsqu'elle le regardait, il levait son verre pour l'inciter à boire le sien. Au début, elle avait hésité à accepter le whisky, de crainte de perdre de nouveau toute maîtrise d'elle-même. Mais, centimètre cube après centimètre cube, le Johnny Walker Red Label se révéla un remède efficace.

Le brave Valet était allongé au pied de son fauteuil, se levant de temps en temps pour poser son museau sur les jambes de Martie, cherchant la caresse de sa main sur son crâne, ses yeux de chien pleins d'une compassion infinie.

À deux reprises, Martie donna un glaçon à Valet. Il les croqua d'un air curieusement solennel. Lorsqu'elle eut achevé son récit, Dusty demanda :

— Et maintenant ?

— J'ai rendez-vous avec le Dr Closterman demain matin. Je l'ai appelé en revenant de chez Susan, avant même que les choses s'aggravent vraiment.

— J'irai avec toi.

— Je veux un bilan complet. Analyse de sang, scanner crânien… J'ai peut-être une tumeur.

— Il n'y a pas de tumeur, objecta Dusty avec une conviction fondée uniquement sur l'espoir. Tu n'as rien de grave.

— J'ai tout de même quelque chose.

— Non !

La pensée que Martie pût avoir une tumeur, au stade terminal, lui causait une telle frayeur qu'il était incapable de dissimuler son émotion

Martie contempla avec tendresse chaque ride d'angoisse se creusant sur le visage de Dusty. Cela valait toutes les déclarations d'amour du monde.

— J'accepterais une tumeur cérébrale, déclara-t-elle.

— Tu *accepterais* ?

— Je préfère ça à une maladie mentale. On peut ôter une tumeur et espérer retrouver son équilibre psychique.

— Ce n'est pas une maladie mentale non plus.

Les rides d'inquiétude se creusèrent davantage encore.

— Tu es parfaitement saine d'esprit.

— J'ai pourtant quelque chose, insista-t-elle.

Assise sur son lit, Susan mangeait sa pizza aux poivrons, arrosée de merlot. C'était le dîner le plus délicieux qu'elle ait fait de toute sa vie.

Elle était suffisamment lucide pour savoir que les ingrédients de son repas n'avaient rien ou peu à voir avec cette impression de succulence absolue – saucisses, fromage et pâte à pain grillés étaient moins savoureux que l'idée de voir bientôt la justice rendue.

Maintenant qu'elle était libérée de sa timidité et de son état de victime impuissante, elle avait, en fait, moins faim de justice que d'une bonne tranche de vengeance glacée. Obtenir réparation pécuniaire ne lui offrirait qu'un piètre plaisir, elle ne se faisait aucune illusion. Après tout, elle possédait, comme tous les êtres humains, quatre canines et quatre incisives – des dents faites pour couper et déchirer les chairs.

Quand elle songeait que l'après-midi même elle avait défendu Eric contre les accusations de Martie ! Susan mordit avec hargne dans sa pizza et la mastiqua avec une satisfaction de prédateur.

Si elle avait réellement développé son agoraphobie en réaction à la douleur de se savoir trompée par Eric, elle méritait peut-être quelque compensation pour le *pretium doloris*... Mais si c'était bien lui son visiteur fantôme, lui qui violait ainsi son corps et son esprit, il était bien différent de celui qu'elle croyait connaître. Même plus un homme, mais un monstre, un être immonde. Un serpent. Munie de la preuve filmée, elle ferait appel à la justice pour le mettre en pièces comme un bûcheron utiliserait sa hache pour fendre un crotale.

Tout en finissant sa pizza, Susan examina la chambre, cherchant le meilleur endroit où dissimuler le Caméscope.

Martie était assise derrière la table de la cuisine, regardant Dusty ranger les affaires qu'elle avait mises sens dessus dessous. Lorsqu'il tira la poubelle dans la cuisine, son contenu tinta comme la sacoche à outils d'un équarrisseur.

Martie buvait son deuxième whisky ; elle le tenait entre ses deux mains pour le porter à sa bouche.

Après avoir refermé la porte donnant sur le jardin, Dusty déposa couteaux, fourchettes et autres ustensiles dans le lave-vaisselle. La vue des pointes effilées et des lames tranchantes, le cliquetis de l'acier n'engendrèrent aucune angoisse chez Martie. Elle avait toutefois la gorge nouée et le whisky avait dû mal à descendre dans son œsophage.

Dusty remit le chardonnay et le chablis dans le réfrigérateur. Ces bouteilles pouvaient objectivement servir de massues pour fracasser des crânes ou, une fois cassées, d'objets tranchants pour lacérer des chairs, mais l'esprit de Martie n'était plus hanté par la tentation de passer à l'acte.

Dusty replaça les tiroirs dans leur logement et y rangea les ustensiles qui n'avaient pas besoin d'être lavés.

– Les outils dans le garage peuvent attendre jusqu'à demain.

Elle hocha la tête, sans rien dire – entre autres, parce qu'elle préférait ne pas parler, de crainte d'effets secondaires imprévus. Ici, dans les lieux mêmes de sa soudaine crise de démence, flottaient des souvenirs de cauchemars, telles des spores empoisonnées, et elle avait peur d'être de nouveau contaminée si elle ouvrait la bouche.

Lorsque Dusty proposa de dîner, Martie répliqua qu'elle n'avait pas faim, mais il insista pour qu'elle mange un peu.

Le réfrigérateur contenait un reste de lasagnes, suffisant pour deux. Dusty déposa le plat dans le four à micro-ondes. Il lava des champignons qu'il coupa en tranches.

Le couteau paraissait parfaitement inoffensif dans ses mains.

Pendant qu'il faisait revenir les champignons dans une poêle avec du beurre et des oignons émincés, Valet s'assit devant la cuisinière, les yeux brillant d'envie, ses narines frémissantes se délectant des senteurs qui émanaient de la préparation.

Comparées aux épreuves qu'elle avait dû endurer dans cette pièce, Martie trouvait à ces activités domestiques anodines quelque chose de surréaliste – comme si, après avoir erré dans un champ de soufre au plus profond des Enfers, elle venait de tomber sur un marchand de beignets.

Lorsque Dusty servit le repas, Martie se demanda si elle n'avait pas empoisonné les lasagnes pendant son accès de démence. Elle ne se rappelait pas avoir accompli un tel geste, mais elle se méfiait de ses absences, ces intervalles de temps durant lesquels elle agissait comme en pleine possession de ses moyens alors que son esprit ne gardait aucun souvenir de ses actes.

Si elle faisait part de ses craintes à Dusty, celui-ci s'empresserait de dévorer ses lasagnes dans le simple but de lui prouver la confiance aveugle qu'il lui vouait – autant donc ne rien dire. Malgré son peu d'appétit, elle se fit un devoir de manger la plus grande partie de son assiette afin de ne pas risquer d'être la seule survivante à cette table.

Elle refusa toutefois d'utiliser une fourchette et réclama une cuillère.

Un piédestal de style Biedermeier trônait dans un coin de la chambre de Susan. Sur celui-ci, un pot en bronze contenant un bonsaï qui ne recevait jamais les rayons du soleil, survivait grâce à une petite lampe à UV installée derrière lui. Au pied de l'arbre tombait une cascade de lierre, dont les lianes couvraient le terreau et débordaient du vase. Après avoir évalué le meilleur angle de prise de vue, Susan plaça le Caméscope dans la vasque et disposa les branches de lierre de façon à dissimuler l'appareil.

Elle éteignit la lampe à UV et alluma sa lampe de chevet. La pièce ne pouvait être laissée dans le noir complet, sinon, aucune image n'apparaîtrait sur le film.

Pour justifier cette lumière, elle devait laisser penser que le sommeil l'avait surprise pendant qu'elle lisait. Un verre de vin à moitié vide sur la table de nuit et un livre ouvert, savamment abandonné sur le dessus de lit, parachèveraient le tableau.

Elle se plaça aux quatre coins de la pièce ; aucun problème, le Caméscope était bien caché.

Sous une certaine incidence, toutefois, l'objectif renvoyait le reflet doré de la lampe de chevet, comme si un lézard cyclopéen était tapi dans le lierre et scrutait ce qui se passait. Mais ce détail révélateur était tellement minime qu'il n'attirerait pas l'attention de son visiteur, incube de Satan ou simple mortel.

Susan retourna auprès du Caméscope, glissa un doigt entre les feuilles du lierre, chercha quelques secondes le bouton de mise en marche et appuya.

Elle recula de deux pas, se tint raide comme une statue, retenant son souffle et scrutant le silence.

Tout était calme dans la maison ; ni ronflement du chauffage, ni bruissement du ventilateur du four, ni vent dehors agitant les feuilles – un silence optimal dans cette ère de machines omniprésentes. Le ronronnement du Caméscope ne parvenait pas aux oreilles de Susan. La notice du fabricant garantissait un fonctionnement silencieux et les branches de lierre assourdissaient le bruit du déroulement de la bande.

Craignant que la géométrie de la pièce puisse transporter le son suivant des arcs imprévus et l'amplifier notablement, comme dans certaines stations de métro, Susan parcourut toute la chambre. À cinq reprises, elle s'arrêta pour écouter, mais ne décela aucun bourdonnement ou couinement suspect.

Satisfaite, elle revint près du bonsaï et sortit le Caméscope de sa cachette de verdure. Elle rembobina la bande et regarda l'enregistrement sur le moniteur intégré.

La pièce entière était visible dans le cadre. La porte d'entrée se situait sur le bord gauche de l'image.

Elle se vit entrer et sortir du champ, aller et venir encore, puis s'arrêter l'oreille tendue pour scruter le bruit du moteur.

Comme elle paraissait jeune et jolie !

Ces derniers temps, son reflet semblait déformé lorsqu'elle se regardait dans une glace. Dans les miroirs, elle percevait davantage son reflet psychique : une Susan Jagger vieillie par l'anxiété chronique, les traits tirés, brouillés par seize mois de réclusion, le visage rendu gris par l'ennui et creusé par la tension.

La jeune femme sur l'écran était mince, séduisante. Plus encore, elle semblait emplie de détermination. Cette femme-là avait de l'espoir – un futur.

Ravie, Susan repassa l'enregistrement. L'autre Susan réapparut, sortant de la mémoire d'oxyde de fer du Caméscope, arpentant la chambre d'un air volontaire – une femme se préparant au combat, prête à prendre les armes.

Une cuillère elle-même était une arme en puissance si elle la tenait par la coupelle et se servait du manche pour frapper. L'extrémité, certes, n'était pas aussi pointue qu'un couteau, mais elle pouvait s'en servir comme d'une gouge pour arracher un œil de son orbite.

Des ondes de terreur la traversèrent, faisant trembler l'ustensile dans sa main. À deux reprises, il cogna contre le rebord de son assiette, comme si Martie voulait attirer l'attention de Dusty pour porter un toast.

Elle brûlait de jeter ce couvert hors de sa portée et de manger avec les mains. De crainte de paraître encore plus folle qu'elle ne l'était aux yeux de son mari, elle se contraignit à garder le couvert en main.

La conversation à table fut éprouvante ; malgré tous les détails qu'elle lui avait donnés dans le salon, Dusty avait encore une foule de questions concernant sa crise de démence. Et, d'instant en instant, elle éprouvait de plus en plus de difficultés à en parler.

Ce sujet la déprimait. Se remémorer son comportement hystérique, son incapacité à se maîtriser, instillait en elle un sentiment de vulnérabilité absolue, comme du temps de sa petite enfance, lorsqu'elle se savait totalement dépendante des autres.

En outre, une appréhension la gagnait, irrationnelle peut-être, mais de plus en plus vivace ; en abordant ce sujet, ne risquait-elle pas de déclencher une nouvelle crise ? Elle se tenait peut-être sur une trappe au-dessus d'un puits sans fond et plus elle parlait, plus elle risquait de prononcer le sésame du piège qui allait la précipiter dans les abysses de la folie ?

Pour changer de sujet, Martie demanda à Dusty comment s'était déroulée sa journée. Il lui récita la liste de courses professionnelles qu'il accomplissait d'ordinaire lorsque le temps l'empêchait de travailler sur les chantiers.

Sans mettre la parole de Dusty en doute, Martie sentit qu'il ne lui disait pas tout. Évidemment, dans son état, sa paranoïa était exacerbée.

— Tu n'arrêtes pas d'éviter mon regard, constata Dusty en repoussant son assiette.

Elle ne pouvait le nier.

— Je déteste que tu me voies dans cet état.

— Dans quel état ?

— Aussi faible.

— Tu n'es pas faible.

— Ces lasagnes ont plus de nerfs que moi.

— Elles sont vieilles de deux jours. Pour des lasagnes… ça équivaut bien à quatre-vingt-cinq années humaines.

— C'est à peu près l'âge que je me donne.

— Je peux t'assurer que tu as bien plus jolie allure que ces lasagnes rabougries.

— Bigre, on peut dire que tu sais parler aux femmes, toi !

— Tu sais ce qu'on dit entre peintres en bâtiment ?

— Je suis tout ouïe.

— Plus la couche est épaisse, mieux c'est.

Elle releva les yeux vers lui.

Il esquissa un sourire.

— Tout va s'arranger, Martie.

— Avec un humour pareil, ça m'étonnerait.

— Pour une lasagne au bout du rouleau, tu as encore du répondant !

En inspectant sa forteresse de quatre pièces, Susan s'assura une nouvelle fois que toutes les fenêtres étaient verrouillées. Le seul accès vers l'extérieur était la porte de la cuisine ; le pont-levis était défendu par deux verrous et une chaîne de sécurité. Après avoir vérifié l'enclenchement des pennes dans leurs logements respectifs, Susan coinça le dossier d'une chaise sous la poignée de la porte. Même si Eric, par Dieu savait quel moyen, possédait une clé de l'appartement, la chaise empêcherait l'ouverture du battant.

Bien sûr, Susan avait déjà eu recours à ce système de défense et cela n'avait pas empêché l'intrus de s'introduire chez elle.

Après avoir repositionné le Caméscope dans la vasque, Susan avait emporté la batterie dans la salle de bains pour lui donner un nouveau coup de charge avant d'aller se coucher.

Elle la rebrancha sur la caméra et dissimula l'appareil derrière le rideau de lierre. Il y aurait trois heures d'enregistrement — en mode longue durée — pour attraper Eric en pleine action…

Avec une précision métronomique, toutes les horloges de la maison annonçaient 21 h 40. Martie avait promis de rappeler avant 23 heures.

Susan avait toujours hâte d'entendre l'analyse et les conseils de son amie, mais elle ne lui dirait rien pour le Caméscope. Son téléphone était peut-être sur écoute. Eric espionnait peut-être la ligne. Bienvenue au grand bal des paranoïaques ! Un pas de deux dans les bras terrifiants d'un étranger malveillant, sous les notes funèbres d'un orchestre invisible, jusqu'à trouver le courage de relever la tête pour voir enfin le visage de son cavalier.

29.

Deux verres de whisky, une part de lasagnes rassises, sans compter les événements de cette journée de cauchemar, avaient plongé Martie dans un état d'épuisement total. Assise derrière la table de la cuisine, les paupières lourdes de sommeil, elle regardait Dusty rincer les assiettes.

Elle craignait de rester éveillée jusqu'à l'aube, les yeux grands ouverts d'anxiété, s'inquiétant du lendemain. Mais, là, son esprit se refusait à accepter d'autres angoisses. Il avait eu son lot pour la journée et affichait complet pour la nuit.

Une nouvelle frayeur l'empêchait toutefois de s'effondrer de sommeil sur la table de la cuisine : et si elle devenait somnambule ? Elle n'avait, certes, jamais été atteinte de ce mal. Mais elle n'avait jamais non plus connu d'accès de démence comme aujourd'hui, alors…

Si elle se mettait à déambuler pendant son sommeil, peut-être l'autre Martie reprendrait-elle le dessus ? Elle la ferait se lever de son lit, laissant Dusty au pays des rêves, puis descendre l'escalier, aussi à l'aise dans l'obscurité qu'un aveugle de naissance, pour aller chercher un couteau tout propre dans le lave-vaisselle.

Après avoir essuyé les dernières assiettes, Dusty prit la main de Martie et l'entraîna vers l'étage, en éteignant les lumières derrière eux. Valet les suivait de près, les yeux luisant dans la pénombre.

En chemin, Dusty fit une halte dans l'entrée pour ranger l'imperméable de Martie dans le placard.

En accrochant le vêtement, il sentit une chose volumineuse dans une des poches. Il s'agissait du livre de Martie.

— Tu es encore en train de lire ce bouquin ? s'enquit-il.

— C'est bien ficelé.

— Mais j'ai l'impression que tu l'as emporté à toutes les séances de Susan.

— Cela ne fait pas si longtemps, répondit-elle en réprimant un bâillement. C'est un bon roman à suspense.

— Un roman à suspense… et tu ne l'as toujours pas fini, en six mois ?

— Six mois ? Tu crois ? Non, tu dois te tromper. Le style est plaisant, l'intrigue originale, les personnages hauts en couleur — un bon livre, vraiment.

Dusty fronça les sourcils.

— Qu'est-ce qui ne va pas, Martie ?

— Plein de choses. Mais, pour l'heure, la première de toutes, c'est que je tombe de fatigue.

Il lui rendit le livre.

— Tiens, prends-le avec toi. Au cas où tu aurais des problèmes pour trouver le sommeil… À l'évidence, une page de cette prose est plus soporifique qu'un Valium !

Dormir, oui… et peut-être se lever et marcher, aller prendre un couteau dans la cuisine ou incendier la maison…

Valet les précéda dans l'escalier.

Martie gravissait les marches en s'aidant de la rampe, le bras de Dusty refermé sur sa taille. La vue du chien devant elle la rassura quelque peu ; il la réveillerait si elle se levait de son lit. Le brave toutou se mettrait à lui lécher les pieds, à lui fouetter les jambes de sa queue lorsqu'elle descendrait l'escalier et se mettrait à aboyer si elle sortait un couteau de boucher du lave-vaisselle sans s'en servir pour lui découper un morceau de rôti dans le réfrigérateur.

Susan enfila une simple culotte de coton pour se mettre au lit – pas de broderies ni de dentelles, aucun ornement d'aucune sorte – ainsi qu'un T-shirt blanc.

Quelques mois plus tôt, elle aimait les lingeries fines de couleur avec des frous-frous. Elle aimait se sentir désirable, rien de plus.

La cause de ce changement de goût vestimentaire lui sautait aux yeux. Être sexy était désormais lié au viol. Dentelles, franges, falbalas, galons froncés, points de Bargello, points de croix et consorts pouvaient être interprétés comme des encouragements par son visiteur fantôme, l'inciter à d'autres sévices…

Pendant un temps, elle avait dormi en pyjama d'homme, large et laid, puis en jogging. Ni l'un l'autre n'avait réduit les ardeurs de son tortionnaire. Après l'avoir dévêtue et avoir abusé d'elle avec brutalité, il prenait le temps de la rhabiller avec un souci du détail empreint d'une moquerie évidente. Si elle avait pris soin de fermer chaque bouton de sa veste de pyjama avant d'aller se coucher, il les reboutonnait tous ; si elle en laissait un déboutonné, elle le retrouvait tel quel à son réveil. Il veillait même à rattacher le cordon de son pantalon en utilisant exactement le même nœud qu'elle.

Ces derniers temps, elle avait dont opté pour une simple culotte de coton blanc – pour proclamer son innocence, pour signifier son refus d'être souillée, salie, quoi qu'il puisse lui faire.

Dusty s'inquiétait de la soudaine torpeur de Martie. Elle disait tomber de sommeil, pourtant, à en juger par son comportement, elle semblait moins épuisée physiquement que profondément déprimée.

Elle se mouvait avec lenteur, non avec cette maladresse caractéristique des gens ivres de sommeil, mais avec le pas lourd de celui qui portait sur ses épaules un fardeau écrasant. Elle avait les traits tendus par l'effort, les lèvres pincées, le coin des yeux fripé, et non le visage lisse et amolli par la fatigue.

Martie, d'ordinaire, était une fanatique de l'hygiène dentaire, or, ce soir-là, elle n'envisagea même pas de se brosser les dents. En trois années de mariage, c'était son premier manquement à ce rite sacrosaint. Chaque soir elle se lavait le visage et s'appliquait une crème hydratante, puis se brossait les cheveux. Cette fois, non.

Oubliant toutes ses ablutions nocturnes, Martie se mit au lit tout habillée.

Voyant qu'elle n'ôterait pas ses vêtements, Dusty s'empressa de dénouer ses lacets et de lui retirer ses chaussures, puis ses chaussettes, son jean. Elle ne résista pas mais ne fit rien pour l'aider dans sa tâche.

Enlever son chemisier fut une entreprise plus délicate, en particulier parce qu'elle reposait sur le côté, les genoux repliés en chien de fusil, les bras croisés sur sa poitrine. La laissant en sous-vêtements, Dusty tira les couvertures sur ses épaules, repoussa les mèches tombées sur son visage et l'embrassa sur le front.

Les paupières de Martie se fermèrent, pourtant, il y avait dans ses yeux quelque chose de plus dur, de plus vif que de la lassitude.

— Ne me laisse pas, articula-t-elle d'une voix pâteuse.
— Bien sûr que non.
— Ne me fais pas confiance.
— Mais si, je te fais confiance.
— Ne t'endors pas.
— Martie, allons…
— Promets-moi de ne pas dormir.
— Entendu.
— Promis ?
— Juré, craché par terre.
— Parce que je pourrais te tuer dans ton sommeil, déclara-t-elle.

Dusty resta un moment à la contempler, inquiet non à cause de sa mise en garde – non pour lui-même – mais pour elle.

— Susan, marmonna-t-elle.
— Quoi Susan ?
— Je viens juste de m'en souvenir. Je ne t'ai pas dit ? Il s'est passé des trucs bizarres. Je devais la rappeler.
— Tu l'appelleras demain matin.
— Je suis une lâcheuse, tu parles d'une amie !
— Elle comprendra. Repose-toi, maintenant. Dors.

En une poignée de secondes, Martie sembla sombrer dans le sommeil, les lèvres entrouvertes, la respiration légèrement sifflante. Les rides d'anxiété avaient disparu au coin de ses yeux.

Vingt minutes plus tard, Dusty était assis sur le lit, tentant de récapituler le récit échevelé de Martie, cherchant à faire le tri, à éliminer les scories pour reconstituer un véritable fil narratif, lorsque le téléphone se mit à sonner. Pour préserver leur sommeil, ils avaient coupé la sonnerie du poste de leur chambre, c'était l'appareil du bureau de

Martie qui tintait. Le répondeur se déclencha après la seconde sonnerie.

Il devait s'agir de Susan, mais cela pouvait aussi être un appel de Skeet ou d'un employé de la clinique de la Nouvelle Vie. En temps normal, Dusty serait descendu au rez-de-chaussée pour écouter le message, mais Martie risquait de se réveiller et se rendrait compte qu'il n'avait pas tenu sa promesse. Skeet était entre de bonnes mains, et quels que soient ces « trucs bizarres » qui s'étaient passés avec Susan, cela ne pouvait être plus bizarre ou plus important que ce qui venait de se produire chez eux. Tout cela pouvait attendre jusqu'à demain matin.

Dusty reporta une fois de plus son attention sur ce que lui avait raconté Martie. À force de ressasser tous ces événements étranges, tous ces détails curieux, il fut bientôt convaincu que ce qui était arrivé à sa femme avait, d'une certaine manière, un lien avec ce qui était arrivé à son frère. Il y avait la même bizarrerie dans ces deux événements, bien que la nature exacte de cette ressemblance lui échappât encore. Sans aucun doute, il venait de vivre la journée la plus troublante de sa vie, et un pressentiment lui disait que Martie et Skeet n'avaient pas perdu la tête au même moment par pur hasard.

Dans un coin de la pièce, Valet était roulé en boule dans son lit – un grand oreiller recouvert d'une peau de mouton – mais il ne dormait pas. Il avait posé son museau sur sa patte et ne quittait pas des yeux sa maîtresse qui sommeillait dans la lumière ambrée de la lampe de chevet.

Comme Martie n'avait jamais manqué de tenir une promesse et avait accumulé aux yeux de la jeune femme un solide capital de sympathie, Susan ne se sentit pas blessée lorsque à 11 heures son appel n'était toujours pas venu. Mais un mauvais pressentiment lui vrillait l'estomac. Ce fut donc elle qui décrocha son téléphone. Elle tomba sur le répondeur et son inquiétude ne fit que croître.

Sans doute Martie avait-elle été interloquée et déboussolée en entendant l'histoire de son violeur fantôme, ce spectre qui traversait les murailles. Elle lui avait demandé un peu de temps pour réfléchir, mais elle n'était pas du genre à mâcher ses mots ni une adepte de la langue de bois. À cette heure, elle avait dû arriver à des conclusions, elle devait être en mesure de lui donner des conseils réfléchis – ou bien de l'appeler pour lui demander des compléments d'informations si elle avait encore du mal à croire à cette histoire farfelue.

– Allô ? C'est moi, annonça Susan sur le répondeur. Qu'est-ce qui se passe, Martie ? Tout va bien ? Tu me prends pour une folle dingue, c'est ça ? Ce n'est pas grave. Appelle-moi quand même.

Elle attendit quelques secondes, puis raccrocha.

Martie n'aurait pas trouvé meilleure parade pour coincer Eric que le coup du Caméscope. Susan poursuivit donc ses préparatifs.

Elle plaça un verre de vin à moitié vide sur la table de nuit. Pas de quoi se saouler, juste assez pour se donner du courage.

Elle s'allongea dans son lit avec le livre, le dos calé contre une pile d'oreillers. Elle était trop tendue pour pouvoir lire.

Pendant un moment, elle regarda un vieux film à la télévision, *Les Passagers de la nuit*. Mais elle n'arrivait pas à s'intéresser à l'histoire. Son esprit errait dans des territoires encore plus sombres et plus sinistres que ceux qu'arpentaient Bogart et Bacall.

Bien qu'elle se sentît parfaitement éveillée, elle se souvenait d'autres soirs où une insomnie apparemment inflexible avait, sans le moindre signe annonciateur, laissé place à un sommeil profond – et au viol. Si on la droguait à son insu, elle ne pouvait prévoir quand les médicaments allaient produire leur effet et elle ne tenait pas à se réveiller pour découvrir qu'elle avait été une nouvelle fois violée et qu'elle avait omis de mettre en marche le Caméscope.

À minuit, donc, elle se dirigea vers le bonsaï, glissa un doigt à travers le rideau de lierre, lança l'enregistrement et retourna au lit. Si elle était toujours réveillée à 1 heure du matin, elle rembobinerait la cassette et relancerait l'enregistrement depuis le début et ferait de même à 2 heures du matin, puis à 3, et ainsi de suite. De cette manière, si elle s'endormait par mégarde, il y aurait une chance pour que la cassette tourne encore lorsque son tortionnaire pénétrerait dans sa chambre.

Elle éteignit la télévision. C'était le meilleur moyen de tomber de sommeil sans y prendre garde, et le son risquait de masquer d'autres bruits plus suspects.

Au bout d'une minute de silence, alors qu'elle s'apprêtait à prendre son livre, le téléphone sonna. Pensant qu'il s'agissait de Martie, Susan s'empressa de décrocher.

– Allô ?

– C'est Ben Marco.

Comme si ce nom était une formule magique de sorcier maçon capable de faire jaillir du néant la pierre et le ciment, des murs de granit se dressèrent tout autour du cœur de Susan. Alors que ses ventricules et ses oreillettes tambourinaient avec fureur contre leur prison de pierre, son esprit s'ouvrait tout grand, pareil à une maison à ciel ouvert, le toit arraché par une tornade. Telles des poussières et des toiles d'araignées prises dans un tourbillon, ses pensées furent dispersées aux quatre vents, et des profondeurs insondables du ciel au-dessus de sa tête vint se déposer un voile noir, une présence irrésistible qui s'insinua dans son esprit comme un spectre, d'abord par le grenier de son cerveau, puis gagnant les étages inférieurs, de plus en plus profond, semblable à un élan de volonté inflexible.

– J'écoute, répondit Susan à Ben Marco.

Aussitôt son cœur s'apaisa et, dans son sang, les stridulations des ondes de panique disparurent.

Et à présent, les règles…

La voix dit :

— L'orage d'hiver…

— Vous êtes l'orage, répondit Susan.

— … se cache dans la forêt de bambous…

— Je suis la forêt.

— … et trouve la paix.

— Et dans la paix, je vais apprendre ce que l'on veut de moi, ajouta Susan.

L'orage d'hiver
se cache dans la forêt de bambous
et trouve la paix.

C'était très beau, vraiment très beau.

Une fois que les règles complètes furent énoncées, Susan Jagger eut l'impression de flotter sur une mer de sérénité. L'appartement était absolument silencieux, le silence s'était aussi fait en elle, un silence absolu, comme celui qui avait dû régner dans le vide intersidéral l'instant avant la Création, juste avant que Dieu dise : « Que la lumière soit ! »

Lorsque l'orage d'hiver parla de nouveau, sa voix douce et grave ne semblait pas provenir du téléphone, mais du tréfonds de Susan.

— Dis-moi où tu es ?

— Au lit.

— Je crois que tu es seule. Je me trompe ?

— Je suis seule.

— Ouvre-moi ta porte.

— D'accord.

— Vite.

Susan raccrocha le téléphone, sauta du lit et traversa l'appartement plongé dans la pénombre.

Malgré son pas rapide, les battements de son cœur continuaient de ralentir – des pulsations puissantes, régulières, alanguies.

La cuisine était baignée d'une aura verte émanant des horloges digitales de la cuisinière et du four à micro-ondes. Les ombres d'un noir d'encre ne gênaient plus Susan. Pendant tous ces mois de réclusion, cet appartement avait été son seul univers ; elle en connaissait par cœur chaque recoin, comme si elle y avait vécu aveugle depuis toujours.

Une chaise coinçait la poignée. Elle la retira et la poussa sur le côté. Les pieds de bois émirent un léger grincement sur le carrelage.

Elle fit glisser le téton de la chaîne de sécurité dans la glissière pour le dégager de son logement. Lorsqu'elle relâcha la chaîne libre, les maillons tintèrent contre le montant de la porte.

Elle ouvrit le premier verrou. Puis le second.

Elle tourna la poignée.

Il était réellement l'orage, et froid comme l'hiver. Il attendait sur le palier en haut de l'escalier extérieur, dans un silence de plomb à présent, le visage empreint de la fureur des ouragans, une colère dissimulée d'ordinaire au regard d'autrui mais qui le consumait de l'intérieur et ne s'enflammait que dans les moments les plus intimes.

Il franchit le seuil de la maison, pénétra dans la cuisine, contraignant Susan à reculer devant lui, et claqua la porte derrière lui ; et, d'une main de fer, il referma ses doigts sur la gorge tendre de la jeune femme...

30.

Les deux artères carotides alimentaient le cerveau en sang, en provenance directe de l'aorte, qui elle-même prenait naissance au sommet du ventricule gauche. Le chemin étant très court depuis le cœur, la substance vitale circulant dans les carotides était donc très riche en oxygène et pulsée avec force.

Le Dr Ahriman maintint ainsi Susan pendant près d'une minute, la main refermée sur sa gorge, les doigts pressant le côté gauche, le pouce le côté droit, juste sous la mâchoire. Il sentait battre sous son épiderme le pouls vigoureux de la jeune femme. La vie était là, miraculeuse et palpitante.

S'il avait voulu la tuer, il lui aurait suffi de garder son étreinte un moment, sans craindre la moindre résistance. Dans son état de conscience atrophiée, Susan serait restée immobile, docile et soumise, tout en suffoquant jusqu'à son dernier souffle. Lorsque ses jambes n'auraient pu la supporter davantage, elle serait tombée à genoux. Puis, aux premiers signes de faiblesse de son cœur, elle se serait mollement effondrée au sol, les yeux pleins de regrets de ne pouvoir mourir debout et de contraindre son bourreau à se baisser pour achever sa besogne.

Car en vérité, tout en agonisant, Susan Jagger était prête à exaucer chacun des vœux du Dr Ahriman. Il aurait pu lui demander de le regarder avec une adoration infantile, ou bien avec un désir lascif, ou

170

encore avec de la colère ou une docilité de brebis innocente, les yeux écarquillés d'étonnement, si tel avait été son bon plaisir.

Mais il n'avait pas l'intention de la tuer. Pas ici, pas encore…

Quand l'heure funeste sonnerait, il choisirait une méthode indirecte pour se débarrasser de Susan, car il connaissait la qualité du travail d'investigation des policiers et des médecins légistes. Il préférait donc utiliser des voies détournées pour porter le coup fatal et éviter ainsi tout risque d'être inquiété.

En outre, son grand bonheur résidait dans la manipulation, non dans la violence directe. Appuyer sur la gâchette, planter un couteau dans un corps, serrer un lacet sur un larynx… rien de tout cela ne lui procurait autant de satisfaction que d'inciter quelqu'un à perpétrer des atrocités contre sa volonté.

Le pouvoir était bien plus excitant que la violence.

Pour être plus précis, il tirait son plus grand plaisir non pas de la perpétration de l'acte final, mais du chemin pour y parvenir – la manipulation, le contrôle des âmes… Exercer un pouvoir absolu, tirer les ficelles et regarder les êtres agir selon ses vœux, telles des marionnettes, était si gratifiant que dans les moments paroxystiques des ondes de jouissance l'ébranlaient tout entier, pareils à de grands coups de marteau contre le corps de bronze d'une cloche de cathédrale.

Sentir, sous sa main, la gorge palpitante de Susan faisait remonter dans sa mémoire le souvenir d'un autre instant de félicité, celui d'un autre cou gracile, transpercé et déchiré par un pic, et à cette image un grand carillon tintinnabulant résonna dans tout son être.

À Scottsdale, dans l'Arizona, se trouve un manoir où une jeune et riche héritière, nommée Minette Luckland, a fracassé le crâne de sa mère avec un marteau, après avoir abattu son père d'une balle dans la nuque pendant qu'il mangeait une part de gâteau en regardant une rediffusion d'un épisode de Seinfeld *à la télévision. La jeune femme s'est ensuite jetée du haut du palier pour s'empaler, six mètres plus bas, sur le javelot d'une statue de Diane chasseresse trônant au centre de la rotonde du grand hall d'entrée. Dans une lettre retrouvée après son suicide, écrite, sans l'ombre d'un doute, de sa propre main, Minette prétendait avoir été abusée sexuellement par ses deux parents depuis sa plus tendre enfance – des accusations infamantes suggérées par le Dr Ahriman. Autour des pieds de bronze de la Diane, des éclaboussures de sang, comme autant de pétales rouges sur le marbre blanc.*

À cet instant, debout à moitié nue dans la cuisine noyée d'ombre, les yeux rendus émeraude par l'aura verte de l'horloge du four, Susan Jagger était encore plus belle que la jeune Minette. Son visage et ses formes auraient suffi à nourrir les fantasmes d'un érotomane jusqu'à la fin des temps. Pourtant, Ahriman était moins excité par les charmes de Susan que par la conscience que dans ce corps et ces membres gracieux sommeillait un pouvoir meurtrier aussi puissant que celui qu'il avait libéré à Scottsdale des années plus tôt.

La carotide droite palpitait sous le pouce du médecin, en des batte-ments lents et profonds. Une fréquence de cinquante-six pulsations par minute.

Susan n'avait pas peur. Elle attendait patiemment qu'on l'utilise, comme un outil – ou plutôt comme un jouet.

En prononçant le nom de Ben Marco, puis en récitant le haïku de conditionnement mental, Ahriman avait placé Susan dans un état de semi-conscience. Un profane aurait parlé de transe hypnotique, ce qui n'était pas faux, dans une certaine mesure. Un psychiatre aurait plutôt diagnostiqué une fugue, de type incoercible, ce qui était plus proche de la vérité.

Mais il ne s'agissait ni de l'un ni de l'autre.

Une fois qu'Ahriman eut récité le poème, la personnalité de Susan s'était trouvée plus profondément et plus solidement réprimée que sous hypnose. Dans cet état particulier, elle n'était plus Susan Jagger au sens propre, mais un être sans conscience, une machine faite de chair et dont le cerveau était comme un disque vierge attendant de recevoir le logiciel que le psychiatre choisirait d'y installer.

Si Susan avait été victime d'une fugue classique, cas aigu de perte d'identité, son comportement aurait paru presque normal, avec quelques rares excentricités, et elle n'aurait jamais affiché ce détache-ment total de la réalité.

— Susan, articula Ahriman, sais-tu qui je suis ?

— Je devrais le savoir ? demanda-t-elle, d'une voix frêle et lointaine.

Elle était incapable de répondre à la moindre question, parce qu'elle attendait qu'on lui dise quoi faire, que dire et même quoi ressentir.

— Suis-je ton psychiatre, Susan ?

Dans la lueur glauque de la cuisine, Ahriman remarqua l'air étonné de Susan.

— Vous l'êtes ?

Tant qu'elle serait dans cet état, elle ne pouvait répondre qu'à des instructions précises et non à des questions.

— Donne-moi ton nom, ordonna-t-il.

Elle avait enfin le droit de révéler tout ce qu'elle savait sur le sujet.

— Susan Jagger.

— Dis-moi qui je suis.

— Le Dr Ahriman.

— Suis-je ton psychiatre ?

— Vous l'êtes ?

— Dis-moi quelle est ma profession.

— Vous êtes psychiatre.

Cet état, entre la perte d'identité et la transe hynoptique, avait été difficile à obtenir. Beaucoup d'efforts et de sacrifices avaient été consentis pour faire de Susan cette poupée docile.

Dix-huit mois plus tôt, avant qu'Ahriman ne devienne son psychiatre, il avait, à trois reprises, en des occasions savamment préparées et à l'insu de Susan, administré un puissant cocktail de drogues à la jeune femme : du Rohypnol, du phencyclidine, du Valium et un autre produit psychotrope répertorié dans aucun codex pharmaceutique. Il avait lui-même mis la recette au point. Tous les ingrédients provenaient de sa pharmacie privée et parfaitement illégale, et avaient été pesés au milligramme près pour pouvoir obtenir l'effet escompté.

Les produits en eux-mêmes n'avaient pas réduit Susan à sa condition actuelle d'automate obéissant, mais chaque dose l'avait rendue semi-consciente, ignorante de sa situation et d'une malléabilité exemplaire. Pendant qu'elle était plongée dans ces phases de demi-veille, Ahriman était parvenu à franchir les défenses de sa conscience, siège de la volonté, pour s'adresser directement à son inconscient, où il avait pu ancrer des réflexes conditionnés sans rencontrer de résistance.

Les journaux à sensation ou les auteurs de romans d'espionnage auraient parlé de lavage de cerveau, mais cela n'avait rien d'aussi sophistiqué. Il n'avait brisé aucune structure mentale dans l'intention d'en construire une nouvelle. Cette approche — qui avait autrefois les faveurs des autorités soviétiques, chinoises et nord-coréennes, entre autres — était par trop ambitieuse et exigeait des mois de travail acharné. Il fallait avoir le sujet à disposition vingt-quatre heures sur vingt-quatre, isolé dans des prisons de cauchemar, pratiquer sur lui mille et une tortures psychologiques toutes plus fastidieuses les unes que les autres, et posséder soi-même un bon seuil de tolérance aux hurlements et aux lâches supplications. Le QI du Dr Ahriman était élevé, mais son seuil de tolérance à l'ennui était fort bas. En outre, le taux de réussite obtenu par les méthodes traditionnelles de lavage de cerveau était bien faible et le contrôle de l'individu rarement total.

Le médecin avait donc préféré s'introduire en catimini dans le subconscient de Susan, pour y ajouter une pièce de plus — une sorte de chapelle secrète —, une modification dont son esprit conscient ne pouvait connaître l'existence. Dans cet antre, il conditionnait Susan à adorer un seul dieu, à l'exclusion de tous les autres, et ce dieu était le Dr Mark Ahriman en personne. Il était une divinité sévère, d'inspiration préchrétienne à en juger par son refus du libre arbitre individuel, un despote ne supportant pas la moindre désobéissance, et d'une implacabilité d'airain envers les infidèles.

Par la suite, le Dr Ahriman n'eut plus recours aux drogues. Il n'en avait nul besoin. Durant ces trois séances d'imprégnation, il avait installé les systèmes de commande — le nom Ben Marco et le haïku — qui étouffaient dans l'instant la personnalité de Susan et emportaient son Moi dans les oubliettes de son esprit aussi efficacement que tous les neuroleptiques du monde.

Au cours de la dernière séance, il avait instillé en elle son agoraphobie. C'était une maladie intéressante à plus d'un titre, créant une dimension dramatique et de jolis effets à mesure que l'esprit de Susan se désagrégeait. L'objet de toute cette entreprise, au fond, c'était le divertissement.

La main toujours refermée sur la gorge de Susan, Ahriman déclara :

— Je ne pense pas, cette fois, que j'incarnerai mon propre rôle ce soir. J'ai dans l'idée quelque chose de plus excentrique. Sais-tu qui je suis, Susan ?

— Qui êtes-vous ?

— Je suis ton père.

Elle resta silencieuse.

— Dis-moi qui je suis, exigea-t-il.

— Vous êtes mon père.

— Appelle-moi « papa ».

La voix de Susan restait distante, vide d'émotion, parce qu'il ne lui avait pas dit encore quoi ressentir.

— Oui, papa.

Le pouls sous le pouce d'Ahriman restait lent et régulier.

— Dis-moi de quelle couleur sont mes cheveux, Susan.

Bien qu'il fît trop sombre dans la cuisine pour discerner leur teinte, elle répondit aussitôt :

— Ils sont blonds.

Les cheveux du Dr Ahriman étaient poivre et sel, mais ceux du père de Susan était blonds.

— Dis-moi de quelle couleur sont mes yeux ?

— Verts, comme les miens.

Ceux d'Ahriman étaient noisette.

Sans relâcher son étreinte, il se pencha sur Susan et déposa sur ses lèvres un baiser presque chaste.

Sa bouche était molle, elle n'avait pas participé au baiser. Elle était tellement passive qu'elle aurait pu tout aussi bien être en catatonie, voire dans le coma.

Il lui mordilla doucement les lèvres, les forçant à s'écarter, puis glissa sa langue dans l'interstice et l'embrassa comme aucun père ne devrait jamais embrasser sa fille. Bien que la bouche de Susan restât amorphe et que son pouls demeurât lent, Ahriman sentit la jeune femme retenir sa respiration.

— Que ressens-tu, Susan ?

— Que voulez-vous que je ressente ?

Il lui caressa les cheveux et répondit :

— Je veux que tu sois honteuse, humiliée au plus profond de toi. Pleine de regrets... Et aussi que tu éprouves un peu de colère que ton père te fasse ça. Tu te sens sale, souillée. Et pourtant tu restes bien obéissante, prête à faire tout ce qu'on te dit... parce que tes sens sont

174

éveillés malgré toi. Un désir ardent monte en toi, à t'en rendre malade, tu voudrais pouvoir le chasser, mais il est plus fort que toi.

Il l'embrassa de nouveau. Cette fois, elle tenta de fermer la bouche. Puis elle s'abandonna finalement, ses lèvres se décrispèrent, s'ouvrirent à lui. Elle plaqua les mains sur sa poitrine pour le repousser, mais elle était sans force, comme un petit enfant.

Sous le pouce d'Ahriman, le pouls de Susan s'accéléra comme celui d'un lièvre poursuivi par une meute de chiens.

— Papa, non.

Le reflet vert dans l'œil de Susan prit un miroitement liquide. De ce miroitement émanait un parfum subtil, légèrement aigre et salé, le parfum de la terreur, qui excita aussitôt le désir du médecin.

De sa main libre, il enserra la taille de Susan et attira la jeune femme contre lui.

— Je t'en prie…, souffla-t-elle.

Un même mot… pour une protestation et une invitation.

Ahriman prit une longue inspiration, puis fit courir sa bouche sur le visage de Susan. Ses sens de prédateur ne l'avaient pas trompé : ses joues étaient humides et salées.

— Comme c'est charmant.

Avec de petits baisers, il humecta ses lèvres sur la peau mouillée de Susan puis, de la pointe de sa langue, il explora le goût des larmes recueillies sur sa bouche.

Il referma alors ses deux mains autour de la taille de Susan, la souleva de terre et la plaqua contre le réfrigérateur.

— Je t'en prie, répéta-t-elle. Je t'en prie.

Encore la même supplique…

La chère petite était déchirée par un tel dilemme que sa voix était chargée d'autant d'impatience que de terreur.

Les larmes de Susan coulaient sans bruit — pas de sanglots ni de hoquets ou de reniflements. Ahriman se délectait de ses ruisseaux silencieux, cherchant à étancher une soif qu'il savait inextinguible. Il léchait une perle salée à la commissure de sa bouche, en cueillait une autre sur l'arête du nez, une autre encore au coin d'un œil, savourant chaque goutte de ce nectar comme si c'étaient les derniers millilitres qu'il devait boire de sa vie.

Puis il reposa Susan au sol et recula d'un pas.

— Allons dans ta chambre, Susan.

Une ombre sinueuse glissa dans l'obscurité, comme une larme brûlante sur une joue, limpide et amère.

Le psychiatre la suivit, admirant sa démarche gracieuse, jusqu'à son lit en enfer.

31.

Valet dormait, poussant des gémissements, courant en rêve derrière des hordes de lapins fantômes, tandis que Martie reposait dans une immobilité et un silence de pierre, telle une statue funèbre sur un catafalque.

Son sommeil semblait curieusement profond, comparé à la journée agitée qu'elle venait d'endurer. Cette léthargie n'était pas sans rappeler celle dont avait été victime Skeet à la clinique de La Nouvelle Vie.

Assis sur le lit, pieds nus, en jean et en T-shirt, Dusty examinait une fois de plus les quatorze feuillets qu'il avait trouvés chez son jeune demi-frère. La lecture du nom du Dr Yen Lo semblait avoir causé un choc à Skeet, l'avoir plongé dans un état de semi-conscience. Les yeux pris de soubresauts, il semblait juste capable de répéter les questions, n'y répondant que de façon cryptée et uniquement lorsqu'elles étaient formulées comme des ordres ou des affirmations. Quand, à bout de nerfs, Dusty avait lâché : « Ça suffit maintenant, dors et tais-toi ! » Skeet s'était endormi comme une masse – un malade sujet à la narcolepsie et ayant trouvé dans l'instant l'interrupteur électrochimique général pour mettre son cerveau hors tension.

Parmi tous les comportements curieux du garçon, l'un d'entre eux troublait particulièrement Dusty : c'était l'oblitération totale de ce qui s'était passé entre l'instant où il avait entendu prononcer « Dr Yen Lo » et celui où il avait obéi à l'ordre de Dusty. Il pouvait s'agir d'une amnésie sélective, d'une simple absence. Pourtant, Dusty avait l'impression d'avoir eu, pendant cet intervalle de temps, une conversation avec un tout autre individu que Skeet, comme si la personnalité du gamin avait été entièrement occultée.

Martie avait dit qu'il lui manquait des « parties » de sa journée. Elle en avait la conviction intime, bien qu'elle ne pût dire précisément quand ces disparitions s'étaient produites ni évaluer leur durée. Parce qu'elle avait craint d'avoir ouvert le robinet du gaz de la cheminée, elle était retournée plusieurs fois dans le salon, avec la certitude qu'une explosion était imminente. À chaque vérification, elle trouvait le robinet parfaitement fermé, mais restait persuadée que son cerveau lui jouait des tours, que sa mémoire était trouée comme une écharpe de laine ayant servi de villégiature à une colonie de mites.

Dusty avait été témoin de la crise de son demi-frère et de son amnésie. Les craintes de Martie concernant des absences similaires paraissaient plus que fondées.

Une nouvelle fois, Dusty eut le pressentiment d'un lien entre les deux cas.

Quelle journée ! Les êtres les plus chers à son cœur avaient tous deux traversé une crise du comportement, de nature différente mais également traumatisante. Les chances d'assister dans la même journée à deux dysfonctionnements psychiques aigus – quoique temporaires – étaient encore plus faibles que de gagner le gros lot à la Loterie nationale, une sur dix-huit millions.

Un citoyen moyen du nouveau millénaire aurait conclu à une coïncidence, à un tour sinistre du destin, ou tout au moins qu'il s'agissait de deux effets secondaires, indépendants et quasi simultanés, générés par la marche de la grande machinerie de l'univers broyant les âmes dans sa course aveugle vers l'infini.

Mais pour Dusty, qui percevait des desseins mystérieux en toute chose, depuis le jaune des jonquilles à la joie sans frein de Valet courant derrière une balle de tennis, une telle coïncidence n'était pas une explication recevable. Il existait forcément un lien entre les deux événements, même si celui-ci échappait à son entendement. Un lien effrayant.

Il posa les feuilles du calepin de Skeet sur la table de nuit et prit son propre bloc-notes. Sur la première page, il avait écrit les vers du haïku, énumérant les « règles ».

Les cascades claires
dans les vagues dispersent
des aiguilles de pin bleues.

Skeet était les vagues. Selon lui, les aiguilles de pin bleues étaient les missions. Les cascades claires étaient Dusty, ou Yen Lo, ou bien quiconque récitant le haïku.

Au début, tout le discours de Skeet semblait du charabia, toutefois, avec le recul, Dusty commençait à discerner une structure, un sens caché. Le poème était une sorte de mécanisme, un système simple mais très efficace, l'équivalent verbal d'un pistolet à peinture ou d'une clouteuse mue par compresseur.

Donnez une clouteuse à un charpentier du Moyen Âge... S'il devine qu'il s'agit d'un outil, il sera incapable d'en saisir la fonction – jusqu'à ce qu'il se plante un clou dans le pied. La crainte de causer involontairement des dommages psychiques à son frère incitait Dusty à étudier minutieusement le haïku avant d'en explorer plus avant ses effets.

Des *missions*.

Pour cerner la fonction du haïku, il devait au moins comprendre ce qu'étaient ces missions dont parlait Skeet.

Dusty était certain de se souvenir du haïku et de la curieuse interprétation qu'en faisait le garçon. Dame Nature l'avait doté d'une mémoire visuelle et auditive sans faille, si bien qu'il était sorti du lycée puis de sa première année de faculté avec un dix-huit sur vingt de moyenne. Avant de décider que la vraie vie était dans la peinture en bâtiment plutôt que derrière les bancs de l'école.

Des *missions*.

Des synonymes, des analogies : *tâche, travail, corvée, devoir, vocation, carrière, église.*

Tout cela ne l'éclairait en rien.

Valet, sur sa peau de mouton, poussait des gémissements dans son sommeil, comme si les lapins disposaient soudain de crocs et lui donnaient à leur tour la chasse.

Martie était trop épuisée pour que les couinements du chien la réveillent.

Parfois, cependant, les rêves de Valet se muaient en vrais cauchemars et lui arrachaient des aboiements terrifiés. Mieux valait prévenir que guérir.

— Tout doux, le chien, tout doux, chuchota Dusty.

Jusque dans ses rêves, le golden retriever semblait entendre la voix de son maître. Ses gémissements diminuèrent.

— C'est bien, Valet. Tu es un bon chien.

Tout en dormant, le chien battit la queue de contentement puis l'enroula de nouveau autour de son museau.

Martie et Valet dormaient paisiblement. Soudain, Dusty se redressa, sa fatigue chassée par une pensée subite. Pendant qu'il étudiait le poème, il s'était senti parfaitement réveillé. Pourtant, relativement à son excitation du moment, il avait presque sombré dans la somnolence ! Tous ses sens étaient en alerte. Il avait l'impression d'avoir de l'eau glacée à la place de la moelle épinière.

Un épisode de sa journée venait de lui revenir en mémoire…

Valet se tient dans la cuisine, devant la porte donnant sur le garage, prêt à grimper en voiture pour le trajet jusqu'à l'appartement de Skeet, agitant sa queue pour tromper le temps en attendant que son maître enfile un imperméable à capuche.

Le téléphone sonne. Quelqu'un parle à Dusty d'abonnement au Los Angeles Times.

Lorsque Dusty raccroche le téléphone après une poignée de secondes, il se tourne vers la porte du garage. Valet ne se tient plus debout, il est couché de tout son long, comme si dix minutes au bas mot s'étaient écoulées, comme après un petit somme.

— Tu viens de prendre un shoot de protéines avec ce poulet rôti ! Allez, debout, gros fainéant !

Avec un long soupir, Valet se remet debout.

Dusty explorait cette image, s'y déplaçait comme dans une représentation en 3D. Il étudia le chien de plus près. Pas de doute, Valet avait bel et bien dormi !

Malgré sa mémoire infaillible, il était incapable de se souvenir si le démarcheur du *Time* était un homme ou une femme. Aucun souvenir non plus des propos qui avaient été échangés, juste la vague impression qu'il avait été la victime lambda d'une campagne de prospection téléphonique.

Sur le moment, il avait mis cette curieuse perte de mémoire sur le compte du stress. Faire un plongeon du haut d'un toit, voir son frère se suicider sous ses yeux… il y avait de quoi vous emmêler les synapses.

S'il était resté au téléphone cinq ou dix minutes et non quelques secondes, son interlocuteur ne pouvait être un démarcheur du *Time*. De quoi auraient-ils pu parler aussi longtemps ? De typographie ? Du coût de production d'un exemplaire ? De Gutenberg – quel type cool, celui-là ! – et de l'invention des caractères d'imprimerie ? Du rôle essentiel et primordial qu'avait joué le *Time* lorsque Valet était chiot et faisait le dur apprentissage de la propreté ? Des qualités de résistance mécanique ainsi que du taux d'absorption incomparable du papier journal qui en faisaient une litière idéale doublée d'un ramasse-crottes irréprochable et totalement biodégradable ?

Pendant les longues minutes du sommeil de Valet, soit Dusty avait conversé avec quelqu'un – et sûrement pas avec un vendeur d'abonnements –, soit il était resté en ligne quelques secondes avec un démarcheur et avait accompli une autre activité le reste du temps.

Une activité dont il ne gardait aucun souvenir.

Un trou dans le temps.

Non, pas moi.

Des colonnes de fourmis semblaient lui monter sur les jambes, empressées, grouillantes. D'autres le long de ses bras. D'autres encore descendaient sa colonne vertébrale… Dusty savait bien qu'aucune fourmi n'avait envahi son lit. Ce n'était que l'effet d'une poussée de chair de poule. Il se surprit pourtant à se frotter les bras et le dos pour chasser les légions de fantassins hexapodes.

Ne supportant de rester dans les draps plus longtemps, il se leva sans bruit, sans soulagement notable. Il entreprit alors de faire les cent pas dans la chambre. Le parquet sous la moquette se mit à grincer. De guerre lasse, il se recoucha et resta assis sans bouger. Sa peau était redevenue lisse. Aucune fourmi en vue. Mais d'autres choses grouillaient dans les replis de son cerveau : un sentiment nouveau de vulnérabilité, la conviction implacable, à la Fox Mulder, qu'une présence inconnue, hostile et étrangère avait désormais pénétré son existence.

Assise au bord du lit, Susan attendait. Son visage luisant de larmes, sa chemise blanche soulignant adorablement ses formes, ses genoux nus serrés l'un contre l'autre.

Face à elle, dans un fauteuil recouvert de soie moirée pêche, Ahriman la regardait. Il n'était pas pressé.

Enfant déjà, il avait compris qu'il pouvait tirer de n'importe quel jouet, du plus rare au plus anodin, le même genre de plaisir que son père éprouvait avec ses luxueuses voitures de collection. Il y avait autant de joie et de bonheur à les contempler, à en apprécier chaque ligne, chaque détail, qu'à les utiliser. Pour jouir totalement d'un objet d'amusement, pour en être le maître absolu, il fallait pouvoir saisir la beauté intime de chacune de ses formes, et non se satisfaire de sa fonction ludique.

La beauté de Susan Jagger était double : physique, bien sûr, et psychique. Son corps et son visage étaient d'une perfection rare, et son esprit aussi était empreint de beauté, une beauté qui illuminait son intelligence et sa personne.

En tant que jouet, elle avait également une double fonction. Sexuelle, tout d'abord. Cette nuit et celles qui suivraient, Ahriman userait et abuserait d'elle, sauvagement et sans relâche.

Sa deuxième fonction en ce bas monde consistait à souffrir puis à mourir, selon une coda orchestrée par le psychiatre lui-même. Susan l'avait déjà beaucoup diverti en lui offrant le spectacle de sa lutte courageuse, mais vaine, contre l'agoraphobie. Son angoisse et sa souffrance étaient un véritable délice. Sa détermination à garder, envers et contre tout, le sens de l'humour et à braver ses problèmes était pathétique – délectable. Bientôt Ahriman compliquerait et épicerait la phobie de la belle Susan, il la précipiterait vers un déclin rapide et irréversible. Il profiterait alors du dernier plaisir qu'elle pouvait lui offrir, le plus fulgurant – l'apothéose finale.

Pour l'instant Susan restait assise, larmoyante et timide, déchirée par un conflit intérieur. L'idée de cet inceste imaginaire la révulsait, et cependant elle était en proie à un désir maladif et ardent, comme l'avait programmé Ahriman. Tout son corps tremblait.

De temps à autre, ses pupilles étaient traversées de légères secousses. Ces mouvements oculaires rapides trahissaient l'enfouissement profond de sa personnalité. Un phénomène disgracieux et perturbant, aux yeux du médecin, qui nuisait à la perfection de son œuvre.

Susan connaissait déjà les rôles qu'ils jouaient ce soir. Inutile de lui redonner les détails de la scène érotique qu'il avait prévue. Ahriman ramena donc l'esprit de la jeune femme vers la surface, bien loin encore de la conscience, mais assez pour faire cesser le tressaillement de ses yeux.

— Susan, je veux à présent que tu quittes la chapelle, commanda-t-il.

La chapelle était un endroit imaginaire, nichée au plus profond du subconscient de Susan, où il l'avait convoquée pour lui donner ses instructions.

— Sors de là, monte les escaliers, continua-t-il. Pas trop haut, une volée de marches seulement. Remonte un peu vers la lumière. Voilà, c'est ça. Maintenant, arrête-toi.

Des rayons épars de lumière touchèrent les yeux de la jeune femme, révélant sous leur limpidité lacustre des profondeurs nouvelles.

— Elle me plaît toujours autant, cette chemise de nuit, dit Ahriman. Ce coton blanc, cette simplicité.

Lors d'une précédente visite, il lui avait ordonné de porter ce genre de sous-vêtements toutes les nuits, jusqu'à ce qu'il lui en suggère d'autres.

Sa voix vibrait d'excitation :

— L'innocence. La pureté. Celle d'une enfant, mais tellement mûre.

Sur les joues de Susan, les roses fleurirent de plus belle, et elle baissa les yeux, candide. Des larmes de honte, fines gouttes de rosée, tremblaient sur les pétales de ses pommettes rougissantes.

Lorsqu'elle osait regarder le psychiatre, c'était son père qu'elle voyait. Tel était l'immense pouvoir de suggestion d'Ahriman en tête à tête avec elle, dans l'intimité inviolable de sa chapelle mentale.

Quand ils auraient fini de jouer, tout à l'heure, il lui ordonnerait d'oublier tout ce qui s'était passé – depuis son coup de téléphone jusqu'à son départ. Elle ne se rappellerait ni sa visite ni ce simulacre d'inceste.

Et, s'il en décidait autrement, il pourrait lui injecter des souvenirs détaillés des sévices sexuels accomplis par son père. Il faudrait de longues heures pour intégrer cette violente narration à la trame générale de sa mémoire ; puis la programmer pour qu'elle se croie victime depuis longtemps, et qu'elle « retrouve » petit à petit, au cours de séances d'analyse, le souvenir de ces traumatismes refoulés.

Si cette découverte l'entraînait à dénoncer son père à la police, et s'ils la mettaient à l'épreuve du détecteur de mensonges, elle répondrait à chaque question avec une conviction ferme et une émotion non feinte. Sa respiration, sa tension artérielle, son pouls et les réactions de sa peau aux courants galvaniques convaincraient n'importe quel enquêteur, car Susan serait la première persuadée de la vérité du moindre détail de ses accusations.

Ahriman n'avait nullement l'intention de s'amuser de cette façon avec elle. Il avait éprouvé du plaisir à manipuler ainsi d'autres sujets ; à présent, ce petit jeu l'ennuyait.

— Susan. Regarde-moi.

Elle leva la tête. Ses yeux rencontrèrent ceux du médecin, et lui rappelèrent un vers de Cummings : *Dans tes yeux vit / Un bruit vert égyptien.*

— La prochaine fois, dit-il, je prendrai mon Caméscope, et on tournera une nouvelle vidéo. Tu te rappelles la première ?

Susan fit non de la tête.

— C'est parce que je t'ai ordonné de l'oublier. Tu t'es tellement avilie ce soir-là que la moindre réminiscence t'aurait poussée au bord du suicide. Et je ne voulais pas que tu te suicides déjà.

Elle détourna les yeux, fuyant son regard, et fixa le bonsaï dans son pot, sur le piédestal Biedermeier.

— Une cassette de plus à garder en souvenir de toi, continua-t-il. Mais, cette fois, je ferai travailler mon imagination. Tu vas être une très mauvaise fille, Susie. À côté, la première vidéo ressemblera à une production de Disney.

Il était bien imprudent de filmer ces jeux scandaleux. Ahriman conservait ces dangereuses pièces à conviction — actuellement cent vingt et une cassettes — dans un coffre fermé et bien dissimulé. Si certains en venaient à soupçonner leur existence, ils détruiraient sa maison pierre par pierre pour les retrouver.

Le psychiatre en prenait le risque parce qu'il était, dans le fond, un grand sentimental. Il gardait la nostalgie des jours passés, des amis d'antan et des jouets abandonnés. La vie était comme un train : tout le long du trajet, des personnes aimées descendaient aux gares successives et, à la fin du voyage, on se retrouvait seul dans un wagon presque vide. Cette vérité attristait le psychiatre autant que n'importe quel être humain. La nature de ses regrets, elle, était fort différente.

— Susan. Regarde-moi.

Elle continuait à fixer la plante verte sur son piédestal.

— Ne fais pas ta mauvaise tête. Regarde ton père tout de suite.

Le regard larmoyant de la jeune femme abandonna les feuillages dentelés du bonsaï pour flotter vers le psychiatre, le suppliant de lui laisser une dernière bribe de dignité. Ahriman en prit note, s'en réjouit et l'ignora.

Sans doute, un soir futur, longtemps après la mort de Susan Jagger, le psychiatre nostalgique aurait une tendre pensée pour la disparue. Il serait envahi par le désir mélancolique d'entendre à nouveau sa douce voix cristalline, de revoir son beau visage, de revivre les moments merveilleux qu'elle lui avait donnés. Il était trop sentimental, c'était sa grande faiblesse.

Ce soir-là, il allégerait sa solitude en consultant ses archives vidéo. Il aurait chaud au cœur en voyant Susan engagée dans des actes ignobles, sordides, métamorphosée aussi radicalement qu'un lycan-thrope par une nuit de pleine lune. Dans ce bain de boue obscène, la beauté radieuse de la jeune femme s'effaçait pour laisser entrevoir l'essence animale qui l'habitait, la bête primaire, rampante mais rusée, effroyable mais effrayée, la part sombre de son cœur.

Même s'il n'éprouvait pas autant de plaisir à visionner ses films amateurs qu'à les tourner, il entretiendrait tout de même soigneuse-ment ses archives vidéo, car Ahriman était un collectionneur infati-gable. Des pièces entières de sa vaste et tortueuse demeure étaient des sanctuaires dévoués à la conservation des jouets, accumulés au cours d'années de labeur – bataillons de soldats de plomb, adorables petites voitures en fer décorées à la main, tirelires mécaniques, ainsi que des milliers de figurines en plastique retraçant l'histoire de l'humanité, des gladiateurs romains aux astronautes.

— Lève-toi, petite.

Elle se mit debout.

— Tourne-toi.

Elle pivota lentement sur elle-même, pour lui permettre de l'observer.

— Oh oui, souffla-t-il. On fera encore des vidéos, pour la postérité. Et peut-être que, la prochaine fois, on ajoutera un peu de sang et un zeste d'automutilation. On pourrait prendre comme thème les fluides corporels... Un truc très sale, immonde. Ça devrait être amusant. Je suis sûr que tu es de cet avis.

De nouveau, Susan préféra regarder la plante verte, mais ce n'était que désobéissance passive, car elle tourna les yeux vers lui dès qu'il le lui demanda.

— Dis-moi que ça sera amusant, insista-t-il.

— Oui, papa. Ce sera amusant.

Il lui ordonna de se mettre à genoux. Elle obéit sans broncher.

— Rampe vers moi, Susan.

Elle ressemblait à ces automates de tirelire mécanique qui serraient une pièce entre les dents et avançaient, raides et inflexibles, pour aller déposer leur obole dans la fente du réceptacle. Elle s'approcha du fauteuil d'Ahriman, le visage souligné de vraies larmes, magnifique dans son genre – une pièce superbe ! unique ! Elle aurait fait à n'en pas douter le bonheur de plus d'un collectionneur.

33.

Entre l'instant où le téléphone de la cuisine avait sonné et celui où Dusty avait remarqué le chien endormi, une séquence avait été coupée au montage. Dusty avait beau repasser la scène dans sa tête, il n'arrivait pas à reconstituer le fil rompu des événements. Le chien était là, près de lui, il remuait la queue et, l'instant d'après, il se réveillait d'une sieste. Il manquait entre ces deux moments des minutes entières. Qu'en avait-il fait ? À qui avait-il parlé au téléphone ?

Il se représentait l'épisode pour la millième fois, se concentrant sur ce trou noir entre le moment où il avait décroché le téléphone et celui où il l'avait raccroché, tentant de jeter un pont au-dessus du vide. À côté de lui, Martie se mit à gémir dans son sommeil.

— Là, là. C'est fini, maintenant, chuchota Dusty.

Il posa une main légère sur son épaule pour l'extraire de son cauchemar et la diriger vers un sommeil plus paisible, exactement comme il l'avait fait pour Valet juste avant.

Mais Martie ne s'apaisait pas. Ses gémissements devinrent des plaintes. Elle se mit à trembler d'horreur, donnant de faibles coups de pied dans les draps emmêlés. Puis ses plaintes se transformèrent en cris perçants. Elle se débattit un moment encore puis se redressa brusquement, repoussa les couvertures d'un geste et bondit sur ses pieds. Ce n'étaient plus des cris qui sortaient de sa bouche, mais des bruits d'étouffement, de suffocation. Elle paraissait sur le point de vomir, se frottait vigoureusement la bouche avec les mains, comme dégoûtée par un repas imaginaire…

Dusty était déjà debout, aussi brusque qu'elle. Il fonça à ses côtés, apercevant du coin de l'œil Valet, debout derrière elle, tous ses sens en alerte.

Martie se tourna vers lui :

— *Ne t'approche pas de moi !*

Sa voix était chargée de tant d'émotion que Dusty s'immobilisa. Un peu plus loin, le chien se mit à trembler, les poils de l'échine hérissés.

Martie s'essuya à nouveau la bouche. Soudain elle regarda ses mains, comme si elle s'attendait à les voir teintées de sang frais – et pas forcément du sien.

— Oh ! mon Dieu ! Mon Dieu !

Dusty s'avança vers elle, mais elle lui interdit à nouveau avec la même véhémence de s'approcher.

— Tu ne peux pas me faire confiance ! Tu ne dois pas t'approcher de moi, ne commets pas cette erreur !

— C'était seulement un cauchemar.

— Le cauchemar, c'est ici et maintenant !

184

— Martie…

Subitement, elle se plia en deux comme pour vomir le souvenir écœurant de son rêve. Puis elle poussa un gémissement pitoyable d'angoisse et de dégoût.

En dépit de son avertissement, Dusty se porta à son secours. Lorsqu'il la toucha, elle se rétracta violemment et le repoussa.

— Tu ne dois pas me faire confiance ! Écoute-moi, nom de Dieu !

Pour s'éloigner de Dusty, elle bondit comme un singe sur le lit en bataille, atterrit sur le plancher de l'autre côté et partit se réfugier dans la salle de bains.

Valet poussa un couinement bref et aigu, un pincement de cordes qui perça le cœur de Dusty, réveillant en lui les échos d'une peur inconnue.

Voir à nouveau Martie dans cet état était terrible. C'était bien plus effrayant que lors de sa première crise. Un accès de folie, passe encore, il pouvait s'agir d'une aberration isolée. Mais deux, coup sur coup, on ne pouvait plus croire à un accident. Et cela n'augurait rien de bon pour l'avenir.

Dusty se précipita et retrouva Martie devant le lavabo. L'eau froide coulait à flots. La porte de l'armoire à pharmacie avait dû être ouverte, le battant était en train de se refermer.

— Il était pire que les autres, n'est-ce pas ? articula-t-il.

— Quoi ?

— Le cauchemar.

— Ce n'était pas le même, rien d'aussi agréable que mon bonhomme de feuilles, répliqua-t-elle.

Martie n'avait visiblement pas l'intention de s'étendre sur le sujet.

Elle fit sauter le capuchon d'une boîte de somnifères vendue sans ordonnance et à peine entamée – ils n'étaient ni l'un ni l'autre adeptes de ce genre de produits palliatifs. Une avalanche de capsules bleues emplit sa paume.

Dusty crut qu'elle avait l'intention de se suicider, ce qui aurait été ridicule, le flacon entier ne constituant sans doute pas une dose mortelle – et puis elle devait bien se douter qu'il l'empêcherait d'avaler tous les cachets.

Mais Martie remit presque toutes les capsules dans la boîte pour n'en garder que trois.

— La dose maximale, c'est deux, précisa Dusty.

— La dose maximale, je m'en soucie comme de ma première chemise ! Je veux être K.-O. Il faut que je dorme, que je me repose. Je ne veux pas affronter un deuxième cauchemar. Pas comme celui-là.

Sa chevelure brune était trempée de sueur, aussi emmêlée que la couronne de serpents de l'horrible Gorgone qu'elle venait de rencontrer en rêve. Les cachets étaient censés vaincre les monstres.

Elle remplit son verre d'eau et avala les trois comprimés en une longue gorgée.

À ses côtés, Dusty ne fit rien pour l'en empêcher. Trois petits cachets ne nécessiteraient pas l'intervention des secours d'urgence ni un lavage d'estomac. Si elle était un peu dans les vapes le lendemain matin, peut-être serait-elle aussi moins angoissée. Et inutile de lui faire remarquer qu'un sommeil profond ne serait pas forcément exempt de rêves… Elle risquait de dormir à nouveau dans les bras de monstres couverts d'écailles mais serait plus reposée que si elle n'avait pas fermé l'œil de la nuit.

En éloignant le verre de ses lèvres, Martie aperçut son reflet dans le miroir. La vision de son double lui donna des frissons, bien plus que l'eau glacée glissant dans son œsophage.

De même que les gelées d'hiver effaçaient le bleu des lacs, la peur avait ôté toute couleur à Martie. Son visage était pâle comme la glace. Ses lèvres, non plus roses mais violettes, étaient parsemées de pelures gris acier, une desquamation due au frottement énergique dont elles avaient fait l'objet un peu plus tôt.

— Bon Dieu, regarde ce que je suis devenue, lâcha-t-elle. Regarde la tête que j'ai !

Elle ne parlait pas de sa chevelure moite en bataille ni de ses traits hagards, mais de quelque chose d'affreux qu'elle s'imaginait percevoir dans les profondeurs de ses yeux bleus.

Elle leva lentement son verre en renversant le reste de liquide. Dusty le retira de ses doigts crispés avant qu'elle l'envoie s'écraser contre la glace. L'eau acheva de se répandre sur le carrelage.

À son contact, Martie eut un tel sursaut de frayeur qu'elle heurta le mur de la salle de bains derrière elle, faisant trembler la porte de la douche.

— Ne t'approche pas ! Tu ne te rends donc pas compte de ce que je pourrais t'infliger ? De toutes ces choses horribles que je pourrais faire ?

L'inquiétude de Dusty était telle qu'elle lui donnait presque des nausées. Il lui répondit le plus calmement possible :

— Martie, je n'ai pas peur de toi.

— Un baiser, ce n'est jamais très loin d'une morsure, rétorqua-t-elle. Sa voix était rauque, vibrante de terreur.

— Quoi ?

— Un baiser, c'est déjà presque une morsure. Avec ta langue dans ma bouche…

— Martie, je t'en prie…

— Je pourrais si facilement t'arracher les lèvres. Comment sais-tu que je ne vais pas le faire ? Qu'est-ce qui te dit que je ne *veux* pas le faire ?

Le gouffre de la crise de démence était tout proche. Et Martie s'y précipitait à vitesse grand V ! Comment l'arrêter ? Comment tenter au moins de ralentir sa chute vertigineuse ?

— Regarde mes mains ! ordonna-t-elle. Mes ongles ! Mes faux ongles en acrylique ! Qu'est-ce qui m'empêche de te rendre aveugle ? Tu me crois incapable de t'arracher les yeux ?

— Martie, ça ne…

— Il y a une chose en moi que je n'avais jamais vue avant, qui me fiche la frousse, et qui peut faire des choses horribles, vraiment horribles. Comme de m'obliger à t'arracher les yeux. Alors, pour ton propre bien, tâche de voir aussi cette chose et de garder tes distances avec elle.

Dusty fut submergé par un raz-de-marée d'émotions : une terrible pitié, un violent amour, des contre-courants d'inquiétude et des lames de fond de regret.

Il fit un geste pour prendre Martie dans ses bras, mais elle réussit à lui échapper et quitta la salle de bains en claquant la porte derrière elle.

Quand il arriva dans la chambre, il la trouva devant l'armoire ouverte. Elle faisait défiler ses chemises, s'entrechoquer les cintres, fouillant la penderie de Dusty à la recherche de quelque chose.

Le porte-cravates ! Il était quasiment vide. Dusty ne possédait en tout et pour tout que quatre cravates.

Elle en prit deux, une noire toute simple et une autre bleue à rayures rouges. Elle les tendit à Dusty.

— Attache-moi !

— Quoi ? Mais… nom de Dieu, Martie…

— Je suis sérieuse.

— Moi aussi. Et c'est non.

— Les chevilles ensemble, les poignets ensemble, le pressa-t-elle avec urgence.

— Non !

Valet s'était redressé sur sa paillasse, et ses sourcils agités ponctuaient toute une série d'expressions inquiètes. Son regard faisait la navette entre Martie et Dusty.

— Comme ça, poursuivit-elle, si je pète les plombs cette nuit, si je me transforme en folle dingue…

Dusty fit un effort pour paraître ferme et calme dans l'espoir qu'elle prendrait exemple sur lui.

— S'il te plaît, arrête.

— … Si je pète les plombs, il faudra d'abord que je me détache avant de pouvoir m'en prendre à quelqu'un. Et si j'essaie de me détacher, ça te réveillera…

— Encore une fois, Martie, je n'ai pas peur de toi.

Son calme feint n'influença pas la jeune femme, au contraire : elle déversa un flot de paroles encore plus fiévreux.

— D'accord, tu n'as pas peur de moi, alors que tu le devrais, et plutôt deux fois qu'une ! Mais moi, oui, *j'ai peur de moi* ! Je me fiche les jetons, Dusty ! J'ai peur de ce que je pourrais te faire à toi ou à quelqu'un d'autre quand j'ai ces crises. J'ai peur de ce que je pourrais me faire à moi aussi, *à moi* ! Je ne sais pas ce qui se passe. Je ne sais pas ce qui m'arrive. Je ne suis pas en lévitation, ma tête ne fait pas des trois cent soixante complets, mais c'est encore plus bizarre que dans *L'Exorciste*. Si jamais je mets la main sur un couteau ou sur ton pistolet quand j'ai ces crises de folie, c'est à moi que je vais m'en prendre ! J'en suis sûre ! Je sens une envie maladive, là, en moi. Elle frappa son ventre du poing. Quelque chose de maléfique. Il y a comme un ver enroulé là-dedans, qui chuchote, qui me parle de couteaux, de pistolets, de marteaux…

Dusty secoua la tête.

Martie s'assit au bord du lit et commença à attacher ses chevilles avec l'une des deux cravates. Mais au bout d'un moment, frustrée, elle s'arrêta.

— Nom de Dieu, je n'arrive pas à faire tes nœuds qui tiennent si bien ! Donne-moi un coup de main.

— Normalement, un seul de ces cachets suffit amplement. Tu en as pris trois, il n'y a aucune raison de t'attacher.

— Je n'ai pas confiance dans ces cachets. Ils ne suffisent pas. Pas question de prendre le risque. Soit tu m'aides à faire ces nœuds, soit je me mets un doigt dans la gorge et je vomis les cachets illico !

La raison n'avait plus de prise sur elle. La peur lui faisait perdre pied avec la réalité aussi sûrement que si elle avait avalé un des cocktails hallucinogènes de Skeet. Elle n'avait pas plus de bon sens que le gamin en extase sur le toit des Sorenson.

Emmêlée dans ses cravates, traversée de frissons, moite de sueur et de frustration, elle se mit à pleurer.

— S'il te plaît, chéri, aide-moi. Je t'en prie, aide-moi. Je suis si fatiguée, il faut que je me repose, que je dorme, sinon je vais devenir maboule. Je suis à bout ! J'ai besoin d'être au calme, au calme. Sans toi je n'y arriverai pas. Alors aide-moi, s'il te plaît. Aide-moi…

Les larmes surent toucher le cœur de Dusty, là où la furie avait trouvé porte close.

Quand il s'approcha elle, elle s'allongea sur le dos et se cacha le visage de ses mains. Comme si elle avait honte de sa peur, honte de se voir réduite à cet état d'impuissance.

Avec des gestes tremblants, Dusty lui attacha les chevilles.

— Serre plus fort ! marmonna-t-elle à travers le masque de ses mains.

Il lui obéit, mais il ne serra pas autant qu'elle l'aurait souhaité. L'idée de la faire souffrir, même involontairement, lui était insupportable.

Elle tendit ses deux mains jointes.

Dusty lui lia les deux poignets avec la cravate noire. Il la noua de façon qu'elle tienne jusqu'au matin sans pour autant lui couper la circulation.

Pendant qu'il l'attachait, Martie gardait les yeux fermés, la tête tournée vers le côté. Peut-être cette peur avilissante lui devenait-elle insupportable. Peut-être était-elle gênée de croiser son regard, parce qu'elle se voyait réduite à l'état d'une petite chose fragile et vulnérable. Peut-être les deux à la fois… Dusty la soupçonnait surtout de vouloir cacher ses larmes parce qu'elles étaient, pour elle, synonymes de faiblesse.

La fille de Bob Woodhouse — le grand Bob la Banane, véritable héros de guerre, puis également héroïque à bien des occasions pendant les années qui suivirent — était bien décidée à suivre son exemple de courage et d'honneur pour se sentir digne de lui. En tant que jeune mariée, créatrice de jeux vidéo, habitante d'une agréable ville de la côte californienne, elle n'avait que peu d'occasions de montrer sa bravoure. Et c'était très bien ainsi : elle n'avait aucune envie de déménager dans les Balkans ou au Rwanda, et encore moins sur le plateau d'une foire d'empoigne télévisée. Dans cette existence paisible et confortable, elle continuait à honorer la mémoire de son père par une foule de petits héroïsmes quotidiens : s'appliquer à son travail, assumer sa propre vie, s'engager dans sa vie de couple malgré les hauts et les bas, soutenir de tout cœur ses amis et offrir une compassion sincère aux grands blessés de ce monde, comme Skeet, par exemple, tout en préservant assez de lucidité et de respect de soi pour ne pas devenir semblable à eux.

Ces modestes actes d'héroïsme, qu'aucune médaille ni défilé ne venait célébrer, étaient le carburant et le lubrifiant qui faisaient tourner rond la machine de notre civilisation. Dans un monde où il était si facile de rester égoïste, laxiste et satisfait de soi, ces héros du quotidien étaient plus nombreux qu'on ne le supposait. Mais pour ceux qui, comme Martie, avaient grandi à l'ombre de héros historiques, s'évertuer à mener une vie digne et décente en offrant aux autres son exemple et sa gentillesse pouvait sembler une quête vaine et futile. Céder aux larmes, y compris dans un moment d'affliction extrême, représentait sans doute aux yeux de la jeune femme un crime de haute trahison envers la mémoire de son héroïque père.

Dusty comprenait tout cela, mais il ne pouvait en parler à Martie maintenant. Et il ne pourrait peut-être jamais le faire. Cela revenait à lui dire qu'il connaissait ses points les plus vulnérables, qu'il avait pitié d'elle. Et cette pitié égratignerait la dignité de Martie, comme toujours lorsqu'on s'apitoyait sur le sort de quelqu'un. Pas question qu'il parle. Elle savait qu'il la connaissait par cœur, de fond en comble, qu'elle n'avait pas de secret pour lui ; mais l'amour s'approfondissait et se renforçait quand on avait la sagesse de dire les choses qui devaient être dites et de taire celles qui devaient être passées sous silence.

Il noua la cravate noire dans un silence empesé et solennel.

Quand Martie fut solidement attachée, elle roula sur le côté, les yeux toujours fermés pour barrer la rivière de larmes qui menaçait de déferler. Pendant qu'elle se retournait, Valet vint silencieusement se placer à ses côtés et tendit le cou pour lui lécher le visage. Le sanglot qu'elle retenait lui échappa. Un demi-sanglot seulement, mâtiné de rire.

— Mon petit bébé à poil ! Tu savais que ta pauvre maman avait besoin d'un baiser, hein ? Tu es un amour.

— À moins que ce ne soit le parfum persistant de mes excellentes lasagnes dans ton haleine ? ironisa Dusty, espérant apporter une petite bouffée d'oxygène supplémentaire.

— Amour ou lasagnes, peu importe, répliqua Martie. Je sais qu'il m'aime, ce petit gars !

— Le grand aussi, précisa Dusty.

Elle lui fit enfin face.

— C'est ce qui m'a sauvée de la folie, aujourd'hui, dit-elle. Ce qu'il y a entre nous.

Dusty s'assit au bord du lit et prit les mains entravées de Martie dans les siennes. Au bout d'un moment, les paupières de la jeune femme ployèrent sous l'effet combiné de la fatigue et du cocktail pharmaceutique. Dusty jeta un coup d'œil à la pendule de chevet. La vue du cadran lui rappela son autre inquiétude, les trous de mémoire.

— Dr Yen Lo, hasarda-t-il.

— Qui ça ? demanda Martie d'une voix épaisse, sans ouvrir les yeux.

— Dr Yen Lo. Jamais entendu parler ?

— Non.

— *Les cascades claires.*

— Mmm ?

— *Dans les vagues dispersent.*

Elle ouvrit les yeux. Martie, comme Dusty, était dans un état second. Elle s'enfonçait peu à peu dans le sommeil.

— Soit tu racontes n'importe quoi, soit ces cachets marchent vraiment.

— *Des aiguilles de pin bleues,* acheva-t-il.

Mais il était évident que ces phrases n'avaient pas la même résonance chez elle que chez Skeet.

— C'est joli, murmura-t-elle, et ses yeux se refermèrent.

Plutôt que de se recoucher sur son coussin en peau de mouton, Valet s'était installé au pied du lit. Il ne dormait pas. De temps à autre, il levait la tête pour contempler sa maîtresse assoupie ou pour scruter les ombres dans les recoins obscurs de la chambre. Il dressait autant que possible ses oreilles pendantes, à l'affut de petits bruits louches. Ses narines noires et moites s'élargissaient, frémissantes, pour tenter d'identifier les parfums mêlés dans l'air. Il grognait doucement... Le gentil Valet semblait vouloir se reconvertir en chien de garde, même s'il semblait plus que perplexe quant à la nature exacte du danger qui les menaçait.

Tandis qu'il regardait Martie dormir, avec sa peau couleur de cendre et ses lèvres aussi violettes qu'un hématome, Dusty eut soudain la conviction que le plus grand danger qui la guettait, malgré les apparences, n'était pas une chute irréversible dans quelque maladie mentale. Quelque chose lui disait que la mort, et non la folie, était à ses trousses, et que Martie avait déjà un pied dans la tombe.

Ce pressentiment surnaturel lui suggérait même que l'instrument de sa mort se trouvait dans cette chambre, en ce moment précis. La nuque hérissée de picotements superstitieux, Dusty sortit lentement du lit. Il leva les yeux avec effroi, scrutant le plafond, s'attendant presque à voir un spectre flotter au-dessus de lui, vêtu d'une cape noire tourbillonnante et, sous sa capuche, le sourire édenté d'un squelette.

Au-dessus de leurs têtes, il n'y avait que du plâtre soigneusement lissé... Mais Valet émit à nouveau un grognement sourd. Il s'était mis debout à côté du lit.

Martie continuait à dormir paisiblement. Dusty observa attentivement le golden retriever.

Les narines du chien se dilatèrent. Il prit une longue inspiration qui gonfla sa poitrine, comme pénétré par une interrogation muette, et ses poils dorés se dressèrent, pareils à des épines sur son dos. Ses babines noires se tendirent, découvrant ses énormes dents. Le retriever semblait bel et bien voir l'apparition sinistre dont Dusty pressentait seulement la présence.

Pourtant son regard était fixé sur Dusty.

— Valet ?

Malgré l'épaisse fourrure d'hiver du chien, Dusty voyait se raidir les muscles de ses pattes et de ses épaules. Cette attitude agressive chez Valet ne correspondait pas du tout à son caractère.

— Qu'est-ce qui ne va pas, mon garçon ? Ce n'est que moi. Ton vieux pote Dusty.

Le grognement s'affaiblit. Le chien se fit silencieux, mais tous ses sens restaient en alerte.

Dusty avança d'un pas vers lui.

Nouveau grognement.

— Ce n'est que moi, répéta Dusty.

Le chien ne parut pas convaincu.

34.

Quand le docteur en eut enfin terminé avec elle, Susan resta allongée sur le dos, les cuisses sagement serrées comme pour dénier à quel point elles s'étaient largement ouvertes, les bras pudiquement croisés sur sa poitrine.

Elle pleurait toujours, mais plus bruyamment maintenant. Pour accroître son plaisir, Ahriman lui avait permis d'exprimer un peu de son angoisse et de sa honte.

Il reboutonna sa chemise en fermant les yeux afin de savourer les plaintes d'oiseau blessé qui emplissaient la pièce.

Sanglots doux comme des plumes, roucoulements des pigeons solitaires, tristesse des goélands emportés par le vent.

Quand il l'avait dirigée vers le lit, il avait utilisé des techniques d'hypnose régressive pour la ramener à ses douze ans. Une époque où elle était pure et innocente – un bouton de rose sans épines. La voix de Susan avait pris des accents tendres et plus aigus, son élocution évoquait celle d'une enfant précoce. Son front était même devenu plus lisse, sa bouche plus douce, comme si le cours du temps s'était réellement inversé. Ses yeux étaient toujours du même vert, mais plus limpides : seize années de joies et de peines venaient d'être effacées.

Ensuite, sous le masque de son père, Ahriman l'avait déflorée. Il lui avait permis de résister, faiblement d'abord, puis plus activement. Elle était apeurée et perturbée dans son innocence sexuelle retrouvée. Bientôt sa résistance farouche s'était teintée d'un désir frémissant. Puis, obéissant à l'ordre du médecin, elle avait été saisie d'une irrépressible faim animale. Elle avait ondulé des hanches et s'était soulevée vers lui.

Pendant tout ce qui s'était ensuivi, Ahriman avait continué à modeler son état psychique à coups de suggestions et d'ordres murmurés, veillant à ce que les cris de plaisir de la jeune Susan, ses merveilleux cris de nymphette, restent teintés de peur, de honte et de chagrin. Les larmes de Susan étaient pour lui un onguent plus essentiel encore que les huiles érotiques sécrétées par son corps pour lui en faciliter l'entrée. Les larmes toujours, même dans l'extase.

Sa besogne accomplie, Ahriman achevait à présent de se rhabiller, étudiant le visage de Susan, poupin, pur et sans défauts.

Un clair de lune sur l'eau, les yeux liquides comme une averse de printemps, et un poisson noir au fond de l'âme.

Non. Nul. Il était incapable de composer un haïku qui puisse décrire l'expression morne de Susan fixant le plafond. Ses talents de poète étaient bien loin d'égaler son goût pour cet art.

Le médecin ne se faisait pas d'illusions sur ses dons. Même si toutes

192

les méthodes connues d'évaluation du QI certifiaient son génie, il était un joueur, absolument pas un créateur. Il avait du talent pour les jeux, imaginait sans cesse de nouvelles manières d'exploiter ses jouets, mais il n'était certainement pas un artiste.

Et, bien que la science l'ait attiré depuis sa tendre enfance, il n'avait pas non plus le tempérament d'un scientifique. Il ne possédait pas la patience nécessaire pour accepter les échecs répétés avant le succès final. Pour lui, la quête du plaisir passait avant celle de la connaissance. En revanche, l'aura dont jouissaient les membres du corps scientifique auprès du commun des mortels avait séduit le jeune Ahriman plus que tout. Leur air d'autorité et leurs manières discrètement condescendantes – car ils étaient les grands prêtres d'une culture vouée au changement et au progrès – lui vinrent tout naturellement. L'ambiance morne et grise des laboratoires, elle, ne l'affriolait guère, pas plus que le caractère laborieux et répétitif de tout travail de recherche sérieux.

À treize ans, l'enfant prodige, qui entamait déjà sa première année à l'université, avait compris que la psychologie lui offrirait des possibilités de carrière idéales. Ceux qui prétendaient percer les secrets de l'esprit étaient traités avec un respect qui frôlait l'idolâtrie, à l'instar des prêtres de l'ancien temps, à l'époque où la croyance en l'âme remplaçait celle du moi et du surmoi. Aujourd'hui, lorsqu'un psychologue apparaissait du haut de son piédestal, le commun des mortels s'inclinait.

La psychologie était presque universellement reconnue comme science. Quelques-uns la qualifiaient encore de science inexacte, mais ils étaient de moins en moins nombreux à faire cette distinction.

Dans les sciences dites « exactes » – telles que la physique ou la chimie –, une hypothèse était avancée pour tenter d'expliquer un ensemble d'observations. Si, ensuite, un vaste programme de recherche, mené par de nombreux scientifiques à travers la planète, confirmait cette hypothèse, celle-ci pouvait se voir hissée au rang de théorie générale. Et enfin, lorsque, avec le temps, elle se trouvait systématiquement vérifiée à travers des milliers d'expériences, elle avait des chances d'être déclarée loi universelle.

Certains psychologues tentaient d'opérer dans un carcan aussi rigide. Ahriman éprouvait de la pitié pour eux. Les malheureux se fourvoyaient en croyant qu'ils sortiraient grandis de la découverte de vérités intemporelles. La quête de la vérité n'était qu'un frein agaçant à la libre jouissance de leur pouvoir.

De l'avis d'Ahriman, si la psychologie était un domaine aussi attirant, c'était qu'il suffisait de compiler un certain nombre d'observations subjectives, de choisir le bon angle pour interpréter des statistiques dans le sens voulu et hop ! le tour était joué ! Plus d'hypothèses préliminaires, plus de théories. On découvrait, de facto, une loi universelle du comportement.

La recherche scientifique était un travail de fourmi, pénible et laborieux. Pour le jeune Ahriman, la psychologie était au contraire de l'amusement pur, et les gens étaient ses jouets.

Il avait toujours feint de s'offusquer avec ses collègues lorsque leur domaine était dénigré, qualifié de « science molle » (à l'opposé des sciences « dures », les vraies). Mais, en son for intérieur, il considérait la psychologie comme une science liquide, voire vaporeuse. C'était précisément ce qui lui plaisait. Le pouvoir du scientifique, travaillant sur des faits purs et durs, était, par là même, relativement limité. Le pouvoir du psychologue, lui, s'appuyait sur la puissance de la superstition, une force plus influente sur le monde que l'électricité, les antibiotiques et les bombes H réunis.

Ahriman commença ses études universitaires à treize ans et obtint son doctorat de psychologie à dix-sept. Puis il s'empressa d'ajouter à son cursus un diplôme de médecine et quelques autres spécialisations utiles. Un psychiatre était encore plus unanimement admiré et estimé qu'un psychologue, et le prestige supplémentaire de ce titre lui faciliterait la réalisation de ses grands projets de jeux.

L'enseignement de la médecine consistant pour une large part en sciences dures, Ahriman faillit reculer, par crainte que ces années de formation ne soient un calvaire. Mais bien vite il s'amusa follement. Après tout, qui disait enseignement médical sérieux disait sang, tripes et viscères. Il eut souvent l'occasion de contempler chez des patients de terribles souffrances et de profondes douleurs. Et là où fleurissaient la souffrance et la douleur, les larmes n'étaient pas loin.

Petit déjà, Ahriman était émerveillé par les larmes, comme d'autres l'étaient par les arcs-en-ciel, les étoiles ou les lucioles. À la puberté, il s'aperçut que la vue des larmes enflammait sa libido bien davantage que la pornographie la plus crue.

Lui-même n'avait jamais pleuré de sa vie.

Tout à fait habillé maintenant, le médecin se tenait au pied du lit de Susan et étudiait son visage barbouillé de larmes. Ses yeux étaient des flaques tristes. On y voyait flotter son esprit, presque noyé. Le but du jeu était de le faire définitivement sombrer. Pas ce soir. Bientôt.

— Dis-moi ton âge, ordonna-t-il.

— Douze ans, répondit-elle avec une voix d'écolière.

— Tu vas maintenant avancer dans le temps, Susan. Tu as treize ans... quatorze... quinze... seize ans. Dis-moi ton âge.

— Seize ans.

Il la ramena ainsi jusqu'au présent, jusqu'à l'heure précise indiquée par la pendule à côté du lit, puis il lui ordonna de se rhabiller.

Ses vêtements de nuit étaient éparpillés sur le plancher. Elle les rassembla avec les mouvements lents et mécaniques d'une personne sous hypnose.

Soudain, alors qu'elle était assise au bord du lit, occupée à remonter sa culotte en coton blanc sur ses longues jambes, elle se plia en deux, comme frappée au plexus, expulsant d'un coup tout l'air de ses poumons. Elle prit une inspiration tremblante, puis cracha de dégoût et d'horreur. Des traînées de salive pareilles à des traces d'escargot brillaient sur ses genoux. Elle cracha à nouveau, tentant désespérément de se débarrasser de ce goût intolérable dans sa bouche. À force de cracher, elle commença à suffoquer. Entre deux de ces affreux hoquets elle parvint à grand-peine à articuler quelques mots : *Pourquoi, papa, pourquoi ?* Susan ne croyait plus avoir douze ans, elle restait convaincue que son père chéri avait abusé d'elle.

Pour le médecin, ce spasme final et inattendu de chagrin et de honte était la cerise sur le gâteau, la truffe exquise au chocolat après un bon cognac. Il resta planté devant Susan, humant le faible parfum astringent et iodé qui se dégageait de son torrent de larmes.

Quand il posa une main paternelle sur son épaule, elle se rétracta violemment et poussa un gémissement inarticulé. Cet ululement étouffé lui rappela les cris solitaires et désolés des coyotes par une chaude nuit dans le désert. Un passé bien plus lointain encore que celui où Minette Luckland s'était empalée sur la lance de la Diane chasseresse, à Scottsdale, en Arizona.

Au-delà des lumières de la ville de Santa Fe, au Nouveau-Mexique, on trouve un ranch isolé. C'est une belle maison en brique, entourée d'étables, de manèges équestres, de pâturages semés d'herbes odorantes. Tout autour, la garrigue est pleine de milliers de lapins apeurés, et des bandes de coyotes sortent la nuit pour chasser. Par une belle nuit d'été, deux décennies avant que l'on commence à se préoccuper de l'aube naissante d'un nouveau millénaire, Fiona Pastore, la ravissante épouse du rancher, répond au téléphone. Elle entend trois vers d'un haïku. C'est un poème de Buson. Elle connaît un peu le Dr Ahriman. Son fils Dion, âgé de dix ans, est son patient. Le psychiatre tente de le guérir d'un bégaiement prononcé. À de nombreuses reprises, Fiona a eu des relations sexuelles avec le médecin. Souvent d'une telle perversion qu'elles ont été suivies, chez la jeune femme, de crises de dépression aiguës, bien qu'Ahriman ait veillé à retirer de sa conscience tout souvenir de ces ébats. Fiona ne présente aucun danger pour le médecin, mais il s'est lassé de son jouet et doit mettre un point final à leur relation.

Activée à distance par le haïku, Fiona reçoit les instructions fatidiques sans broncher. Elle se rend tout de suite dans le bureau de son mari pour rédiger une lettre d'adieu, brève mais poignante, où elle accuse son innocent époux de toutes sortes d'atrocités. La lettre terminée, elle ouvre l'armoire à fusils qui se trouve dans la même pièce. Elle en sort un colt à six coups monté sur une carcasse Séville. C'est une grosse arme pour une femme d'à peine un mètre soixante et cinquante-cinq kilos, pourtant, Fiona se débrouille très bien. C'est une fille du sud-ouest des États-Unis. Elle y est née, y a grandi ; elle tire sur des cibles et du gibier depuis l'âge de quinze ans. Elle charge l'arme de balles calibre 44, trois cent vingt-cinq grains, et se dirige vers la chambre de son fils.

La fenêtre de Dion, équipée d'une moustiquaire contre les insectes du désert, a été laissée ouverte pour aérer la pièce. Quand Fiona allume la lampe, le psychiatre, qui se trouve à cinquante mètres de là, jouit déjà d'une excellente vue sur la chambre. Habituellement, il s'interdit d'assister aux codas funestes de ses symphonies, pour ne pas risquer d'être incriminé – même s'il a des amis assez haut placés pour le laver de tout soupçon. Mais, cette fois-ci, les circonstances sont idéales... et la tentation est trop forte. Sans être complètement isolé, le ranch est tout de même assez reculé. Le gérant et son épouse, tous deux employés par la famille Pastore, sont en vacances chez leur famille à Pecos, Texas, pour assister à la foire annuelle du cantaloup. Les autres ouvriers du ranch ne dorment pas sur place. Ahriman a appelé Fiona depuis le téléphone de sa voiture, à quelques centaines de mètres de la maison. Ensuite il a tranquille-ment continué son chemin à pied, arrivant sur les lieux quelques instants avant que la femme entre dans la chambre de son fils et allume la lampe.

L'enfant endormi ne se réveille pas, à la grande déception du médecin. Ahriman a presque envie de parler à Fiona à travers la moustiquaire, comme un prêtre prescrivant des pénitences à travers la grille du confessionnal. Il aime-rait lui dire de réveiller son fils. Il hésite un instant... Trop tard. L'enfant ne se réveillera jamais. Il vient de recevoir deux balles dans la tête. Le mari, Bernardo, arrive en courant, poussant des cris affolés. Sa femme tire deux nouveaux coups de feu. L'homme est grand, sec, avec la peau mate : l'un de ces Américains rugueux de l'Ouest. Avec sa peau tannée par le soleil, ses os qui semblent résister à des températures extrêmes, il a l'air impénétrable. On s'attendrait presque à voir les balles rebondir sur sa cuirasse. Ce n'est pas le cas, bien sûr. Elles le frappent avec une force terrible. Il titube sous le choc, va heurter un meuble à tiroirs et tente désespérément de s'y raccrocher. Sa mâchoire brisée est de guingois. Ses yeux noirs révèlent qu'il a été plus cruellement frappé par l'étonnement que par les balles du colt .45. Son regard s'élargit encore quand, à travers la moustiquaire, il aperçoit le Dr Ahriman. Puis c'est le noir, une éternité sans lueur dans ses yeux incrédules. Une dent ou peut-être un éclat d'os tombe de sa mâchoire émiettée... puis il tombe à son tour, s'écroulant au sol, à côté de l'éclat blanchâtre.

Un spectacle captivant, dépassant toutes les espérances du psychiatre. Il avait décidément fait le bon choix de carrière, celui qui lui garantirait à vie tous ces instants de félicité. Cependant, certaines faims sont difficiles à assouvir. Ahriman a envie d'intensifier ce plaisir, d'augmenter le volume d'un cran en quelque sorte. Pour cela, Fiona doit sortir de son état de transe profonde, revenir à un état de quasi-conscience. Pour le moment, sa personnalité est si refoulée qu'elle est incapable d'assimiler émotionnellement ce qu'elle vient de faire. Elle semble insensible au carnage. Si Ahriman relâche son emprise sur elle, le temps qu'elle comprenne et ressente l'horreur de son acte, sa douleur engendrera un

196

déferlement irrépressible de larmes, une marée sur laquelle le médecin pourra voguer avec délice vers des extases inconnues.

Il hésite, avec raison. S'il la relâche assez longtemps pour qu'elle se rende compte de ce qu'elle a fait, elle risque de devenir imprévisible et, une fois délivrée de ses chaînes, de refuser de se laisser dompter à nouveau. Il sait que, dans le pire des cas, il pourra rétablir le contrôle oralement. Cela ne prendra qu'une minute. D'un autre côté, quelques secondes lui suffiraient amplement pour qu'elle se tourne vers la fenêtre et tire à bout portant sur le psychiatre. Des incidents se produisent dans tous les jeux et toutes les cours de récréation : genoux râpés, poings éraflés, contusions, coupures sans gravité ou, au pis, au cours d'une bagarre, la perte d'une dent en parfait état. La simple possibilité de prendre une balle en plein visage suffit cependant à Ahriman pour lui faire perdre le sens de l'humour. Il choisit donc ne pas intervenir et laisse la victime achever ce spectacle de Guignol sanglant dans l'inconscience la plus totale.

Fiona Pastore est debout au milieu de sa famille. Tous sont morts. Elle met calmement le canon du colt dans sa bouche et – toujours sans larmes, hélas – appuie sur la détente. Elle tombe avec une grande douceur mais le claquement froid du métal résonne dans la chambre : l'arme, toujours accrochée à son index, a heurté le montant en bois du lit.

Le jouet est cassé. Il ne peut plus donner de plaisir à son propriétaire. Le médecin reste immobile près de la fenêtre, étudiant pour la dernière fois la beauté de ses formes. C'est un peu moins agréable maintenant que Fiona a la moitié de la tête emportée, mais le trou béant ne se trouve pas du côté apparent, et la structure osseuse de son visage est restée à peu près intacte.

Les cris désolés des coyotes résonnent dans la nuit depuis qu'Ahriman est arrivé au ranch. Il y a peu de temps encore, ils chassaient sur un territoire, à quelques kilomètres de là, à l'est. Un changement de tonalité et une excitation croissante dans leurs cris alertent le médecin. Ils se rapprochent. Si l'odeur du sang se répand rapidement dans l'air du désert, ces loups de prairie seront bientôt rassemblés devant la fenêtre pour réclamer leur part du festin.

Dans les légendes indiennes, le coyote est le plus malin de toutes les créatures. Ahriman ne voit pas l'intérêt de tester son QI face à une troupe de ces animaux affamés. Il se hâte, sans courir toutefois, vers sa voiture garée à quatre cents mètres au nord de la maison.

Parmi les fragrances nocturnes, les vapeurs acides du sable, le musc gras des mesquites, flotte une faible odeur métallique dont le médecin ne parvient pas à identifier la source.

Lorsqu'il arrive à sa voiture, les coyotes se taisent. Ils ont senti quelque chose de nouveau, et ils se méfient. C'est sans doute Ahriman lui-même. Dans ce silence soudain, le psychiatre entend un bruit au-dessus de sa tête. Il lève les yeux. Des chauves-souris albinos, une espèce rare. Elles couvrent le ciel de calligraphies, et la lune est leur sceau. Battements d'ailes blanches tourbillonnantes, bourdonnement ténu des insectes en fuite : le massacre est silencieux.

Le psychiatre les regarde, fasciné. Le monde est un immense terrain de sport où l'on joue à tuer. Et le seul objectif est de rester dans la partie.

197

Leurs ailes pâles chargées de la lumière lunaire, les chauves-souris mutantes s'éloignent et disparaissent dans la nuit... Lorsque Ahriman ouvre la portière de sa voiture, les cris des coyotes reprennent. Ils sont tellement près maintenant que, si l'envie lui prenait de les imiter, il pourrait se joindre à la chorale.

Le temps de fermer la portière et de démarrer, six coyotes, puis huit, dix, douze... sortent des fourrés et se rassemblent sur l'allée de gravier devant la voiture, leurs yeux étincelant dans la lumière des phares. Ahriman démarre, faisant crisser les gravillons sous ses pneus. La meute se scinde en deux devant la voiture et les bêtes se mettent à trotter de chaque côté du chemin étroit, tels les lanciers d'une garde prétorienne escortant la Jaguar. Quelques centaines de mètres plus loin, quand la voiture vire à l'ouest et que les hauteurs de la ville apparaissent au loin, les coyotes rompent les rangs et obliquent vers le ranch, heureux de rester dans la partie, comme Ahriman.

Rester dans la partie...

Les plaintes de Susan, chargées de chagrin et de honte, étaient un agréable tonifiant. Aussi agréable que ces doux souvenirs de feu la famille Pastore, ravivés par les gémissements torturés de la jeune femme. Tout cela était bien rafraîchissant.

Cependant le Dr Ahriman n'était plus un jeune homme, comme lors de ces aventures au Nouveau-Mexique : il avait besoin à présent de quelques heures d'un repos bien mérité. La journée qui l'attendait exigerait d'avoir l'esprit clair et le corps plein d'énergie, car, dans la partie complexe qu'il avait engagée, Martine et Dustin Rhodes allaient devenir des pièces de première importance. Il ordonna donc à Susan de surmonter ses émotions et de finir de s'habiller.

Quand elle eut remis sa culotte et son T-shirt, il lui dit :

— Mets-toi debout.

Elle se leva.

— Quelle vision, ma fille. Je regrette de ne pas t'avoir filmée ce soir. Ces larmes merveilleuses. *Pourquoi, papa, pourquoi ?* C'était tellement poignant. Je ne pourrai jamais l'oublier. Tu m'as offert un moment digne du ballet des chauves-souris albinos.

L'attention de Susan s'était détournée de lui.

Il suivit son regard jusqu'au bonsaï dans le pot en bronze posé sur le piédestal.

— L'horticulture, approuva-t-il, est un passe-temps tout à fait bénéfique pour les agoraphobes. Les plantes d'appartement permettent de rester en contact avec la nature extérieure. Mais quand je te parle, je veux avoir toute ton attention.

Elle le regarda à nouveau. Elle ne pleurait plus. Les dernières larmes finissaient de sécher sur son visage.

Il y avait quelque chose de nouveau et d'indéfinissable en elle — dans son regard fixe, sa bouche serrée, ses lèvres pincées — qui tracassait le psychiatre. Il y avait là une tension étrangère à l'humiliation et à la honte.

— Des araignées rouges ? avança-t-il.

Il crut voir dans ses yeux une lueur inquiète.

— Un vrai fléau pour les bonsaïs, ces petites bêtes…

Elle était bel et bien inquiète, mais ce qui l'angoissait n'était pas la santé de ses plantes vertes.

Pressentant des ennuis, Ahriman quitta à regret sa langueur post-coïtale pour reporter toute son attention sur Susan.

— Qu'est-ce qui te tracasse ?

— Qu'est-ce qui me tracasse ? demanda-t-elle.

Il reformula sa question, en un ordre.

— Dis-moi ce qui te tracasse.

Devant son hésitation, il répéta son ordre.

— La vidéo, répondit-elle.

35.

Les poils hérissés de Valet se relâchèrent. Le chien cessa de grogner et redevint le Valet affectueux de toujours. Il remua la queue, mendia un câlin, puis retourna sur sa couche et s'endormit comme s'il ne s'était rien passé.

Martie, pieds et poings liés selon ses propres vœux, assommée par trois somnifères, était d'une immobilité et d'un silence troublants. À plusieurs reprises, Dusty dut se pencher au-dessus d'elle pour vérifier qu'elle respirait toujours.

Il avait laissé sa lampe de chevet allumée, sûr de ne pas fermer l'œil de la nuit, mais au bout d'un moment il s'endormit.

Son sommeil fut troublé par un rêve qui mêlait l'effroi à l'absurdité, une histoire étrange, sans queue ni tête et profondément troublante.

Il est étendu sur le lit, sur les couvertures. Excepté ses pieds nus, il est entièrement habillé. En face de lui, dans la chambre, Martie est assise dans la position du lotus sur le gros coussin en peau de mouton du chien. Elle est d'une immobilité parfaite, les yeux fermés, les doigts entrelacés sur les genoux, et semble perdue dans sa méditation.

Il est seul avec Martie dans cette chambre, et pourtant il parle à quelqu'un d'autre. Il sent ses lèvres et sa langue remuer, il entend sa propre voix résonner, sourde et brouillée, dans son crâne. Malgré cela, il n'arrive pas à distinguer un seul mot de ce qu'il dit. Il s'interrompt parfois, comme dans une conversation, mais il n'entend aucune autre voix lui répondre, pas même un chuchotement.

Derrière la fenêtre, un éclair déchire la nuit. Aucun rugissement de tonnerre n'accompagne cette blessure céleste, aucun clapotement de pluie sur le toit. Le seul bruit est celui d'un grand oiseau qui passe soudain derrière la fenêtre. Il vole si près que l'une de ses ailes frôle la vitre. La bête disparaît aussitôt en poussant des cris rauques, mais Dusty est certain qu'il s'agit d'un héron. Comme si l'oiseau décrivait des cercles, ses cris se répercutent en spirale dans la nuit, s'affaiblissant puis croissant à nouveau, s'éloignant puis se rapprochant encore.

Dusty se rend compte qu'une perfusion est fixée à son bras gauche. Un tube en plastique relie l'aiguille à une poche transparente remplie de glucose, pendue à une lampe à pied transformée en potence de fortune.

L'orage éclaire à nouveau l'obscurité, et les lueurs révèlent le grand héron qui passe et repasse devant la fenêtre, son cri croisant les éclairs pour se perdre dans le noir.

La manche droite de Dusty est retroussée plus haut que sa manche gauche. On lui prend sa tension. Un brassard muni d'un manomètre enserre son bras. Des tubes noirs relient le bandeau à une poire gonflable, suspendue en l'air comme en apesanteur. Et bizarrement, semblant manipulée par une main invisible, la poire se gonfle et se dégonfle, tandis que le brassard autour de son bras resserre son étreinte. S'il y avait une troisième personne dans cette pièce, elle devait avoir découvert le secret de l'homme invisible !

Un éclair jaillit à nouveau, mais cette fois-ci il ne vient pas de dehors : il naît et prend forme dans la chambre. Une chose filiforme hérissée de lumière sortant du plafond comme d'un nuage dans un sifflement, se déplaçant à la vitesse d'un chat. Souple, agile, rapide, elle saute sur un cadre métallique suspendu au mur, puis bondit sur la télévision pour atterrir sur la lampe qui sert de support à la perfusion, crachant des étincelles en rencontrant le cuivre du piétement.

Derrière l'éclair bondissant arrive le grand héron, qui a dû traverser un mur ou une fenêtre fermés pour entrer dans la chambre. Son bec en forme d'épée s'ouvre comme de grandes cisailles menaçantes à chacun de ses cris. Il est énorme. Il mesure au moins un mètre de long. Il y a quelque chose de préhistorique en lui, le regard fixe et globuleux d'un ptérodactyle. Les ombres de ses ailes se répandent sur les murs, formes plumetées voltigeant dans la lumière syncopée.

Suivi par son ombre, l'oiseau fond sur lui. Dusty est persuadé qu'il va se poser sur sa poitrine et lui arracher les yeux à coups de bec. Ses bras semblent être sanglés au lit. Le droit n'est entravé que par le brassard du tensiomètre, le gauche par la planchette où est fixée l'aiguille de la perfusion, et, pourtant, il ne peut pas bouger. Victime offerte, il regarde, impuissant, l'oiseau fondre sur lui en hurlant.

Quand, dans un arc de cercle, l'éclair quitte la télévision pour retomber sur le pied de lampe, la poche transparente de la perfusion, pleine de glucose, brille soudain comme le réservoir d'une lampe à pétrole, et une pluie brûlante d'étincelles s'abat sur Dusty. Curieusement, les draps ne prennent pas feu. Sous la salve de lumière, l'ombre du héron se brise en mille éclats noirs, aussi nombreux que les étincelles. Et quand les échardes d'ombre et de lumière se rencontrent et se mêlent au-dessus de lui en un tableau chaotique, Dusty ferme les yeux de terreur et de confusion.

200

Quelqu'un, peut-être l'homme invisible, lui dit qu'il n'y a rien à craindre. Mais quand Dusty ouvre les yeux, il voit quelque chose d'effrayant au-dessus de sa tête. L'oiseau a été comprimé au-delà de l'imaginable – écrasé, tordu, pour qu'il puisse rentrer dans la poche ventrue de la perfusion. Malgré cette compression, il demeure reconnaissable – même s'il ressemble davantage à l'œuvre d'un piètre imitateur de Picasso doté d'un goût prononcé pour le macabre. Le pire, c'est que l'oiseau est encore vivant. Il hurle. Ses cris sont étouffés par les parois transparentes de sa prison de plastique. Il essaie de se débattre, de se libérer à coups de bec et de griffes. Rien n'y fait. Il roule un œil noir vers Dusty et le fixe avec une intensité démoniaque.

Dusty aussi se sent piégé, immobilisé sur ce lit avec l'oiseau suspendu au-dessus de sa tête. Lui, en victime crucifiée, et le volatile en décoration d'arbre de Noël pour adorateurs de Satan. L'oiseau commence à se dissoudre en une purée brunâtre, et dans les tubes de l'intraveineuse le liquide transparent se brouille tandis que les restes du héron descendent vers lui, goutte à goutte. Dusty voit cette boue immonde se rapprocher de l'aiguille centimètre par centimètre. Il hurle, mais aucun son ne sort de sa bouche. Paralysé, expulsant, dans un silence total, de grandes bouffées d'air comme s'il hurlait dans le vide absolu, Dusty tente de lever sa main droite pour arracher la perfusion. Il essaie de rouler hors du lit. En vain. Il se contorsionne, roulant des yeux d'horreur en voyant le poison atteindre l'extrémité du tube puis pénétrer dans l'aiguille plantée dans son bras.

Un éclair terrible et brûlant le transperce, comme si la foudre parcourait chacune de ses artères. Dans un cri perçant, l'oiseau entre en lui. Il le sent surgir dans sa veine basilique, monter dans ses biceps et son torse. Déjà un affreux battement de plumes agite son cœur – quelque chose y volette, y picore et s'affaire à son nid.

Martie est toujours assise en position du lotus sur la peau de mouton de Valet. Elle ouvre les yeux. Ils ne sont plus bleus, mais aussi noirs que sa chevelure. Le blanc de l'œil a totalement disparu : dans chaque orbite brille une sphère lisse, humide et noire. Malgré leur forme d'amande typiquement humaine, et non pas circulaire comme ceux de la plupart des volatiles, ces yeux-là sont, à n'en pas douter, ceux du héron.

— Bienvenu, articule Martie.

Dusty se réveilla d'un coup. Il retrouva sa lucidité sitôt les yeux ouverts. Il resta immobile, sur le dos, le regard rivé au plafond.

Sa lampe de chevet était toujours allumée. La lampe sur pied était à côté du fauteuil, comme d'habitude. Elle n'avait pas été transformée en potence à perfusion.

Son cœur battait normalement, sans vibration de plumes. Apparemment, son organe vital appartenait encore à son intimité : rien d'autre ne s'y nichait que ses propres espoirs, ses angoisses, ses amours et ses rancœurs.

Valet ronflait doucement.

Près de Dusty, Martie dormait du sommeil tranquille des braves – même si, en l'occurrence, trois doses de tranquillisants chimiques étaient venues conforter sa bravoure.

Pendant que son rêve était encore frais, il le retourna dans sa tête. Il le considéra sous tous les angles possibles, tentant d'appliquer les enseignements déduits des années auparavant du dessin qui représentait une forêt primitive.

D'ordinaire, Dusty n'analysait pas ses rêves.

Freud était persuadé que l'on pouvait y pêcher assez de déjections immondes de l'inconscient pour faire les délices d'un banquet de psychanalystes. Le Dr Derek Lampton, beau-père de Dusty et quatrième et dernier mari de Claudette, jetait lui aussi ses filets dans ces eaux troubles et ramenait régulièrement des hypothèses étranges, gluantes à souhait, dont il gavait ses patients, sans se soucier de savoir si elles étaient ou non néfastes à leur santé mentale.

Parce que Freud et Lampton le Lézard croyaient tous les deux aux rêves, Dusty n'avait jamais pris les siens très au sérieux. Maintenant, il devait admettre, à contrecœur, que son cauchemar avait peut-être une signification, il sentait poindre les aiguillons d'une révélation. Mais quelle tâche herculéenne d'exhumer des immondices de l'inconscient !

Dusty avait une mémoire visuelle et auditive exceptionnelle. Restait à espérer qu'elle enregistrait aussi bien les détails des rêves que ceux de la réalité : il n'aurait qu'à trier méthodiquement les ordures produites pendant son sommeil pour y retrouver la vérité lumineuse qui s'y cachait, comme une fourchette en argent jetée accidentellement à la poubelle après le dîner.

36.

– La vidéo, répéta Susan en réponse à la question d'Ahriman.

Et elle détourna à nouveau les yeux, vers le bonsaï.

Le psychiatre eut un sourire étonné.

– Te voilà bien pudique après ce que tu viens de faire... mais rassure-toi, ma belle, je n'ai fait qu'une seule cassette de toi – quatre-vingt-dix minutes de pur bonheur, certes – et je n'en tournerai qu'une de plus, la prochaine fois. Personne d'autre que moi n'a le droit de visionner mes petits films. Ils ne passeront jamais sur CNN ou NBC, je peux te l'assurer. Dommage, ils auraient fait exploser l'audimat, tu ne crois pas ?

Susan fixait toujours la plante verte. Le médecin comprit pourquoi elle était capable de détourner ainsi son regard, en dépit de ses ordres. La honte était une force violente. C'était là que Susan y puisait l'énergie nécessaire à cette petite rébellion. Tout le monde accomplissait des actes honteux. Et chacun s'en accommodait, avec plus ou moins de difficulté, en formant des perles de culpabilité qui entouraient de leur gangue protectrice chaque impureté écorchant l'âme. La culpabilité, au contraire de la honte, avait un effet presque aussi apaisant que la vertu : les bords coupants du délit ainsi enchâssés ne se faisaient plus sentir, l'attention du sujet se focalisait sur la culpabilité plutôt que sur l'acte honteux en lui-même. Susan aurait pu tresser un beau collier avec tous les moments honteux offerts par son thérapeute, mais l'existence de cette vidéo cassette l'inquiétait trop, au point de l'empêcher de fabriquer ses petites perles de culpabilité et de faire disparaître la honte.

Ahriman lui donna de nouveau l'ordre de le regarder. Après une courte hésitation, elle reporta son attention sur lui.

Il lui demanda de redescendre au plus profond de son subconscient, de retourner dans cette chapelle mentale d'où elle était sortie le temps d'ajouter un peu de piment au jeu du psychiatre.

Quand elle retrouva ces abysses obscurs, de brèves secousses agitèrent ses yeux. Sa personnalité tout entière venait d'être passée au tamis, comme lorsqu'un chef cuisinier sépare la viande du bouillon. Son esprit n'était plus qu'un liquide transparent qu'Ahriman pouvait désormais accommoder à la sauce de son choix.

Il lui dit :

— Tu vas oublier que ton père était ici ce soir. Les souvenirs de son visage, celui que tu voyais à la place du mien, et les souvenirs de sa voix, celle que tu entendais à la place de la mienne, toutes ces images redeviennent poussière… elles s'envolent avec le vent, disparaissent. Je suis ton psychiatre, pas ton père. Maintenant, dis-moi qui je suis, Susan.

La voix de la jeune femme n'était plus qu'un murmure semblant monter d'un caveau souterrain.

— Le Dr Ahriman.

— Comme d'habitude, tu n'auras évidemment aucun accès aux souvenirs de ce qui s'est passé entre nous, ni de ma présence ici ce soir.

En dépit de tous les efforts du psychiatre, des bribes de souvenirs subsistaient toujours quelque part, peut-être dans des zones inconnues, plus profondes que le subconscient lui-même. Susan n'aurait ressenti aucune honte, sinon. La mémoire des humiliations de ce soir et de tous les autres aurait été complètement effacée. Ahriman voyait dans la persistance de ces images mentales la preuve de l'existence d'un sub-subconscient – un lieu encore plus enfoui du Ça – où les événements laissaient une trace indélébile. Mais cette mémoire, la plus profonde de toutes, restait, d'après le psychiatre, inaccessible et donc sans danger pour lui. Il suffisait qu'il efface le tableau des entrées et sorties de la conscience et du subconscient pour être tranquille.

Certains auraient pu se demander si ce sub-subconscient n'était pas l'âme. Mais cette question laissait Ahriman totalement de marbre.

– Si toutefois quelque chose te fait croire que tu as été victime d'une agression sexuelle – des douleurs ou d'autres indices –, tu devras soupçonner ton mari, Eric, dont tu es séparée. Maintenant, dis-moi si oui ou non tu as compris tout ce que je viens de dire.

Un spasme oculaire accompagna la réponse de Susan, comme si on la secouait pour vider son esprit de ses souvenirs.

– Oui, j'ai compris.

– Rappelle-toi qu'il est formellement interdit de parler à Eric de tes soupçons.

– Formellement interdit. J'ai compris.

Ahriman bâilla. Aussi amusant que soit ce jeu, son intérêt se trouvait inévitablement diminué par le fait qu'il devait tout remettre en ordre à la fin, ranger la chambre, placer chaque jouet, chaque pion à sa place habituelle. Même si la nécessité de ce rangement s'imposait, Ahriman rechignait toujours à y passer le temps voulu, comme lorsqu'il était enfant.

– Conduis-moi à la cuisine, s'il te plaît, ordonna-t-il entre deux bâillements.

Toujours aussi gracieuse malgré les actes infamants qu'elle venait de subir, Susan se déplaça dans l'obscurité de l'appartement avec la souplesse d'un poisson d'albâtre dans un étang noyé par la nuit.

Ahriman avait soif, comme n'importe quel joueur après une partie longue et éprouvante.

– Dis-moi quelle bière tu as ? demanda-t-il, une fois qu'ils furent arrivés à la cuisine.

– De la Tsingtao.

– Ouvre-m'en une.

Susan prit une bouteille dans le réfrigérateur, farfouilla dans un tiroir obscur pour trouver un décapsuleur et ouvrit la bière.

Au cours de ses visites, le psychiatre veillait à toucher le moins de surfaces possible, pour ne pas laisser d'empreintes.

Il n'avait pas encore décidé si Susan devait ou non s'autodétruire une fois qu'il en aurait fini avec elle. Si le suicide de la jeune femme offrait une conclusion suffisamment divertissante à son jeu, la longue et difficile lutte de la jeune femme pour surmonter son agoraphobie fournirait aux yeux de tous une justification suffisante de son acte. Et sa lettre d'adieu, rédigée à la main, serait le point final de la partie. Ahriman n'aurait à redouter aucune enquête approfondie des services

204

de police. Cependant il était fort probable que le médecin choisisse de garder Susan. Elle serait une pièce précieuse, aux côtés de Martie et Dusty, dans le grand jeu qu'il prévoyait de mener les prochaines semaines et qui se conclurait en apothéose, par une tuerie sanglante à Malibu.

Les autres mises hors jeu possibles de Susan comprenaient son assassinat par son ex-mari ou par sa meilleure amie. Si c'était Eric qui la tuait, il s'ensuivrait forcément une enquête pour homicide – même si son ancien époux téléphonait aux flics depuis le lieu même du crime, avouait tout, se faisait sauter la cervelle et tombait mort aux côtés de sa femme, laissant des montagnes de preuves accablantes indiquant qu'une dispute conjugale avait mal tourné. Les types de la police scientifique feraient leur apparition, avec leurs protège-poches en plastique et leurs coupes de cheveux ringardes. Ils relèveraient des empreintes à l'aide de poudres en tout genre, d'iode, de solutions de nitrate d'argent, de ninhydrine, de vapeurs de cyanoacrylate, et peut-être même de chromophores telle la rhodamine, et de rayonnement laser à l'argon. Si Ahriman avait, par inadvertance, laissé une seule empreinte quelque part, à un endroit où ces scientifiques laborieux, mais méticuleux, auraient l'idée d'inspecter, sa vie entière en serait bouleversée, et pas pour le meilleur.

Ses amis haut placés feraient tout leur possible pour qu'il ne soit pas condamné. Des preuves disparaîtraient ou seraient falsifiées. Les enquêteurs de la police et les équipes du bureau du procureur du district commettraient des bourdes répétées. Ceux d'entre eux qui tenteraient de mener consciencieusement leur enquête – les empêcheurs de tourner en rond – connaîtraient toutes sortes de complications, leur vie serait gâchée, voire détruite par une suite d'incidents et de drames. Tout cela n'aurait évidemment rien à voir avec le Dr Ahriman.

Cependant ses amis ne pouvaient ni le laver des soupçons ni le protéger des ragots de la presse à sensation. Le psychiatre deviendrait, malgré lui, une sorte de célébrité. C'était une option inenvisageable. Le vedettariat ruinerait, de fait, toute sa petite entreprise.

Il accepta la Tsingtao que lui tendait Susan et la remercia.

– Tout le plaisir est pour moi, répondit-elle.

Le psychiatre croyait au respect des bonnes manières en toute circonstance. La civilisation était le plus beau et le plus noble des jeux, un tournoi merveilleux et élaboré. Si l'on en respectait les règles, on pouvait y poursuivre impunément les plaisirs les plus secrets. La déférence à l'égard du code – les bonnes manières, la politesse, la courtoisie – était essentielle pour tout participant avide de gagner sa couronne de laurier.

Susan suivit poliment Ahriman jusqu'à la porte. Il s'arrêta pour lui communiquer ses dernières instructions.

— Dis-moi que tu m'écoutes bien, Susan.
— Oui, j'écoute.
— Sois calme.
— Je suis calme.
— Et obéissante.
— Oui.
— *L'orage d'hiver…*
— Vous êtes l'orage.
— *… se cache dans la forêt de bambous…*
— Je suis la forêt.
— *… et trouve la paix.*

— Et dans la paix, je vais apprendre ce que l'on veut de moi, répondit Susan.

— Quand je serai parti, tu fermeras la porte de la cuisine, tu tourneras tous les verrous et tu bloqueras la chaise sous la poignée, exactement comme avant. Tu te remettras au lit, tu t'allongeras, tu éteindras la lumière et tu fermeras les yeux. Ensuite, tu quitteras la chapelle mentale où tu te trouves en ce moment. Tu fermeras la porte de la chapelle, et le souvenir de tout ce qui s'est passé depuis le moment où tu as décroché le téléphone et entendu ma voix jusqu'au moment où tu te réveilleras dans ton lit, tout cela disparaîtra. Chaque son, chaque image, chaque détail, chaque nuance sera effacé à tout jamais de ta mémoire. Ensuite, en comptant jusqu'à dix, tu remonteras vers la lumière. À dix, tu seras pleinement consciente. Quand tu ouvriras les yeux, tu te sentiras fraîche et reposée. Si tu as compris tout ce que je viens t'expliquer, dis-le-moi.

— J'ai compris.
— Bonne nuit, Susan.
— Bonne nuit, dit-elle en lui ouvrant la porte.
Il fit un pas sur le palier et lui chuchota :
— Merci, Susan.
— Tout le plaisir est pour moi.
Elle referma la porte sans bruit.

Telle une armada silencieuse venue envahir la ville et piller toute la mémoire du monde pendant que les habitants de la côte dormaient dans leurs maisons douillettes, de grands vaisseaux de brouillard, leurs voiles gonflées, arrivaient de l'océan. Ils effacèrent les couleurs, les détails, puis les contours et les formes, avant d'avaler toute chose.

De l'autre côté de la porte, le psychiatre entendit la chaîne de sécurité reprendre sa place dans sa glissière métallique.

Un premier verrou claqua, puis un deuxième.

Souriant, Ahriman dodelina de la tête de satisfaction et but une gorgée de bière, contemplant sans bouger l'escalier devant lui. Il attendait.

Perles de rosée, froides marches de l'escalier : les larmes d'une morte.

Le dossier de la chaise en érable heurta la porte, de l'autre côté : Susan la bloquait sous la poignée.

Maintenant, elle allait partir à pas feutrés, retrouver son lit.

Agile comme un jeune homme, le médecin descendit l'escalier raide sans tenir la rampe. Il retroussa le col de son manteau.

Les briques de la cour étaient mouillées, sombres comme du sang. Derrière le rideau du brouillard, la promenade du front de mer semblait déserte.

Le portail de la clôture en piquets blancs grinça sur ses gonds. Dans cette mer de nuages descendue sur terre, le bruit était étouffé, si faible qu'il n'aurait pas alerté un chat guettant des souris.

Ahriman détourna son regard de la maison. Il avait été tout aussi discret à son arrivée. Aucune lumière ne brillait aux fenêtres. Il n'y en avait pas plus à présent. Les retraités louant le rez-de-chaussée et le premier étage dormaient sans doute bien au chaud sous leurs couettes, aussi inconscients que leurs perroquets assoupis dans leur cage couverte.

Ahriman prenait toutefois toutes les précautions utiles. Il était le seigneur de la mémoire, certes, mais son pouvoir d'embrumer les esprits avait aussi ses limites.

Le bruissement des vagues était estompé par l'épaisseur du brouillard. Les rouleaux s'écroulaient, alanguis, sur le rivage, produisant moins des sons audibles que des vibrations tactiles, des picotements dans l'air froid.

Les frondaisons des palmiers pendaient mollement. Des gouttes de condensation coulaient de chaque feuille, de chacune de leurs pointes effilées, comme un venin clair perlant de la langue fourchue d'un serpent.

Ahriman s'arrêta pour regarder les cimes des arbres couronnées de brume, subitement mal à l'aise, mais incapable d'identifier la cause de son trouble. Au bout d'un moment, perplexe, il avala une nouvelle gorgée de bière puis reprit sa marche.

Sa Mercedes était garée deux pâtés de maisons plus loin. Il ne rencontra personne sur le trajet.

Au-dessus de la berline noire, un énorme laurier détrempé faisait tomber une pluie de gouttes, arrachant à la tôle de la voiture des sons de xylophone désaccordé.

Installé derrière le volant, Ahriman s'apprêta à tourner la clé de contact. Il hésita encore, sentant toujours ce vague malaise, maintenant amplifié par le concert discordant des gouttes d'eau qui se brisaient sur l'acier. Il termina sa bière, les yeux perdus dans les ramifications imposantes du laurier qui formaient une voûte au-dessus de la voiture, cherchant un sens dans ces motifs végétaux complexes.

Mais la révélation ne vint pas. De guerre lasse, il démarra et prit le boulevard Balboa vers l'ouest, pour rejoindre la pointe de la péninsule.

À 3 heures du matin, la circulation était rare. Il ne croisa que trois véhicules sur les premiers kilomètres, leurs phares noyés dans une corolle de brume. L'un d'entre eux était une voiture de police qui se dirigeait tranquillement vers le continent.

En traversant le pont qui menait à la Pacific Coast Highway, il jeta un regard vers le port immense en contrebas, où les bateaux de plaisance au mouillage surgissaient comme des galions fantômes, puis au-delà, vers le sud, où la longue côte serpentait jusqu'à Corona Del Mar. Ahriman cherchait toujours la cause de son malaise quand il s'arrêta à un feu rouge. Son attention se porta sur un grand poivrier californien, aux branches délicates comme de la dentelle, qui s'élevait d'une cascade de bougainvillées rouges. Il revit en pensée le bonsaï dans son pot, entouré, à sa base, de gerbes de lierre.

Le feu passa au vert.

Aussi vert que les yeux de Susan, rivés sur sa plante. Le cerveau du médecin s'emballa, mais son pied resta fermement plaqué sur la pédale des freins.

Le feu passait à l'orange quand il se décida enfin à traverser le carrefour désert. Il se gara sur le bas-côté, quelques mètres plus loin, laissant le moteur tourner.

Il était expert de la mémoire, rien dans son fonctionnement ne lui était étranger. Il appliqua ses connaissances à sa propre personne et se mit à explorer, à fouiller, un à un, ses souvenirs des événements survenus dans la chambre de Susan.

37.

Neuf.

Susan Jagger se réveilla dans l'obscurité et crut entendre quelqu'un prononcer ce chiffre. Puis, étonnée, elle s'entendit dire « dix ».

Elle se figea, les sens en alerte, sondant le silence à la recherche de bruits suspects, ne sachant si elle avait prononcé ces deux mots ou si elle avait répondu à quelqu'un.

Une minute entière s'écoula sans autre bruit que celui de sa propre respiration. Lorsqu'elle retint son souffle, le silence fut total. Elle était bel et bien seule.

D'après les chiffres lumineux du radio-réveil, il était 3 heures du matin passées. Elle avait dormi plus de deux heures.

Elle se redressa enfin et alluma la lampe.

Son verre de vin à moitié vide. Le livre abandonné, tombé dans les draps froissés. Les stores baissés, les meubles… Tout était à sa place. Le bonsaï aussi.

Elle leva les mains jusqu'à son visage et huma ses paumes. Elle renifla ses avant-bras, le gauche, puis le droit…

C'était son odeur à lui, unique entre toutes. Un mélange de sueur et des fragrances de son savon préféré. Peut-être utilisait-il également une crème hydratante parfumée.

D'après ses souvenirs, ce n'était pas l'odeur d'Eric. Et, pourtant, elle était convaincue que lui seul, et nul autre, pouvait être cet incube de chair et d'os.

Cette odeur résiduelle n'était pas le seul indice prouvant que son fantôme lui avait rendu visite pendant son sommeil. Un hématome ici, une zone sensible là, l'odeur discrète du sperme, rappelant vaguement l'ammoniaque.

Quand elle repoussa les couvertures et sortit du lit, elle sentit le liquide poisseux s'écouler hors d'elle et frissonna de dégoût.

Devant le piédestal Biedermeier, elle écarta les longues branches de lierre qui dissimulaient la caméra vidéo sous le bonsaï. Il ne devait rester que quelques minutes de bande vierge sur la cassette qui tournait encore.

Susan arrêta la caméra et la sortit de sa cachette.

Mais sa curiosité et sa soif de justice ne purent lutter contre le dégoût absolu qui l'envahissait. Elle déposa donc la caméra sur la table de chevet et courut vers la salle de bains.

Souvent, lorsqu'elle se réveillait et découvrait qu'on avait abusé d'elle, son dégoût se transformait en nausée, et elle vomissait, comme si, en vidant son estomac, elle pouvait effacer les dernières heures de son existence, reprendre le cours de sa vie avant le dîner, à un moment où elle n'avait pas encore été violée… Cette fois-ci, sa nausée disparut avant qu'elle n'atteigne la salle de bains.

Elle avait envie d'une longue douche brûlante, d'un nuage de savon et de mousse, d'un récurage vigoureux au gant de crin. Un instant, elle fut tentée de se laver tout de suite et de visionner la cassette plus tard. Elle se sentait sale et souillée comme jamais auparavant – l'impression d'être recouverte d'une crasse invisible, infestée de hordes de parasites microscopiques.

Mais d'abord la vidéo, la levée du mystère. La douche attendrait.

Son écœurement la poussa néanmoins à retirer ses sous-vêtements et à procéder à sa toilette intime. Elle se frotta aussi le visage et les mains puis se gargarisa avec une lotion mentholée. Elle lança son

T-shirt dans le panier à linge et déposa sa culotte souillée sur le couvercle du panier. Elle n'avait nulle intention de la laver.

Si l'intrus apparaissait sur la vidéo, cela suffirait sans doute pour l'accuser de viol. Mais il était toutefois plus prudent de préserver un échantillon de sperme en vue d'un test ADN. L'expression et le comportement de Susan sur l'enregistrement convaincraient sans doute les autorités qu'elle avait été droguée, qu'elle ne participait pas de son plein gré à ces ébats. Qu'elle était bel et bien une victime. Néanmoins, sitôt la police arrivée, tant qu'il y avait encore une chance de trouver des traces de drogue dans son organisme, elle demanderait une prise de sang.

Quand elle se serait assurée que la caméra avait bien fonctionné, que l'image était correcte et qu'elle détenait une preuve irréfutable contre Eric, elle serait sans doute tentée d'appeler son ex-mari avant de le dénoncer à la police. Pas pour déverser sa rancœur, mais pour lui demander des explications. Comment pouvait-il être aussi vil et cruel ? Pourquoi cette machination machiavélique ? Pourquoi la haïssait-il à ce point ?

Mais elle ne l'appellerait pas. Il pouvait être dangereux de le prévenir. C'était interdit.

Interdit. Quelle drôle d'idée.

Elle se rendit compte qu'elle avait utilisé ce même mot en parlant à Martie. Peut-être était-ce le terme qui convenait. Ce qu'Eric lui avait fait était pire qu'une agression. Plus qu'un simple acte criminel, un sacrilège. Les vœux du mariage étaient sacrés, après tout, ou devraient l'être : ces sévices étaient, d'une certaine façon, une profanation. Ils étaient interdits.

Elle revint dans sa chambre et enfila un T-shirt et une culotte propres. Elle ne supportait pas l'idée d'être toute nue pour regarder cette détestable vidéo.

Elle s'assit au bord du lit, prit la caméra sur la table de chevet et rembobina la cassette.

Sur l'écran à cristaux liquides, Susan se vit retournant au lit après avoir mis en marche la caméra. Il était alors un peu plus de minuit.

La lumière de la lampe de chevet suffisait juste pour la vidéo – on était loin des conditions idéales de prise de vues. L'image sur le petit écran était de qualité médiocre.

Susan éjecta donc la cassette de la caméra, la glissa dans le magnétoscope et alluma la télévision. Tenant la télécommande dans ses mains jointes, elle s'assit au pied du lit et contempla l'écran avec un mélange de fascination et d'appréhension.

Elle reste un moment immobile dans son lit, attentive au silence de l'appartement. Puis, alors qu'elle avance la main vers son livre, le téléphone se met à sonner.

Susan fronça les sourcils. Elle n'avait aucun souvenir de cet appel.

Elle décroche le combiné.

– Allô ?

La cassette ne pouvait enregistrer, au mieux, que la moitié de la conversation téléphonique. La distance entre Susan et la caméra rendait certains mots inaudibles, toutefois, le peu qu'elle saisit était encore plus incompréhensible que prévu.

Avec empressement, elle raccroche, sort du lit et quitte la chambre.

Sitôt qu'elle eut répondu au téléphone, de subtils changements s'étaient produits sur son visage et dans sa gestuelle, des modifications perceptibles mais difficiles à définir. Toutefois, lorsqu'elle se vit sortir de la chambre, elle eut l'impression très nette de regarder une inconnue quitter les lieux.

Elle attendit trente secondes, puis enclencha le bouton d'avance rapide jusqu'à repérer à nouveau du mouvement dans la pièce.

Des silhouettes noires marchent dans le couloir qui mène à la porte de la chambre, laissée ouverte. Susan apparaît. Derrière elle, un homme sort de l'ombre et entre dans la pièce. C'est le Dr Ahriman.

La stupéfaction lui coupa le souffle. Plus immobile qu'un bloc de granit, plus froide aussi, Susan n'entendait plus le son de la cassette. Elle était même sourde aux battements de son propre cœur. Elle ressemblait à une élégante statue de marbre destinée à trôner au milieu d'un parterre de buis dans un jardin à la française et tout à fait déplacée sur ce lit.

Passé le premier moment de stupeur, une vague d'incrédulité l'envahit. Elle prit une profonde inspiration et appuya sur la touche « pause » de la télécommande.

Elle observa l'image figée. Elle était assise sur le bord du lit, dans une position encore très inconfortable, comme si quelqu'un l'avait posée là. Debout en face d'elle, le Dr Ahriman la contemplait de toute sa hauteur.

Susan enclencha le retour rapide : le psychiatre et elle ressortirent de la pièce en marche arrière. Puis elle relança la lecture et regarda les ombres du couloir se matérialiser à nouveau. Elle se préparait à voir Eric franchir le seuil derrière elle. Parce qu'il était inconcevable qu'il s'agisse du Dr Ahriman – un médecin si intègre, admiré de tous, un grand professionnel doté d'un cœur d'or, si soucieux, si scrupuleux du bien-être d'autrui. Impossible qu'il puisse se trouver ici, dans ces circonstances infamantes… Susan n'aurait pas été moins étonnée que son propre père apparaisse, ni moins terrifiée qu'un incube démoniaque s'engage à sa suite, deux cornes saillant de son front au-dessus de ses yeux jaunes et brillants comme ceux d'un chat. Grand, marchant d'un pas assuré, sans cornes, c'était pourtant bien le Dr Ahriman qui pénétrait de nouveau dans la chambre, défiant l'entendement.

Avec cette séduction inaltérable propre aux acteurs de cinéma,

Ahriman fit son entrée en scène. Mais son visage affichait une expression que Susan ne lui connaissait pas. Il ne s'agissait pas uniquement du désir sexuel ; il y avait autre chose… Il ne s'agissait pas non plus d'un masque de folie, même si ses traits parfaits étaient imperceptiblement désaxés, comme gauchis par une pression intérieure naissante. Susan étudia encore un moment le visage du psychiatre et reconnut enfin ce qu'il laissait transparaître : de l'autosatisfaction.

Ahriman n'avait pas la bouche pincée, les yeux sournois et le port hautain d'un moralisateur ou d'un croisé de la ligue antialcoolique signifiant son mépris pour tous ceux qui boivent, fument ou absorbent des aliments à fort taux de cholestérol. Non, il avait l'expression de supériorité d'un adolescent. Sitôt dans la chambre, il avait adopté l'attitude nonchalante chargée d'insolence d'un collégien convaincu que tous les adultes sont des attardés mentaux. Et, dans ses yeux, brillait le désir humide et impérieux du pubère refoulé.

Cet intrus dans sa maison ressemblait comme deux gouttes d'eau au psychiatre chez qui Susan se rendait deux fois par semaine ; la seule différence résidait dans cette attitude. Mais le contraste était si saisissant que le cœur de la jeune femme se mit à cogner dans sa poitrine.

Son incrédulité laissa bientôt place à la colère et à un intense sentiment de trahison. Elle se mit à cracher des injures d'une voix amère et méconnaissable, pareille à un malade atteint de la maladie de Gilles de La Tourette.

Sur l'écran, le médecin sortit du champ pour se diriger vers le fauteuil.

Il lui dit de ramper vers lui, et elle rampe…

Contempler ce spectacle humiliant était presque au-dessus de ses forces, toutefois Susan n'arrêta pas la cassette. Plus elle la regardait, plus sa colère grandissait, et c'était salutaire pour elle. La colère lui redonnait des forces et du pouvoir, après six mois passés dans un état d'impuissance totale.

Elle avança la bande jusqu'à ce qu'elle et Ahriman réapparaissent dans le champ. Ils étaient nus maintenant.

Le visage figé, procédant régulièrement à des avances rapides, Susan regarda des séquences d'une obscénité avilissante entrecoupées d'accouplements ordinaires qui, par comparaison, semblaient aussi innocents que des câlins d'adolescents.

Comment Ahriman pouvait-il avoir un tel pouvoir sur elle ? Comment parvenait-il à effacer ces événements traumatisants de son esprit ? Ces mystères semblaient aussi insondables que celui de l'origine de l'Univers et le sens de la vie. Susan eut l'impression de se trouver dans un rêve… Rien dans ce monde n'était donc ce qu'il paraissait être, tout n'était qu'une vaste mise en scène et chaque être humain sur terre un personnage ?

Pourtant ces actes immondes sur l'écran étaient bien réels, aussi réels que sa culotte souillée abandonnée sur le panier à linge.

Laissant la cassette tourner, elle se détourna de la télévision et alla jusqu'au téléphone. Elle appuya sur le 9, puis sur le 1, mais s'arrêta après le 1.

Si elle appelait la police, il faudrait ouvrir la porte de l'appartement pour laisser entrer les hommes. Et ils voudraient sans doute l'emmener au commissariat pour faire une déposition, ou la conduire aux urgences pour pratiquer un examen médical approfondi qui servirait de preuve lors du procès.

La colère la rendait plus forte, mais de là à surmonter son agoraphobie… À la seule pensée de quitter son refuge, son cœur s'emplit de cette panique si familière.

Elle *voulait* faire le nécessaire, aller où ils voudraient, aussi souvent qu'ils le voudraient. Elle ferait tout ce qu'il faudrait pour faire enfermer ce malade, pour que cette ordure d'Ahriman se retrouve derrière les barreaux, le plus longtemps possible.

Cependant, l'idée de s'aventurer à l'extérieur en compagnie d'inconnus était trop traumatisante, même si ces inconnus étaient des officiers de police. Il lui fallait le soutien d'une amie entre les mains desquelles elle pouvait placer sa vie. Car sortir l'effrayait presque autant que sa propre mort.

Elle appela Martie et tomba sur son répondeur. Elle savait que, la nuit, le téléphone ne sonnait pas dans la chambre de ses amis. Peut-être la sonnerie dans le couloir les réveillerait-elle. Peut-être l'un d'eux irait-il dans le bureau de Martie pour savoir qui pouvait bien appeler à cette heure tardive.

Susan attendit le bip et articula :

— Martie, c'est moi. Martie, tu es là ? Elle attendit un instant. Écoute, si tu es là, décroche, pour l'amour de Dieu, décroche…

Rien.

— Ce n'était pas Eric, Martie. C'est Ahriman. *Ahriman !* J'ai coincé cette ordure sur vidéo. Quel salaud ! Quand je pense que je lui ai obtenu un bon prix pour sa maison… Martie, s'il te plaît, appelle-moi. J'ai besoin de ton aide.

Sentant tout à coup la nausée revenir, elle raccrocha.

Assise au bord du lit, elle serra les dents et posa une main froide sur sa nuque et l'autre sur son ventre. Le spasme passa peu à peu.

Elle jeta un coup d'œil à la télévision… et détourna aussitôt les yeux.

Elle fixa du regard le téléphone et implora.

— S'il te plaît, Martie, appelle. Appelle. Maintenant !

Le verre de vin était toujours sur la table de nuit, à moitié rempli. Elle le vida d'un trait.

Elle ouvrit le tiroir supérieur de sa table de chevet et sortit le pistolet qu'elle gardait là par sécurité.

Pour autant qu'elle puisse en juger, Ahriman ne lui rendait jamais deux visites dans la même nuit. Mais elle ne pouvait être sûre de rien.

Elle réalisa tout à coup l'absurdité de ce qu'elle avait dit au répondeur de Martie. *Quel salaud ! Quand je pense que je lui ai obtenu un bon prix pour sa maison...* Dix-huit mois auparavant, deux mois avant de devenir agoraphobe, elle avait vendu au médecin sa demeure actuelle. Elle représentait à l'époque le propriétaire, et Ahriman avait débarqué pendant une visite. Il lui avait demandé de conclure l'affaire pour lui. Elle s'était fichtrement bien débrouillée pour concilier les intérêts du vendeur et de l'acheteur. Mais il était effectivement bien naïf de sa part de croire qu'un violeur psychopathe lui ferait un traitement de faveur, uniquement parce qu'elle était un agent immobilier intègre !

Elle se mit à rire, s'étrangla, chercha son verre, s'aperçut qu'il était vide et l'abandonna en faveur du pistolet.

— Martie, je t'en supplie, appelle. Appelle.

Le téléphone sonna.

Elle lâcha le pistolet et décrocha.

— Allô...

Avant qu'elle puisse ajouter quoi que ce soit, une voix d'homme se fit entendre à l'autre bout du fil :

— Ben Marco.

— J'écoute.

38.

Peu à peu, Dusty avait reconstitué tous les éléments de son rêve ; à présent, il les contemplait un à un, comme s'il visitait une galerie de tableaux. Il s'arrêtait longuement devant chacune des images gothiques : un héron derrière la fenêtre, un héron dans la chambre, un chatoiement d'éclairs silencieux, un orage sans pluie ni tonnerre, un arbre de cuivre avec une poche de glucose en guise de fruit, Martie dans la position du lotus.

Au fil de sa vision, Dusty était de plus en plus persuadé que le rêve renfermait, en son tréfonds, un terrible secret. Cela lui rappelait l'enchâssement de ces boîtes chinoises gigognes, dont la plus petite cachait un scorpion. Mais, en l'occurrence, l'enchaînement était complexe, les boîtes difficiles à ouvrir, et le secret encore bien dissimulé.

De guerre lasse, Dusty finit par se lever et se rendit dans la salle de bains. Martie était si solidement attachée et menottée, elle dormait si profondément qu'elle ne risquait ni de se réveiller ni de quitter la chambre pendant son absence.

Quelques minutes plus tard, alors qu'il était en train de se laver les mains, Dusty eut une révélation. La réponse à une question qui le tracassait tout à l'heure, avant que Martie se réveille et exige d'être attachée.

Les missions.

Le haïku de Skeet.

Les cascades claires. Dans les vagues dispersent. Des aiguilles de pin bleues.

Les aiguilles étaient les missions, avait dit Skeet.

Pour essayer de trouver une signification à cette phrase, Dusty avait listé, en pensée, des synonymes du mot « mission » : *tâche, travail, corvée, devoir, vocation, carrière, église,* mais cela ne l'avait pas avancé.

Maintenant, alors qu'il tenait ses mains couvertes de mousse sous l'eau chaude pour les rincer, une deuxième série de mots lui vint à l'esprit. *Commission. Responsabilité. Affectation. Instructions.*

Dusty était penché au-dessus du lavabo, comme Skeet, plus tôt, dans la salle d'eau de sa chambre de La Nouvelle Vie, lorsqu'il avait laissé couler l'eau brûlante sur ses mains… Un mot retenait l'attention de Dusty : *instructions.*

Les poils de sa nuque se raidirent soudain comme des cordes de piano, et un frisson glacé parcourut, en un glissando muet, chacune de ses vertèbres comme autant de touches d'un clavier.

Le nom du *Dr Yen Lo* avait déclenché cette réponse solennelle de la part de Skeet : *J'écoute.* À compter de cet instant, il avait répondu aux questions uniquement par d'autres questions.

— *Tu sais où tu es ?*

— *Où je suis ?*

— *Tu le sais ou pas ?*

— *Je devrais ?*

— *Regarde donc autour de toi.*

— *Je peux ?*

— *À quoi tu joues ? C'est un vieux sketch d'Abbott et Costello que tu me fais ?*

— *C'est ce que vous voulez que je fasse ?*

Skeet avait répondu aux questions par d'autres questions, comme s'il attendait qu'on lui indique quoi faire et quoi penser. Mais il avait réagi aux phrases affirmatives comme à des ordres, et aux véritables ordres comme s'il s'agissait de paroles divines. Quand Dusty, énervé, avait grondé : « Ça suffit maintenant ! Dors et tais-toi ! » Skeet avait immédiatement sombré dans un sommeil profond.

Skeet avait dit que le haïku était les « règles ». Plus tard, Dusty avait commencé à penser que le poème constituait une sorte d'outil, un mécanisme simple ayant un effet puissant et immédiatement vérifiable, quelque chose comme l'équivalent verbal d'une clouteuse − même s'il ne savait pas très clairement ce qu'il entendait par là.

Maintenant qu'il explorait les ramifications sémantiques du mot *instructions*, la fonction du haïku paraissait moins obscure à Dusty. Il la comparait non plus à un mécanisme ou à un outil, mais à un système d'exploitation − le logiciel permettant à la machine de comprendre des instructions, de les assimiler et de les exécuter.

Mais où diable cette analogie le menait-il ? Quelle conclusion logique tirer de tout cela ? Si le haïku était un système d'exploitation, fallait-il en déduire que Skeet était... programmé ?

Au moment de fermer le robinet, Dusty crut entendre le téléphone sonner. Les mains dégoulinantes d'eau, suspendues en l'air, comme un chirurgien après ses ablutions préopératoires, il sortit de la salle de bains et tendit l'oreille. La maison était redevenue silencieuse.

Si quelqu'un avait appelé, le répondeur dans le bureau de Martie s'était déclenché au bout de deux sonneries.

Mais il avait sans doute rêvé. Personne ne les appelait jamais à cette heure-ci. Par sécurité, toutefois, il irait vérifier s'il n'y avait pas de message sur le répondeur avant de se recoucher.

De retour dans la salle de bains, il se sécha les mains, retournant en pensée le mot *programmé* en tout sens, l'examinant sous toutes les coutures, listant toutes ses significations cachées.

Dusty était face au miroir de la salle de bains, le regard perdu dans le vide. Il ne voyait plus son double devant lui, il repassait dans son esprit la scène étrange survenue dans la chambre de Skeet, à la clinique de La Nouvelle Vie. Puis il rembobina la cassette de ses souvenirs jusqu'au matin du même jour, lorsqu'il se trouvait sur le toit des Sorenson.

Skeet avait déclaré avoir vu l'Autre Côté. Un ange de la mort lui avait montré ce qui l'attendait là-bas, et cela avait plu au gamin. Puis l'ange lui avait demandé de sauter. « Je suis ses instructions », avait dit Skeet. C'était le terme qu'il avait employé : *instructions*.

Encore ce frisson glacé le long de son dos. Il venait d'ouvrir une nouvelle boîte chinoise gigogne, contenant elle-même une autre boîte. Mais peut-être arrivait-il vers la fin de la série. Il lui semblait déjà entendre le scorpion remuer : c'était le bruit d'une vérité affreuse, prête à lui sauter au visage sitôt qu'il soulèverait le couvercle.

216

39.

Le brouillard et le bruit étouffé des rouleaux sur la plage semblaient s'être alliés pour dissimuler son retour.

Rosée sur l'escalier gris. Escargot sur la deuxième marche. Broyé sous mon pied.

En montant l'escalier, le psychiatre chuchotait dans son portable :

— *L'orage d'hiver…*

— Vous êtes l'orage, répondit Susan Jagger.

— *… se cache dans la forêt de bambou…*

— Je suis la forêt.

— *… et trouve la paix.*

— Et dans la paix, je vais apprendre ce que l'on veut de moi.

Il arriva sur le palier.

— Ouvre-moi ta porte.

— Oui.

— Vite, dit-il.

Puis il éteignit le portable et le rangea dans sa poche.

Il jeta un coup d'œil inquiet vers l'esplanade déserte.

Immobiles dans la brume, cascades gelées des branches des palmiers, sombres feux d'artifice.

Un raclement annonça le déplacement de la chaise bloquant la poignée de la porte. Le premier verrou grinça. Puis le deuxième. Suivi du cliquetis de la chaîne de sécurité.

Susan l'accueillit poliment. Sans dire un mot, elle s'inclina à moitié, avec la soumission d'une geisha. Ahriman entra. Il attendit qu'elle referme la porte et l'un des verrous pour lui donner l'ordre de le conduire jusqu'à sa chambre à coucher.

Ils traversèrent la cuisine, la salle à manger, le séjour et parcoururent le petit couloir qui menait à la chambre.

— Je crois que tu as été une mauvaise fille, Susan. Je ne sais pas comment tu as osé manigancer contre moi, ni comment tu en as eu l'idée, mais c'est bel et bien ce que tu as fait.

Un peu plus tôt, chaque fois qu'elle avait détourné les yeux, c'était pour regarder en direction du bonsaï. Et chaque fois que ce bout de verdure avait attiré son regard, c'était juste après qu'Ahriman eut parlé de la vidéo qu'il avait tournée — ou de celle qu'il projetait de tourner. Remarquant son trouble et son angoisse, Ahriman avait incité Susan à lui révéler la source de son inquiétude. Quand elle avait simplement articulé : « la vidéo », il en avait déduit l'explication la plus évidente. Mais l'évidence, cette fois, était peut-être bien la mauvaise réponse. Ce qui avait éveillé ses soupçons, c'était qu'elle regardait *systématiquement* la plante. Elle aurait dû baisser les yeux vers le sol, de honte, ou vers le lit, ce théâtre de tant d'humiliations. Non, elle regardait le bonsaï.

Ils arrivaient dans la chambre.

— Je veux savoir ce qu'il y a dans ce pot, sous le lierre, dit-il.

Susan le conduisit docilement vers le piédestal Biedermeier, mais le médecin s'arrêta net quand il vit les images qui passaient sur la télévision.

— Je veux bien être pendu ! lâcha-t-il.

Et c'est bien ce qui lui serait arrivé s'il n'avait pas mis le doigt sur la raison de son malaise, s'il était rentré chez lui se coucher, au lieu de repasser chez Susan.

— Viens ici, ordonna-t-il.

Susan s'approcha. Ahriman serra les poings. Il avait envie de démolir ce joli petit minois.

Les filles. Toutes les mêmes !

Petit, il ne voyait pas l'intérêt de s'en approcher ; il les évitait même comme la peste. Elles lui donnaient la nausée, toutes ces manipulatrices, ces minaudeuses, ces fausses ingénues ! Le seul atout qu'il leur trouvait, c'était de pouvoir si facilement les faire pleurer, les voir verser ces belles grosses larmes salées. Mais, ensuite, elles allaient toujours tout moucharder à leurs parents. Il se défendait facilement contre leurs accusations hystériques : les adultes tendaient à trouver le petit Ahriman convaincant et charmant. Néanmoins, le garçon avait vite compris qu'il devait se faire discret, ne pas se laisser dévorer par cette passion pour les épanchements lacrymaux, comme il avait vu bien des gens de l'entourage de son père, à Hollywood, se faire dévorer par la cocaïne.

Plus tard, trahi par ses hormones, il découvrit que les filles avaient une autre utilité que celle de verser des larmes. Le jeune Ahriman apprit également à quel point il était facile, pour un beau garçon comme lui, de s'emparer de leurs cœurs et de s'en amuser. Finalement, les jeux de l'amour et de la trahison leur arrachaient plus de larmes qu'il n'en avait jamais obtenues, petit, en les pinçant, en les bousculant, en leur tirant les oreilles ou en les poussant dans des flaques de boue.

Et pourtant, malgré toutes ces années passées à les torturer en jouant avec leur inconscient, elles lui étaient toujours aussi antipathiques qu'à l'époque où il leur glissait des chenilles sous leur chemisier. Les filles l'agaçaient plus qu'elles ne le charmaient. Après en avoir utilisé une, il se sentait toujours vaguement écœuré. Il les détestait encore plus à cause de la fascination qu'elles exerçaient sur lui. Le pire, c'est que le sexe ne leur suffisait pas : elles voulaient des enfants ! Des frissons le traversaient jusqu'à la moelle à la simple pensée d'être père. Il était presque tombé dans le piège, une fois. Heureusement, le destin lui avait permis d'en réchapper. On ne pouvait faire confiance aux enfants. Des chevaux de Troie en puissance. On oubliait de s'en méfier, et, au moment où l'on s'y attendait le moins, ils attaquaient de l'intérieur. Ils pouvaient vous tuer, vous dépouiller de tous vos biens. Ahriman en savait long sur ce genre de traîtrise. Et si vous aviez le malheur d'avoir une fille, elle se liguait aussitôt avec sa mère pour comploter contre vous. Dans l'échelle des valeurs du Dr Ahriman, les hommes appartenaient à une race différente de la sienne – une race inférieure, cela allait sans dire –, mais les filles, elles, faisaient partie d'une espèce complètement à part. Les filles étaient des extraterrestres, des créatures échappant à la compréhension humaine.

Quand Susan arriva devant lui, Ahriman brandit le poing.

Elle ne paraissait nullement apeurée. Sa personnalité était refoulée si profondément qu'elle était incapable de montrer ses émotions sans en avoir reçu l'ordre.

— Je devrais te réduire en bouillie.

Il perçut la note d'irritation enfantine dans sa propre voix, mais cela ne le gêna pas outre mesure. Il était conscient que son Moi régressait au cours de ces jeux de manipulation. Cette régression n'était ni humiliante ni troublante ; au contraire, elle était indispensable si Ahriman voulait jouir au maximum du moment. En tant qu'adulte expérimenté, il était blasé ; redevenu adolescent, son émerveillement était tout frais. Il était tout émoustillé par les mille et une façons d'user de son pouvoir.

— Je devrais mettre en charpie ton visage de débile. Te défigurer pour le reste de ta vie.

Susan resta sereine, toujours envoûtée. Une série de mouvements oculaires agita ses orbites pendant quelques secondes, mais cela n'avait rien à voir avec les menaces du psychiatre.

Ahriman n'osait pas la frapper. La retenue et la discrétion étaient de rigueur. Si sa mort était correctement mise en scène, il n'y aurait sans doute pas d'enquête criminelle. En revanche, si on la retrouvait pleine d'hématomes, le suicide serait moins crédible.

— Tu ne me plais plus, Susie. Plus du tout.

Elle ne répondit pas, il ne lui en avait pas donné l'ordre.

— Je suppose que tu n'as pas eu le temps d'appeler la police. Dis-moi si c'est vrai.

— C'est vrai.

— Tu as parlé à quelqu'un de cette cassette ?

— Quelle cassette ?

Ahriman dut se rappeler qu'elle ne le narguait pas, qu'elle était programmée pour répondre ainsi aux questions lorsqu'elle était au plus profond de sa chapelle mentale. Il abaissa le poing et déplia lentement les doigts.

— Dis-moi si tu as parlé à quelqu'un de la cassette que nous regardons.

– Non.

Soulagé, le médecin la prit par le bras et la mena jusqu'au lit.

– Assieds-toi, petite.

Elle s'assit au bord du lit, les genoux serrés, les mains posées sur les cuisses.

Ahriman l'interrogea encore pendant quelques minutes. Il comprit rapidement le pourquoi du piège de la caméra : Susan cherchait des preuves contre Eric, pas contre son psychiatre…

Bien que sa mémoire fût systématiquement oblitérée après chaque rencontre, il était normal qu'elle soupçonne l'existence de ses violences sexuelles. Puisque qu'il n'effaçait pas jusqu'aux moindres traces de sueur et de passion qu'il laissait sur elle, les indices susceptibles de confirmer les soupçons de Susan étaient légion. Ahriman avait choisi de ne pas être obsessionnel sur le nettoyage postcoïtal, cela aurait diminué le frisson du pouvoir et détruit son agréable illusion de contrôle absolu. Une bataille de purée ou un meurtre sanglant est bien moins amusant s'il faut ensuite nettoyer les murs et passer la serpillière. Il était un aventurier, pas une femme de ménage.

De nombreuses techniques lui permettraient d'atténuer ou de détourner les soupçons de Susan. Il pouvait lui suggérer de ne prêter aucune attention à ces traces indéniables de rapports sexuels. S'il se sentait d'humeur espiègle, il avait aussi la possibilité d'implanter dans son esprit l'idée qu'un être aux yeux jaunes, tout droit sorti d'un gouffre enflammé, lui rendait visite dans l'intention de s'accoupler avec elle pour donner naissance à l'Antéchrist. En parsemant sa mémoire de souvenirs à demi rêvés d'un maléfique amant nocturne, pourvu d'une peau épaisse comme du cuir, d'une haleine de soufre et d'une langue noire et fourchue, il aurait pu littéralement faire de la vie de Susan un enfer sur terre.

Ahriman connaissait la chanson : il l'avait jouée bien des fois à d'autres avant elle. En fredonnant cet air de la superstition, il avait même provoqué des cas graves de démonophobie qui avaient détruit la vie de nombre de ses patientes. Ce petit jeu l'avait hautement diverti, puis il s'en était lassé. Cette phobie, plus dangereuse que les autres, progressait rapidement vers le déclin mental et finissait souvent en démence pure. Ahriman trouvait cela peu satisfaisant. Les larmes des fous, indépendantes de leurs souffrances, étaient moins tonifiantes que les larmes des sains d'esprit qui, eux, croyaient encore avoir un espoir de guérison.

Parmi les nombreuses possibilités qui s'offraient à lui, Ahriman avait choisi de diriger les soupçons de Susan sur son ex-mari. La partie qu'il jouait actuellement, soumise à un scénario particulièrement compliqué et sanglant, devait se terminer par un grand massacre qui ferait la une des médias. Les détails exacts de cette dernière manche étaient en révision constante dans le cerveau du psychiatre : Eric serait soit l'un des acteurs essentiels de la tuerie, soit une victime.

En suggérant à Susan de concentrer ses soupçons sur Eric, tout en lui interdisant une confrontation directe avec son ancien époux, Ahriman avait exercé sur l'esprit de la jeune femme une forte contrainte, agissant comme un ressort d'horloge. Au fil des semaines, le ressort s'était comprimé, jusqu'à ce que Susan ne puisse plus contenir l'incroyable énergie émotionnelle emmagasinée. Afin de soulager cette pression, elle avait cherché des preuves de la culpabilité de son mari, suffisantes pour lui permettre de s'adresser directement à la police. Elle évitait ainsi la confrontation défendue avec Eric.

Si les choses avaient suivi leur cours normal, elles n'en seraient jamais arrivées là. Ahriman ne s'était jamais amusé aussi longtemps avec quelqu'un. Susan Jagger était une exception. Il avait commencé à la droguer et à la préparer un an et demi plus tôt ! Et elle était sa patiente depuis seize mois… D'habitude, il se lassait de son jouet au bout de six mois, parfois après deux ou trois mois seulement. Soit il guérissait son patient de la phobie ou de l'obsession qu'il avait lui-même implantée, ce qui ne faisait qu'ajouter à sa singulière réputation de thérapeute, soit il concevait une mort suffisamment pittoresque et haute en couleur pour amuser le joueur qualifié qu'il était. Mais cette fois-ci, envoûté par la beauté de Susan, il s'était attardé trop longuement sur sa personne, laissant le stress s'accumuler en elle puis la conduire à lui tendre ce piège.

Les filles ! Tôt ou tard, on avait toujours des problèmes avec elles.

Ahriman se leva et ordonna à Susan de l'imiter. Elle lui obéit.

— Tu as vraiment mis une belle pagaille dans mon jeu, dit-il impatiemment. Il va falloir que je trouve une nouvelle fin, une fin complètement différente.

Il pouvait l'interroger, découvrir le moment où elle avait eu l'idée de le filmer, puis parcourir avec elle les événements jusqu'à l'instant présent en effaçant au fur et à mesure tous les souvenirs concernant la cassette. Mais Susan risquait de remarquer des trous inexplicables dans son emploi du temps. Il pouvait facilement effacer tout un pan de vie de la mémoire d'un sujet, puis remplir ce vide de faux souvenirs, grossièrement esquissés mais convaincants bien que peu détaillés. En revanche, il lui était plus difficile de retirer un seul écheveau du tissu complexe de la mémoire. Autant extraire les fines nervures de gras d'un filet mignon bien marbré sans abîmer la viande. Il lui restait la possibilité d'effacer du cerveau de Susan tous les souvenirs lui rappelant qu'il était son bourreau. Mais il n'en avait plus l'énergie ni la patience.

— Susan, dis-moi où il y a un papier et un stylo.

— À côté du lit

— Va les chercher, s'il te plaît.

Il fit le tour du lit pour la rejoindre et vit le pistolet posé sur la table de chevet.

Susan ne montrait aucun intérêt pour l'arme. Elle ouvrit le tiroir de la table et en sortit un stylo à bille ainsi qu'un bloc-notes de la taille d'un carnet de sténo. Sa photo était imprimée en haut de chaque page, à côté du logo et des numéros de téléphone de l'agence immobilière qui l'employait avant que l'agoraphobie ne mette fin à sa carrière.

— Range cette arme, s'il te plaît, demanda Ahriman, bien qu'il ne craignît pas le moins du monde qu'elle l'utilise contre lui.

Susan rangea le pistolet dans le tiroir et le referma. Puis elle se tourna vers Ahriman pour lui tendre le bloc et le stylo.

— Prends-les avec toi, dit-il.

— Où ça ?

— Suis-moi.

Le psychiatre l'entraîna dans la salle à manger. Là, il lui ordonna d'allumer le grand lustre et de s'asseoir à la table.

40.

Les yeux rivés sur le miroir de la salle de bains, Dusty se remémorait pour la millième fois sa conversation sur le toit avec Skeet, essayant de repérer les détails qui pouvaient étayer son hypothèse à peine croyable d'une programmation psychique. Inutile d'espérer retrouver le sommeil. Pour lui, la nuit était finie. Des nuées de questions bourdonnaient dans sa tête comme des hordes de moustiques surexcités. Il avait l'impression d'avoir bu plusieurs litres d'un café noir comme de la mélasse.

Qui aurait pu programmer Skeet ? Quand ? Comment ? Dans quel but ? Et pourquoi avoir choisi Skeet, justement, ce grand mou, selon sa propre expression ? Un sympathique loser, drogué, et tout ce qu'il y avait d'inoffensif ?

Ça puait la paranoïa à plein nez. Cette théorie abracadabrante aurait sans doute paru parfaitement crédible à des spécialistes du paranormal dont Fig Newton écoutait les causeries radiophoniques pendant ses journées de travail et le plus clair de son temps libre. Dans cette Amérique imaginaire, largement appréciée des foules, des extraterrestres machiavéliques se reproduisaient frénétiquement avec d'infortunées terriennes, des êtres immatériels étaient responsables du réchauffement planétaire comme des scandaleux taux d'intérêt sur les cartes de crédit, le président des États-Unis avait été remplacé subrepticement par son sosie androïde fabriqué dans les caves de Bill Gates, Elvis était vivant, en exil sur une station spatiale conçue et contrôlée par Walt Disney, et son cerveau avait été transplanté dans un corps d'emprunt plus connu sous le nom de Will Smith, star du rap et grosse pointure du cinéma. Mais ici, dans le monde réel, cette théorie de la programmation de Skeet n'avait aucun sens. Elvis était mort, Disney aussi, et les seuls extraterrestres vaguement lubriques existant en ce bas monde étaient les vieux acteurs de la série *Star Trek* défoncés au Viagra.

Dusty aurait volontiers ri de sa théorie insensée… si Skeet n'avait pas prétendu avoir reçu des *instructions* pour plonger du toit des Sorenson, s'il n'était pas tombé dans cette transe surnaturelle à la clinique de La Nouvelle Vie, s'il ne leur manquait pas à tous – Skeet, Martie, et Dusty lui-même – le souvenir de pans entiers de leurs journées, et si leurs vies ne s'étaient pas brusquement et simultanément détraquées, instaurant autour d'eux un climat d'étrangeté digne d'un épisode en deux parties de *X-Files*… Si les rires avaient été des dollars et les sourires de la monnaie sonnante et trébuchante, Dusty, à cet instant précis, n'aurait pas eu un sou en poche.

Hé ! Elvis ! Tu ne te sens pas trop seul, là-haut, en orbite ?

Puisque l'insomnie serait sa compagne jusqu'à l'aube, Dusty décida de se raser et de se doucher pendant que Martie était encore plongée dans un profond sommeil. Si ses peurs terribles la reprenaient à son réveil, elle ne voudrait plus qu'il la quitte du regard, terrifiée à l'idée de se libérer de ses liens et de mettre en œuvre ses intentions meurtrières.

Quelques minutes plus tard, les joues de Dusty étaient lisses. Il éteignit son rasoir électrique et entendit des plaintes étouffées provenant de la chambre.

C'était Martie qui gémissait dans son sommeil – un autre cauchemar.

– Non, non, non, marmonnait-elle tout en tirant sur ses liens.

Valet, sans doute interrompu dans ses rêves de balles de tennis et de bols de croquettes, leva la tête et poussa un bâillement gigantesque digne d'un crocodile. Mais il ne grogna pas.

Martie agitait la tête sur l'oreiller, grimaçant et gémissant comme si elle délirait sous l'effet d'une fièvre paludéenne.

Dusty prit quelques Kleenex et épongea le front humide de la jeune femme. Il lissa ses cheveux et tint dans ses mains ses poignets menottés jusqu'à ce qu'elle se calme.

Lequel de ses cauchemars la torturait ? Celui qui la hantait depuis six mois, l'abominable homme-feuilles ? Ou bien cette vision d'horreur qui l'avait déjà tirée du sommeil tout à l'heure et laissée le souffle coupé, suffoquant et crachant de dégoût, se frottant la bouche à deux mains comme une hystérique pour en retirer quelque substance hideuse et visible d'elle seule ?

Peu à peu, Martie s'apaisa. Les gémissements cessèrent. Le rêve récurrent de l'homme-feuilles avait peut-être lui aussi une signification cachée, à l'instar du héron foudroyé de Dusty ?

Martie lui avait décrit son cauchemar quelques mois auparavant, après l'avoir enduré deux ou trois fois. Son récit ressortit intact, jusque dans ses moindres détails, du coffre-fort de la mémoire de Dusty…

À première vue, leurs rêves semblaient complètement différents. Mais une analyse plus approfondie révélait des similitudes troublantes.

De plus en plus perplexe, Dusty étudia les points communs entre les deux cauchemars. Loin de se lever, le voile du mystère s'épaissit encore.

Et Skeet ? Rêvait-il en ce moment ?

Étendu sur son coussin en peau de mouton, Valet expira soudain tout l'air de ses poumons. Habituellement, il produisait ces éternuements forcés pour se vider le nez avant sa promenade matinale, afin de mieux détecter les odeurs des lapins. Mais, dans cette chambre parfaitement exempte de toute espèce de rongeur, cette démonstration sonore semblait plutôt exprimer du scepticisme à l'égard de l'intérêt soudain et obsessionnel de son maître pour les rêves.

— Il y a quand même quelque chose de bizarre derrière tout ça, marmonna Dusty.

En guise de réponse, Valet expulsa une nouvelle salve d'un air dédaigneux.

41.

Ahriman marchait de long en large à travers la pièce, dictant un adieu à la vie tout à fait poignant. Susan le retranscrivait de sa belle écriture gracieuse. Le médecin savait exactement quoi dire et quoi passer sous silence pour convaincre le plus sceptique des enquêteurs de l'authenticité de la lettre.

L'analyse graphologique laisserait évidemment peu de doutes, voire aucun. Mais Ahriman était un homme méticuleux.

Il avait du mal à trouver ses mots. La Tsingtao lui avait laissé un goût âcre dans la bouche. Il se sentait épuisé, ses yeux étaient brûlants et granuleux, et son esprit embrumé réclamait le sommeil. Il polissait néanmoins chacune de ses phrases avant de les énoncer.

Susan aussi le déconcentrait. Maintenant qu'elle ne serait plus jamais à lui, la jeune femme semblait resplendir d'une beauté nouvelle.

Flammes de cheveux d'or. Éclair dans ses grands yeux verts. Triste jouet cassé.

Non. C'était un haïku médiocre. Humiliant, même, pour son auteur. Il possédait bien les dix-sept syllabes et la structure idéale en cinq-onze-cinq, mais c'était tout.

De temps à autre, Ahriman parvenait à composer un poème acceptable : *Sur des marches d'escalier, un escargot broyé sous son pied,* ce genre de chose. Quand il s'agissait de capter l'apparence, en revanche, l'humeur et l'essence d'une fille, de n'importe quelle fille, il était complètement perdu.

Il y avait du vrai dans son malheureux haïku : ce joli jouet était bel et bien cassé. Susan était toujours magnifique en apparence, mais la mécanique interne était sérieusement endommagée. Impossible de la réparer avec quelques points de colle, comme il l'aurait fait pour une figurine en plastique du ranch de Roy Rogers ou de l'académie de l'espace de Tom Corbett.

Les filles… Ça vous laisse toujours tomber quand vous avez le plus besoin d'elles.

En proie à un sentiment étrange, entre la colère froide et la nostalgie, Ahriman acheva de dicter la lettre d'adieu. Il se pencha par-dessus l'épaule de Susan pendant qu'elle signait en bas de la page.

Ses mains aux longs doigts. Les déliés gracieux du stylo. Ses derniers mots.

Pas une larme.

Dommage.

Abandonnant le bloc-notes sur la table, le psychiatre conduisit Susan à la cuisine. À sa demande, elle lui remit un double de la clé de l'appartement, qu'elle prit dans le petit secrétaire encastré où elle s'installait autrefois pour noter ses listes de courses et prévoir ses menus. Ahriman possédait sa propre clé, mais il ne l'avait pas sur lui. Il glissa le double dans sa poche et reconduisit Susan dans sa chambre.

La vidéo continuait de tourner. Sur l'ordre du psychiatre, Susan s'empara de la télécommande pour arrêter la cassette, puis elle l'éjecta du magnétoscope et la posa sur la table de chevet, à côté du verre à pied vide.

— Dis-moi où tu ranges la caméra, d'habitude.

Les yeux de la jeune femme tremblotèrent un moment. Puis son regard se stabilisa.

— Dans une mallette, sur le rayon du haut, dans ce placard, répondit-elle en désignant le meuble du doigt.

– Remets-la dans sa boîte et range-la.

Elle dut aller chercher dans la cuisine un petit escabeau pliant pour atteindre l'étagère.

Ensuite, Ahriman lui ordonna de se munir d'une serviette de toilette et d'essuyer les deux tables de chevet, le dossier du lit et tout ce qu'il aurait pu toucher dans la chambre par inadvertance. Il la surveilla pour s'assurer qu'elle accomplissait correctement sa tâche.

Ahriman avait évité de poser les mains sur une quelconque surface dans l'appartement. On ne risquait guère de retrouver des traces de sa présence. Seules les deux pièces les plus intimes de Susan méritaient un récurage complet. Quand la jeune femme eut terminé de nettoyer la chambre, elle passa dans la salle de bains pour astiquer carrelage, miroir, cuivre et porcelaine, sous le regard attentif du psychiatre, posté sur le seuil.

Sa mission terminée, Susan plia la serviette selon trois plis parfaitement droits et la déposa sur un portant en cuivre, à côté d'une deuxième serviette disposée exactement de la même façon. Le psychiatre aimait l'ordre.

Quand il aperçut la culotte blanche posée sur le couvercle de la corbeille à linge, il faillit ordonner à Susan de la ranger dans le réceptacle avec le reste des vêtements sales, mais un pressentiment l'en dissuada et l'incita à lui poser quelques questions. C'est avec stupeur qu'il apprit qu'elle l'avait mise de côté pour fournir un échantillon d'ADN à la police.

Les filles ! Sournoises. Calculatrices. Quand il était petit, par bravade, elles le défiaient de les pousser dans l'escalier ou dans un parterre de rosiers couverts d'épines. La chose faite, elles couraient trouver un adulte et prétendaient ne pas l'avoir provoqué, elles l'accusaient de méchanceté pure ! Et aujourd'hui, des décennies plus tard, voilà que cela recommençait. Trahi. Une fois de plus…

Il aurait pu lui donner l'ordre de laver la culotte dans le lavabo. Il décida qu'il était plus prudent de l'emporter avec lui et de la faire disparaître.

Le psychiatre n'était pas expert dans les derniers progrès de la médecine légale en matière d'homicide. Toutefois il était à peu près certain que les empreintes digitales ne restaient sur la peau humaine que quelques heures. On pouvait les relever à l'aide de lasers et de matériel sophistiqué, mais des procédés beaucoup plus simples étaient tout aussi efficaces. Appliquée sur la peau, une carte Kromekote ou une pellicule Polaroïd non exposée fixaient la trace compromettante. Il suffisait ensuite de saupoudrer le film de poudre noire pour obtenir une image en négatif de l'empreinte latente, que l'on inversait par cliché photographique pour obtenir un positif. Au pis, une poudre magnétique passée à même la peau avec un gros pinceau constituait une solution de secours, ou la méthode de transfert iode-argent si l'on disposait d'un pulvérisateur et de feuilles d'argent.

Ahriman estimait que le corps de Susan serait retrouvé cinq à six heures plus tard, voire davantage. Passé ce délai, les premières étapes de la décomposition auraient déjà éradiqué de son épiderme toute empreinte nuisible.

Il avait toutefois posé les doigts sur tous les creux et les courbes de son corps – et à plusieurs reprises. Pour sortir vainqueur de cette partie, il fallait, certes, jouer avec énergie et enthousiasme, mais également connaître les règles en détail et posséder un talent certain de stratège. Il suggéra donc à Susan de se faire couler un bain chaud. Puis, pas à pas, il la guida vers les ultimes instants de son existence.

Pendant que la baignoire se remplissait, Susan prit un rasoir dans le tiroir de la coiffeuse. Elle s'en servait d'ordinaire pour se raser les jambes. À présent, il allait être affecté à une tâche nettement plus sinistre.

Elle ouvrit le rasoir, en sortit la lame à un seul tranchant et la posa sur le rebord de la baignoire. Puis elle se déshabilla pour prendre son bain. Nue, elle n'avait plus l'air d'un jouet cassé. Ahriman regrettait de devoir s'en séparer.

En attendant d'autres instructions, Susan resta immobile devant la baignoire à regarder l'eau couler. Ahriman observa la jeune femme dans la glace et se félicita de son calme. L'intellect de Susan lui disait qu'elle allait bientôt mourir. Cependant, grâce à l'excellent travail de refoulement accompli par le médecin, elle n'était plus capable d'exprimer des émotions spontanées, tant sa personnalité était profondément enfouie.

Tôt ou tard, Ahriman devait se séparer de ses acquisitions, les abandonner à leur destin de mortelles. C'était dans l'ordre des choses. Pourtant, chaque fois, il avait un pincement au cœur.

Il aurait aimé les conserver toutes en parfait état. Il aurait réservé quelques pièces de sa maison à sa collection, tout comme il exposait ses petites voitures Corgi Toys, ses tirelires automatiques, ses boîtes de jeux et les autres objets ayant fait le bonheur de son enfance. Quel délice de pouvoir se promener entre ces hommes et ces femmes qui avaient été à la fois ses marionnettes et ses compagnons de jeu ! À l'aide de son nécessaire à gravure, il aurait façonné avec amour des plaques de bronze à leur nom, portant leurs années de naissance et de mort, ainsi que leur date d'acquisition, comme pour ses autres collections.

Les vidéocassettes constituaient de magnifiques souvenirs, mais elles n'étaient que des reproductions bidimensionnelles. Elles n'avaient ni le relief ni les agréables qualités tactiles des jouets d'origine.

Le principal obstacle, c'était la décomposition. Le psychiatre était un perfectionniste : il n'aurait jamais conservé une pièce qui n'approchât pas de la perfection. L'à-peu-près, le spécimen passable… très peu pour lui ! Et, comme aucune technique de conservation connue – de la momification antique à l'embaumement moderne – n'était à la hauteur de ses exigences, Ahriman était contraint, lorsque la nostalgie le prenait, de se satisfaire des images de ses vidéos.

Il envoya Susan chercher le bloc sur lequel elle avait rédigé sa lettre d'adieu. La jeune femme revint dans la salle de bains et le posa sur les carreaux fraîchement astiqués de la coiffeuse. On retrouverait sa lettre en même temps que son cadavre…

La baignoire était pleine. Susan ferma les deux robinets.

Elle ajouta à l'eau des sels parfumés.

Un geste surprenant, car le médecin ne le lui avait pas demandé. De toute évidence, elle agissait toujours ainsi avant d'entrer dans son bain : c'était un réflexe conditionné qui ne lui demandait aucune réflexion volontaire. Intéressant.

La vapeur s'élevait de l'eau en volutes enchevêtrées, dispersant dans la pièce des senteurs de rose.

Assis sur la cuvette fermée des toilettes, Ahriman prenait soin de ne rien toucher avec les mains. Il ordonna à Susan d'entrer dans la baignoire, de s'asseoir dans l'eau et de faire sa toilette avec un soin tout particulier. Désormais, il n'y avait plus aucune chance qu'un laser, un film Polaroïd, un pinceau ou un pulvérisateur puissent retrouver une quelconque empreinte sur son corps. Le psychiatre comptait aussi sur l'action de l'eau pour déloger et disperser les dernières traces de sperme.

Il restait sans doute dans la chambre et les autres pièces des cheveux, des poils et des fibres de ses vêtements, que la police légale pourrait recueillir et examiner. Mais, sans empreintes ni autres preuves de son identité, les autorités ne pourraient se servir de ces reliques pour remonter jusqu'à lui.

De toute façon, il avait concocté un tableau de suicide annoncé tellement convaincant que la police n'ouvrirait sans doute même pas d'enquête pour homicide.

Ahriman aurait aimé rester plus longtemps à regarder Susan faire sa toilette, c'était un spectacle délicieux et enchanteur. Mais il était las. Le sommeil le gagnait. En outre, il voulait quitter l'appartement bien avant l'aube : aux premières heures du matin, les probabilités de croiser un témoin étaient extrêmement faibles.

— Susan, prends cette lame de rasoir, s'il te plaît.

La lame resta collée au rebord mouillé de la baignoire, puis Susan parvint à la soulever et à la coincer entre son pouce et son médium droits.

Le psychiatre préférait des méthodes de destruction plus flamboyantes. De nature impatiente, il ne trouvait pas sa dose de sensations fortes dans l'absorption d'une tasse de thé empoisonné, l'étranglement d'un nœud coulant ni même – comme dans le cas présent – l'incision de quelques artères radiales. Ce qui l'amusait vraiment, c'étaient les haches, les tronçonneuses, les fusils, les pistolets de gros calibre et les explosifs.

Le pistolet de Susan l'avait intéressé un moment. Seulement un coup de feu aurait réveillé les retraités du dessous, même si, selon leurs habitudes, ils s'étaient imbibés de Martini avant d'aller au lit.

Quelque peu frustré, mais bien décidé à ne pas céder à son goût du spectaculaire, Ahriman expliqua avec précision à Susan comment tenir la lame sur son poignet gauche, où couper, et quelle pression exercer. Avant l'incision définitive, elle se fit plusieurs entailles légères, pour suggérer son hésitation. La police retrouvait ce type de marques chez plus de la moitié des suicidés. Puis, avec un visage inexpressif, ses yeux verts magnifiques et glacés comme deux pierres précieuses, elle se fit une troisième entaille, plus profonde celle-ci.

Pour trancher une artère radiale, on endommage forcément des tendons. Quand elle passa à son autre poignet, sa main gauche serrait donc moins sûrement la lame que sa main droite. Et la nouvelle entaille, moins profonde, saignait moins franchement – un détail que les policiers avaient l'habitude d'observer et qui ajouterait encore à la crédibilité du tableau.

Puis Susan laissa tomber la lame. Ses bras s'affaissèrent dans l'eau.

– Merci, Susan, dit Ahriman.

– Tout le plaisir est pour moi.

Le psychiatre resta à ses côtés jusqu'à la fin. Il aurait pu partir, sachant que même seule, dans l'état de soumission où elle était, elle serait restée calmement assise dans la baignoire jusqu'à expirer son dernier souffle. Mais Ahriman avait déjà retourné dans cette partie deux cartes imprévues et il ne voulait prendre aucun risque supplémentaire.

Les colonnes de vapeur diminuaient maintenant, et le parfum de rose se mêlait à une autre odeur, plus douceâtre.

Jugeant que la situation manquait d'émotion dramatique, Ahriman envisagea de faire sortir Susan de sa chapelle et de lui faire gravir quelques marches en direction de sa conscience, afin qu'elle apprécie mieux sa situation pathétique. Bien que le médecin fût capable de la maîtriser jusque dans des états de conscience plus avancés, il y avait une infime possibilité qu'elle laisse échapper un hurlement de terreur et de désespoir, un cri susceptible de réveiller les retraités et leurs perroquets.

Il attendit donc.

L'eau du bain refroidissait, malgré le chaud liquide qui s'écoulait de Susan.

La jeune femme restait muette, aussi pâle et impassible que la baignoire où elle se trouvait. Ce fut avec stupeur qu'Ahriman vit couler sur son visage une larme solitaire.

Il se rapprocha d'elle, incrédule, certain qu'il s'agissait d'une goutte d'eau ou de transpiration.

Quand la goutte atteignit le bord de son visage, une deuxième, énorme, bien plus grosse que la première, perla du même œil. Il n'y avait plus aucun doute !

Finalement, ce final laborieux lui réservait une bonne surprise. Fasciné, le psychiatre suivit le trajet de cette seconde larme, descendant le rebondi élégant de la pommette, puis le creux de la joue, effleurant le coin de la bouche pulpeuse puis finissant sa course au surplomb de la mâchoire où elle arriva, diminuée mais encore assez grosse pour trembler dans le vide pareille à un petit joyau.

Cette deuxième larme fut la dernière. Le baiser de la mort avait asséché les autres.

Quand la mâchoire de Susan s'affaissa, comme si la jeune femme était étonnée de ce qui lui arrivait, la petite perle vacillante se détacha de la joue et tomba dans l'eau du bain, en un *pling !* délicieux, presque imperceptible. On eût dit que, dans une chambre éloignée, quelqu'un avait enfoncé la touche la plus aiguë d'un piano.

Le vert des yeux qui grise. Le rose de la peau gagné par le fil cendré... du rasoir.

Pas mal, celui-là.

Ahriman laissa les lumières allumées, évidemment. Il ramassa la culotte sale sur la corbeille à linge et passa dans la chambre récupérer la vidéocassette.

En traversant le salon, il s'arrêta pour humer le parfum subtilement citronné que diffusaient les pots-pourris dans leurs récipients en terre cuite. Il avait toujours eu l'intention de demander à Susan où elle achetait ce mélange. Il aurait bien voulu s'en procurer pour chez lui. Trop tard.

Devant la porte de l'appartement, Ahriman s'enveloppa les doigts dans un Kleenex et désenclencha le seul verrou que Susan avait refermé. Il sortit, tira sans bruit la porte derrière lui et referma les deux verrous avec le double que Susan lui avait remis.

Il ne pouvait rien faire pour la chaîne de sécurité. Ce petit détail isolé ne devrait pas trop éveiller la méfiance des autorités.

La nuit et le brouillard, ses deux complices, étaient au rendez-vous. Le bruit des vagues s'était amplifié depuis son arrivée, et il masqua le faible bruit de ses chaussures sur les marches recouvertes de lino.

Pour la deuxième fois, il rejoignit sa Mercedes sans rencontrer personne. Le trajet du retour fut agréable. Les rues étaient à peine plus encombrées que quarante-cinq minutes auparavant.

La maison d'Ahriman était perchée sur les hauteurs d'une colline, entourée d'un hectare de terrain, au cœur d'une communauté privée défendue par un portail électronique. La bâtisse était un vaste empilement de volumes futuristes habilement agencés. Certaines de ces formes carrées ou rectangulaires étaient en béton lissé, d'autres revêtues de granit noir, avec des terrasses suspendues, de longues avancées de toits, des portes en bronze et des baies vitrées si étendues que des volées entières d'oiseaux venaient s'y fracasser.

La propriété avait été édifiée pour un jeune entrepreneur qui avait engrangé des sommes inconcevables grâce au passage en Bourse de son site commercial sur Internet. Avant même qu'elle fût achevée, il s'était épris de l'architecture du sud-ouest des États-Unis et avait entrepris la construction, quelque part dans l'Arizona, d'une nouvelle fantaisie de quatre mille mètres carrés, avec des murs en imitation terre cuite dans le style des villages pueblo. Il avait vendu sa propriété californienne sans y avoir jamais habité.

Ahriman se gara dans l'une des dix-huit places du garage souterrain. Il prit l'ascenseur jusqu'au rez-de-chaussée.

Les pièces et les couloirs étaient vastes, et les sols recouverts de granit noir poli. Les tapis persans, choisis dans des teintes chatoyantes − fauve, pêche, jade et rubis −, avaient la patine délicate des années. Ils semblaient flotter sur le granit tels des tapis volants, comme s'ils ne reposaient pas sur le noir froid et dur de la pierre mais au-dessus des abîmes insondables de la nuit.

Dans les corridors et les pièces principales, des lampes s'allumaient çà et là pour magnifier les lieux. Elles étaient déclenchées par des cellules infrarouges et réglées par des horloges programmées pour les mille ans à venir. Dans les pièces plus modestes, l'éclairage était à commande vocale.

Le jeune internaute milliardaire avait informatisé le fonctionnement de la maison avec un souci du détail qui frisait l'obsession. S'il avait vu *2001 : l'Odyssée de l'espace*, il avait probablement pensé que le vrai héros de l'histoire, c'était Hal.

De son bureau aux boiseries sculptées, le médecin téléphona à son cabinet. Il laissa un message à l'attention de sa secrétaire lui demandant d'annuler les rendez-vous de 10 heures et de 11 heures et de les reporter à la semaine suivante. Il arriverait après le déjeuner.

Il n'avait aucun rendez-vous l'après-midi. Il l'avait laissé libre pour recevoir Dustin et Martie Rhodes qui, au bord du désespoir, allaient sûrement l'appeler au secours dès le lendemain matin.

Dix-huit mois auparavant, le Dr Ahriman s'était aperçu qu'il pouvait faire de Martie l'une des pièces maîtresses d'un jeu de grande envergure, une partie cette fois bien plus complexe que celles qu'il organisait d'ordinaire. Voilà huit mois, il lui avait servi sa potion maléfique dans un café, accompagné d'une petite gaufrette au chocolat. Il l'avait ensuite programmée lorsqu'elle accompagnait Susan à ses visites. Trois séances d'imprégnation avaient suffi, comme pour son amie d'enfance.

Depuis, Martie était restée en attente, sans se douter que le médecin venait de l'ajouter à sa collection.

Dix-huit heures plus tôt, mardi matin, Martie avait accompagné Susan au cabinet. Ahriman l'avait enfin fait rentrer sur le terrain. Il l'avait conduite dans sa chapelle mentale et lui avait implanté l'idée qu'elle ne devait pas se faire confiance, qu'elle représentait un grave danger pour elle-même et pour les autres, qu'elle était un monstre capable de toutes les violences et d'atrocités sans nom.

Après l'avoir remontée à la surface de sa conscience puis renvoyée dans le monde extérieur avec Susan Jagger, la malheureuse Martie avait dû passer une journée éprouvante. Ahriman avait hâte d'en connaître les détails croustillants.

Il ne s'était pas encore servi de Martie sexuellement. Moins belle que Susan, elle était cependant très attirante. Il brûlait de savoir jusqu'à quel point elle pouvait devenir délicieusement sordide, si elle y mettait du sien. Toutefois, elle ne souffrait pas encore assez pour exercer sur lui une véritable attraction érotique.

Cela ne tarderait pas…

Dans son état et son humeur présents, Ahriman se savait en posture délicate. La régression subie par sa personnalité au cours de ses jeux pervers ne s'inversait pas instantanément à la fin de la partie. Tel un plongeur de fond remontant à la surface par paliers successifs pour éviter l'embolie, Ahriman revenait vers l'âge adulte étape par étape. À cet instant précis, il n'était ni homme ni enfant, mais en pleine métamorphose émotionnelle.

Au minibar du bureau, il vida une bouteille de Coca-Cola « classic » dans un grand verre à cocktail en cristal. Il ajouta une bonne rasade de sirop à la cerise et des glaçons avant de touiller la mixture avec une longue cuillère en argent massif. Il goûta son mélange et sourit. C'était autre chose que la bière chinoise !

Incapable de dormir malgré son épuisement, il fit les cent pas dans la maison. Il avait programmé l'ordinateur pour que ses déambulations ne soient pas accompagnées de torrents de lumière ni d'éclairages tamisés savamment orchestrés. Il voulait l'obscurité dans les pièces qui disposaient d'une fenêtre, et une seule lampe réglée à la puissance minimale dans celles qui n'offraient pas de panorama nocturne sur le comté d'Orange.

Dans les vastes plaines s'étendant au pied de la colline, la majorité de la population dormait encore mais des millions de lumières scintillaient. Celle qui filtrait à travers les baies vitrées était suffisante pour permettre au psychiatre de s'orienter dans son dédale de béton avec l'assurance d'un chat. Ce clair-obscur mordoré lui plaisait.

Debout dans la pénombre, devant une énorme paroi de verre,

Ahriman se laissait pénétrer par le rayonnement nocturne, contemplant l'étendue urbaine qui s'offrait à son regard comme la plus grande maquette du monde. C'était ainsi que Dieu Lui-même aurait contemplé sa création… du moins, s'Il avait existé. Le psychiatre n'était pas un croyant mais un joueur.

Sirotant son Coca-cerise, il erra de pièce en pièce, à travers corridors et galeries. La maison était labyrinthique à bien des titres. On s'y égarait physiquement et mentalement. Quelques minutes plus tard, toutefois, il était de retour dans le salon.

C'était ici qu'il avait fait de Susan sa chose, dix-huit mois plus tôt. Le jour de la signature du contrat de vente, ils s'étaient retrouvés dans cette pièce pour qu'elle lui remette les clés et l'épais manuel des systèmes informatiques. Elle ne s'attendait pas à être accueillie avec une bouteille de Dom Pérignon glacé. Dès leur première rencontre, Ahriman avait veillé à ne jamais montrer à la jeune femme un intérêt autre que celui ayant trait à ses compétences d'agent immobilier. Même avec un verre de champagne à la main, il avait fait preuve d'une telle indifférence à son égard que Susan, une femme mariée, n'avait pu le soupçonner d'avoir des vues sur elle. En outre, depuis le jour où le psychiatre avait jeté son dévolu sur la jeune femme, il avait, sciemment, laissé traîner des indices laissant supposer qu'il était homosexuel. Il était ravi de son acquisition – une superbe demeure remplie de gadgets – et Susan, de son côté, était enchantée de la généreuse commission qu'elle venait d'empocher dans l'affaire : elle ne vit donc aucun mal à fêter l'heureux événement avec une coupe de Dom Pérignon – son verre, évidemment, ne contenait pas que du champagne.

À présent, sa mort laissait Ahriman en proie à des émotions contradictoires. Il regrettait la perte de Susan, et une douce nostalgie l'étreignait, menaçant presque de le submerger. En même temps, il se sentait trahi et déçu. Ils avaient passé ensemble tant de moments merveilleux. Et, malgré cela, elle était prête à ruiner son existence à la première occasion.

Ahriman résolut finalement ce conflit intérieur en se convainquant que Susan n'était qu'une fille comme toutes les autres. Elle n'avait pas mérité qu'il lui consacre autant de temps et d'attention. Admettre que sa mort le troublait, c'était admettre qu'elle avait eu sur lui un pouvoir sans précédent.

Le collectionneur, c'était lui, pas elle. C'était lui qui possédait les choses, et non l'inverse.

— Je suis content que tu sois morte, prononça-t-il à haute voix dans l'obscurité du salon. Oui, content, espèce d'idiote. J'espère que tu as eu mal !

Sa colère exprimée, il se sentit bien mieux. Mille fois mieux.

Cedric et Nella Hawthorne, le couple qui entretenait la propriété, ne risquaient pas de l'entendre. Ils dormaient sûrement dans leur trois pièces situé dans l'aile des domestiques. Et, quoi qu'ils puissent voir ou entendre, ils étaient incapables de se rappeler quoi que ce soit de compromettant sur le Dr Ahriman.

— J'espère que tu as eu mal, répéta-t-il.

Puis il prit l'ascenseur pour monter un étage et traversa le couloir qui menait à sa chambre.

Il se brossa les dents, les nettoya soigneusement au fil dentaire et enfila un pyjama de soie noire.

Nella avait préparé le lit. Des draps Pratesi blancs ornés de passe-poil noir, et plein de gros oreillers.

Comme d'habitude, sur la table de nuit, il y avait une coupe Lalique remplie de barres chocolatées, deux exemplaires de chacune de ses six marques préférées. Il regretta de s'être brossé les dents.

Avant de s'installer pour la nuit, il activa le panneau de commande à côté du lit pour accéder au système informatique de la propriété. Grâce à ce boîtier, il contrôlait l'éclairage de toute la maison, mais aussi la ventilation et le chauffage de chaque pièce, le système de sécurité et de surveillance vidéo extérieur, la température de la piscine et du Jacuzzi ainsi qu'une foule d'autres dispositifs.

Il entra son code personnel pour ouvrir la page « coffres », qui répertoriait six coffres-forts de tailles variées, répartis dans toute la maison. Il sélectionna la chambre à coucher sur l'écran, et la liste disparut, remplacée par l'image d'un clavier.

Il composa un code à sept chiffres. Un moteur à air comprimé fit coulisser une plaque de granit sur le devant de la cheminée. Encastré dans la paroi, un petit coffre en acier apparut. Ahriman tapa la combinaison sur le clavier de l'écran et entendit la serrure du coffre se déverrouiller avec un cliquetis.

Il s'approcha de la cheminée, ouvrit la petite porte blindée et retira des entrailles capitonnées un récipient en verre. Un bocal d'un litre.

Il posa l'objet sur un bureau en acier brossé et en bois tropical et s'installa pour contempler son contenu.

Au bout de quelques minutes, il céda à l'appel impérieux des friandises. Il étudia les trésors de la coupe Lalique et sélectionna finalement une barre Hershey aux amandes.

Il ne se brosserait pas une nouvelle fois les dents. S'endormir avec le goût du chocolat dans la bouche était un plaisir défendu. Il lui arrivait parfois d'être un vilain garçon.

Il se rassit devant le bureau, savourant sa friandise avec délectation tout en contemplant silencieusement le bocal de verre. Il eut beau prendre tout son temps, avaler une à une les dernières miettes de chocolat, l'observation minutieuse des yeux de son père ne lui révéla rien de leur mystère cette fois encore.

Les yeux étaient couleur noisette. Un film laiteux voilait leurs pupilles. Les blancs n'étaient plus blancs, mais jaune pâle, marbrés de petites veinules verdâtres. Flottant dans une solution de formol, emprisonnés dans le bocal sous vide, ils observaient le monde extérieur derrière leur écran de verre convexe avec une expression nostalgique, parfois même avec un chagrin insoutenable.

Le psychiatre les étudiait depuis toujours. Lorsqu'ils étaient encore logés dans le crâne de son père, puis après, une fois qu'il les eut prélevés sur son cadavre et déposés dans leur bain conservateur. Ils renfermaient des secrets obsédants qu'Ahriman voulait percer. Mais ces derniers lui échappaient encore et toujours.

42.

Grâce aux effets persistants des trois somnifères, Martie semblait trop fatiguée pour être de nouveau prise de panique. Y compris lorsqu'elle se retrouva libérée des cravates, hors du lit, et debout sur ses pieds.

Néanmoins, ses mains tremblaient presque sans arrêt. Et elle s'inquiétait dès que Dusty s'approchait. Elle se croyait encore capable de lui griffer les yeux, de lui croquer le nez et de lui arracher les lèvres à coups de dents pour son premier petit déjeuner d'ogresse.

En se déshabillant pour prendre sa douche, elle avait les yeux lourds et une moue boudeuse qui plurent à Dusty. Il l'observait depuis son cordon de sécurité imaginaire.

— Très sexy. Avec ces yeux-là, tu pourrais convaincre un type de courir pieds nus sur un terrain de foot hérissé de clous !

— Je ne me sens pas sexy du tout, répondit-elle d'une voix rauque. Je me sens aussi appétissante qu'une merde d'oiseau.

— Curieux.

— Mets-toi à ma place et tu verras ! répliqua-t-elle en retirant ses sous-vêtements.

— Non, dit-il, c'est le mot que tu as employé qui est curieux. Pourquoi de la merde d'oiseau en particulier ?

Elle bâilla.

— J'ai dit ça ?

— Tout juste !

— Je ne sais pas. Peut-être que j'ai l'impression d'être une merde écrasée au sol après un beau vol plané. Un truc visqueux qui a éclaboussé partout.

Elle ne voulait pas rester seule sous la douche.

Dusty la surveillait donc depuis le pas de la porte, pendant qu'elle dépliait le tapis de bain, ouvrait la cabine et réglait la température de l'eau. Quand elle fut sous le jet, il entra dans la pièce et s'installa sur la cuvette fermée des toilettes.

Martie commença à se savonner.

— Ça fait trois ans qu'on est mariés, dit Dusty, mais j'ai quand même l'impression d'être au peep-show.

Le pain de savon, la bouteille de shampooing et le tube d'après-shampooing constituaient des armes relativement inoffensives… Martie put se laver sans être prise de frayeur.

Dusty sortit le sèche-cheveux du tiroir de la coiffeuse, le brancha et battit à nouveau en retraite jusqu'au seuil de la salle de bains.

Martie hésitait à se servir de l'appareil.

— Je vais me frotter les cheveux avec la serviette et les laisser sécher à l'air.

— C'est ça, et tu vas friser de partout. Ça va te mettre de mauvaise humeur et je vais t'entendre râler toute la journée !

— Je ne râle pas !

— D'accord, tu ne râles pas… mais alors qu'est-ce que tu fais ? Tu te lamentes ?

— Certainement pas !

— Tu te plains, alors ? Ça te va, si je dis que tu émets de temps en temps quelques plaintes ?

— D'accord. Je l'admets.

— Bref, tu vas donc te *plaindre* toute la journée ! Pourquoi ne veux-tu pas utiliser ce sèche-cheveux ? Cet engin n'a rien de dangereux.

— Je ne sais pas. Ça ressemble un peu à un revolver.

— Ce n'est pas un revolver.

— Je n'ai jamais dit qu'il y avait une logique dans tout ça !

— Je te promets que si tu pousses la puissance au maximum et que tu essaies de me brûler vif avec je ne me laisserai pas faire !

— Espèce de con !

— Ça, tu le savais quand tu m'as épousé.

— Excuse-moi.

— De quoi ?

— De t'avoir traité de con.

Il haussa les épaules.

— Tu sais, tu peux me traiter de tout ce que tu voudras, du moment que tu ne me tues pas.

Les yeux de Martie devenaient plus bleus que des flammes de bec Bunsen quand ils brillaient de colère.

— Ce n'est pas drôle.

— Je refuse d'avoir peur de toi.

— Il le faut, supplia-t-elle.

— Eh non.

— Espèce de… sale bonhomme !

— Sale bonhomme. Ouille ! ouille ! ouille ! L'insulte suprême !
Écoute, si jamais tu me traites encore une fois de « sale
bonhomme »… je fais mes valises et tout sera fini entre nous !

Elle lui lança un regard noir, puis tendit la main pour prendre le
sèche-cheveux. Aussitôt elle eut un geste de repli. Elle fit une seconde
tentative. Elle se recroquevilla à nouveau et se mit à trembler, de frustration et de rage plus que de peur.

Dusty craignait qu'elle ne se mette à pleurer. La nuit précédente, la
vue de ses larmes lui avait serré le cœur.

— Laisse-moi t'aider, souffla-t-il en s'approchant d'elle.

Elle eut un brusque mouvement de recul.

— Reste où tu es !

Il prit une serviette et la lui tendit.

— Regarde. Tu es d'accord avec moi : cette serviette n'est pas l'arme
de prédilection pour une meurtrière psychopathe ?

Elle inspectait avec méfiance la serviette dépliée comme si elle
évaluait réellement son potentiel meurtrier.

— Prends-la à deux mains, lui expliqua-t-il. Serre-la bien fort, tire
dessus, et concentre-toi pour ne pas la lâcher. Tant que tu auras les
mains occupées, tu ne pourras pas me faire de mal.

Elle accepta de prendre la serviette, mais resta sceptique.

— Je t'assure, dit-il. Qu'est-ce que tu pourrais me faire avec, à part
me la claquer sur les fesses ?

— J'en meurs d'envie, justement.

— Et quand bien même, j'aurais au moins cinquante pour cent de
chances de survivre !

Elle hésitait encore.

— En plus, c'est moi qui aurai le sèche-cheveux entre les mains !
continua Dusty. Si tu tentes quoi que ce soit contre ma personne, je
t'enfonce mon canon dans la bouche… et tu sauras enfin ce que c'est
que d'avoir les lèvres en feu !

— Je me sens tellement nulle.

— Tu n'es pas nulle.

Depuis l'entrée de la salle de bains, Valet émit un soupir
d'approbation.

— Deux voix contre une, lança Dusty d'un air triomphant.

— Allons-y et finissons-en ! lâcha-t-elle d'une voix maussade.

— Mets-toi face au lavabo. Quant à moi, je vais me tenir derrière toi,
si cela peut te tranquilliser.

Martie se tourna vers la glace du lavabo. Elle ferma les yeux pour ne
pas voir son propre reflet. Il ne faisait pas froid dans la salle de bains,
mais elle avait la chair de poule.

Dusty soulevait de grosses mèches de sa magnifique chevelure brune à l'aide d'une brosse et passait le souffle du sèche-cheveux de la racine jusqu'aux pointes, imitant les gestes qu'il lui avait vu faire des centaines de fois.

Depuis qu'ils vivaient ensemble, Dusty aimait la regarder s'occuper de son corps. Laver ses cheveux, vernir ses ongles, se maquiller ou étaler de l'huile solaire sur sa peau. Elle faisait tout cela avec une attention méticuleuse et nonchalante, une grâce toute féline. Martie était une lionne, sûre d'elle-même, mais sans vanité.

Elle avait toujours semblé solide comme un roc à Dusty. Il ne s'était jamais inquiété de ce qu'il adviendrait d'elle si le destin lui réservait une mort subite, en le précipitant des hauteurs d'un toit, par exemple. À présent, l'inquiétude le gagnait de toutes parts, et cette angoisse était comme une insulte à son égard, comme s'il avait pitié d'elle, ce qui était impossible. Elle était encore Martie, *sa* Martie. Et cependant elle paraissait tellement vulnérable et fragile, avec sa nuque gracile, ses épaules fines, ses vertèbres délicates dessinant la courbe de son dos. Dusty était terrifié à l'idée qu'il puisse arriver malheur à cette femme qu'il aimait tant, terrorisé à un point qu'il n'oserait jamais lui révéler.

Comme disait le grand philosophe Skeet, *l'amour est un sacré poids.*

Dans la cuisine, quelque chose d'étrange se produisit. Ce matin-là, cette pièce semblait l'antre de toutes les bizarreries, mais ce dernier événement, survenu juste avant qu'ils quittent la maison fut le plus curieux de tous…

Martie était immobile sur sa chaise, raide comme une statue, les mains emprisonnées sous ses cuisses. Elle s'était carrément assise sur ses mains pour les retenir, les empêcher de projeter quoi que ce soit sur Dusty.

Martie ayant rendez-vous chez le Dr Closterman pour une prise de sang et d'autres analyses, elle jeûnait depuis la veille au soir. Elle n'appréciait guère de se retrouver dans la cuisine pendant que Valet engloutissait ses croquettes du matin et que Dusty sirotait un verre de lait accompagné d'un beignet. Toutefois, la faim n'était pas la cause de son aigreur.

— Je sais ce qu'il y a dans ces tiroirs, articula-t-elle avec anxiété.

Elle pensait aux couteaux, à tous les ustensiles coupants.

Dusty lui fit un clin d'œil lubrique.

— Oui, des pelles à tarte pour la tarte aux poils !

— Dusty, écoute, il faut que tu me prennes plus au sérieux !

— Si je le faisais, on n'aurait plus qu'à se suicider tous les deux, et tout de suite.

Elle se renfrogna davantage, mais Dusty vit qu'elle entendait la sagesse de son raisonnement.

— Tu es en train de boire du lait entier et de manger un beignet plein de crème et de sucre… On dirait que tu essaies déjà de te faire hara-kiri.

— Si tu veux mon avis, dit-il en finissant son verre de lait, pour avoir une chance de vivre une vie douce et relativement longue, il faut écouter attentivement ce que prônent les fanatiques de la diététique et faire exactement le contraire.

— Et si demain ils déclarent que les cheeseburgers et les frites comptent parmi les aliments les plus sains de la terre ?

— Je me mets illico au régime pousses de soja et tofu !

Il lui tourna le dos pour rincer son verre.

— Hé ! lança-t-elle aussitôt.

Dusty comprit le message et se mit face à Martie pour essuyer son verre… Elle ne risquerait pas de lui sauter dessus par surprise et de le tuer à coups de boîte de conserve.

Ils n'allaient pas pouvoir emmener Valet faire sa balade hygiénique du matin. Martie refusait de rester seule pendant que Dusty sortait le chien, et elle ne voulait pas non plus les accompagner, terrifiée à l'idée de pousser Dusty sous les roues d'une voiture ou de jeter Valet sous une débroussailleuse en pleine action.

— Par certains côtés, c'est quand même assez comique, dit Dusty.

— Moi, je trouve ça sinistre, répliqua Martie sévèrement.

— On a sans doute tous les deux raison.

Il ouvrit la porte et fit sortir Valet dans le jardin derrière la maison.

— Fais tes besoins où tu voudras, je les ramasserai plus tard. Mais n'espère pas que cela devienne une habitude !

Dusty referma la porte, tourna le verrou et jeta un coup d'œil vers le téléphone. C'est alors que se produisit cette chose bizarre. Martie et lui se mirent à parler en même temps, leurs paroles se chevauchant, deux flots continus coulant en parallèle sans se répondre :

— Martie, je ne veux pas que tu le prennes mal…

— J'ai entièrement confiance dans le Dr Closterman…

— … seulement je me demande si on ne devrait pas…

— … mais les tests vont peut-être prendre longtemps…

— … prendre un deuxième avis…

— … et même si cette idée me fait horreur…

— … pas auprès d'un médecin généraliste…

— … je crois qu'il faut que je me fasse examiner…

— … mais auprès d'un psychothérapeute…

— … par un psychiatre…

— … un spécialiste des angoisses…

— … quelqu'un d'expérimenté…

— … tel que…

— … par exemple…

— … le Dr Ahriman.

— … le Dr Ahriman.

Ils prononcèrent le nom du psychiatre en chœur – et se dévisagèrent, stupéfaits, dans le silence qui s'ensuivit.

– On doit être mariés depuis trop longtemps, dit finalement Martie.

– Si ça continue, on va se ressembler physiquement.

– Je ne suis pas dingue, Dusty.

– Je le sais bien.

– Téléphone-lui quand même.

Dusty appela les renseignements et obtint le numéro du cabinet d'Ahriman. Il laissa sur sa boîte vocale un message lui demandant un rendez-vous et donna son numéro de téléphone portable.

43.

Dans l'appartement de Skeet, la chambre était aussi spartiate que la cellule d'un moine.

Martie s'était postée dans un coin pour restreindre sa liberté de mouvement, en prévention d'une nouvelle crise meurtrière. Elle avait les bras croisés sous la poitrine et les mains serrées sous ses biceps.

– Pourquoi ne m'as-tu rien dit hier soir ? Ce pauvre Skeet repart en cure et je ne suis même pas au courant !

– Tu étais assez préoccupée comme ça, répondit Dusty, tandis qu'il fouillait sous des vêtements soigneusement pliés dans le tiroir inférieur d'une commode.

Le meuble était si simple et si austère qu'il aurait pu appartenir à un ordre religieux. Les créations de Stark pouvaient passer pour des délires rococo à côté.

– Qu'est-ce que tu cherches ? Sa planque ?

– Non. S'il lui reste de la came, il me faudrait des heures pour la trouver. En fait, je ne sais pas au juste ce que je cherche…

– Je te rappelle qu'on a rendez-vous avec le Dr Closterman dans quarante minutes.

– On a largement le temps, répondit Dusty en s'attaquant maintenant aux premiers tiroirs de la commode.

– Il est arrivé défoncé au travail ?

– Ouais. Il a sauté du toit des Sorenson.

– Seigneur ! Qu'est-ce qu'il a eu ?

– Rien du tout.

– Comment ça, « rien du tout » ?

240

— C'est une longue histoire, éluda Dusty en ouvrant le tiroir supérieur.

Il n'avait pas envie de lui dire qu'il avait sauté du toit avec Skeet, pas dans l'état d'angoisse où elle était.

— Qu'est-ce que tu me caches ? insista-t-elle.

— Je ne te cache rien.

— Alors qu'est-ce que tu *omets* de me dire ?

— Martie, ce n'est guère le moment des subtilités rhétoriques, d'accord ?

— Parfois tu es bien le fils de ton père, tu sais !

Il referma le tiroir de la commode.

— Ça, c'est vraiment un coup bas. Je ne te dissimule rien du tout, Martie.

— Alors contre quoi essaies-tu de me protéger ?

— Ce que je cherche, annonça Dusty sans répondre à sa question, c'est la preuve que Skeet fait partie d'une sorte de secte.

Ayant déjà fouillé dans la table de chevet et sous le lit, Dusty passa dans la salle de bains, une petite pièce propre et toute blanche. Il ouvrit l'armoire à pharmacie et en tria rapidement le contenu.

La voix de Martie, anxieuse et chargée de reproches, lui parvint de la chambre.

— Reviens ! De là où tu es tu ne peux pas savoir ce que je fais !

— Tu es en train de chercher désespérément une hache ?

— Espèce de con.

— On a déjà eu cette conversation, je crois.

— Et on est loin d'en voir le bout, si tu continues.

En sortant de la salle de bains, il la trouva toute tremblante, aussi pâle – mais bien plus jolie – qu'une bête vivant sous les pierres sans jamais voir la lumière.

— Ça va ?

— Pourquoi une secte ?

Elle eut un mouvement de recul quand Dusty s'approcha d'elle, mais il la prit par le bras, la força à sortir de son refuge et l'entraîna vers le salon.

— Skeet a dit qu'il avait sauté du toit sur ordre d'un ange de la mort.

— C'est juste les effets de la drogue.

— Peut-être. Mais tu sais comment ça marche, ces sectes… endoctrinement et tutti quanti…

— Où veux-tu en venir, au juste ?

— Un lavage de cerveau. Voilà à quoi je pense.

Sitôt arrivée dans le salon, Martie partit se réfugier dans un angle de la pièce, les mains de nouveau enfouies sous les aisselles.

— Un lavage de cerveau ?

— Oui, tu sais, un récurage total. Plus blanc que blanc.

Le salon contenait pour tout mobilier un canapé, un fauteuil, une table basse, un guéridon, deux lampes et des étagères portant des livres et des magazines. Dusty parcourut les titres sur la tranche des livres.

— Tu me caches quelque chose, déclara Martie, toujours plantée dans son coin.

— Ça y est, ça recommence !

— Tu crois qu'il fait partie d'une secte et qu'il a subi un lavage de cerveau simplement parce qu'il a parlé d'un ange de la mort ?

— Il y a eu également un petit incident à la clinique.

— À La Nouvelle Vie ?

— Exactement.

— Que s'est-il passé ?

Tous les livres rangés sur l'étagère étaient des romans d'*heroic fantasy*. Ces histoires de dragons, de sorciers, d'enchanteurs et de héros truculents se déroulaient dans des mondes perdus dans la nuit des temps, ou qui n'avaient jamais existé. Ce n'était pas la première fois que Dusty s'étonnait des goûts littéraires de son frère ; après tout, Skeet vivait déjà plus ou moins dans son monde, il n'avait pas besoin de ce genre de littérature pour s'évader.

— Que s'est-il passé ? répéta Martie.

— Il est tombé en transe.

— Comment ça, en transe ?

— Tu sais bien, comme quand un magicien sur scène t'hypnotise et te fait caqueter comme une poule devant tout le monde…

— Skeet s'est mis à caqueter comme une poule ?

— Non, c'était un peu plus compliqué que ça.

À mesure que Dusty lisait les titres des ouvrages sur les rayons, une vague de tristesse le gagnait. Si son frère se réfugiait dans ces royaumes imaginaires, c'était parce qu'ils étaient tous plus beaux, plus propres et mieux ordonnés que son monde à lui. Dans les livres, les formules magiques marchaient toujours, les amis étaient tous fidèles et valeu-reux, le bien et le mal étaient clairement définis, et le droit triomphait toujours. Dans ces mondes-là, on ne pouvait devenir toxicomane et bousiller sa vie.

— Il glougloutait comme une dinde ? Faisait coin-coin comme un canard ? demanda Martie, toujours dans son coin.

— Quoi ?

— En quoi ce qu'il a fait à la clinique était plus compliqué ?

Dusty examina rapidement un tas de magazines sans trouver la moindre publication de sectes – rien que des revues grand public appartenant à la pieuvre Time-Warner.

— Je te raconterai plus tard. On n'a pas le temps.

— Tu es vraiment exaspérant !

— C'est un don, chez moi, répondit-il en abandonnant les livres et les revues pour aller jeter un coup d'œil dans la cuisine.

— Ne me laisse pas toute seule ici, supplia-t-elle.

— Alors viens avec moi.

— C'est hors de question ! refusa-t-elle, visiblement hantée par l'idée de s'approcher des couteaux, des fourchettes et des presse-purée. Pas dans la cuisine. Impossible !

— Je ne vais pas te demander de me préparer un repas !

La cuisine-salle à manger communiquait avec le salon pour former un grand espace ouvert typiquement californien. Depuis son refuge, Martie voyait Dusty ouvrir les tiroirs, les portes des placards.

Elle resta silencieuse pendant trente secondes, puis n'y tint plus :

— Dusty, je me sens de plus en plus mal, articula-t-elle d'une voix tremblante

— Et moi je te trouve de plus en plus irrésistible, mon cœur.

— C'est sérieux Dusty. Je suis au bord du gouffre, je suis en train de glisser dedans…

Dusty n'avait trouvé aucun objet ni ustensile caractéristique d'une secte. Pas de bagues au pouvoir décryptant. Pas de pamphlets sur l'approche de la fin des temps. Pas de tracts expliquant comment reconnaître l'Antéchrist si on le croisait au centre commercial.

— Qu'est-ce que tu fabriques ? demanda Martie.

— Je me transperce le cœur pour t'éviter d'avoir à le faire.

— Espèce de con !

— Martie, tu pourrais changer de disque, dit-il en retournant au salon.

— Tu n'as pas de cœur.

Son petit visage pâle était tordu de colère.

— Je suis de glace, confirma-t-il.

— Non, vraiment.

— Le pôle Nord.

— Je suis si fâchée contre toi.

— Je suis si heureux avec toi.

Le visage de Martie se détendit soudain. Elle écarquilla les yeux, comme sous l'effet d'une révélation intérieure…

— Finalement, tu es ma Martie, lâcha-t-elle.

— C'est censé être une insulte ?

— Et moi je suis ta Susan.

— Oh non, ce n'est pas possible ! On va devoir refaire toutes les initiales brodées sur nos serviettes !

— Depuis un an, je fais avec Susan exactement ce que tu fais en ce moment avec moi. Je l'embête, je la taquine, je l'empêche de s'apitoyer sur son sort.

— Pas très sympa de ta part, tout ça.

Martie partit d'un éclat de rire. Un rire pas très assuré, à deux doigts d'un sanglot, presque un rire d'opéra, un trille de soprano chutant vers un contralto désespéré.

– Ouais, j'ai été méchante, une vraie enquiquineuse, mais c'est parce que je l'aime énormément.

Dusty esquissa un sourire et lui tendit sa main droite.

– Il faut y aller.

Elle avança d'un pas et s'arrêta, incapable de continuer.

– Dusty, je ne veux pas devenir comme Susan.

– Je sais.

– Je ne veux pas… tomber aussi bas.

– T'en fais pas.

– J'ai peur.

Alors qu'elle avait un penchant pour les couleurs vives, Martie avait revêtu les pièces les plus sombres de sa garde-robe. Des bottes noires, un jean et un pull-over noirs, un blouson en cuir noir. On l'aurait crue habillée pour un enterrement de *biker* ! Dans ces vêtements austères, elle aurait dû paraître aussi implacable et terrible que les ténèbres. Mais elle n'était qu'une ombre éphémère qui pâlissait et se recroquevillait sous un soleil impitoyable.

– J'ai peur, dit-elle à nouveau.

Le moment était à la vérité, non à la fanfaronnade.

– Moi aussi, j'ai peur, répondit Dusty.

Malgré sa crainte de lui faire du mal, Martie lui prit la main. La sienne était glacée, mais ce simple geste était déjà un progrès.

– Il faut absolument que j'appelle Susan, souffla-t-elle. Je devais lui téléphoner hier soir.

– On l'appellera de la voiture.

Ils sortirent de l'appartement et descendirent l'escalier. Dans la petite entrée de l'immeuble, Skeet avait inscrit au crayon le nom FARNER sous celui de CAULFIELD. En avançant, Dusty sentit la main de Martie se réchauffer peu à peu dans la sienne. Pendant un instant, il se crut assez fort pour la sauver.

Un jardinier matinal rassemblait sur une bâche les branchages de la haie de buis qu'il venait de tailler. C'était un beau jeune homme de type hispanique, aux yeux noirs comme une sauce *mole*[1]. Il leur fit un signe de la tête et sourit.

Près de lui, un petit sécateur et une grande cisaille traînaient sur la pelouse.

À la vue des lames, Martie laissa échapper un cri étouffé. Elle retira sa main de celle de Dusty et se mit à courir… vers la Saturn rouge garée au bord du trottoir, fuyant ces armes possibles.

– *Disputa ?* demanda le jardinier avec compréhension, comme si lui aussi avait connu certaines vicissitudes avec la gent féminine.

– Non, *infinidad*, répondit Dusty en pressant le pas.

---

1. Sauce mexicaine au chocolat. *(N.d.T.)*

Ce ne fut que lorsqu'il eut rejoint la voiture que Dusty se rendit compte de son erreur ; il avait voulu dire *enfermedad*, « maladie ».

Le jardinier le suivit des yeux, pas le moins du monde surpris par la réponse qu'il avait reçue. Au contraire, il hochait la tête d'un air solennel, comme si le lapsus de Dusty avait été une parole de profonde sagesse.

Ainsi se faisaient les réputations des sages, sur des fondations plus branlantes que celles d'un château de cartes.

Quand Dusty s'installa derrière le volant, Martie était déjà pliée en deux sur le siège passager, frissonnante et gémissante, la tête contre le tableau de bord. Ses mains étaient emprisonnées entre ses cuisses serrées.

Dusty ferma la porte de son côté.

– Il y a des trucs coupants dans la boîte à gants ? articula-t-elle.

– Je n'en sais rien.

– Elle est fermée à clé ?

– Aucune idée.

– Vérifie, bon sang !

Il verrouilla la boîte à gants et démarra.

– Dépêche-toi, implora-t-elle.

– D'accord.

– Mais ne roule pas trop vite.

– D'accord.

– Mais dépêche-toi quand même.

– C'est soit l'un, soit l'autre, dit-il en s'éloignant du trottoir.

– Si tu vas trop vite, je risque d'attraper le volant et de tenter de nous faire quitter la route et partir en tonneaux ou de nous encastrer dans un gros camion.

– Tu ne ferais jamais ça, voyons…

– Si, je pourrais le faire, insista-t-elle. Tu ne sais pas ce que je vois ! Tu ne sais pas les images qu'il y a dans ma tête !

L'effet des trois somnifères s'estompait à vue d'œil. Les brûlures d'estomac de Dusty, provoquées par le beignet à la crème, s'intensifiaient.

– Oh ! Seigneur ! gémit-elle. Faites que je ne voie plus ces choses, je Vous en supplie…

Recroquevillée sur elle-même dans une souffrance abjecte, apparemment écœurée par la violence des images qui inondaient son cerveau, Martie se mit à hoqueter. Elle fut bientôt prise de violents spasmes de dégoût qui auraient certainement fait remonter son petit déjeuner si elle en avait pris un.

La circulation matinale sur les grandes artères était relativement dense. Dusty zigzaguait de file en file, se faufilant parfois dangereusement dans la moindre brèche. Il ignora les regards furieux des autres conducteurs et les braillements occasionnels des klaxons. Martie semblait en plein dérapage émotionnel. Elle filait sur une piste verglacée, se précipitant à vitesse grand V vers une crise de panique. Dusty voulait se rapprocher le plus possible du cabinet du Dr Closterman avant qu'elle perde définitivement pied avec la réalité.

Entre chaque haut-le-cœur, Martie cherchait désespérément à reprendre son souffle, la gorge asséchée et irritée par la violence de sa respiration. Ses soubresauts la secouaient si fort que Dusty fut à son tour pris de frissons, bien qu'il n'ait aucune idée des visions d'horreur assaillant la jeune femme.

Il accéléra encore, changeant de file dans un dangereux gymkhana, soulevant autour de lui un concert de klaxons rageurs et de hurlements de freins. Il souhaitait presque se faire arrêter par la police. Vu l'état de Martie, tout policier normalement constitué renoncerait à lui mettre une contravention. Il enclencherait plutôt sa sirène pour lui servir d'escorte.

L'état de Martie empirait. Ses convulsions nauséeuses avaient cessé, mais elle s'était mise à se balancer d'avant en arrière en poussant des gémissements, se frappant le front contre le tableau de bord. De petits coups d'abord, à un rythme tranquille, comme pour dissiper les mauvais esprits qui défilaient dans sa tête. Puis de plus en plus fort, de plus en plus vite. Elle ne gémissait plus, elle grognait, tel un boxeur frappant un punching-ball. Plus fort, plus vite, encore.

– Han, han, han, haaaan…

Dusty tenta de la raisonner, la supplia de se calmer, de s'accrocher… Il était là, à côté d'elle, il lui faisait confiance. Tout irait bien, tout s'arrangerait. Il ne savait même pas si elle l'entendait. Aucune de ses paroles ne parut la réconforter.

Il avait une envie terrible de la prendre dans ses bras pour la rassurer, mais il avait l'impression que tout contact physique aurait l'effet contraire de celui escompté. Une simple main posée sur son épaule pourrait emporter Martie vers des paroxysmes de terreur et d'horreur jusque-là insoupçonnés.

Le cabinet du Dr Closterman se trouvait dans une grande tour en face de l'hôpital. Les deux bâtiments s'élevaient une centaine de mètres devant eux, dépassant en hauteur toutes les autres constructions alentour.

Martie risquait de se blesser malgré le rembourrage du tableau de bord. Mais elle continuait de se cogner la tête. Sans jamais gémir après les coups, les accompagnant seulement de grognements rageurs. Elle jurait et se querellait – « Arrête ça ! Arrête ! Arrête ! » – comme une femme possédée. Seulement elle était à la fois la possédée et l'exorciste, luttant d'arrache-pied pour chasser les démons qui l'habitaient.

Le parking devant la tour était ombragé grâce à des rangées de grands arbres. Dusty trouva une place près de l'entrée, sous un dais de branches.

246

La boîte automatique en position parking, le frein à main tiré, Dusty avait encore l'impression d'avancer. Une brise matinale faisait danser l'ombre des feuilles sur le pare-brise, et des éclats de soleil venaient s'y mêler, voltigeant contre la vitre, puis disparaissant sur les côtés, semblant emportés dans le sillage du véhicule.

Quand Dusty éteignit le moteur, Martie cessa de se cogner la tête. Elle libéra ses mains immobilisées sous ses cuisses et s'enserra la tête comme pour calmer les ondes douloureuses d'une migraine. La pression de ses doigts sur son front était si forte que la peau se mit à blanchir, laissant apparaître les phalanges.

Elle ne grognait plus, ne jurait plus, ne se querellait plus. Ce fut pire : elle se plia en deux et se mit à hurler. Ses cris aigus étaient entrecoupés de grandes bouffées d'air. C'étaient ceux d'un nageur en détresse. Ils exprimaient la terreur, mais aussi la révolte, le dégoût, la stupéfaction, comme si quelque chose d'étrange dans l'eau l'avait frôlée – quelque chose de lisse, de froid et d'effrayant

— Martie, qu'est-ce qu'il y a ? Parle-moi, Martie. Laisse-moi t'aider.

Peut-être ne l'entendait-elle pas. À cause de ses cris, des battements de son cœur et du sifflement du sang dans ses oreilles. Peut-être n'y avait-il rien à faire pour l'aider, et donc aucune raison pour elle de lui répondre. Elle luttait contre des courants d'émotions puissantes qui semblaient l'entraîner vers un terrible abysse. La folie, peut-être.

Malgré les réticences de Martie, Dusty tendit la main vers elle et la posa sur son épaule. Elle réagit exactement comme il l'avait craint. Dans un vif mouvement de recul, elle balaya sa main et se plaqua contre la porte passager, convaincue qu'elle était capable de lui arracher les yeux, ou pis encore.

Une femme accompagnée de deux jeunes enfants traversa le parking. En entendant les cris de Martie, elle s'approcha de la Saturn en fronçant les sourcils et tenta de voir ce qui se passait à l'intérieur. Elle fixa Dusty droit dans les yeux et son regard s'assombrit. On eût dit qu'elle voyait, réunis en un concentré, un étrangleur en série, un tueur d'enfants, un sniper fou, un collectionneur de têtes et un poseur de bombes. Un panaché de la galerie des monstres qui hantaient depuis sa naissance son tube cathodique à l'heure du JT, en quelque sorte. Elle serra ses enfants contre elle et pressa le pas vers l'hôpital, sans doute prête à alerter la sécurité.

La crise de Martie prit fin plus abruptement qu'elle n'avait commencé. Un dernier hurlement fit vibrer les vitres de l'habitacle, suivi de halètements, puis de grandes inspirations tremblantes. Enfin un miaulement désespéré d'animal blessé, fil de soie ténu traversant sa respiration brisée.

Dusty n'avait pas vu une seule scène du film d'horreur projeté derrière les orbites de Martie. Mais le simple fait d'avoir assisté à la réaction de la jeune femme l'avait nerveusement éprouvé. La bouche sèche, son cœur battant la chamade dans sa poitrine, il se sentait exsangue. Il leva les mains devant lui, les vit trembler, puis essuya ses paumes moites sur son jean.

La clé de contact était toujours suspendue au Neiman. Il l'enleva précipitamment, étouffant le bruit métallique dans sa main fermée, et la glissa dans sa poche avant que Martie ne l'aperçoive.

Redevenue silencieuse, hormis le bruit de sa respiration sifflante, la jeune femme se redressa et laissa retomber les mains de son front.

– Je ne vais pas pouvoir en supporter beaucoup plus, chuchota-t-elle.

– C'est fini, rassure-toi.

– J'ai bien peur que non.

– C'est fini pour l'instant, en tout cas.

Parsemé de taches de soleil et d'ombres dentelées, le visage de Martie chatoyait, passant alternativement du noir au doré. Il semblait aussi peu réel que dans un rêve : un visage voué à perdre son éclat, jusqu'à se dissoudre dans les ténèbres, un feu de Bengale avalé par le noir immense de la nuit.

Dans son esprit, Dusty se refusait à perdre Martie. Mais, dans son cœur, il sentait qu'elle s'éloignait, inexorablement entraînée par une force qu'il ne comprenait pas, et contre laquelle il ne pouvait rien.

Non !

Le Dr Ahriman pouvait l'aider.

Ou peut-être déjà le Dr Closterman, assisté par un bataillon d'IRM, d'EEG, de scans et autres appellations de la médecine high-tech, parviendrait-il à identifier son mal et à lui fournir un remède.

Et, s'il échouait, Ahriman réussirait à coup sûr !

Sous les ombres dansantes des feuilles, les yeux de Martie brillaient, aussi bleus que des joyaux sertis dans les orbites de pierre d'une déesse païenne au fin fond de la jungle. Son regard était éloquent. Il n'y avait, dans ces yeux-là, ni foi optimiste en l'avenir ni croyance sereine que tout irait pour le mieux dans le meilleur des mondes possibles – juste la simple et froide évaluation de son état.

Martie parvint à surmonter la peur de ses penchants meurtriers et tendit la main vers Dusty.

Il la serra avec émotion.

– Mon pauvre Dusty, articula-t-elle. Ton frère est camé et ta femme est folle.

– Tu n'es pas folle.

– J'y travaille.

– Quoi qu'il puisse se passer, énonça-t-il, tu ne seras pas toute seule. Ce n'est pas à toi seule que tout cela arrive, mais à nous deux. On est une équipe.

– Je sais.

– Les deux mousquetaires.

248

– Butch Cassidy et le Kid.

– Mickey et Minnie.

Ni l'un ni l'autre ne sourit. Mais Martie, avec son courage coutumier, lança :

– Allons rendre visite à notre Doc Closterman et voyons s'il a appris quelque chose à la fac de médecine !

44.

Prise de la température, de la tension artérielle, du rythme cardiaque, examen ophtalmologique de l'œil gauche, du droit, inspection des antres secrets des oreilles, auscultation attentive de la poitrine et du dos au stéthoscope – *inspirez… soufflez, inspirez… soufflez* –, palpation de l'abdomen, test rapide des réflexes auditifs et oculogyres, léger coup de marteau sur le genou pour jauger les réflexes rotuliens… Au terme de cette petite série d'examens, le Dr Closterman conclut que Martie était une jeune femme en excellente condition physique : physiologiquement, elle ne paraissait pas ses vingt-huit ans.

Assis dans un coin du cabinet, Dusty lança :

– Elle semble rajeunir semaine après semaine !

Closterman s'adressa à Martie :

– Il en fait toujours des tonnes comme ça ?

– Oui, je dois déblayer tous les matins. Elle sourit à Dusty. J'adore ça.

Le Dr Closterman avait la quarantaine bien tassée, toutefois, contrairement à Martie, il faisait plus vieux que son âge. Ses cheveux prématurément blancs y étaient pour quelque chose, mais aussi son double menton, sa peau flasque, ses bajoues imposantes, son nez en patate et ses yeux injectés de sang à force d'avoir trop goûté à l'air salin, au vent et au soleil. Le hâle de son visage aurait rendu muet d'horreur un dermatologue. Tout son physique trahissait son goût pour la bonne chère, la pêche au gros, la planche à voile, et probablement les bières exotiques. De son large front à son ventre plus large encore, il était l'exemple vivant de ce qui arrive aux inconscients qui n'écoutent pas les conseils de leur médecin – ce qui ne l'empêchait pas d'en prodiguer lui-même à ses patients sans la moindre gêne.

Doc – c'était son surnom de véliplanchiste – avait l'esprit affûté comme un scalpel et la douceur d'un grand-papa gâteau racontant une histoire pour endormir ses petits-enfants. Il était si dévoué à son métier qu'il aurait fait pâlir d'envie Hippocrate. Mais c'était pour son indulgence tellement humaine, un trait de caractère jugé nul et sans objet par les puristes de la rigueur médicale, que Dusty le préférait à tout autre. Doc faisait partie de ces rares experts dépourvus d'arrogance, libérés du carcan du dogme. Il était capable d'envisager un problème sous un angle neuf, de ne pas se laisser aveugler par des idées reçues, au contraire de tant de spécialistes imbus de leur savoir. Il avait l'humilité de celui qui connaît ses faiblesses et ses limites.

— Une santé d'athlète, proclama Closterman en écrivant ses annotations dans le dossier de Martie. Solide comme un roc. Comme votre père.

Assise sur le rebord de la table d'examen, avec sa blouse médicale bleue et ses chaussettes rouges roulées sur ses chevilles, Martie ressemblait effectivement à l'une de ces profs d'aérobic que l'on voyait s'épuiser sur les chaînes câblées et qui voulaient vous faire croire que la mort était un choix personnel plutôt qu'une fatalité.

Malgré la perception aiguë que Closterman avait de ses patients, Dusty distinguait chez Martie des changements qui échappaient au médecin. Le regard de la jeune femme, habituellement clair et lumineux, s'était légèrement assombri. Ses lèvres étaient figées en un rictus sévère et ses épaules légèrement voûtées, comme sous le poids d'une défaite annoncée.

Closterman avait donné son accord pour que Martie subisse une série d'analyses à l'hôpital le plus proche. Mais il n'y voyait qu'un bilan annuel complet, non un premier pas vers le diagnostic des pulsions de mort qui habitaient sa patiente. Doc venait d'entendre un récit très abrégé du comportement étrange de Martie durant les dernières vingt-quatre heures. Elle avait passé sous silence nombre de détails sanglants, mais son récit avait suffi pour donner la nausée à Dusty. Et pourtant, tout en finissant de remplir le dossier de sa patiente, Closterman se lança dans l'énumération des nombreuses sources de stress de la vie quotidienne, des problèmes mentaux et physiologiques qui en découlent, et des techniques les plus efficaces pour s'arranger de ce mal des temps modernes — comme si les problèmes de Martie résultaient d'une surcharge de travail, d'un manque de vacances, d'une tendance à dramatiser des événements somme toute mineurs et d'un mauvais sommeil dû à un matelas trop mou.

Martie interrompit Closterman pour lui demander de ranger le marteau à réflexe.

Décontenancé, perdant le fil de sa diatribe, le médecin s'interrompit.

— Le ranger ?

— Cela me rend nerveuse. Je n'arrête pas de le regarder. J'ai peur de ce que je pourrais faire avec.

L'instrument d'acier poli était de la taille d'un jouet.

— Je pourrais l'attraper et vous le jeter à la figure, répondit Martie.

Sa voix calme et raisonnable rendait ses paroles encore plus inquiétantes.

— Ça vous assommerait, ou peut-être pire, et j'aurais le temps de me saisir d'une arme plus redoutable. Comme le stylo. Rangez aussi le stylo, s'il vous plaît…

Dusty se redressa et s'assit au bord de sa chaise.

Nous y voilà.

Le Dr Closterman jeta un coup d'œil au stylo à bille posé sur une pile de dossiers.

— C'est juste un Paper Mate.

— Vous voulez que je vous dise ce que je pourrais faire avec, docteur ? Un petit aperçu de ce qui me passe par la tête ? Je ne sais pas d'où me viennent ces idées, ni comment les arrêter.

Sa blouse en papier se mit à émettre des craquements, comme une chrysalide desséchée d'où chercherait désespérément à sortir quelque monstre ailé. Sa voix restait calme, malgré une certaine tension.

— Peu m'importe que ce soit un Montblanc ou un Bic, cela reste une dague en puissance. Je pourrais l'attraper et vous sauter dessus avant que vous compreniez ce qui se passe. Et l'enfoncer dans votre œil, jusqu'au cerveau. Et l'y vriller, jusqu'à réduire votre cervelle en bouillie. Si vous ne tombez pas raide mort, vous passerez le reste de votre vie avec le QI d'une pomme de terre !

Elle tremblait. Ses dents claquaient. Elle se frappa la tête des deux mains comme elle l'avait fait dans la voiture. Comme pour réprimer ces images ignobles qui hantaient son esprit.

— Et quand vous serez au sol, mort ou réduit à l'état de légume, j'aurai encore plein d'armes à ma disposition. Vous avez des seringues et des aiguilles dans un de ces tiroirs. Et là, sur le comptoir, ce pot en verre plein d'abaisse-langues. Une fois cassés, les morceaux sont aussi tranchants que des lames. Je pourrais vous lacérer le visage, ou le découper en petits bouts, et les épingler au mur avec vos seringues hypodermiques. Faire un collage de votre visage. Oui, je pourrais faire ça ! Tout ça est là… dans ma tête. Et ça ne me quitte pas…

Elle se cacha le visage dans les mains.

Closterman s'était levé à l'expression « pomme de terre », bondissant de sa chaise comme un danseur malgré sa corpulence. À son tour, Dusty avait quitté son siège.

— Avant toute chose, dit le médecin un peu sonné, je vais vous prescrire du Valium. Combien y a-t-il eu de crises ?

— Quelques-unes, répondit Dusty. Je ne sais plus exactement. Mais, en comparaison, celle-là n'était pas bien méchante.

Le visage rond de Closterman était fait pour le sourire. Ses sourcils froncés ne lui donnaient aucune sévérité, mal servis par son nez en patate, ses joues roses et ses yeux de cocker.

— Pas méchante ? Les autres étaient pires ? Alors interdiction de passer ces examens sans Valium. Certains d'entre eux, comme l'IRM, peuvent être assez stressants.

— Je suis stressée rien qu'à l'idée d'y aller, répliqua Martie.

— Je vais aller chercher de quoi vous tranquilliser et tout se passera bien.

Le Dr Closterman avança vers la porte, puis, la main sur la poignée, il hésita. Il jeta un coup d'œil à Dusty.

— Et vous ? ça va ?

Dusty hocha la tête.

— Ce sont seulement des choses qu'elle a peur de faire, pas des choses qu'elle pourrait faire.

— Bien sûr que j'en suis capable ! articula-t-elle, le visage caché par ses mains. Bien sûr que si !

Une fois que le médecin eut quitté la pièce, Dusty mit le marteau et le stylo hors de portée de Martie.

— Ça va mieux ? demanda-t-il.

Entre ses doigts écartés, elle avait vu cette attention.

— C'est tellement humiliant.

— Je peux te prendre la main ?

Une hésitation.

— D'accord, répondit-elle finalement.

Quand le Dr Closterman revint dans le cabinet, après avoir commandé du Valium à la pharmacie habituelle des Rhodes, il avait dans la main deux cachets. Il en tendit un à Martie, avec un gobelet en carton rempli d'eau.

— Martie, reprit Closterman pendant qu'elle avalait le comprimé de Valium, je crois sincèrement que les examens vont éliminer toute hypothèse de tumeur intracrânienne, qu'elle soit de type néoplasique, kystique, inflammatoire ou gommeuse. Quand on a un mal de tête inhabituel et persistant, on pense tout de suite à une tumeur cérébrale. Mais ce genre de tumeur est plutôt rare.

— Je n'ai pas mal à la tête, lui rappela-t-elle.

— Exact ! Or les maux de tête sont un des premiers symptômes des tumeurs du cerveau. Ainsi qu'une certaine déformation rétinienne dont je n'ai vu nulle trace en examinant vos yeux. Vous dites avoir eu des vomissements et des nausées. Si vous aviez eu des vomissements sans nausées, alors nous aurions eu affaire à un symptôme classique de tumeur cérébrale. D'après ce que vous m'avez dit, vous n'avez pas d'hallucinations non plus.

— Non.

— Seulement des pensées désagréables, des images terrifiantes dans votre tête, que vous ne confondez jamais avec la réalité. Ce que je vois, c'est une angoisse très forte. Alors quand on en aura terminé avec les examens et que l'on aura écarté les nombreuses pathologies physiques pouvant causer vos symptômes... je crois qu'il me faudra vous suggérer de consulter un thérapeute.

— Nous en connaissons déjà un, répondit Martie.

— Ah oui ? Qui ça ?

— Il paraît que c'est l'un des meilleurs, renchérit Dusty. Peut-être avez-vous entendu parler de lui ? C'est un psychiatre. Le Dr Mark Ahriman.

Le visage rond du Dr Closterman, incapable de marquer une réelle désapprobation, revêtit une expression étrange, aussi mystérieuse et impénétrable que des hiéroglyphes d'extraterrestres venant d'une autre galaxie.

— Oui, Ahriman. Il a une sacrée réputation. Ainsi que ses livres, bien entendu. Qui vous l'a recommandé ? J'imagine que la liste d'attente doit être longue.

— Il s'est occupé d'une de mes amies, dit Martie.

— Je peux savoir pour quel motif ?

— Agoraphobie.

— Une chose terrible.

— Ça a bouleversé sa vie.

— Comment va-t-elle ?

— Le Dr Ahriman dit qu'elle est sur le point de percer une brèche, répondit Martie.

— Bonne nouvelle, lâcha Closterman.

Les pattes-d'oie creusées par le soleil au coin de ses yeux se plissèrent et ses lèvres se retroussèrent. Ce n'était pas son sourire triomphal habituel. En fait, ce n'était pas du tout un sourire. Juste une variation dans son expression impénétrable, un air semblable à une statue de Bouddha — une mimique anodine, véhiculant pourtant plus de mystère que d'allégresse.

Le visage toujours fripé par son faux sourire, Closterman articula :

— Si vous apprenez que le Dr Ahriman ne prend plus de nouveaux patients, je connais une thérapeute extraordinaire, une femme brillante et pleine de compassion qui, j'en suis sûr, s'occuperait de vous à merveille.

Il attrapa le dossier de Martie et le stylo avec lequel elle avait craint de lui crever un œil.

— Mais avant de parler d'une quelconque thérapie, passons d'abord ces examens. Les différents services de l'hôpital ont promis de vous faire passer en urgence, sans rendez-vous. J'aurai les résultats d'ici à vendredi. Nous déciderons alors de la marche à suivre. Le temps de vous habiller et d'aller à l'hôpital, le Valium aura fait son effet. Si vous en avez besoin d'un autre et que vous n'avez pas eu le temps de passer à la pharmacie prendre votre prescription, avalez le deuxième comprimé. Des questions ?

Pourquoi n'aimez-vous pas Mark Ahriman ? se demanda Dusty.

Il préféra ne pas poser la question à haute voix. Pourtant, la méfiance qu'il entretenait à l'égard des spécialistes du savoir et de la santé – deux titres qu'Ahriman revendiquait sans nul doute avec fierté – et le respect qu'il éprouvait pour le Dr Closterman n'auraient pas dû le faire hésiter une seconde. Son mutisme soudain le laissa interdit, mais la question n'en resta pas moins engluée entre sa langue et son palais.

Tandis qu'ils traversaient la grande esplanade séparant les locaux du médecin du complexe hospitalier, Dusty songea que sa réticence à questionner Closterman, bien qu'étrange, l'était cependant moins que de ne pas l'avoir averti qu'ils avaient déjà demandé un rendez-vous au Dr Ahriman et qu'ils attendaient une réponse.

Des cris stridents résonnèrent au-dessus de la tête de Dusty. De petits nuages couleur de cendre parsemaient le ciel azuré, légères taches sur du linge sale. Trois gros corbeaux noirs tournoyaient dans les airs, faisant des brusques écarts, comme s'ils arrachaient des lambeaux de brume afin d'aller construire leurs nids dans quelque cimetière du voisinage.

Pour des raisons diverses – certaines évidentes, d'autres plus obscures – Dusty pensa à Poe et à un certain corbeau de mauvais augure perché au-dessus d'une porte. Martie, bercée par le Valium, lui tenait la main benoîtement, désinhibée des réticences qu'elle avait montrées jusqu'à présent. Dusty songea également à Lenore, la jeune fille perdue du poème. Est-ce que dans le langage des corbeaux ces croassements stridents voulaient dire jamais plus ?

Installée dans le service d'hématologie, Martie regardait son sang remplir lentement une série d'éprouvettes. Elle discutait avec Kenny Phan, un jeune laborantin d'origine vietnamienne qui avait introduit l'aiguille dans sa veine d'un geste rapide et indolore.

– Je fais moins mal qu'un vampire, lança-t-il avec un sourire franc et contagieux. J'ai aussi une bien meilleure haleine… en général.

Dusty aurait assisté à ce prélèvement sanguin avec un parfait détachement s'il s'était agi de son propre sang, mais c'était celui de Martie qui s'échappait, et cette vision lui serra l'estomac.

Remarquant son malaise, Martie lui avait demandé d'en profiter pour appeler Susan Jagger de son téléphone portable.

Dusty composa le numéro et laissa passer douze sonneries. Susan ne répondait pas. Il appuya sur *fin d'appel* et demanda le numéro à Martie.

– Tu le connais !

– Je me suis peut-être trompé.

Il composa une nouvelle fois la série de chiffres en les annonçant un à un à haute voix.

— C'est bien ça, confirma Martie lorsqu'il eut entré le dernier.

Cette fois-ci, Dusty attendit seize sonneries avant de raccrocher.

— Elle n'est pas là.

— Elle est forcément là. Elle ne va jamais nulle part, à moins d'être avec moi.

— Elle est peut-être sous la douche.

— Il n'y avait pas de répondeur ?

— Non. J'essaierai encore, plus tard.

Les sens adoucis par le Valium, Martie parut perplexe, mais pas inquiète.

Kenny Phan plaça une nouvelle éprouvette au bout du cathéter.

— Et une dernière ! Pour ma collection personnelle !

Cette fois, Martie se laissa aller à rire de bon cœur, sans la moindre arrière-pensée.

En dépit des circonstances, Dusty avait la sensation que la vie normale était à portée de main, qu'elle ne demandait qu'à reprendre sa place. Pour la première fois depuis les événements douloureux des quartorze dernières heures, cet éden lui semblait de nouveau accessible.

Kenny Phan était en train de poser un petit pansement violet à l'effigie de Barney le dinosaure à l'endroit de la piqûre. Le téléphone portable de Dusty sonna. C'était Jennifer, la secrétaire du Dr Ahriman. Le psychiatre avait chamboulé son planning pour les recevoir à 13 h 30.

— C'est super ! lança Martie.

Dusty aussi était soulagé – une réaction pour le moins curieuse. En effet, si le problème de Martie était psychologique, les chances d'une guérison complète et rapide étaient plus aléatoires que si son mal était d'ordre purement physique... Dusty n'avait jamais rencontré le Dr Mark Ahriman, et pourtant un agréable sentiment de sécurité, une chaleur réconfortante l'avaient envahi après le coup de fil de sa secrétaire. Cela aussi était bizarre et inattendu.

Si le problème n'était pas médical, Ahriman saurait quoi faire. Il serait capable de dénicher les causes de l'anxiété de Martie.

La répugnance de Dusty à accorder sa confiance aux experts de tout poil était presque pathologique, il était le premier à l'admettre. Pourquoi alors se montrait-il si enclin à croire qu'Ahriman, avec tous ses diplômes, ses livres si prisés et sa réputation, avait le pouvoir de tirer Martie de ce mauvais pas, comme d'un coup de baguette magique ?

À l'évidence, il était comme tout le monde, un imbécile moyen, même si cela le peinait de le reconnaître.

Quand ce qui lui était le plus cher au monde – en l'occurrence,

Martie et leur vie commune — courait un danger, et quand ses connaissances et son bon sens étaient incapables de résoudre le problème, la peur, cette chose terrible et abjecte qui appauvrissait l'esprit, l'incitait à se tourner vers les experts et à remettre sa vie entre leurs mains. Des considérations pragmatiques motivaient cette démarche, mais également un sentiment proche de la foi — une constatation plus que gênante.

Bon, d'accord. Et alors ? Si cela pouvait permettre à Martie de reprendre pied dans la réalité, de redevenir elle-même, de recouvrer la santé et la joie ? Dusty était prêt à essuyer toutes les humiliations de la terre.

Toujours vêtue de noir, à l'exception du sparadrap violet à l'effigie de Barney scotché dans le pli de son coude, Martie quitta le service d'hématologie, sa main dans celle de Dusty. On l'attendait dans un autre service pour passer un IRM.

Les couloirs sentaient la cire pour linoléum, le désinfectant et une indescriptible odeur de maladie.

Une infirmière et une aide-soignante s'approchaient, poussant un chariot sur lequel était allongée une jeune femme de l'âge de Martie. Elle était sous perfusion. Son visage était couvert de compresses tachées de sang frais. L'un de ses yeux était visible — grand ouvert, gris-vert et figé de stupeur.

Dusty détourna la tête avec le sentiment d'avoir violé l'intimité de l'inconnue. Il serra plus fort la main de Martie, persuadé que le regard figé de la blessée était le signe d'une malchance supplémentaire près de s'abattre sur lui.

Tendu et fripé, le sourire énigmatique du Dr Closterman lui revint en mémoire.

45.

Ahriman se réveilla tard d'un sommeil sans rêves, reposé et plein d'entrain pour la journée à venir.

Dans la chambre, un espace dédié à la remise en forme était équipé comme une salle de sport. Il fit deux circuits complets sur les machines de musculation et une demi-heure de cardio-training sur un vélo d'appartement.

C'étaient les seuls exercices auxquels il s'astreignait, à raison de trois fois par semaine. Pourtant Ahriman était aussi fringant qu'à vingt ans : un tour de taille de quatre-vingt un centimètres et un physique qui plaisait aux femmes. Le crédit en revenait à ses gènes et à son bon sens : ne jamais laisser le stress s'accumuler.

Avant de prendre sa douche, Ahriman appela la cuisine par l'Interphone et demanda à Nelly Hawthorne de préparer le petit déjeuner. Vingt minutes plus tard, les cheveux humides, le corps parfumé d'une lotion légèrement épicée et enveloppé d'un peignoir de soie rouge, il regagna sa chambre et récupéra le petit déjeuner sur le monte-plats électrique.

Sur un plateau en argent étaient disposés une carafe de jus d'orange fraîchement pressé maintenue au frais dans un seau à glace, deux pains au chocolat, une coupe de fraises garnie de sucre roux et de crème fraîche, un muffin à l'orange et aux amandes, une demi-tasse de beurre manié, une tranche de gâteau à la noix de coco, de la marmelade de citron et, enfin, une belle portion de brisures de noix de pécan grillées, caramélisées et parfumées à la cannelle.

À quarante-huit ans, le psychiatre pouvait se vanter d'avoir le métabolisme d'un gamin de dix ans sous amphétamines.

Il mangea sur le bureau où il avait étudié les globes oculaires de son père. Le bocal empli de formol était toujours là.

Certains matins, il allumait la télévision pour regarder le journal tout en déjeunant. Mais aucun journaliste, homme ou femme, n'avait les yeux aussi étranges et aussi chargés de mystère que ceux de Josh Ahriman, décédé depuis vingt ans.

Le psychiatre n'avait jamais mangé de fraises plus goûteuses. Les viennoiseries étaient délicieuses.

Dans leur bocal, les yeux paternels contemplaient avec langueur le festin matinal.

Ahriman était un véritable prodige. Il avait terminé ses études et ouvert son cabinet de psychiatre alors qu'il n'avait qu'une vingtaine d'années. Mais cette précocité eut son revers : malgré les relations qu'il avait à Hollywood, il avait peiné pour se constituer une clientèle huppée. L'élite de l'industrie du cinéma proclamait haut et fort sa grande tolérance et sa largesse d'esprit, cependant, nombre des membres de cette confrérie avaient des préjugés à l'égard des jeunes psychiatres. Ils n'étaient pas prêts à s'allonger sur le canapé d'un thérapeute de vingt et quelques années. À leur décharge, il fallait reconnaître que le médecin faisait plus jeune que son âge – comme c'était encore le cas aujourd'hui. Il paraissait dix-huit ans à l'époque où il avait apposé sa plaque à l'entrée de son cabinet. Néanmoins, bien que le milieu du cinéma rassemblât davantage de traîtres et de beaux parleurs que de Rolls, une telle hypocrisie avait irrité Ahriman.

Son père avait continué de le soutenir généreusement, mais le psychiatre avait de plus en plus de mal à accepter les bontés paternelles. Il était très embarrassant d'être encore dépendant de son père à l'âge de vingt-huit ans. Surtout si l'on considérait les nombreux diplômes dont le jeune homme était bardé. De plus, le porte-monnaie de Josh Ahriman avait beau être largement ouvert, ses aides substantielles ne pouvaient subvenir au train de vie auquel le médecin aspirait ni financer les recherches qu'il désirait conduire.

Fils unique et seul héritier, il avait tué son père d'une dose massive de thiopental mélangée à du paraldéhyde et injectée dans deux délicieuses pâtes d'amandes enrobées de chocolat – le péché mignon de son géniteur. Avant de mettre le feu à la maison pour détruire le cadavre et empêcher son autopsie, le jeune psychiatre avait partiellement disséqué le visage de Josh Ahriman dans l'espoir de découvrir d'où lui venait cette propension à verser des larmes.

Josh Ahriman était un scénariste, réalisateur et producteur au succès immense. Il était rare, à Hollywood, d'avoir ainsi les trois casquettes. Son œuvre allait de la simple histoire d'amour à la fresque patriotique célébrant l'héroïsme des soldats au combat. Aussi divers qu'ils étaient, ces films possédaient une caractéristique commune : ils avaient fait pleurer les spectateurs du monde entier. Certains critiques – pas tous, bien sûr – les qualifiaient de mélos dégoulinant de bons sentiments, mais cela n'empêchait pas le public de se presser dans les salles de cinéma. Ahriman père avait reçu deux oscars – un en tant que réalisateur, l'autre en tant que scénariste – avant sa mort prématurée, à l'âge de cinquante et un ans.

Ses films étaient des succès au box-office parce que les sentiments qui les animaient étaient sincères. Bien que muni des armes nécessaires – l'hypocrisie et la cruauté – pour réussir dans la jungle hollywoodienne, le vieil Ahriman possédait une âme sensible et un cœur tendre. On le connaissait comme le champion des pleureuses. Il pleurnichait aux enterrements, y compris lorsque le défunt était un ennemi dont il avait souhaité la mort avec ferveur ; il sanglotait sans vergogne aux mariages, aux célébrations, aux décisions de divorces, aux barmitsva, aux anniversaires, aux rassemblements politiques, aux combats de coqs, à Thanksgiving, à Noël, au jour de l'an, pour le 4 Juillet et la fête du Travail, et encore plus abondamment et plus amèrement à l'anniversaire de la mort de sa mère – quand il s'en souvenait.

Bref, c'était un homme pour qui les larmes n'avaient plus de secret. Il savait exciter les glandes lacrymales de n'importe qui, de la tendre grand-mère au criminel le plus endurci. Avec ses propres pleurs, il savait émouvoir les femmes les plus belles ou purger son âme de ses peines, de ses douleurs, de ses chagrins et de ses angoisses. Ses moments de pur bonheur eux-mêmes étaient plus délicieux humectés de quelques larmes.

Grâce à sa formation médicale approfondie, le jeune Dr Ahriman savait exactement comment les larmes étaient fabriquées, stockées et versées par le corps humain. Il espérait, néanmoins, percer quelque mystère en disséquant l'appareil lacrymal de son père.

Espoir qui resta illusoire… Après avoir découpé les paupières de Josh Ahriman et extrait délicatement ses yeux, le psychiatre trouva chaque glande lacrymale exactement là où il s'y attendait : dans l'orbite, dans la partie supérieure externe de l'orbite. Les glandes étaient de taille et de forme normales. Les canaux supérieurs et inférieurs de chaque œil étaient tout ce qu'il y a de plus normal. Chacun des sacs lacrymaux – qui reposait dans une concavité osseuse, derrière le cartilage tarse – mesurait treize millimètres, la taille moyenne chez un adulte.

L'appareil lacrymal, de petite taille et composé de tissus mous, avait été abîmé durant la dissection. Le jeune médecin n'avait pu en sauvegarder la moindre partie. Il ne lui restait que les globes oculaires de son père. Et malgré tous ses efforts pour préserver ces joyaux – conservateur, emballage sous vide et entretien régulier – il ne pouvait empêcher leur détérioration inexorable.

Peu après la mort de son père, Ahriman avait migré avec ces reliques à Santa Fe, au Nouveau-Mexique. Il pensait pouvoir s'y forger un nom sans que l'ombre du grand réalisateur plane au-dessus de sa tête. C'est dans cette région de grands déserts que le jeune Ahriman connut ses premiers succès médicaux et se découvrit une passion inépuisable pour les jeux de pouvoir et d'influence où il pouvait assujettir son prochain.

Les yeux l'accompagnèrent de Santa Fe à Scottsdale, en Arizona, puis, tout dernièrement, jusqu'à Newport Beach, qui se trouvait à moins d'une heure de route de l'ancienne propriété de son père. Avec le temps et au fil de son accomplissement, le fils Ahriman était enfin sorti de l'ombre paternelle et rentrait chez lui après un long voyage initiatique.

Le psychiatre donna involontairement un coup de genou dans l'un des pieds du bureau et les yeux roulèrent lentement dans le formol, semblant suivre la progression du dernier morceau de noix de pécan qu'il portait à sa bouche.

Ahriman laissa la vaisselle sale sur le bureau mais prit soin de ranger le bocal dans le coffre-fort.

Il portait un costume croisé de laine bleue Vestimenta, une chemise blanche à large col et manchettes taillée sur mesure, et une cravate de soie avec un mouchoir de poche assorti. Grâce aux fresques historiques de son père, il avait appris le rôle déterminant d'un beau costume.

La matinée touchait à sa fin. Il voulait rejoindre son cabinet au moins deux heures avant l'arrivée de Dustin et de Martie Rhodes afin d'avoir le temps de revoir les coups et les mouvements stratégiques qu'il avait opérés jusqu'alors et de décider de la meilleure tactique à adopter pour accéder au niveau suivant du jeu.

Dans l'ascenseur le menant au garage, il pensa un instant à Susan Jagger. Mais elle faisait déjà partie du passé. Et le visage qu'il se représentait à présent était celui de Martie.

Il ne parviendrait jamais à arracher de larmes à la foule. On pouvait, toutefois, tirer un plaisir certain des épanchements d'une seule personne. Il fallait pour cela agir avec intelligence, ruse et habileté. Et avoir une vision à long terme. L'important était de se divertir, et ce moyen-là en valait bien un autre.

Alors que les portes de l'ascenseur s'ouvraient sur le garage, le psychiatre se demanda si les glandes lacrymales de Martie étaient plus dodues que celles de son père.

46.

Après avoir été scannée, photographiée, auscultée et ponctionnée, il restait à Martie à faire pipi dans un petit récipient en plastique avant de pouvoir quitter l'hôpital. Grâce au Valium, la jeune femme était suffisamment calme pour oser se rendre aux toilettes toute seule, sans la présence gênée et gênante de Dusty, qui avait pourtant offert ses services de « monsieur pipi »

Martie n'avait pas encore retrouvé sa sérénité. La drogue avait seulement étouffé l'angoisse qui la consumait. De petites braises de terreur semblaient se terrer dans les recoins les plus sombres de son cerveau, près de s'enflammer de nouveau.

Tandis qu'elle se lavait les mains, elle osa regarder dans le miroir. Regrettable erreur. Dans ses yeux brillait l'autre Martie, refoulée et pleine de rage, irritée par ces entraves chimiques. Martie détourna aussitôt la tête et acheva de se rincer les mains. Lorsqu'elle rejoignit Dusty, les petites braises d'angoisse rougeoyaient de nouveau.

Cela faisait seulement trois heures qu'elle avait avalé le premier Valium. Il était trop tôt pour une autre dose. Dusty sortit pourtant un comprimé de son emballage et le tendit à Martie, qui l'avala avec une gorgée d'eau prélevée à la fontaine du hall d'entrée de l'hôpital.

Des piétons plus nombreux qu'en matinée se croisaient maintenant sur l'esplanade, chacun vaquant à ses occupations. Dans la tête de Martie, une voix calme, aussi douce et sirupeuse que celle d'un esprit malfaisant, énumérait les différents points faibles des passants. Cet

260

homme, la jambe dans le plâtre, qui marchait à l'aide de béquilles...
une proie facile qui serait totalement à sa merci une fois plaquée à
terre, la gorge coincée sous son talon. Cette femme souriante dans un
fauteuil roulant électrique, le bras gauche flasque et desséché sur les
genoux, la main droite actionnant la petite manette de commande...
la plus belle victime, pour sûr, de toute la journée.

Martie regarda délibérément le sol, tentant d'oublier la présence de
tous ces gens autour d'elle dans l'espoir de faire taire sa petite voix
intérieure pleine de haine. Elle s'agrippa au bras de Dusty, se fiant au
Valium et à son mari pour la conduire jusqu'à la voiture.

Alors qu'ils atteignaient le parc de stationnement, la bise de janvier
forcit, apportant un air glacial du nord-ouest. Les grands arbres
émirent des chuchotements de conspirateurs. Les flashes de lumière et
les taches d'ombre courant sur les pare-brise des voitures semblaient
autant de messages codés la prévenant d'un danger imminent.

Ils avaient le temps de déjeuner avant de se rendre chez le
Dr Ahriman. Bien que le second Valium fût sur le point de faire son
effet, Martie se sentait incapable de rester quarante-cinq minutes dans
un café, même le plus chaleureux, sans faire de crise d'hystérie. Dusty
se mit donc en quête d'un fast-food où l'on pouvait commander depuis
la voiture.

Il conduisait depuis moins de deux kilomètres quand Martie lui
demanda de se ranger devant un ensemble de maisons de deux étages
longées de jardinets. Les constructions se dressaient sur une pelouse
aussi verte que celle d'un terrain de golf, ombragée par de gracieux
poivriers de Californie, des bosquets d'eucalyptus au feuillage aussi fin
que de la dentelle et quelques grands jacarandas déjà colorés de fleurs
violettes. Des murs de stuc jaune pâle, des tuiles rouges sur le toit...
L'endroit fleurait bon le propre, le solide et le confortable.

— Ils ont dû reconstruire la moitié des maisons après l'incendie,
annonça Martie. Soixante appartements ont brûlé.

— Quand était-ce ?

— Il y a quinze ans. Ils ont aussi refait tous les toits, y compris ceux
des appartements qui n'avaient pas brûlé. Ils étaient en bardeaux de
cèdre. C'est pour ça que le feu s'est propagé si rapidement.

— Ça n'a pas l'air hanté.

— Ça devrait, pourtant. Il y a eu neuf morts dont trois jeunes
enfants. C'est bizarre... ça a l'air si beau maintenant, comme si cette
nuit n'avait été qu'un cauchemar.

— Sans ton père, la liste nécro aurait été bien plus longue...

Dusty connaissait déjà tous les détails de l'histoire, Martie voulait
parler de cet incendie. Des souvenirs, c'était tout ce qui lui restait de
son père. Les évoquer lui permettait de les garder vivants dans sa
mémoire.

— C'était déjà l'enfer quand les pompiers sont arrivés. Impossible d'en venir à bout rapidement. Bob la Banane est entré dans la fournaise à quatre reprises. Et les quatre fois dans une fumée épaisse à couper au couteau, jusqu'au cœur du foyer. Chaque fois il en est ressorti. Il souffrait le martyre là-dedans, mais il revenait toujours avec des gens qui n'auraient pas survécu sans lui — certains dans ses bras, d'autres pelotonnés dans son dos, pour s'abriter des flammes. À un moment donné, une famille de cinq personnes était complètement perdue, aveuglée par la fumée, coincée, encerclée par les flammes. Il est allé les chercher, et il les a sortis, tous les cinq ! Il n'a pas été le seul héros… tous les pompiers ont fait leur part du travail. Mais personne ne s'est démené comme lui. Il avalait la fumée comme de la barbe à papa, il avait l'air de se réjouir de la chaleur comme dans un sauna. Et il y retournait, encore et encore. Papa était toujours comme ça. Toujours. Seize personnes sauvées, grâce à lui… avant qu'il tombe dans les pommes et qu'on l'évacue en ambulance.

Cette nuit-là, alors que sa mère et elle se précipitaient à l'hôpital au chevet de Bob la Banane, Martie avait ressenti une peur si forte qu'elle avait cru en mourir dans la seconde. Le visage de Bob était cramoisi, brûlé au premier degré et parsemé de taches noires — des particules de suie projetées par une violente explosion et incrustées si profondément dans les pores de sa peau qu'elles n'étaient pas parties à l'eau. Ses yeux étaient injectés de sang, le droit tuméfié et à demi fermé. Ses sourcils, de même que la majeure partie de ses cheveux, avaient grillé. Une vilaine brûlure au second degré lui entaillait la nuque. Sa main gauche et son avant-bras avaient été tailladés par des éclats de verre. Sa voix était effrayante — râpeuse, rauque, presque inaudible tant elle était faible. Les mots sortaient de sa bouche dans un sifflement, apportant avec eux l'odeur acide de la fumée, qui emplissait son corps jusqu'au tréfonds de ses poumons. Martie, du haut de ses treize ans, se considérait comme une personne responsable et attendait impatiemment que le reste du monde admette enfin qu'elle était une adulte. Mais là, à l'hôpital, auprès de son Bob la Banane touché si durement dans sa chair, elle se sentait tout à coup aussi insignifiante et vulnérable qu'un enfant de quatre ans.

— Il a cherché ma main de sa main valide, la droite. Il était si fatigué qu'il avait du mal à la tenir. Et de cette voix horrible, cette voix tout enfumée, il a dit : « Salut, miss M. » Et j'ai répondu : « Salut. » Il a essayé de me sourire. Seulement son visage lui faisait tellement mal que son sourire était tout tordu, et ça ne m'a pas rassurée du tout. Ensuite il a dit : « Je veux que tu me promettes quelque chose. » J'ai acquiescé tout de suite de la tête. Seigneur, je lui aurais promis de me couper un bras pour lui, tout ce qu'il voulait… il était bien placé pour le savoir ! Papa a haleté un peu. Il a eu une quinte de toux, puis il a articulé : « Quand tu iras à l'école, demain, ne fais pas ta maligne à raconter que ton père a fait ceci et cela, d'accord ? Ils vont te poser plein de questions et ils vont répéter tout ce qu'ils auront entendu au journal, mais ne fais pas ton intéressante. Surtout pas. Dis-leur simplement que je suis ici… que je mange des glaces, que je taquine les infirmières et que je m'amuse bien. Dis-leur que je profite des deniers de l'État jusqu'à ce qu'ils s'aperçoivent que je suis un tire-au-flanc ! »

Dusty n'avait jamais entendu cette partie de l'histoire.

— Pourquoi t'a-t-il demandé de promettre ça ?

— C'est exactement la question que je lui ai posée. Il m'a répondu que tous les autres gamins de l'école avaient des papas, qu'ils pensaient tous que leurs pères étaient des héros, ou qu'en tout cas ils souhaitaient le croire. La plupart d'entre eux étaient réellement des héros, selon papa, ou pourraient le devenir si on leur en donnait l'occasion. Mais ils étaient comptables, vendeurs, mécaniciens, informaticiens. Et ils n'avaient pas eu la chance de se trouver au bon endroit au bon moment. Mon père, lui, avait eu cette chance, grâce à son métier. Il a ajouté : « Si un gamin regarde son père avec déception en rentrant chez lui, parce que tu m'auras trop mis en avant, alors tu auras commis un acte indigne. Et je sais que tu n'es pas indigne, miss M. Pas toi, jamais. Parce que tu es une fille bien, miss M., et mieux que ça encore.

— Tu parles d'une chance…, lâcha Dusty d'un air pensif en secouant la tête.

— Un sacré bonhomme, mon père, non ?

— Oui, un sacré bonhomme.

La médaille qu'il reçut des pompiers pour son courage cette nuit-là ne fut ni la première ni la dernière. Avant que le cancer ne vienne à bout de lui, il était devenu le pompier de l'État le plus décoré de tous les temps.

Il insistait pour recevoir chaque médaille en comité réduit, sans cérémonie et sans qu'on en parle dans la presse. Selon lui, il ne faisait que son travail. En outre, quels que soient les risques encourus, les blessures reçues, tout cela était insignifiant comparé à ce qu'il avait subi pendant la guerre.

— Je ne sais pas ce qui lui est arrivé au Vietnam, expliqua Martie. Il n'en parlait jamais. Quand j'avais onze ans, j'ai trouvé ses médailles dans une boîte au grenier. Il m'a dit qu'il les avait gagnées parce qu'il était le dactylographe le plus rapide de tous les secrétaires du PC de la division. Comme ça ne me satisfaisait pas, il m'a raconté qu'ils faisaient des concours de cuisine et qu'il avait préparé le meilleur gâteau. Mais, même à onze ans, je savais qu'on ne recevait pas des Bronze Stars pour un gâteau, même délicieux. J'ignore si papa était aussi un homme bon et gentil avant de partir au Vietnam, mais j'ai l'impression que tout ce qu'il a enduré là-bas l'a rendu meilleur. Que ça l'a rendu humble, attentionné et généreux. Rempli d'amour pour la vie et pour les gens.

Les poivriers élancés et les eucalyptus étaient bercés par le vent, et les fleurs pourpres des jacarandas luisaient dans le ciel gris.

— Il me manque tellement, souffla-t-elle.

— Je sais.

— Et j'ai tellement peur… de cette folie qui m'arrive…

— Tu vas t'en sortir, Martie.

— Non, ce que je veux dire, c'est que j'ai peur de faire quelque chose qui puisse le déshonorer.

— Ce n'est pas possible.

— Qu'est-ce que tu en sais ? répliqua-t-elle dans un frisson.

— Je le sais, c'est tout. Ce n'est pas possible. Tu es la fille de ton père.

Martie esquissa un pâle sourire. Devant elle, l'image de Dusty se brouilla. Et bientôt des perles salées se lovèrent au coin de ses lèvres pincées et tremblantes.

Ils déjeunèrent dans la voiture, sur le parking d'un restaurant drive-in.

— Pas de nappe, pas de bougies, pas de bouquet de fleurs, lança Dusty qui dévorait un sandwich au poisson accompagné de frites. Mais il faut admettre qu'on a une vue imprenable sur la benne à ordures.

Bien qu'elle n'eût rien mangé depuis la veille au soir, Martie n'avait commandé qu'un petit milk-shake à la vanille qu'elle sirota lentement. Elle ne voulait pas avoir l'estomac trop rempli si elle devait à nouveau être assaillie par des images de mort à soulever le cœur.

Du téléphone portable, elle appela Susan. Elle attendit vingt sonneries avant de raccrocher.

— Il y a quelque chose qui cloche, déclara-t-elle.

— Pas de conclusions hâtives. Ne nous précipitons pas, la rassura Dusty.

— Je ne risque pas de me précipiter où que ce soit ! J'ai les jambes en coton.

C'était la vérité, la double dose de Valium faisait son effet. Les appréhensions de Martie restaient plutôt molles et diffuses.

— Si on n'arrive pas à la joindre après avoir vu le Dr Ahriman, on passera chez elle pour voir ce qui se passe, promit Dusty.

Trop tourmentée par ses propres démons, Martie n'avait pas trouvé l'occasion de raconter à Dusty l'histoire à peine croyable que lui avait confiée Susan. Et, à présent, ce n'était pas le moment idéal. Elle venait tout juste de retrouver un semblant de calme ; évoquer ces faits troublants risquait de réveiller ses propres terreurs. De plus, dans quelques minutes à peine, ils seraient dans le cabinet du Dr Ahriman ; elle n'avait pas le temps de raconter toute l'histoire à Dusty sans passer outre certains détails. Ce serait pour plus tard…

— Il y a quelque chose qui cloche, répéta-t-elle. Mais elle s'arrêta là.

C'était étrange de se retrouver sans Susan dans cette salle d'attente élégante aux tons noir et miel.

En franchissant le seuil, au contact des dalles de granit, Martie sentit le poids de son anxiété s'alléger comme par magie. Une légèreté de corps et d'esprit toute nouvelle. Un espoir bienvenu dans son cœur.

Étrange aussi cette sensation, bien différente des effets du Valium. Les médicaments étouffaient son anxiété, la confinaient, toutefois, Martie pouvait la sentir poindre sous la couverture chimique. La diminution de son angoisse était réelle, presque mesurable. Il ne s'agissait pas de confinement mais de dissipation.

Susan aussi, à chacune de ses visites au Dr Ahriman – deux fois par semaine, sans exception, pendant toute l'année passée –, s'était sentie délivrée de ses chaînes au moment de franchir le seuil. La lourde emprise de l'agoraphobie ne la quittait jamais hors de son appartement. Et pourtant, passé les portes du psychiatre, elle se sentait en sursis.

Jennifer, la secrétaire du médecin, leva les yeux de ses registres, s'apprêtant à accueillir Martie et Dusty. La porte du bureau du Dr Ahriman s'ouvrit et il vint à leur rencontre.

Il était grand et fringant. Son attitude, son allure et sa tenue impeccable rappelaient les acteurs hollywoodiens d'une époque révolue, tels William Powell ou Cary Grant.

Martie se demandait toujours comment le psychiatre était capable de projeter une image si rassurante, un air d'autorité et de compétence si tranquille. Elle cessa bien vite ses questionnements. La seule vue du psychiatre – plus encore que le fait d'avoir passé le seuil de son cabinet – l'emplit d'une paix inconnue. Martie était si reconnaissante au docteur de lui apporter cette lueur d'espoir…

47.

Cette noirceur qui s'étalait sur la mer, des heures avant le crépuscule, était de bien mauvais augure, comme si un mal obscur et primitif remontait du fin fond de l'océan pour se répandre sur les terres.

Le ciel avait fini par se recouvrir tout entier du manteau gris qu'il avait tissé durant la journée avec les nuages, ne laissant ni bleu pour colorer l'eau ni soleil pour faire scintiller l'écume des vagues. Aux yeux de Dusty, ce Pacifique de plomb était bien trop foncé pour l'heure, avec toutes ses marbrures noires qui salissaient sa surface.

Vue du quatorzième étage, la côte aussi semblait recouverte d'un lavis noir – les plages, les collines au sud, les plaines habitées à l'ouest et au nord. La végétation paraissait une fine couche verte déposée sur une base de gris. Les constructions en cours se dressaient comme des ruines en devenir attendant le tremblement de terre du millénaire ou la guerre thermonucléaire.

Quand Dusty détourna la tête du panorama que lui offrait la large baie vitrée, son malaise s'évanouit dans l'instant, aussi brusquement que si l'on avait appuyé sur un interrupteur pour éteindre la lumière. Le bureau le relaxait, avec ses murs lambrissés d'acajou, ses étagères de livres parfaitement ordonnées, sa collection de diplômes des plus prestigieuses universités de la nation, sa lumière chaleureuse et tamisée dispensée par trois lampes de style Tiffany – des vraies Tiffany ? – et son ameublement sans la moindre faute de goût. Dusty avait été surpris du calme intérieur qui l'avait envahi lorsqu'il avait pénétré dans la salle d'attente en compagnie de Martie. Mais, dans cette pièce, son calme s'était transformé en un sentiment de sérénité zen.

Martie et le Dr Ahriman étaient assis dans deux fauteuils se faisant face de part et d'autre d'une table basse. Le siège du psychiatre se trouvait en retrait, près de l'immense fenêtre. Martie racontait ses crises de panique avec une assurance toute nouvelle. Le psychiatre l'écoutait attentivement, avec une compassion évidente qui faisait chaud au cœur.

Dusty se sentit si rasséréné qu'un sourire naquit sur ses lèvres sans qu'il s'en aperçoive.

Cet endroit était un sanctuaire. Le Dr Ahriman était un grand psychiatre. Tout irait pour le mieux maintenant que le Dr Ahriman s'occupait de Martie. Le Dr Ahriman était soucieux du bien-être de ses patients. Le Dr Ahriman vaincrait la maladie.

Dusty reporta son attention sur le panorama. L'océan ressemblait à présent à un vaste bourbier animé d'un clapotement monotone, comme si ses eaux, alourdies par des nappes de boue et des massifs d'algues entremêlées, ne pouvaient plus que soulever de petites vagues alanguies. Dans cette lumière lunaire, les langues d'écume n'étaient pas blanches, mais mouchetées de gris et de jaune.

En hiver, par temps couvert, la mer prenait souvent cette apparence cendrée. Cependant, elle n'avait jamais semblé aussi inquiétante à Dusty. D'ordinaire, il trouvait simplement ces scènes d'une beauté rare.

Sans nul doute, sa perception de ce spectacle marin était déformée par son état du moment. La mer était toujours la mer, immuable, et la cause réelle de son malaise venait d'ailleurs.

Cette pensée le troubla, car il n'y avait rien d'inquiétant *dans* cette pièce. Cet endroit était un sanctuaire. Le Dr Ahriman était un grand psychiatre. Tout irait pour le mieux maintenant que le Dr Ahriman s'occupait de Martie. Le Dr Ahriman était soucieux du bien-être de…

— Nous devons poursuivre le dialogue, déclara le Dr Ahriman. Il me faut d'autres éléments avant de pouvoir établir un diagnostic en toute confiance. Mais je vais me risquer à donner un nom à votre mal, Martie.

Martie se redressa légèrement dans son fauteuil ; elle attendait le diagnostic préliminaire du psychiatre avec un sourire confiant, sans agitation apparente.

— C'est une affection rare et très curieuse, poursuivit le psychiatre. Il s'agit de l'autophobie, la peur de soi. Je n'ai jamais étudié ce cas moi-même in vivo, cependant, j'ai lu tout ce que l'on a pu écrire sur le sujet. Les manifestations de ce désordre sont étonnantes, ainsi que vous avez pu, malheureusement, vous en rendre compte.

— L'autophobie, répéta Martie avec plus de fascination que d'angoisse, comme si le psychiatre l'avait à moitié guérie par le simple fait de nommer son affection.

Le Valium y était peut-être pour quelque chose…

Tout en étant interloqué par le détachement de Martie, Dusty s'aperçut qu'il souriait également.

Le Dr Ahriman ferait disparaître sa maladie.

— Statistiquement parlant, continua Ahriman, les chances pour que vous et votre meilleure amie soyez toutes deux atteintes simultanément de phobie profonde étaient quasi nulles. Des phobies aussi aiguës que la vôtre ou que celle de Susan ne sont pas communes. C'est pourquoi je suspecte l'existence d'un lien entre vos deux cas.

— Un lien ? Mais comment est-ce possible, docteur ? s'enquit Dusty.

La petite voix de la raison lui fit aussitôt remarquer que sa question aux intonations naïves n'était pas sans rappeler celle d'un gamin de douze ans adressée au professeur Trouve-Tout dans ces émissions de vulgarisation scientifique destinées aux enfants.

Ahriman posa son menton sur le bout de ses doigts, réfléchit un moment, puis déclara :

— Martie, cela fait maintenant un an que vous accompagnez Susan ici.

— Oui. Depuis qu'elle et Eric se sont séparés.

— Et, pendant tout ce temps, vous avez soutenu Susan, vous lui avez fait ses courses et rendu bien d'autres services. Le fait qu'elle ne fasse pas de progrès visibles vous a rendue encore plus inquiète. Et plus vos inquiétudes ont grandi, plus vous vous êtes sentie responsable de son échec face à la thérapie.

Surprise, Martie dit :

— Moi ? Je me suis sentie responsable ?

— Bien que je vous connaisse très peu, il me semble que vous avez, par nature, un sens aigu de vos devoirs et de vos responsabilités envers les autres. Peut-être même un sens excessif.

Dusty intervint :

— Le gène de Bob la Banane !

— Mon père, expliqua Martie. Robert Woodhouse.

— Je pense qu'il s'est passé la chose suivante : vous avez eu le sentiment d'avoir, d'une façon ou d'une autre, échoué dans votre mission envers Susan, et ce sentiment s'est transformé en culpabilité. De cette culpabilité est née votre autophobie. Puisque vous avez manqué à vos devoirs envers Susan, cette amie que vous aimez tant, vous avez commencé à vous dire que vous n'étiez pas cette personne généreuse que vous pensiez être, mais plutôt une personne mauvaise, en tout cas une mauvaise amie. Et sans aucun doute la dernière personne en qui Susan, ou quiconque, devait placer sa confiance.

Dusty trouvait l'explication trop simpliste pour être vraie. Et pourtant elle sonnait curieusement juste.

Quand il croisa le regard de Martie, il vit qu'elle avait la même impression.

Comment une affection aussi étrange et complexe pouvait-elle s'abattre, en une seule nuit, sur une personne aussi solide que les montagnes Rocheuses ?

— Hier, rappela Ahriman à Martie, lorsque vous avez amené Susan à son rendez-vous, vous m'avez pris à part pour me confier vos inquiétudes à son sujet.

— Oui, c'est vrai.

— Vous souvenez-vous de ce que vous avez ajouté à la fin ?

Devant l'hésitation de Martie, Ahriman précisa :

— Vous m'avez dit que vous aviez le sentiment de ne pas être à la hauteur.

— Mais je ne pensais pas que…

— Vous l'avez dit avec conviction. Avec angoisse. « Je ne suis pas à la hauteur. »

— J'ai vraiment dit ça ? Ah oui… ça me revient…

Ahriman dégagea ses doigts de dessous son menton, tourna les paumes vers le ciel comme pour dire *CQFD* et esquissa un sourire.

— Si un dialogue plus approfondi permet de confirmer ce diagnostic, alors ce sera une bonne nouvelle.

— Une bonne nouvelle me fera le plus grand bien, répliqua Martie, bien qu'elle n'eût plus l'air angoissée depuis qu'elle était entrée chez le médecin.

— Trouver la racine de la phobie, la cause cachée, est bien souvent la partie la plus difficile de la thérapie. Si votre autophobie provient de cette culpabilité envers Susan, nous évitons une année entière d'analyse. Et mieux encore… car ce dont vous souffrez n'est pas une véritable phobie mais plutôt… une phobie mimétique.

— Comme ces maris qui grossissent ou ont des nausées matinales lorsque leurs femmes sont enceintes ? suggéra Martie.

— Exactement. Et une phobie mimétique est infiniment plus facile à soigner qu'une maladie dont les racines sont profondément ancrées dans la personnalité, comme c'est le cas chez Susan. Je peux vous garantir que vous n'allez pas venir chez moi très longtemps. J'en aurai vite fini avec vous.

— Combien de temps ?

— Un mois. Trois, peut-être. Vous devez comprendre qu'il n'y a aucun moyen de fixer une date. Tant de choses dépendent de… vous et moi.

Dusty, soulagé, se laissa aller au fond de son fauteuil. Un mois, peut-être trois, ce n'était pas très long. Surtout si Martie faisait des progrès réguliers. Ils pourraient tenir le coup…

Le Dr Ahriman était un grand psychiatre. Le Dr Ahriman vaincrait la maladie…

— Je suis prête à commencer tout de suite, annonça Martie. J'ai vu mon généraliste ce matin et…

— Et quelle est son opinion ?

— Il pense que nous devons prendre les mesures nécessaires pour s'assurer qu'il ne s'agit pas d'une tumeur du cerveau, ce genre de chose. Mais que vraisemblablement il s'agit d'un cas à traiter par la psychothérapie et non par la médecine.

— Voilà un médecin avisé et consciencieux.

— J'ai passé une batterie d'examens à l'hôpital, tout ce qu'il m'avait prescrit. Maintenant, même si on n'a pas encore tous les résultats d'analyse, je pense que vous seul êtes en mesure de m'aider.

— Alors commençons tout de suite ! lança gaiement le Dr Ahriman avec un enthousiasme presque enfantin.

Dusty trouva cette réaction encourageante. Elle semblait exprimer sa passion pour son travail et sa certitude de parvenir à une guérison.

Le Dr Ahriman vaincrait la maladie.

— Mr. Rhodes, annonça le psychiatre, tout traitement psychothérapique requiert la confidentialité absolue entre le patient — la patiente, en l'occurrence — et son thérapeute. Je vais donc vous demander de quitter cette pièce et de gagner la salle d'attente pour le reste de cette séance.

Dusty interrogea Martie du regard.

Elle sourit et approuva du chef.

Cet endroit était un sanctuaire. Elle ne courait aucun danger ici.

— Oui, bien sûr.

Dusty se leva.

Martie lui tendit sa veste en cuir qu'elle avait retirée en entrant dans le cabinet. Dusty la prit sur son bras, où reposait déjà sa parka.

— Par ici, Mr. Rhodes, indiqua Ahriman en traversant le grand bureau jusqu'à la porte donnant sur la salle d'attente.

Les nuages coagulés dans le ciel ressemblaient à des écailles grises et huileuses de poisson pourri, vomies par le Pacifique. Les veines charbonneuses de l'eau paraissaient boursouflées de varices et bien plus nombreuses que tout à l'heure, à tel point que des pans entiers de l'océan étaient devenus d'un noir d'encre.

Un frisson de terreur traversa Dusty.

Par bonheur, son angoisse se dissipa dès qu'il détourna la tête de la baie vitrée pour suivre le Dr Ahriman.

La porte séparant le bureau aux lambris d'acajou de la salle d'attente était étonnamment épaisse, aussi hermétiquement ajustée dans son chambranle que le couvercle d'un pot de confiture scellé sous vide.

Il fallait sans doute une telle porte pour protéger les patients des oreilles indiscrètes, songea Dusty. À n'en pas douter, l'âme devait être garnie de plusieurs couches d'isolant phonique.

La décoration de cette seconde salle d'attente rappelait celle de sa grande sœur à l'entrée du cabinet : des murs dans les tons miel, un sol de granit noir et des meubles de style similaire.

— Voulez-vous que Jennifer vous apporte du café, un soda ou un verre d'eau ? lui demanda Ahriman.

— Non, merci. Ça va aller.

— Ils sont d'actualité, précisa le psychiatre en indiquant un étalage de magazines sur une table basse. Il ajouta en souriant :

— Ce doit être le seul cabinet médical où la salle d'attente n'est pas devenue un cimetière pour magazines vieux de dix ans.

— C'est une louable attention.

Ahriman posa une main rassurante sur l'épaule de Dusty :

— Ne vous en faites pas, Mr. Rhodes, elle va s'en sortir.

— C'est une battante.

270

— Ayez la foi.

— Je l'ai.

Le psychiatre le laissa et partit retrouver Martie.

La porte se referma avec un bruit sourd, discret mais très impressionnant. On entendit la clenche retrouver son logement. Il n'y avait pas de poignée de ce côté-ci. La porte ne pouvait être ouverte que de l'intérieur du bureau.

48.

Cheveux sombres, habits noirs. Yeux lapis-lazuli chatoyants comme une lampe Tiffany. Et son visage — de la lumière aussi.

Le psychiatre polissait ce haïku en pensée, plutôt satisfait de lui, tandis qu'il reprenait place dans son fauteuil face à Martie Rhodes.

Sans un mot, il étudia le visage de la jeune femme, en détail d'abord puis dans son ensemble, prenant son temps, curieux de voir si son silence prolongé la mettrait mal à l'aise.

Impertubable, elle attendit — certaine, à l'évidence, que cette inspection silencieuse avait un but purement clinique et que l'explication lui en serait donnée le moment venu.

Comme pour Susan Jagger, Ahriman avait, au préalable, implanté dans les cerveaux de Martie et de Dusty Rhodes une puissante suggestion : ils devaient se sentir profondément à l'aise sitôt les portes de son cabinet passées. De cette façon, la vue de leur psychiatre, en quelque lieu et circonstance que ce soit, leur serait toujours d'un grand réconfort.

Il avait intégré dans leur inconscient six pensées, comme des espèces de petites prières, auxquelles ils pouvaient se référer comme à un puissant mantra pour se tranquilliser si le doute ou l'anxiété les gagnaient en sa présence. *Cet endroit est un sanctuaire. Le Dr Ahriman est un grand psychiatre. Tout ira pour le mieux maintenant que le Dr Ahriman s'occupe de moi* — ou, dans le cas de Dusty , *maintenant qu'il s'occupe de Martie. Le Dr Ahriman se soucie du bien-être de ses patients. Le Dr Ahriman vaincra la maladie.* Même lorsqu'ils étaient pleinement conscients, ces mini-litanies renforçaient leur conviction que le Dr Mark Ahriman était leur unique salut.

Ahriman trouvait fort amusant de les voir sourire et dodeliner de la tête alors qu'ils auraient dû s'inquiéter, ou tout au moins s'étonner de la disparition soudaine de leurs angoisses. Il était drôle aussi de voir un mari vous confier sa femme avec autant de reconnaissance, quand votre unique intention était de l'avilir, de la souiller, de l'humilier et, pour finir, de la détruire.

Après l'arrêt imprévu occasionné par le suicide de Susan, la partie allait pouvoir reprendre.

— Martie, dit-il.

— Oui, docteur ?

— Raymond Shaw.

L'attitude de la jeune femme changea dans l'instant. Elle se raidit et se redressa dans son fauteuil. Son charmant sourire s'évanouit sur ses lèvres et elle articula :

— J'écoute.

Maintenant que son cerveau était sous tension, disponible comme un disque dur d'ordinateur, Ahriman pouvait y charger le système d'exploitation de Martie, compressé sous la forme d'un haïku.

— *Portées par le vent d'ouest...*

— Vous êtes l'ouest et le vent d'ouest, répondit-elle avec soumission.

— *... les feuilles mortes s'envolent...*

— Les feuilles sont vos instructions.

— *... et se rassemblent à l'orient.*

— Je suis l'orient.

Désormais, toutes les instructions que le psychiatre lui donnerait seraient compactées comme des feuilles d'automne pour servir de compost nourricier dans le tréfonds obscur de son subconscient.

En accrochant la veste en cuir de Martie sur le portemanteau, Dusty sentit un livre dans l'une des poches. C'était le roman que Martie prenait avec elle pour tromper le temps pendant les séances de Susan depuis au moins quatre ou cinq mois.

Elle avait beau prétendre qu'il était passionnant, le livre de poche paraissait aussi neuf que s'il avait été en rayon chez un libraire. Aucune pliure ni salissure sur la couverture, et des feuilles aussi neuves et immaculées que si elles voyaient le jour pour la première fois depuis leur sortie de l'imprimerie.

Martie lui avait raconté l'intrigue d'une façon plus qu'évasive, à la manière d'une écolière résumant un livre qu'elle n'aurait pas lu. Soudain, Dusty fut convaincu que Martie n'avait jamais parcouru la moindre page de ce roman. Pourquoi, alors, inventer ce mensonge à propos d'une chose aussi insignifiante ?

En réalité, Dusty ne pouvait se faire à l'idée que Martie mentît sur quelque sujet que ce soit, important ou non. Le respect peu commun qu'elle avait à l'égard de la vérité était l'un des principes fondateurs de sa personne, celui sur lequel elle s'appuyait pour être la digne fille du grand Bob la Banane.

Après avoir suspendu sa parka, le livre toujours à la main, Dusty contempla les magazines étalés sur la table. Ils étaient tous identiques dans leur contenu : soit ils jouaient la carte du culte exalté des célébrités, soit celle de l'analyse prétendument spirituelle et distanciée de leurs faits et gestes, ce qui, en fin de compte, revenait à exciter la même corde sensible chez les fans.

Laissant de côté les magazines, Dusty s'assit avec le livre.

Le titre lui rappelait vaguement quelque chose. En son temps, ce roman avait été un best-seller. On en avait même tiré un film à succès. Dusty n'avait ni lu le livre ni vu le film.

Un crime dans la tête, de Richard Condon.

D'après la page de garde, la première édition datait de 1959. C'était si loin. Un autre millénaire.

Pourtant, le titre se vendait toujours. Un bon signe.

Chapitre un. Bien qu'étant un roman à suspense, le livre ne s'ouvrait pas sur une sombre nuit d'orage mais sous le grand soleil de San Francisco. Dusty commença sa lecture.

Ahriman demanda à Martie de s'installer sur le canapé afin qu'il puisse s'asseoir à ses côtés. Obéissante, elle se leva de son fauteuil.

Tout enveloppée de noir. Étrange suaire pour un jouet – un jouet pas encore cassé.

Ce haïku éveillait des échos délicieux en lui. Ahriman se le passa plusieurs fois en boucle dans la tête avec un plaisir grandissant. Le poème n'était certes pas aussi réussi que celui évoquant la lampe Tiffany, mais il restait toutefois infiniment meilleur que ses récentes tentatives pour capturer la beauté de feu Susan Jagger.

Une fois assis sur le canapé, tout près de Martie mais sans la toucher, le médecin lui dit :

– Aujourd'hui, nous entrons dans une nouvelle phase, tous les deux.

Recluse dans la chapelle au fond de son esprit, où les seuls cierges allumés brûlaient pour le dieu Ahriman, Martie écouta chacun des mots du psychiatre avec l'acceptation silencieuse et extatique de Jeanne d'Arc pour *sa* voix.

– Tu vas découvrir que la destruction et l'autodestruction sont plus distrayantes que n'importe quoi sur terre. Oui, c'est terrifiant. Mais même la terreur a quelque chose de doux. Dis-moi… es-tu déjà montée sur des montagnes russes, de celles qui te font faire des loopings et des grands huit à toute vitesse ?

– Oui.

— Raconte-moi ce que tu as ressenti.

— De la peur.

— Mais tu as ressenti autre chose… ?

— De la gaieté, de la joie.

— Voilà. La terreur et le plaisir sont indissociables. Nous sommes une espèce dont les branchements ont été mal effectués, Martie. La terreur nous réjouit. Aussi bien la nôtre que celle des autres. Le secret du bonheur, c'est d'accepter cette mauvaise connexion, de cesser de la combattre dans l'espoir vain de devenir meilleurs que ce que nous sommes. Tu comprends ce que je dis, n'est-ce pas ?

Les yeux de Martie s'agitèrent. Mouvements oculaires rapides, typiques du sommeil paradoxal.

— Oui. Je comprends.

— Peu importe le rêve que notre Créateur concevait pour nous. Nous ne pouvons échapper à notre nature. La compassion, l'amour, l'humilité, l'honnêteté, la loyauté, la fidélité… c'est comme ces grandes baies vitrées contre lesquelles viennent s'écraser tous ces petits oiseaux stupides : nous passons notre temps à nous fracasser le crâne contre la fenêtre de l'amour, de la confiance… car nous nous entêtons à vouloir rejoindre des territoires qui nous sont à jamais interdits, parce que nos connexions ne sont pas conçues pour ça.

— Oui.

— L'exercice du pouvoir et ses deux attributs les plus importants, la mort et le sexe, voilà ce qui nous gouverne ! Le pouvoir sur les autres nous procure la plus vive des émotions. Nous idolâtrons les politiciens car ils ont du pouvoir, et nous adulons les stars car elles semblent jouir de plus de pouvoir que nous-mêmes. Les plus forts d'entre nous prennent le pouvoir, les faibles s'exaltent à l'idée de se sacrifier pour les puissants. Le pouvoir, encore et toujours le pouvoir ! Celui de tuer, de mutiler, de blesser, de dire aux autres ce qu'ils doivent faire, penser, croire et ne pas croire. Le pouvoir de terroriser. La destruction est notre mission, notre destinée. Je vais t'apprendre à te repaître de la destruction, Martie, et, à la fin, tu aimeras tellement ça que tu te détruiras toi-même. Ainsi tu connaîtras le plaisir du bourreau et de la victime.

Des secousses bleues, puis l'immobilité.

Les mains sur les genoux, paumes tournées vers le haut, comme pour recevoir des offrandes, les lèvres entrouvertes pour respirer, la tête légèrement penchée sur le côté, dans la position d'une étudiante attentive…

Le psychiatre porta une main à son visage, lui caressa la joue.

— Embrasse ma main, Martie.

Elle pressa ses lèvres contre ses doigts.

— Je vais te montrer de nouvelles photographies, Martie, annonça Ahriman en retirant sa main. Des images que nous allons étudier ensemble. Elles sont semblables à celles que nous avons regardées hier, quand tu es venue me rendre visite avec Susan. Toutes ces photographies sont révoltantes, dégoûtantes, horribles. Des images de cauchemar… Et, pourtant, tu vas les examiner calmement, dans le menu, avec la plus grande attention. Tu vas les stocker dans ta mémoire, où elles seront apparemment oubliées. Mais chaque fois que ton anxiété grandira jusqu'à frôler la panique, elles rejailliront. Et ce ne seront plus de petites photographies vues dans un livre, bien mises en pages, avec de belles bordures et des commentaires. Ce seront des images en 3D qui empliront ton esprit comme un dôme IMAX, plus vives, plus réelles encore que tes propres souvenirs. Dis-moi maintenant si tu as bien compris mes paroles, Martie.

— Oui, j'ai compris.

— C'est bien. Je suis fier de toi.

— Merci.

Ses yeux bleus qui quémandent. Mon esprit leur ouvrant de nouveaux horizons. Le professeur et l'élève.

Pas mal, techniquement, mais faux. Il n'était pas, à proprement parler, son professeur, ni elle son élève. « Joueur et jouet » étaient plus proches de la réalité. Ou plutôt « maître et sujet ».

— Martie, lorsque ces images remonteront à ton esprit pendant tes crises de panique, elles te dégoûteront à t'en rendre malade. Elles t'empliront de nausées et même de désespoir. En même temps, elles exerceront sur toi une étrange fascination. Tu les trouveras à la fois répugnantes et irrésistibles. Tu seras sans doute attristée par le sort des victimes sur ces images, mais, dans une autre partie de ton cerveau, tu éprouveras de l'admiration pour les tueurs et les auteurs de ces sévices. Oui, une part de toi enviera ces tueurs, leur pouvoir sans limites… tu connaîtras alors l'existence de cette facette meurtrière de ta personne. Tu auras peur de cette autre Martie… tout en brûlant du désir de te soumettre à son contrôle. Toutes ces images horribles dans ta tête seront autant de souhaits, de pulsions irradiantes de violence qui pourraient t'emporter si tu t'avisais d'écouter cette autre Martie. Car cette entité sauvage et cruelle est ta véritable nature. Cette autre Martie est la vraie Martie. La femme douce que tu es en apparence n'est qu'un leurre, une ombre destinée à se fondre dans la lumière de la civilisation, parce que tu veux te faire passer pour une faible afin de ne pas éveiller les soupçons. Pendant les prochaines séances, je te montrerai comment devenir la vraie Martie, comment te débarrasser de cette ombre pour devenir enfin vivante, comment libérer tout ton potentiel en pleine lumière, et jouir du pouvoir et de la gloire qui te sont destinés.

Le psychiatre avait apporté avec lui deux livres magnifiquement illustrés. Ces volumes, extrêmement coûteux, étaient utilisés dans de nombreuses universités pour les cours de criminologie. Ils étaient connus de la plupart des inspecteurs de police et des médecins légistes des grandes métropoles. Le grand public, lui, à quelques rares exceptions près, ignorait leur existence.

Le premier ouvrage était un répertoire exhaustif des pathologies rencontrées en médecine légale. Cette spécialité intéressait le Dr Ahriman à plus d'un titre. Tout d'abord parce qu'il était un homme de science. Également parce qu'il veillait, à l'issue de chaque partie, à ne laisser parmi les restes sanguinolents de ses pions, aucun indice susceptible d'être utilisé par les autorités pour le contraindre à quitter sa demeure luxueuse et à s'installer jusqu'à la fin de ses jours dans une cellule de prison, voire dans un asile d'aliénés.

« Allez en prison sans passer par la case Départ » était une carte qu'il était bien décidé à ne jamais tirer. Après tout, dans le jeu d'Ahriman, contrairement au Monopoly, il n'existait pas de carte « Sortez de prison, vous êtes libre ».

Le second livre recensait les tactiques, procédures et techniques médico-légales d'investigation dans le cadre d'homicides. Le psychiatre l'avait acquis pour ne pas faillir à ce grand principe salvateur : tout bon joueur se devait de connaître dans le menu les armes et les stratégies de ses adversaires.

À eux deux, ces ouvrages offraient une galerie complète et sinistre du grand œuvre de la mort. Le volume consacré aux pathologies en médecine légale débordait d'exemples d'autopsie, tous plus cauchemardesques les uns des autres ; celui dédié aux techniques d'investigation offrait une foule d'images de victimes in situ possédant une force dramatique que l'on ne retrouvait pas toujours sur les clichés pris à la morgue. Un massacre dans une maison était plus effrayant que n'importe quel étalage de viande dans une boucherie. Ces livres étaient des Guggenheim de l'hémoglobine, des Louvre de la violence — musées des horreurs humaines avec table des matières, renvois et index.

Docile, Martie attendait. Lèvres entrouvertes. Yeux écarquillés. Un vaisseau prêt à recevoir son chargement.

— Tu es vraiment charmante, lui dit Ahriman. J'étais trop aveuglé par la splendeur de Susan pour apprécier ta beauté à sa juste valeur. Je m'en excuse humblement.

Épicée d'un peu plus de souffrance, Martie deviendrait excessivement érotique.

Ahriman commença donc par le volume traitant des enquêtes criminelles in situ. Il l'ouvrit à une page marquée d'un post-it rose. Présentant l'ouvrage à Martie, il dirigea l'attention de la jeune femme sur la photographie d'un homme mort, gisant sur le dos. L'homme était nu, le corps tailladé de trente-six coups de couteau. Le médecin veilla à ce que Martie remarque bien avec quelle imagination le tueur avait réutilisé les parties génitales de la victime.

— Et là, tu vois ce gros clou dans son front ? C'est un crampon pour fixer les rails de chemin de fer sur les traverses… De l'acier trempé, vingt-trois centimètres de long, près de trois centimètres de diamètre. Mais on ne voit plus grand-chose. Ça lui a traversé le crâne pour le clouer au plancher de chêne. Une référence à la crucifixion, sans aucun doute – le clou en travers de la main et la couronne d'épines combinés en un seul symbole. Imprègne-toi bien de cette image, Martie. De chaque détail.

Elle obéit et regarda la photo avec intensité, contemplant une blessure, puis l'autre…

— La victime était un prêtre, précisa le psychiatre. Le tueur a dû regretter d'être contraint de crucifier sa victime sur du chêne et non sur du cornouiller. Malheureusement, aucun fabricant à ce jour n'a encore eu l'audace de proposer du parquet dans cette essence.

Des secousses bleues, puis l'immobilité. Un battement de paupières. L'image était scannée et mise en mémoire.

Ahriman passa à la page suivante.

L'état de santé de Martie préoccupait tant Dusty qu'il se croyait incapable de s'intéresser à quelque lecture que ce soit… Pourtant la paix intérieure qui l'avait gagné en entrant dans le cabinet du Dr Ahriman ne l'avait pas quitté. En quelques instants, Dusty était captivé par la lecture du roman.

Un crime dans la tête… L'intrigue était originale, pleine de personnages hauts en couleur, comme l'avait dit Martie d'une voix curieusement dépourvue d'émotion. C'était effectivement un bon livre. Curieux qu'elle ne l'eût pas terminé, ou qu'elle n'en eût pas lu une bonne partie, après tout ce temps…

Chapitre deux. Dusty commença un paragraphe : « Le Dr Yen Lo… »

Il eut un tel sursaut que le livre faillit lui échapper des mains. Il le retint in extremis, mais perdit sa page.

En parcourant l'ouvrage à la recherche de sa page, Dusty était persuadé que son imagination lui avait joué un tour. Il devait s'agir d'une phrase contenant une succession de syllabes similaires, à consonance asiatique. Une simple erreur de lecture.

Dusty retrouva le deuxième chapitre, la page, le paragraphe… Il était bien là, noir sur blanc, le même nom, celui que Skeet avait répété dans son carnet de notes : *Dr Yen Lo*. Les lettres se mirent à tressauter dans les mains tremblantes de Dusty.

Le nom avait plongé instantanément le gamin dans un état de transe étrange, comme s'il était hypnotisé. À ce souvenir, Dusty eut la chair de poule, la peau de sa nuque plus rugueuse qu'une râpe. Malgré les ondes de calme que diffusait cette petite salle d'attente, son dos était gelé, sa colonne vertébrale aussi raide et froide qu'un thermomètre planté dans un pain de glace.

Marquant la page de son doigt pour pouvoir la retrouver rapidement, Dusty referma le livre et se leva de sa chaise. Il se mit à arpenter la pièce, espérant faire descendre la pression en lui et être en mesure de reprendre au plus vite sa lecture.

Pourquoi Skeet était-il aussi tourmenté et affecté par le nom d'un simple personnage de fiction ?

Vu ses goûts littéraires et sa passion pour les romans d'*heroic fantasy*, le gamin n'avait probablement jamais lu ce livre. Il n'y était question ni de dragons, ni d'elfes, ni de magiciens.

Après avoir parcouru plusieurs fois la pièce de long en large, Dusty commençait à entrevoir quelle pouvait être la frustration d'une panthère en cage. Il se força toutefois à retourner s'asseoir, encore habité par l'impression que tous les fluides de sa colonne vertébrale, à l'instar du mercure refroidi, s'étaient rassemblés dans le creux de ses reins.

Il reprit sa lecture. *Le Dr Yen Lo…*

49.

Du travail de cochon, cette décapitation ! Tout le monde ne savait pas choisir le bon outil !

— Les yeux de la victime sont très intéressants, Martie. Regarde combien ils paraissent immenses. Les paupières sont retroussées si haut par la terreur qu'on dirait presque qu'elles ont été découpées. Il y a tant de mystère dans ce regard… quelque chose qui n'appartient pas à notre monde. Comme si, au moment de mourir, ces yeux avaient eu la chance d'entrevoir un bref instant l'au-delà.

Martie regarda ces prunelles pitoyables. Deux battements de paupières. Image enregistrée.

Le psychiatre tourna les pages jusqu'au post-it suivant.

— Cette photo est d'une importance majeure, Martie. Observe-la bien.

La jeune femme approcha légèrement la tête.

— Dusty et toi allez bientôt devoir découper une femme en

278

morceaux d'une façon similaire. Et vous arrangerez les différentes parties de son corps en un tableau aussi ingénieux. Ici, la victime est une jeune fille de quatorze ans… Quant à vous, vous aurez affaire à une personne un peu plus âgée.

L'intérêt du médecin pour le cliché était si intense qu'il ne vit pas deux larmes apparaître au coin des yeux de Martie. Lorsqu'il aperçut ces deux perles, elles avaient déjà roulé jusqu'au bas du visage.

— Comment est-ce possible, Martie, lança-t-il, éberlué. Tu es censée te trouver au plus profond de ton esprit, dans la chapelle… Tu y es bien – oui ou non ?

— Oui, j'y suis. Dans la chapelle.

Martie n'aurait pas dû être capable d'avoir une réaction d'ordre émotionnel. Comme pour Susan, il aurait fallu qu'Ahriman la fasse sortir de sa chapelle, lui fasse monter quelques marches de l'escalier imaginaire jusqu'à un niveau de conscience moins atrophié, pour qu'elle puisse réagir d'une façon aussi délicieuse.

— Dis-moi ce qui ne va pas, Martie.

Sa voix était à peine audible, juste un souffle :

— Trop de souffrances.

— Tu souffres ?

— Non. Elle.

— Qui ça, « elle » ?

Les larmes submergeant de nouveau ses yeux, Martie montra la photographie de la jeune fille découpée, recomposée en un tableau funèbre.

— Ce n'est qu'une photo, répondit Ahriman, décontenancé.

— Une photo d'une personne réelle, murmura Martie.

— Elle est morte depuis longtemps.

— Mais elle a été vivante.

Les glandes lacrymales de Martie étaient de toute évidence en parfait état de marche. Les sacs lacrymaux s'étaient vidés dans les lacs lacrymaux qui débordaient à présent. Deux nouvelles larmes, pleines de regret, naquirent au coin de ses yeux.

Ahriman se souvint de la dernière larme de Susan, offerte durant les ultimes instants de sa vie. Mourir était une expérience stressante, même lorsque l'on mourait en silence, dans un état de soumission totale. Mais Martie n'était pas en train de mourir…

— Tu ne connaissais pas cette fille, n'est-ce pas ? insista le psychiatre.

À peine un chuchotement :

— Non.

— Elle l'avait peut-être mérité ?

— Non.

— C'était peut-être une adolescente qui se prostituait ?

Toujours aussi doucement :

— Peu importe.

— Peut-être était-elle une meurtrière elle-même ?

— Elle est moi.

— Comment ça ? demanda-t-il

— Comment ça ? répéta-t-elle comme un perroquet.

— Tu dis que cette fille est toi. Explique.

— Cela ne s'explique pas.

— Alors ça n'a pas de sens.

— C'est quelque chose qui se sent.

— Qui se sent ! répéta-t-il avec mépris.

— Oui.

— C'est quoi, une devinette, un *koan* zen ou quelque chose de ce genre ?

— Ah bon ?

— Pff ! Les filles ! pesta Ahriman.

Martie ne répondit pas.

Le psychiatre ferma le livre, scruta le profil de la jeune femme pendant un moment.

— Regarde-moi, ordonna-t-il.

Elle tourna la tête dans sa direction.

— Ne bouge pas. Je veux goûter, ordonna-t-il.

Ahriman pressa ses lèvres sur chacun de ses yeux. Il y mit même un peu la langue.

— Salé, dit-il. Mais il y a autre chose. Quelque chose de bizarre. Un parfum très subtil.

Il voulut y goûter à nouveau. L'œil de Martie, pris d'un spasme nerveux, s'agita et se mit à lui chatouiller la langue.

Ahriman se redressa.

— Astringent, mais pas amer.

Le visage humide et luisant des filles. Toute la tristesse du monde. Et pourtant tant de beauté.

Voulant croire que ces trois vers pourraient donner naissance à un nouveau haïku méritant d'être couché sur le papier, le psychiatre les mémorisa avec l'intention de les parfaire à tête reposée.

Les yeux de Martie étaient redevenus secs, comme si la chaleur des lèvres d'Ahriman avait tari ses glandes lacrymales.

— Finalement, je sens que je vais m'amuser avec toi au-delà de toutes mes espérances, souffla Ahriman. Tu vas exiger de moi plus d'adresse et de doigté, mais mes efforts seront récompensés au centuple. Comme tous les beaux jouets, la noblesse de tes matériaux, à savoir ton esprit et ton cœur, offre autant de plaisir que la fonction pour laquelle tu as été conçue. À présent, toutefois, je veux que tu sois calme, parfaitement calme et détachée, observatrice, obéissante.

– Je comprends.

Il ouvrit de nouveau le livre.

Sous la houlette d'Ahriman, Martie, les yeux parfaitement secs, étudia dans le menu la photographie de la jeune fille démembrée, dont les morceaux avaient été réarrangés de façon créative. Le médecin lui demanda de s'imaginer perpétrant elle-même ces atrocités, de se repaître de cette réalité sanglante et bestiale représentée sur le papier glacé. Afin de s'assurer que Martie employait bien ses cinq sens à cet exercice, Ahriman fit appel à tout son savoir médical, son expérience personnelle et son imagination pour lui fournir une foule de détails concernant les couleurs, les textures, les odeurs.

D'autres pages… d'autres photos… Des cadavres récents, mais aussi des corps à divers stades de décomposition.

Battement de paupières.

Battement de paupières.

Finalement, Ahriman replaça les deux volumes dans les rayonnages.

Il avait passé quinze minutes de trop avec Martie, mais il avait pris un grand plaisir à approfondir la connaissance qu'elle possédait du monde de la mort. Il aurait fait un excellent instituteur, habillé en chemise, pantalon de tweed, bretelles et nœud papillon. Travailler avec des enfants aurait était si savoureux…

Il ordonna à Martie de s'allonger sur le dos, sur le canapé, et de fermer les yeux.

– Je vais faire entrer Dusty, mais tu ne vas pas entendre un seul mot de notre conversation. Tu n'ouvriras pas les yeux avant que je te le dise. Maintenant, tu vas partir pour un endroit sans bruit ni lumière, dans un sommeil profond. Tu te réveilleras dans la chapelle de ton esprit quand je t'embrasserai les yeux en t'appelant « princesse ».

Après une minute d'attente, le psychiatre prit le pouls de Martie. Des battements lents, forts, réguliers. Cinquante-deux pulsations par minute.

Au tour de Mr. Rhodes, à présent. Peintre en bâtiment de son état, ayant abandonné l'université, intellectuel à ses heures perdues, il allait bientôt être connu comme le loup blanc, l'instrument funeste d'une terrible vengeance.

Au bout d'une ou deux pages passées en compagnie du Dr Yen Lo, Dusty comprit que le roman traitait du lavage de cerveau.

Cette découverte le stupéfia tout autant que le fait d'avoir reconnu le nom écrit sur le carnet de Skeet. Il garda le livre bien en main cette fois. Il resta calme, immobile. Mais il grommela en sourdine :

– Fils de pute !

Chez Skeet, Dusty avait cherché sans succès des preuves d'appartenance à une secte. Et maintenant, alors qu'il était à mille lieues de songer aux problèmes de son demi-frère, voilà que le mystérieux médecin chinois réapparaissait, se révélant un expert dans la science et l'art du lavage de cerveau.

Dusty ne croyait pas aux coïncidences. La vie était une tapisserie faite d'une chaîne de motifs interdépendants dont l'ordre ne demandait qu'à se révéler à l'observateur, si celui-ci y mettait un peu du sien. Ce livre n'était pas tombé par hasard dans la poche de Martie. Il leur avait été rendu accessible parce qu'il contenait une des clés du mystère de cette situation de fous. Dusty aurait donné son testicule gauche – et, avec encore plus d'enthousiasme, tout l'argent de leur compte en banque – pour connaître l'identité de celui qui s'était assuré qu'*Un crime dans la tête* leur tomberait entre les mains le moment venu. Si Dusty pensait que l'univers avait un sens et qu'il avait été créé par une intelligence supérieure, il avait du mal à considérer l'apparition de ce livre de poche comme une manifestation divine, à la manière du traditionnel buisson ardent ou des classiques signes célestes. Puisque le responsable n'était ni Dieu ni une coïncidence il s'agissait de l'œuvre d'un simple mortel, fait de chair et de sang – qui ?

Dusty s'entendit répétant « Qui ? qui ? » à haute voix comme un disque rayé. Comprenant qu'il en savait trop peu pour répondre à sa propre question, il s'imposa le silence.

Dans le roman de Condon, qui se déroulait pendant et après la guerre de Corée, le Dr Yen Lo avait pratiqué un lavage de cerveau sur plusieurs soldats américains. Il avait fait de l'un d'eux une sorte de tueur-robot qui ignorait tout de la reprogrammation psychique dont il avait été victime. De retour au pays, le soldat avait été accueilli en héros et avait repris une vie normale. Mais, s'il s'avisait de sortir ses cartes et de faire une réussite, son programme se trouvait activé. Il recevait alors ses instructions et devenait un assassin parfaitement obéissant.

Seulement la guerre de Corée avait pris fin en 1953 et le roman avait été publié en 1959 – bien avant, donc, la naissance de Dusty. Ni le jeune soldat ni le Dr Yen Lo n'étaient des personnages réels. Et pourquoi y aurait-il un lien entre ce roman et les problèmes de Dusty, de Martie et de Skeet qui obéissait aux règles de son haïku ?

Dusty poursuivit donc sa lecture, à la recherche de nouvelles révélations.

Après avoir lu quelques pages, il entendit le bruit d'une poignée de porte que l'on tourne, suivi du cliquetis de la clenche. Personne ne devait savoir qu'il lisait ce livre ! – une certitude subite, impérieuse. Une bouffée de panique envahit Dusty au moment où la porte du bureau d'Ahriman s'ouvrit avec son bruit caractéristique de ventouse. Il jeta le roman sur la table, comme s'il craignait d'être surpris en train de feuilleter une revue porno ou, pis, un des trop nombreux livres pontifiants commis par son père ou ses beaux-pères.

Le livre glissa et tomba au sol dans un plop au moment même où la lourde porte s'ouvrait sur le Dr Ahriman. Rouge pivoine, Dusty bondit de sa chaise et toussa pour couvrir le bruit de la chute.

Affolé, il s'entendit bredouiller :

— Alors docteur ? Comment va Martie… ? Est-ce qu'elle… ?

— Viola Narvilly, dit Ahriman.

— J'écoute.

50.

Après l'énoncé du haïku de programmation mentale, Ahriman conduisit Dusty dans son bureau et le fit asseoir dans le fauteuil qu'avait occupé Martie. La jeune femme dormait sur le canapé. Dusty n'eut pas même un regard pour elle.

Ahriman s'installa dans le fauteuil lui faisant face et étudia son patient pendant quelques instants. Dusty avait une attitude légèrement détachée, mais répondait immédiatement aux injonctions du médecin. Son expression passive était comparable à celle d'un conducteur pris dans l'ennui d'un embouteillage aux heures de pointe.

Dustin Rhodes était une acquisition relativement récente dans la collection du Dr Ahriman. Il était entièrement sous son contrôle depuis moins de deux mois.

C'était Martie elle-même qui, opérant sur les ordres du psychiatre, avait drogué son mari. À trois reprises, elle lui avait administré une concoction savante de médicaments pour le plonger dans un sommeil relatif et permettre sa programmation : Rohypnol, phencyclidine, Valium et une substance connue, de quelques initiés seulement, sous le nom de Santa Fe n° 46. Dusty, qui était amateur de desserts, avait avalé sa première dose au dîner, dissimulée dans une part de tarte. La deuxième, deux soirs plus tard, avec une crème brûlée couronnée d'éclats de noix de coco grillés, sans que le mélange altère en rien la saveur de l'entremets. La troisième, trois soirs après la deuxième, mélangée à une crème glacée aux fruits, recouverte d'une sauce au chocolat, de cerises au marasquin, d'amandes pilées et de dattes — même un chien de douanier n'aurait pu détecter la drogue derrière ce paravent olfactif !

Le bonhomme aimait la nourriture. D'un point de vue strictement culinaire, Ahriman se sentait une certaine affinité avec lui.

La programmation avait eu lieu dans la chambre à coucher des Rhodes : Dusty sur le lit, Martie dans un coin de la chambre, assise en tailleur sur un gros coussin recouvert d'une peau de mouton. Une lampe sur pied avait servi de potence à intraveineuse. Tout s'était bien passé.

Le chien voulait jouer les trouble-fête, mais il était trop doux et obéissant de nature pour faire autre chose que grogner et bouder. Ils l'avaient enfermé dans le bureau de Martie avec un bol d'eau, un canard en plastique jaune qui couinait et un os en caoutchouc.

Après un spasme de mouvements oculaires rapides, le psychiatre dit à Dusty :

— Ça ne sera pas long, mais les instructions que je vais te donner aujourd'hui sont très importantes.

— Oui, monsieur.

— Martie va revenir me voir vendredi, c'est-à-dire après-demain, pour une séance de travail. Arrange-toi pour te libérer afin de pouvoir l'accompagner. Est-ce que c'est clair ?

— Oui. C'est clair.

— Bien. Tu m'as surpris hier. Ton acte d'héroïsme chez les Sorenson... ce n'était pas prévu au programme. Si tu es présent la prochaine fois que ton frère Skeet tentera de se suicider, n'interviens pas. Tu pourras essayer de l'en dissuader par la parole, rien de plus, et laisse-le en finir. Dis-moi si tu as bien compris ?

— Oui, j'ai compris.

— Quand il sera mort, tu seras complètement dévasté par le chagrin. Et très en colère. Fou de rage. Tu ne pourras pas endiguer le flot de tes émotions. Tu sauras contre qui diriger ta colère, car ce sera écrit dans sa lettre d'adieu. Nous en discuterons plus longuement vendredi.

— Oui, monsieur.

Ahriman, qui ne pouvait résister à un trait d'humour noir, même lorsqu'il était débordé, jeta un coup d'œil vers Martie étendue sur le canapé.

— Ta femme est vraiment appétissante, tu ne trouves pas, Dusty ?

— Je dois la trouver appétissante ?

— Peu importe ton avis sur la question. Moi, je trouve qu'elle est un morceau de choix, et c'est tout ce qui compte.

Les yeux de Dusty étaient gris, avec des striures bleues qui leur donnaient un éclat hors du commun. Enfant, Ahriman faisait collection des billes de verre. Il en avait des sacs entiers. Trois parmi les centaines en sa possession ressemblaient aux yeux de Dusty. Aucune d'elles n'avait ce chatoiement. Martie aussi était sous le charme de ces prunelles. C'est pourquoi le médecin lui avait suggéré que son autophobie prendrait vraiment corps en elle lorsqu'elle se verrait crever ces yeux chéris avec une clé de contact.

— Je ne veux plus de réponse évasive, dit Ahriman. Je veux que tu me dises à quel point ta femme est appétissante. Je veux tout savoir. Tous les détails.

Le regard de Dusty n'était pas fixé sur Ahriman mais sur un point entre eux deux, et sa voix était aussi neutre que celle d'une boîte vocale.

— Appétissante… Vous voulez dire que la regarder met l'eau à la bouche, comme du bon pain ?

— Exactement, confirma le psychiatre.

— Le raisin met l'eau à la bouche. Les fraises. Les oranges. Des côtes de porc sont appétissantes. Mais ce n'est pas le bon mot pour décrire une… personne.

Souriant de plaisir, Ahriman questionna :

— Vraiment ? Ce n'est pas le « bon mot » ? Attention, petit peintre en bâtiment, ne laisse pas tes gènes d'intello prendre le pas. Et si j'étais un cannibale ?

Dusty articula :

— Êtes-vous cannibale ?

— Si j'étais cannibale, le mot « appétissante » concernant ta femme serait parfaitement à propos. Donne-moi donc ton opinion à ce sujet.

La voix de Dusty, quoique toujours atone, semblait teintée d'une pointe de mépris et d'ironie, au grand amusement du psychiatre :

— Pour un observateur anthropophage, le mot est juste.

— J'ai bien peur que sous ton air de col-bleu terre à terre ne se cache un professeur pompeux et bien ennuyeux.

Dusty ne répondit rien, mais ses yeux furent pris d'un tremblement nerveux.

— Bien que je ne sois pas anthropophage, répliqua Ahriman, je trouve ta femme fort appétissante. Je vais d'ailleurs lui donner un surnom. Elle sera ma petite côte de porc.

Le psychiatre conclut la séance par les instructions habituelles : n'avoir aucune conscience de ce qui s'était passé et n'avoir aucun accès aux souvenirs stockés dans le subconscient concernant leur discussion.

— Tu vas retourner dans la salle d'attente, Dusty. Tu vas ramasser le livre que tu lisais, te rasseoir à ta place et retrouver l'endroit du texte où tu as été interrompu. Lorsque ce sera fait, tu sortiras de la chapelle de ton esprit. À ce moment-là, tu n'auras plus aucun souvenir de ce qui vient de se passer, du moment où je suis apparu dans l'embrasure de la porte de mon bureau jusqu'à celui où tu seras réveillé. Tout sera effacé. Tu compteras alors lentement jusqu'à dix, le temps de remonter l'escalier de la chapelle. À dix, tu seras pleinement conscient et tu reprendras ta lecture.

– Je comprends.

– Bon après-midi, Dusty.

– Merci.

– Je t'en prie.

Dusty se leva du fauteuil et traversa le bureau sans un regard pour sa femme allongée sur le canapé.

Quand monsieur fut parti, le psychiatre alla voir madame et l'observa en silence. Appétissante, en vérité.

Il se mit à genoux au bord du canapé, lui embrassa les deux yeux et dit :

– Ma petite côte de porc.

Ce mot doux ne provoqua, bien sûr, aucune réaction chez Martie, mais rendit Ahriman hilare.

Un autre baiser sur chacun des deux yeux…

– Princesse…

Martie se réveilla dans la chapelle de son esprit sans avoir pour autant retrouvé sa conscience.

Suivant les instructions d'Ahriman, elle retourna s'installer dans le fauteuil où elle était précédemment assise.

Ahriman prit place en face d'elle.

– Martie, pour le reste de l'après-midi et jusqu'en début de soirée, tu vas te sentir incomparablement mieux que durant les dernières vingt-quatre heures. Ton autophobie n'a pas disparu, mais elle s'est estompée. La plupart du temps, tu ne ressentiras qu'une gêne diffuse, un sentiment de fragilité, traversé par de brefs éclairs de peur, fulgurants, à un rythme d'un par heure. Chaque montée de terreur ne durera pas plus d'une ou deux minutes. Mais plus tard… disons, vers 21 heures, tu vas être victime d'une véritable crise de panique, plus violente que toutes les précédentes. Elle commencera, comme d'habitude, par une vague de peur croissante. Puis, soudain, ton cerveau sera assailli par les photographies de morts et de tortures que nous avons étudiées ensemble – tous ces corps, tailladés, transpercés et mutilés, tous ces cadavres en décomposition… Et tu seras convaincue que tu es personnellement responsable de ce qui est arrivé à ces pauvres victimes. Que ce sont tes mains qui ont commis tous ces crimes et toutes ces tortures. Tes propres mains. Dis-moi si tu as compris.

– Mes propres mains.

– Je te laisse le soin d'organiser les détails de ton grand show du soir. Tu as sûrement tout le matériel nécessaire pour cela.

– Je comprends.

Le feu de la passion dans ses yeux. Frémissant dans le bouillon d'Éros. Ma tendre côte de porc.

Un haïku versant dans la métaphore culinaire. Les maîtres de l'art poétique japonais n'apprécieraient guère ! Oh ! malgré son respect pour la structure formelle des haïkus, il pouvait bien de temps en temps se concocter ses propres règles !

Le Dr Yen Lo et toute une équipe de fidèles communistes spécialistes du lavage de cerveau étaient en train de bourrer le crâne de quelques malheureux soldats américains.

— Mais qu'est-ce que c'est que… ? s'exclama soudain Dusty, en découvrant le livre de poche dans ses mains.

Sous le coup de la surprise, il faillit jeter *Un crime dans la tête* à travers la pièce mais se ravisa. Il le lâcha au-dessus de la petite table à côté de son fauteuil. Sa main droite tremblait comme si le livre l'avait brûlé.

Il se leva d'un bond en fixant du regard l'objet de malheur. Il n'aurait pas été moins choqué ni moins effrayé si une méchante sorcière avait transformé sous ses yeux le roman en serpent à sonnettes !

Quand Dusty trouva le courage de détacher son regard du livre, il se tourna vers la porte du bureau d'Ahriman. Fermée. Elle semblait l'être depuis des temps immémoriaux. Aussi redoutable et inflexible qu'un monolithe.

La rotation de la poignée, le cliquetis de la clenche… il avait pourtant entendu clairement ces deux bruits. Embarras, inquiétude, honte, sensation de danger… inexplicablement, ces sentiments, et bien d'autres, l'avaient envahi. Une pensée, fulgurante, avait traversé son esprit avec la vélocité d'une étincelle jaillissant d'une minuscule brèche dans un circuit électrique : *Personne ne doit te voir lire ce livre !* Dans un réflexe, il avait jeté le roman sur la table. Mais celui-ci avait glissé sur le plateau de granit poli. Au même instant, la porte, dans le claquement d'une conserve que l'on ouvre, avait tourné sur ses gonds… Dusty s'était brusquement levé alors que le livre touchait le sol dans un plop, et…

… et le livre se trouvait de nouveau dans ses mains ! Il était assis dans son fauteuil et lisait comme si toutes ces perceptions qui l'avaient imprégné l'instant précédent n'avaient jamais existé. Peut-être que sa vie entière, de sa naissance jusqu'à sa mort, était enregistrée sur vidéocassette, là-haut, dans le royaume des cieux. Peut-être qu'un des monteurs célestes avait rembobiné sa vie quelques secondes, remontant juste avant que les bruits de la porte ne le surprennent, pour effacer ces événements de son passé, mais en oubliant de les éradiquer de sa mémoire. Il devait s'agir d'un monteur stagiaire qui avait encore beaucoup à apprendre.

Un vrai tour de magie ! Dusty se rappela tous les romans d'*heroic fantasy* encombrant les étagères chez Skeet. Génies, magiciens, nécromanciens, sorciers, jeteurs de sorts. C'était le genre d'expérience qui vous faisait croire à la magie – ou douter de votre santé mentale.

Dusty se pencha pour attraper le livre sur la table où il l'avait lâché

– pour la seconde fois ? – mais hésita. Il toucha l'objet du bout du doigt... pas de sifflement, pas d'œil glauque qui s'ouvre, pas de battement de paupières malicieux.

Il le ramassa, le retourna dans tous les sens avec étonnement, puis, du pouce, fit défiler les pages.

Le bruit lui rappela celui d'un jeu de cartes que l'on bat. Cette image fit remonter à son tour un autre souvenir dans sa mémoire... le jeune soldat américain programmé était activé quand on lui tendait un jeu de cartes en lui disant : « Pourquoi ne tuerais-tu pas le temps en faisant une petite réussite ? » Pour être efficace, la phrase devait être prononcée exactement en ces termes. Le type entreprenait alors une réussite jusqu'à ce qu'il retourne la dame de carreau. À ce moment, son subconscient devenait accessible à celui qui le contrôlait : prêt à recevoir toutes ses instructions.

Fixant des yeux le livre de poche d'un air perplexe, Dusty fit de nouveau défiler les pages du bout de son pouce.

Il se rassit, toujours pensif, le pouce continuant à jouer avec les pages.

Ce qui lui était arrivé à l'instant n'avait rien de magique. Il venait de perdre quelques instants de sa vie, juste quelques secondes. Un laps de temps encore plus court que celui qui s'était dissous la veille lorsqu'il était au téléphone.

Encore plus court ?

Vraiment ?

Il consulta sa montre à son poignet. Peut-être pas. Comment en être sûr ? Il n'avait pas consulté l'heure depuis qu'il avait commencé la lecture du roman. Peut-être avait-il perdu quelques secondes. Peut-être dix minutes, voire plus.

Un trou dans le temps.

Était-ce une explication raisonnable ?

Bien sûr que non.

Tout vibrant d'une force instinctive, la pensée en ébullition, explorant des voies logiques plus contournées encore que le parcours d'un intestin humain, Dusty était désormais incapable de se concentrer sur le roman de Richard Condon. Il traversa la pièce jusqu'au portemanteau et rangea le livre dans une poche de sa parka et non dans la veste de Martie. Puis il fouilla dans sa parka pour en sortir son téléphone.

Au lieu d'activer la personne programmée en lui demandant très précisément : *Pourquoi ne tuerais-tu pas le temps en faisant une petite réussite ?*, il devait être possible de l'activer par un simple nom – *Dr Yen Lo*.

Au lieu d'attendre l'apparition de la dame de carreau pour avoir accès au subconscient de la victime, pourquoi ne pas le rendre immédiatement accessible par la récitation de quelques lignes de poésie ? Un haïku, par exemple..

Tournant dans la pièce comme un taureau dans une arène, Dusty composa le numéro du téléphone portable de Ned Motherwell.

Ned répondit à la cinquième sonnerie. Il se trouvait toujours chez les Sorenson.

— On n'a pas pu peindre aujourd'hui. C'est encore trempé à cause de la pluie. Mais on a bien avancé le travail de préparation. Bon Dieu, à nous deux, Fig et moi, on en a plus fait en une journée qu'en deux jours avec ce couillon dans nos pattes. Toujours défoncé à je ne sais quelle merde !

— Skeet va bien, précisa Dusty. Merci de me le demander.

— J'espère que là où tu l'as mis, on lui botte le cul toute la sainte journée !

— Absolument. Je l'ai mis à l'hôpital Notre-Dame-des-Botteurs-de-Culs.

— N'empêche que ce serait bien qu'un endroit pareil existe…

— Je suis sûr que si les irréprochables prennent un jour le contrôle de la religion, il y en aura un dans chaque ville ! Dis-moi, Ned, tu pourrais demander à Fig de terminer le boulot tout seul aujourd'hui et me rendre un petit service ?

— Bien sûr. Fig n'est pas accro à la dope, ce n'est pas un trou-du-cul ambulant comme l'autre paumé ! On peut compter sur lui.

— Il a vu Big Foot dernièrement ?

— Si un jour il dit qu'il l'a vu, je le croirai.

— Moi aussi, admit Dusty.

Il expliqua à Motherwell ce qu'il voulait, puis ils convinrent d'un rendez-vous.

Puis Dusty accrocha le téléphone à sa ceinture et consulta sa montre. Bientôt 15 heures. Il se rassit.

Deux minutes plus tard, recroquevillé dans son fauteuil par la concentration, les mains coincées entre ses genoux, le regard rivé sur le sol de granit noir, Dusty faisait travailler si fort ses méninges que, sous la pression, des boulettes de cérumen auraient pu jaillir de ses oreilles avec la vélocité d'un projectile. Quand la poignée de la porte tourna et que la clenche émit son cliquetis, il se raidit mais ne se redressa pas.

Martie sortit du bureau la première, un sourire aux lèvres. Dusty se leva pour l'accueillir, avec une expression un peu plus contrainte. Le Dr Ahriman, quant à lui, affichait un air serein et paternel. Le visage de Dusty s'éclaira à la vue du psychiatre. Il émanait de cet homme-là une aura de sagesse, de compétence, de compassion envers son prochain et toutes sortes d'autres choses rassurantes.

— Une excellente séance ! déclara le Dr Ahriman. Nous avons déjà fait de grands progrès. Je crois que Martie nous réserve des prodiges durant cette thérapie. Vraiment.

— Dieu soit loué, répliqua Dusty en décrochant les vestes du portemanteau.

— Cela ne veut pas dire pour autant qu'il n'y aura plus de moments délicats à affronter, pondéra le psychiatre. Peut-être connaîtrez-vous même des crises plus violentes que celles que vous avez vécues jusques et y compris aujourd'hui. Après tout, cette phobie rarissime représente un vrai défi. Mais quelles que soient les vicissitudes qui puissent advenir à court terme, je suis absolument certain d'obtenir une guérison complète à long terme.

— À long terme ? répéta Dusty sans réelle crainte.

Personne ne pouvait être inquiet devant le sourire confiant du psychiatre.

— Tout au plus quelques mois, répondit le Dr Ahriman. Sans doute moins. Ces pathologies ont leur propre horloge interne et on ne peut en avancer les aiguilles ! Mais il y a toutes les raisons d'être optimiste. Il est même inutile de prescrire des médicaments à ce stade. Quelques séances pendant une ou deux semaines suffiront amplement. Nous aviserons ensuite.

Dusty faillit mentionner la prescription de Valium du Dr Closterman, mais Martie prit la parole la première.

Passant les bras dans les manches de la veste de cuir que Dusty lui présentait, elle lança, pleine d'allant :

— Chéri, je me sens bien. Beaucoup, beaucoup mieux. Vraiment.

— Vendredi matin, rendez-vous à 10 heures, leur rappela le Dr Ahriman.

— Nous serons là, assura Dusty.

— Je n'en doute pas, rétorqua Ahriman dans un sourire.

Quand le psychiatre se retira dans son bureau et referma la lourde porte, une partie de la chaleur quitta la salle d'attente – un rafraîchissement subit, venu de nulle part.

— C'est vraiment un grand psychiatre, dit Martie.

Remontant la fermeture Éclair de sa parka, Dusty renchérit :

— Il est vraiment soucieux du bien-être de ses patients…

Malgré son sourire et sa sérénité intérieure, une part de lui-même se demandait comment il pouvait savoir si Ahriman ne se souciait pas uniquement de ses honoraires.

Ouvrant la porte donnant sur le couloir du quatorzième étage, Martie poursuivit :

— Il va vaincre la maladie. J'ai confiance en lui.

— Qui utilise encore l'expression « jusques et y compris » ? demanda subitement Dusty alors qu'ils arrivaient devant l'ascenseur.

— Qu'est-ce que tu veux dire ?

— C'est ce qu'a dit le Dr Ahriman. « Jusques et y compris aujourd'hui. »

— Vraiment ? Eh bien, cela se dit, non ? C'est une expression…

— Mais est-ce une expression courante ? Je veux dire, en dehors d'un bureau d'avocat ou d'un tribunal.

— Où veux-tu en venir ?

Dusty fronça les sourcils.

— Je n'en sais rien.

— Jusques et y compris ce matin, ton discours était généralement sensé, mais plus maintenant, railla Martie en appuyant sur le bouton d'appel.

— C'est une expression pompeuse.

— Pas du tout.

— Ça l'est dans la conversation de tous les jours, insista-t-il. C'est quelque chose que mon paternel aurait pu dire. Trevor Penn Rhodes. Ou le père de Skeet. Ou encore l'un des deux autres maris de maman, ces connards d'intellos élitistes.

— Tu déblatères. Cela t'est arrivé rarement, du moins jusques et y compris la seconde présente. Où veux-tu en venir à la fin ?

Il soupira.

— Nulle part, je crois bien.

Tandis que la cabine descendait vers la terre ferme, l'estomac de Dusty se souleva d'angoisse, comme s'ils s'étaient trouvés dans un ascenseur express pour l'enfer.

En traversant le hall de l'immeuble, Dusty avait l'impression de passer dans un caisson de décompression après une plongée en eaux profondes, ou de se réadapter à la gravité terrestre après une semaine passée en apesanteur dans une navette spatiale. Ou tout simplement de sortir d'un rêve.

Alors qu'ils approchaient des portes d'entrée, Martie le prit par le bras.

— Je suis désolé, Martie, bredouilla-t-il. Je me sens juste… bizarre.

— Ce n'est rien. Tu étais déjà bizarre quand je t'ai épousé.

51.

Contrairement au bureau du Dr Ahriman, au quatorzième étage, le parking n'offrait pas de vue sur le Pacifique pourtant tout proche. Dusty ne put vérifier si l'océan était aussi sombre qu'il lui était apparu du haut de la tour.

Le ciel était boueux, mais, contrairement à tout à l'heure, il ne présageait nul jugement dernier. Et, dans les constructions humaines, Dusty ne voyait plus les futures ruines d'un cataclysme imminent.

La brise se transformait en bourrasque, balayant les feuilles mortes et les quelques détritus qui jonchaient le macadam.

Une fois installée dans la voiture, Martie paraissait encore fragile émotionnellement, mais ce n'était rien comparé à son état du matin. Toute ragaillardie par l'espoir d'une guérison prochaine, elle fouilla dans la boîte à gants, trouva un tube de bonbons au chocolat et commença à les dévorer un à un, savourant chacun d'entre eux. Pour l'heure, elle se fichait de savoir qu'en cas de nouvel accès de panique, avec son cortège de haut-le-cœur et de nausées, elle les vomirait tous.

Refusant le bonbon que Martie lui offrait, Dusty sortit le livre de poche de sa veste et demanda :

— Où t'es-tu procuré ce bouquin ?

Elle jeta un coup d'œil sur l'objet et haussa les épaules :

— Je ne sais pas. Quelque part…

— Tu l'as acheté ?

— Les librairies ne donnent rien gratuitement, tu sais.

— Quelle librairie ?

— Pourquoi ces questions ? demanda-t-elle en fronçant les sourcils.

— Je vais y venir. Mais avant, réponds-moi. J'ai besoin de savoir. Quelle librairie ? Barnes and Nobles ? Borders ? Book Carnival, là où tu achètes d'ordinaire tes romans à suspense ?

Tout en mastiquant un chocolat, Martie contempla le livre un long moment.

— Je n'en sais rien, répondit-elle finalement, perplexe.

— Fais un effort… Tu n'achètes pas tant de livres que ça ! insista-t-il.

— Peut-être, mais je n'ai jamais prétendu avoir ta mémoire d'éléphant. Et toi, tu ne te souviendrais pas, par hasard, où je l'ai acheté ?

— Je n'étais sans doute pas avec toi.

Martie posa le tube de bonbons et lui prit le livre des mains. Elle ne l'ouvrit pas, ne fit même pas glisser son pouce sur la tranche des pages comme Dusty s'y attendait. Elle le tint des deux mains et le regarda fixement, le serrant fort entre ses doigts. Peut-être voulait-elle ainsi, à l'instar d'une orange qu'on presse pour qu'elle délivre son jus, extraire le secret de ses origines.

— Je ferais bien de retourner à l'hôpital passer d'autres examens ! Je dois être atteinte de la maladie d'Alzheimer avant l'âge, marmonna-t-elle finalement.

Elle rendit le livre à Dusty et reprit ses friandises.

— C'était peut-être un cadeau ? suggéra-t-il.

— De qui ?

— Là est toute la question.

— Non, si ç'avait été un cadeau, je m'en souviendrais.

– Quand tu as examiné le bouquin, à l'instant, pourquoi ne l'as-tu pas ouvert ?

– Ouvert ? Il n'y a rien à l'intérieur qui puisse me dire où je l'ai acheté.

Elle lui tendit le tube de bonbons à moitié vide.

– Tiens, prends-en un. Tu es bien irascible aujourd'hui. Tu fais peut-être de l'hypoglycémie ou un truc de ce genre. Un peu de sucre te fera le plus grand bien.

– Sans façon, merci.

Puis il ajouta avec un grand sérieux :

– Martie, tu sais de quoi parle ce roman ?

– Bien sûr. C'est un roman à suspense.

– Un suspense autour de quoi ?

– Une intrigue originale, des personnages hauts en couleur. Un bon livre.

– Mais il parle de quoi ?

Elle fixait le livre du regard, mâchant de plus en plus lentement son bonbon.

– Comme tous les romans à suspense, tu sais : on court, on se pourchasse, on tue, on court encore…

Dans les mains de Dusty, le livre était devenu de la glace. Et il pesait plus lourd. La couverture colorée semblait soudain luire d'une aura intérieure. Comme s'il ne s'agissait pas d'un simple livre, mais d'une sorte de talisman, pouvant à tout moment lui jeter un sortilège et lui faire franchir une porte magique qui le transporterait dans un monde infesté de dragons – le genre d'univers fantastique dont regorgeaient les livres de Skeet. À moins que le talisman n'ait déjà opéré ?… Dusty se trouvait, sans le savoir, dans un autre monde. D'un instant à l'autre, ils allaient croiser un dragon…

– Martie, je crois que tu n'as pas lu une seule ligne de ce bouquin. Je crois même que tu ne l'as jamais ouvert.

Un bonbon au chocolat entre le pouce et l'index, prête à le mettre dans sa bouche, elle répéta :

– Je te l'ai dit, c'est un vrai roman à suspense. Le style est bon, l'intrigue originale, les personnages hauts en couleur. Un bon livre.

Martie se rendit compte qu'elle ânonnait pour la énième fois ce commentaire. Sa bouche s'entrouvrit, mais le bonbon resta dans sa main, suspendue dans son mouvement. Ses yeux s'écarquillaient de surprise.

Dusty leva le livre à la hauteur de son visage pour lui montrer le texte de quatrième de couverture.

– Cela parle du lavage de cerveau. La simple lecture de la page de garde suffit à le comprendre.

L'expression de la jeune femme ne pouvait être plus éloquente : Martie ignorait tout du roman.

— Cela se passe pendant la guerre de Corée et un peu après, continua Dusty.

Le bonbon au chocolat commençait à fondre entre les doigts de Marty... Elle le glissa dans sa bouche.

— C'est l'histoire d'un soldat américain, reprit Dusty, un certain Raymond Shaw, qui a...

— J'écoute, articula Martie.

Dusty leva les yeux sur elle. Son visage avait une expression placide et indifférente. Sa bouche grande ouverte laissait apparaître le cercle noir du chocolat sur sa langue.

— Martie ?

— Oui, dit-elle d'une voix pâteuse.

Elle n'avait pas pris la peine de refermer la bouche et le bonbon frémissait sur sa langue.

Voilà que ça recommençait ! comme avec Skeet à la clinique de La Nouvelle Vie.

— Oh, merde, souffla Dusty.

Martie cligna des yeux et ferma la bouche. Elle cala d'un coup de langue le bonbon dans un coin de sa joue gauche, puis demanda :

— Qu'est-ce qu'il y a ?

Elle était revenue sur terre, ses yeux étaient de nouveau alertes.

— Où étais-tu partie ?

— Moi ? Quand ?

— Là. À l'instant.

Elle pencha la tête de côté d'un air taquin.

— Je crois vraiment que tu devrais prendre un peu de sucre.

— Pourquoi as-tu dit : « J'écoute » ?

— Je n'ai jamais dit ça.

Dusty regarda le paysage au-delà du pare-brise... Pas de château d'obsidienne ni de démon aux yeux rouges cachés derrière chaque créneau. Pas de dragon dévorant de preux chevaliers non plus... Juste le parking, balayé par la brise, le monde tel qu'il le connaissait, même s'il recelait à présent davantage de mystères.

— J'étais en train de te parler du livre, lui rappela-t-il. Te souviens-tu de la dernière chose que je t'ai dite à ce propos ?

— Dusty, pour l'amour du Ciel...

— S'il te plaît...

Elle soupira.

— D'accord... tu as dit que c'était à propos d'un type, d'un soldat...

— Et ?

— Et puis tu as dit : « Oh, merde. » C'est tout.

Sentir le livre dans sa main lui donna soudain la chair de poule. Dusty le posa sur le tableau de bord.

— Tu ne te souviens pas du nom du soldat ?

— Tu ne me l'as pas dit.

294

— Si, je te l'ai dit. Et c'est à ce moment-là que tu es partie… Hier soir, tu m'as dit que tu avais l'impression d'avoir des absences, parfois. Eh bien, tu as eu une absence de quelques secondes, à l'instant.

Elle semblait incrédule.

— Je n'ai rien senti de bizarre.

— Raymond Shaw, prononça Dusty.

— J'écoute.

Encore une fois cet air lointain, ces yeux sans vie… Mais une transe moins profonde que celle dont Skeet avait été victime.

Peut-être le nom était-il l'élément déclencheur, le code d'activation pour le sujet ? Le haïku intervenait ensuite, pour rendre le subconscient apte à recevoir des instructions.

— *Les cascades claires*, tenta Dusty à tout hasard – c'était le seul haïku qui lui fût familier.

Les yeux de Martie restèrent vitreux. Aucun spasme nerveux, contrairement à Skeet.

Elle n'avait pas réagi à ces vers hier soir, dans son sommeil. Elle n'y réagirait pas non plus maintenant. Le déclencheur était *Raymond Shaw*, pas *Dr Yen Lo*, le haïku associé était donc différent de celui employé sur Skeet.

— *Dans les vagues dispersent*, récita-t-il tout de même, afin de lever toute ambiguïté.

Martie cligna des yeux.

— Elles dispersent quoi ?

— Tu es encore partie.

Elle le regarda d'un air soupçonneux.

— Et qui a gardé mon siège au chaud pendant ce temps-là ?

— Je suis sérieux, Martie. Tu es partie. Comme Skeet. Mais lui, il a suffi que je prononce le nom, simplement *Dr Yen Lo*, pour qu'il perde les pédales et se mettre à déblatérer tout un tas de choses à propos de règles… Il s'énervait contre moi parce que je ne savais pas me servir de lui correctement. Toi, tu es moins démonstrative. Tu attends en silence que je prononce les bonnes paroles. Et, si je tarde à te réciter les vers qui te permettent de recevoir des instructions, tu sors de ta transe toute seule.

Elle le regardait d'un air ahuri.

— Je ne suis pas cinglé, insista-t-il.

— Tout bien considéré, tu es beaucoup plus bizarre que lorsque je t'ai épousé. Qu'est-ce que c'est, cette histoire à propos de Skeet ?

— Quelque chose d'étrange est arrivé, hier, à La Nouvelle Vie. Je n'ai pas eu l'occasion de t'en parler.

— Maintenant, tu l'as.

Il secoua la tête.

— Plus tard. Réglons ça d'abord. Je veux te prouver que je dis la vérité. Tu as un bonbon dans la bouche ?

— Dans la bouche ?

— Oui. Il t'en reste un peu dans la bouche, oui ou non ?

Elle récupéra le morceau calé au creux de sa joue et le lui montra sur le bout de sa langue. Puis elle le remit à sa place. En désignant la boîte presque vide, elle demanda à Dusty :

— Tu n'en préfères pas un neuf ?

— Avale ce bonbon, répliqua-t-il en lui prenant le tube des mains.

— Des fois, j'aime bien le laisser fondre.

— Tu laisseras fondre le prochain ! dit-il avec impatience. Allez. Avale-le !

— Tu es définitivement hypoglycémique !

— Non. Je suis irascible de nature, rétorqua-t-il, tout en logeant un bonbon dans sa main. Ça y est ? Tu l'as avalé ?

Elle déglutit d'un air théâtral.

— Tu n'as plus de bonbon dans la bouche ? insista-t-il. Il est bien parti ? Tu n'as plus rien ?

— Non, non. Mais qu'est-ce que ça vient faire dans toute cette...

— Raymond Shaw.

— J'écoute.

Le regard vague, une certaine mollesse sur ses traits, la bouche ouverte dans l'expectative, elle attendait le haïku que Dusty ne connaissait pas.

Au lieu de poésie, il lui donna le bonbon. Il le glissa entre ses lèvres ouvertes, dépassa les remparts des dents, puis le déposa sur sa langue qui resta inerte à ce contact, sans le moindre frémissement.

Alors que Dusty se renfonçait dans son siège, Martie cligna des yeux. Elle voulut terminer la phrase qu'avait interrompue Dusty lorsqu'elle prit conscience du goût chocolaté dans sa bouche...

Sa surprise était identique à celle de Dusty lorsqu'il avait retrouvé le livre dans ses mains, revenu comme par magie, après l'avoir jeté. Sous le choc, il avait failli balancer l'objet à travers la pièce avant de se reprendre. Martie n'eut pas cette présence d'esprit : elle sursauta de surprise, suffoqua, toussa, et enfin cracha le bonbon avec une violence surprenante. Telle une flèche atteignant sa cible, la sucrerie vint frapper Dusty en plein milieu du front.

— Je croyais que tu aimais bien les laisser fondre ?

— Il fondait.

En s'essuyant le front avec un Kleenex, Dusty déclara :

— Tu es partie quelques secondes.

— Je suis partie, reconnut-elle d'une voix tremblante.

La douce chaleur post-séance avait disparu. Martie se frotta nerveusement la bouche du dos de la main. Elle abaissa le pare-soleil pour examiner son visage dans le petit miroir, eut un mouvement de recul face à son reflet et remonta le panneau pivotant. Elle se tassa dans le fond de son siège.

— Alors, Skeet ? articula-t-elle pour lui rappeler sa promesse.

Aussi brièvement que possible, Dusty lui raconta le plongeon du haut du toit des Sorenson, les pages du carnet de notes, l'incident à la clinique de La Nouvelle Vie, et ses propres moments d'absence fugace.

— Des trous de mémoire... des fugues... Appelle ça comme tu voudras.

— Toi, moi et Skeet – elle jeta un coup d'œil vers le livre posé sur le tableau de bord –, un lavage de... cerveau ?

Dusty avait parfaitement conscience que sa théorie pouvait sembler pour le moins loufoque. Mais les événements de ces dernières vingt-quatre heures tendaient à accréditer sa thèse – qui ne perdait pas pour autant son absurdité.

— Peut-être, oui. Il nous est arrivé quelque chose. On nous a fait... quelque chose.

— Pourquoi nous ?

Dusty vérifia l'heure à sa montre.

— On ferait bien d'y aller. J'ai rendez-vous avec Ned.

— Qu'est-ce que Ned vient faire dans cette histoire ?

Dusty démarra le moteur.

— Rien du tout. Je lui ai simplement demandé de me rapporter deux ou trois trucs.

— Je reviens donc à ma question première : pourquoi nous ? demanda-t-elle pendant que Dusty quittait sa place de parking en marche arrière. Pourquoi est-ce que ça nous arrive à nous ?

— Oui, je sais, je devine tes pensées. Un peintre en bâtiment, une conceptrice de jeux vidéo et un pauvre déchet comme Skeet... Qui pourrait avoir un quelconque intérêt à nous mettre la tête à l'envers et à faire de nous des marionnettes ?

Martie ramassa le livre de poche sur le tableau de bord.

— Au fait, pourquoi lui fait-on un lavage de cerveau à ce pauvre type ?

— Pour faire de lui un assassin. Et personne ne peut remonter la piste jusqu'à ceux qui contrôlent son cerveau.

— Toi, moi et Skeet... des assassins ?

— Jusqu'à ce qu'il descende John Kennedy, Lee Harvey Oswald était un illustre inconnu. Comme toi et moi.

— Oh ! je t'en prie.

— C'est vrai, pourtant. Pareil pour Sihran Sihran, John Hinckley [1]...

Peu importait, au fond, de savoir si la mer était réellement plus noire que d'habitude ou si c'était simplement un tour que lui avait joué son

---

1. Respectivement : assassin de Robert Kennedy et auteur de la tentative d'assassinat sur le président Ronald Reagan. *(N.d.T.)*

esprit… Maintenant qu'il était loin du cabinet du psychiatre et de son ambiance rassurante, son changement d'humeur était notable, la noirceur de ses pensées indéniable.

Pour sortir du parking, il fallait passer la caisse munie d'une barrière. La guérite semblait receler mille menaces, comme s'il s'était agi d'un poste frontière reculé des Balkans où des bandits en uniformes et armés de mitraillettes détroussaient et assassinaient les voyageurs. La caissière était une jolie jeune femme d'une trentaine d'années, un peu potelée, avec une barrette en forme de papillon dans les cheveux. Dusty, dans sa paranoïa, était persuadé qu'il s'agissait d'un déguisement, que cet air inoffensif était un leurre. Lorsque la barrière se leva et qu'il put quitter le parking, la moitié des véhicules circulant dans la rue lui parurent louches : des voitures de filature, destinées à les suivre où qu'ils aillent !

52.

Tandis qu'ils roulaient vers Newport Center Drive, les hauts palmiers secoués par le vent balançaient leurs larges feuilles, semblant avertir Martie et Dusty d'un danger imminent.

— Très bien, admettons que quelqu'un nous ait fait ce coup-là…, reprit Martie. Reste à savoir qui est notre laveur de neurones ?

— Dans *Un crime dans la tête*, c'étaient les Soviétiques, les Chinois et les Nord-Coréens.

— L'Union soviétique n'existe plus, fit remarquer Martie. J'ai du mal à imaginer que nous soyons tous les trois les instruments d'une vaste conspiration menée par des pays totalitaires d'Extrême-Orient.

— Au cinéma, les coupables seraient probablement des extraterrestres.

— Super ! lâcha-t-elle d'un ton sarcastique. Appelons Fig Newton, notre professeur ès bizarreries.

— Ou une grande multinationale cherchant à faire de nous tous des consommateurs robotisés et sans conscience.

— Je n'ai pas besoin d'un lavage de cerveau pour ça, rétorqua Martie.

— À moins que ce ne soit la CIA ou une autre agence de services secrets, un complot de politiciens véreux, Big Brother…

— Celui-là est déjà un peu trop présent à mon goût. Mais encore une fois… pourquoi ? pourquoi nous ?

— Comme ça. Un hasard. Cela aurait pu tomber sur quelqu'un d'autre.

— C'est un peu léger.

— Je sais, concéda Dusty, plus frustré qu'un réfectoire de séminaristes ayant fait vœu de célibat.

Du tréfonds obscur de son cerveau luisait une autre réponse. Cependant, malgré tous ses efforts, elle n'était pas assez lumineuse pour qu'il puisse la discerner clairement. En fait, chaque fois qu'il cherchait dans les régions les plus recluses de son esprit, elle semblait s'éloigner.

Il se souvint de cette illusion d'optique, cette forêt dense qui se transformait en ville lorsqu'on regardait le dessin sans idée préconçue. Il se trouvait dans une semblable situation : il ne parvenait pas encore à voir la ville à la place des arbres.

Son cauchemar aussi lui revint en mémoire. Le héron volant dans sa chambre… la poire du tensiomètre flottant dans l'air, compressée et relâchée par une main invisible… Martie était dans ce rêve avec lui, mais il y avait quelqu'un d'autre, une troisième personne, invisible… un fantôme. Ce fantôme les tourmentait.

Si l'on avait bel et bien implanté un programme dans le cerveau de Dusty, les programmateurs avaient dû prévoir des garde-fous, au cas où il nourrirait des doutes. Ses soupçons ne pourraient donc pas se porter sur eux ; ils seraient aiguillés vers d'autres suspects – probables et improbables – tels que des *aliens* ou des agents secrets. Son ennemi pouvait se trouver sur son chemin à tout moment et demeurer le reste du temps aussi invisible que le fantôme de son cauchemar.

Dusty tourna à droite, sur Pacific Coast Highway. Martie ouvrit *Un crime dans la tête* et parcourut la première phrase. Elle frissonna en découvrant le nom qui avait déclenché sa minitranse, mais n'entra pas dans cet état second caractéristique où elle était censée recevoir des instructions.

Elle le lut ensuite à haute voix :

— Raymond Shaw.

Un bref frisson. Rien de plus.

— Cela ne fonctionne peut-être pas quand tu le lis ou que tu le dis toi-même ? suggéra Dusty.

— Ou peut-être que, maintenant que je le connais, il n'a plus de pouvoir sur moi…

— Raymond Shaw, dit Dusty.

— J'écoute.

Quand Martie redevint consciente, après dix bonnes secondes d'absence, Dusty lança :

— Bienvenue sur terre et exit ta théorie !

— On devrait ramener ce truc à la maison et le brûler, maugréa Martie en regardant le livre d'un œil noir.

— Surtout pas ! Il recèle des clés. Des secrets. Ceux qui t'ont mis ce bouquin entre les mains — parce que j'ai peine à croire que tu sois simplement allée l'acheter toute seule dans une librairie — doivent être des adversaires de ceux qui nous ont programmés. Ils veulent qu'on se rende compte de ce qui nous arrive.

— Ah oui ? Et pourquoi ne sont-ils pas venus me voir en disant : « Hé, m'dame, on connaît les gens qui vous bousillent la cervelle, qui vous ont inoculé l'autophobie et un tas d'autres saloperies que vous n'imaginez même pas ! Et, pour tout dire, ça ne nous plaît pas trop. »

— Eh bien, alors, disons que nos programmateurs appartiennent à un service secret du gouvernement et qu'à l'intérieur de ce service une petite faction est moralement opposée à ce projet.

— Opposée au projet « Lavage de cerveau de Dusty, de Skeet et de Martie » ?

— Oui. Seulement ces gens ne peuvent pas se montrer à nous au grand jour.

— Et pourquoi donc ? railla-t-elle.

— Parce qu'ils se feraient descendre. Ou peut-être qu'ils ont tout simplement peur d'être virés ou qu'on leur supprime leur retraite.

— Moralement opposés mais pas au point de perdre leur retraite. Ça sonne déjà plus juste. Pour le reste... Bon, d'accord, ils me donnent le livre. Un clin d'œil, un coup de coude. Et, pour une raison inconnue, ils me programment pour que je ne le lise pas... ?

Dusty s'arrêta à un feu rouge, derrière une longue file de voitures.

— Ça ne tient pas vraiment debout, hein ?

— C'est carrément branlant !

Ils étaient sur un pont qui franchissait le chenal entre Newport Harbor et la baie. Sous le ciel sans soleil, le bras de mer était d'un gris-vert sombre. La surface de l'eau, hachée par la brise et les courants marins, ressemblait à la peau écaillée de quelque monstre tout droit sorti du jurassique.

— Il y a pourtant quelque chose de vrai dans tout ça, reprit Martie. Quelque chose qui est arrivé à Susan.

Le ton inquiétant de sa voix sortit Dusty de sa contemplation.

— Qu'est-il arrivé à Susan ?

— Elle aussi, elle a des périodes d'absence. Et pas des petites, de très longues... Des nuits entières d'absence.

Le voile reposant du Valium se dissipait graduellement. Le calme artificiel laissait à nouveau place à l'angoisse. Dans le cabinet du Dr Ahriman, la pâleur surnaturelle de Martie l'avait quittée pour rendre un peu de couleur à son visage. À présent, des ombres grises gagnaient les chairs tendres sous ses yeux, comme si son teint s'harmonisait avec la sombre fin de cette journée d'hiver.

De l'autre côté du pont, le feu passa au vert. Les voitures recommencèrent à rouler.

Martie raconta à Dusty l'histoire du violeur fantôme de Susan.

Dusty avait déjà été inquiet, ou même apeuré. Souvent. Mais, là, c'était un sentiment bien plus terrible que l'inquiétude ou la peur qui lui étreignait le cœur.

Parfois, quand il se réveillait au beau milieu de la nuit et restait allongé à écouter la respiration calme et douce de Martie, une angoisse irrépressible l'envahissait. Un verre de vin en trop, un excès de sauce, une gousse d'ail trop amère… et ses pensées pouvaient devenir aussi aigres et douloureuses que son estomac. Il écoutait alors le monde endormi, sans tirer aucun plaisir de ces riches heures de silence et d'immobilité. Il n'y percevait pas la paix et la sérénité, mais la menace du vide. Malgré la foi inébranlable qui le soutenait dans tous les tourments de l'existence, un zeste de doute, tel un ver, le rongeait lors de ces longues nuits silencieuses. Était-ce donc la seule vie qu'ils auraient, lui et Martie ? Tout ce qu'ils pouvaient avoir et construire ensemble était là, ici et maintenant ? Après cette vie, il n'y aurait donc rien d'autre qu'un trou noir, si profond que même les souvenirs n'y auraient pas leur place, si vide que rien n'existerait plus, pas même la solitude ? Il se refusait à accepter la sentence : « jusqu'à-ce-que-la-mort-vous-sépare ». Il ne voulait rien de moins que l'éternité. Et quand une petite voix intérieure lui soufflait que l'éternité était une supercherie, il tendait la main dans la nuit pour toucher Martie endormie à ses côtés. Son intention n'était pas de la réveiller mais d'éprouver cette vibration en elle qu'il pouvait déceler au moindre effleurement de sa peau : sa grâce, son immortalité et la promesse qu'il l'accompagnerait pour toujours.

En écoutant Martie, Dusty se sentait de nouveau comme une pomme rongée par le ver du doute. Tout ce qui leur arrivait semblait si insensé, si irréel… comme un aperçu du chaos bouillonnant sous la vie. Il était envahi par le sentiment que la fin, quand elle viendrait, ne serait que la fin, pas un commencement. Et ce point final arrivait à grands pas – une mort cruelle et brutale vers laquelle ils se précipitaient aveuglément.

Lorsque Martie acheva son récit, Dusty lui tendit son téléphone portable.

— Essaie de rappeler Susan.

Elle composa le numéro. Le téléphone sonnait, sans réponse.

— Passons chez elle. Les retraités de l'appartement du dessous savent peut-être où elle se trouve, suggéra Martie. Ce n'est pas loin.

— Ned nous attend. Dès que j'ai récupéré ce qu'il doit m'apporter, on passe chez Susan. Une chose est sûre en tout cas, ce n'est pas Eric qui rôde chez elle la nuit.

— Non. Le coupable appartient à la bande responsable de ce qui nous arrive, à toi, à moi et à Skeet.

— Oui, et Eric est un conseiller en investissements, un mangeur de chiffres, pas un sorcier manipulateur de cerveaux.

Martie composa une nouvelle fois le numéro de Susan. Le téléphone vissé à l'oreille, le visage crispé par l'angoisse, elle priait le ciel pour que Susan décroche.

53.

Ned Motherwell possédait une Chevrolet Camaro de 1982. Sa fierté en ce bas monde. La voiture n'était pas peinte mais recevait périodiquement une couche d'apprêt gris terne poncé et poli avec minutie. Les phares étaient noircis au vernis et la carrosserie, surbaissée, était dépouillée de tout élément clinquant, à l'exception d'une paire de gros pots d'échappement chromés. Garée à l'écart, à l'angle sud-ouest du centre commercial, elle ressemblait au bolide d'un malfrat conçu pour semer les flics après un braquage.

Dusty se gara deux places plus loin et Ned sortit de sa Camaro. La Chevrolet, pourtant loin d'être une petite voiture, paraissait minuscule à côté de lui. Il referma la portière et se dressa de toute sa hauteur au-dessus du toit du véhicule. En cas de panne, Motherwell semblait capable de prendre la Camaro sous le bras pour la transporter jusqu'à un garage. Malgré la fraîcheur du soir, il portait un pantalon de toile et un T-shirt blancs, fidèle à son immuable habitude.

Le vent faisait trembler les arbres tout autour du parking, des tourbillons de poussière et de détritus volaient sur la chaussée. Mais Ned restait imperturbable, apparemment insensible aux bourrasques.

Dusty baissa sa vitre. Ned se pencha et lança un sourire.

— Salut, Martie.

— Salut, Ned.

— Désolé d'apprendre que tu ne vas pas bien.

— Je survivrai, d'après eux.

Au téléphone, depuis le cabinet du Dr Ahriman, Dusty avait expliqué que Martie était malade, qu'elle ne se sentait pas la force d'entrer dans une pharmacie ou une librairie, et qu'il ne voulait pas la laisser seule dans la voiture.

— C'est déjà pénible de bosser avec ce type – continua Motherwell à l'adresse de Martie –, alors vivre avec lui, il y a de quoi vous fiche une fièvre de cheval ! Sans vous offenser, patron.

— Y a pas de mal.

Par la fenêtre ouverte, Ned glissa un petit sac provenant de la pharmacie. Il contenait la prescription de Valium que le Dr Closterman avait commandée. Suivit un autre sac, plus volumineux, provenant d'une librairie.

— Si on m'avait demandé ce matin ce qu'est le haïku — poursuivit Ned —, j'aurais dit que c'était une sorte d'art martial comme le taekwondo. En fait, ce sont des poèmes aérodynamiques.

— Aérodynamiques ? répéta Dusty en jetant un coup d'œil à l'intérieur du sac.

— Comme ma voiture, continua Ned. Ciselés et profilés comme une F1. C'est pas mal. Je m'en suis acheté un recueil.

Dusty compta sept recueils de haïkus dans le sac qu'il avait posé sur ses genoux.

— Tant que ça !

— Ils en ont un rayon entier… Pour des trucs aussi petits, ça fait beaucoup.

— Je te ferai un chèque pour tout ça demain.

— Ça ne presse pas. J'ai payé avec ma carte de crédit. Je ne serai pas débité avant la fin du mois.

Par la vitre ouverte, Dusty donna à Ned le trousseau de clés de Martie.

— Tu es sûr d'avoir le temps de t'occuper de Valet ?

— J'y vais tout de suite. Mais je ne connais rien aux chiens.

— Il n'y a pas grand-chose à connaître. Dusty lui expliqua où trouver les croquettes. Donne-lui deux portions. Il demandera à sortir, mais ne l'écoute pas. Envoie-le dans le jardin pendant dix minutes. Il fera ses besoins.

— Et après ? Il restera seul dans la maison ?

— Tant qu'il a une gamelle d'eau et la télécommande de la télé, il est heureux.

— Ma mère, elle, c'est les chats… une vrai mère Michel ! Il y a toujours un petit chaton à la maison.

Entendre Ned prononcer le mot « chaton », c'était un peu comme voir un arrière de football américain en tutu exécuter un entrechat.

— Un jour, un voisin a empoisonné un chat roux que ma mère adorait. Mister Jingles, il s'appelait… le matou, pas le voisin.

— Quel genre de personne peut bien vouloir empoisonner un chat ? s'enquit Dusty avec compassion.

— Il fabriquait de la drogue dans son garage, ce cher voisin, continua Ned. Une ordure ! Je lui ai cassé les deux jambes et j'ai appelé police secours en me faisant passer pour lui. J'ai dit que j'étais tombé dans l'escalier et que j'avais besoin d'aide. Ils ont envoyé une ambulance, découvert son labo et l'ont arrêté.

— Vous avez cassé les jambes à un trafiquant de drogue ? s'exclama Martie. C'était plutôt risqué, non ?

— Pas tant que ça… Deux soirs plus tard, un de ses potes m'a tiré dessus. Il était tellement défoncé qu'il m'a raté. Lui, je lui ai cassé les deux bras. Ensuite je l'ai installé dans sa voiture, j'ai poussé la caisse dans un fossé et j'ai appelé police secours. Je me suis fait passer pour lui et j'ai demandé de l'aide. Ils ont trouvé de l'argent sale et de la drogue dans le coffre de la voiture, alors ils lui ont arrangé les bras et ils l'ont mis à l'ombre pour dix ans.

— Tout ça pour un chat ? demanda Dusty.

— Mister Jingles était une gentille bête. Et puis c'était le chat de ma mère.

— Je crois que Valet est entre de bonnes mains, déclara Martie.

Ned esquissa un sourire.

— Il n'arrivera rien à votre toutou, promis juré.

Pendant qu'ils remontaient la presqu'île en voiture par le boulevard Balboa pour se rendre chez Susan, Martie feuilletait l'un des recueils de haïkus. Soudain elle sursauta, lâcha le livre et se recroquevilla sur elle-même, le corps crispé par une apparente douleur.

— Gare-toi ! Gare-toi maintenant, vite ! Gare-toi !

Ce n'était pas de la douleur, mais de la terreur… Celle de s'emparer du volant, de jeter la voiture dans les véhicules venant en sens inverse. La scène maintenant familière du « monstre tapi qui menace de se réveiller ».

En été, avec la foule sur les plages, Dusty aurait probablement dû chercher pendant une heure une place où se garer. En janvier, il n'y avait que l'embarras du choix pour se ranger sur le bas-côté.

Sur le trottoir, des gamins passaient à toute allure en rollers, cherchant sans doute quelques vieillards à envoyer à l'hosto. Des cyclistes doublaient par la gauche, en quête, quant à eux, d'un accident mortel.

Personne ne se préoccupait de Dusty et de Martie. Ça risquait de changer lorsqu'elle se mettrait à hurler.

Comment l'empêcher de se cogner la tête contre le tableau de bord s'il lui en prenait de nouveau l'envie ? songea Dusty avec un certain affolement. Il n'y avait aucun moyen de restreindre ses mouvements sans lui faire courir de danger. Dans sa panique, elle allait résister, se débattre, tenter désespérément de se libérer de son étreinte, et il pouvait la blesser, même involontairement…

— Je t'aime, bredouilla-t-il, sachant que cela ne lui était que d'un piètre secours.

Il entreprit ensuite de lui parler, juste lui parler. Elle commençait à remuer sur son siège et à haleter, en poussant des grognements de femme enceinte en proie à ses premières contractions. La panique se débattait pour naître. Dusty ne chercha pas à raisonner ni à apaiser Martie avec des mots. Elle savait déjà que tout ce qu'il aurait pu lui dire… Il lui raconta leur première soirée.

Ç'avait été un vrai désastre. Il ne tarissait pas d'éloges sur le restaurant, mais cela faisait six semaines qu'il n'y avait pas mis les pieds et le patron avait changé. Le nouveau chef avait de toute évidence fait son apprentissage à l'école culinaire de l'Islande profonde. Les plats arrivaient froids et avaient un arrière-goût de cendre volcanique. L'arpette avait renversé un verre d'eau sur Dusty et Dusty avait renversé le sien sur Martie. Pour ne pas être en reste, leur serveur avait renversé un saucier entier de béarnaise sur son pantalon. Le feu qui se déclara dans la cuisine au moment du dessert n'était pas assez important, certes, pour nécessiter l'intervention des pompiers. Il nécessita pourtant l'ardeur conjuguée d'un garçon de table, d'un serveur, d'un maître d'hôtel et du sous-chef de cuisine – un grand gaillard originaire de Samoa – qui, armés d'extincteurs, tentèrent de maîtriser les flammes, en aspergeant de préférence leurs collègues au lieu du foyer responsable de l'incident. Après avoir fui le restaurant, le ventre vide, Dusty et Martie avaient dîné sur le pouce dans un *coffee-shop*. Ils avaient ri de si bon cœur de leur soirée ratée qu'ils en restèrent liés à jamais.

Ni l'un ni l'autre ne riait maintenant, pourtant, leur lien était toujours aussi solide. Était-ce sa voix calme, l'effet du Valium ou encore l'influence d'Ahriman qui réussit ce prodige ? Comment savoir ? Quelque chose, cette fois, empêcha Martie de toucher le fond. Au bout de deux ou trois minutes, sa peur reflua et elle put se tenir de nouveau droite sur son siège.

– Ça va mieux, articula-t-elle, seulement je me sens comme…
– Comme une chiure d'oiseau.
– Exact.

La nuit ne tombait que dans une heure, mais la majorité des voitures roulait les phares allumés. Dans le ciel, les nuées noires qui gagnaient l'est auguraient un crépuscule dense et précoce.

Dusty alluma ses codes et reprit la route.

– Merci de ton aide, souffla Martie.
– Je ne savais pas quoi faire d'autre.
– La prochaine fois, recommence. Parle-moi. Ta voix m'aide à garder les pieds sur terre.

Combien de temps encore avant qu'il puisse la serrer dans ses bras sans qu'elle se raidisse de peur, sans que s'allume cette lueur de panique dans ses yeux… Et si ce n'était plus jamais ?

La mer grondante tentait de sortir de son lit abyssal pour submerger le continent qu'elle réclamait comme un dû, tandis que la plage, élargie par le vent, étirait ses doigts de sable sur la promenade, s'emparant peu à peu de la chaussée. Trois goélands, perchés sur la rampe de l'escalier de Susan, telles des sentinelles des mers bravant la bourrasque, se demandaient s'il n'était pas temps d'abandonner ce rivage venteux pour l'intérieur des terres, plus clément.

Alors que Martie et Dusty grimpaient les marches de l'escalier, les oiseaux prirent leur envol, l'un après l'autre, et filèrent en direction de l'est, chacun surfant sur sa vague d'air chaotique. Les goélands n'étaient pas des animaux taciturnes, d'ordinaire. Ces trois-là n'émirent aucun son à leur envol.

Martie frappa à la porte, attendit, frappa de nouveau. Pas de réponse.

Elle se résolut à sortir sa clé. Elle ouvrit la porte et appela Susan à deux reprises. Toujours aucune réponse.

Ils essuyèrent leurs chaussures sur le paillasson et entrèrent, fermant la porte derrière eux. Ils appelèrent de nouveau Susan, plus fort cette fois.

La cuisine était plongée dans la pénombre, mais la lumière était allumée dans la salle à manger.

— Susan ? répéta Martie.

Le silence, encore.

L'appartement résonnait de conversations alors qu'une voix unique s'y déployait, celle du vent qui monologuait. Il bavardait sur la toiture de cèdre, hululait sur les rives avec jubilation, sifflait dans les lézardes des murs, chuchotait aux fenêtres…

Le salon était plongé dans les ténèbres, volets fermés, rideaux tirés. Le couloir était obscur. Mais de la lumière arrivait de la chambre par la porte grande ouverte. Une lueur fluorescente filtrait également de la porte de la salle de bains entrebâîllée.

Hésitante, continuant à appeler Susan, Martie pénétra dans la chambre.

Dusty posa la main sur la porte de la salle de bains…

Avant même de pousser le battant pour l'ouvrir, il sut. La fragrance de l'eau de rose ne pouvait masquer une odeur trop reconnaissable. Des massifs entiers de roses n'auraient pu la dissimuler.

Ce n'était plus Susan. Ce visage gonflé par les gaz dégagés par la décomposition bactérienne, cette peau verte, ces yeux exorbités par la pression intracrânienne, ces narines et cette bouche emplies de fluides putrides, cette langue pendant de façon grotesque qui la faisait ressembler à un chien devant la mort. Et, sous l'effet de l'eau et de la chaleur, les civilisations microbiennes étaient déjà à l'œuvre, achevant de transformer la jeune femme en un monstre cauchemardesque.

Dusty aperçut le bloc-notes sur la coiffeuse, près de la vasque, la première feuille noircie de l'écriture nette et franche de Susan. Son cœur s'emballa, pompant dans son corps autant de sang que de terreur. Cette vague d'effroi ne provenait pas du spectacle de la malheureuse Susan dans sa baignoire ; elle n'était pas la peur des horreurs de série B ; c'était la terreur glaciale, incommensurable, de celui qui mesure soudain son insignifiance. Voilà donc ce qui les attendait tous les trois – Skeet, Martie et lui. Il contempla le spectacle et en comprit intuitivement le sens. Ils étaient encore plus vulnérables qu'ils ne l'avaient imaginé – vulnérables l'un par rapport à l'autre, vulnérables face au monde extérieur et face à eux-mêmes. Il y avait de quoi devenir autophobe. Comme Martie.

Il avait à peine lu quelques mots de la lettre que Martie l'appela. Elle approchait… Il se retourna d'un bond et s'avança vers elle, lui bloquant le passage.

– Non.

Comme si elle voyait dans les yeux de Dusty ce qu'il avait découvert dans la salle de bains, elle bredouilla :

– Oh ! mon Dieu… Dis-moi que ce n'est pas vrai. Que ce n'est pas elle.

Elle voulut forcer le passage, mais il la retint, l'obligea à reculer jusque dans le salon.

– Tu n'as pas besoin d'un au revoir comme celui-là.

Quelque chose se déchira en elle. Dusty ne l'avait vue dans cet état qu'une seule fois… à l'hôpital, au chevet de son père, le soir où il s'était avoué vaincu par le cancer. Abattue, littéralement mise en pièces, elle avait éprouvé autant de difficultés à marcher qu'une poupée de chiffon, tenant aussi mal sur ses jambes qu'un épouvantail farci de paille, sans son ossature de manche à balai.

Elle se laissa porter sur le canapé puis s'y laissa tomber en pleurant. Elle attrapa un coussin orné de dentelle et le pressa contre sa poitrine. Elle le serrait avec force… comme pour arrêter son cœur de saigner.

Le vent se mit à mugir, semblant lui aussi se lamenter. Dusty appela police secours, bien qu'il fût trop tard depuis longtemps.

54.

Deux policiers se présentèrent chez Susan, l'haleine mentholée pour masquer les reliefs d'un repas trop aillé.

L'atmosphère de l'appartement, où se mêlaient le chagrin silencieux de Martie, les paroles de réconfort chuchotées par Dusty et les plaintes d'outre-tombe du vent, était empreinte d'un infime espoir, aussi fragile qu'irrationnel. Dusty le ressentait aussi dans sa chair, malgré ce qu'il venait de voir : le désir fou, désespéré, pathétique – une braise presque éteinte mais pas encore cendre – de croire qu'une erreur affreuse venait d'être commise, que la morte n'était pas morte, seulement inconsciente ou dans le coma, ou simplement endormie, qu'elle allait se réveiller, entrer dans la pièce et demander pourquoi tous faisaient cette tête d'enterrement. Il avait contemplé la pâleur verte de Susan, la chair virant au noir le long de son cou, son visage boursouflé, les humeurs de la putréfaction s'écoulant de ses orifices… et, pourtant, une petite voix intérieure, déconnectée de toute réalité, lui soufflait qu'il n'avait peut-être vu que des ombres, qu'il avait mal interprété des jeux de lumière. Sur Martie qui n'avait pas vu le cadavre, ce faible et fol espoir avait une emprise bien plus forte.

La simple présence des policiers mit fin à toutes ces chimères. Ils étaient polis, professionnels, parlaient bas, mais c'étaient également de grands gaillards solidement bâtis qui imposaient la dure réalité sans laisser de place à de vains espoirs. Le langage codé qu'ils utilisaient entre eux – « DOA [1] », pour la découverte sur les lieux d'une personne décédée, et « probable 10-56 » pour un cas de suicide selon toute vraisemblance – installa dans les lieux la certitude de la mort. Le crépitement des messages provenant d'un des postes de radio accrochés à leurs ceintures semblait la voix surnaturelle du destin, incompréhensible mais impossible à ignorer.

Deux autres officiers en uniforme arrivèrent, suivis de près par une paire d'inspecteurs en civil. Dans leur sillage se présentèrent un homme et une femme du service médico-légal. Ce nouveau groupe avait retiré tout mystère et toute dignité à la mort de Susan. Ils l'avaient abordée à la manière d'un comptable vérifiant un livre de paie, respectant la routine quotidienne et un détachement du genre « j'ai tout vu, tout entendu ».

Les policiers avaient posé beaucoup de questions. Moins que Dusty ne l'aurait imaginé cependant. Entre autres, parce que l'état du cadavre permettait d'établir le suicide sans équivoque. La lettre de la défunte, quatre pages de son carnet de notes, explicitait suffisamment les motivations de son geste et renfermait assez d'émotion – assez d'incohérences sémantiques inhérentes au désespoir, aussi – pour paraître véritable.

Martie authentifia l'écriture de son amie. Les comparaisons avec une lettre adressée à sa mère que Susan n'avait pas postée, ainsi qu'avec des extraits de son carnet d'adresses éliminaient toute hypothèse de contrefaçon. Si, par la suite, les enquêteurs nourrissaient le moindre doute quant à la thèse du suicide, on demanderait l'avis d'un expert en graphologie.

Martie était également bien placée pour confirmer, comme l'indiquait la lettre, que Susan Jagger souffrait depuis seize mois d'une agoraphobie extrêmement sévère, que la carrière de la jeune femme

---

1. *Dead on Arrival. (N.d.T.)*

en avait été détruite, que son mariage en avait souffert, et que la victime était sujette à des dépressions répétées. Personne n'écouta ses protestations véhémentes quand on chercha à lui faire dire que Susan avait des pulsions suicidaires. Aux yeux de Dusty lui-même, les récriminations de Martie parurent de vaines tentatives pour protéger la réputation d'une amie chère, comme si elle voulait empêcher qu'on ne ternisse la mémoire de Susan.

En outre, les reproches qu'elle s'adressait à elle-même plus qu'aux policiers prouvaient qu'elle était la première convaincue du suicide de son amie. Pourquoi n'avait-elle pas été là lorsque Susan avait eu besoin d'elle ? Pourquoi ne l'avait-elle pas appelée la veille au soir ? Peut-être Susan n'aurait-elle pas eu ce geste fatidique ?

Dusty et Martie étaient convenus de ne pas mentionner le visiteur fantôme de Susan. Le spectre avait dû laisser derrière lui une pleine louche de preuves biologiques, bien réelles celles-ci. Cette histoire, sans nul doute, ne ferait que convaincre la police de l'instabilité psychique de Susan et salirait davantage sa réputation.

Aborder ce sujet délicat ne manquerait pas non plus de soulever chez les policiers des questions qui contraindraient Martie à révéler sa propre autophobie. Elle n'avait aucune envie de s'exposer à leurs regards inquisiteurs et à leur analyse psychologique clinique et glacée. Elle n'avait fait aucun mal à Susan. Mais si elle commençait à évoquer le terrible potentiel de violence qu'elle sentait tapi en elle, les détectives mettraient la théorie du suicide de côté et la harcèleraient de questions jusqu'à acquérir l'absolue certitude que sa peur d'elle-même était purement et exclusivement irrationnelle. Et si, à cause du stress inhérent à cette situation, elle plongeait dans une autre crise de panique ? Les policiers pourraient conclure qu'elle représentait un danger pour elle-même et pour les autres. Ils risquaient de la placer en observation dans un hôpital psychiatrique pendant soixante-douze heures, une mesure tout à fait légale…

— Je ne supporterais pas de me retrouver dans un tel endroit, avait-elle déclaré à Dusty avant l'arrivée de la police. Enfermée dans une cellule. Observée. Je n'y survivrais pas.

— Ça n'arrivera pas, lui avait-il promis.

Dusty avait une autre raison de passer sous silence le violeur fantôme de Susan. Une raison qu'il n'avait pas encore dévoilée à Martie. Il était convaincu, tout comme Martie aurait souhaité l'être, que Susan ne s'était pas donné la mort, ou, en tout cas, pas de son propre gré et pas en ayant conscience de ses actes. S'il révélait cela à la police, ou s'il faisait ne serait-ce qu'une tentative, même avortée, pour les persuader que derrière ce suicide se cachait une histoire rocambolesque mettant en cause des conspirateurs sans visages et des techniques de contrôle du cerveau, lui et Martie seraient morts, d'une façon ou d'une autre, avant la fin de la semaine.

On était déjà mercredi…

Depuis qu'il avait découvert le Dr Yen Lo dans le roman de Martie, et surtout depuis qu'il avait retrouvé le livre magique dans ses mains alors qu'il s'en était débarrassé, Dusty était hanté par une sensation de danger croissant. Une horloge cliquetait, qu'il ne pouvait voir, ni même entendre, mais il ressentait dans chacun de ses os les vibrations puissantes du balancier. Le temps leur manquait, à lui et à Martie. En fait, la terreur avait envahi tout son être… et si les policiers détectaient son anxiété, ils risquaient de se méprendre et de le mettre sur la liste des suspects.

La mère de Susan, qui vivait en Arizona avec son nouveau mari, apprit la nouvelle par téléphone, tout comme son père, qui avait refait sa vie à Santa Barbara. Ils étaient tous les deux en route à présent. Une fois que l'inspecteur chargé de l'enquête, un certain lieutenant Bizmet, eut questionné Martie sur la nature de la brouille entre Susan et son mari, il appela Eric. Il tomba sur un répondeur, laissa son nom, son grade, son matricule et demanda à être rappelé, sans donner d'autre détail.

Bizmet était une vraie montagne de muscles, les cheveux blonds coupés ras et le regard aussi perçant qu'un burin. Il informait Dusty que leur présence sur les lieux n'était plus nécessaire lorsque Martie fut victime d'une nouvelle crise d'autophobie.

Dusty en reconnut aussitôt les signes – la panique soudaine dans son regard, l'expression pincée du visage, les joues pâles d'une morte.

Martie retomba sur le canapé d'où elle venait de se lever et se plia en deux. Elle se recroquevillait et se balançait d'avant en arrière, traversée de frissons, haletante.

En présence des policiers, il était impossible à Dusty de la calmer en lui racontant leurs premières rencontres. Il ne pouvait que rester près d'elle, impuissant, priant pour que la crise ne dégénère pas en une panique démentielle.

À la surprise de Dusty, le lieutenant Bizmet prit l'attaque d'autophobie de Martie pour un nouvel accès de chagrin. Il resta debout à la regarder avec une compassion évidente, prononça maladroitement deux ou trois mots de consolation et lança à Dusty un regard chargé de sollicitude.

Plusieurs autres policiers jetèrent un coup d'œil à la jeune femme, puis retournèrent à leurs tâches et conversations variées, leur instinct de fin limier n'ayant pas capté d'odeur suspecte.

— Elle boit ? demanda Bizmet.

— Elle *quoi* ?

Dusty était tellement tendu qu'il ne comprit pas immédiatement le sens de ce verbe, comme si on lui avait parlé swahili.

— Oh ! si elle boit ? Oui, un peu. Pourquoi ?

— Emmenez-la dans un bar sympa et faites-lui boire quelques verres, ça lui fera du bien.

— Bonne idée, concéda Dusty.

— Mais pas vous, l'avertit Bizmet d'un air menaçant.

— Pardon ? articula Dusty.

Son cœur faisait des bonds dans sa poitrine.

— Quelques verres pour elle, mais un seul pour vous si vous conduisez.

— Oui, oui, bien sûr. Je n'ai jamais eu de retrait de permis et ne tiens pas à en avoir !

Martie se balançait, tremblait, suffoquait. Mais elle eut la présence d'esprit de laisser couler quelques sanglots… La crise dura une ou deux minutes, comme dans la voiture, puis cessa.

Avec la compassion et les remerciements de Bizmet, ils quittèrent l'appartement. Ils étaient restés moins d'une heure sur les lieux. Dehors les attendait la fin d'une journée bien sombre.

Les bourrasques de l'après-midi ne s'étaient pas calmées. De son haleine froide salée par les embruns et parfumée à l'iode des algues rejetées sur la plage, le vent fouettait Dusty et Martie, mugissant et soufflant comme pour les accuser de dissimulation et d'entrave à la justice.

Derrière le crépitement des feuilles de palmiers malmenées par le vent, Dusty entendait le tic-tac ténu et régulier d'une horloge. Il l'entendait derrière le bruit de leurs pas sur la promenade, dans les moulinets fébriles d'un moulin à vent miniature trônant sur le patio d'une maison du front de mer. Il l'entendait aussi entre chacun de ses battements de cœur. Tic-tac. Le temps qui s'enfuyait.

55.

Davy Crockett, soutenu par ses compagnons d'armes, défendait avec bravoure Fort Alamo. Cette fois, il bénéficiait du soutien d'Eliot Ness et d'un nombre considérable d'agents du FBI.

Si les assiégés de Fort Alamo avaient disposé de mitraillettes, l'issue de la bataille historique de 1836 en aurait été bouleversée. Après tout, le fusil Gatling, première ébauche rudimentaire de la mitrailleuse, verrait le jour seulement vingt-six ans plus tard.

Malheureusement pour les braves qui défendaient le fort, ils étaient attaqués, ce jour-là, non seulement par les soldats mexicains, mais aussi par une bande de gangsters impitoyables constituée pendant la prohibition. L'association de la ruse d'Al Capone et des talents de stratège du général Santa Anna risquait de venir à bout du duo Crockett-Ness.

Ahriman songea un instant à compliquer encore cette bataille épique en y introduisant des hommes de l'espace et des armes futuristes de sa collection Galaxy Command. Il résista à cette tentation infantile. L'expérience lui avait appris que plus on augmentait le nombre des anachronismes sur le champ de bataille, plus le jeu perdait de son intérêt. Pour que la partie reste passionnante, Ahriman devait maîtriser son imagination débordante et s'en tenir strictement à un scénario simple – un concept intelligent mais réaliste. Mêler des pionniers du Far West, des soldats mexicains, des hommes du FBI, des gangsters et des hommes de l'espace touchait au ridicule.

Vêtu d'un confortable pyjama de soie noire d'inspiration ninja et d'une ceinture écarlate, les pieds nus, le médecin tourna lentement autour de la table de jeu, inspectant ses troupes, analysant avec soin les positions des forces en présence. Tout en reconnaissant le terrain, il agitait un gobelet contenant deux dés.

Sa table de jeu, immense, mesurait près de trois mètres de côté et trônait au centre de la pièce. Ce champ de bataille de neuf mètres carrés pouvait être aménagé selon le contexte de chaque nouvelle partie, grâce à une collection de modules topographiques.

La pièce, immense elle aussi, était meublée d'un unique fauteuil et d'une petite table supportant un téléphone et une vasque pleine de confiseries.

La seule lumière provenait du plafonnier, dirigé directement sur la table de jeu. Le reste de la pièce restait plongé dans l'obscurité.

Les quatre murs étaient couverts, du sol au plafond, d'étagères accueillant des centaines de figurines en plastique dans leur emballage d'origine. La plupart des boîtes étaient dans un état parfait, ou quasi parfait – la médiocrité n'avait pas sa place dans cette collection. Chaque jeu était complet : effectifs des bataillons, bâtiments, accessoires.

Ahriman n'achetait que des jouets de la marque Marx – le célèbre Louis Marx –, et uniquement ceux de l'âge d'or, des années cinquante aux années soixante-dix. Les figurines dans leurs boîtes étaient d'une perfection rare, réalisées avec un soin et un souci du détail extrêmes. Elles se vendaient pour des centaines, voire des milliers de dollars sur le marché des jouets anciens. Outre ses coffrets de Fort Alamo et des Incorruptibles, la collection du psychiatre comportait les Aventures de Robin des bois, la Patrouille américaine, l'Attaque du château fort, Ben-Hur, l'Infanterie napoléonienne, le Capitaine Gallant de la Légion étrangère, Fort Apache, le Ranch rodéo de Roy Rogers, l'Académie de l'espace de Tom Corbett et bien d'autres encore, souvent en deux ou trois exemplaires, ce qui lui permettait de peupler ses tableaux d'un très grand nombre de personnages.

Ce soir-là, le médecin était de très bonne humeur et plein d'entrain : la partie promettait d'être passionnante. Mieux encore, celle qui se jouait à grande échelle, dans le monde réel, devenait, elle aussi, plus intéressante d'heure en heure.

Dusty Rhodes lisait *Un crime dans la tête*. Il était plus que probable que ce peintre en bâtiment n'avait ni l'imagination nécessaire ni l'intelligence pour découvrir toutes les clés contenues dans le roman. Il ne pourrait donc mesurer l'étendue de la vaste toile d'araignée dont il était prisonnier. Ses chances de sauver sa peau et celle de sa femme restaient infimes, même si la lecture du livre les avait quelque peu accrues.

Seuls un Narcisse mégalomane ou quelque psychopathe pourraient continuer à se passionner pour un jeu, sachant, année après année, la partie gagnée d'avance. Pour un vrai joueur – sain de corps et d'esprit –, un élément de doute, tout au moins un soupçon de suspense, était nécessaire afin que la partie offre quelque intérêt. Tout joueur aimait tester ses capacités et taquiner le destin. Non pas pour laisser une chance à ses adversaires – le fair-play était bon pour les imbéciles – mais pour se contraindre à rester sur ses gardes et s'assurer, de cette façon, de prendre du bon temps. C'était là l'essence même du plaisir du jeu.

Le médecin corsait donc toujours le scénario, se tendant des pièges à lui-même. Bien souvent, ceux-ci n'étaient pas déclenchés. Mais la simple possibilité d'un désastre était, en soi, excitante. Elle donnait du piment à la partie. Ahriman adorait ces petites espiègleries.

Il avait, par exemple, permis à Susan de se rendre compte de la présence du sperme qu'il laissait en elle. Il aurait très bien pu lui ordonner l'inverse et la jeune femme aurait ignoré l'existence de cette preuve infamante. En l'autorisant à en prendre conscience et en lui suggérant de diriger ses soupçons vers son ex-mari, Ahriman avait élaboré une dynamique des personnages très puissante, dont il ne pouvait pas prévoir les conséquences. D'ailleurs, tout cela avait conduit à l'épisode de la vidéocassette… Une superbe chute pour son scénario, un retournement de situation qui le surprit le premier… Il l'avait échappé belle !

Un crime dans la tête lui tendait un autre piège… Il avait donné le livre de poche à Martie en lui ordonnant d'oublier de qui elle l'avait reçu. Durant chaque séance avec Susan, elle lisait une partie du roman. C'était du moins la conviction qu'il avait inscrite dans le cerveau de la jeune femme, bien qu'elle n'ait jamais commencé l'ouvrage. Il avait étayé cette suggestion psychique de façon volontairement bancale, en imprimant, chez Martie, quelques remarques banales d'ordre général, destinées à être récitées lorsque Susan ou quiconque lui demanderaient de raconter l'argument du livre. La description maladroite et un peu niaise de Martie aurait pu étonner Susan, l'inciter à examiner le livre de plus près, et par suite à le mettre en relation avec le propre mal qui l'affligeait. Martie elle-même n'avait pas reçu d'interdiction formelle de lire le roman. Ahriman lui avait simplement déconseillé de le faire. Elle pouvait décider de passer outre ses recommandations au moment où il s'y attendrait le moins. Au lieu de cela, et pour une raison inconnue, c'était Dusty Rhodes qui avait mordu à l'hameçon… et à l'histoire…

Où finissait la fiction ? Où commençait la réalité ? C'était là l'essence même du jeu !

Alors que le médecin continuait de tourner autour de la grande table, se demandant qui de Davy Crockett ou d'Al Capone allait sortir victorieux de la bagarre, la soie de son pyjama émettait des bruissements feutrés dans le silence. « Tac-tac », faisaient les dés dans le gobelet…

Si on les avait interrogés sur la tonalité générale du lieu, les décorateurs auraient répondu qu'il s'inspirait d'un bistro contemporain, de style italien. Cela n'aurait été ni un mensonge ni de l'hypocrisie avérée, mais une telle réponse aurait occulté l'élément clé. Ce bois foncé et lustré, ce marbre noir, ces surfaces polies et luisantes, ces appliques murales d'ambre et d'onyx en forme de vulve, cette fresque murale derrière le bar avec sa jungle digne du Douanier Rousseau, luxuriante comme une mangrove, ses mystérieux yeux félins scrutant le chaland entre des feuilles humides, tout cela n'évoquait qu'une seule chose : le sexe.

La moitié de cet espace servait de restaurant, et l'autre moitié de bar. Les deux zones étaient séparées par une arche massive flanquée de colonnes d'acajou au piétement de marbre. En ce tout début de soirée, à l'heure de sortie des employés de bureaux, le bar était bondé de jeunes célibataires fortunés, rôdant en quête de proies faciles, affamés tels des félins dans la jungle. La partie restaurant, elle, était pratiquement déserte.

L'hôtesse fit asseoir Dusty et Martie dans une alcôve. Les dossiers des fauteuils de cuir étaient si hauts qu'ils délimitaient un espace privé, ouvert seulement sur un côté.

Se trouver dans un endroit public mettait les nerfs de Martie à rude épreuve. Elle craignait d'être la risée de tout le monde en cas de nouvelle crise de panique. Heureusement, les dernières montées d'angoisse, depuis qu'elle avait quitté le cabinet du Dr Ahriman, avaient été plutôt légères et de courte durée. Ce détail la rasséréna un peu.

Malgré le risque de l'humiliation, elle préférait dîner ici plutôt qu'à l'abri dans sa cuisine. Elle n'avait aucune envie de rentrer chez elle. Le

314

spectacle du garage, mis sens dessus dessous par ses soins, lui aurait rappelé de mauvais souvenirs.

Plus terrifiant encore que le garage ou toute autre réminiscence de ses pertes de contrôle, son répondeur téléphonique l'attendait dans son bureau. Aussi sûr que Halloween était au mois d'octobre, elle savait qu'elle y trouverait un message de Susan, datant de la veille au soir.

Le devoir et l'honneur lui interdisaient de l'effacer sans l'écouter, et elle ne pouvait se résoudre à déléguer cette sinistre tâche à Dusty. Elle se devait de le faire elle-même, en la mémoire de Susan.

Mais pour trouver le courage d'écouter cette voix chérie, et de supporter le poids énorme de culpabilité qui n'allait pas manquer de s'abattre sur ses épaules, Martie avait besoin d'un répit, le temps de rassembler toute sa force morale.

Comme tout bon citoyen respectant la loi, Martie et Dusty suivirent le conseil du lieutenant Bizmet : une Heineken pour lui, une Sierra Nevada pour elle.

Avec sa première gorgée de bière, elle avala un Valium, malgré les recommandations inscrites sur le flacon mettant en garde le consommateur contre les effets de ce mélange.

Vivre intensément et mourir jeune ou mourir jeune de toute façon. Telle était l'unique alternative qui semblait se présenter à eux.

— Si seulement je l'avais rappelée hier soir, pesta Martie.

— Tu n'étais pas en état de l'appeler. Tu n'aurais rien pu faire pour elle.

— Mais si j'avais entendu la détresse dans sa voix, j'aurais pu trouver quelque chose ou quelqu'un pour l'aider.

— Tu n'aurais rien entendu du tout. En tout cas, pas ce que tu crois – pas de détresse particulière dans son ton, pas de désespoir suicidaire.

— On n'en saura jamais rien, dit-elle tristement.

— Eh bien, moi, si, je le sais, insista Dusty. Tu n'aurais pas pu entendre de désespoir suicidaire dans sa voix, pour la simple raison qu'elle ne s'est pas suicidée.

Eliot Ness était déjà mort, une perte prématurée, un vrai drame pour les défenseurs de Fort Alamo ! Le noble défenseur de la loi avait été tué par un trombone. Le médecin retira le petit cadavre en plastique de la table de jeu.

Pour déterminer quel serait le prochain fantassin à ouvrir le feu, et quelle arme il utiliserait, Ahriman recourait à un moyen complexe, fondé sur le lancer des dés et le tirage d'une carte.

Les seules armes en usage étaient un trombone projeté à l'aide d'un élastique et une bille lancée d'une pichenette. Ces deux systèmes rudimentaires pouvaient symboliser diverses morts épouvantables : flèche d'arc, balle de pistolet, boulet de canon, lame de couteau ou de hache plantée dans la figure…

En revanche, et c'était malheureux, il n'était pas dans la nature des figurines de plastique de se suicider. Et cela aurait été une insulte inconcevable pour l'Amérique et son peuple de suggérer que des hommes tels que Davy Crockett et Eliot Ness puissent mettre fin à leurs jours. De fait, il manquait toujours à ces *war games* la dimension impalpable et mystérieuse de la nature.

Dans le jeu grandeur nature, ou le plastique était chair et le sang bien réel, un autre suicide allait se produire. Skeet devait quitter la partie.

Initialement, Ahriman pensait confier à Holden « Skeet » Caulfield le premier rôle, faire de lui le principal artisan du massacre, l'archange du bain de sang final. Sa tête aurait occupé la une des journaux. Son nom un peu loufoque serait entré au panthéon des criminels légendaires, à côté d'êtres aussi abominables que Charles Manson.

Peut-être toutes ces drogues ingurgitées depuis son enfance avaientelles grillé des circuits neuronaux importants ? Toujours est-il que Skeet s'était révélé un sujet difficilement programmable. Son pouvoir de concentration – y compris en état d'hypnose – était médiocre. Le jeune homme avait toutes les peines du monde à retenir dans son subconscient le code, pourtant simpliste, de son conditionnement psychique. Au lieu des trois séances de programmation généralement requises, Ahriman avait dû lui en consacrer six. De plus, il lui avait fallu organiser des séances de « rattrapage » – une première dans la carrière du médecin – afin de réinstaller certaines parties de son programme qui s'étaient détériorées.

Parfois, Skeet se soumettait à un contrôle complet uniquement en entendant « Dr Yen Lo ». Ahriman n'avait pas besoin de prononcer le haïku qui le conditionnerait. Cet accès trop facile à son contrôle psychique posait de graves problèmes de sécurité.

Dans un futur proche, Skeet devrait donc recevoir un coup de trombone – figurativement parlant. Il aurait dû mourir mardi matin. Puisque cela n'avait pas été le cas, ce serait pour ce soir, c'était décidé.

Les dés avaient fait sortir le chiffre 9. Le tirage des cartes la dame de carreau…

Après un calcul rapide, Ahriman détermina que le prochain coup serait tiré par une figurine postée à l'angle sud-ouest de Fort Alamo : un des fidèles lieutenants d'Eliot Ness. Pas de doute, l'agent du FBI, affligé par la mort de son mentor, réclamerait vengeance. Son arme serait donc une bille, potentiellement plus meurtrière qu'un vulgaire trombone. Avec l'avantage que lui offrait sa position surélevée, son tir pouvait entraîner des dégâts considérables dans les rangs des Mexicains et parmi le ramassis de crapules qui allaient regretter amèrement d'avoir suivi Al Capone dans cette galère.

316

– Elle ne s'est pas suicidée, répéta Dusty d'une voix à peine audible.

Tel un conspirateur, il se pencha vers Martie dans leur alcôve, bien que le vacarme provenant du bar eût empêché quiconque d'entendre leur conversation.

Il y avait une telle certitude dans son ton que Martie en resta sans voix – deux poignets tranchés, aucune trace de violence, une lettre rédigée de la main de Susan… La thèse du suicide paraissait irréfutable.

Dusty commença à énoncer les arguments étayant sa thèse, en les comptant sur les doigts pour appuyer ses propos :

– Premièrement : hier, à la clinique de La Nouvelle Vie, Skeet a été activé par le nom « Dr Yen Lo ». Et il se trouve qu'il m'a récité le haïku qui m'aurait permis de le programmer.

– Le programmer…, l'interrompit-elle, perplexe. Tout ça est encore si difficile à croire.

– Oui, le programmer – je ne vois pas d'autres termes. Il attendait des instructions, des « missions », comme il les a appelées. Deuxièmement : à un moment donné, agacé par son comportement bizarre, je lui ai demandé de me lâcher un peu et de dormir… Eh bien, il l'a fait instantanément ! Il a *obéi* à cet ordre impossible. Je veux dire, personne ne peut s'endormir comme ça, instantanément, sur commande… Troisièmement : un peu plus tôt, hier, quand il allait sauter du toit, il a parlé de quelqu'un qui lui aurait *demandé* de sauter.

– Ouais, l'ange de la mort.

– D'accord, il était défoncé. Mais ça ne veut pas dire qu'il n'y avait pas une part de vérité dans ses paroles. Quatrièmement : dans *Un crime dans la tête*, le soldat au cerveau lavé est capable de commettre un meurtre selon les instructions de la personne qui le contrôle et, ensuite, d'oublier chaque détail de ses propres actes. Mais ça va plus loin… il est aussi capable de se tuer lui-même, si son programmeur le lui ordonne.

– Ce n'est qu'un roman à suspense.

– Oui, je sais. Le style est bon, l'intrigue originale, et les personnages hauts en couleur…

Devant cette salve imparable, Martie resta coite et avala une autre gorgée de bière.

Le général Santa Anna était mort, et l'histoire en passe d'être réécrite. Al Capone devait maintenant assumer le commandement des forces mexicaines en plus de son gang de Chicago.

Le camp des gentils, qui défendait Fort Alamo, ferait bien de ne pas se réjouir prématurément. Santa Anna était, certes, un fin stratège, mais Al Capone le battait à plate couture sur le terrain de la cruauté.

Un jour, Capone, le vrai, pas la figurine de plastique, avait torturé un traître avec une chignole. Dans un atelier, il avait coincé la tête du pauvre bougre dans un étau. Des hommes de main tenaient le malheureux par les bras et les jambes, et ce bon vieux Al en personne avait tourné la manivelle, enfonçant une mèche de diamant dans le front du bonhomme terrifié.

Ahriman avait tué une femme avec une perceuse. Mais c'était une Black et Decker, un modèle électrique.

— Le livre de Richard Condon est une fiction, bien sûr, reconnut Dusty, pourtant, on a la nette impression que les techniques de contrôle psychique décrites sont inspirées de recherches véritables. Ce qu'il présente comme une fiction était tout à fait possible à cette époque. De plus, l'action du livre se déroule il y a presque cinquante ans. Avant l'invention des avions de ligne à réaction.

— Avant le premier pas sur la Lune.

— Oui. Avant les téléphones portables, les fours à micro-ondes, les chips allégées avec mise en garde, au dos du paquet, contre leurs effets diarrhéïques. Imagine un peu ce que des spécialistes du contrôle du cerveau peuvent accomplir de nos jours, avec beaucoup d'argent et peu ou pas d'éthique !

Il fit une pause, but une gorgée de Heineken, et ajouta :

— Cinquièmement : le Dr Ahriman a dit qu'il était presque impossible que Susan et toi soyez toutes deux frappées simultanément de phobie extrême. Et il…

— Tu sais, il a probablement raison quand il dit que la mienne est liée à celle de Susan. Qu'elle est induite par mon sentiment d'échec à l'idée de n'avoir pas pu l'aider, de mon impuissance à…

Dusty secoua la tête et replia les doigts dans son poing.

— Ou alors ta phobie et la sienne vous ont été inoculées à toutes deux pour mener une sorte d'expérience, ou pour je ne sais quelle raison tordue et obscure.

— Mais le Dr Ahriman n'a jamais laissé entendre que…

Impatient, Dusty la coupa :

— C'est un grand psychiatre, d'accord, et il se soucie du bien-être de ses patients. Seulement il est conditionné par sa formation : il cherche des causes et des effets psychiques, des traumatismes liés à ton passé susceptibles d'expliquer ton état actuel. C'est peut-être pour cela que Susan ne semblait pas faire de progrès, parce qu'il n'y a pas de traumatisme en cause. Et si ces gens sont capables de te programmer pour que tu aies peur de toi-même, pour que tu aies toutes ces visions d'horreur et que tu te comportes comme hier, à la maison… jusqu'où peuvent-ils aller ?

C'était peut-être la bière. Ou le Valium. Ou peut-être la simple logique de ce raisonnement. Dans tous les cas, Martie trouvait les arguments de Dusty de plus en plus convaincants.

Elle s'appelait Viveca Scofield, une petite starlette qui n'avait pas froid aux yeux. Elle avait vingt-cinq ans de moins que le père Ahriman et trois de moins que le fils. Alors qu'elle tenait le second rôle féminin dans le dernier film du père, elle avait usé de tous ses charmes pour l'amener à l'épouser.

Bien que le jeune psychiatre n'aspirât pas encore à sortir de l'ombre de son père et à voler de ses propres ailes, il devait s'occuper de Viveca avant qu'elle ne devienne Mrs. Josh Ahriman et qu'elle ne complote pour contrôler la fortune familiale ou ne la dilapide.

Malgré sa fine connaissance des voies tortueuses de la jungle de Hollywood, malgré sa ruse, qui lui avait permis d'escroquer ses associés ou d'intimider les plus coriaces et les plus psychotiques des patrons des studios, il n'en restait pas moins que Josh était veuf depuis quinze ans et un ardent éploré devant l'Éternel — un tigre par certains côtés et un doux agneau par d'autres. Viveca se serait mariée avec lui et aurait trouvé un moyen de le faire mourir prématurément. Elle aurait mangé son foie avec des petits oignons la veille de son enterrement et aurait banni le fils de la demeure familiale en lui laissant, pour seule consolation, une vieille Mercedes et une rente de misère.

En conséquence, dans un souci de justice et d'équité, le jeune psychiatre était prêt à éliminer Viveca la nuit même où il avait tué son père. Il avait préparé une seconde seringue emplie de son fulgurant mélange de thio-pental et de paraldéhyde avec l'intention, comme pour son père, de l'injecter dans le repas de l'ambitieuse ou directement dans son corps.

Une fois le grand réalisateur étendu raide mort dans la bibliothèque, foudroyé par les petits fours empoisonnés — mais pas encore énucléé —, le psychiatre était parti en quête de Viveca. Il l'avait découverte dans le lit de son père. Une pipe à crack en bois et d'autres ustensiles de consommateur de drogues encombraient la table de nuit. Un recueil de poésies était posé sur les draps défaits, à côté d'elle. La starlette ronflait telle une marmotte qui se serait empiffrée de baies de fin de saison à moitié pourries. Des bulles de salive se formaient au coin de sa bouche et éclataient sur ses lèvres.

Elle était en tenue d'Ève et, parce que la nature l'avait bien servie, toutes sortes d'idées érotiques traversèrent l'esprit du jeune psychiatre. Mais une grosse somme d'argent était en jeu, et l'argent, c'était le pouvoir, et le pouvoir, c'était plus important que le sexe.

Plus tôt, cette même journée, lui et Viveca avaient eu, en privé, une petite dispute, une altercation pénible... Au moment de quitter la pièce, la jeune femme lui avait fait remarquer, d'un ton minaudier, qu'il ne se laissait jamais émouvoir, à l'inverse de son père, toujours près de verser sa larme.

— Nous sommes pareils, toi et moi, lui avait-elle dit. Ton père, lui, pleure pour deux, il verse sa part et la tienne. Moi, j'ai pleuré toutes les larmes de mon corps avant d'avoir huit ans. Toi et moi, nous sommes secs. Mais ton problème, petit docteur, c'est qu'il te reste malgré tout un petit morceau de cœur, flétri et rachitique, tandis que moi, je n'ai pas de cœur du tout. Alors, si tu t'avises de retourner ton vieux contre moi, je te castre et je te fais pousser la chansonnette tous les soirs de ta voix de soprano pour égayer mes repas.

Le souvenir de cette menace suggéra au jeune Ahriman une bien meilleure source d'inspiration que le sexe.

Il se rendit à l'atelier situé à l'autre bout de la propriété, au rez-de-chaussée de la maison qu'habitaient le couple Haufbrock, qui s'occupait du domaine, et Earl Ventnor, l'homme à tout faire. Les Haufbrock avaient pris une semaine de congé ; Earl, quant à lui, devait cuver sa bière après sa croisade nocturne pour soutenir la production des brasseries américaines face à la concurrence du houblon étranger.

N'ayant nul besoin d'agir discrètement, le psychiatre choisit une perceuse électrique Black et Decker parmi les nombreux outils. Il eut également la présence d'esprit de se munir d'une rallonge électrique orange de six mètres de long.

De retour dans la chambre de son père, il brancha la rallonge à une prise murale et mit la perceuse sous tension. Puis, l'instrument en main, il grimpa sur le lit où se trouvait Viveca et s'assit à califourchon sur elle. Elle était si défoncée qu'elle continua à dormir durant tous ses préparatifs. Il dut crier son nom à plusieurs reprises afin de la réveiller. Quand elle émergea enfin, clignant stupidement des yeux, elle lui sourit, comme si elle avait cru voir quelqu'un d'autre, comme si la perceuse électrique était un nouveau modèle élaboré de vibromasseur suédois.

Grâce à la solide formation qu'il avait reçue à la faculté de médecine de Harvard, le jeune psychiatre sut positionner la mèche avec une précision d'orfèvre. S'adressant à Viveca, toujours dans les vapes et souriante, il dit :

— Si tu n'as pas de cœur, il doit y avoir autre chose à la place, et le meilleur moyen de savoir de quoi il s'agit, c'est d'en prélever un échantillon pour l'analyser.

Le son strident de la puissante Black et Decker la sortit de sa stupeur. Mais il était trop tard… le forage avait déjà commencé. En fait, il était presque terminé.

Après avoir pris le temps de savourer la mort de cette petite garce, le psychiatre reporta son attention sur le recueil de poésies ouvert sur les draps. Une spirale de sang souillait les deux pages exposées, mais au beau milieu des taches cramoisies subsistait une petite zone immaculée de papier blanc :

Ce rêve
de pétales tombant s'évanouit
dans la lune et les fleurs...

Il ne savait pas, à l'époque, que ce poème était un haïku, composé par Okyo en 1890 et évoquant la mort imminente du poète. Ni que, comme beaucoup de haïkus, il avait perdu dans la traduction anglaise sa structure syllabique originale en cinq-sept-cinq.

Ce qu'il sut dans l'instant, en revanche, c'est que ce minuscule poème l'avait, pour une raison inconnue, profondément bouleversé. Les vers exprimaient, d'une manière qu'Ahriman ne pourrait jamais formuler, le sentiment de sa propre mortalité, qu'il refoulait à demi. Les trois lignes d'Okyo le ramenaient de façon poignante à la triste et terrible vérité : lui aussi allait mourir. Lui aussi était un rêve, aussi fragile qu'une fleur, qui, un jour, tomberait comme un pétale fané.

Tenant le recueil de haïkus dans ses mains, lisant et relisant encore ces trois vers, oublieux de la starlette à la cage thoracique perforée sur laquelle il était juché, le psychiatre sentit son cœur se serrer et sa gorge se nouer à l'idée de sa mort inéluctable. Comme la vie était courte ! Comme la mort était injuste ! L'homme était si peu de chose... Que l'univers était cruel !

Ces pensées l'ébranlaient jusqu'au tréfonds de son être, à tel point que le jeune Ahriman crut un instant qu'il pleurait. Passant le livre dans sa main gauche, il fit glisser sa main droite sur ses joues... sèches. Sur ses yeux... secs. Mais l'important, c'était qu'il avait été au bord des larmes. Il possédait donc la capacité de pleurer lorsque le destin lui offrait un événement suffisamment triste pour exciter ses glandes lacrymales.

Cette nouvelle le réconfortait. Il avait plus en commun avec son père qu'il ne le supposait. Et cela prouvait que Viveca Scofield l'avait mal jugé. Peut-être qu'elle n'avait pas de larmes : lui, en revanche, en avait, bien enfouies, qui attendaient leur heure.

L'actrice s'était également trompée en prétendant ne pas avoir de cœur. Elle en avait bien un. Seulement il ne battait plus.

Ahriman descendit du lit, abandonnant Viveca tel un gisant inachevé, la Black et Decker plantée comme une épée dans la poitrine, et s'assit sur le rebord du matelas pour se plonger dans le recueil de haïkus. C'est dans ces circonstances et ce lieu saugrenus qu'il découvrit son goût pour la poésie.

Lorsqu'il fut enfin en mesure de s'arracher à sa lecture, il porta le corps de son père à l'étage, le déposa sur le lit à côté de Viveca, nettoya les taches de chocolat noir qui lui barbouillaient les lèvres, disséqua ses systèmes lacrymaux hors du commun et recueillit ses yeux. Il préleva un peu de sang à l'actrice, lui emprunta une demi-douzaine de strings en cuir qu'il trouva dans un tiroir de la commode – la fiancée vivait déjà ici – et cassa l'un de ses faux ongles.

Il utilisa un passe pour s'introduire dans l'appartement d'Earl Ventnor. Sur la table basse du salon, il trouva une réplique grossière de la tour de Pise, construite avec des canettes vides de Budweiser. Le créateur de la maquette, quant à lui, était carrément écroulé sur le canapé et ronflait presque aussi fort que Viveca. À la télévision, Rock Hudson faisait la cour à Doris Day dans un vieux film.

Où finissait la fiction ? Où commençait la réalité ? L'essence même du jeu se trouvait sur cette frontière incertaine. Hudson comptait fleurette à Doris Day ; Earl, dans le rôle du poivrot libidineux, violait une starlette sans défense et commettait un double meurtre. L'humain croit toujours au plus évident, qu'il s'agisse d'une mise en scène ou de faits authentiques.

Le jeune psychiatre renversa un peu du sang de Viveca sur le pantalon et la chemise d'Earl Ventnor. Il vida le reste du flacon sur l'un des strings dans lequel il enveloppa minutieusement l'ongle cassé. Puis il rangea les six autres pièces de lingerie dans le bas de la commode de l'homme à tout faire.

Quand Ahriman quitta l'appartement, Earl dormait toujours. Les sirènes le réveilleraient peut-être.

Dans la cabane de jardin toute proche, là où étaient rangées les tondeuses à gazon, Ahriman trouva un bidon de vingt litres d'essence. Il le transporta jusqu'à la demeure principale et grimpa dans la chambre de son père.

Après avoir mis dans un sac ses vêtements souillés de sang, s'être lavé et habillé, il versa l'essence sur les deux corps, jeta le bidon sur le lit et alluma le bûcher.

Ahriman avait passé la semaine dans la résidence secondaire de son père, à Palm Springs, et était revenu à Bel Air cet après-midi-là dans le seul but de régler ces problèmes familiaux urgents. Sa tâche accomplie, il avait rejoint sa villégiature.

Malgré la quantité de meubles et autres objets de valeur qui pouvaient partir en fumée si les pompiers ne réagissaient pas suffisamment vite, Ahriman n'emporta que son sac de vêtements tachés, le recueil de haïkus et les yeux de son père dans un bocal rempli de formol. Une heure et demie plus tard, arrivé à Palm Springs, il brûla les vêtements incriminés dans la cheminée avec quelques bûchettes de cèdre aromatique, puis répandit les cendres sur la terre du bosquet de roses, derrière la piscine. Il était très risqué de conserver les yeux et le petit volume de poésie, mais Ahriman était d'humeur trop sentimentale, ce soir-là, pour s'en séparer.

Il resta éveillé toute la nuit à regarder une rétrospective consacrée aux vieux films de Bela Lugosi, mangea un pot entier de crème glacée Rocky-Road et un grand sachet de chips. Il avala, sans compter, des quantités de sodas, puis attrapa un coléoptère dans un bocal et s'amusa à le transformer en torche vivante. Sa philosophie personnelle avait été immensément enrichie par les trois vers du haïku d'Okyo. Il avait pris l'enseignement du poète au pied de la lettre : la vie est courte, nous allons tous mourir, autant profiter au maximum de chaque instant.

Le dîner fut arrosé par une deuxième tournée de bières. N'ayant pas pris de petit déjeuner et n'ayant avalé qu'un petit milk-shake à la vanille au déjeuner, Martie était affamée. Elle s'en voulait, pourtant, d'avoir autant d'appétit si peu de temps après avoir découvert Susan morte – c'était presque une injure à sa mémoire. La vie continuait donc. L'estomac pouvait se délecter lorsque le cœur était empli de chagrin. Et, malgré sa frayeur sourde, Martie savourait chacune des énormes crevettes qu'elle portait à la bouche tout en écoutant son mari qui l'amenait à prendre conscience du destin funeste qui les attendait.

Dusty continuait de compter.

– Sixièmement : si Susan a pu être programmée pour se soumettre à des abus sexuels répétés et n'en garder aucun souvenir, si on a pu lui ordonner de se laisser violer, c'est que sa soumission était totale et sans limites. Septièmement : elle a commencé à se douter de ce qui se passait sans en avoir la moindre preuve, et peut-être que ce léger soupçon a suffi à faire paniquer ses tortionnaires. Huitièmement : elle t'a fait part de ses soupçons, et ils l'ont su ; elle risquait d'en parler à d'autres personnes qu'ils ne contrôlaient pas. Ils devaient donc l'éliminer au plus vite.

– Comment ont-ils pu savoir qu'elle m'en avait parlé ?

– Peut-être que son téléphone était sur écoute ? Tout est possible. Il n'empêche que, s'ils ont décidé d'en finir avec elle, qu'ils lui ont ordonné de se suicider et qu'elle a obéi parce qu'elle était programmée pour le faire, il ne s'agit pas d'un suicide. Ni d'un point de vue personnel, ni même, peut-être, d'un point de vue juridique. C'est un meurtre.

– Mais que peut-on y faire ?

Il mastiqua un morceau de son steak en réfléchissant.

– Je n'en sais fichtre rien pour le moment. Parce que nous ne pouvons rien prouver.

– S'ils ont réussi à l'appeler et à lui commander de se suicider alors qu'elle était chez elle… qu'est-ce qu'on fait la prochaine fois que le téléphone sonne ? s'inquiéta Martie.

Ils se regardèrent, troublés. Ni l'un ni l'autre ne pensait plus à manger.

– On ne répond pas, décida finalement Dusty.

— Ce n'est pas une solution à long terme.

— Franchement, Martie, si nous ne trouvons pas de solution très vite, je ne crois pas que nous serons là pour voir le long terme.

Elle songea à Susan dans sa baignoire. Bien qu'elle n'ait pas vu le cadavre, deux mains lui pincèrent le cœur. Les doigts brûlants du chagrin et ceux glacés de la peur.

— Non, pas le long terme, admit-elle. Mais comment allons-nous trouver la solution ? Par où commencer à chercher ?

— Je ne vois qu'une piste : le haïku.

— Le haïku ?

Dans un sourire, il ouvrit le sac que lui avait rapporté Ned. Il examina les sept recueils de poésies et en choisit deux ; il en tendit un à Martie et garda l'autre.

— À en juger par la jaquette, ceux-là sont de grands classiques. Nous allons commencer par eux et croiser les doigts. Les haïkus contemporains sont si nombreux qu'il nous faudra peut-être des semaines de recherche si nous ne trouvons pas notre bonheur parmi les classiques.

— Qu'est-ce qu'on cherche, au juste ?

— Un poème qui nous donne des frissons.

— Comme quand j'avais treize ans et que je lisais les paroles des chansons de Rod Stewart ?

— Grand Dieu, non ! Je parlais du genre de frisson que tu as ressenti quand tu as lu le nom dans *Un crime dans la tête*.

Martie pouvait prononcer le nom sans sombrer dans un état hypnotique.

— *Raymond Shaw*. D'accord. Je viens d'avoir un frisson en le disant.

— Cherche un haïku qui te fasse le même effet.

— Et ensuite ?

Au lieu de lui répondre, il reporta son attention sur son repas et sa lecture. Quelques minutes plus tard, il releva la tête d'un air triomphant.

— En voilà un ! Il ne me fait pas frissonner, mais je le connais :

> *Les cascades claires*
> *dans les vagues dispersent*
> *des aiguilles de pin bleues.*

— Le haïku de Skeet.

D'après le livre, le poème avait été écrit par Matsuo Bashô, qui vécut de 1644 à 1694.

Les haïkus étant très courts, il était possible d'en parcourir une grande quantité en peu de temps. Martie fit à son tour une trouvaille de taille alors qu'elle n'avait pas mangé la moitié de son assiette de crevettes.

— Je l'ai ! Écrit par Yosa Buson, un siècle après ton Bashô.

Portées par le vent d'ouest
les feuilles mortes s'envolent
et se rassemblent à l'orient.

— C'est le tien ?

— Oui.

— Tu en es sûre ?

— J'en frissonne encore.

Dusty lui prit le livre des mains et lut le poème pour lui-même. La connexion ne lui échappa pas.

— *Les feuilles mortes…*

— Mon rêve récurrent, articula-t-elle.

Elle eut des picotements sur tout le crâne comme si elle pouvait entendre son abominable homme de feuilles s'approcher d'elle d'un pas traînant à travers la forêt tropicale.

Quel carnage ! Mille six cents hommes avaient péri dans la bataille de 1836, et des centaines d'autres venaient d'être massacrés en cette soirée de janvier, selon le caprice des dés et des cartes. Le combat se poursuivait pourtant avec rage.

Tout en jouant aux « Incorruptibles à Fort Alamo », le psychiatre fignolait la mise à mort de Holden « Skeet » Caulfield. Skeet disparaîtrait avant l'aube — une mort de plus ou de moins, comparée à cette boucherie, était si dérisoire.

Les dés sortirent un double un et les cartes, l'as de pique. D'après les règles complexes d'Ahriman, cela signifiait que le commandant en chef de chaque armée devenait un traître et rejoignait le camp adverse. Le colonel James Bowie, gravement atteint de fièvre typhoïde et de pneumonie, dirigerait l'armée mexicaine, alors qu'Al Capone se battait pour l'indépendance du Texas.

Skeet ne devait pas se suicider dans les locaux de la clinique de La Nouvelle Vie. Ahriman était l'un des actionnaires de l'établissement et se devait de protéger ses investissements. Il n'y avait rien à craindre du côté de Dusty ou de Martie : ils ne porteraient pas plainte contre la clinique. Mais un proche que le psychiatre ne contrôlait pas, un lointain cousin, par exemple, revenu du Tibet après y avoir passé trente ans dans une tente, et qui n'avait jamais connu Skeet de sa vie, pouvait surgir *ex machina* accompagné de son avocat et leur intenter un procès pour négligence médicale cinq minutes à peine après que cette sousmerde de drogué serait mise en terre. Puis un jury composé d'imbéciles — comme c'était le cas dans quatre-vingt-dix-neuf pour cent des procès — attribuerait au cousin tibétain un milliard de dollars en guise de *pretium doloris*. Non, Skeet devrait sortir de La Nouvelle Vie de son plein gré, contre l'avis de ses médecins, et aller s'éliminer ailleurs.

Une bille lancée par un des héros de Fort Alamo ricocha sur le terrain escarpé et élimina, d'un coup, neuf soldats mexicains et deux lieutenants de Capone qui ne l'avaient pas suivi dans le camp texan.

Fort Alamo était édifié autour d'une mission franciscaine baptisée San Antonio de Valero. Le malheureux saint aurait pleuré toutes les larmes de son corps au spectacle de cette hécatombe devant le perron de son église. Mais il était mort depuis des lustres et ses glandes lacrymales avaient cessé de fonctionner bien avant 1836. Il aurait probablement aussi été consterné de constater qu'Al Capone se révélait un meilleur défenseur de cette terre sacrée que Davy Crockett.

L'infirmière qui surveillait Skeet pendant la garde de nuit s'appelait Jasmine Hernandez – la fille aux tennis rouges et aux lacets verts. Malheureusement, elle était scrupuleuse et incorruptible. Ahriman n'avait ni le temps ni le courage de la soumettre à une programmation complète, uniquement dans le but de la rendre sourde et aveugle aux ordres qu'il fournirait à Skeet. Il lui faudrait donc attendre la fin de sa garde. L'infirmier qui arrivait à minuit était un fainéant doublé d'une andouille qui serait trop content de poser son derrière dans la salle de repos des employés pour regarder le « Tonight Show » en sirotant un Coca pendant qu'Ahriman ferait une danse de la pluie avec le pathétique demi-frère de Dustin Rhodes.

Le psychiatre ne voulait pas prendre le risque de communiquer ses instructions à Skeet par téléphone. Le dernier rejeton des Caulfield était un sujet bien trop délicat à programmer. Il était nécessaire de le mettre sous hypnose les yeux dans les yeux.

Un trombone, ping ! Catastrophe ! Le colonel Bowie est tombé. Bowie est mort ! L'armée mexicaine n'a plus de chef. Capone jubile.

Une forêt magnifique, fraîche et profonde. Les arbres énormes se dressent si près les uns des autres que leurs troncs lisses et ocre forment une palissade tout autour d'elle. Martie sait que ce sont des acajous bien qu'elle n'en ait jamais vu auparavant. Elle doit se trouver dans une jungle d'Amérique du Sud, où pousse ce type d'essence. Pourtant elle ne se souvient pas d'avoir pris de dispositions pour un tel voyage, ni même d'avoir préparé sa valise pour quelque destination que ce soit.

Pourvu qu'elle ait pensé à emporter assez de vêtements, et le fer à repasser de voyage, et aussi la panoplie complète d'antivenin. Surtout les antivenins ! À l'instant même, un serpent lui plante ses crochets dans le bras gauche. Le crochet, au singulier. Le serpent n'a en fait qu'un seul crochet, et cette espèce de dent est très étrange, aussi brillante et fine qu'une aiguille. Le serpent a un corps fin, transparent. Il est suspendu à un arbre argenté sans feuilles pourvu d'une seule branche. Curieux, mais pas tant que ça, au fond : l'Amazonie regorge de plantes et d'animaux exotiques.

De toute évidence, le serpent n'est pas venimeux car Martie ne s'inquiète pas de cette morsure outre mesure, pas plus que Susan, qui fait également partie de cette expédition sud-américaine. La jeune femme est assise dans un fauteuil, à l'autre bout de la clairière, tournant en partie le dos à Martie. Elle lui offre son profil, calme et immobile, comme si elle était en pleine méditation ou bien perdue dans ses pensées.

Martie est étendue sur un lit de camp, ou une couche plus confortable – un canapé, peut-être. Il est parsemé de boutons et possède le lustre chaleureux du cuir. Il doit s'agir d'un safari de première classe.

De temps en temps, des événements drôles et magiques se produisent. Un sandwich flotte dans l'air – banane et beurre de cacahuètes sur d'épaisses tranches de pain de mie, à en juger par son aspect. Il se balance d'avant en arrière, de haut en bas, et des bouchées en disparaissent, comme si un fantôme se trouvait là dans les bois, avec elle, un fantôme affamé en train de déjeuner. Une canette de soda flotte également dans l'air et se colle à des lèvres invisibles pour étancher la soif du fantôme, suivie de près par une bouteille de boisson gazeuse au raisin. Il faut s'attendre à ce genre de chose, se raisonne Martie. Après tout, les écrivains sud-américains ont inventé le « réalisme magique », un style littéraire bien à eux.

Une autre touche magique, c'est la fenêtre dans les bois, derrière et au-dessus d'elle. La lumière la traverse, éclairant les bois, qui, sans cela, seraient sombres et menaçants. Tout bien considéré, l'endroit est parfait pour le bivouac.

Excepté les feuilles. Elles constellent la clairière. Peut-être proviennent-elles des acajous, peut-être d'autres arbres. Il s'agit de simples feuilles mortes mais elles mettent Martie mal à l'aise. De temps en temps, elles bruissent et craquent sans que personne ne marche dessus. Il n'y a pas le moindre souffle d'air dans la forêt, et pourtant les feuilles, inlassables, s'agitent sans cesse, bruissent, cliquettent, s'amassent en petits tas frissonnants, avançant furtivement vers le campement dans un chuchotement sinistre comme si elles ourdissaient de sombres desseins.

Tout à coup, un vent violent se met à souffler de l'ouest. La fenêtre fait face à l'ouest. Elle doit être ouverte car le vent s'y engouffre et balaie la clairière, un vent furieux qui apporte d'autres feuilles, des masses foisonnantes, sifflant et claquant telles des nuées de chauves-souris, les unes humides et souples, les autres sèches et cassantes. La bourrasque soulève les feuilles mortes du sol et les débris ainsi brassés se mettent à tourner autour de la clairière. Feuilles d'automne rouges, feuilles vertes et grasses, limbes, stipules, bractées, toutes sont emportées en cercle comme dans un carrousel sans chevaux, mais parcouru par d'étranges montures végétales. Puis, semblant obéir à la musique céleste du dieu Pan, toutes, sans exception, se rejoignent au centre de la clairière pour s'agglutiner en une forme humaine, enveloppant soudain la présence invisible qui n'a pas bougé, le fantôme mangeur de sandwich et buveur de soda, pour lui donner un corps, une chair. L'Homme Feuille apparaît alors, gigantesque et terrifiant avec sa figure de Halloween hirsute, des trous béants à la place des yeux, la gueule déchiquetée.

Martie se bat pour se lever du canapé avant qu'il la touche – avant qu'il soit trop tard. Mais elle est trop faible pour se redresser. Elle semble terrassée par *une fièvre tropicale, ou la malaria. Ou peut-être le serpent était-il venimeux, après tout, et le venin a-t-il commencé à produire son effet ?*

Le vent a apporté les feuilles venant de l'ouest, et les feuilles doivent pénétrer Martie, car Martie est de l'est. L'Homme Feuille plaque sa main végétale et massive sur le visage de la jeune femme. Sa chair est de feuilles, de masses de feuilles brassées, certaines cassantes et rabougries, d'autres fraîches et humides, d'autres encore limoneuses et moisies, pleines de boue. Il enfonce sa substance feuillue dans la bouche de Martie. Elle tente de résister, déchire d'un coup de dents un morceau du monstre, essaie de le recracher. Il en profite pour lui enfourner d'autres feuilles dans la bouche. Elle doit avaler, avaler ou s'étouffer, car il introduit maintenant d'autres débris végétaux dans son nez, dans ses oreilles. Elle essaie de crier, d'appeler Susan. Aucun son ne monte de sa gorge, juste des haut-le-cœur. Elle veut crier encore, appeler Dusty. Mais Dusty n'est pas ici, en Amérique du Sud, ou Dieu sait où cet endroit se trouve, Dusty est resté en Californie. Il n'y a personne pour l'aider. Elle se remplit de feuilles, son estomac en est envahi, ses poumons, sa gorge sont obstrués, elle suffoque, étouffe. Maintenant, le tourbillon de feuilles tourne dans sa tête, à l'intérieur de son crâne, écorchant la surface de son cerveau, tant et si bien qu'elle ne peut plus penser clairement, que son attention est tout entière phagocytée par le brouhaha des feuilles qui grattent, crépitent, sifflent, grésillent, crissent – le bruit, LE BRUIT...

— Et c'est toujours là que je me réveille, dit Martie.

Elle baissa les yeux sur sa dernière crevette qui gisait sur les reliques d'un lit de pâtes. Le crustacé ressemblait moins à une crevette qu'à un cocon, pareil à ceux qu'elle découvrait, enfant, lorsqu'elle montait aux arbres. Dans les plus hautes branches, qui semblaient offrir en toute innocence leur dais immaculé de verdure et de fraîcheur aux humains, elle avait repéré une colonie de cocons, des dizaines, bien gras et bien dodus, fermement collés aux feuilles protectrices qui ployaient pour mieux les camoufler, comme si l'arbre avait été conçu pour protéger les parasites qui voulaient sa perte. À peine dégoûtée – elle savait que les chenilles deviendraient des papillons –, elle avait étudié ces petits sacs de soie de plus près et s'était aperçue que certains d'entre eux étaient habités par un tortillon de vie. Décidant de libérer la petite merveille ailée d'or ou de pourpre qui sommeillait, de la faire éclore au monde quelques minutes ou peut-être quelques heures avant sa libération spontanée, Martie avait pelé délicatement les couches superposées de soie. Au cœur du cocon, elle avait trouvé non pas un papillon coloré, ni même nocturne, mais une myriade de bébés araignées. Après cette découverte, elle ne ressentit plus jamais d'exaltation à se trouver perchée au faîte des arbres, ni même à se hisser jusqu'à une position élevée. Pour chaque créature vivant sous une roche ou rampant sous la boue, il y en avait une autre, aussi répugnante, qui avait accès aux sphères supérieures. Bien que ce monde fût merveilleux, il était déchu.

L'appétit coupé, Martie délaissa sa dernière crevette et s'intéressa à sa bière.

— J'aurais aimé que tu me racontes ton cauchemar de façon aussi détaillée bien plus tôt, annonça Dusty en repoussant son assiette.

— C'était juste un mauvais rêve. Qu'est-ce que tu aurais pu en tirer, de toute façon ?

— Pas grand-chose, admit-il. Du moins, jusqu'à ce que je fasse ce cauchemar, la nuit dernière. Là, j'aurais tout de suite vu les connexions. Même si je ne suis pas sûr de comprendre leur sens exact.

— Quelles connexions ?

— Dans ton rêve et dans le mien, il y a... une présence invisible. Et une histoire de possession, un intrus malfaisant qui pénètre dans le cœur, le cerveau. Et également le tuyau d'une perfusion, chose que tu n'avais jamais mentionnée auparavant.

— Une perfusion ?

— Dans mon rêve, c'est clairement un tuyau de perfusion, qui part d'une poche suspendue à la lampe d'appoint de notre chambre. Dans ton rêve, c'est un serpent.

— Mais *c'est* un serpent.

Il secoua la tête.

— Rien dans ces rêves n'est réellement ce qu'il paraît être. Tout n'est que symbole, métaphore. Parce que ce ne sont pas de simples rêves.

— Ce sont des souvenirs, avança Martie, sentant aussitôt qu'elle avait deviné juste.

— Oui, des souvenirs interdits... bannis de notre mémoire... relatifs à nos séances de programmation. Nos... manipulateurs, je crois qu'on peut les appeler ainsi, ont effacé de nos consciences le souvenir de ces séances, pour des raisons de sécurité évidentes.

— Néanmoins l'expérience reste inscrite en nous, profondément enfouie.

— Et pour refaire surface dans notre esprit, elle doit se déguiser, se cacher derrière des symboles, afin de passer outre l'interdit que l'on nous a inculqué.

— C'est comme un document que l'on efface de son ordinateur et qui disparaît du répertoire : on ne peut plus y avoir accès, mais il reste virtuellement sur le disque dur.

Dusty se mit à lui raconter son rêve du héron.

Quand il eut terminé, Martie sentit une nouvelle vague de terreur la submerger avec une énergie furieuse, comme si les milliers de bébés araignées, échappés du cocon, remontaient le long de sa colonne vertébrale.

Elle fixa le fond de sa chope de bière, la tête baissée, les mains crispées autour du récipient. Lancée, la chope assommerait Dusty, brisée contre la table, elle lui lacérerait le visage...

Tremblante, Martie pria pour que le serveur ne choisisse pas ce moment pour débarrasser leurs assiettes.

La crise de panique passa après une ou deux minutes.

Martie releva la tête et regarda la portion de salle visible depuis son alcôve. Les clients du restaurant étaient plus nombreux, il y avait davantage de serveurs au travail, mais personne ne la regardait d'un air étrange ou de quelque façon particulière.

— Ça va ? s'enquit Dusty.

— Celle-là n'était pas trop méchante...

— Le Valium sans doute, ou la bière...

— Quelque chose comme ça, admit-elle.

— Les crises arrivent presque exactement à une heure d'intervalle, constata Dusty en regardant sa montre. Tant qu'elles ne sont pas plus violentes...

Martie eut soudain un terrible pressentiment : ces petites attaques n'étaient que des extraits du film à venir, la bande-annonce avant le grand show !

En attendant l'addition, puis la monnaie, ils se replongèrent dans les haïkus.

Martie en trouva un autre, composé lui aussi par Matsuo Bashô :

> *L'éclair jaillit*
> *et le cri perçant d'un héron*
> *traverse la nuit.*

Au lieu de le réciter, elle tendit le livre à Dusty.

— Ce doit être celui-là, le tien. Trois haïkus de grands maîtres.

Elle vit Dusty frémir pendant qu'il lisait le poème.

La monnaie arriva, accompagnée d'un dernier « merci-messieurs-dames » et du traditionnel « passez-une-bonne-journée », bien que la nuit fût tombée depuis deux heures.

Dusty calcula le montant du pourboire.

— Nous savons que les noms qui nous activent proviennent du roman de Condon, déclara Dusty. On doit pouvoir trouver le mien sans trop de difficulté. Maintenant que nous connaissons nos haïkus, il est temps de les essayer... sur nous. Chacun à tour de rôle. Je veux savoir ce qui se passe au juste. Mais ce n'est pas le bon endroit pour pratiquer ce genre d'expérience.

— Où, alors ?

— Rentrons à la maison.

— Tu crois qu'on est en sécurité à la maison ?

— À mon avis, nous ne sommes en sécurité nulle part.

56.

Après une journée quasi complète de solitude, dix petites minutes d'exercice dans le jardin en guise de parodie de promenade et un repas servi par un géant intimidant qu'il n'avait croisé que deux fois dans son existence, Valet avait toutes les raisons de bouder et d'accueillir ses maîtres sans un grognement. Au lieu de cela, il ne fut qu'amour et tendresse, agitant la queue en signe de pardon et quémandant un câlin. Il faisait des sauts de cabri autour de Martie et de Dusty tout en mordillant son canard en plastique jaune pour exprimer sa joie.

Martie et Dusty avaient oublié de préciser à Motherwell de laisser la lumière allumée pour Valet, mais Ned, en vraie mère poule, y avait pensé.

Sur la table de la cuisine, il avait scotché un mot sur une grosse enveloppe matelassée : *Dusty, j'ai trouvé ça, devant la porte d'entrée.*

Martie ouvrit l'enveloppe. Valet accourut, excité par le bruit, qui lui rappelait sans doute l'ouverture d'un paquet de friandises pour chien. À l'intérieur, elle trouva un livre à la jaquette très colorée.

– C'est un livre du Dr Ahriman.

Étonné, Dusty lui prit le livre des mains. Valet tendit le museau vers l'objet, les narines écartées, pour mieux le flairer.

C'était le dernier best-seller d'Ahriman, un essai psycho-philosophique sur l'apprentissage de l'amour de soi. Ni Dusty ni Martie ne l'avaient lu, ils préféraient les romans. Pour Dusty, lire de la fiction répondait à un choix politique autant qu'à un goût. Lorsque mensonges, tromperies et dissimulations étaient monnaie courante dans toutes les strates de la société, il y avait davantage de vérité à trouver dans une seule fiction que dans une poubelle emplie de savantes analyses.

Mais il s'agissait d'un essai du Dr Ahriman. À n'en pas douter, il résultait de la même attention scrupuleuse que le psychiatre portait au bien-être de ses patients.

Dusty regarda la photo d'Ahriman en quatrième de couverture.

– Je me demande pourquoi il ne nous a pas dit qu'il nous enverrait son livre.

– Il n'a pas été envoyé par la poste, répondit Martie en lui montrant l'enveloppe exempte de timbre. Il a été déposé. Et cela ne vient pas du Dr Ahriman.

Au dos de l'enveloppe apparaissaient le nom et l'adresse du Dr Roy Closterman.

À l'intérieur du livre se trouvait une note succincte rédigée par le généraliste : « Ma secrétaire passe devant chez vous en rentrant chez elle, j'ai pensé que vous pourriez trouver quelque intérêt à la lecture du dernier ouvrage du Dr Ahriman. Peut-être n'avez-vous lu aucune de ses œuvres ? »

— Étonnant, dit Martie.

— Oui. Il n'apprécie pas Ahriman.

— Qui ça ?

— Closterman.

— Allons, tu te fais des idées ! protesta-t-elle.

— Non. Je l'ai senti. Dans son regard, dans le ton de sa voix.

— Que diable peut-il lui reprocher ? Le Dr Ahriman est un grand psychiatre. Il se soucie tellement du bien-être de ses patients.

Coin, coin, coin, faisait le canard en plastique.

— C'est vrai. Regarde comme tu te sens mieux après seulement une séance ! Il te fait beaucoup de bien.

Valet recommença à faire des bonds dans la cuisine, les oreilles battant l'air, les pattes frappant le carrelage, son jouet en plastique cancanant plus bruyamment qu'un vrai canard.

— Valet, du calme ! lança Martie. Puis elle ajouta : Peut-être que… c'est de la jalousie professionnelle de la part de Closterman ?

Toujours obéissant, Valet cessa ses sauts de cabri, mais continua à s'acharner sur le malheureux canard en plastique. Dusty eut l'impression de se trouver dans un dessin animé avec Daffy Duck et Donald.

Il ouvrit le livre à son tour et parcourut les premières pages :

— De la jalousie ? Mais Closterman n'est pas psychiatre. Lui et le Dr Ahriman travaillent dans des domaines totalement différents.

Dusty en voulait un peu au Dr Closterman de leur avoir envoyé ce livre. Sachant l'aversion, discrète mais évidente, du généraliste envers Ahriman, ses intentions ne pouvaient être ni bonnes ni charitables. Ce geste avait quelque chose de mesquin.

Dusty arriva à une petite épigraphe avant l'ouverture du premier chapitre. Un haïku.

Ce rêve
de pétales tombant s'évanouit
dans la lune et les fleurs…

Okyo, 1890

— Qu'est-ce qui ne va pas ? demanda Martie.

Les notes plaintives d'un thérémin [1], semblant sortir tout droit d'un vieux film avec Boris Karloff, emplirent sa tête.

---

1. Léon Thérémin, inventeur du thereminovox (1920), instrument électronique ancien. (N.d.T.)

— Dusty ?

— Quelle drôle de coïncidence, articula-t-il en lui montrant le haïku.

En lisant les trois lignes, Martie pencha la tête de côté, comme si elle aussi entendait la petite musique.

— Étrange, avoua-t-elle.

Coin, coin, fit de nouveau le canard en plastique.

Martie montait l'escalier d'un pas de plus en plus lent. Elle était terrorisée à l'idée d'entendre la voix de Susan sur le répondeur téléphonique. Dusty lui avait proposé d'écouter le message tout seul et de lui en rapporter les termes. Mais cela lui avait paru lâche.

Dans le bureau de Martie, à l'étage, le grand plan de travail en U lui offrait tout l'espace nécessaire pour harceler les Hobbits dans l'Eriador, à travers les terres du Gondor et du Rhovanion, jusque dans le royaume maléfique de Mordor... À supposer que le destin lui laisse une chance de revoir le monde de Tolkien. Deux ordinateurs et une imprimante occupaient un petit tiers du territoire.

Le répondeur datait de ses années de faculté. Ce n'était pas un vieil appareil, mais une antiquité. D'après le compteur, la bande avait enregistré cinq messages.

Martie se tenait près de la porte, loin du téléphone, comme si la distance avait pu amortir le choc émotionnel qu'allait lui causer la voix de Susan.

Ici aussi, il y avait un coussin en peau de mouton pour Valet, mais le chien resta près de sa maîtresse, prêt à la consoler.

Dusty enfonça le bouton « messages ». La bande revint en arrière, se cala et commença à défiler.

Le premier message était celui que Dusty avait laissé la veille au soir, depuis le parking de la clinique de La Nouvelle Vie.

— *Scarlett, c'est moi, Rhett. Juste pour te dire que, finalement, j'ai décidé de rester avec toi.*

Le deuxième était de Susan, celui qu'elle avait dû laisser juste après que Martie se fut endormie la première fois, sous les effets conjugués de la fatigue et du petit whisky.

— *Allô ? C'est moi... Qu'est-ce qui se passe, Martie ? Tout va bien ? Tu me prends pour une folle dingue ? C'est ça ? Ce n'est pas grave. Appelle-moi quand même...*

Martie avait reculé de deux pas jusqu'au seuil de la porte, poussée par la voix de son amie défunte. Son visage était livide, ses mains jointes devant sa bouche plus pâles encore.

Valet s'assit devant elle, la regardant, oreilles tendues, tête de côté, dans l'espoir que sa douceur canine atténuerait sa douleur.

Le troisième message, enregistré à 3 h 20 du matin, était également de Susan. Dusty se lavait les mains dans la salle de bains et Martie dormait du « sommeil du juste », sous l'effet cette fois du somnifère.

— *Martie, c'est moi. Martie, tu es là ?*

Susan avait cessé de parler sur la bande, attendant que quelqu'un décroche. Dans l'entrée, Martie poussa une plainte étouffée.

— Oui, souffla-t-elle, rongée par le remords.

Oui, j'étais là, oui, j'aurais pu t'aider, oui, je t'ai laissée tomber.

— *Écoute, si tu es là, décroche, pour l'amour de Dieu, décroche.*

Pendant la pause suivante, Martie baissa les mains qui couvraient son visage et contempla le répondeur avec horreur.

Dusty savait ce qu'elle s'attendait à entendre ensuite, il s'y préparait lui aussi. Des propos suicidaires. Un appel au secours, une supplique pour avoir un conseil, pour avoir moins peur...

— *Ce n'était pas Eric, Martie. C'est Ahriman. Ahriman ! J'ai coincé cette ordure sur vidéo. Quel salaud ! Quand je pense que je lui ai obtenu un bon prix pour sa maison... Martie, s'il te plaît, appelle-moi. J'ai besoin de ton aide.*

Dusty arrêta la bande avant le quatrième message

La maison semblait prise de tremblements, comme si les plaques continentales entraient en collision sous la côte californienne. Mais le séisme était uniquement dans leur cerveau.

Dusty regarda Martie.

Les yeux de Martie... L'onde de choc avait tout emporté sur son passage. Même son chagrin, pourtant si lourd, si dense n'y avait pas résisté... Il y avait, dans ses prunelles, quelque chose d'inconnu, quelque chose qu'il n'avait vu encore chez personne...

Il s'entendit déclarer :

— Elle a dû perdre un peu la tête sur la fin. De quoi parle-t-elle ? Quelle vidéo ? Cela ne tient pas debout... Le Dr Ahriman est...

— ... un grand psychiatre. Il est...

— ... soucieux du bien-être...

— ... de ses patients.

De nouveau, dans la tête de Dusty, résonna la petite musique étrange, sans mélodie. Ou, plutôt qu'une musique, l'équivalent psychique des sifflements d'oreilles, l'acouphène du cerveau en quelque sorte. Causée par ce que les psychiatres à cent-dollars-la-séance appellent la dissonance cognitive : la coexistence de deux convictions diamétralement opposées sur un même sujet. Le sujet, en l'occurrence, c'était Mark Ahriman. Dusty baignait dans la dissonance cognitive parce qu'il pensait à la fois qu'Ahriman était un grand psychiatre et qu'il était un violeur. Qu'il se souciait du bien-être de ses patients et qu'il était un meurtrier. Un thérapeute plein de compassion et un manipulateur sans foi ni loi.

— Cela ne peut pas être vrai, articula-t-il.

— Non, ce n'est pas possible.

— Pourtant, le haïku…

— La forêt d'acajous de mon rêve.

— Son bureau est lambrissé d'acajou, remarqua Dusty.

— Et sa fenêtre donne à l'ouest, ajouta Martie.

— C'est complètement dingue.

— À supposer que ce soit lui… Pourquoi nous avoir choisis, nous ?

— Toi, c'est évident, répondit Dusty d'un air sinistre. Pour les mêmes raisons que Susan. Mais moi, je ne vois pas…

— Et pourquoi Skeet ?

Les deux derniers messages avaient été déposés l'un à 9 heures, le matin même, l'autre à 4 heures, l'après-midi. Ils provenaient de la mère de Martie. Le premier était bref. Sabrina voulait juste bavarder un peu.

Le second était plus long, plein d'inquiétude. Martie travaillait à la maison et rappelait généralement sa mère dans l'heure ou les deux heures qui suivaient son appel. Cette absence de réponse avait aussitôt entraîné sa mère dans une cohorte de spéculations apocalyptiques. Son message contenait également, quoique de manière sous-jacente, mais parfaitement décryptables pour toute personne habituée au langage contourné de Sabrina, les souhaits ardents suivants : 1. Martie était en rendez-vous avec un avocat pour organiser son divorce ; 2. Dusty était un alcoolique avéré et était parti cuver son vin dans une clinique ; 3. Dusty était un coureur de jupons, et on l'avait emmené à l'hôpital parce qu'il s'était fait cogner – méchamment – par un mari berné. Le quatrième était un condensé des trois premiers : Dusty était un coureur de jupons alcoolique ; il dessaoulait en clinique après s'être fait cogner – méchamment, toujours – par un mari berné, et Martie avait pris rendez-vous chez un avocat pour divorcer.

D'habitude, ce genre de supputations agaçait Dusty. Cette fois, l'inimitié qu'affichait Sabrina à son égard semblait bien innocente.

Il rembobina la cassette jusqu'au message pressant de Susan. À la deuxième écoute, les paroles de la jeune femme paraissaient encore plus terribles.

Susan était morte et sa voix était là.

Ahriman le guérisseur. Ahriman le tueur.

Dissonances cognitives !

La cassette du répondeur ne constituait pas une preuve irréfutable, le message de Susan n'était pas assez explicite. La jeune femme n'accusait pas le psychiatre de viol – juste d'être un salaud.

La bande sonore pouvait toutefois servir de pièce à conviction. Il fallait la conserver et la mettre à l'abri.

Pendant que Dusty sortait la microcassette, inscrivait le nom de Susan sur le bandeau autocollant, Martie en inséra une neuve dans le répondeur. Dusty rangea la cassette dans le tiroir central du bureau.

Martie paraissait blessée.

Susan était morte. Et, maintenant, le Dr Ahriman, qui leur était apparu comme un pilier solide dans ce monde plein d'incertitudes, s'était transformé en chausse-trappe.

57.

Depuis la cuisine, Dusty appela le cabinet de Roy Closterman, mais il tomba sur le standard qui réceptionnait les appels en l'absence du médecin. Il prétendit que Martie faisait une allergie à un médicament prescrit par Closterman.

— C'est vraiment très urgent, ajouta-t-il.

Tandis que ses maîtres s'installaient dans la cuisine pour attendre l'appel du Dr Closterman, Valet se faufila sous la table en exhalant un soupir expressif. Pourquoi perdre tout ce temps alors qu'ils pourraient jouer avec lui… ?

Dusty parcourut *Un crime dans la tête* dans l'espoir de trouver un nom qui le ferait frissonner autant que le poème de Bashô sur le héron. Dans la salle d'attente du Dr Ahriman, il avait découvert pratiquement tous les personnages principaux. Aucun ne lui avait donné la chair de poule. Et là, en parcourant la suite du roman, il tomba dessus – il s'agissait d'un personnage secondaire : Viola Narvilly, chanteuse d'opéra de second ordre. Un nom plutôt ridicule pour un projet aussi morbide. Ahriman avait-il le sens de l'autodérision ?

Ils décidèrent de se lire, mutuellement, les haïkus.

Dusty commença par le nom déclencheur :

— Raymond Shaw.

— J'écoute, répondit Martie sur un ton neutre.

Son regard était fixe, mais elle était attentive.

— *Portées par le vent d'Ouest…*

— Vous êtes l'ouest et le vent d'ouest.

Soudain, Dusty eut peur d'aller au bout des trois vers : s'il atteignait le subconscient de Martie, saurait-il la contrôler ? Une fois réceptive aux instructions, elle serait sûrement fragile, vulnérable. Les questions ou les suggestions qu'il formulerait risqueraient de provoquer des dégâts psychiques imprévisibles et lourds de conséquences.

De plus, pour qu'elle quitte l'état de transe et retrouve toute sa conscience, il ne connaissait qu'un moyen : lui ordonner de s'endormir, comme il l'avait fait pour Skeet. Or celui-ci s'était endormi si profondément que rien n'avait pu le réveiller. On l'avait appelé, secoué, on lui avait fait sentir des sels, en vain. Il s'était réveillé de lui-même, long-temps après. Or Dusty sentait que le temps leur était compté… Il ne pouvait se risquer à plonger Martie dans un quasi-coma narcoleptique pour une durée indéterminée.

N'entendant pas Dusty réciter le deuxième vers du haïku, Martie cligna des yeux et son regard vague laissa place à l'éclat de sa cons-cience retrouvée.

– Alors ?

Il lui raconta son hésitation.

– Ça aurait marché, c'est sûr. À ton tour, maintenant. Lis seule-ment la première ligne, lui conseilla-t-il.

Ne possédant pas la mémoire infaillible de Dusty, Martie préféra se reporter au recueil.

Il vit Martie ouvrir la bouche pour parler et…

… et le golden retriever, sa tête poilue posée sur ses cuisses, lui donnait des petits coups de museau affectueux – comme pour le rassurer.

Une fraction de seconde plus tôt, Valet se reposait aux pieds de Dusty, un tapis à poil long.

Non, pas une fraction de seconde. Dix ou quinze secondes s'étaient écoulées, peut-être plus. Une poignée de secondes perdue à jamais. De toute évidence, quand Martie avait prononcé le nom déclen-cheur, *Viola Narvilly*, Dusty avait réagi et le chien, percevant quelque chose d'inhabituel chez son maître, s'était levé pour vérifier si tout allait bien.

– Ça donne froid dans le dos, lâcha Martie en refermant le recueil de haïkus. Elle le repoussa comme s'il s'agissait d'une bible satanique. Tu avais l'air… complètement ailleurs.

– Je ne me souviens même pas de t'avoir entendue prononcer le nom.

– Pourtant je l'ai bel et bien dit. J'ai lu la première ligne, *L'éclair jaillit…*, et tu as répondu : « Vous êtes l'éclair. »

Le téléphone sonna.

Dusty se leva d'un bond, manquant de renverser sa chaise. Au moment de décrocher le combiné, un doute l'assaillit… Et si ce n'était pas la voix du Dr Closterman qui l'attendait, mais une autre disant : « Viola Narvilly ». L'asservissement était au bout du fil.

Par chance, c'était Closterman.

Dusty s'excusa pour son mensonge – il s'agissait d'un stratagème pour être rappelé rapidement.

– J'ai menti pour l'allergie mais pas pour l'urgence, docteur. Ce livre que vous nous avez envoyé…

– *Apprenez à vous aimer*, confirma Closterman.

– Oui, pourquoi nous l'avoir envoyé ?

– Je pensais que vous deviez le lire, répondit le médecin,

laconique, sans que son ton laisse transparaître un quelconque jugement sur l'ouvrage ou sur son auteur.

— Docteur… Dusty hésita un peu puis mit les pieds dans le plat. Et puis zut ! À quoi bon tourner autour du pot : je crois qu'on a un problème avec le Dr Ahriman. Un gros problème.

Alors même qu'il formulait cette accusation, une petite voix en lui le contredisait. Ce grand psychiatre, tout dévoué au bien-être de ses patients, n'avait rien fait qui méritât ces calomnies, un tel manque de respect. Dusty se sentit aussitôt coupable, ingrat, traître, fabulateur. Cela avait quelque chose de terrifiant, car il avait toutes les raisons de soupçonner le psychiatre… Cette voix en lui, si convaincante, n'était pas sa voix mais celle d'une présence invisible. La même qui, dans son rêve, pressait la poire gonflant le brassard du tensiomètre ; la même autour de laquelle s'étaient agglutinés des tourbillons de feuilles dans le cauchemar de Martie… Et, maintenant, cette présence hantait l'esprit de Dusty. Invisible mais pas muette. Elle lui intimait de faire confiance au Dr Ahriman, d'oublier ces soupçons absurdes. De faire confiance et d'avoir la foi.

— Martie a déjà rencontré le Dr Ahriman, je crois ? demanda Closterman, interrompant les pensées de Dusty.

— Oui,cet après-midi. Mais, en fait, il nous semble que le problème est… plus vieux que ça. Cela remonte à des mois de cela, du temps où Martie accompagnait une amie à son cabinet. Docteur, vous allez croire que je suis fou…

Closterman l'interrompit :

— Pas forcément. Mais nous ne devrions pas parler de tout ceci au téléphone. Pourriez-vous venir chez moi ?

— Et où est-ce, chez vous ?

— J'habite sur Balboa Island.

Il indiqua à Dusty comment s'y rendre.

— On arrive tout de suite. On peut venir avec notre chien ?

— Pas de problème. Il jouera avec le mien.

Dusty raccrocha et se tourna vers Martie.

— Ce n'était peut-être pas la meilleure chose à faire, déclara-elle.

Elle aussi avait sa petite voix intérieure.

— Si on appelait le Dr Ahriman pour lui raconter tout ça… Elle marqua un temps d'arrêt, puis reprit : Peut-être pourrait-il nous donner une explication ?

La présence invisible qui rôdait dans l'esprit de Dusty approuvait mot pour mot la suggestion de Martie.

Soudain, la jeune femme se leva de sa chaise…

— Mais qu'est-ce que je raconte, moi ?

Dusty se sentit rougir. La honte de ses soupçons, la honte de ne pas accorder au Dr Ahriman la confiance et le respect qui lui étaient dus.

338

— Ça y est, articula-t-il d'une voix tremblante, on est en plein remake de *L'Invasion des profanateurs de sépultures*.

Valet était sorti de sous la table. Il regardait ses maîtres, la queue basse, les épaules rentrées, la tête un peu pendante, comme pour se mettre au diapason de leur humeur.

— Pourquoi emmène-t-on le chien ? demanda Martie.

— Je crois qu'on sera partis un bon moment. C'est trop risqué de rester ici. Allons-y, lança-t-il en se dirigeant vers l'entrée. Mettons deux ou trois affaires dans une valise, de quoi tenir quelques jours, et fissa !

Avant de refermer sa valise, Dusty prit dans sa table de nuit le colt .45. Après un moment d'hésitation, il décida de le garder sur lui, à portée de main, et referma son bagage. Dans l'armoire, il choisit une veste de cuir aux poches profondes.

Dans quelle mesure l'arme les protégerait-elle ?

Si Mark Ahriman entrait dans la chambre à cet instant, la voix insidieuse empêcherait Dusty de réagir sur-le-champ, laissant le temps au psychiatre de sourire et de prononcer tranquillement « Viola Narvilly » avant même que la gâchette soit effleurée.

Est-ce que je sucerai le canon du pistolet comme une Chupa-chup pour me faire sauter la cervelle aussi docilement que Susan s'est tailladé les veines ?

Ils quittèrent la chambre, descendirent les escaliers étroits, le chien en tête, Martie et Dusty leur valise à la main. Une courte pause dans la cuisine pour récupérer les livres, puis direction la Saturn, garée dans l'allée, en pressant le pas, sous l'effet d'une angoisse grandissante : l'ombre d'un destin fatal s'apprêtait à s'abattre sur eux, elle ne devait pas les rattraper.

58.

À Newport Harbor, un pont peu élevé reliait Balboa Island au continent. Marine Avenue, bordée de restaurants et de boutiques, était presque déserte. Des feuilles d'eucalyptus et des frondes de palmiers formaient des spirales tourbillonnantes aussi hautes qu'un homme, un peu comme si le rêve de la forêt d'acajous allait se rejouer grandeur nature devant Martie.

La maison du Dr Closterman se trouvait juste au bord de l'eau. Ils laissèrent la voiture au bout de Marine Avenue et continuèrent à pied le long de la promenade pavée qui faisait le tour de l'île, séparée du port par une petite digue.

Avant d'arriver chez le Dr Closterman, une heure pile après sa dernière crise, Martie fut prise d'un nouvel accès d'autophobie. Il fut aussi supportable que les trois précédents, mais il empêcha Martie de marcher et de se tenir debout.

Ils s'assirent donc sur la digue en attendant que l'attaque prenne fin. Valet fit preuve d'une patience exemplaire. Lorsque quelqu'un passa avec un dalmatien.

L'océan montait, le vent agitait l'eau du port, calme d'ordinaire. De petites vagues venaient mourir sur la digue de béton, transformant les lumières des maisons du front de mer en myriade de vers luisants à la surface de l'eau.

Les bateaux à voile et à moteur ancrés dans le port étaient ballottés. Ils émettaient des grincements plaintifs qui s'ajoutaient aux claquements des drisses et des filins d'acier contre les mâts.

La crise de Martie se termina enfin.

– J'ai vu un prêtre mort avec un crampon de chemin de fer planté dans le front. Dieu merci, ça n'a pas duré, cette fois. Tout à l'heure je ne pouvais plus m'enlever ces horreurs de la tête. D'où ces images peuvent-elles venir ?

Malgré la voix en lui qui lui disait de se taire, Dusty répondit :

– Quelqu'un t'a mis ces images dans la tête, et ce quelqu'un s'appelle Ahriman.

– Mais par quel moyen ?

Une nouvelle question sans réponse qui alla se perdre avec le vent du large. Il était temps de se rendre chez le Dr Closterman.

Aucune maison sur l'île n'excédait deux étages. On voyait côte à côte de charmants bungalows et des demeures aux airs de manoirs. Closterman habitait une accueillante maison à deux niveaux, la façade décorée de jolis volets et des jardinières débordant de primevères.

Le médecin vint leur ouvrir pieds nus. Il portait un pantalon de coton ocre, un T-shirt qui vantait les mérites des planches de surf Hobie et laissait entrevoir son ventre grassouillet qui débordait de sa ceinture.

Il était flanqué d'un labrador noir aux grands yeux curieux.

– Charlotte, précisa Closterman en guise de présentations.

En général, Valet n'était pas très hardi avec les autres chiens. Mais là, sa laisse à peine détachée, il alla faire des mamours à la belle en fouettant l'air de sa queue. Les deux bêtes se tournèrent autour, se reniflèrent, puis la chienne traversa l'entrée en courant et grimpa les escaliers, Valet bondissant de joie à sa suite.

– Ne vous inquiétez pas, les rassura Closterman, il ne reste plus grand-chose à casser dans la maison.

340

Il offrit de les débarrasser de leurs manteaux, mais ils refusèrent. Dusty avait mis son pistolet dans une de ses poches.

Dans la cuisine, une odeur alléchante de boulettes de viande et de saucisses mitonnées s'échappait d'une grande casserole de sauce tomate.

Le Dr Closterman proposa un verre à Dusty et du café à Martie.

— À condition que vous n'ayez pas pris d'autre Valium, précisa-t-il.

Tout le monde opta pour le café. Ils prirent place autour d'une table de pin lustrée comme un miroir. Le médecin épépinait et découpait de gros poivrons jaunes.

— Je voulais vous tester un peu avant de savoir si je pouvais vous parler ouvertement, expliqua Closterman. Mais peu importe, j'ai décidé d'y aller franco. J'avais une grande admiration pour votre père, Martie, et si vous tenez de lui, ce que je crois, je peux compter sur votre discrétion.

— Merci.

— Ahriman est un enfoiré de narcissique, déclara-t-il. Et il ne s'agit pas là d'une opinion personnelle. En fait, c'est tellement notoire qu'on devrait l'écrire sur les jaquettes de ses bouquins et dans sa biographie.

Il releva les yeux de ses poivrons pour voir s'il avait choqué Dusty et Martie. Il esquissa un sourire de satisfaction en constatant qu'ils ne bronchaient pas. Avec ses cheveux blancs, ses grosses joues et son double menton, Closterman ressemblait au Père Noël sans barbe.

— Avez-vous déjà lu un de ses livres ? demanda-t-il.

— Non, répondit Dusty, nous avons juste parcouru celui que vous nous avez envoyé.

— Ce n'est même pas de la psychologie de bazar ! *Apprenez à vous aimer*… ! Mark Ahriman n'a pas eu besoin d'apprendre à s'aimer, il s'adore depuis qu'il est né. Lisez son livre, vous verrez.

— Vous pensez qu'il est capable de créer des troubles de la personnalité chez ses patients ? demanda Martie.

— S'il en est capable ? Je ne serais pas étonné d'apprendre que la moitié des troubles qu'il traite sont causés par lui !

Dusty resta estomaqué.

— Nous croyons que l'amie de Martie, celle dont nous vous avons parlé ce matin…

— L'agoraphobe.

— Elle s'appelait Susan Jagger, précisa Martie. Je la connaissais depuis que nous avions dix ans, elle s'est tuée hier soir.

Cette fois, Martie causa au médecin un véritable choc. Il posa son couteau, ses poivrons et s'essuya les mains dans un petit torchon.

— Votre amie…, répéta-t-il.

— Nous avons découvert son corps cet après-midi, précisa Dusty.

Closterman prit une main de Martie entre les siennes.

— Vous pensiez que son état s'améliorait…

— C'est ce qu'Ahriman m'a dit hier.

— Nous avons des raisons de penser que le mal de Martie, l'autophobie – c'est le nom qu'on nous a donné –, n'est pas d'origine naturelle, annonça Dusty.

— J'ai accompagné Susan au cabinet d'Ahriman deux fois par semaine pendant un an, continua Martie, et j'ai commencé à être victime d'étranges trous de mémoire.

Brûlés par le soleil et le vent, rougis en permanence, les yeux du docteur étaient pourtant plus doux qu'usés. Il retourna la main de Martie dans la sienne pour l'examiner.

— Il y a quelque chose d'important que je peux vous apprendre sur ce fils de pute bien propre sur lui…

Mais l'irruption de Charlotte, une balle dans la gueule et Valet à ses trousses, l'interrompit. Les deux chiens dérapèrent sur le carrelage et quittèrent la cuisine dans le même désordre qu'en y entrant.

— Hormis le domaine de la propreté, les chiens ont plus à nous apprendre que l'inverse. Bref… Je fais un peu de bénévolat. Je suis loin d'être un saint, beaucoup de mes confrères en font plus que moi. Je m'occupe d'enfants maltraités. J'ai moi-même été un enfant battu ; ça me m'a pas traumatisé à vie. J'aurais pu perdre mon temps à haïr les coupables. J'ai laissé la loi et Dieu se charger d'eux et je consacre mon énergie à aider les innocents. Vous vous souvenez de l'affaire Ornwahl ?

Pendant vingt ans, la famille Ornwahl avait dirigé une maternelle privée à Laguna Beach. Chaque rentrée donnait lieu à une compétition acharnée, car tous les parents voulaient y inscrire leurs enfants.

Deux ans auparavant, la mère d'une enfant de cinq ans avait porté plainte contre la famille Ornwahl, accusant ses membres d'avoir abusé sexuellement de sa fille et d'avoir fait participer d'autres enfants à des orgies sexuelles ainsi qu'à des rituels sataniques. Dans la panique qui suivit, d'autres parents se mirent à lire dans le moindre changement d'attitude de leur progéniture le symptôme d'un grave traumatisme.

— Comme je n'avais aucun lien avec les Ornwahl ni avec les familles des élèves, raconta Closterman, les services de Protection de l'enfance du procureur du district m'ont demandé d'examiner bénévolement les enfants. Ils avaient aussi demandé l'aide d'un psychiatre. Celui-ci devait déterminer si chaque enfant était en mesure de fournir un récit probant des sévices subis.

— Il s'agissait du Dr Ahriman…, devina Martie.

Le Dr Roy Closterman se leva pour aller chercher la cafetière et remplit les tasses.

— Nous nous sommes rencontrés pour confronter les différents éléments médicaux de l'enquête. Le personnage m'a été immédiatement antipathique.

342

Mal à l'aise, Dusty changea de position sur sa chaise. Son intarissable petite voix intérieure lui reprochait son manque de loyauté envers le psychiatre, et même le simple fait d'écouter les propos négatifs tenus sur son compte.

– Quand il a évoqué, en passant, le fait qu'il avait recours à la régression par l'hypnose pour aider les enfants à se remémorer d'éventuels sévices, dit Closterman, tous mes signaux d'alarme sont passés au rouge.

– L'hypnose est pourtant une technique thérapeutique acceptée ? répliqua Martie, peut-être en écho de son conseiller intérieur.

– De moins en moins. Un thérapeute qui manquerait d'expérience pourrait, involontairement mais facilement, inscrire de faux souvenirs chez son patient. Tout sujet hypnotisé est vulnérable, et si le thérapeute a des idées derrière la tête et manque d'éthique…

– Vous pensez qu'Ahriman n'était pas impartial dans l'affaire Ornwahl ?

Au lieu de répondre, le médecin poursuivit :

– Les enfants sont très perméables à la suggestion, même sans hypnose. De nombreuses études ont prouvé qu'ils sont prêts à se « souvenir » de n'importe quoi si le psychologue se montre persuasif. Il faut se montrer très prudent, lors d'un entretien, afin de ne pas influencer leur témoignage. Et tous ces prétendus souvenirs enfouis que l'on fait remonter à la surface en hypnotisant un enfant sont pratiquement sans intérêt.

– Avez-vous abordé le sujet avec Ahriman ? demanda Martie.

Le Dr Closterman reprit la préparation de ses poivrons jaunes.

– Oui. Et il m'a répondu avec condescendance, ce connard prétentieux. En restant tout sucre, tout miel. C'est un fin politicien. Il a réfuté toutes mes inquiétudes et aucun enquêteur, aucun représentant de la partie civile ne partageait mes doutes. La pauvre famille Ornwahl sur laquelle le destin s'était abattu n'a pas apprécié. Mais on avait affaire à un cas d'hystérie et d'aveuglement collectifs où la raison et le cours normal de la justice n'ont plus droit de cité.

– En examinant les enfants, vous avez trouvé des preuves matérielles de sévices ? demanda Dusty.

– Aucune. Chez des enfants plus âgés, on ne trouve pas forcément de traces physiologiques de viol. Seulement là, nous avions affaire à de très jeunes enfants. Si ce qu'on prétendait leur était vraiment arrivé, j'aurais constaté des hématomes, des lésions, des infections chroniques. Ahriman parlait d'abus sexuel, de rites sataniques, de tortures. Je n'ai pas trouvé la moindre preuve médicale pour étayer ses dires.

Cinq membres de la famille Ornwahl furent inculpés, et l'école fut fouillée avec un tel zèle qu'il n'en resta pratiquement rien après le passage des enquêteurs.

– C'est alors, reprit Closterman, qu'une personne connaissant mon

343

opinion sur Ahriman est venue me trouver… pour me dire qu'avant que l'affaire éclate celui-ci avait eu pour patiente la sœur de la femme qui avait accusé les Ornwahl.

— Ahriman aurait dû le signaler, n'est-ce pas ? demanda Dusty.

— Bien sûr. Je suis donc allé voir le procureur du district : cette femme était bien la sœur de l'accusatrice, mais Ahriman a prétendu ignorer ce lien de parenté.

— Et vous ne l'avez pas cru ?

— Non. Mais le procureur, oui. Et il ne l'a pas écarté de l'affaire. Parce que admettre qu'Ahriman n'était pas clair aurait invalidé les entretiens avec les élèves. Il aurait même fallu considérer que les témoignages avaient été influencés, voire suggérés. Les paroles des enfants n'auraient pas valu un kopeck au procès. L'accusation reposait sur une confiance absolue en l'intégrité d'Ahriman.

— Je ne me souviens pas que les journaux aient parlé de cette histoire, intervint Martie.

— J'y viens, promit Closterman.

Le couteau sur la planche à découper se faisait de moins en moins précis, de plus en plus agressif, comme si le médecin ne tranchait pas que des poivrons.

— J'avais appris que la patiente d'Ahriman se rendait à son cabinet accompagnée de sa sœur, la femme qui a accusé les Ornwahl.

— De même que j'accompagnais Susan, souligna Martie.

— Si cela était vrai, il était impossible qu'Ahriman ne l'ait pas croisée au moins une fois. Seulement je ne possédais aucune preuve, je l'avais juste entendu dire. À moins de vouloir absolument être poursuivi pour diffamation, on n'accuse pas le Dr Ahriman en public sans preuves solides.

Plus tôt, à son cabinet, Closterman avait tenté de prendre un air renfrogné, toutefois, avec sa tête ronde comme un ballon, l'essai n'avait été guère concluant. Cette fois, il avait l'air très fâché.

— Je ne savais pas comment obtenir cette preuve, je ne suis pas un de ces docteurs détectives qu'on voit à la télé, mais je me suis dit : « Examinons un peu le passé de ce salaud. » Il était surprenant qu'il ait déménagé deux fois dans sa carrière, pour s'installer dans des villes très éloignées les unes des autres. Après dix ans passés à Santa Fe, il avait atterri à Scottsdale, en Arizona, et, sept ans après, il s'était établi ici, à Newport. En général, les médecins prospères ne bazardent pas toute leur clientèle sur un coup de tête et y regardent à deux fois avant de déménager.

Closterman acheva de découper ses poivrons en lanières, rinça son couteau, le sécha et le rangea.

— J'ai commencé à me renseigner auprès de mes connaissances dans le milieu médical. Un ami cardiologue était resté en relation avec un de ses camarades d'études qui exerçait à Santa Fe. Il nous a

présentés. Il se trouve que ce médecin avait connu Ahriman là-bas...
et qu'il ne pouvait pas l'encadrer non plus ! Et tenez-vous bien : il y
avait eu une affaire d'abus sexuel dans une maternelle, et c'est
Ahriman qui avait recueilli les témoignages... Et à Santa Fe non plus
ses techniques n'avaient pas fait l'unanimité.

Dusty ressentait des brûlures à l'estomac. Bien que le café n'y fût
pour rien, il repoussa sa tasse.

— Une des gamines, une fillette de cinq ans, s'était suicidée au début
du procès, poursuivit Roy Closterman. Cinq ans ! Elle a laissé un
dessin déchirant où elle s'était représentée à genoux devant un
homme nu... Aucun détail ne manquait à son anatomie.

— Mon Dieu..., souffla Martie.

Elle écarta sa chaise de la table, voulut se lever, mais, n'ayant nulle
part où aller, elle se rassit.

Dusty craignit que l'image de cette petite fille ne torture l'esprit de
Martie avec une précision macabre lors de sa prochaine crise.

— L'affaire aurait pu se passer de procès et de jurés, les accusés
étaient condamnés d'avance. Le procureur de Santa Fe a d'ailleurs
obtenu toutes les peines qu'il réclamait.

Le médecin prit une bouteille de bière dans le frigo et la décapsula.

— Lorsque de braves gens ont le malheur de croiser le Dr Ahriman,
il leur arrive des choses terribles. Lui s'en sort toujours la tête haute,
dans le rôle du sauveur... Même dans l'affaire du massacre de la
famille Pastore, à Santa Fe. Mrs. Pastore était une femme absolument
charmante qui n'avait jamais eu un mot de trop envers qui que ce soit
ni un moment d'instabilité dans sa vie. Pourtant, un beau jour, elle a
chargé un revolver et tué toute sa famille. Elle a commencé par faire
sauter la cervelle de son fils de dix ans.

Ce récit confirmait les craintes de Martie concernant son propre
potentiel de violence. Maintenant, elle savait où aller : elle se leva de
table, se dirigea vers l'évier, fit couler l'eau et se savonna les mains
vigoureusement.

Elle n'avait pas prononcé un mot, mais Closterman ne sembla pas
juger ses agissements déplacés ou étonnants.

— Le garçon suivait une thérapie avec Ahriman. Il avait un fort
bégaiement. On soupçonna Ahriman d'avoir eu une liaison avec la
mère, et un témoin reconnut le médecin devant la maison des Pastore
la nuit du drame – plus précisément, posté devant une fenêtre ouverte,
en train de regarder le carnage.

— De regarder ? répéta Martie en détachant un morceau d'essuie-
tout d'un dévidoir fixé au mur pour s'essuyer les mains. Il est resté là...
à regarder ?

— Comme s'il s'agissait d'un événement sportif, approuva Roy
Closterman. Comme s'il était venu... assister au spectacle parce qu'il
savait ce qui allait se passer.

Dusty non plus ne tenait pas en place.

— J'ai déjà bu deux bières avant de venir, lança-t-il en se levant, mais si votre offre tient toujours…

— Servez-vous, dit Roy Closterman. Parler de Mark Ahriman n'incite pas à la sobriété, de toute façon !

— Et ce témoin qui l'a vu là-bas, qu'est-ce que ça a donné ? demanda Martie en jetant le Sopalin usagé dans la poubelle.

— Rien. On ne l'a pas cru. Et la liaison entre la mère et Ahriman n'a pu être prouvée. De plus, il ne faisait aucun doute que c'était bien Mrs. Pastore qui avait appuyé sur la gâchette. L'expertise médico-légale était formelle. Seulement la famille Pastore était très appréciée, et beaucoup de gens ont pensé qu'Ahriman se cachait derrière cette tragédie, d'une manière ou d'une autre.

Dusty revint avec sa bière.

— Donc, l'atmosphère de Santa Fe ne lui plaisant plus, il est allé à Scottsdale.

— Où d'autres drames horribles sont arrivés à d'autres braves gens, compléta Closterman en remuant sa sauce aux boulettes de viande. J'ai un dossier sur toute cette histoire, je vous le donnerai.

— Avec toutes ces cartes en main, remarqua Dusty, vous auriez pu l'écarter de l'affaire Ornwahl.

Roy Closterman revint s'asseoir à la table, suivi par Martie.

— Non.

Dusty parut étonné.

— Mais dans l'affaire de l'autre maternelle, il y avait largement de quoi…

— Je ne m'en suis jamais servi.

Le visage du médecin, déjà bronzé, se rembrunit encore et l'on devinait sous la peau mate la rougeur de la colère.

Closterman s'éclaircit la gorge et continua.

— Quelqu'un a découvert que j'appelais des gens à Santa Fe et à Scottsdale au sujet d'Ahriman. Un soir, en rentrant de mon cabinet, j'ai trouvé deux hommes ici, dans ma cuisine, assis à vos places. Costumes sombres, cravates très soignées. Je ne les connaissais pas. Quand je me suis retourné pour déguerpir, il y en avait un troisième derrière moi.

Dusty avait envisagé de suivre Closterman sur bien des voies, cependant, il ne voulait pas s'aventurer sur celle-ci. Elle ressemblait trop, pour Martie et pour lui, à l'autoroute du désespoir et de l'échec.

Si le Dr Ahriman était leur ennemi, ils se trouvaient face à un ennemi de taille… mais, s'il y en avait d'autres, le combat était perdu d'avance. Il n'y avait que dans la Bible que David l'emportait sur Goliath. Ce n'était qu'au cinéma qu'un gentil petit gars s'en sortait contre une armée de méchants.

— Ahriman aurait recours à des petites frappes de bas étage ?

Martie posait-elle cette question parce qu'elle n'était pas encore arrivée à la même conclusion que Dusty, ou parce qu'elle ne voulait pas y croire ?

— Ce n'étaient pas des petites frappes, plutôt du haut de gamme : plans épargne retraite, couverture sociale intégrale, denture complète, et à leur disposition une berline passe-partout pour se déplacer pendant leurs heures de travail. Bref, ils avaient apporté avec eux une vidéocassette et ils me l'ont passée sur la télé de mon bureau. On y voyait un jeune garçon qui faisait partie de mes patients. Son père et sa mère aussi étaient des patients, et ce sont des amis proches. Très proches.

Le médecin dut s'interrompre. Il étouffait de colère et de dégoût. Sa main serrait si fort sa bouteille de bière qu'il semblait qu'elle allait éclater.

Puis il reprit :

— Ce garçon a neuf ans, un gentil gamin. Sur la vidéo, il pleurait à chaudes larmes. Il racontait à quelqu'un hors champ que son docteur abusait sexuellement de lui depuis qu'il avait six ans. Et ce docteur, c'était moi. Je n'ai jamais touché à cet enfant et jamais je ne pourrais le faire. Mais le gamin se montrait très convaincant, très émouvant. Tout y était : les sanglots dans la voix, les larmes sur les joues… Il suffisait de le regarder pour savoir qu'il ne jouait pas la comédie. Il aurait d'ailleurs été incapable d'une telle fourberie. Il croyait tout ce qu'il disait, mot pour mot. Dans son esprit, ces horreurs que j'étais censé lui avoir infligées s'étaient vraiment produites.

— Et le gamin, bien entendu, était un patient d'Ahriman…, avança Dusty.

— Non. Ces trois brutes qui n'avaient aucun droit d'entrer chez moi, ces ordures en costume trois-pièces, tirées à quatre épingles, m'ont dit que la mère du garçon était une patiente d'Ahriman. J'ignorais ce détail et je ne savais pas pour quelle raison elle le consultait.

— C'est par la mère qu'Ahriman a eu accès au garçon, dit Martie.

— Et, à l'aide de l'hypnose suggestive ou d'autre chose, il a réussi à fixer en lui ces faux souvenirs.

— C'est plus que de l'hypnose suggestive, remarqua Dusty.

Après une bonne lampée de bière, Roy Closterman ajouta :

— Ces salauds m'ont dit que sur la vidéo le garçon était dans un état de transe. Une fois conscient, il oublierait tout de ces faux souvenirs. Il n'en rêverait même pas et son inconscient n'en serait jamais troublé. Cela n'affecterait en rien sa personnalité ni son existence. Seulement ces images truquées resteraient enfouies dans ce qu'ils appelaient son « sub-subconscient », refoulées, prêtes à resurgir à la surface si on en donnait l'ordre au garçon. C'est ce qu'ils m'ont promis de faire si je m'avisais de poser problème à Mark Ahriman concernant la

347

maternelle Ornwahl ou toute autre affaire. Puis ils sont repartis avec la vidéocassette sous le bras.

Le défenseur d'Ahriman, qui avait élu domicile dans l'esprit de Dusty, semblait s'être quelque peu égaré dans ses couloirs labyrinthiques. Sa voix n'était plus aussi claire et avait perdu sa force de persuasion.

— Et vous n'avez aucun moyen de découvrir l'identité de ces trois hommes ? s'enquit Martie.

— Peu m'importe, en fait, de savoir le nom exact de la société qui paie leurs salaires à la fin du mois, répondit Roy Closterman. En revanche, j'ai reconnu l'odeur — une odeur immanquable.

— Celle du pouvoir, dit Dusty.

— Ça empestait à dix pas ! confirma le médecin.

À l'évidence, Martie ne redoutait plus, pour l'heure, son propre potentiel de violence mais celui des autres… elle posa sa main sur celle de Dusty et l'agrippa très fort. Le halètement des chiens et le bruit de leurs pattes résonnèrent dans le couloir. Valet et Charlotte revenaient, fourbus et ravis de leurs jeux.

Puis on entendit des pas. Un homme avenant et solide, vêtu d'une chemise hawaïenne et d'un pantalon corsaire, entra à son tour dans la cuisine. Il tenait une enveloppe matelassée dans la main gauche.

— Brian, annonça Closterman.

Le médecin acheva les présentations.

Après avoir serré la main de Dusty, Brian lui donna l'enveloppe.

— Voici le dossier que Roy a constitué sur Ahriman.

Le médecin les mit en garde :

— Vous oubliez que cela vient de nous, et il est inutile de nous le rapporter.

— À vrai dire, ajouta Brian, on est ravis de s'en débarrasser.

— Brian, montre-leur ton oreille…

Après avoir écarté ses longs cheveux blonds, Brian tira sur son oreille et la détacha de son crâne.

Martie eut un hoquet de stupeur.

— C'est une prothèse, expliqua Roy Closterman. Après le départ des trois élégants, cette nuit-là, je suis monté l'étage et j'ai trouvé Brian sans connaissance. Son oreille avait été coupée et la blessure suturée par des mains de pro. Ils avaient jeté l'oreille à la poubelle, pour que l'on ne puisse plus la recoudre.

— Des gens pleins de délicatesse, railla Brian en faisant mine de s'éventer avec la prothèse.

Son humour noir fit sourire Dusty malgré les circonstances.

— Brian et moi vivons ensemble depuis plus de vingt-quatre ans, déclara le médecin.

— Plus de vingt-cinq ! rectifia Brian. Roy, tu es vraiment nul pour les anniversaires.

— Ils n'avaient aucun besoin de s'en prendre à lui, continua le médecin. La vidéo suffisait largement. Ils ont agi ainsi juste pour enfoncer le clou.

— Et ça a très bien marché. J'ai trouvé ça tout à fait convaincant, renchérit Brian en remettant son oreille.

— Maintenant, reprit Roy Closterman, vous comprenez peut-être mieux pourquoi la menace de chantage a fait mouche… à cause de ma relation avec Brian, beaucoup seraient prêts à croire que je suis pédophile. Pourtant, je jure devant Dieu que si jamais je sentais la moindre inclination de ce genre, le moindre désir pour un enfant, je me trancherais la gorge.

— Si je ne te la tranche pas avant.

Depuis l'arrivée de Brian, la rage de Closterman s'apaisait doucement. Son visage empourpré retrouvait son hâle naturel. Mais voilà que la colère revenait.

— Je ne suis pas très fier d'avoir fait machine arrière. La vie des Ornwahl a été détruite alors qu'ils étaient sans doute innocents. Si ça s'était joué seulement entre Mark Ahriman et moi, j'aurais combattu, quel que soit le prix à payer. Seulement, ces gens qui surgissent d'on ne sait où pour le protéger… Ça me dépasse. Et je ne peux lutter contre ce qui dépasse mon entendement.

— Peut-être que nous non plus, répondit Dusty.

— Possible, confirma Closterman. D'ailleurs, vous avez sans doute remarqué que j'ai évité de vous demander des détails sur ce qui était arrivé à votre amie Susan et quelle est la nature de vos problèmes avec Ahriman. Parce que, en toute franchise, je ne tiens pas à en savoir trop. C'est, sans doute, assez lâche de ma part. Je ne m'étais jamais considéré comme un lâche… jusqu'à cette histoire, jusqu'à ma rencontre avec Ahriman, mais je sens aujourd'hui que j'ai atteint mes limites.

Martie le prit dans ses bras.

— Nous avons tous nos limites, et vous n'êtes pas un lâche, docteur. Vous êtes, au contraire, un homme courageux et bon.

— Je le lui dis sans cesse, rétorqua Brian, il ne m'écoute jamais.

Le médecin serra Martie très fort puis articula :

— Vous aurez besoin de tout le courage et de tout le dévouement de votre père.

— Elle les a, soyez sans crainte, répliqua Dusty.

Il n'avait jamais vécu de moment de complicité aussi étrange : tous les quatre étaient si différents à bien des égards, et pourtant ils étaient liés comme les derniers hommes survivants de la planète envahie par des extraterrestres.

— On prépare deux couverts de plus pour le dîner ? demanda Brian.

— Merci, dit Dusty, nous avons déjà mangé, et il nous reste beaucoup à faire avant la fin de la nuit.

Martie mit sa laisse à Valet et les deux chiens se reniflèrent le derrière pour se dire au revoir.

Devant la porte d'entrée, Dusty se retourna :

— Dr Closterman...

— Roy, je préfère.

— Je vous remercie. Roy, j'ignore si notre situation serait moins catastrophique si j'avais écouté mon instinct et si je n'avais pas mis tout ça sur le dos de ma paranoïa, mais une chose est sûre : nous sommes un peu moins dans le brouillard grâce à vous.

— En ce nouveau millénaire, répondit Brian, la paranoïa est le signe le plus évident d'une bonne santé mentale.

— Eh bien, dit Dusty, aussi paranoïaque que cela puisse paraître... j'ai un frère en cure de désintoxication. C'est sa troisième cure dans la même clinique et, hier soir, en le quittant, j'ai éprouvé une sensation troublante, comme s'il était en danger dans cet établissement, un sentiment parfaitement paranoïaque...

— Quel est cet établissement ? demanda Closterman.

— La clinique de La Nouvelle Vie. Vous la connaissez ?

— Oui, elle appartient à Irvine. Ahriman est un de ses actionnaires.

Dusty se souvint de la silhouette imposante qu'il avait aperçue à la fenêtre de la chambre de Skeet.

— Tiens donc... hier encore, ça m'aurait surpris. Mais plus aujourd'hui.

Après la chaleur de la maison du Dr Closterman, la nuit de janvier paraissait froide et cinglante. Le vent sifflait, arrachant à la surface de l'eau du port des lambeaux d'écume pour les projeter sur la jetée.

Valet tirait fort sur sa laisse et ses maîtres pressaient le pas derrière lui.

Pas de lune, pas d'étoiles, aucune certitude que l'aube viendrait blanchir le ciel... et aucune envie de voir ce qu'elle apporterait avec elle.

59.

Sans qu'on ait baissé les lumières ni levé le rideau pour prévenir Martie que le spectacle allait commencer, sans bande-annonce des animations à venir, des prêtres morts au crâne défoncé et d'autres images mentales plus horribles encore se mirent à se succéder sur l'écran multiplex de son esprit malade. Elle cria et gesticula sur le siège de la voiture, comme si elle avait senti un gros rat engraissé au pop-corn et au Kim Cône passer entre ses jambes.

Ce n'était plus une lente descente sur le versant de la terreur, une longue glissade vers l'horreur. Au beau milieu d'une phrase, Martie tomba soudain dans une fosse grouillante de choses innommables.

Un hoquet, deux grognement étouffés, puis, aussitôt, les cris. Quand elle essayait de se pencher en avant, sa ceinture de sécurité la bloquait. Ce harnachement la terrifiait autant que ses visions, peut-être parce que les victimes qu'elle voyait étaient entravées par des chaînes, des cordes, des fers, ou crucifiées, des pieux de fer dans la tête et des clous traversant leurs poignets. Elle agrippa à deux mains la sangle de nylon pour s'en défaire, sans plus savoir à quoi servait ce harnais qui la retenait, bien trop terrorisée pour penser à détacher la boucle de la ceinture.

Ils roulaient sur une large avenue sans trop de circulation. Dusty put changer de file et se ranger près du trottoir. Il donna un coup de frein sonore et s'arrêta sur un tapis d'aiguilles, à l'abri d'un grand pin aux prises avec le vent.

Lorsqu'il voulut aider Martie à se dégager de la ceinture de sécurité, la jeune femme eut un mouvement de recul et se débattit de plus belle contre les sangles tout en le repoussant pour le maintenir à distance. Dusty parvint pourtant à atteindre le bouton et à détacher la boucle.

Pendant un moment, Martie s'acharna contre cette courroie qui la piégeait, mais elle finit par s'en dégager et la laissa se réenrouler. Cette petite liberté de mouvement ne lui fut d'aucun soulagement. Sa panique grandissait, arrachant des gémissements de compassion à Valet, debout sur le siège arrière. Puis ses cris se transformèrent en haut-le-cœur convulsifs.

Cette fois, son estomac était plein et, quand la douleur la fit se pencher en avant, ses hoquets faillirent se transformer en vomisse-ments. Tout en les réprimant avec un frisson de dégoût, elle saisit la poignée de la portière pour sortir de la voiture.

Peut-être voulait-elle simplement éviter de décorer la voiture avec les reliefs de son dîner… peut-être voulait-elle réellement se sauver, fuir le spectacle d'épouvante qui hantait son esprit, mais aussi Dusty, terrifiée à l'idée que sa furie se retourne contre lui. Dusty ne pouvait pas la laisser partir. Elle risquait de se précipiter au milieu de la route et de se faire écraser.

Martie entrouvrit la porte et le vent rageur s'engouffra instantané-ment dans l'habitacle. L'air froid et mugissant pénétrait par rafales à travers l'interstice, agitant la chevelure de Martie comme un drapeau.

— Raymond Shaw, prononça Dusty.

Les assauts répétés du vent cinglant contre la carrosserie produi-saient des sifflements rappelant les tirs des orgues de Staline. Ce

351

staccato mêlé aux hurlements de Martie couvrait la voix de Dusty. Elle ouvrit plus grande la porte.

— Raymond Shaw ! cria Dusty.

Elle lui tournait presque le dos. Il ne l'entendit pas répondre : *J'écoute*, mais il sut qu'elle avait prononcé la formule d'obédience car elle s'immobilisa et cessa de crier, attendant le haïku.

Il passa rapidement son bras derrière elle pour atteindre la portière et la refermer.

Profitant de la relative accalmie, avant que Martie s'ébroue de cette rêverie et plonge à nouveau dans la panique, Dusty lui mit une main sous le menton, tourna son visage vers lui et dit :

— *Portée par le vent d'ouest...*
— Vous êtes l'ouest et le vent d'ouest.
— *... les feuilles mortes s'envolent...*
— Les feuilles sont vos instructions.
— *... et se rassemblent à l'orient.*
— ...Je suis l'orient.

Tout à son écoute, dans l'attente d'instructions, Martie regardait au-delà de Dusty, comme si la présence invisible c'était lui et non Ahriman.

Troublé par ce visage sans expression, ce regard absent qui attestait la soumission totale de la jeune femme, Dusty détourna la tête. Son cœur battait à tout rompre et ses pensées tourbillonnaient sous son crâne.

Elle était si vulnérable... S'il ne lui donnait pas la bonne instruction, s'il la formulait de manière équivoque, elle risquait de réagir d'une manière complètement imprévisible. Le risque de lui causer de graves dommages psychiques lui semblait considérable et bien réel.

Quand il avait ordonné à Skeet de s'endormir, Dusty n'avait pas précisé s'il s'agissait d'une petite sieste ou d'une hibernation complète. Skeet s'était réveillé au bout d'une heure, néanmoins, il aurait très bien pu dormir pour le restant de ses jours.

Non seulement Dusty craignait de faire du mal à Martie, mais il était déconcerté par le pouvoir inconcevable qu'il avait sur elle. Assise à côté de lui, elle attendait patiemment ses ordres. Il la chérissait plus que sa propre vie, pourtant, personne ne devrait être en mesure d'exercer un pouvoir absolu sur un autre humain, y compris avec les meilleures intentions du monde.

Telles des baguettes de Yi-king, les aiguilles de pin projetées sur le pare-brise formaient des motifs en constants changements. Peut-être ceux-ci disaient-ils l'avenir ? Dusty ne savait déchiffrer leurs dessins.

Il regarda les yeux de sa femme. Un spasme les traversa, comme ceux de Skeet.

— Martie, je veux que tu m'écoutes attentivement.
— J'écoute.

— Dis-moi où tu te trouves.

— Dans notre voiture.

— Physiquement, oui. C'est exactement où tu te trouves. Mais il me semble que mentalement tu es ailleurs. Je voudrais savoir où est cet ailleurs.

— Je suis dans ma chapelle mentale, répondit-elle.

Dusty ne savait absolument pas de quoi elle parlait, mais il n'avait ni la présence d'esprit ni le temps suffisants pour découvrir le sens caché de sa phrase. Il devrait se contenter de ses mots mystérieux.

— Lorsque je claquerai des doigts devant ton visage, tu tomberas dans un profond et paisible sommeil. La deuxième fois que je claquerai des doigts, tu te réveilleras et tu sortiras de la chapelle mentale où tu te trouves. Tu seras de nouveau pleinement conscient... et ta crise de panique sera passée. Tu comprends ?

— Dois-je comprendre ?

Une pellicule de sueur perla sur le front de Dusty. Il l'essuya du revers de la main.

— Dis-moi si tu comprends ou non.

— Je comprends.

Il leva la main droite, le pouce et le majeur fermement pressés l'un contre l'autre. Puis il hésita, pris d'un doute soudain.

— Répète mes instructions.

Elle les répéta mot pour mot.

Le doute de Dusty subsistait. Mais il ne pouvait passer la nuit là, les doigts prêts à claquer, à attendre d'être sûr de lui. Il fouilla les recoins de sa mémoire pour raviver ce que lui avait appris le comportement Skeet, ainsi que les conclusions qu'il avait déduites du peu d'éléments dont il disposait. Il ne trouvait rien à redire à son propre plan, sinon qu'il était fondé sur des suppositions plus que sur des faits. Au cas où les choses tourneraient mal, où Martie sombrerait dans le coma pour toujours, il lui murmura « je t'aime », pour qu'elle emporte ces trois mots avec elle dans les ténèbres et les garde dans son cœur... puis il claqua des doigts.

Martie s'endormit instantanément et s'affala sur son siège. L'arrière de son crâne rebondit contre l'appui-tête, puis sa tête bascula vers l'avant. Elle avait le menton contre la poitrine et ses cheveux noirs formaient deux rideaux masquant son visage.

Les poumons de Dusty se refermèrent comme une bourse, et il dut faire un effort pour respirer de nouveau. Tout en inspirant, il claqua une deuxième fois des doigts.

Martie se redressa, tout à fait réveillée. Elle n'avait plus ce regard distant. Ses yeux grands ouverts fixaient Dusty, surpris :

— Bon sang ! Qu'est-ce qui s'est passé ?

L'instant d'avant, la panique lui coupait le souffle, elle se débattait pour sortir de la voiture. À l'instant présent, elle était calme et la portière était fermée.

Elle le regarda un moment. Elle avait compris.

— Alors c'est toi…

— Je n'avais pas le choix. Tu allais avoir une sacrée crise.

— Je me sens comme… libérée.

Juché sur la banquette arrière, Valet se pencha entre leurs deux sièges en roulant des yeux apeurés pour qu'on le rassure.

En caressant le chien, Martie reprit :

— Libérée… Tu crois que c'est fini ?

— Aussi facilement, ça m'étonnerait, répondit Dusty. Toutefois, avec de la réflexion et du travail… on pourra peut-être effacer ce qu'on nous a fait. Mais d'abord…

— Oui, approuva-t-elle en attachant sa ceinture de sécurité, d'abord, il faut sortir Skeet de cette clinique.

60.

Un chat en maraude, noir comme la suie, sinueux comme la fumée, regarda fixement la Saturn, ses yeux s'illuminant d'un orange flamboyant au passage des phares. Puis il se volatilisa dans la nuit obscure.

Dusty se gara à côté d'une benne à ordures, près de l'immeuble, pour ne pas gêner l'accès à la clinique.

Valet les regarda s'éloigner en direction de l'entrée de service de la clinique, la truffe pressée contre la vitre de la voiture, son souffle dessinant des auréoles de buée.

Les heures de visite étaient dépassées depuis vingt minutes, mais on les aurait laissés voir Skeet s'ils avaient emprunté l'entrée principale. Ils auraient également pu annoncer qu'ils venaient le chercher, cependant, cette approche frontale n'aurait pas manqué de soulever une grande discussion avec l'infirmière et le médecin de garde, doublée d'une bonne attente, le temps de régler les formalités de sortie. Pis : Ahriman avait peut-être mis une note dans le dossier de Skeet exigeant qu'on le prévienne si le patient ou sa famille réclamaient sa sortie de l'établissement. Dusty ne voulait pas se risquer à un face-à-face avec le psychiatre, du moins pas encore.

Par chance, la porte de service n'était pas verrouillée. Elle donnait sur un petit hall de réception de marchandise faiblement éclairé, avec une bonde au milieu du sol de béton. L'odeur astringente du désinfectant au pin atténuait sans le couvrir entièrement un relent aigre. Vraisemblablement une brique de lait percée qui avait goutté au cours d'une livraison puis imbibé le béton poreux, mais cette odeur évoquait à Dusty le sang coagulé et le vomi séché, preuves d'activités barbares ou criminelles. Dans ce nouveau millénaire où l'illusion était reine, un endroit aussi banal et aseptisé pouvait parfaitement, la nuit, faire office de temple secret, abriter à chaque pleine lune des sacrifices rituels.

Dusty n'était pas paranoïaque au point de croire que tous les employés de la clinique étaient des zombies décervelés aux ordres d'Ahriman, néanmoins, Martie et lui préféraient se déplacer furtivement, considérer qu'ils pénétraient en territoire ennemi.

La première pièce était prolongée par un long corridor qui en croisait un autre. Au bout, deux portes, donnant probablement sur la réception. De part et d'autre du couloir encore des portes, menant sans doute aux bureaux, aux réserves, et peut-être même aux cuisines.

Pas âme qui vive. Pourtant, Martie et Dusty entendaient une conversation au loin, dans une langue étrangère, peut-être asiatique… les voix semblaient désincarnées, flottant dans l'air, comme filtrées à travers un voile invisible dissimulant un monde parallèle et mystérieux.

Martie désigna la première porte sur sa droite. Un écriteau indiquait « Escaliers »… et, dans la plus pure tradition cartésienne, il y avait des escaliers derrière la porte !

Avec son costume gris anthracite simple, qu'il avait choisi de porter sans pochette, sa chemise blanche au col déboutonné, sa cravate à rayures bleues et blanches savamment desserrée, ses cheveux ébouriffés par le vent – mais recoiffés d'une main distraite en arrivant à la réception de la clinique – Mark Ahriman avait la tenue et l'allure du médecin qui n'hésitait pas à sacrifier ses soirées pour le bien-être de ses patients.

Le poste de sécurité était tenu par Wally Clark, tout en rondeurs et en fossettes, les joues grassouillettes et roses à souhait. On avait envie de le déposer sur un lit de braises et de le servir tout chaud pour un barbecue.

– Dr Ahriman… ! lança Wally en voyant le médecin traverser le hall, une trousse médicale sous le bras. Pas de repos pour les braves, à ce que je vois !

– Pour les vilains non plus ! rétorqua le psychiatre.

Wally, scrupuleux de la hiérarchie, gloussa à ce trait d'humour plein d'autodérision.

Le psychiatre sourit intérieurement. Le pauvre Wally ravalerait bien vite son gloussement s'il lui montrait un certain bocal contenant les deux yeux de son paternel.

— Le bonheur de guérir mérite bien le sacrifice d'une ou deux soirées.

— Si tous les médecins pouvaient être comme vous ! s'enthousiasma Wally, pétri d'admiration.

— Je suis sûr que c'est le cas pour la plupart, répondit Ahriman avec altruisme en appuyant sur le bouton de l'ascenseur. Mais je suis d'accord, rien n'est pire qu'un homme de médecine qui n'a plus le feu sacré, qui s'installe dans la routine. Si jamais je n'éprouve plus de joie à exercer mon métier, Wally, j'espère que j'aurai le bon sens de changer de travail.

Tandis que les portes de l'ascenseur s'ouvraient, Wally déclara :

— Pourvu que ce jour n'arrive jamais. Vous manqueriez énormément à vos patients, docteur.

— Dans ce cas, il faudra que je les tue tous avant de prendre ma retraite !

— Vous me faites marcher, Dr Ahriman, lança Wally en riant.

— Gardez bien cette porte contre les hordes barbares, Wally ! lança le psychiatre en retour en entrant dans l'ascenseur.

— Comptez sur moi, docteur.

Pendant que l'ascenseur l'emmenait au premier étage, Ahriman regrettait que les nuits fussent aussi fraîches en cette saison. Si la température avait été plus clémente, il aurait pu faire son entrée en jetant sa veste sur une épaule, laissant voir ses manches de chemise retroussées. L'image qu'il voulait donner de lui se serait imposée sans qu'il ait à se livrer à ce genre de dialogue.

S'il avait choisi la carrière d'acteur de cinéma, il aurait été une star planétaire. Récompensée par un déluge de prix. Au début, on aurait parlé de piston, mais son talent aurait fini par clouer le bec à tous les médisants.

Cependant, Ahriman avait grandi parmi les cercles les plus fermés de Hollywood, il avait eu pour terrain de jeux les plateaux de tournage des plus grands studios. Le monde du cinéma avait donc perdu tout attrait à ses yeux. Un peu comme le fils du dictateur d'un pays du tiers-monde qui finit par s'ennuyer lors des visites de chambres de torture ultrasophistiquées ou devant l'apparat des exécutions de masse.

En outre, la célébrité d'un acteur — et le manque d'anonymat qui s'ensuit — limitait passablement la liberté de mouvement. Ahriman n'aurait pu assouvir ses penchants sadiques qu'avec les équipes de tournage, les call-girls de luxe officiant parmi les membres les plus pervers du gratin de Hollywood, et les jeunes actrices assez nunuches pour accepter de jouer les victimes. Des proies trop faciles. Le médecin aimait les grands défis, les luttes épiques.

Ding ! L'ascenseur était arrivé au premier étage.

356

Lorsque Dusty et Martie atteignirent le premier étage et s'aventurèrent prudemment hors de la cage d'escalier, la chance était toujours de leur côté. À trente mètres de là, à la jonction des deux couloirs principaux, deux femmes bavardaient au poste de garde, mais elles leur tournaient le dos. Dusty ouvrit la marche, suivi de Martie, et ils rejoignirent la chambre de Skeet sans se faire repérer.

Seule la télévision éclairait la chambre du garçon. L'action qui se déroulait à l'écran – des flics et des voleurs en pleine frénésie – projetait sur les murs des formes lumineuses qui ondulaient comme des fantômes.

Skeet était assis sur son lit, calé tel un pacha contre ses coussins, sirotant à la paille un Yoo-hoo goût vanille. Quand il aperçut ses visiteurs, il souffla dans sa paille comme dans une trompette et les accueillit avec un grand sourire ravi.

Martie se dirigea vers le lit pour prendre Skeet dans ses bras et lui faire la bise. Pendant ce temps, Dusty lançait un « bonsoir » guilleret à Jasmine Hernandez, l'infirmière de garde, et ouvrait le placard.

Le temps que Dusty saisisse la valise de Skeet, l'infirmière s'était levée de son fauteuil et consultait sa montre aux chiffres fluorescents :

– Les heures de visite sont terminées.

– C'est exact, mais nous ne sommes pas en visite, répondit Dusty.

– Il s'agit d'une urgence, précisa Martie tout en obligeant Skeet à poser son yaourt à boire et à s'asseoir sur le bord du lit.

– Un parent malade, ajouta Dusty.

– Qui est malade ? demanda Skeet.

– Maman, lui dit Dusty.

– La maman de qui ? insista Skeet, ayant visiblement du mal à croire ce qu'on lui racontait.

Claudette malade ? Claudette, celle qui lui avait donné Holden Caulfield pour père puis Lampton le Lézard pour beau-père ? Cette femme qui avait la beauté et l'indifférence glacées d'une déesse ? Cette maîtresse des universitaires de troisième zone ? Cette muse des romanciers qui ne trouvaient aucun intérêt à la langue écrite et des psychologues de pacotille qui méprisaient le genre humain ? Claudette, l'existentialiste indécrottable, avec son mépris total des règles et des lois, son refus de suivre aucun modèle sinon le sien ? Comment cette créature monolithique et apparemment immortelle pouvait-elle être victime de quoi que ce soit en ce bas monde ?

– Oui, notre mère, confirma Dusty.

Skeet avait déjà ses chaussettes. Martie s'agenouilla près du lit pour lui enfiler ses baskets.

– Martie, dit le jeune homme, je suis encore en pyjama.

– On n'a pas le temps de te changer, mon grand, ta mère est au plus mal.

Avec une pointe d'émerveillement dans la voix, Skeet demanda :

– C'est vrai ? Elle ne va pas bien ?

Dusty vidait les tiroirs de la commode et fourrait les affaires de Skeet dans la valise avec la dextérité d'un OS de chez Ford.

– C'est arrivé très vite.

– Un camion ? demanda Skeet.

Jasmine Hernandez, remarquant la pointe presque jubilatoire dans la voix de Skeet, fronça les sourcils.

– Dis donc, *chupaflor*, tu parais bien excité ! lâcha-t-elle d'une voix chargée de reproches.

En toute innocence, Skeet tira l'élastique de son pyjama et examina son entrejambe.

– Non, non. Tout est normal.

Le psychiatre s'arrêta au poste de garde des infirmières de l'étage pour les informer qu'il rendait visite à son patient de la chambre 246 et qu'il ne voulait être dérangé sous aucun prétexte.

– Il m'a téléphoné pour me dire qu'il voulait partir demain matin, ce qui pourrait lui être fatal. Je dois l'en dissuader. Il est encore complètement accro. Une fois dans la rue, il se trouvera de l'héroïne au bout d'une heure. Si j'ai bien cerné sa psychopathologie, ce qu'il veut, c'est faire une overdose et en finir une bonne fois pour toutes.

– Et dire qu'il a tout pour lui, cet homme, soupira l'infirmière Ganguss.

Elle était âgée d'une trentaine d'années, attirante, et d'ordinaire d'un professionnalisme achevé. Mais avec ce patient-là elle se comportait davantage comme une écolière en chaleur que comme une infirmière diplômée : elle frisait constamment l'anémie cérébrale pour cause de pâmoison, parce que son sang, au lieu d'irriguer son cerveau, affluait vers ses reins et ses organes génitaux.

– Et il est si gentil, ajouta-t-elle.

La seconde infirmière, Kyla Woosten, plus jeune que sa collègue, n'était pas sous le charme du patient de la 246 mais s'intéressait manifestement au Dr Ahriman. Chaque fois qu'il s'adressait à elle, elle se livrait à des mouvements de bouche très étudiés. Malgré son apparente innocence, il y avait plus de calcul dans ces torsions labiales qu'en une journée d'activité d'un superordinateur Cray. Elle passait la langue sur ses lèvres pour les humidifier, avec de longs mouvements lents et sensuels. Parfois, après une intervention du psychiatre, la coquine sortait légèrement sa langue et s'en mordillait le bout, impressionnée par les pensées profondes de son supérieur.

Justement, la voilà qui sortait sa langue, fouillant la commissure droite de ses lèvres, cherchant une miette imaginaire logée dans ce repli doux et moelleux. Puis elle entrouvrit la bouche pour laisser apercevoir son organe charnu qui titillait le haut de son palais. Et, pour finir, elle réitéra le coup des lèvres humides.

358

Kyla Woosten était jolie, cependant, le médecin ne s'intéressait pas à elle. Entre autres parce qu'il avait pour principe de ne pas pratiquer de lavage de cerveau sur ses employés. Contrôler l'esprit de tout le personnel de ses entreprises était certes pratique, d'un certain point de vue : plus de demandes d'augmentation ni d'avantages en nature. Mais le jeu n'en valait pas la chandelle. Les risques étaient trop grands.

Ahriman aurait pu faire une exception pour l'infirmière Woosten, parce que sa langue, cette petite chose frétillante et rose, le fascinait. Il aurait aimé lui trouver quelque utilisation inédite... Hélas, à une époque où le piercing se pratiquait pour des raisons esthétiques et sans que cela choque quiconque, Ahriman n'aurait pas pu faire grand-chose à cet organe que la jeune femme eût trouvé horrible ou même simplement désagréable.

Il devenait de plus en plus frustrant d'être sadique à une époque où l'automutilation faisait fureur !

Ahriman prit donc la direction de la chambre 246 pour rendre visite à son patient, vedette de cinéma.

Le Dr Ahriman était le principal actionnaire de la clinique de La Nouvelle Vie, mais il n'y travaillait que rarement. En général, les toxicomanes ne l'intéressaient pas. Ils s'appliquaient tellement à se détruire que tout le mal qu'il leur aurait infligé aurait été noyé dans le grand bain de leur misère.

En ce moment, son seul patient à La Nouvelle Vie était celui de la chambre 246. Bien sûr, il portait aussi un intérêt tout particulier au frère de Dustin Rhodes – chambre 250, au fond du couloir – mais il n'était pas officiellement le médecin traitant du jeune homme. C'est pourquoi ses visites, dans ce cas, devaient rester strictement secrètes.

En entrant dans la chambre 246, une suite composée d'un salon et d'une chambre avec salle de bains, il trouva le célèbre acteur faisant le poirier, les mains posées par terre, les talons et les fesses contre le mur, en train de regarder la télé.

— Mark ? Quel bon vent vous amène à cette heure ? demanda l'acteur sans quitter sa position de yoga – ou de Dieu sait quelle mouvance New Age.

— Comme je me trouvais à la clinique, j'en ai profité pour passer vous dire un petit bonjour.

Bien entendu, l'acteur n'avait pas appelé Ahriman au téléphone et n'avait aucune intention de quitter la clinique. Le psychiatre avait raconté ce mensonge aux deux infirmières afin de se trouver là lorsque l'équipe de nuit prendrait son tour. Il pourrait ainsi programmer Skeet après le départ de l'infirmière Hernandez, trop zélée. Comparées aux deux heures passées dans la 246, les quelques minutes qu'il consacrerait à Skeet paraîtraient anecdotiques et, si un employé remarquait cette visite, il ne trouverait rien à y redire.

— Je reste une heure par jour dans cette position, expliqua l'acteur.

Ça irrigue le cerveau. Ce serait bien d'avoir un deuxième poste de télé, plus petit. Je pourrais le retourner quand j'en aurais besoin.

Jetant un œil sur la sitcom qui passait à la télé, Ahriman répondit :

— Si c'est ce genre de chose que vous regardez, autant le regarder à l'envers.

— Il en faut pour tous les goûts, Mark. Ne jouez pas les critiques aigris.

— Don Adriano de Armado.

— J'écoute, articula l'acteur en chancelant un instant, mais en restant sur la tête.

Pour activer son sujet, le psychiatre avait choisi un personnage de *Peines d'amour perdues*, de Shakespeare.

L'acteur à l'envers, qui touchait vingt millions de dollars par film plus un pourcentage sur l'exploitation, avait été réfractaire aux études durant les trente et quelques années de sa vie, et n'avait suivi aucune réelle formation pour son métier. Quand il lisait un scénario, il ne s'arrêtait que sur ses répliques. Les poules auraient des dents – en or qui plus est – avant qu'il lise Shakespeare ! À moins que le théâtre ne tombe un jour aux mains des chimpanzés et des babouins, il n'y avait strictement aucune chance que cet acteur tienne quelque rôle que ce soit dans une pièce du poète de Stratford-on-Avon, et donc aucun risque qu'il entende le nom *don Adriano de Armado* d'une autre bouche que celle d'Ahriman.

Le psychiatre récita alors le haïku de programmation.

Martie finissait de lacer les baskets de Skeet lorsque Jasmine Hernandez déclara :

— Si vous lui faites quitter la clinique, je dois vous faire signer une décharge.

— Nous le ramenons demain, dit Martie en aidant Skeet à se lever.

— C'est promis, renchérit Dusty, qui continuait à fourrer des vêtements dans la valise. On l'emmène voir maman et on le ramène aussitôt après.

— Il faut quand même me signer une décharge, insista l'infirmière.

— Fais gaffe, Dusty, lança Skeet. Si Claudette t'entend l'appeler « maman », elle va te botter le cul !

— Il a fait une tentative de suicide hier, leur rappela l'infirmière. C'est tout frais. La clinique ne peut prendre la responsabilité de le laisser sortir dans son état.

— Nous assumons l'entière responsabilité de son départ, lui assura Martie.

— Alors je vais chercher un bon de sortie.

Martie se posta devant l'infirmière, laissant Skeet tituber sur le support peu fiable que constituaient ses jambes.

— Vous voulez bien d'abord nous aider à l'habiller ? Après, nous irons tous les quatre au bureau des infirmières pour signer votre formulaire, promis.

Jasmine Hernandez plissa les yeux, l'air soupçonneux.

— Qu'est-ce qui se passe, au juste ?

— On est pressés, c'est tout.

— Ah oui ? Alors je vais *vite* chercher ce formulaire, répondit l'infirmière en écartant Martie.

Sur le pas de la porte, elle pointa son doigt vers Skeet en ordonnant :

— Toi, *chupaflor*, tu ne vas nulle part tant que je ne suis pas revenue.

— Pas de problème, promit Skeet, mais vous pourriez faire vite ? Claudette est vraiment malade et je ne voudrais pas rater ça.

Ahriman ordonna à l'acteur de se remettre à l'endroit et d'aller s'asseoir sur le canapé.

Exhibitionniste, la star bourreau des cœurs ne portait qu'un petit slip noir moulant. Il avait le corps d'un jeune homme de seize ans, mince et musclé malgré le nombre impressionnant de ses vices autodestructeurs.

Il traversa la pièce avec la grâce fluide d'un danseur classique. Bien que sa personnalité fût profondément réprimée et qu'il ne fût pas plus conscient qu'une courge, il se déplaçait comme s'il jouait une scène. De toute évidence, sa conviction d'être regardé et adoré en permanence n'était pas liée au succès et à ses effets corrupteurs. Il avait cette certitude bien ancrée dans ses gènes.

Tandis que l'acteur attendait sur le sofa, le Dr Ahriman retira sa veste et releva ses manches de chemise. Il contempla son image dans un miroir placé au-dessus d'une commode. Parfait. Il avait des avant-bras puissants poilus, virils, pas néandertaliens. À minuit, quand il quitterait cette pièce et qu'il longerait le couloir pour se rendre dans la chambre de Skeet Caulfield, il jetterait sa veste sur une épaule, incarnant parfaitement l'homme de médecine épuisé à force de travail, soucieux de ses malades, et tellement sexy…

Ahriman approcha une chaise près du canapé et s'assit face à l'acteur.

— Tu es calme.

— Je suis calme.

Tic ! Tic ! Ces yeux bleus qui faisaient fondre l'infirmière Ganguss tressautèrent dans leurs orbites.

L'acteur était venu consulter Ahriman fils en raison de la célébrité qu'avait ce patronyme à Hollywood. Ahriman père était déjà mort empoisonné aux petits-fours lorsque le bellâtre échouait en maths, en histoire et autres matières. Ils n'avaient donc jamais travaillé ensemble. Mais l'acteur avait pensé que, si le père – un grand réalisateur – avait remporté deux oscars, le fils dudit grand réalisateur était forcément le plus grand psychiatre du monde.

— À part Freud, peut-être, avait-il déclaré à Ahriman. Mais comme il est tout là-bas quelque part en Europe, je ne vais pas faire des allers-retours en avion à chaque séance.

Depuis que Robert Downey Junior avait été condamné à une longue peine de prison, ce beau gosse, qui valait son pesant de dollars au box-office, craignait d'être attrapé à son tour par les « agents fachos de la brigade des stups ». Bien que peu enclin à modifier son style de vie pour agréer aux forces de police, il était encore moins enthousiaste à l'idée de partager sa cellule avec un tueur psychopathe doté d'un cou de taureau et adepte de la bisexualité !

En général, Ahriman refusait les patients très dépendants à la drogue. Néanmoins il avait accepté celui-là. L'acteur évoluait au sein d'une élite où il pouvait causer beaucoup de tort, procurant ainsi à son thérapeute des distractions d'une grande qualité. En fait, Ahriman, par l'entremise de ce comédien, préparait un grand jeu, une partie extraordinaire qui aurait des retentissements au niveau national et international.

— J'ai d'importantes instructions à te donner, dit Ahriman.

Quelqu'un frappa avec insistance à la porte de la chambre.

Martie essayait de passer un peignoir à Skeet, qui résistait.

— Voyons, mon grand, il fait un froid de canard ce soir. Tu ne peux pas sortir avec ce petit pyjama !

— Il est nul ce peignoir, protesta Skeet. Il vient d'ici, c'est pas moi qui l'ai amené. En plus il peluche de partout et j'ai horreur des rayures.

Dans ses beaux jours, avant que les drogues le ravagent, Skeet attirait les femmes comme l'odeur du bœuf cru attirait Valet. Il était très élégant, un jeune coq dans toute sa splendeur. Et même là, au plus bas, son bon goût vestimentaire resurgissait — bien que Martie eût préféré que Skeet choisisse un autre moment pour faire le coquet.

— Allons-y, dit Dusty en refermant la valise pleine.

Improvisant avec ce qu'elle avait sous la main, Martie s'empara de la couverture du lit et la drapa autour des épaules du jeune homme.

— Ça te plaît ?

— Ça fait un peu Peau-Rouge, dit-il en s'enroulant dans la couverture. J'aime bien.

Elle prit Skeet par le bras et le pressa vers la porte où Dusty les attendait.

— Une minute, lança Skeet en faisant demi-tour. Les billets de Loterie !

— Quels billets de Loterie ?

— Dans la table de nuit, dit Dusty. Cachés dans la bible.

— On ne peut pas partir sans eux, insista le jeune homme.

En réponse aux coups insistants, Ahriman lança, agacé :

— J'ai dit que je ne voulais pas être dérangé !

Après un temps d'hésitation, les coups reprirent.

Ahriman se tourna vers l'acteur.

— Va dans ta chambre, ordonna-t-il à voix basse. Allonge-toi sur le lit et attends-moi.

Comme si cet ordre était susurré par une amante lui promettant mille délices, l'acteur se leva du canapé et sortit de la chambre de sa démarche gracieuse. Chacun de ses pas, fluide et coulé, chacun de ses balancements de hanches, aurait suffi à remplir les salles de cinéma à travers toute la planète.

Pour la troisième fois, les coups retentirent à la porte.

— Dr Ahriman ? Dr Ahriman ?

Martie prit les deux billets de Loterie glissés dans la bible et les tendit à Skeet.

Maintenant sa couverture d'une main, il agita l'autre avec panique :

— Non, non ! Si je les touche, ils ne me porteront plus chance.

Au moment où elle fourrait les billets dans sa poche, Martie entendit une voix dans le couloir qui appelait le Dr Ahriman.

Ahriman ouvrit la porte de la 246 et tomba nez à nez avec Jasmine Hernandez. Son étonnement fut plus grand encore que s'il avait découvert Kyla Woosten sur le seuil, agitant lascivement son appendice rose.

Jasmine était une excellente infirmière, mais elle ressemblait trop à ces filles particulièrement agaçantes que le psychiatre avait connues garçon, puis adolescent. Les miss Je-sais-tout, comme il les surnommait. Elles le regardaient d'un air moqueur, à la dérobée, avec des sourires condescendants. Elles semblaient voir à travers lui et comprendre de sa personne ce qu'il aurait préféré garder secret. Pis : il avait aussi la désagréable sensation qu'elles savaient quelque chose d'hilarant à son sujet, que lui-même ignorait, et qui faisait de lui un objet de dérision.

Passé seize ou dix-sept ans, quand sa beauté adolescente avait laissé place à un physique absolument irrésistible, le médecin avait rarement été embêté par les miss Je-sais-tout. Elles semblaient, pour la plupart, avoir perdu leur faculté de lire en lui comme dans un livre ouvert. Jasmine Hernandez était de cette espèce-là… Même si elle n'était pas encore en mesure de sonder sa personne aussi bien qu'aux rayons X, Ahriman la sentait parfois sur le point de cligner des yeux d'un air étonné, de le scruter du regard, avec cet air moqueur si particulier et ce petit sourire narquois au coin des lèvres, presque imperceptible.

— Je suis désolée de vous déranger, docteur, mais quand j'ai informé l'infirmière Ganguss de ce qui se passait et qu'elle m'a appris que vous étiez ici, j'ai pensé qu'il fallait vous prévenir...

Devant la détermination de Jasmine, le psychiatre recula d'un pas. Se méprenant sur la signification de ce geste, la jeune femme pénétra dans la chambre.

— Un patient sort sans avis médical, annonça-t-elle, et dans une précipitation un peu bizarre, si vous voulez mon avis.

Skeet demanda :

— Je peux avoir mon Yoo-hoo ?

Martie le regarda comme si elle avait affaire à un doux dingue. À la décharge de Skeet, ni elle ni Dusty ne semblait avoir non plus toute leur tête. Martie lui accorda donc le bénéfice du doute.

— Ton quoi ?

— Son soda, précisa Dusty dans l'embrasure de la porte. Prends-le et filons !

— Quelqu'un vient d'appeler Ahriman. Il est ici.

— Oui, j'ai entendu aussi, confirma Dusty. Prends vite son foutu soda.

— Le Yoo-hoo à la vanille, ou au chocolat, en l'occurrence, répliqua Skeet pendant que Martie faisait le tour du lit pour attraper la bouteille, n'est pas un soda : il s'agirait plutôt d'un dessert à boire.

— Alors voilà ton dessert à boire, mon grand. Et maintenant remue-toi les fesses ou je te les botte ! lança Martie en fichant la bouteille de Yoo-hoo dans la main droite de Skeet.

Sous le coup de la surprise, le psychiatre crut que l'infirmière Ganguss avait dit à Jasmine Hernandez que l'acteur s'en allait, et que c'était cette sortie non autorisée qui la mettait dans tous ses états.

La menace de suicide de l'acteur n'étant qu'une invention, Ahriman répondit tranquillement :

— Ne vous en faites pas, mademoiselle Hernandez. Finalement, notre patient ne nous quitte plus.

— Ça m'étonnerait ! On est en train de le faire sortir en ce moment même.

Ahriman se retourna pour jeter un coup d'œil vers la chambre. Les jeunes femmes de son fan-club étaient peut-être en train de tenter de kidnapper l'acteur pour en faire leur esclave sexuel. Ahriman s'attendait presque à les voir se démener pour passer par la fenêtre leur idole catatonique à moitié nue.

Pas de ravisseuses, pas de star de cinéma défenestrée.

— Mais de qui parlez-vous ? demanda-t-il avec impatience en regardant à nouveau Jasmine Hernandez.

— De *chupaflor*, dit-elle. Le petit colibri. Skeet Holden Caulfield.

Martie descendait les escaliers en soutenant Skeet.

Le garçon était si pâle et si frêle, dans son pyjama bleu et sa couverture blanche, qu'on aurait dit un fantôme.

Un fantôme chétif. Il descendait les escaliers à grand-peine, les genoux tremblants, la démarche chancelante, et à chaque pas la couverture qui traînait par terre manquait de se prendre dans ses pieds et de le faire tomber.

Derrière Martie et Skeet, Dusty fermait la marche, surveillant leurs arrières, au cas où Ahriman surgirait en haut des escaliers. Il avait sorti son colt .45.

Abattre un éminent psychiatre ne lui assurerait pas une place au panthéon des héros de la nation, aux côtés de Bob la Banane. Au lieu d'organiser des dîners en sa mémoire, il attendrait dans sa cellule qu'on lui serve sa maigre pitance.

Malgré tout ce qu'ils avaient appris sur Ahriman, ils ne pouvaient prouver que le médecin menait des activités criminelles ou simplement contraires à la déontologie. L'enregistrement du message de Susan constituait leur unique pièce à conviction, et en outre la jeune femme se contentait de l'accuser d'être un salaud. Si elle était parvenue à filmer Ahriman à l'œuvre, comme elle l'avait dit, il y avait fort à parier que cette vidéo n'existait plus.

Skeet descendait les escaliers à la façon d'un bébé faisant ses premiers pas. Il posait son pied droit sur une marche, puis son pied gauche à côté, hésitait un instant avant d'enchaîner le mouvement suivant, et ainsi pour chaque marche…

Ils atteignirent enfin le rez-de-chaussée : toujours pas de poursuivant. Dusty s'arrêta pour surveiller la volée de marches, pendant que Martie et le gamin se dirigeaient vers la porte de sortie.

Si Ahriman apparaissait sur le palier du premier étage et les voyait s'enfuir, il comprendrait qu'il avait été démasqué, Dusty serait obligé de tirer sur lui à vue. C'était la seule solution pour que le psychiatre n'ait pas le temps de prononcer le nom déclencheur *Viola Narvilly* et ne puisse contrôler Dusty à son gré ; même s'il avait le doigt sur la gâchette, tout pouvait arriver…

Inquiet, mais trop bon comédien pour le laisser paraître, Ahriman fit sortir Jasmine Hernandez de la chambre 246, tout en lui assurant que Dustin et Martine Rhodes ne prendraient aucune décision hâtive risquant de mettre en péril la santé de Skeet.

— D'ailleurs, Mrs. Rhodes est depuis peu l'une de mes patientes et je sais qu'elle a pleinement confiance dans les soins que nous prodiguons à son beau-frère.

— Ils disent que la mère de *chupaflor* est malade…

— Comme c'est triste, j'en suis navré.

— … mais moi, je n'y crois pas une seconde. Et étant donné l'éventuelle responsabilité de la clinique…

— Oui, oui, ne vous inquiétez pas… je vais arranger tout ça.

Après avoir refermé la porte de la chambre 246, le Dr Ahriman se dirigea vers la 250, Jasmine Hernandez sur ses talons. Il veillait à ne pas accélérer le pas, afin de ne pas sembler accorder plus d'importance à cette affaire qu'il ne voulait le laisser croire.

Il se félicitait d'avoir pris le temps d'enlever sa veste. Ses manches retroussées lui donnaient l'allure d'un médecin consciencieux et ses avant-bras virils diffusaient une aura de sérénité et de compétence.

Les seules âmes présentes dans la chambre 250 s'agitaient sur l'écran de la télévision. Le lit était défait, les tiroirs de la commode ouverts et vides, le peignoir fourni par la clinique gisait par terre. Le patient était parti.

— Allez demander à Mrs. Ganguss si elle les a vus partir par l'escalier principal ou par l'ascenseur, ordonna le psychiatre à Jasmine Hernandez.

L'infirmière n'étant pas programmée, elle pouvait user — et abuser — de son libre arbitre. Elle voulut protester :

— Mais ils n'ont pas eu le temps d'aller…

— Inutile d'être à deux pour vérifier s'ils ont pris l'escalier de service, l'interrompit le médecin. Veuillez donc aller vous renseigner auprès de Mrs. Ganguss, je vous prie.

Jasmine Hernandez prit un air si renfrogné qu'on aurait pu la prendre pour la réincarnation de Pancho Villa, version transsexuelle. Elle lui tourna le dos et se dirigea d'un air indigné vers le poste de garde des infirmières.

Ahriman ouvrit la porte de l'escalier de service, s'arrêta sur le palier pour tendre l'oreille. Pas un bruit. Il se mit à descendre les marches de ciment deux par deux. Les claquements de ses chaussures se répercutaient contre les murs de béton, donnant l'impression qu'un public invisible applaudissait son exploit.

Derrière la porte, le couloir était désert.

Il poussa une autre porte donnant sur la petite pièce de réception des marchandises, à l'arrière de l'immeuble. Personne.

La porte suivante donnait dans l'allée de service.

Une bourrasque de vent fit claquer le couvercle d'une des bennes à ordures. Puis une Saturn rouge passa en trombe devant lui, comme emportée par cette rafale.

Dustin Rhodes était au volant. Il regarda le psychiatre.

Sur le visage du peintre en bâtiment, on lisait la peur et le fait qu'il en savait trop.

Son morveux de frère, ce merdeux bon à rien pourri par la drogue, était sur le siège arrière. Il fit à Ahriman un petit coucou de la main.

La Saturn s'éloigna à toute allure, au mépris de la prudence élémentaire, ses feux arrière se perdant dans la nuit comme les tuyères d'un vaisseau spatial atteignant la vitesse de la lumière.

Si seulement la voiture pouvait percuter une benne à ordures derrière un des immeubles de la ruelle, songea Ahriman. Partir en tête-à-queue, faire quelques tonneaux et finir sa course contre un mur dans une belle explosion. Dusty, Martie et Skeet seraient brûlés vifs, il ne resterait de leurs carcasses que des os roussis et des bouts de chair carbonisés et fumants. La cerise sur le gâteau, ç'aurait été qu'une multitude de gros corbeaux mutants surgissent à l'horizon et viennent se poser sur les ruines de la Saturn pour se repaître de la chair cuite des morts, curer chaque os, déchiqueter chaque tendon, chaque nerf, jusqu'à ce qu'il n'en reste plus rien.

Mais rien de tout cela n'arriva.

La voiture longea deux pâtés de maisons avant de tourner à gauche et de rejoindre le boulevard.

Bien après la disparition de la Saturn, le psychiatre resta planté au milieu de la ruelle, le regard perdu dans son sillage invisible.

Le vent vint fouetter son visage. Il apprécia cette gifle glacée, qui l'aida à sortir de sa stupeur et lui rafraîchit les idées.

Quelques heures auparavant, dans la petite salle d'attente, Dusty lisait *Un crime dans la tête* – une mauvaise carte qu'Ahriman avait lui-même introduite dans le jeu pour rendre la partie plus excitante. Il savait qu'à la lecture du roman Rhodes risquait de ressentir d'étranges frissons, trop pénétrants pour être suscités par l'intrigue. Surtout lorsqu'il tomberait sur le nom *Viola Narvilly*... Il pourrait alors entre-voir de curieuses résonances avec certains événements de sa vie. Le livre l'inciterait à réfléchir, à se poser des questions

Mais il y avait moins de chances pour que Dusty parvienne, à force de déductions, à percer la véritable nature du psychiatre et ses réels desseins. Autant espérer que des astronautes découvrent une succur-sale de Kentucky Fried Chicken sur Mars, avec Elvis en train de se régaler à une table. Et Ahriman ne voyait absolument pas comment un peintre en bâtiment – un peintre en bâtiment ! – aurait pu comprendre tout ça en un seul après-midi.

Il devait donc y avoir d'autres mauvaises cartes dans le jeu, des cartes que le psychiatre n'avait pas mises lui-même et que le destin s'était chargé de distribuer.

Une de ces cartes maléfiques devait être Skeet... son cerveau était tellement embrouillé par les drogues qu'il n'était pas fiable à cent pour cent une fois programmé.

Ahriman était venu à la clinique pour implanter dans le sub-subconscient de Skeet un scénario de suicide et envoyer cette pauvre épave rejoindre d'un pas titubant son destin funeste. À présent, il devait réviser sa stratégie.

Quelles autres mauvaises cartes pouvaient se trouver dans le jeu ?

367

À l'évidence, certaines étaient sorties… Même si Dusty et Martie en savaient beaucoup – et sûrement moins qu'il n'y paraissait –, ils ne pouvaient avoir assemblé une aussi grande partie du puzzle avec la seule aide du livre et de Skeet.

La tournure inattendue que prenaient les événements allait à l'encontre de la conception qu'Ahriman avait du jeu, et gâchait son plaisir. Le psychiatre aimait le risque, à condition qu'il soit gérable. Ahriman était un joueur, non un parieur. À la jungle anarchique de la chance, il préférait les règles établies de l'architecture.

61.

Le terrain de caravaning se recroquevillait contre la bourrasque, se préparant à essuyer l'un de ces ouragans qui prenaient un malin plaisir à s'acharner sur ce genre d'endroit pour disperser mobile homes et habitants au quatre coins de la campagne dévastée, au grand ravissement des caméras de télévision. Heureusement, en Californie, les tornades étaient rares, peu violentes et de courte durée. Les résidents de ce terrain n'auraient donc pas à subir la compassion toute professionnelle des journalistes.

Les allées qui quadrillaient le terrain étaient indiscernables les unes des autres. Les centaines de mobile homes posés sur leurs blocs de béton se ressemblaient comme des gouttes d'eau.

Dusty reconnut pourtant celui de Foster Newton au premier regard. Bien que le caravaning disposât du câble, seul le toit du mobile home de Fig s'ornait d'une petite parabole.

En y regardant de plus près, on comptait même trois antennes paraboliques de tailles différentes. Elles se découpaient en ombres chinoises sur le ciel nocturne barbouillé d'ocre par les lumières parasites des faubourgs. L'une était tournée vers le sud, une autre vers le nord et la troisième, montée sur un pied articulé à commande électrique, pivotait sans arrêt sur son socle, pareille à une tête d'oiseau, picorant les meilleures données parmi celles qui flottaient, invisibles, dans l'éther.

En plus des paraboles, une forêt d'antennes aux formes exotiques se profilaient sur le toit : des barres verticales, hautes pour la plupart d'un mètre vingt et d'un mètre cinquante, soutenant chacune sa collection particulière de bras transversaux. Il y avait aussi une double hélice constituée de bandes de cuivre, un autre assemblage rappelant un sapin de Noël la tête en bas, toutes ses branches pointées vers le ciel, ainsi qu'un objet bizarroïde ressemblant à un casque de Viking à cornes, planté sur une perche de deux mètres de haut.

L'habitation, hérissée de tous ces collecteurs d'informations, aurait pu être un vaisseau spatial extraterrestre grossièrement déguisé en mobile home. Dans les émissions de radio que Fig affectionnait, les animateurs signalaient tous les jours des camouflages de ce genre.

Dusty, Martie et Skeet, rejoints par Valet, se rassemblèrent sur le perron d'un mètre carré couvert d'un auvent d'aluminium sans doute destiné, une fois l'engin dans l'espace, à être déployé pour faire office de voile solaire. Ne trouvant pas de sonnette, Dusty frappa à la porte.

Emmitouflé dans sa couverture qui claquait sous les bourrasques, Skeet avait l'air d'un personnage d'*heroic fantasy* poursuivant un magicien en fuite, épuisé par ses aventures, une horde de gobelins à ses trousses. Il haussa la voix pour couvrir les hurlements du vent :

— Vous êtes bien sûrs que Claudette n'est pas malade ?

— Certains. Elle se porte comme un charme, le rassura Martie.

Se tournant vers Dusty, le gamin insista :

— Mais vous m'avez dit qu'elle était malade.

— C'était pas vrai, on voulait juste te faire sortir de la clinique.

— Mais moi, je vous ai crus, fit Skeet, déçu.

— Allons, tu ne voudrais pas vraiment qu'elle aille mal, intervint Martie.

— Elle n'est pas obligée d'en mourir. Des crampes d'estomac et quelques vomissements, ça suffirait.

L'entrée s'illumina.

— Et une bonne petite diarrhée, ajouta Skeet.

Dusty sentit qu'on les observait à travers le judas.

La porte finit par s'ouvrir. Debout sur le seuil, Fig les regardait derrière ses épaisses lunettes. Ses yeux gris, rendus énormes par les verres grossissants, avaient leur éternel air triste de cocker, qui ne le quittait pas même lorsqu'il riait aux éclats.

— Salut, marmonna-t-il.

— Fig, commença Dusty, je suis désolé de te déranger chez toi, à une heure pareille, mais je ne voyais pas d'autre solution.

— Pas de problème.

Fig se retira pour les laisser entrer.

— Le chien peut venir avec nous ? demanda Dusty.

— Oui.

Martie aida Skeet à monter les marches. Valet suivit avec Dusty.

Fig referma la porte.

— On a un gros problème, Fig, commença Dusty. J'aurais pu aller voir Ned, seulement il finirait tôt ou tard par étrangler Skeet, alors…

— Asseyez-vous, lança Fig en leur montrant le coin repas.

Ils approchèrent des chaises de la table. Le chien se glissa entre leurs pieds.

— On aurait pu aussi aller voir ma mère, poursuivit Martie, mais elle ne ferait que…

— Un jus ? proposa Fig.

— Un *jus* ? répéta Dusty.

— Oui, jus d'orange, de prune, de raisin, précisa Fig.

— Tu n'as pas plutôt du café ? s'enquit Dusty.

— Non.

— Alors jus d'orange, répondit Dusty. Merci.

— Moi je veux bien un jus de raisin, s'il vous plaît, dit Martie.

— Vous avez un Yoo-hoo à la vanille ? demanda Skeet.

— Non.

— Alors du jus de raisin.

Fig alla ouvrir le réfrigérateur dans la cuisine attenante.

Tandis que Fig versait les jus de fruits, à la radio, un journaliste parlait de l'existence d'« implants d'ADN extraterrestre dans les gènes humains » et s'inquiétait de savoir « si les *aliens* colonisaient actuellement la Terre pour réduire l'espèce humaine en esclavage, pour la hisser vers une condition plus noble ou simplement pour cultiver in vivo des organes humains dont raffolaient les *aliens* gastronomes ».

Martie haussa les sourcils en regardant Dusty, comme pour le consulter : « Tu crois que ça va marcher ? »

Inspectant le mobile home, Skeet hocha la tête et esquissa un sourire :

— Ça me plaît, ici. Ça bourdonne de partout.

Après avoir renvoyé Jasmine Hernandez dans ses pénates avec la promesse qu'elle serait payée pour la nuit entière bien qu'elle ait travaillé deux heures de moins que ne le stipulait son contrat, répété plusieurs fois à l'infirmière Ganguss qu'elle pouvait rester tranquillement au poste de garde car son célébrissime patient ne manquait absolument de rien, et assisté aux moulinets et glissés gracieux accomplis par Kyla Woosten avec l'extrémité expressive de sa langue rose vif, le Dr Ahriman put enfin retourner à ses affaires dans la chambre 246…

Conformément aux instructions, l'acteur l'attendait, allongé sur les couvertures dans son petit slip noir. Il fixait le plafond avec à peu près la même émotion qu'il jouait la comédie dans les succès qui avaient fait sa fortune.

Le psychiatre s'assit sur le bord du lit.

— Dis-moi où tu te trouves en ce moment, demanda-t-il. Pas physiquement, mais mentalement.

— Je suis dans la chapelle.

— Bien.

Lors d'une précédente visite, Ahriman avait dit à l'acteur de ne plus jamais consommer d'héroïne, de cocaïne, de marijuana, ni aucune autre substance illégale. Contrairement à ce que le psychiatre avait affirmé aux infirmières Ganguss et Woosten, ce patient était à présent totalement guéri de sa toxicomanie.

Ce n'était ni par compassion ni par respect pour le serment d'Hippocrate que le Dr Ahriman l'avait débarrassé de sa dépendance aux drogues. Simplement, l'homme était plus efficace sobre que défoncé.

Il détiendrait bientôt un rôle clé dans une partie périlleuse qui aurait des conséquences historiques inouïes. Quand l'heure viendrait de le faire entrer en scène, Ahriman ne pouvait risquer qu'il se fasse coffrer pour détention de stupéfiants jusqu'à ce que quelqu'un paie sa caution. Il fallait qu'il reste libre comme l'air, prêt pour son grand rendez-vous avec le destin.

— Tu fréquentes tous les grands de ce monde, dit le psychiatre. Je pense en particulier à une manifestation à laquelle tu dois participer dans dix jours, samedi soir. Parle-moi de cette soirée.

— C'est une réception donnée en l'honneur du Président, répondit la star.

— Le président des États-Unis.

— Oui.

En réalité, la réception était destinée à lever des fonds pour le parti du Président. Elle aurait lieu à Bel Air dans la résidence d'un metteur en scène célèbre. Celui-ci avait gagné plus d'argent, récolté plus d'oscars et troussé plus de starlettes que feu Josh Ahriman lui-même, le dieu des larmes. Deux cents vedettes de Hollywood allaient payer vingt mille dollars chacune le privilège de cirer les pompes de ce vieux filou de la politique, elles qui se faisaient cirer les pompes tous les jours par le reste du monde, des illustres présentateurs TV à la racaille de la rue. Pour ce prix, cette soirée leur procurerait à la fois des montées d'ego à provoquer des orgasmes spontanés et l'impression délicieusement perverse de n'être qu'un serf de la culture populaire au service de la grandeur humaine.

— Absolument rien ne pourra t'empêcher d'assister à cette réception en l'honneur du Président, scanda le psychiatre.

— Absolument rien.

— Aucune maladie, aucune blessure, aucun tremblement de terre, aucun fan adolescent nubile de quelque sexe que ce soit... Ni ces distractions ni aucune autre ne saurait te faire manquer le début de cette manifestation.

— J'ai compris.

— Je crois que le Président est l'un de tes grands fans.

— Oui.

— Ce soir-là, lorsque tu seras en face de lui, tu useras de ton charme et de tes talents de séducteur pour le mettre tout de suite à l'aise.

Ensuite, tu t'arrangeras pour qu'il se penche vers toi, comme si tu allais lui faire part d'un potin particulièrement croustillant au sujet d'une des plus belles actrices présentes. Quand il sera tout près, vulnérable, tu prendras sa tête à deux mains et tu lui arracheras le nez d'un coup de dents.

— J'ai compris.

Le mobile home bourdonnait en effet, comme l'avait remarqué Skeet, mais Martie trouvait ce bruit plutôt agaçant. C'était une véritable toile sonore qui flottait dans l'habitation, des vrombissements, des ronronnements, des soupirs, de légers pépiements électroniques, les uns constants en intensité et en modulation, d'autres intermittents et changeants. Tous ces bruits restaient assez doux, tels des chuchotements, sans jamais devenir stridents. L'ensemble rappelait un peu une pelouse par un crépuscule été, toute vibrante de cigales, de criquets et autres insectes troubadours chantant leur sérénade à leurs promises. C'était peut-être pour cette raison que Martie avait des démangeaisons et croyait sentir des bêtes grimper le long de ses jambes.

Deux des murs du salon, sur lequel s'ouvrait le coin repas, étaient couverts de rayonnages supportant des écrans d'ordinateurs et des téléviseurs. La plupart étaient en marche et diffusaient un flot ininterrompu d'images, de données numériques, de graphiques et de dessins abstraits aux formes et aux couleurs changeantes. Martie les contempla avec perplexité. À côté, elle aperçut des appareils mystérieux composés d'oscilloscopes, d'écrans radars, de cadrans divers et variés, avec spots défilant et affichage numérique en six teintes différentes.

Lorsque chacun eut son jus de fruits, Fig Newton s'assit à table avec Dusty et Martie. Derrière lui, le mur était tapissé de cartes du ciel représentant les deux hémisphères. Fig avait l'air d'un cousin pauvre du capitaine Kirk aux commandes d'un *Enterprise* fait de bric et de broc.

La mascotte de l'équipage, Valet, lapait l'eau dans le bol que le capitaine lui avait donné. À en juger par son enjouement, le bourdonnement du mobile home ne le gênait pas outre mesure.

Martie se demandait si Fig ne devait pas ses joues constamment en feu et la teinte rouge vif de son nez au rayonnement émis la nuit par sa batterie d'appareils électroniques, plutôt qu'à l'exposition au soleil à laquelle l'obligeait son travail de peintre en bâtiment.

— Alors ? Qu'est-ce qui se passe ? demanda Fig.

— Martie et moi devons partir à Santa Fe, commença Dusty, et on aurait besoin…

— D'être énergisés ?

— Pardon ?

— C'est un centre d'énergie, énonça Fig sentencieusement.

— Quoi ? Santa Fe ? Quel genre d'énergie ?

— Mystique.

— Ah ? Eh bien, non, nous allons juste parler avec des gens qui ont peut-être été témoins d'une… d'une affaire criminelle. Nous aurions besoin d'un endroit où laisser Skeet pour quelques jours, un endroit où personne n'aurait l'idée de venir le chercher. Si tu pouvais…

— Tu ne sauteras pas ? demanda Fig à Skeet.

— Sauter d'où ça ?

— De mon toit.

— Te vexe pas, répondit Skeet, mais il est pas assez haut, ton toit.

— Tu ne te tireras pas une balle dans la tête ?

— Non, rien de ce genre, promit Skeet.

— Alors, ça va, dit Fig, le nez dans son jus de prune.

Cela avait été plus facile que Martie ne l'avait supposé.

— On abuse, mais tu n'aurais pas aussi une petite place pour Valet ?

— Le chien ?

— Oui. Il est adorable, il n'aboie pas, il ne mord pas, et peut être un excellent compagnon si…

— Il fait ?

— Quoi ?

— Dans la maison, il fait ?

— Oh non, ça, jamais.

— Alors, ça va.

Martie croisa le regard de son mari. Il devait avoir aussi mauvaise conscience qu'elle.

— Fig, il faut que je te dise…, commença Dusty, mal à l'aise. Je crois que quelqu'un va effectivement chercher Skeet, et il ne sera certainement pas tout seul. Je ne pense pas qu'ils viennent ici, seulement si cela arrive, fais attention… Ils sont dangereux.

— La drogue ? avança Fig.

— Non. Ça n'a rien à voir avec ça. C'est…

Dusty hésita, cherchant comment décrire leur situation sans passer pour un illuminé. Martie vint à sa rescousse :

— Je sais que ça peut paraître complètement fou, mais on est tombés sur un cas de contrôle des esprits, de lavages de cerveau, une espèce de complot…

— Des extraterrestres ? demanda Fig.

— Non, non…

— Des êtres transdimensionnels ?

— Non. Il s'agit de…

— Le gouvernement ?

— Peut-être, répondit Martie.

— L'Association des psychologues américains ?

Martie resta sans voix.

— Qu'est-ce qui te fait penser à ça ? s'exclama Dusty.

— Il n'y a que cinq possibilités, répondit Fig.

— Quelle est la cinquième ?

Fig se pencha vers eux d'un air pénétré, son visage rose et rond comme une galette affichant son expression la plus solennelle, ses yeux brillant de l'éternelle tristesse que lui inspirait la condition humaine.

— Bill Gates, dit-il.

— Il n'est pas mauvais, ce jus de fruits ! lâcha Skeet.

Un acteur nu. L'homme frivole des salles obscures. Grandeur et décadence.

Nul ! Si la beauté des femmes avait du mal à hisser Ahriman vers les sommets de l'art poétique, ce cabotin au nez façonné par les chirurgiens et aux lèvres bourrées de collagène ne risquait guère de lui inspirer un haïku transcendantal.

Ahriman se releva du lit et considéra le visage placide aux yeux traversés de spasmes nerveux.

— Tu ne mâcheras pas le nez. Tu le recracheras sans trop l'abîmer, pour qu'il soit possible à une équipe de chirurgiens d'élite de le recoudre. Il ne s'agit pas d'assassinat, ni de défiguration définitive. Certaines personnes veulent transmettre un message au Président, un avertissement, si tu préfères, qu'il ne puisse ignorer. Tu es leur messager. Dis-moi si tout cela est clair.

— C'est clair.

— Répète mes instructions.

L'acteur les répéta mot pour mot, bien plus fidèlement qu'il ne restituait les répliques de ses rôles au cinéma.

— Tu n'infligeras aucun autre dommage au Président. En revanche, pour protéger ta fuite, tu as carte blanche en ce qui concerne les invités de la fête.

— J'ai compris.

— L'effet de surprise jouera en ta faveur. Tu pourras te mettre hors d'atteinte des agents des services secrets avant qu'ils aient le temps de réagir.

— Oui.

— Mais ils seront à tes trousses dans la seconde. À ce moment-là, fais pour le mieux… et souviens-toi d'une chose : ils ne doivent pas te prendre vivant. Imagine-toi en Indiana Jones au milieu des salauds nazis et de leurs immondes laquais. Laisse libre cours à ton imagination pour semer la panique. Utilise tout ce qui te tombe sous la main pour te défendre, entraîne-les dans une course-poursuite fracassante à travers la maison, bats-toi comme un diable, jusqu'à ce qu'ils te descendent.

Cette petite séance de programmation faisait partie des commandes qu'Ahriman devait de temps en temps accepter. C'était le prix à payer pour avoir le loisir de se distraire, avec un minimum de risques, voire aucun, de finir en prison au cas où l'un de ses petits jeux tournerait mal.

Pour ses divertissements personnels, il préférait user de scénarios plus élaborés que celui-ci. Cependant, malgré son extrême simplicité, cette modeste fantaisie se révélait tout à fait distrayante.

Après avoir programmé l'acteur pour qu'il ne lui reste aucun souvenir accessible de ce qui venait de se dire, Ahriman le conduisit au salon.

Le psychiatre avait prévu de consacrer au moins une heure à la dictée d'invectives dignes d'un psychotique que l'acteur écrivait dans son journal intime comme s'il s'agissait de ses propres divagations. En quelques séances de ce genre, ils avaient rempli près de deux cents pages d'élucubrations paranoïaques, de propos haineux et de prophéties apocalyptiques qui pouvaient tous avoir un lien avec le président des États-Unis. L'acteur n'avait aucun souvenir de ces séances d'écriture. Il n'ouvrait son journal que sur l'injonction de son psychiatre. Mais après l'attaque du nez présidentiel, quand le coupable aurait été abattu, les autorités découvriraient ce document compromettant sous la collection de petites culottes que la star conservait en souvenir des légions de maîtresses qui étaient passées dans son lit.

Ce soir, cependant, préoccupé par le départ précipité de Skeet, Ahriman décida d'annuler la dictée. Les deux cents pages écrites suffiraient à convaincre le FBI et les lecteurs de journaux à sensation.

Docile, l'acteur reprit sa position en poirier contre le mur, face au téléviseur, aussi leste qu'un gymnaste prépubère.

— Compte, ordonna Ahriman.

À dix, l'acteur avait quitté sa chapelle intérieure et retrouvé toute sa conscience. À ses yeux, le psychiatre venait à peine d'entrer dans la pièce.

— Mark ? Quel bon vent vous amène à une heure pareille ?

— Je m'occupais d'un autre patient. Et vous, que diable faites-vous ?

— Je prends cette position à peu près une heure par jour. C'est bon pour l'irrigation du cerveau.

— Les résultats sont frappants.

— N'est-ce pas ?

Un sourire réjoui fendit le visage à l'envers de la star.

S'armant de patience, le psychiatre s'obligea à une conversation brève mais atrocement ennuyeuse à propos des résultats faramineux enregistrés par le dernier gigasuccès de la star au box-office. Il fallait bien fournir au malade un souvenir à garder de cette visite. Quand Ahriman quitta enfin la chambre 246, il en savait long – en tout cas, bien trop à son goût – sur l'analyse des taux de fréquentation des cinémas de Chicago, qui servait de ville test pour le reste du pays.

Acteur célébrissime. Il mord le nez de la démocratie. Et les foules applaudissent.

Pas formidable, néanmoins déjà beaucoup mieux. Une idée à creuser.

Sous les hurlements de la bise de janvier qui se déchaînait au-dehors et le bourdonnement des nuées de criquets électroniques qui emplissait le mobile home, Dusty activa Skeet en prononçant le nom déclencheur : Dr Yen Lo.

Le gamin se redressa un peu sur sa chaise. Sa figure perdit toute expression. Alors seulement Dusty prit conscience de l'angoisse à peine perceptible qui creusait les traits du jeune homme. Cette constatation aggrava ses regrets que son frère ait été privé, si tôt, d'une vie pleine de promesses.

À l'écoute du haïku et des trois réponses de Skeet, Fig Newton lâcha : « C'est bien ça », comme si ce genre de contrôle psychique n'avait pas de secrets pour lui.

Quelques minutes plus tôt, Dusty et Martie avaient tenu un bref conseil dans la bibliothèque de Fig, une petite chambre pleine de livres traitant d'ovnis, d'extraterrestres kidnappeurs, de combustion spontanée chez l'être humain, d'êtres transdimensionnels et du triangle des Bermudes. Dusty avait exposé ses projets pour Skeet, projets qui n'étaient pas sans risque compte tenu de la précarité psychologique du garçon. Dusty craignait de lui causer plus de mal que de bien. À sa grande surprise, Martie avait approuvé son plan immédiatement. Le jugement de Martie était plus sûr que la trajectoire du Soleil. Avec son soutien, Dusty était donc prêt à répondre de ses actes et à endosser l'affreuse responsabilité d'une éventuelle catastrophe.

Skeet était prêt à recevoir les instructions. Ses yeux tressautaient, comme la veille à la clinique.

— Dis-moi si tu m'entends, Skeet, commença Dusty.

— Je vous entends.

— Skeet... Si je te donne des instructions, les suivras-tu ?

— Dois-je les suivre ?

Se rappelant la séance à la clinique, Dusty donna à sa phrase une forme affirmative :

— Skeet, tu suivras toutes les instructions que je te donnerai. Confirme ou infirme cette affirmation.

— Je confirme.

— Skeet, je suis le Dr Yen Lo.

— Oui.

— Je suis les cascades claires.

— Oui.

— Par le passé, je t'ai donné de nombreuses instructions.

— Les aiguilles de pin bleues, dit Skeet.

— C'est ça. Skeet, dans quelques instants, je vais claquer des doigts.

Tu t'endormiras paisiblement. Confirme que tu m'as compris jusque-là.

— Je confirme.

— Je claquerai alors des doigts une deuxième fois. Cette fois, tu te réveilleras, tu seras pleinement conscient, mais tu auras oublié pour toujours toutes les instructions que j'ai pu te donner. Ce sera la fin de mon contrôle sur toi. Moi, Dr Yen Lo, les cascades claires, je ne pourrai plus jamais avoir accès à ton esprit. Skeet, dis-moi si tu comprends ce que j'ai dit.

— Je comprends.

Dusty jeta un coup d'œil vers Martie, quêtant son approbation.

Elle hocha la tête.

Fig, qui n'était pas au courant de leurs intentions, se penchait sur la table, captivé, au point d'oublier son jus de prune.

— Tu oublieras toutes mes instructions précédentes, Skeet. En revanche, tu te souviendras exactement de tout ce que je vais te dire à partir de maintenant, tu le croiras et tu agiras en conséquence jusqu'à la fin de tes jours. Dis-moi si tu comprends ce que je viens de dire.

— Je comprends.

— Skeet, tu ne consommeras plus jamais de drogues. Tu n'en éprouveras aucun désir. Les seules substances chimiques que tu consommeras te seront prescrites par un médecin en cas de maladie.

— D'accord.

— À partir d'aujourd'hui, Skeet, tu n'oublieras plus jamais que tu es d'abord et avant tout quelqu'un de bien, avec ni plus ni moins de défauts que les autres. Tous les reproches qu'a pu te faire ton père pendant toutes ces années, tous les jugements de ta mère, les critiques de Derek Lampton, tout cela ne t'atteindra plus, ne te touchera plus, ne t'inhibera plus jamais.

— D'accord.

De l'autre côté de la table, les yeux de Martie étaient brillants de larmes.

Dusty marqua une pause. Il prit une profonde inspiration avant de pouvoir continuer.

— Skeet, tu vas te retourner sur ton enfance et retrouver l'époque où tu croyais en l'avenir, où tu étais plein de rêves et d'espoirs. Tu vas croire de nouveau au futur. Tu vas croire de nouveau en toi-même. Maintenant, la flamme de l'espoir va t'habiter et plus jamais, plus jamais elle ne s'éteindra.

— D'accord.

Skeet avait les yeux rivés sur l'infini, Fig était vissé sur sa chaise, Martie s'essuyait les yeux avec sa manche, ce brave Valet observait la scène, l'air sombre.

Dusty posa son majeur sur son pouce, prêt à claquer des doigts.

Il hésita, passant en revue tout ce qui pourrait aller de travers... On pouvait causer tant de malheurs même avec les meilleures intentions du monde…

Clac !

Les paupières de Skeet se fermèrent d'un coup et le garçon s'affaissa sur son siège, profondément endormi. Son menton vint reposer sur sa poitrine.

Bouleversé par la responsabilité qu'il venait de prendre, Dusty se leva, resta un moment indécis, puis se dirigea vers la cuisine. Il ouvrit le robinet d'eau froide de l'évier, plaça ses mains en coupe sous le jet et s'aspergea longuement le visage.

Martie le rejoignit.

— Ça va bien se passer, chéri.

L'eau avait pu cacher ses larmes, mais l'émotion déformait sa voix.

— Et si je l'ai bousillé encore plus qu'il ne l'était ?

— Ce ne sera pas le cas, affirma-t-elle avec conviction.

Il secoua la tête.

— Comment savoir ? C'est si fragile, l'esprit. Un des gros problèmes de ce monde, c'est justement tous ces gens qui veulent se mêler des esprits des autres, et ils font tellement de dégâts. Tellement de dégâts… Tu ne peux pas savoir, aucun de nous ne peut savoir.

— Si, je peux, protesta-t-elle avec un doux entêtement, en posant une main sur son visage humide. Ce que tu viens de faire, tu l'as fait par amour, par pur et parfait amour pour ton frère, il ne peut rien en sortir de mauvais.

— Ouais. Et l'enfer est pavé de bonnes intentions.

— Le paradis aussi, tu ne crois pas ?

Il frissonna, essaya d'avaler la grosse boule qui obstruait sa gorge et parvint à exprimer une angoisse encore plus grande :

— J'ai peur de ce qui peut arriver si ça marche… mais j'ai encore plus peur que ça ne marche pas. Tu imagines ça ? Je claque des doigts, et c'est le même Skeet qui se réveille, suant le mépris de lui-même par tous les pores de la peau, toujours aussi paumé, la même pauvre petite chose ? C'est sa dernière chance, je veux tellement croire que ça va marcher… Et si je claque des doigts et que finalement on se rend compte que ce n'était pas une chance… que ce n'était rien du tout… Qu'est-ce qui nous restera ?

La conviction qui vibrait dans la voix de sa femme rendit courage à Dusty, comme toujours.

— Alors, tu auras au moins essayé.

Dusty regarda vers le coin repas. Skeet était dos à lui, avec ses cheveux ébouriffés, sa nuque maigre, ses épaules frêles.

— Allez, le pressa Martie doucement. Donne-lui une nouvelle vie.

Dusty ferma le robinet.

Il arracha quelques feuilles d'un rouleau d'essuie-tout et se sécha la figure.

Il chiffonna les feuilles et les jeta dans la poubelle.

Il frotta ses mains l'une contre l'autre, comme pour en arrêter le tremblement.

Clic-clic-clic ! des griffes sur le linoléum. Valet, curieux, entra en trottinant dans la cuisine. Dusty caressa sa tête dorée.

Enfin, derrière Martie, il rejoignit Fig et Skeet autour de la table.

De nouveau, son majeur et son pouce s'unirent.

L'instant suprême était là, qui apporterait bonheur ou malheur, espoir ou désespoir, sens ou vanité de l'existence, vie ou mort. *Clac !*

Skeet ouvrit les yeux, leva la tête. Il se redressa sur son siège et regarda tour à tour ceux qui l'entouraient.

— Alors, on commence ? demanda-t-il.

Il n'avait aucun souvenir de la séance.

— C'est toujours comme ça, déclara Fig en hochant vigoureusement la tête.

— Skeet ? souffla Dusty.

Le gamin se tourna vers lui.

Dusty prit une longue inspiration, puis, dans un souffle, il prononça :

— Dr Yen Lo.

Skeet pencha la tête de côté.

— Quoi ?

— Dr Yen Lo.

Martie essaya à son tour.

— Dr Yen Lo.

Fig s'y mit aussi :

— Dr Yen Lo.

Skeet inspecta les visages attentifs qui le scrutaient, y compris celui du chien, qui avait posé ses pattes de devant sur la table.

— C'est quoi, votre truc, une devinette, une question Trivial Pursuit ? Ce Lo, c'est qui ? une figure historique ? Vous savez que j'ai toujours été nul en histoire.

— Parfait, conclut Fig.

— *Les cascades claires*, reprit Dusty.

— C'est quoi ? du liquide vaisselle ? avança Skeet, déconcerté.

La première partie du plan avait fonctionné. Skeet n'était plus programmé, il n'était plus contrôlable.

En revanche, seul le temps permettrait de savoir si le second objectif avait également été atteint : libérer Skeet de son passé douloureux.

Dusty repoussa sa chaise et se leva.

— Lève-toi, dit-il à Skeet.

— Quoi ?

— Allez, petit frère, lève-toi.

Laissant la couverture glisser de ses épaules, le gamin se leva de sa chaise. Il avait l'air d'un épouvantail monté sur un manche à balai dans son pyjama trop grand pour lui.

Dusty prit son frère dans ses bras et le serra très fort, longtemps.

— Avant de partir, articula-t-il quand il put de nouveau parler, je te donnerai des sous pour t'acheter des caisses de Yoo-hoo à la vanille. D'accord ?

62.

La roue de la fortune tournait. Dusty trouva deux places sur un vol United Airlines du matin pour Santa Fe, via Denver, au départ de l'aéroport international John-Wayne. Il paya les billets par téléphone en donnant le numéro de sa carte bleue.

— Une arme ? demanda Fig quelques minutes plus tard, alors que Dusty et Martie s'apprêtaient à partir en lui laissant frère et chien.

— Quoi, une arme ? reprit Dusty.

— Il vous en faut une ?

— Non.

Fig n'était pas de cet avis.

— Je crois que si.

— Ne me dis pas que tu as ici de quoi équiper une armée anti-*aliens* ? lança Martie, en se demandant si le cas Foster Newton relevait seulement de l'excentricité.

— Non, pas une armée, rétorqua-t-il.

— De toute façon, j'ai ça.

Dusty sortit le colt .45 Commander de sa veste.

— Mais vous prenez l'avion ? demanda Fig.

— Je ne le garderai pas sur moi. Il sera dans une des valises.

— Ils font des contrôles surprises aux rayons X.

— Même sur les bagages qui vont en soute ?

— Ces derniers temps, oui.

— Même sur les petits vols ?

— Même là.

— C'est à cause de la recrudescence du terrorisme. Ça rend tout le monde nerveux, la FAA [1] a mis en place de nouvelles mesures de sécurité, expliqua Skeet.

Dusty et Martie se regardèrent bouche bée. Ils n'auraient pas été

---

1. Federal Aviation Agency. *(N.d.T.)*

plus étonnés si un troisième œil était subitement apparu au milieu du front du garçon. Son credo étant jusqu'alors : « la réalité, ça craint », Skeet évitait soigneusement les journaux d'information, qu'ils soient imprimés, radiodiffusés ou télévisés.

Skeet haussa les épaules devant leur mine ahurie.

— J'ai entendu ça dans une conversation entre revendeurs.

— Tu veux dire des revendeurs de drogue ? s'exclama Martie.

— Pas de tickets de tiercé, en tout cas. Le jeu n'est pas mon vice !

— Les dealers s'intéressent à l'actualité, maintenant ?

— Ça les concerne, à cause du transport. Ça les a pas mal gênés dans leurs affaires.

Dusty se tourna vers Fig.

— Quelle est la fréquence de leurs contrôles surprises ? Ils scannent un sac sur dix, un sur cinq ?

— Environ cinq pour cent sur certains vols.

— Bon…

— Et cent pour cent sur d'autres.

Dusty regarda son pistolet.

— L'arme est légale, mais je n'ai pas de permis pour la porter sur moi.

— Ni pour la sortir de l'État.

— C'est encore pire ?

— Ce n'est pas mieux, en tout cas.

Fig lança un clin d'œil à Dusty :

— J'ai ce qu'il vous faut.

Il disparut à l'arrière du mobile home pour réapparaître un instant plus tard avec une boîte dont il sortit un camion miniature brillant comme un sou neuf. D'une pichenette, il fit tourner les roues.

— Vroum, vroum ! Tout le monde en voiture !

Ciel noir et vent noir. Noires aussi, les fenêtres de la maison. Le vent vivait donc ici ?

Ahriman hésitait devant côté jardin de la petite maison victorienne des Rhodes, une petite chose surchargée de fioritures à son goût. Il écoutait les rythmes de maracas des arbres dans la nuit et se répétait son haïku du vent noir, fort content de lui.

Quand il était venu la première fois mener ses séances de programmation sur Dusty, deux mois plus tôt, les Rhodes lui avaient donné un double des clés. Il entra et referma sans bruit la porte derrière lui.

Si cette maison était le foyer du vent, il était sorti. Les ténèbres étaient tièdes et calmes. Personne, pas même le chien.

Habitué à circuler en maître chez ceux qu'il contrôlait, Ahriman alluma la lumière de la cuisine.

Il ne savait pas trop ce qu'il cherchait, mais il saurait reconnaître un indice à l'instant même où il l'aurait sous les yeux.

La découverte eut lieu presque aussitôt : une enveloppe à bulles ouverte à la hâte, abandonnée sur la table. La mention de l'expéditeur attira son attention : « Dr Roy Closterman ».

Sa réussite spectaculaire, tant comme praticien que comme écrivain, la fortune considérable dont il avait hérité et qui faisait bien des envieux, son intolérance face à la stupidité, sa tendance à éprouver plus facilement du mépris que de l'admiration envers ses confrères, avec leurs codes d'éthique hypocrites et leurs dogmes étouffants, toutes ces raisons et quelques autres avaient attiré à Ahriman beaucoup d'ennemis dans le corps médical, toutes spécialisations confondues. Il paraissait donc vraisemblable que le médecin des Rhodes fasse partie de ce vaste club. Qu'il s'agisse de saint Closterman, l'autobéatifié, ne le préoccupait pas outre mesure. C'était un médecin comme un autre, parmi la pléthore de vulgaires généralistes qu'Ahriman surnommaient les palpeurs-tripoteurs.

En revanche, le mot manuscrit trouvé à côté de l'enveloppe l'inquiéta. Le papier portait l'en-tête de Closterman, et le message était signé de sa main.

Ma secrétaire passe devant chez vous en rentrant chez elle, j'ai pensé que vous pourriez trouver quelque intérêt à la lecture du dernier ouvrage du Dr Ahriman. Peut-être n'avez-vous encore lu aucune de ses œuvres ?

Encore une mauvaise carte dans le jeu.

Ahriman plia la feuille et la glissa dans sa poche.

Le livre dont parlait Closterman n'était pas là. S'il s'agissait bien du dernier ouvrage, ce devait être *Apprenez à vous aimer*.

Ainsi, nota le médecin avec une certaine satisfaction, même ses ennemis lui rapportaient des droits d'auteur !

Néanmoins, quand cette petite crise serait résolue, il lui faudrait s'occuper de saint Closterman… en rétablissant, par exemple, la symétrie faciale de son petit ami par l'ablation de sa deuxième oreille. À Closterman, on pourrait soustraire le majeur de la main droite, réduisant ainsi sa capacité à faire des gestes vulgaires. Un saint ne pouvait que se réjouir d'être débarrassé d'un doigt possédant un tel potentiel d'obscénité !

Le camion de pompiers mesurait dix centimètres de large, autant de hauteur, et trente de long. Il était entièrement en acier. Décoré avec un grand souci du détail, peint à la main, réalisé en Hollande par des artisans fiers de leur savoir-faire, c'était un rêve de jouet pour les bambins.

Fig s'assit à la table et ses hôtes se rassemblèrent autour de lui. À l'aide d'un petit tournevis, il retira huit vis de laiton pour détacher le corps du camion de sa base.

À l'intérieur, il y avait un petit sac de feutre, de ceux qu'on utilise pour envelopper les chaussures dans les valises.

— L'arme, réclama Fig.

Dusty lui donna le colt.

Fig inséra le petit pistolet dans le sac destiné à atténuer les chocs et plaça le tout dans le corps creux du camion de pompiers. Il était juste aux bonnes dimensions.

— Chargeur de rechange ? demanda Fig.

— Je n'en ai pas, dit Dusty.

— Dommage.

— On fera sans.

Fig remonta le camion, fixa le petit tournevis entre les roues avec un morceau de ruban adhésif et tendit l'ensemble à Dusty.

— Qu'ils contrôlent, maintenant… !

— Si on le couche sur le côté dans une valise, aux rayons X ils verront simplement la silhouette parfaitement reconnaissable d'un camion de pompiers pour enfant, constata Martie, admirative.

— Maintenant, vous pouvez y aller, confirma Fig.

— Il ne leur viendra jamais à l'idée de faire ouvrir un sac pour ça, renchérit Martie.

— Jamais.

— On pourrait presque le prendre en bagage à main, fit Dusty.

— Vaudrait mieux.

— Vous croyez ? lâcha Martie avant de marquer un temps d'arrêt. C'est vrai que les bagages envoyés en soute peuvent se perdre…

Fig hocha la tête.

— Exactement.

— Tu t'en sers souvent de ce camion ? demanda Skeet.

— Jamais, dit Fig.

— Pourquoi as-tu ça chez toi, alors ?

— Au cas où.

Tournant le camion entre ses mains, Dusty reprit :

— Tu es un drôle de bonhomme, Foster Newton.

— Merci, répondit Fig. Vous voulez des gilets en Kevlar ?

— Pardon ?

— Du Kevlar, ça arrête les balles.

— Des gilets pare-balles ? répéta Dusty, incrédule.

— Vous en avez, oui ou non ?

— Non.

— Vous en voulez ?

— Vous avez des gilets pare-balles ! s'exclama Martie.

— J'ai.

— Tu en as déjà eu besoin, Fig ? demanda Skeet.

— Non, mais ça peut venir.

Martie secoua la tête.

— Et après, qu'est-ce que vous allez nous proposer ? Un pistolet désintégrateur d'extraterrestres ?

— Ça, j'ai pas, reconnut Fig avec un regret évident.

— On va se passer de gilets pare-balles, intervint Dusty. Ils pourraient nous trouver bizarrement rembourrés au service de sécurité de l'aéroport.

— C'est pas faux, acquiesça Fig sans remarquer le trait d'humour de Dusty.

Ahriman ne trouva rien d'autre d'intéressant au rez-de-chaussée. Malgré son intérêt pour les arts décoratifs, il ne s'arrêta pas pour admirer un tableau, un meuble ou un bibelot. La décoration le laissait froid.

La chambre à coucher montrait des signes de départ précipité. Deux tiroirs de commode étaient béants, une armoire grande ouverte. Un pull gisait sur le sol.

En inspectant l'armoire, Ahriman découvrit deux valises assorties sur une étagère. À côté, il y avait un emplacement vide, qui avait pu contenir deux sacs plus petits, de la même série.

Il visita la salle de bains, puis une seconde chambre sans rien trouver. Il pénétra dans le bureau de Martie.

Jolie fille joueuse. Joue à des jeux de Hobbit. La mort à Mordor.

Sur le grand bureau en U s'entassaient des livres, des cartes de pays imaginaires, des portraits de personnages, tous les documents relatifs au projet de Martie sur *Le Seigneur des anneaux*. Ahriman consacra à ces objets plus de temps qu'ils n'en méritaient, cédant à son goût immodéré pour tout ce qui touchait au jeu.

En se plongeant dans les dessins de Hobbits et d'Orques réalisés par ordinateur, Ahriman comprit pourquoi Martie était une meilleure muse pour ses haïkus que Susan ou toute autre femme. Il partageait avec elle le goût pour le jeu. Comme lui, elle aimait le pouvoir du maître du donjon. Dans ce domaine-là au moins, ils étaient sur la même longueur d'onde.

N'allait-il pas se découvrir, avec le temps, d'autres inclinations, d'autres passions communes avec Martie ? Quand il aurait éliminé l'élément néfaste qui empoisonnait pour l'instant leur relation, peut-être découvrirait-il qu'ils avaient tous les deux beaucoup plus à partager qu'il ne l'avait supposé de prime abord, abusé qu'il était par la beauté de Susan et la situation familiale de Martie. Délicieuse ironie du sort !

Le grand romantique qui sommeillait en lui s'enthousiasma à la perspective d'une histoire d'amour, ou du moins d'une relation approchante. Certes, il était très occupé et très attaché à ses habitudes. Néanmoins, il ne s'opposerait pas à ce que son quotidien soit quelque peu bousculé par les émois du cœur.

Lorsqu'il entreprit de fouiller les tiroirs du bureau, il se sentait moins détective qu'amoureux indiscret, feuilletant le journal intime de sa dulcinée pour tenter d'y dénicher ses secrets.

Dans le rack de trois tiroirs, il ne trouva rien d'intéressant, ni pour le détective ni pour l'amoureux. En revanche, dans le tiroir central, parmi les règles, stylos, gommes et autres menus objets, il dénicha une minicassette sur laquelle on avait inscrit au stylo rouge en lettres capitales : SUSAN.

Le choc fut sans doute comparable à celui que ressent une bohémienne qui, remuant quelques feuilles de thé sur une assiette, voit soudain s'y dessiner un destin particulièrement sinistre. Un frisson emprisonna sa colonne vertébrale dans une gangue de glace.

Il explora les derniers tiroirs à la recherche d'un lecteur de minicassettes, mais n'en trouva pas.

C'est en apercevant le répondeur téléphonique sur un coin du bureau qu'il comprit ce qu'il avait entre les mains.

L'auvent d'aluminium vibrait sous la bise en produisant un grognement de bête, comme si quelque monstre affamé attendait dans la nuit que Dusty ouvre la porte du mobile home.

— Si pour une fois la météo ne se trompe pas, il va faire un temps de chien toute la semaine, dit-il à Fig. Oublie le chantier des Sorenson. Contente-toi de prendre soin de Skeet et de Valet.

— Jusqu'à quand ?

— Je ne sais pas. Ça dépendra de ce qu'on trouvera là-bas. On sera sans doute de retour après-demain, vendredi. Peut-être samedi.

— On trouvera bien de quoi s'occuper, promit Fig.

— On jouera aux cartes, proposa Skeet.

— On surveillera les ondes courtes pour détecter les messages codés des extraterrestres, déclara Fig.

Une phrase aussi longue constituait un véritable exploit pour le bonhomme.

— Et on écoutera les causeries à la radio, je parie, ajouta Skeet.

— Et faire sauter un tribunal, ça te dit ? demanda Fig.

— Eh là ! fit Martie.

— C'est une blague, répliqua Fig avec un clin d'œil de vieux hibou.

— Alors elle est mauvaise, répliqua-t-elle.

Sitôt passé le seuil, le vent les agressa, toutes griffes dehors. Tandis qu'ils rejoignaient leur voiture, de grandes feuilles de magnolia mortes filaient entre leurs pieds comme des rats.

Derrière eux, par la porte encore ouverte, leur parvint le gémissement perçant et pathétique de Valet. Son intuition canine lui disait peut-être qu'il ne reverrait plus jamais ses maîtres.

L'écran du répondeur indiquait deux nouveaux messages. Ahriman décida de les écouter avant de lire la cassette marquée SUSAN.

Le premier message provenait de la mère de Martie. Elle voulait savoir ce qui se passait et pourquoi sa fille n'avait pas répondu à ses précédents appels.

La seconde voix enregistrée était celle d'une femme, chargée des réservations d'une compagnie aérienne. *Mr. Rhodes, j'ai omis de vous demander la date d'expiration de votre carte de crédit. Si vous recevez ce message, pourriez-vous me communiquer cette information ?* Suivait un numéro vert. *Dans le cas contraire, vos deux billets pour Santa Fe vous attendront quand même demain matin.*

Ahriman resta médusé. Comment avaient-ils pu se rendre compte aussi vite de l'importance primordiale de son séjour au Nouveau-Mexique ? Il fallait que Martie et Dusty soient des adversaires dotés de pouvoirs paranormaux. Puis il comprit que la piste de Santa Fe avait dû leur être soufflée par saint Closterman.

Le pouls d'ordinaire lent et régulier du psychiatre, qui augmentait rarement de plus de dix pulsations minute, y compris pendant l'exécution d'un meurtre, s'était accéléré notablement lorsque Ahriman avait découvert les projets de voyage des Rhodes.

Aussi attentif à son corps qu'un athlète et toujours soucieux de sa santé, le psychiatre s'assit, respira profondément, puis consulta sa montre pour prendre son pouls. En général, en position assise, il oscillait entre soixante et soixante-deux battements à la minute, signe d'une forme exceptionnelle. Cette fois, Ahriman compta soixante-dix battements, soit une augmentation de huit points, sans le moindre cadavre alentour pour la justifier.

Pendant que Dusty sillonnait les environs de l'aéroport à la recherche d'un hôtel, Martie téléphona à sa mère depuis son portable.

Sabrina, affolée, était dans tous ses états. Il fallut plusieurs minutes à Martie pour la persuader qu'elle n'était ni blessée ni estropiée, qu'elle n'avait pas été victime d'un accident de voiture, ni d'une fusillade, ni d'un incendie, qu'elle n'avait pas été frappée par la foudre ni par un préposé des postes mal embouché, et qu'elle n'était pas non plus tombée entre les dents de cette affreuse bactérie mangeuse de chair humaine dont on parlait à nouveau dans les journaux.

À écouter le flot de paroles que déversait sa mère, Martie se sentait envahie par cette tendresse particulière que seule Sabrina avait le pouvoir de faire naître en elle.

Sabrina vouait à sa fille unique un amour d'une intensité qui confinait à la folie. Elle aurait fait de Martie une névrosée incurable avant ses douze ans si celle-ci ne s'était pas montrée, dès ses premiers pas ou presque, farouchement indépendante. Cependant il y avait dans ce monde des choses bien plus terribles que l'amour fou d'une mère. Ça ne manquait pas. La folie sans amour notamment…

L'amour de Sabrina pour Bob la Banane était aussi immense que celui qu'elle portait à sa fille. La mort de celui-ci, à seulement cinquante-trois ans, avait encore accru ses excès de mère poule. Il y avait à peu près autant de probabilités que Martie meure aussi jeune que son père que de voir un astéroïde détruire la Terre dans la nuit. Mais ni les calculs sans âme des statisticiens ni les tableaux d'évaluations de risques des assureurs ne parvenaient à apaiser un cœur blessé qui s'attendait toujours à ce que le pire survienne.

Il n'était donc pas question pour Martie de parler à sa mère de contrôle de l'esprit, de haïkus, d'homme feuille, de prêtre à la tête transpercée d'un pic de fer, d'oreilles coupées ni de voyage à Santa Fe. Devant cette quantité inquiétante de nouvelles étranges, l'angoisse chronique de Sabrina se serait muée en véritable hystérie.

Martie ne pouvait pas non plus annoncer à sa mère la mort de Susan, d'abord parce qu'elle n'était pas sûre d'évoquer la perte de son amie sans fondre en larmes, mais aussi parce que Sabrina aimait Susan presque comme sa fille. Elle lui annoncerait la nouvelle de vive voix, en lui tenant la main. Ce serait moins dur, pour l'une comme pour l'autre.

Afin d'expliquer à Sabrina son silence téléphonique des derniers jours, elle raconta par le menu la tentative de suicide de Skeet et son entrée à la clinique de La Nouvelle Vie. Ces événements, qui s'étaient déroulés dans la matinée du mardi, n'excusaient pas le silence du mercredi. Toutefois Martie arrangea son histoire pour donner l'impression que Skeet avait été admis à la clinique le lendemain de son plongeon du toit de Sorenson, causant ainsi deux jours d'agitation.

Martie fut surprise par la réaction de sa mère ; elle ne s'attendait pas à la voir si touchée. Sabrina ne savait pas grand-chose sur Skeet et n'avait jamais exprimé le désir de faire plus ample connaissance. À ses yeux, le pauvre garçon était tout aussi dangereux que n'importe quel soldat du cartel de Medellín. Elle le considérait comme un personnage violent, foncièrement mauvais, qui coinçait les enfants dans les cours d'école pour les piquer de force à l'héroïne. Mais là, soudain, des larmes, des sanglots, des questions inquiètes sur son état, sur ce qui allait advenir de lui, et des larmes encore.

— C'est bien ce que je craignais, c'est ce qui me ronge les sangs sans arrêt, disait-elle. Je savais que ça arriverait. Ça devait arriver. Voilà, ça y est, et la prochaine fois, ça ne finira peut-être pas si bien. La prochaine fois, Dusty se rompra peut-être le cou en tombant et sera paralysé à vie, ou même mort. Que deviendras-tu, à ce moment-là ? Je t'avais pourtant suppliée de ne pas épouser un peintre en bâtiment, de trouver un homme plus ambitieux, un qui serait assis derrière un beau bureau et qui ne se baladerait pas tout le temps sur les toits, un homme qui n'aurait pas la moindre chance de tomber d'un toit !

— Maman…

— J'ai vécu toute ma vie la peur au ventre, avec ton père. Ton père et le feu. Tous ces incendies, ces bâtiments en flammes, ces trucs qui explosaient et qui pouvaient lui tomber dessus. Chaque jour de ma vie d'épouse, j'ai eu peur en le voyant partir au travail, j'ai tremblé à chaque sirène de pompiers. Je ne pouvais pas regarder les informations à la télévision, parce que à chaque fois qu'ils racontaient une histoire d'incendie je me disais qu'il y était peut-être. D'ailleurs, il a été blessé plusieurs fois. Même son cancer avait peut-être un lien avec toute cette fumée qu'il a respirée, toutes ces toxines que dégage un incendie… J'avais un mari qui allait se balader dans les flammes, et tu vas en chercher un qui grimpe sur les toits. Les toits, les échelles, on tombe tout le temps de ces machins-là, tu ne seras jamais tranquille.

Cette tirade qui venait du cœur laissa Martie sans voix.

À l'autre bout de la ligne, Sabrina pleurait.

Dusty, sentant qu'un moment d'une qualité inhabituelle se déroulait entre la mère et la fille, et prévoyant qu'il n'en sortirait rien de bon pour lui, détourna les yeux de la circulation pour murmurer :

— Qu'est-ce qu'il y a ?

Martie put finalement articuler :

— Maman, tu ne m'avais jamais parlé comme ça.

— Une femme de pompier ne parle pas de ces choses-là. On n'embête pas son mari avec ça, on ne montre jamais qu'on s'inquiète. Jamais, jamais, grand Dieu ! En parler, c'est attirer le malheur. Une femme de pompier doit être forte, positive, elle doit soutenir son mari, ravaler sa propre peur, et faire bonne figure. Mais elle vit avec sa terreur, toujours. Et toi, tu épouses un homme qui est sans arrêt sur des échelles, qui se promène sur les toits et qui en tombe, alors que tu aurais très bien pu en trouver un qui reste à son bureau, un qui ne pourrait pas tomber plus bas que sa chaise !

— Le problème, maman, c'est que c'est lui que j'aime.

— Je sais bien, ma chérie, sanglota sa mère. C'est affreux.

— Alors, c'est pour ça que tu m'en voulais depuis le début, pour Dusty ?

— Je ne t'en voulais pas, ma chérie. C'est votre couple qui ne me plaisait pas.

— Pour moi, ça revenait au même. Maman… Est-ce que ça veut dire que peut-être, enfin, d'une certaine manière, tu apprécierais un petit peu Dusty ?

Dusty fut si surpris par cette question que ses mains glissèrent sur le volant. La voiture fit une embardée.

— C'est un gentil garçon, répondit Sabrina, comme si sa fille en était encore à ses premiers rendez-vous. Il est très gentil, intelligent et bien élevé. Je comprends que tu l'aimes. Seulement, un jour, il tombera d'un toit et il se tuera, et ta vie sera fichue. Tu ne t'en remettras jamais. Il emportera ton cœur dans la tombe.

— Pourquoi tu ne m'as pas dit ça plus tôt, au lieu de critiquer tout ce qu'il faisait ?

— Je ne critiquais pas. J'essayais de te faire comprendre ce qui me préoccupait. Je ne pouvais pas te parler d'accidents, pas directement. Jamais, grand Dieu, il suffit d'en parler pour que ça arrive. Et voilà qu'on en parle ! Il va tomber d'un toit, et ce sera ma faute.

— Maman, c'est irrationnel, ça n'arrivera pas.

— Mais c'est déjà arrivé ! s'exclama Sabrina. Et ça recommencera. Les pompiers sont pris dans les incendies, les peintres tombent des toits, c'est bien connu !

Martie plaça le téléphone entre les deux sièges avant, pour que sa mère puisse entendre leurs deux voix, et interrogea Dusty :

— Combien de peintres en bâtiment as-tu connus dans ta vie, entre ceux qui travaillent pour toi et les autres ?

— Je ne sais pas, cinquante, soixante peut-être. Au moins.

— Et combien sont tombés de toits ?

— À part moi et Skeet ?

— Oui, à part toi et Skeet…

— Un seul, à ma connaissance. Il s'est cassé une jambe.

— Martie remit le téléphone à son oreille.

— Tu as entendu, maman ? Un seul, et il s'en est tiré avec une jambe cassée.

— Un seul, « à sa connaissance ». Et lui sera le suivant.

— Il a déjà fait une chute. Il doit y avoir à peu près une chance sur un million pour qu'un peintre en bâtiment tombe d'un toit deux fois dans sa vie.

— Cette chute-là ne compte pas, rétorqua Sabrina. Il essayait de rattraper son frère. Ce n'était pas un accident. Le véritable accident lui arrivera un jour ou l'autre.

— Maman, je t'adore, mais là, tu dérailles un peu.

— Je sais, ma chérie. Ce sont toutes ces années d'inquiétude. Tu verras, toi aussi, tu finiras par dérailler un peu.

— Écoute-moi, maman… on risque d'être assez occupés dans les jours à venir. Ne nous fais pas un ulcère si je ne réponds pas tout de suite à tes appels. Promis ? On ne tombera pas des toits.

— Passe-moi Dusty.

Martie s'exécuta.

Dusty prit l'appareil, l'air méfiant.

— Bonjour, Sabrina… Oui… Oh ! vous savez ce que c'est… Bien sûr… Non, c'est promis… Mais non… je vous promets que non. Juré craché par terre… Pardon ? … Mais, non, je ne l'ai jamais pris sérieusement. Je sais bien… Ne vous mettez pas martel en tête… Moi aussi, je vous aime bien, Sabrina… Pardon ? Vous êtes sûre que… Bon très bien… va pour maman… Oui, je vous aime aussi. Au revoir, maman.

Martie reprit le téléphone et coupa la communication.

Après un silence, elle dit :

– Tout arrive. Même une réconciliation mère-fille au milieu de tout ce bordel !

L'espoir était une force mystérieuse, il illuminait les cœurs au moment où on s'y attendait le moins. Une fleur dans le désert.

– Tu lui as menti, mon chou, fit Dusty.

Il ne faisait évidemment pas allusion à la chronologie truquée des ennuis de Skeet, ni au fait qu'elle avait omis de parler de Susan et de l'aventure dans laquelle ils s'étaient embarqués.

Elle hocha la tête.

– Je lui ai dit qu'on ne tomberait pas des toits. Mais tout le monde finit par tomber d'un toit ou d'autre chose…

– À moins qu'on ne soit les premiers à vivre éternellement.

– Si c'est le cas, il faudra qu'on s'occupe un peu plus sérieusement de notre épargne-retraite.

Martie était terrifiée à l'idée de perdre Dusty. Comme sa mère, elle était incapable d'exprimer sa terreur, de crainte de provoquer le destin.

Au Nouveau-Mexique se rejoignaient les hauts plateaux et les montagnes Rocheuses. C'était le toit du Sud-Ouest américain. Quant à la ville de Santa Fe, elle trônait à près de deux mille mètres au-dessus du niveau de la mer. Une jolie chute en perspective.

Un seul des cinq messages enregistrés sur la cassette marquée SUSAN était intéressant, mais, en l'écoutant, Ahriman sentit son pouls s'accélérer une nouvelle fois.

Encore une mauvaise carte dans le jeu…

Il écouta les deux messages de la mère de Martie qui suivaient la bombe de Susan, puis effaça la bande. Il sortit la cassette du répondeur, la jeta par terre et l'écrasa jusqu'à ce que l'enveloppe plastique ne soit plus qu'un tas de débris.

De ces ruines, il extirpa l'étroite bande magnétique enroulée autour de ses deux minuscules bobines. L'ensemble ne remplissait pas même la paume de sa main. Tant de danger concentré en un si petit objet…

Il descendit à la salle à manger, ouvrit le registre du conduit de la cheminée et posa bande et bobines sur l'une des fausses bûches en céramique. De sa veste de costume, il sortit un mince briquet Cartier, d'une ligne élégante et d'une finition impeccable.

Depuis l'âge de onze ans, il portait un briquet sur lui. Il avait chipé le premier à son père, avant d'entrer en possession de ce modèle plus élégant. Le médecin ne fumait pas, mais on pouvait toujours avoir besoin de mettre le feu à quelque chose.

Ainsi, à treize ans, alors qu'il était déjà en première année d'université, il avait brûlé sa mère. S'il n'avait pas eu de briquet sous la main au bon moment, sa vie aurait sans doute pris un cours bien plus funeste.

Alors que sa mère était censée dévaler les pistes de ski – ils passaient la semaine de Noël dans leur chalet, à Vail –, elle entra brusquement dans la pièce où il préparait un chat pour une dissection in vivo.

Il venait d'anesthésier l'animal avec du chloroforme qu'il avait extrait des simples détergents ménagers trouvés dans la maison. Les pattes du matou étaient fixées à l'aide de ruban adhésif sur la bâche de plastique qui allait faire office de table d'opération et sa gueule était scotchée, pour étouffer ses cris à son réveil. À côté de lui, l'apprenti médecin avait disposé un assortiment d'instruments chirurgicaux acquis auprès d'une société de fournitures médicales qui proposaient des réductions de prix aux étudiants en médecine. Tiens... salut, m'man... Il arrivait fréquemment qu'ils ne se voient pas pendant des mois, lorsqu'elle était sur un tournage ou participait à l'un de ces safaris-photos qu'elle affectionnait. Et tout à coup, sans crier gare, voilà qu'elle se mettait à culpabiliser de le laisser seul pour aller skier avec ses copines et qu'elle découvrait l'absolue nécessité de passer un après-midi à resserrer les liens avec son fils par quelque activité. Mauvaise idée. Mauvais moment.

Au regard effaré de sa mère, Ahriman sut qu'elle venait de comprendre ce qui était arrivé au petit chiot de sa cousine Heather, le jour de Thanksgiving. Peut-être soupçonna-t-elle aussi les véritables circonstances de la disparition, l'année précédente, du fils des gardiens de leur propriété à Hollywood, à l'âge de quatre ans et demi. Sa mère était peut-être égocentrique, le type même de l'actrice trentenaire qui découpe sa photo dans les magazines pour en décorer sa chambre à coucher, mais elle n'était pas stupide.

Le jeune Ahriman, réagissant avec la promptitude qui le caractérisait déjà, arracha le bouchon de la bouteille de chloroforme et aspergea de son contenu le joli minois de la jeune femme. Cela lui donna le temps de détacher le chat, de ranger la bâche et les instruments chirurgicaux, d'éteindre les veilleuses de la cuisinière, d'ouvrir le gaz, puis de mettre le feu à sa mère avant qu'elle se réveille et de s'enfuir à toutes jambes, le chat dans les bras.

L'explosion ébranla tout le village et son écho résonna comme un coup de tonnerre à travers les montagnes enneigées, déclenchant quelques avalanches, quoique trop faibles pour être divertissantes. Le grand chalet de cèdre réduit à l'état de petit bois s'embrasa aussi vite qu'un fétu de paille.

Quand les pompiers découvrirent le petit Ahriman assis dans la neige à quelques dizaines de mètres du brasier, serrant dans ses bras le chat qu'il avait sauvé du sinistre, tout le monde conclut qu'il était en état de choc, incapable de parler ni même de pleurer.

– J'ai sauvé le chat, avait-il fini par leur dire d'une voix brisée qui hanterait les sapeurs pendant des années, mais je n'ai pas pu sauver ma maman. Je n'ai pas pu sauver ma maman...

On identifia le corps de sa mère grâce à ses empreintes dentaires. Ses restes, une fois passés au four crématoire, ne remplissaient pas la moitié de l'urne funéraire. Ahriman le savait ; il avait regardé. Tout le gratin de Hollywood assista au service funèbre tandis que la bruyante garde d'honneur attachée aux funérailles des célébrités – les hélicoptères de la presse – décrivait des cercles dans le ciel au-dessus du crématorium.

Il ne verrait plus de films de sa mère – dommage, car ses choix de scénarios étaient judicieux et ses films presque toujours bons. Toutefois il ne la regrettait pas. Sa mère, d'ailleurs, ne l'aurait pas beaucoup regretté non plus, si l'on avait interchangé leurs destins. Elle adorait les animaux et défendait avec passion toutes les causes qui les concernaient. Le dernier des quadrupèdes avait plus de chances de l'émouvoir qu'un enfant. À l'écran, elle remuait les cœurs, les emplissait de désespoir ou de joie. Mais elle n'avait pas ce talent dans la vie.

Deux grands incendies, à quinze ans d'intervalle, avaient fait du Dr Ahriman un orphelin – du moins aux yeux de qui ignorait l'histoire des petits-fours empoisonnés : le premier dû à un accident fortuit, que le fabricant de la cuisinière à gaz paya très cher ; le second déclenché par Earl Ventnor, l'homme à tout faire de la maison, violeur et ivrogne, qui était mort en prison voilà deux ans, poignardé par un autre détenu lors d'une rixe.

Au moment d'actionner la molette de son briquet à l'ancienne pour brûler la bande du répondeur dans la cheminée, Ahriman méditait sur le rôle central qu'avait joué le feu dans sa vie... et dans celle de Martie, puisque son père avait été le pompier le plus décoré de l'histoire de l'État. Encore un point commun.

Dommage. Ses dernières découvertes ne lui permettaient plus vraiment d'envisager une évolution heureuse de leur relation. Il aurait tellement voulu partager quelque chose de particulier avec cette femme qui aimait le jeu.

S'il parvenait à les localiser, elle et son mari, il pourrait les activer, les guider jusqu'à leurs chapelles mentales pour se rendre compte de tout ce qu'ils avaient appris sur lui et savoir à qui ils en avaient parlé. Il était sûrement possible de réparer les dégâts, de reprendre la partie en main et de la conduire à son terme.

Il connaissait leur numéro de téléphone portable, mais Dusty et Martie ne répondaient sans doute pas, compte tenu de leur état actuel de paranoïa. De plus, par téléphone, il ne pouvait activer que l'un d'eux, alertant par là même celui qui assistait à la conversation. Trop risqué.

Il fallait les retrouver. Et c'était bien là le problème. Ils étaient en fuite, aux aguets, prudents à l'extrême. Ils ne sortiraient du couvert qu'au matin, pour embarquer dans l'avion à destination du Nouveau-Mexique.

Les approcher à l'aéroport, à la porte d'embarquement, était hors de question. En admettant qu'ils ne s'échappent pas, il ne pourrait les activer, les interroger et leur donner ses instructions en public.

Une fois au Nouveau-Mexique, en revanche, ils seraient à sa merci...

La bande magnétique s'enflamma, répandant une odeur âcre. Le psychiatre ouvrit l'arrivée de gaz de la cheminée. Il y eut un shhhhh ! et, en deux minutes, il ne resta plus de la cassette qu'un résidu collant sur les bûches de céramique.

Le Dr Ahriman était d'humeur noire, et la tristesse n'en était pas la principale composante.

La partie avait perdu tout son attrait. Malgré tant d'efforts, tant de machiavélisme, elle ne se conclurait sans doute pas sur les hauteurs des plages de Malibu, comme Ahriman l'avait prévu.

Il avait envie de mettre le feu à la maison.

Pas uniquement par dépit, ni à cause du dégoût que lui inspirait la décoration intérieure. À moins de passer une journée entière à fouiller, il ne pouvait avoir la certitude que la minicassette contenant les accusations de Susan était la seule preuve en possession de Martie et Dusty. Il ne pouvait pas passer une journée à fouiller les lieux. Réduire la maison en cendres était donc le meilleur moyen de se protéger.

Bien sûr, le message laissé par Susan sur la cassette n'aurait pas constitué une preuve suffisante contre lui. Il n'était même pas assez compromettant pour permettre de l'accuser officiellement. Néanmoins, Ahriman n'était pas homme à laisser le hasard s'immiscer dans ses affaires.

Incendier lui-même la maison comportait trop de risques. Quelqu'un aurait pu le voir partir, son forfait commis, et le reconnaître un jour dans un tribunal.

Il referma, à regret, l'arrivée de gaz de la cheminée.

En partant, il éteignit la lumière dans toutes les pièces. Il glissa sa clé sous le paillasson, où le prochain visiteur saurait la trouver.

Il incendierait la maison cette nuit même, mais pas de ses propres mains. Par procuration. Il avait d'ailleurs un candidat tout trouvé pour cela, programmé et facilement joignable par téléphone, qui jouerait très bien le pyromane sur son ordre et ne se souviendrait jamais d'avoir craqué l'allumette.

Le vent giflait toujours la nuit noire.

En se dirigeant vers sa voiture, garée trois pâtés de maisons plus loin, le psychiatre s'efforça de composer un haïku sur le vent, sans succès. En repassant en voiture devant la pittoresque demeure victorienne des Rhodes, il se la représenta dévorée par les flammes et se tortura l'esprit pour composer trois vers sur le feu. Mais les mots lui échappaient.

Au lieu de cela lui revint à l'esprit le poème qu'il avait improvisé avec tant d'aisance à la vue du bureau encombré de Martie.

Jolie fille joueuse. Joue à des jeux de Hobbit. La mort à Mordor.

Il remania l'œuvre au regard des récents développements :

Jolie fille joueuse. Jouant au détective. La mort à Santa Fe.

63.

Plus spacieuse que les geôles du pénitencier de San Quentin, à mille lieues du morne décorum carcéral, leur chambre d'hôtel, malgré ses couleurs et ses tissus d'ameublement surchargés, dégageait pourtant à leurs yeux l'atmosphère d'une cellule. En apercevant la baignoire dans la salle de bains, Martie imagina Susan baignant dans l'eau rougie. Toutes les fenêtres étaient scellées, et l'air tiède insufflé dans la pièce par le climatiseur, pourtant réglé au plus bas, était étouffant. Martie se sentait isolée, traquée, presque acculée. L'autophobie qui sommeillait en elle depuis les dernières heures semblait près de se réveiller en une crise aiguë de claustrophobie.

L'action. L'action dirigée par l'intelligence et un objectif moral constituait la réponse à la plupart des problèmes. C'était le B.A.-Ba de la philosophie de Bob la Banane.

Ils allaient agir. Bien qu'ils ne sachent pas si leur action, quoique morale, se révélerait suffisamment intelligente.

Ils commencèrent par examiner le dossier qu'avait rassemblé Roy Closterman sur Mark Ahriman, et plus particulièrement les documents concernant le massacre de la famille Pastore et l'affaire de l'école maternelle du Nouveau-Mexique. Ils relevèrent les noms qui apparaissaient dans les coupures de presse photocopiées et dressèrent une liste des victimes susceptibles de fournir un indice, voire un témoignage accablant.

Ensuite Dusty activa Martie à l'aide du sésame *Raymond Shaw* et du haïku sur les feuilles. Il lui commanda de retourner dans sa chapelle, non sans lui avoir promis solennellement de ne pas toucher à un cheveu de sa psyché et de laisser intacts tous ses défauts. Martie en fut amusée et émue.

Comme il l'avait ordonné à Skeet, Dusty intima à Martie d'oublier tout ce que Raymond Shaw avait pu lui dire, toutes les images de mort dont il avait truffé son esprit. À partir d'aujourd'hui, elle était libérée du programme de contrôle déclenché par Shaw, et délivrée pour toujours de son autophobie. Martie n'eut pas conscience d'entendre les paroles de Dusty, alias Raymond Shaw, et ne se souvint absolument pas de ce qui s'était passé entre le moment où il prononça le nom magique et celui où...

Clac ! Elle se réveilla et se sentit libre, lavée de ses mauvaises pensées, ce qui ne lui était pas arrivé depuis au moins deux jours. L'espoir, son vieux compagnon de route, reprit ses quartiers dans son esprit. Ils firent un essai. *Raymond Shaw* ne déclenchait plus la moindre réaction chez elle.

À son tour, Martie libéra Dusty, au moyen de *Viola Narvilly* et du haïku sur le héron.

Un claquement des doigts, et il revint à la réalité.

En regardant intensément ses beaux yeux tandis qu'il sortait de la transe, Martie évalua la terrible responsabilité qui avait pesé sur lui lors de la séance avec Skeet. C'était si impressionnant et si effrayant de voir son mari entièrement vulnérable devant elle, les plus intimes recoins de son esprit livrés à son bon vouloir. A posteriori, l'idée de s'être livrée elle-même si totalement, de s'être ainsi laissée mettre à nu, sans défense, sans autre garantie que son absolue confiance lui fit froid dans le dos. Il y avait là quelque chose d'à la fois humiliant et terrifiant.

Après un essai, Dusty se montra inaccessible à tout contrôle.

— Libre, constata-t-il.

— Mieux que ça, répliqua Martie. Désormais, quand je te dirai de sortir les poubelles, tu te précipiteras.

Il rit plus fort que la boutade ne le méritait.

Martie jeta ses Valium dans les toilettes.

Ce soir-là, en sortant de chez lui, Ahriman était en pleine forme. Il avait pris sa Ferrari Testarossa rouge cerise, vive comme un lézard, presque en lévitation au ras du sol. Mais, à présent, elle se révélait beaucoup trop voyante pour son état d'esprit. La Mercedes n'aurait pas convenu non plus, elle paraissait trop officielle, trop diplomatique, ce qui ne seyait pas du tout à son humeur morose ni à ses envies de meurtre. Ce qu'il lui aurait fallu, c'était l'un de ses roadsters de collection, en particulier la Buick Riviera de 1963 avec son toit surbaissé, sa calandre agressive, ses prises d'air elliptiques, ses deux pare-chocs arrière séparés par la plaque minéralogique, et mille autres détails personnalisés. Elle avait un air démoniaque, pareille à ces voitures de cinéma animées d'une âme criminelle qui roulaient toutes seules, possédées, indestructibles.

Il s'arrêta à côté d'une petite épicerie pour téléphoner, ne voulant appeler ni de son téléphone portable ni de chez lui.

Ce monde du nouveau millénaire était un gigantesque confessionnal, où se tenaient à l'écoute les prêtres d'une nouvelle Église, cachés derrière des écrans électroniques. Une fois par mois, Ahriman fouillait sa maison, ses bureaux et ses véhicules, à la recherche de mouchards de tout acabit. Il tenait à accomplir ce travail lui-même, au moyen d'un équipement dernier cri qu'il avait payé en liquide, car il n'avait confiance en aucune des sociétés de sécurité qui proposaient ce genre de services. Un téléphone pouvant toutefois être mis sur écoute depuis l'extérieur, il ne passait jamais de coups de fil compromettants depuis les lignes enregistrées à son nom.

Le téléphone public était fixé au mur, à l'extérieur de l'épicerie. Le bruit du vent interdisait l'usage d'un microcanon. Quoi qu'il en soit, Ahriman doutait qu'une équipe de surveillance l'ait filé jusque-là. Si ce téléphone servait notoirement de point de contact pour les dealers, il était peut-être branché sur table d'écoute passive, et toutes les communications enregistrées. Dans ce cas, on pourrait faire identifier sa voix et l'utiliser contre lui. Mais c'était là un risque minime, et inévitable.

Le psychiatre savait qu'il pouvait compter sur ses amis haut placés, qui le feraient acquitter pour à peu près n'importe quel forfait. Cela ne l'empêchait pourtant pas d'être prudent. En fait, c'était l'éventualité d'une surveillance par ces mêmes « amis » qui le poussait à passer chaque mois sa maison au crible. Il préférait qu'ils ne sachent rien de ses amusements privés. Ahriman se méfiait davantage d'eux que de la police. Lui-même aurait vendu un ami sans hésitation si on lui en avait offert un prix suffisant. Il partait donc du principe que la réciproque était vraie et incontournable.

Il composa un numéro, mit des pièces dans la machine, plaça sa main en coupe autour du téléphone pour faire écran au sifflement du vent. On décrocha après la troisième sonnerie.

— Ed Mavole, prononça Ahriman — c'était le nom d'un autre personnage d'*Un crime dans la tête*.

— J'écoute.

Ils égrenèrent les vers du haïku de programmation puis le psychiatre demanda :

— Dis-moi si tu es seul ou non.

— Je suis seul.

— Je veux que tu te rendes chez Dusty et Martie, à Corona Del Mar. Il regarda sa montre. Presque minuit. Je veux que tu sois là-bas à 3 heures du matin, dans un peu plus de trois heures. Dis-moi si tu as compris ou non.

— J'ai compris.

— Tu emporteras avec toi un bidon de vingt litres d'essence et une boîte d'allumettes.

— Oui.

— Sois discret. Ne te fais pas remarquer.

396

– Oui.

– Tu entreras par la porte de derrière. Je t'ai laissé une clé sous le paillasson.

– Merci.

– Je t'en prie.

Persuadé que sa marionnette ne disposait pas des connaissances techniques suffisantes pour réussir un incendie parfait et voulant être certain que la maison serait entièrement détruite, le psychiatre s'arc-bouta contre la bourrasque et consacra cinq minutes supplémentaires à un cours sur l'exploitation optimale des produits inflammables et des combustibles présents chez les Rhodes. Pour terminer, il détailla à son interlocuteur attentif les quatre points fondamentaux qu'un incendiaire digne de ce nom se devait de connaître.

Malgré le danger latent, ou peut-être à cause de ce danger, malgré leur chagrin ou poussés par lui, Martie et Dusty firent l'amour. Leurs ébats lents et doux étaient une ode autant qu'un plaisir : ode à la vie, à l'amour qu'ils se portaient, à leur foi indéfectible en l'avenir.

Pendant ces minutes délicieuses, ils furent hors d'atteinte de la peur, des démons de l'esprit et des démons du monde ; la chambre d'hôtel ne leur parut plus si petite ni si oppressante ; la frontière entre vérité et fiction, entre réalité et imagination perdit son flou inquiétant. La réalité était réduite à leurs deux corps unis et à leur tendresse partagée.

Une fois de retour chez lui, dans son bureau lambrissé de bois sculpté, Ahriman s'assit dans son fauteuil ergonomique en cuir d'autruche, effleura l'une des touches intégrées à un pupitre rétractable et regarda son ordinateur sortir de son bureau. Le système d'élévation ronronnait doucement.

Ahriman rédigea un message signalant les projets de voyage de Martie et de Dusty Rhodes. Il fournit une description détaillée du couple et demanda, comme une faveur personnelle qu'ils soient étroitement surveillés dès qu'ils poseraient le pied au Nouveau-Mexique. Si leur enquête ne donnait pas de résultat, ils pourraient revenir en Californie. S'ils récoltaient la moindre information compromettante à son sujet, Ahriman préférait qu'ils soient tués là-bas, sur la terre des enchantements, ainsi que l'appelaient les autochtones, pour ne pas avoir à se charger lui-même de cette tâche à leur retour sur la côte ouest. Enfin, dans le cas d'un règlement définitif au Nouveau-Mexique, il faudrait faire en sorte que le couple révèle l'endroit où se cachait le frère de Mr. Rhodes, Skeet Caulfield.

Ahriman relut son message afin de s'assurer qu'il ne présentait pas d'ambiguïté, tout en songeant qu'il avait peu de chances de revoir Dusty ou Martie vivants. Il conservait pourtant un faible espoir. Les Rhodes avaient certes fait preuve d'aptitudes étonnantes, mais on ne

397

pouvait en attendre plus d'un simple peintre en bâtiment et d'une créatrice de jeux vidéo.

S'ils n'étaient pas très doués pour jouer les détectives, Ahriman parviendrait peut-être à organiser une rencontre avec eux à leur retour en Californie. Il accéderait à leur esprit, les interrogerait sur ce qu'ils savaient de sa vraie nature et les réintroduirait dans le jeu après avoir effacé tous les souvenirs qui risqueraient d'entraver leur soumission ou de diminuer l'admiration programmée qu'ils lui portaient.

S'il parvenait à faire tout cela, la partie pourrait se poursuivre.

Il aurait pu demander à ses relations du Nouveau-Mexique de kidnapper les apprentis détectives et de les lui passer l'un après l'autre au téléphone, afin qu'il active leur programme à distance. L'ennui, c'est qu'il mettrait du même coup ses amis dans le secret de sa partie fatale à Malibu, ce qu'il ne souhaitait à aucun prix.

Pour l'instant, il entretenait avec le groupe de ses collègues marion-nettistes du Nouveau-Mexique une relation idéale, chacun y trouvant son intérêt. Vingt ans auparavant, le Dr Ahriman avait mis au point un redoutable cocktail de produits qui rendait l'esprit perméable à la programmation psychique, et dont il n'avait cessé depuis d'améliorer la formule. Il était également l'auteur d'un ouvrage de référence sur les techniques de programmation, la bible pour tous ces gens qui suivaient scrupuleusement son enseignement. Seuls quelques hommes et deux femmes parvenaient à réaliser ces miracles de contrôle psychique. Ahriman n'avait pas son pareil, il était le marion-nettiste des marionnettistes. Lorsque les membres de cette confrérie rencontraient un problème particulièrement difficile ou délicat à régler, c'est lui qu'ils venaient consulter. Le psychiatre ne leur refusait jamais son aide et ne demandait jamais d'honoraires. Il se faisait seule-ment rembourser ses déplacements, bénéficiait d'un défraiement généreux pour chaque journée travaillée et recevait tous les Noël un petit cadeau personnel raffiné : gants de conduite en agneau, boutons de manchettes en lapis-lazuli, cravate peinte à la main par les enfants au talent troublant d'un orphelinat tibétain.

Trois ou quatre fois par an, sur la requête de ses confrères, il se rendait à Albany ou à Little Rock, à Hialeah, à Des Moines, ou encore à Falls Church – des lieux où il n'aurait jamais mis les pieds en d'autres circonstances. Il se costumait pour se fondre dans la population locale et adoptait de faux noms : Jim Shaitan, Bill Sammael, Jack Apollyon. Sur place, une équipe le secondait dans la conduite des séances de programmation. Ils traitaient en général un ou deux sujets durant trois à cinq jours. Puis Ahriman s'en retournait chez lui, vers les douces plages du Pacifique. En compensation, et comme privilège réservé à son statut particulier, il était le seul membre du groupe autorisé par ses pairs à utiliser son savoir-faire à des fins privées.

L'un des autres psychologues participant au projet, un jeune

Américain d'origine allemande portant barbiche et nommé Fugger – patronyme malheureux s'il en est [1] –, avait tenté de s'arroger ce privilège, mais il avait été démasqué. Devant tous les autres programmateurs rassemblés pour l'occasion, il avait été coupé en morceaux et ses restes jetés dans une fosse pleine de crocodiles furieux.

Les activités privées ne lui étant pas interdites, Ahriman n'avait pas reçu de carton d'invitation pour ce spectacle et n'avait été mis au courant de cette séance d'intimidation que plus tard. La façon dont il menait sa vie lui laissait peu de prétextes d'avoir des regrets ; tout de même, il aurait vraiment aimé assister à la fête de départ de Fugger.

Après mûre réflexion, le médecin jugea à propos d'ajouter deux lignes à son message pour signaler qu'il avait bien programmé l'acteur, conformément aux instructions, et que le nez amputé du Président ferait bientôt la une des journaux, accompagnée pendant une semaine au moins de sa cohorte d'analyses politiques et des commentaires pondérés de quelques sommités médicales.

La Maison-Blanche ordonnerait l'abandon de toutes les enquêtes en cours concernant, entre autres, les activités illicites de certains bureaucrates du ministère du Commerce et de l'Industrie et lâcherait sa meute d'agents fédéraux dans la nature – une chasse à courre qui s'arrêterait, à coup sûr, dans les vingt-quatre heures suivant le recollage de l'appendice nasal présidentiel, à la suite de quoi, les limiers du FBI pourraient retourner aux affaires de la nation.

Bon politique lui-même, le médecin agrémenta sa missive de quelques notes personnelles. Il adressa des vœux de bon anniversaire à l'un des autres programmateurs, s'enquit de la santé de l'aîné du chef de projet, qui avait contracté une grippe particulièrement pernicieuse, et félicita du fond du cœur Curly, de la maintenance, qui venait de se marier.

Il envoya le tout par e-mail à l'institut de Santa Fe, après l'avoir crypté au moyen d'un programme inviolable, inaccessible au commun des mortels, créé pour l'usage exclusif de la confrérie et de son personnel.

Quelle journée !

Toute noire ou toute blanche.

Pour se remonter le moral et se récompenser d'avoir gardé son calme et son sang-froid dans l'adversité, Ahriman passa dans la cuisine et se confectionna un grand soda aux cerises. Il s'offrit également une assiette de cookies Milano [2] de chez Pepperidge Farm, un de ses péchés mignons. Sa mère aussi en raffolait.

---

1. « Fugger » sonne comme « Fucker ». *(N.d.T.)*
2. Sorte de langue-de-chat fourrée au chocolat. *(N.d.T.)*

Hurlements des furies du vent fondant vers la terre, cris des gobelins, des sirènes lançant leurs vrilles à l'assaut du ciel, fracas des arbres pris dans la fournaise, écharpes effilochées de flammèches orange s'enroulant dans la chevelure des palmiers et des grands lauriers : c'était Halloween en janvier, ou un jour ordinaire en enfer ! Des vitres explosèrent à l'étage, et des cascades d'éclats de verre rougis par les reflets du feu retombèrent dans une pluie tintinnabulante sur le toit du porche, jouant une mélodie dissonante dans cette symphonie de la destruction.

La rue étroite était bloquée par les camions de pompiers et les véhicules de secours, les lumières des gyrophares et des projecteurs tournoyaient, aveuglantes, les radios de service lançaient des ordres qui crépitaient comme des flammes. Les tuyaux rampaient sur la chaussée détrempée, colonie de pythons ensorcelés par les pulsations rythmiques des pompes.

La maison des Rhodes était déjà complètement engloutie à l'arrivée de la première voiture de pompiers. Les secours s'étaient d'abord attaqués aux demeures voisines, très proches, arrosant toits et arbres pour empêcher la propagation des flammes. Ce danger écarté in extremis, le gigantesque canon à eau qui trônait sur le plus gros des camions-citernes fut enfin pointé sur la petite maison victorienne.

La petite construction et tous ses ornements ouvragés perçaient la nuit comme un phare flamboyant ; illuminées par les gerbes de feu, mais sous les flammes, les peintures bleues, vertes, jaunes, à la mode de San Francisco, n'étaient déjà plus que suie et cendres. La façade se gondola, faisant éclater la dernière fenêtre. Le toit de la maison s'affaissa. Puis le toit du porche. Toutes les lances à incendie étaient désormais dirigées vers le brasier. Cependant, le feu semblait se gaver joyeusement, engloutissait l'eau sans jamais se rassasier.

Lorsqu'un vaste pan du toit glissa et disparut dans la fournaise, un groupe de voisins assemblés sur le trottoir laissa échapper un cri de détresse. Des colonnes de fumée noire s'échappèrent soudain des décombres en spirales furieuses, aussitôt emportées par le vent, pour disparaître vers l'ouest en une cavalcade cauchemardesque.

Quelqu'un porte Martie à travers un violent incendie. Ces bras puissants qui l'entourent sont ceux de son père, Robert Woodhouse, dit Bob la Banane. Il est en tenue de travail : casque portant son numéro d'unité et d'insigne, veste d'uniforme avec bandes de sécurité réfléchissantes, gants en amiante. Ses bottes de pompier font crisser les décombres fumants tandis qu'il emporte Martie d'un pas résolu, vers l'air libre et le salut.

— Mais papa, tu es mort, dit Martie.

— Il y a du vrai dans ce que tu dis, miss M., répondit Bob la Banane, mais depuis quand le fait d'être mort signifie-t-il que je n'existe pas pour toi ?

Les flammes les entourent, tantôt changeantes et transparentes, tantôt d'une solidité minérale, comme si cet endroit était constitué de flammes, un Parthénon du dieu Vulcain, avec ses colonnes massives, ses linteaux et ses porches de feu, ses sols en mosaïques flamboyantes entrecroisées en motifs compliqués, ses plafonds aux voûtes ignées, son enfilade de chambres en perpétuel embrasement qu'ils traversent l'une après l'autre à la recherche d'une issue improbable.

Pourtant, Martie se sent en sécurité à l'abri des bras de son père. Accrochée à lui, son bras gauche passé autour des fortes épaules paternelles, elle est certaine qu'il finira par la sortir de là… jusqu'au moment où, jetant un regard en arrière, elle aperçoit leur poursuivant. L'homme feuille est à leur poursuite. Son corps est dévoré par les flammes, et pourtant le feu, qui se nourrit de lui, ne semble pas le diminuer. L'homme paraît même de plus en plus grand et fort. Le feu n'est pas son ennemi, il est la source de sa force. La créature se rapproche d'eux, dans un tourbillon de feuilles crépitantes et de cendres. Elle tend les deux mains pour saisir Bob la Banane et Martie, la fille du soldat du feu, en agitant ses doigts dans l'air brûlant devant le visage de la jeune femme. Malgré le réconfort des bras de son père, Martie se met à trembler et à sangloter de terreur. Des sanglots, encore des sanglots… Plus près, de plus en plus près, les orbites sombres, la gueule noire et avide, les lèvres faites de feuilles mortes déchiquetées, les dents de feu… Plus près, plus près, voilà qu'elle entend la voix d'automne de l'homme feuille, aussi froide et piquante qu'un champ de chardons sous un clair de lune d'octobre : « Je veux les goûter. Je veux goûter tes larmes… »

Elle se réveilla d'un coup, debout, complètement consciente. Sa figure était brûlante comme si le feu l'encerclait encore, et il lui semblait sentir, planant dans l'air immobile, une légère odeur de fumée.

Elle et Dusty avaient laissé la salle de bains allumée et la porte entrouverte, afin que leur chambre d'hôtel confinée ne soit pas, en plus, aussi noire qu'un four. Martie y voyait assez pour affirmer avec certitude qu'il n'y avait pas la moindre trace de fumée dans la pièce.

L'odeur, faible mais âcre, s'accrochait cependant à ses narines. L'hôtel était peut-être en feu, songea-t-elle.

Dusty dormait. Elle s'apprêtait à le réveiller quand elle aperçut l'homme, dans l'ombre. Il se tenait le plus loin possible du faible rai de lumière filtrant de la salle de bains.

Martie ne distinguait pas nettement son visage, néanmoins, la forme du casque de pompier ne pouvait tromper, pas plus que les bandes de sécurité réfléchissantes sur sa veste d'uniforme.

Ce n'était qu'un jeu d'ombres. Sûrement, sûrement. Pourtant… non. C'était plus qu'une illusion.

Martie était certaine d'être bien réveillée. Absolument certaine. L'homme se tenait là, debout, à quelques mètres seulement, il l'avait sortie du cauchemar de la fournaise.

Le monde des rêves et le monde auquel appartenait cette chambre d'hôtel paraissaient soudain aussi vrais l'un que l'autre. Ils étaient deux pans d'une même réalité séparés par un voile plus mince encore que le rideau du sommeil. La vérité était là, absolue et pénétrante, s'offrant dans son plus simple appareil, telle que peu d'êtres humains avaient eu l'occasion de la surprendre. Et Martie, le souffle coupé, était pétrifiée par cette découverte.

Elle aurait voulu aller vers lui, mais l'étrange intuition d'une bienséance la retenait, la conscience instantanée qu'il avait son monde et elle le sien, que l'intersection temporaire de ces deux univers était un phénomène éphémère, une grâce dont elle ne devait pas abuser.

Dans son abri d'ombre, le pompier – et gardien – parut hocher la tête, approuver sa retenue. Elle crut apercevoir la lueur des dents dans le croissant du sourire familier et tant aimé.

Elle retourna se coucher, cala sa tête sur deux oreillers et tira les couvertures sous son menton. Son visage n'était plus aussi brûlant, l'odeur de fumée s'était envolée.

Le cadran lumineux du réveil indiquait 3 h 35 du matin. Elle ne parviendrait sans doute pas à se rendormir.

Elle regarda encore une fois ces ombres si particulières. Il était toujours là.

Elle sourit, hocha la tête et ferma les yeux. Elle ne les rouvrit pas quand, au bout d'un moment, elle entendit le crissement familier de ses bottes de caoutchouc et le froissement de sa veste d'uniforme. Elle ne les rouvrit pas non plus lorsqu'elle sentit le gant d'amiante sur sa tête, ni lorsqu'il lissa ses cheveux sur l'oreiller.

Elle s'attendait à ne plus trouver le repos jusqu'au matin, mais un sommeil doux et paisible l'enveloppa. Elle se réveilla plus d'une heure après, dans le silence qui précède l'aube, quelques minutes à peine avant l'heure prévue.

Elle ne percevait plus la moindre trace de l'odeur de fumée. Aucun visiteur ne montait la garde dans l'ombre satinée. Elle vivait de nouveau dans un monde unique, son monde à elle, si familier, si effrayant, mais si riche de promesses.

Elle aurait été incapable de prouver à qui que ce soit la réalité de ce qui s'était passé, mais la vérité lui était apparue et cela lui suffisait amplement.

Lorsque la réception de l'hôtel téléphona pour les réveiller, Martie comprit qu'elle ne reverrait jamais Bob la Banane en ce monde. Restait à savoir dans combien de temps elle le retrouverait dans son monde à lui – dans cinquante ans ou dès demain ?

64.

L'hiver, sur les hauts plateaux, est souvent rigoureux. Le jeudi matin, lorsque Martie et Dusty débarquèrent de leur avion à l'aéroport de Santa Fe dans l'air froid et sec, sur un terrain sans vent baigné d'une lumière pâle, ils eurent l'impression d'avoir atterri sur la Lune.

Ils n'emportaient pour tout bagage que deux petites valises qu'ils avaient gardées avec eux dans la cabine. Le sac contenant la voiture de pompiers avait passé sans souci le contrôle d'Orange County. Comme ils n'avaient rien d'autre à récupérer à l'aéroport, ils se rendirent directement à l'agence de location de voitures.

En pénétrant dans le coupé Ford, Martie fut saisie par un fort parfum citronné. Malgré cela, une odeur de tabac froid persistait dans l'habitacle.

Tandis qu'ils roulaient sur Cerrillos Road, Martie dévissa les vis de laiton sous le châssis du camion de pompiers. À l'intérieur se trouvait le sac à chaussures en feutrine. Elle en retira le pistolet.

— Tu le veux ? demanda-t-elle à Dusty.

— Non, garde-le.

Dusty avait commandé chez Springfield's la spécialité du fabricant : un Springfield Armory Champion, une version custom du colt Commander, avec de nombreux équipements supplémentaires. En particulier, un puits de chargeur biseauté, un canon match, une fenêtre d'éjection élargie, une hausse de combat Novak, une rampe de chambre polie, un extracteur et un éjecteur optimisés ainsi qu'une gâchette de type A-1 réglée pour une tension de quatre livres et demie. Le Champion était un sept coups léger, compact et facile à manier.

Martie s'était tout d'abord opposée à l'idée de posséder une arme. Néanmoins, après avoir tiré quelque deux mille balles en une douzaine de séances à un club de tir, elle se révéla plus habile que Dusty, à la surprise de celui-ci, et à la sienne, plus grande encore.

Elle glissa le pistolet dans son sac à main. Ce n'était pas l'endroit idéal… en cas de besoin elle mettrait sans doute un certain temps avant de pouvoir appuyer sur la gâchette. Dusty s'était renseigné sur les étuis, réservés aux clubs de tir, mais il n'avait pas trouvé le temps d'arrêter son choix. Martie, vêtue d'un jean, d'un pull bleu marine et d'une veste en tweed, aurait certes pu glisser l'arme dans sa ceinture, contre son ventre ou dans son dos, et la cacher avec son pull. C'était malheureusement beaucoup trop inconfortable. Elle n'avait d'autre choix que de la mettre dans son sac.

— Nous sommes officiellement des hors-la-loi, maintenant, annonça-t-elle en prenant soin de laisser ouverte la fermeture Éclair de son sac pour accéder plus facilement au Springfield.

— C'était déjà le cas quand nous avons pris l'avion.

— C'est vrai, mais maintenant nous sommes hors la loi *aussi* au Nouveau-Mexique.

— Quel effet ça te fait ?

— Billy Bonney venait de Santa Fe, non ? demanda-t-elle.

— Billy the Kid ? Aucune idée.

— En tout cas, il était du Nouveau-Mexique. Et je peux te dire que ce que je ressens en ce moment n'a rien à voir avec ce que lui devait éprouver. Sauf s'il était à deux doigts de faire pipi dans sa culotte tellement il avait les jetons !

Ils firent une halte dans un supermarché pour acheter un dictaphone, des minicassettes et des piles.

Puis ils s'arrêtèrent dans une cabine téléphonique pour chercher les coordonnées des personnes dont ils avaient relevé les noms dans le dossier de Roy. Ils parcouraient les pages de l'annuaire à la hâte, frigorifiés. Plusieurs n'y figuraient pas. Peut-être étaient-ils morts, ou avaient-ils quitté la ville. Il se pouvait aussi que les jeunes filles se soient mariées et aient changé de nom. Ils réussirent tout de même à retrouver quelques-unes des personnes de la liste.

De retour dans la voiture, ils dégustèrent un tacos au poulet acheté dans un fast-food. Dusty étudiait le plan de la ville, tandis que Martie insérait les piles dans le dictaphone et feuilletait la notice. L'appareil était d'une utilisation enfantine.

Ils n'avaient aucune idée du type de témoignages qu'ils pourraient recueillir, ni de leur utilité éventuelle pour appuyer la déposition qu'eux-mêmes comptaient faire à la police de Californie. Une seule chose était sûre : qui ne tente rien n'a rien. Sans les déclarations d'autres victimes d'Ahriman, les plaintes déposées par Martie et Dusty ressembleraient à des délires paranoïaques. Malgré l'enregistrement de l'appel téléphonique de Susan, ils n'avaient aucune chance d'être pris au sérieux.

Deux éléments semblaient jouer en leur faveur et leur donnaient bon espoir. Le premier était que, grâce aux découvertes de Roy Closterman, ils savaient qu'il existait à Sante Fe des gens qui détestaient Ahriman, qui le soupçonnaient d'avoir bafoué de façon ignominieuse ses serments de médecin. Ces gens jugeaient inconcevable qu'il ait pu quitter l'État, sa réputation intacte, son droit à exercer la médecine non contesté. Il s'agissait donc d'alliés potentiels.

Le deuxième point était qu'Ahriman ignorait qu'ils connaissaient certains éléments de son passé. Et, comme il ne devait pas les considérer suffisamment tenaces ou intelligents pour tenter de retrouver les traces de ses premières expériences de lavage de cerveau, il ne viendrait pas les chercher ici, à Santa Fe. Ils avaient un jour ou deux, peut-être davantage, pour pouvoir agir sans craindre les représailles des mystérieux hommes qui avaient tranché l'oreille de Brian.

Momentanément libres de la surveillance du psychiatre et de ses énigmatiques associés, ils pourraient peut-être récolter suffisamment d'informations pour rendre leur histoire crédible quand enfin ils se présenteraient aux autorités de Californie.

Non. *Pourraient* n'était pas le bon mot. C'était un mot destiné aux perdants. *Devaient* était plus juste. Il appartenait au vocabulaire des vainqueurs. Ils devaient récolter suffisamment d'informations. Et parce qu'ils le devaient, ils le feraient.

Il était temps d'agir.

Ils quittèrent le parking du centre commercial. Martie conduisait sous la direction de Dusty, qui suivait le plan.

À l'altitude où ils se trouvaient, le ciel semblait toucher la terre. Le Nouveau-Mexique baignait dans une blancheur d'albâtre. Les nuages paresseux étaient chargés de glace et, à en croire la météo à la radio, ils s'entrechoqueraient avant la fin de la journée, pour recouvrir de neige la ville tout entière.

Située à quelques pâtés de maisons de la cathédrale Saint-François-d'Assise, la propriété était ceinte d'un mur de brique avec une imposante arche à gradins abritant un portail en bois tourné.

Martie gara la voiture le long du trottoir. Dusty et elle s'apprêtaient à rendre une visite, un dictaphone dans une poche et un pistolet caché dans un sac à main. C'était un peu du style californien qu'ils trimbalaient avec eux dans cette ville mystique de Santa Fe !

À côté du portail, sous une lampe de cuivre aux carreaux de mica teintés de jaune, une *ristra* de piments rouges tombait en cascade le long du mur. Par endroits, le givre avait recouvert cette décoration automnale conservée bien après la saison, créant des reflets scintillants sur les fruits vermillon.

Le portail entrouvert dévoilait une avant-cour pavée. Des agaves et d'autres plantes recouvraient le sol et de grands pins s'élevaient, fournissant sans doute des ombres profondes les jours de soleil.

La maison était magnifique : de plain-pied, du plus pur style pueblo, elle justifiait à elle seule l'appellation de « Terre des enchantements » revendiquée par l'État du Nouveau-Mexique. C'était une construction massive, dans des tons ocre chaleureux, aux angles arrondis, aux lignes harmonieuses, avec une lourde porte de bois et de petites fenêtres, profondément enchâssées dans les murs.

Toute la largeur du bâtiment était doublée d'une avancée couverte, soutenue par des colonnes de sapin polies par le temps au sommet desquelles trônaient des consoles de bois sculptées d'étoiles bleues. Au plafond, un lattis de planches de peuplier habillait les chevrons de pin qui soutenaient la toiture.

La porte d'entrée, cintrée, portait des motifs sculptés en forme de rosaces et de conques. Le marteau, en forme de coyote, avait été forgé et façonné à la main, les pattes avant de l'animal venant frapper l'enclume de fer encastrée dans le bois. Quand Dusty l'actionna, l'impact résonna dans l'air froid, troublant la tranquillité de la cour.

Une femme d'une trentaine d'années apparut sur le seuil. Elle semblait d'origine italienne, mais une autre branche de sa famille devait avoir du sang navajo. Elle était ravissante avec ses pommettes saillantes, ses yeux noir de jais et ses cheveux d'un brun profond, encore plus sombres que ceux de Martie : une princesse du Nouveau-Mexique, vêtue simplement d'un chemisier blanc au col brodé de rouges-gorges bleus, d'une jupe en jean délavée, de socquettes et de tennis blancs élimés.

Dusty se présenta et en fit de même pour Martie.

— Nous souhaiterions parler à Chase Glyson.

— Je suis Zina Glyson, répondit-elle. Sa femme. Peut-être puis-je vous aider ?

Dusty marqua un temps d'hésitation. Martie intervint.

— Nous aimerions parler avec lui du Dr Ahriman. Dr Mark Ahriman.

Mrs. Glyson resta impassible et leur répondit, toujours d'un ton aimable :

— Vous venez ici chez moi, et le premier nom que vous prononcez est celui du Diable. Pourquoi devrais-je vous recevoir ?

— Cet homme n'est pas le Diable, rétorqua Martie. Disons plutôt une sorte de vampire, et tout ce que nous voulons, c'est enfoncer un pieu dans le cœur de ce salaud.

Mrs. Glyson leur lança un regard incisif, aussi pénétrant que celui des vieux sages dans les conseils de tribus. Après quelques instants de réflexion, elle recula d'un pas, les invitant à quitter l'air glacial du perron pour gagner la chaleur des pièces.

Ahriman n'avait guère pour habitude de se promener un revolver caché sous ses vêtements. Mais comme il ne connaissait pas les intentions des Rhodes, il jugeait plus prudent d'être armé.

Martie et Dusty ne représentaient pas pour lui un réel danger, ici, au Nouveau-Mexique. Quand bien même ils seraient de retour, ils ne constitueraient pas non plus une menace pour lui, tant qu'il pourrait s'approcher suffisamment près d'eux pour prononcer les noms servant à activer leurs programmes.

Skeet, lui, posait un tout autre problème. Son cerveau dégénéré, ravagé par les drogues, semblait incapable de garder en mémoire les principales instructions du programme de contrôle. Il fallait régulièrement recharger les informations. Qui sait si ce petit merdeux de camé, pour une raison ou pour une autre, ne s'était pas mis en tête de se retourner contre le maître du jeu ? Il pouvait bien se révéler provisoirement sourd au sésame « Dr Yen Lo », et, par suite, capable d'utiliser un couteau, un pistolet, ou n'importe quelle arme à sa disposition.

Ahriman portait un costume aux fines rayures grises signé Ermenegildo Zegna, parfaitement taillé. D'un point de vue strictement esthétique, il était criminel d'oser compromettre les lignes savamment étudiées des vêtements avec un holster d'épaule. Cela relevait du délit d'État ! Bien heureusement, en homme prévoyant et soucieux de son apparence, le psychiatre s'était équipé d'un étui en cuir souple. Celui-ci lui collait si bien au corps et se plaçait si bien, dans l'alignement du bras, que les plus grands couturiers italiens eux-mêmes n'y auraient vu que du feu.

Pour achever de rendre indétectable la présence de l'arme, il avait choisi un minuscule automatique, le Taurus PT-111 Millenium, équipé d'un grip de crosse Pearce. Un pistolet aussi compact que puissant.

Après sa nuit agitée, Ahriman avait fait une grasse matinée. Il pouvait se le permettre maintenant que ses jeudis matin n'étaient plus réservés aux rendez-vous avec Susan Jagger. Et pour cause… N'ayant rien de particulier à faire jusqu'en début d'après-midi, il s'offrit le plaisir d'une petite visite à son magasin favori de jouets anciens. Il y trouva le jeu de la série Gunsmoke Dodge City de Marx pour la modique somme de trois dollars et deux cent cinquante cents, ainsi qu'une Ferrari miniature tout acier Johnny Lightning pour seulement cent quinze dollars.

Deux autres clients dans le magasin furetaient parmi les présentoirs en papotant avec le propriétaire. Le Dr Ahriman s'était beaucoup amusé à l'idée qu'il aurait pu soudain les clouer sur place en dégainant son arme et les abattre sauvagement, comme cela, pour le simple plaisir du geste gratuit. Il ne l'avait pas fait, bien entendu. D'une part parce que ses achats l'avaient mis de bonne humeur, et d'autre part parce qu'il ne voulait pas que le propriétaire se sente mal à l'aise la prochaine fois qu'il viendrait dénicher des trésors dans sa boutique.

L'odeur des petits pains de maïs en train de dorer dans le four parfumait la cuisine entière. D'une marmite posée sur la cuisinière s'élevait le délicieux fumet d'un mélange de bœuf et d'épices, un chili sans haricots.

Zina téléphona à son mari sur son lieu de travail. Le couple était propriétaire d'une galerie d'art sur Canyon Road. Quand Chase apprit pourquoi Martie et Dusty le cherchaient, il fut de retour chez lui en moins de dix minutes.

En l'attendant, Zina avait disposé sur la table les grandes tasses de céramique rouge remplies d'un café corsé adouci avec de la cannelle et accompagné de cookies aux pignons de pin grillés.

Chase ressemblait davantage à un cow-boy tout droit sorti de son ranch qu'à un directeur de galerie d'art. C'était un homme grand et maigre, à la chevelure blond paille ébouriffée, avec un visage généreux travaillé par le vent et le soleil. Il était comme ces maîtres ès équidés qui n'avaient qu'à entrer dans une écurie pour gagner immédiatement la confiance des chevaux. À leur passage, les animaux tendent la tête par-dessus les portes de leurs boxs dans l'espoir de caresser des naseaux le creux de leurs mains.

— Que vous a fait Ahriman ? demanda-t-il d'un ton posé mais tendu, en s'installant à table avec ses hôtes.

Martie lui parla de Susan. De son agoraphobie qui empirait, des suspicions de viol. Et de son soudain suicide.

— C'est lui qui a dû la pousser à faire ça, affirma Chase Glyson. J'en suis persuadé. Vous avez fait tout ce chemin pour votre amie ?

— Oui. C'était une amie très chère, conclut Martie, ne voyant aucune raison d'en dire plus.

— Il a totalement ruiné ma famille voilà près de vingt ans. Et cela fait plus de dix ans que ce salopard a quitté Santa Fe. Pendant un moment, j'ai espéré qu'il était mort. Puis il est devenu célèbre avec ses bouquins.

— Vous voyez un inconvénient à ce qu'on enregistre cette conversation ?

— Non, pas du tout. Seulement ce que je vais vous dire, nom de Dieu, je l'ai dit aux flics une bonne centaine de fois, j'ai parcouru le pays en long, en large et en travers pour raconter ça à tous les procureurs de l'État, j'ai fait plus de kilomètres qu'une oie en période de migration ! Personne n'a voulu m'écouter. Ou plutôt si, une fois, quelqu'un a bien voulu m'entendre et était prêt à me croire. Alors des amis haut placés d'Ahriman lui ont rendu une petite visite. Ils lui ont enseigné une nouvelle manière de voir les choses, en lui dictant bien clairement ce qu'il était censé penser de ma mère et de mon père.

Pendant que Chase Glyson narrait son histoire à Martie et à Dusty, Zina alla se percher sur un tabouret devant un chevalet, à côté de la cheminée. Elle dessinait une étude au fusain : une composition modeste qu'elle avait disposée à une extrémité de la table autour de laquelle tous avaient pris place. Il s'agissait de cinq poteries indiennes aux formes inhabituelles, dont une cruche de mariage à double bec.

Le récit de Chase se révélait en substance conforme aux éléments rapportés dans les articles relevés par Roy Closterman. Pendant quatre ans, Teresa et Carl Glyson avaient dirigé avec succès une école maternelle, la Little Jackrabbit School, avant de se voir accusés, ainsi que trois de leurs employés, de maltraitance et sévices à enfants. Comme à l'école des Ornwahl à Laguna Beach des années plus tard, le Dr Ahriman s'était chargé des entretiens avec les enfants. Il avait utilisé à plusieurs reprises les techniques de régression hypnotique et

408

s'était appuyé sur les récits de nombreux élèves pour étayer les accusations portées contre les parents Glyson.

— Toute cette histoire n'était qu'un ramassis de conneries, Mr. Rhodes, lança Chase. Mes parents étaient des gens profondément bons.

— Terri, la mère de Chase, se serait coupé la main plutôt que de gifler un enfant, affirma Zina.

— Et mon père était pareil, continua Chase. En plus, il n'était quasiment jamais à Little Jackrabbit. Il y allait juste de temps en temps pour faire des réparations car il bricolait plutôt bien. C'est ma mère qui s'occupait de l'école. Mon père vendait des voitures, il était associé dans l'affaire et ça lui laissait très peu de temps libre. Bon nombre de personnes en ville n'ont pas cru un traître mot de toute cette histoire.

— Mais certaines y ont cru, ajouta sombrement Zina.

— Oui, répliqua Chase, il y a toujours des gens prêts à gober n'importe quoi. Vous n'avez qu'à leur chuchoter à l'oreille que s'il y avait du vin au dernier souper de Jésus-Christ c'est parce qu'il était alcoolique, et les voilà qui se mettent à cancaner à qui mieux mieux, qui font circuler le ragot au quatre coins du pays. La plupart des gens ne croyaient pas un mot de l'affaire, et il est clair qu'en l'absence de preuves physiques l'accusation n'aurait jamais dû aboutir à une condamnation… Seulement il y a eu le suicide de Valerie-Marie Padilla.

— Une des écolières, une petite fille de cinq ans, précisa Martie.

— C'est ça, articula Chase.

Son visage s'assombrit soudain, comme si un nuage avait traversé la pièce, en déroulant un écran noir.

— Elle a laissé un message d'adieu, une espèce de dessin aux crayons de couleur, et c'est à cause de ce malheureux petit gribouillis que tout a basculé. Elle s'est dessinée, elle, avec un homme…

— … dont aucun détail anatomique ne manquait, ajouta Martie.

— Pire que ça… L'homme sur le dessin avait une moustache… comme mon père. Et un chapeau de cow-boy, blanc avec une bande rouge et une plume noire glissée dessous. Exactement le genre de couvre-chef que mon père avait l'habitude de porter.

Zina Glyson déchira la première page de son carnet de croquis avec une telle violence que tous se retournèrent. Elle le froissa en boule avant de le jeter dans la cheminée.

— Le père de Chase était mon parrain, et le meilleur ami de mon père, commença-t-elle. Je connaissais Carl avant même de savoir marcher. C'était quelqu'un qui… respectait les gens, quels qu'ils soient, quelles que soient leurs richesses ou les fautes qu'ils avaient commises. Il avait aussi un grand respect pour les enfants ; il les écoutait, se montrait toujours attentif et prévenant avec eux. Jamais il n'a posé ses mains sur moi de *cette* façon, et je suis certaine qu'il n'a pas non plus touché Valerie-Marie. Si elle s'est suicidée, c'est parce que Ahriman lui a bourré le crâne d'histoires diaboliques, toutes plus horribles les unes que les autres. Des histoires tordues de sexe et des récits démoniaques. On a accusé les parents de Chase de sacrifier des animaux à l'école et d'obliger les enfants à en boire le sang ! Cette gamine n'avait que cinq ans. Vous imaginez la pagaille qu'on peut mettre dans l'esprit d'un si petit être et dans quel état de dépression on peut le jeter en lui suggérant ce genre de chose sous hypnose. On l'a *aidée* à se souvenir d'événements qui n'ont jamais eu lieu !

— Du calme, Zee, protesta doucement son mari. Tout ça est du passé.

— Pas pour moi, déclara-t-elle en se dirigeant vers le four. Je ne serai pas tranquille tant que ce type ne sera pas sous terre. Elle enfila un gant de cuisine. Et je ne me contenterai pas d'un entrefilet dans la rubrique nécrologique. Elle retira les dernières galettes de maïs. Il faudra que je voie son corps de mes propres yeux et que je lui plante mon doigt dans l'œil pour être sûre qu'il ne réagit pas et qu'il est bien mort.

Si c'était du sang italien qui coulait dans ses veines, nul doute qu'il venait de Sicile… et son ascendance indienne tenait plus des Apaches que des paisibles Navajos. Une force inhabituelle émanait d'elle, une ténacité exceptionnelle. Il était clair que si elle avait l'occasion de tuer Ahriman de ses propres mains, sans risquer des ennuis avec la justice, elle ne s'en priverait pas.

Elle plaisait beaucoup à Martie.

— J'avais dix-sept ans à l'époque, poursuivit Chase, semblant se parler à lui-même plus qu'aux autres. Et Dieu seul sait comment j'ai échappé aux accusations. C'est vrai, tant qu'à brûler les sorcières, autant exterminer la famille entière.

S'adressant à Zina, Dusty souleva une question capitale.

— Vous avez dit : « *Si* elle s'est suicidée. » Qu'entendez-vous par là ?

— Vas-y, Chase, raconte-leur, lança Zina en reportant son attention sur la marmite de chili. On va voir si ça leur semble possible qu'une gamine de cet âge ait l'idée de faire ça toute seule…

— Sa mère se trouvait dans la pièce juste à côté, expliqua Chase. Quand elle a entendu le coup de feu, elle s'est précipitée et a trouvé Valerie-Marie. Ça lui a pris quelques secondes à peine, il est donc impossible que quelqu'un d'autre ait été présent. La gamine s'est tuée avec le pistolet de son père, il n'y a aucun doute sur ce point.

— Mais cela suppose qu'elle soit allée chercher l'arme dans une boîte rangée dans un placard, reprit Zina. Et les munitions se trouvaient dans une autre boîte. Il a donc fallu aussi qu'elle charge le pistolet. Elle, une petite fille qui n'avait jamais manipulé la moindre arme à feu de sa vie !

— Et même ça, ce n'est pas le plus dur à avaler, reprit Chase. Le plus dur, c'est… il marqua un temps d'hésitation … c'est vraiment horrible, Mrs. Rhodes, vous savez…

— Vous pouvez parler, je commence malheureusement à m'habituer à ce genre d'histoires, lui assura Martie d'un air sinistre.

— Le plus horrible, c'est la façon dont elle s'est donné la mort… Les journaux citaient Ahriman, qui définissait l'acte comme le « signe révélateur d'une haine profonde de soi, un reniement de sa nature sexuée, une tentative d'éradication de l'aspect sexuel de sa personnalité responsable des sévices dont elle avait été victime ». Il se trouve que cette petite fille… avant d'appuyer sur la gâchette… s'est déshabillée entièrement… et a mis le canon du revolver… en elle.

— Mon Dieu ! lâcha Martie.

Elle s'était dressée d'un bond, avant même que l'envie lui soit parvenue clairement. Il fallait qu'elle bouge, qu'elle aille quelque part, qu'elle agisse. Mais il n'y avait nulle part où aller, rien à faire sinon… — et elle n'en prit conscience qu'une fois la chose effectuée… sinon aller vers Zina Glyson, la prendre dans ses bras, comme elle l'aurait fait avec Susan dans un tel moment.

— Vous fréquentiez déjà Chase à l'époque ?

— Oui, répondit Zina.

— Et vous êtes restée avec lui. Vous l'avez épousé.

— Dieu merci, murmura Chase.

— J'imagine le courage qu'il vous a fallu, vis-à-vis des autres femmes, pour continuer à défendre Carl et à vivre avec son fils après le suicide.

Zina avait accepté l'embrassade avec la même spontanéité que Martie la lui avait donnée. Après toutes ces années, le souvenir de ces événements funestes ébranlait encore la princesse du Nouveau-Mexique, même si, en raison de ses origines apaches et siciliennes, elle répugnait à verser des larmes.

— Personne n'a accusé Chase, expliqua-t-elle, seulement les gens l'ont suspecté. Quant à moi… ils continuaient à me faire des sourires de politesse, mais ils tenaient leurs enfants à distance. Ça a duré des années !

Martie entraîna Zina vers la table, où ils prirent de nouveau place tous ensemble.

— Oubliez ce baratin psychologique à propos du reniement de son être et de sa volonté de détruire ce côté sexuel de sa personne, reprit Zina. Ce qu'a fait Valerie-Marie, aucun enfant n'aurait pensé à le faire. *Aucun.* Cette petite fille l'a fait parce que quelqu'un lui a mis cette idée en tête. Aussi impossible et fou que cela puisse paraître, Ahriman lui a montré comment charger une arme, Ahriman lui a dicté ce qu'il fallait qu'elle fasse et, une fois rentrée chez ses parents, elle l'a fait, parce qu'elle était… elle était, je ne sais pas, hypnotisée, conditionnée, ou quelque chose comme ça.

— Cela ne nous semble ni impossible ni fou, lui assura Dusty.

Toute la ville fut traumatisée par la mort de Valerie-Marie Padilla, et l'éventualité qu'un autre élève de l'école Little Jackrabbit puisse à son tour se suicider créa un climat d'hystérie et de psychose que Zina nommait le « temps du chaos ». Et c'est au cœur de cette période qu'un jury composé de sept femmes et de cinq hommes jugea coupables à l'unanimité les cinq inculpés.

— Vous savez sûrement que les autres détenus considèrent les gens emprisonnés pour des viols et sévices à enfants comme la lie de l'humanité. Mon père, à peine un an et demi après son incarcération, a été assassiné dans la cuisine de la prison où il travaillait. Il a reçu quatre coups de couteau, un dans chaque rein, donnés par-derrière, et deux dans le ventre, par-devant. Deux types l'ont pris en sandwich, probablement. Et évidemment personne n'a rien vu ni rien entendu. Et personne n'a jamais été inculpé.

— Votre mère est toujours en vie ? demanda Dusty.

Chase secoua la tête.

— Les trois autres femmes de l'école, toutes des personnes vraiment adorables, sont sorties au bout de quatre ans. Ma mère, elle, est restée cinq ans, et quand ils l'ont libérée elle avait un cancer.

— Officiellement, elle est morte de son cancer, mais en vérité c'est la honte qui l'a tuée, intervint Zina. Terri était une femme profondément généreuse. C'était aussi une femme fière. Elle n'avait rien fait, rien, et pourtant elle était rongée par la honte, mortifiée, parce qu'elle ne parvenait pas à oublier ce que les gens pensaient d'elle. À sa sortie de prison, elle a vécu un peu avec nous, très peu de temps. L'école avait été fermée, Carl avait perdu toutes ses parts dans son affaire de vente de voitures, l'État avait tout saisi. Nous avions nous-mêmes du mal à joindre les deux bouts, et nous avons dû racler les fonds de tiroir pour payer son enterrement. Voilà treize ans qu'elle est morte… Pour moi, c'est comme si c'était hier.

— Et en ce moment, comment vivez-vous ici ? demanda Dusty.

Zina et Chase échangèrent un regard, un simple coup d'œil qui en disait long.

— Ça va plutôt mieux dans l'ensemble, déclara-t-il. Des gens continuent à croire à cette histoire, mais beaucoup moins depuis le massacre des Pastore. Et puis il y a les anciens élèves de la Little Jackrabbit… ils ont fini par se rétracter et revenir sur leurs dépositions.

— Ça a pris dix ans, commenta Zina avec un regard noir.

— Peut-être qu'il fallait dix ans pour que les faux souvenirs commencent à s'effacer de leur mémoire, ajouta Chase en soupirant.

— Et, pendant tout ce temps, vous n'avez jamais eu envie de repartir de zéro et de quitter Santa Fe ? demanda Martie.

— Nous adorons Santa Fe, déclara Chase avec passion.

— C'est le plus bel endroit du monde, renchérit Zina. De plus, si nous étions partis, certains auraient vu là la preuve de la vérité de cette histoire, et raconté que la honte nous faisait fuir.

Chase acquiesça.

— Mais cela n'aurait effectivement concerné que quelques personnes, précisa-t-il.

— Même s'il n'y en avait eu qu'une seule pour croire ça, je ne serais pas partie, je ne lui aurais pas fait ce plaisir.

Zina avait posé les mains sur la table. Chase les recouvrit de la sienne.

— Mr. Rhodes, si cela peut vous être utile, je suis sûr que les élèves de la Little Jackrabbit qui se sont rétractés accepteraient de vous parler. Ils sont venus nous trouver. Ils se sont excusés. Ils ne sont pas méchants, on s'est servi d'eux comme de pions. Je pense qu'ils seraient heureux de vous aider.

— S'il vous est possible d'organiser cette rencontre, nous pourrions leur consacrer la journée de demain, déclara Dusty. On aimerait profiter du reste de la journée pour aller au ranch des Pastore, tant qu'il ne neige pas.

— Vous connaissez la route ? demanda Chase en se levant.

Il semblait soudain avoir gagné quelques centimètres.

— Nous avons une carte, répondit Dusty.

— Je vous conduirai jusqu'à mi-chemin, annonça Chase. Il y a là-bas quelque chose que j'aimerais vous montrer. Le Bellon-Tockland Institute.

— Qu'est-ce que c'est ?

— C'est difficile à dire. Cet organisme a été créé il y a vingt-cinq ans. C'est là que vous trouverez les amis de Mark Ahriman, si tant est que ce monstre puisse éprouver de l'amitié pour qui que ce soit.

Sans prendre la peine de revêtir un pull ou un manteau, Zina les accompagna dehors. Dans la cour, les pins immobiles avaient l'air d'images figées d'un diorama.

Les grincements des charnières en fer du portail résonnèrent dans le silence de ce jour d'hiver. Toutes les âmes semblaient avoir déserté la ville, comme si Santa Fe n'était plus qu'un bateau fantôme échoué sur une mer de sable.

Il n'y avait aucun mouvement dans la rue. Pas même un chat errant ou un vol d'oiseau. Une chape de silence s'était abattue sur le monde.

— Cette camionnette de l'autre côté de la rue appartient à l'un de vos voisins ? demanda Dusty à Chase, alors qu'ils se dirigeaient vers sa Lincoln Navigator garée devant la maison.

— Je ne pense pas, répondit Chase en secouant la tête après l'avoir examinée. Mais c'est possible. Pourquoi ?

— Pour rien. Je la trouve plutôt jolie.

— Je sens quelque chose venir, annonça Zina, les yeux fixés vers le ciel.

Martie crut qu'elle parlait de la neige, mais il n'y avait pas le moindre flocon en vue.

Le ciel était plus blanc que gris. Si les nuages bougeaient, c'était sous l'effet d'une convection, invisible de la terre.

— Quelque chose de mauvais, continua Zina en saisissant Martie par le bras. C'est mon instinct apache. Tous ceux qui ont du sang de guerrier en eux sentent la violence arriver. Soyez très prudente, Mrs. Rhodes.

— Nous le serons.

— Dommage que vous ne viviez pas à Santa Fe.

— Et vous en Californie…

— Le monde est trop grand, et nous sommes tous si petits.

Les deux femmes s'étreignirent. Cette fois, ce fut Zina qui en prit l'initiative.

De retour dans la voiture, alors que Martie s'engageait sur la route derrière la Navigator de Chase, elle lança un regard inquisiteur vers Dusty :

— Quel est le problème avec la camionnette ?

— J'ai l'impression de l'avoir déjà vue, répondit Dusty en se retournant pour surveiller le véhicule par la vitre arrière.

— Où ça ?

— Au centre commercial, quand on a acheté le dictaphone.

— Elle nous suit ?

— Non.

Après avoir tourné sur la droite et dépassé quelques immeubles, elle lui reposa la question.

— Et maintenant ?

— Non, toujours pas. J'ai dû me tromper.

65.

En Californie, un fuseau horaire à l'ouest de Santa Fe, Mark Ahriman déjeunait seul, installé à une table d'un café chic de Laguna Beach. À sa gauche, le Pacifique et sa luminosité aveuglante ; à sa droite, une foule de gens attablés, tous plutôt élégants et fortunés.

Tout n'était pas parfait, cependant. Deux tables plus loin, un gentleman d'une trentaine d'années – si tant est que le mot « gentleman » puisse s'appliquer à ce genre de personnage – poussait régulièrement un braiment de joie, si puissant et si retentissant que

414

tous les ânes à l'ouest du Pecos devaient dresser les oreilles à chacune de ces explosions. À la table voisine, une femme en âge d'être grand-mère portait un chapeau jaune moutarde absurde, en forme de cloche. Au fond de la salle, six femmes plus jeunes gloussaient de façon parfaitement insupportable. Et, pour couronner le tout, le serveur s'était trompé de hors-d'œuvre et Ahriman avait dû attendre de longues minutes avant qu'on lui serve le plat qu'il avait commandé.

Néanmoins, le psychiatre ne vida son barillet sur aucun de ces trouble-fête. Pour un fin joueur tel que lui, les fusillades aveugles ne procuraient guère de plaisir. Tirer dans le tas était bon pour les esprits dérangés, les désespérés sans cervelle, les adolescents immatures ayant une très haute opinion d'eux-mêmes mais aucune maîtrise de leurs nerfs, et les fanatiques de tout bord qui rêvaient de changer le monde d'un coup de gâchette magique. En outre, son mini 9 mm était muni d'un chargeur à double colonne qui ne contenait que dix balles.

Après avoir achevé son repas par une tranche de gâteau au chocolat noir accompagnée d'une boule de glace au safran, le médecin régla l'addition et accorda l'absolution à tous, y compris à la grand-mère avec son chapeau ridicule.

En ce jeudi après-midi, l'air était agréablement frais. Le vent semblait s'être transporté jusqu'au lointain Japon pendant la nuit. Le ciel restait chargé, aussi gonflé qu'une femme enceinte arrivée à terme, mais la perte des eaux prévue pour l'aube n'avait pas encore eu lieu.

Tandis que le voiturier lui amenait sa Mercedes, Ahriman examina ses ongles. Il était tellement ravi par le travail de sa manucure qu'il prêtait à peine attention à l'environnement extérieur. Il ne leva pas les yeux de ses mains – des mains solides, viriles, terminées de longs doigts gracieux de pianiste – et remarqua à peine l'étranger appuyé nonchalamment contre un pick-up, de l'autre côté de la rue.

La camionnette était beige, pas flambant neuve, mais bien entretenue. Un véhicule qui, même un siècle plus tard, ne deviendrait jamais une pièce de collection. Ahriman portait si peu d'intérêt à ce genre d'objet conçu pour le commun des mortels qu'il était bien incapable d'en reconnaître la marque ou le modèle. La plate-forme était recouverte d'une coque blanche transformant le pick-up en camping-car... Comment pouvait-on passer ses vacances dans de tels engins ? songea Ahriman avec un frisson de dégoût.

L'homme, nonchalant, lui était vaguement familier bien qu'il s'agisse d'un étranger. Il avait tout juste la quarantaine, des cheveux roux, un visage rond plutôt rougeaud et portait d'épaisses lunettes de myope. Il ne regardait pas Ahriman directement, néanmoins quelque chose dans son comportement empestait l'espion à plein nez. Il s'était mis en scène dans le rôle du type qui regarde régulièrement sa montre, puis l'entrée d'une boutique un peu plus loin, comme s'il attendait quelqu'un. Malheureusement il était encore moins bon comédien que la star de cinéma qui se préparait en ce moment même, pour la première et dernière fois de sa vie, à jouer le croqueur de nez du Président.

Le magasin de jouets anciens ! Deux ou trois heures plus tôt. À une demi-heure de route et six villes de là… Voilà où Ahriman avait déjà vu cet homme rougeaud !

Dans un comté de plus de trois millions d'habitants, il était difficile de croire que cette seconde rencontre à seulement quelques heures d'intervalle était pure coïncidence.

Un pick-up beige avec une coque blanche de camping-car n'était guère le type de véhicule qu'affectionnaient les policiers en planque ou les détectives privés.

Toutefois, lorsque Ahriman l'observa plus attentivement, il s'aperçut que la camionnette possédait deux antennes supplémentaires à côté de l'antenne habituelle. L'une d'entre elles était une antenne fouet, attachée à la cabine, sûrement pour écouter les fréquences de la police. L'autre, boulonnée au pare-chocs, était un objet bizarre : une antenne argentée, toute droite, haute de près de deux mètres, et terminée par une espèce de chose pointue entourée d'un ressort noir.

En s'éloignant du restaurant, le Dr Ahriman ne fut pas surpris de constater dans son rétroviseur que le pick-up le suivait.

La méthode de filature de l'homme rougeaud relevait du plus pur amateurisme. Il ne collait pas au pare-chocs de la Mercedes et laissait parfois une ou deux voitures s'interposer entre lui et Ahriman, comme il l'avait peut-être vu faire à la télévision, dans ces stupides séries mettant en scène des détectives, mais il n'avait pas suffisamment confiance en lui pour perdre de vue le psychiatre plus d'une seconde ou deux. Il roulait constamment sur la ligne blanche centrale, ou collé le plus possible à droite, le long des voitures en stationnement, se déportant brutalement d'un axe à l'autre dès que des véhicules lui bouchaient la vue. Dans les rétroviseurs d'Ahriman, le pick-up apparaissait comme une anomalie criarde de la circulation, aussi visible que le nez au milieu de la figure avec son énorme antenne fendant l'air telle une perche d'auto tamponneuse dans une fête foraine.

De nos jours, avec des émetteurs-récepteurs modernes ou avec un système GPS, les professionnels peuvent suivre un suspect à la trace jour et nuit sans être obligés de s'en approcher. Ce type dans son pick-up était un véritable ringard. La seule initiative intelligente qu'on pouvait lui reconnaître était de ne pas avoir décoré son antenne de boules de polystyrène fluo.

Ahriman était déconcerté, et intrigué.

Il commença à changer de rue régulièrement, s'engageant le plus fréquemment possible dans les quartiers résidentiels quasi déserts, où le pick-up n'avait plus la possibilité de se dissimuler derrière d'autres voitures. Comme il s'y attendait, pour s'adapter à la faible circulation, son poursuivant se laissa distancer d'une centaine de mètres, apparemment convaincu que le quotient intellectuel et le champ **de vision** de sa proie valaient ceux d'une vache myope.

Sans mettre son clignotant, le psychiatre prit un brusque virage vers la gauche, accéléra jusqu'à la plus proche maison, s'engagea dans l'allée comme une flèche, fit demi-tour et rejoignit la route qu'il avait quittée – juste à temps pour croiser le pick-up qui abordait le tournant, toujours à la poursuite de son gibier supposé sans cervelle.

Quand il arriva à la hauteur du pick-up, Ahriman fit mine de chercher une adresse, afin de laisser croire qu'il ne se savait pas filé. Deux coups d'œil discrets sur sa gauche lui suffirent à éclaircir en grande partie le mystère de ce petit jeu de course-poursuite. Au coin de rue suivant, il coupa le moteur pour de bon, descendit de voiture et marcha jusqu'au plan de la résidence. Il resta là un moment, étudiant les noms et les numéros des rues, se grattant la tête, consultant une adresse imaginaire sur un bout de papier imaginaire, mimant le comportement de quelqu'un à qui l'on a refilé de mauvaises informations.

Lorsqu'il regagna sa Mercedes et démarra, il fureta un moment jusqu'à ce qu'il aperçoive de nouveau le pick-up beige dans son sillage. Il ne tenait surtout pas à le semer.

L'homme qu'il avait vu fureter dans le magasin de jouets anciens le matin même restait pour lui un parfait étranger. Mais il n'était pas seul dans le camion. Sur le siège passager, Skeet Caulfield avait détourné la tête, pris de panique quand ils avaient croisé la Mercedes d'Ahriman.

Tandis que Dusty et Martie exploraient le passé du psychiatre au Nouveau-Mexique, Skeet jouait les détectives en Californie. C'était sans aucun doute de sa propre initiative, son frère était trop intelligent pour lui avoir mis une telle idée en tête.

L'homme rougeaud avec ses lunettes épaisses comme les lentilles du mont Palomar était probablement un des compagnons de défonce de Skeet. Autant dire Cheech et Chong[1] dans les rôles de Sherlock Holmes et Watson.

Peu importait ce que Martie et Dusty faisaient au Nouveau-Mexique. Aux yeux d'Ahriman, Skeet constituait le problème numéro un. Ces deux derniers jours, depuis qu'il l'avait envoyé, chancelant, sauter du toit, sa priorité avait été de se débarrasser de ce petit camé.

À présent, il n'avait plus besoin de chercher à le localiser. Tout ce qu'Ahriman avait à faire était de conduire en douceur, en prenant soin

---

1. Comiques fumeurs de marijuana. *(N.d.T.)*

de ne pas le semer, le temps d'évaluer la situation et de mettre au point la meilleure stratégie pour tirer avantage de cet événement imprévu.

Le jeu pouvait commencer.

Martie suivit la Navigator de Chase sur le parking d'un bar situé à quelques kilomètres de la sortie de la ville. Un cow-boy et une cow-girl géants, figés dans un pas de deux et prisonniers de leur enseigne au néon, étaient pour le moment éteints, se reposant quelques heures avant que reprennent les beuveries et les flonflons. Ils se garèrent assez loin du bâtiment, face à l'autoroute.

Chase quitta son véhicule et s'installa à l'arrière de la Ford de location.

— Cet immeuble là-bas, c'est l'institut Bellon-Tockland.

L'institut occupait environ huit hectares au milieu d'un vaste champ d'armoise. Le tout était ceint d'un mur de pierre haut de près de deux mètres cinquante.

Le bâtiment impressionnant que l'on apercevait derrière le mur semblait inspiré des constructions de Franck Lloyd Wright, en particulier sa célèbre Maison sur la cascade. À ceci près qu'il n'y avait pas d'eau dans la cascade et que l'édifice avait été construit en totale contradiction — peut-être même au mépris — de la profession de foi de Wright qui affirmait que chaque structure devait s'élever en parfaite harmonie avec son environnement. Cet empilement massif de pierre et de stuc était loin d'épouser les courbes du désert, il les violait plutôt. Il semblait résulter davantage d'un acte de violence que d'une création architecturale. Une construction inspirée de Wright, mais comme réinterprétée par Albert Speer, l'architecte préféré de Hitler.

— Un tantinet gothique, commenta Dusty.

— Qu'est-ce qu'ils font au juste, là-dedans ? demanda Martie. Ils préparent la fin du monde ou quoi ?

La réponse de Chase ne fut guère rassurante.

— Sans doute, oui. Je n'ai jamais réussi à comprendre ce qu'ils racontent, peut-être serez-vous moins obtus que moi. Ils disent qu'ils font de la recherche… de la recherche appliquée… — il se mit à citer des phrases qu'il avait dû lire dans une des publications de l'institut — … « portant sur des récentes découvertes dans les domaines de la psychologie et de la psychopharmacologie afin de concevoir des modèles structurels plus équitables et stables pour les gouvernements, le commerce, la culture et la société en général, qui contribueront à assurer un environnement sain et propre, un système de justice plus fiable, un accomplissement harmonieux du potentiel humain et la paix dans le monde ».

— Et, au bout du compte, à éradiquer de la planète le bon vieux rock'n'roll qui tache, ajouta Dusty d'un ton méprisant.

— Il s'agit du lavage de cerveau, déclara Martie.

— En toute honnêteté, annonça Chase, je serais bien incapable de me prononcer sur cette éventualité comme sur toute autre, d'ailleurs. Ils pourraient tout aussi bien travailler en secret sur un vaisseau extraterrestre qui se serait crashé ici.

— J'aimerais autant qu'il y ait des *aliens* là-dedans, même de très méchants qui raffolent d'entrailles humaines, répondit Dusty. Je crois que ça me ficherait moins la pétoche que Big Brother.

— Mais le gouvernement n'a rien à voir avec ça, lui assura Chase Glyson. Ou du moins, rien a priori.

— Alors qui sont ces gens ?

— À l'origine, l'institut a été financé par vingt-deux grandes universités et six fondations richissimes disséminées dans tout le pays. Et elles continuent à l'alimenter, année après année.

— Des universités ? répéta Martie en fronçant les sourcils. La paranoïaque invétérée qui est en moi est presque déçue. Big Professor est bien moins effrayant que Big Brother.

— Tu ne dirais pas ça si tu avais mieux connu Lampton le Lézard, rétorqua Dusty.

— Lizard Lampton ? questionna Chase.

— Pr Derek Lampton. Mon beau-père.

— Pour des gens qui cherchent à établir la paix dans le monde, annonça Chase, l'endroit est foutrement bien gardé.

À côté d'un poste de garde, une gigantesque grille arrêtait les véhicules qui voulaient pénétrer dans l'institut. Trois hommes en uniforme contrôlaient méticuleusement chaque visiteur qui se présentait, l'un d'entre eux allant jusqu'à faire le tour de chaque voiture avec un miroir d'angle au bout d'une perche, pour en inspecter le dessous.

— Qu'est-ce qu'ils cherchent ? demanda Dusty. Des passagers clandestins ? des bombes ?

— Les deux sans doute. L'institut possède aussi un système de sécurité électronique très perfectionné, peut-être plus encore que celui de la base nucléaire de Los Alamos.

— Ce n'est plus une référence depuis que les Chinois y ont volé tous nos secrets nucléaires en deux temps, trois mouvements, fit valoir Dusty.

— À en juger par tous ces dispositifs de sécurité, répliqua Martie, les Chinois ne sont pas près de prendre la poudre d'escampette avec nos secrets de paix !

— Ahriman était important, ici, reprit Chase. Il possédait un cabinet en ville, mais c'est ici qu'il effectuait son vrai travail. Et quand il a fallu tirer des ficelles pour lui sauver la mise, après les meurtres de la famille Pastore, ce sont eux qui étaient aux commandes.

Martie semblait perplexe.

— Mais si ces gens n'appartiennent pas au gouvernement, dit-elle, comment font-ils pour convaincre la police, les procureurs et tous les autres représentants de les soutenir ?

– D'une part, ils sont très riches. D'autre part, ils ont des relations. Qu'ils n'appartiennent pas au gouvernement ne les empêche pas d'avoir des appuis dans les hautes sphères de l'État… et de la police, et des médias. Ces gars-là ont un réseau aussi étendu que la Mafia. Et ils bénéficient en plus d'une bien meilleure image.

– Oui, ils créent un monde de paix au lieu de trafiquer de la drogue, de détourner des fonds ou de contrefaire des CD.

– Exactement. Et, à y bien réfléchir, ils sont mieux lotis que s'ils faisaient partie du gouvernement. Pas de surveillance du Congrès. Aucun compte à rendre à aucun vieux politicien. Juste des bonnes gens, faisant du bon travail, pour nous offrir des lendemains meilleurs… tous les ingrédients sont là pour que personne ne cherche à y regarder de plus près. Et le pire, c'est que quoi qu'il puisse se passer dans cet endroit, je suis persuadé que la plupart d'entre eux croient réellement être généreux et travailler à sauver le monde.

– Ce n'est pas ce que nous croyons, en tout cas.

– À cause de ce qu'Ahriman a fait à mes parents, et parce qu'il entretenait des liens bien trop étroits avec ce lieu pour qu'il n'y ait pas anguille sous roche… Mais la plupart des gens d'ici n'accordent aucune importance à cet établissement. Ils n'y pensent même pas. Ou, s'ils y pensent, c'est d'une manière floue et plutôt bienveillante.

– Qui sont Bellon et Tockland ? demanda Martie.

– Kornell Bellon et Nathaniel Tockland. Des grosses pointures dans le domaine de la psychologie, tous les deux professeurs. Ils sont à l'origine du projet de l'institut. Bellon est mort il y a quelques années. Tockland a soixante-dix-neuf ans, il est à la retraite et marié à une jeune femme au physique de rêve, intelligente, drôle, et richissime, qui a cinquante ans de moins que lui. Lorsqu'on les voit tous les deux, on se demande vraiment ce qu'elle peut bien lui trouver, car ce type est aussi dénué d'humour, ennuyeux et laid qu'il est vieux.

– Un haïku est passé par là…, déclara Martie en croisant le regard de Dusty.

– Ou quelque chose du genre.

– Je pensais que vous deviez voir ça, annonça Chase. Parce que, d'une certaine manière, même si ça reste encore flou dans mon esprit, ça en dit long sur Ahriman. Et ça vous donne une petite idée de l'hydre à laquelle vous comptez vous attaquer.

En dépit de son inspiration wrightienne, l'institut aurait semblé plus en harmonie avec son environnement s'il s'était trouvé dans les hauteurs des Carpates, juste en bas de la route qui menait au château du baron Frankenstein, cerné de brumes épaisses et illuminé d'éclairs complices.

Après un bon déjeuner, le Dr Ahriman avait prévu de faire un saut à la résidence des Rhodes pour voir ce qu'il en restait. Mais à présent que Skeet et la réincarnation de l'inspecteur Clouseau lui collaient au train, il n'était sans doute pas raisonnable d'entamer ce petit circuit touristique.

En outre, il n'était pas vraiment en congé aujourd'hui. Il avait rendez-vous dans l'après-midi avec une patiente. Il se rendit donc directement, quoique lentement, à son cabinet dans Fashion Island. Il fit semblant de ne pas remarquer le pick-up qui se gara sur le même parking, à deux places de la Mercedes.

Ses bureaux au quatorzième étage faisaient face à l'océan, mais il se rendit d'abord dans les locaux d'un oto-rhino-laryngologiste situés dans la partie est de l'immeuble. Les grandes fenêtres de la salle d'attente donnaient sur le parking.

La secrétaire médicale, occupée à taper à la machine, ne leva pas les yeux sur lui lorsqu'il se dirigea tout droit vers les vitres. Il s'agissait sans aucun doute d'un de ces innombrables patients qui venait attendre son tour parmi les nez-qui-coulent, les yeux-rouges, les gorges-irritées, tout ce petit monde souffreteux abandonné sur des chaises inconfortables et trompant l'attente avec de vieux magazines infestés de bactéries.

Ahriman chercha du regard sa Mercedes et repéra très vite le pick-up beige avec son hard-top blanc. L'intrépide duo avait quitté l'habitacle. Skeet et Clouseau faisaient des étirements de jambes, des arcs de cercle avec leurs épaules, respiraient quelques bouffées d'air frais, se préparant visiblement à patienter jusqu'au retour de leur proie.

Voilà qui était parfait.

Une fois arrivé dans ses locaux, le médecin demanda à sa secrétaire, Jennifer, si elle s'était régalée avec son tofu et ses pousses de soja écrasées sur une biscotte de seigle – son menu du jeudi. Après qu'elle lui eut assuré que son repas avait été délicieux – c'était une dingue de la macrobiotique, une mutante-née, sans aucun doute, dotée de moitié moins de papilles gustatives que le commun des mortels –, Ahriman feignit pendant quelques minutes de s'intéresser au besoin impératif pour l'organisme de faire des cures d'extraits de feuilles du ginkgo biloba. Puis il alla s'enfermer dans son bureau.

Il téléphona à Cedric Hawthorne, son majordome, pour lui demander de venir garer la moins voyante de ses voitures de collection – une Chevrolet El Camino 1959 – devant l'immeuble qui jouxtait celui qui abritait son cabinet. Les clés devraient être placées dans une boîte aimantée sous le pare-chocs arrière droit. La femme de Hawthorne n'aurait qu'à le suivre dans une autre voiture et le raccompagner ensuite à la maison.

— Et apportez-moi également un passe-montagne, ajouta le psychiatre. Vous le laisserez sous le fauteuil du conducteur.

Cedric Hawthorne ne lui demanda pas pourquoi il désirait un passe-montagne. Ce n'était pas son boulot de poser des questions. Il était trop bien éduqué pour ça. Vraiment très bien éduqué.

— Entendu, Dr Ahriman, un passe-montagne.

Le médecin avait déjà un pistolet sur lui.

Sa stratégie était au point.

Toutes les pièces étaient en place sur l'échiquier.

Bientôt, la partie pourrait commencer.

66.

Dans le ranch, les sols dallés de carreaux mexicains brillaient d'une patine ancienne, et, au plafond, des *latillas* de peuplier étaient incrustées entre les solives apparentes. Dans toutes les pièces principales, des feux crépitaient dans les cheminées en brique décorées d'arabesques voluptueuses, dégageant des parfums subtils de pomme de pin et d'éclats de cèdre. Mis à part les canapés et les gros fauteuils capitonnés, le mobilier datait des années 30, avec quelques réminiscences des meubles Stickley. De beaux tapis navajos étaient jetés partout – sauf dans la pièce des meurtres.

Il n'y avait pas de feu non plus dans cette salle. À l'exception d'un seul meuble, tout avait été enlevé et vendu. Le sol était nu.

Une lumière grise et pâle filtrait à travers les carreaux nus de la fenêtre. Les murs renvoyaient un froid glacial. À plusieurs reprises, Martie crut apercevoir quelque chose dans le champ périphérique de sa vision : la lumière grise semblait se tordre, comme déformée par le passage silencieux d'une figure quasi transparente. Mais, quand Martie se tournait pour la voir de face, il n'y avait rien. La lumière était froide et sans équivoque. Et pourtant, dans cet endroit, il n'était pas difficile d'imaginer des présences invisibles.

L'unique meuble de la pièce était une chaise en bois, posée au centre, avec un dossier fuselé et une assise plate et dure. Peut-être avait-elle été choisie pour son caractère spartiate. Certains moines pensaient que le confort diminuait les capacités de concentration nécessaires à la méditation et à la prière.

— Je viens m'asseoir ici plusieurs fois par semaine, annonça

Bernardo Pastore. D'habitude je reste dix minutes, un quart d'heure… parfois des heures entières.

Sa voix était épaisse, et sa prononciation imparfaite, comme si sa bouche était pleine de billes. Il s'appliquait cependant et parvenait à articuler chaque mot tant bien que mal.

Dusty dirigea le magnétophone équipé d'un micro intégré vers le propriétaire du ranch, pour assurer un enregistrement net malgré son élocution maladroite.

Tout le côté droit du visage remodelé de Bernardo Pastore était sans expression. Les nerfs avaient été irrémédiablement endommagés. Sa mâchoire droite et une partie de son menton avaient été reconstituées à l'aide de plaques métalliques, de fils de fer, de boulons et d'écrous, de pièces en silicone et de greffes d'os. Le résultat final était relativement fonctionnel, mais l'esthétique laissait à désirer.

— Pendant toute la première année, poursuivit Bernardo, je suis resté assis sur cette chaise, à me demander comment une telle chose, un tel cauchemar, avait pu arriver.

Quand il était entré en courant dans la pièce, alerté par les coups de feu qui avaient tué son fils endormi, Bernardo avait reçu deux balles à bout portant, tirées par sa femme, Fiona. La première avait déchiré son épaule droite, la seconde lui avait déchiqueté la mâchoire.

— Au bout d'un moment, il m'est apparu que ça ne servait à rien d'essayer de comprendre. Si ce n'était pas de l'envoûtement, c'était du même acabit. Maintenant, je m'assois ici pour penser à eux. Je leur dis que je les aime. Je dis à Fiona que je ne lui en veux pas, car je sais qu'elle n'était pas maîtresse de ses actes, qu'il s'agit d'un mystère pour elle comme pour moi. C'est ce que je crois vraiment. C'est la seule solution.

D'après les chirurgiens, la survie de Pastore était hautement improbable. Mais le coup violent qui avait pulvérisé sa mâchoire avait miraculeusement été dévié vers le haut en heurtant sa mandibule, puis il avait suivi la mastoïde pour ressortir au niveau de l'arcade zygomatique, laissant intacte l'artère carotide de la tempe – sans quoi, Pastore serait mort bien avant l'arrivée des secours.

— Elle aimait Dion autant que moi. Toutes les accusations dans sa lettre, tout ce que je leur aurais fait, à elle et à Dion, étaient pures fabulations. Et même si c'était vrai, même si elle avait vraiment voulu se suicider, ce n'était pas le genre de femme à tuer un enfant, que ce soit le sien ou celui d'une autre.

Après les deux coups, Pastore était tombé chancelant contre une haute commode, près de la fenêtre grande ouverte sur la nuit d'été.

— Et c'est là que je l'ai vu. Il était dehors, de l'autre côté de la fenêtre. Il nous regardait. Sur son visage, il y avait l'expression la plus atroce que j'aie jamais observée. Il avait un grand sourire, les yeux qui brillaient, et il transpirait d'excitation.

— Vous parlez d'Ahriman, précisa Dusty pour la cassette.

— Oui, le Dr Mark Ahriman, confirma Pastore. Il se tenait là comme s'il savait ce qui allait se passer, comme s'il avait réservé des places pour assister au meurtre au premier rang. Il m'a regardé. Ce que j'ai vu dans ses yeux, je ne peux pas le décrire. Mais si dans ma vie j'ai fait plus de mal que de bien, et si après la mort il y a des comptes à rendre, alors je suis sûr que je reverrai des yeux comme ceux-là. Pastore resta un moment silencieux, regardant par la fenêtre, maintenant vide et traversée de lumière froide. Et puis je suis tombé.

À terre, la moitié encore intacte de son visage écrasée contre le sol, sa vision brouillée, comme entre deux eaux, il avait vu sa femme se tuer et s'écrouler à ses côtés, presque à portée de sa main, juste quelques centimètres trop loin.

— Elle était si calme, si étrangement calme. Elle semblait ne pas se rendre compte de ce qu'elle faisait. Aucune hésitation, pas même une larme.

Tandis qu'il se vidait de son sang, que des nausées de douleur le traversaient, Bernardo Pastore allait et venait entre la conscience et l'inconscience, pareil à une épave hésitant à sombrer tout à fait. Pourtant, à chaque éclair de lucidité, il rampait un peu vers le téléphone de la table de nuit.

— Dehors j'entendais des coyotes, d'abord au loin, puis de plus en plus près. Je ne savais pas si Ahriman était toujours à la fenêtre, je le soupçonnais d'être parti. J'avais peur que les coyotes soient attirés par l'odeur du sang, qu'ils traversent la moustiquaire pour rentrer. Isolés, ce sont des animaux timides, mais en meute…

Pastore réussit enfin à atteindre le téléphone, le tira à terre et appela au secours. Ce fut une torture que de forcer des mots à moitié compréhensibles à sortir de sa gorge enflée et de sa figure en charpie.

— Et puis j'ai attendu. Je me disais que je serais sûrement mort avant qu'ils arrivent. Et ça n'aurait pas été si grave. Peut-être même mieux. Fiona et Dion morts, la vie n'avait plus trop d'importance pour moi. Pourtant je me suis accroché. Pour deux raisons. Ahriman était impliqué là-dedans, je voulais le démasquer, et comprendre. Je voulais rendre justice à ma famille. Et puis… même si j'étais prêt à mourir, je ne voulais pas que les coyotes nous dévorent comme de vulgaires lapins.

D'après leurs cris, la meute de coyotes avait dû se rassembler sous la fenêtre. Il entendait leurs pattes griffer le rebord, leurs museaux frôler la moustiquaire.

À mesure que Pastore s'affaiblissait et que son esprit s'embrouillait, il lui semblait que les bêtes qui cherchaient à rentrer n'étaient pas des coyotes, mais des créatures encore inconnues au Nouveau-Mexique, venues d'un ailleurs lointain après avoir traversé les portes de la nuit. Des frères d'Ahriman, avec des yeux encore plus étranges que celui du médecin. Ils se pressaient contre la fenêtre, mais pas pour se repaître de chair fraîche. Ce qui éveillait leur appétit était ces trois âmes en partance.

Le Dr Ahriman n'avait qu'une seule patiente aujourd'hui, une femme de trente-deux ans dont le mari venait, grâce à ses actions Internet, d'engranger un demi-milliard de dollars de bénéfices en l'espace de quatre ans.

C'était une belle femme, néanmoins, le psychiatre ne l'avait pas acceptée parmi ses patientes à cause de son physique. Sexuellement, elle ne l'intéressait pas du tout. À son arrivée elle était déjà aussi névrosée qu'un rat de laboratoire ayant subi des mois de tortures psychologiques et physiques, à coups d'électrochocs et d'égarements programmés dans des labyrinthes en constant changement. Or Ahriman était attiré uniquement par les femmes qui lui arrivaient intactes et en pleine forme – et qui avaient tout à perdre.

L'immense fortune de sa patiente n'entrait pas non plus en ligne de compte. Le psychiatre ne s'étant jamais trouvé à court d'argent, il n'éprouvait que du mépris pour ses confrères motivés par l'appât du gain. Le seul travail digne de ce nom s'accomplissait par pur plaisir.

Le mari avait confié sa femme aux bons soins d'Ahriman pas tant parce qu'il s'inquiétait de son état qu'en raison de son projet de se présenter au Sénat. Il craignait que son épouse, avec ses lubies excentriques frôlant parfois la folie, ne mette en danger sa carrière politique. Une peur sans fondement, car depuis des années crises d'hystérie et excentricités étaient le lot quotidien de nombre de politiciens et de leurs épouses respectives, toutes tendances confondues, sans que cela ait un effet négatif notable sur les votes. D'ailleurs, le mari était à peu près aussi charismatique qu'un crapaud mort, et donc inéligible de son simple fait.

Si Ahriman avait accepté l'épouse du politicien comme patiente, c'était simplement parce que sa pathologie l'intéressait. Cette femme avançait tout droit vers une superbe phobie, unique en son genre, susceptible de pimenter agréablement une prochaine partie. Il pensait aussi inclure ce cas dans son prochain livre, qui traiterait des phobies et des obsessions, et qu'il avait provisoirement intitulé *Ne crains rien car je suis avec toi*. Évidemment, il utiliserait un pseudonyme pour protéger l'intimité de sa patiente.

L'épouse de l'illusoire futur sénateur était, depuis quelque temps, de plus en plus obsédée par un acteur, Keanu Reeves. Elle avait rempli des dizaines de gros cahiers de photos, articles et critiques des films dans lesquels il avait joué. Elle en savait plus sur sa filmographie que tous les critiques de cinéma réunis, car dans l'intimité de sa salle de projection privée, équipée de quarante places et d'un écran géant, elle avait visionné chacun de ses films au moins une vingtaine de fois. Elle avait passé quarante-huit heures à regarder *Speed* en boucle, jusqu'à s'évanouir de fatigue et d'overdose de Dennis Hopper. Récemment, elle avait fait l'acquisition d'un pendentif Cartier à deux cent mille dollars, en or et diamants, au dos duquel elle avait fait graver : *Keanu, je Kraque pour toi.*

Cette histoire d'amour avait soudain tourné au vinaigre, pour des raisons que la patiente elle-même ne comprenait pas. Elle se mit à croire que l'acteur dissimulait un côté obscur, qu'il s'était rendu compte de son intérêt pour lui, et que cela ne lui plaisait pas du tout. Qu'il employait des gens pour la surveiller. Qu'il la surveillait lui-même. Lorsque le téléphone sonnait, et que l'on raccrochait sans un mot, ou qu'une voix disait : *Désolé, je me suis trompé de numéro*, elle était convaincue que c'était un coup de Keanu. Ce visage qu'elle avait adoré la terrifiait à présent. Elle détruisit tous ses carnets, brûla les photos affichées dans sa chambre. Elle était persuadée qu'il la surveillait à distance à travers ces clichés. La vue même de son visage déclenchait chez elle une crise de panique. Elle ne pouvait plus non plus regarder la télévision, de peur de voir des extraits de ses nouveaux films. Elle n'osait plus lire la plupart des magazines, risquant à tout moment de se trouver face à face avec Keanu, en train de la surveiller. Elle paniquait également lorsqu'elle lisait son nom dans la presse et avait établi une liste extrêmement réduite de journaux sécurisés, à l'exemple du *Journal de la politique étrangère* ou des publications médicales telles que *Progrès accomplis dans la dialyse des reins.*

Le Dr Ahriman savait que sa patiente, comme toujours dans ce genre de cas, n'allait pas tarder à se sentir traquée par Keanu. Sa phobie battrait alors son plein. Par la suite, soit son état se stabiliserait, et elle apprendrait à mener une vie aussi restreinte que celle de feu Susan Jagger, soit elle sombrerait dans la psychose, ce qui nécessiterait au moins un séjour dans une institution spécialisée.

La thérapie chimique offrait un espoir à ce type de sujet. Pourtant le psychiatre n'avait pas l'intention de proposer un traitement conventionnel à sa patiente. Au moment voulu, il lui imposerait trois séances de programmation. Pas pour la contrôler, simplement pour lui ordonner de ne plus craindre Keanu. Et il ne lui resterait plus qu'à écrire un beau chapitre sur cette guérison miraculeuse… qu'il attribuerait à son talent d'analyste et à son génie de thérapeute en concoctant le récit détaillé d'une thérapie qu'il n'aurait jamais effectuée !

Ahriman n'avait pas encore entrepris le lavage de cerveau, il voulait laisser mûrir la phobie. Il fallait que sa patiente souffre encore un peu, pour rendre plus spectaculaire le récit de sa guérison, et pour qu'une fois rétablie elle éprouve à son égard une gratitude sans bornes. S'il jouait adroitement, peut-être consentirait-elle à un passage télévisé avec lui chez Oprah Winfrey, après la sortie du livre.

Pour l'instant, Ahriman était installé dans son fauteuil, pendant que de l'autre côté de la table basse elle déversait un flot de spéculations fébriles sur les machinations machiavéliques de Mr. Reeves. Le psychiatre l'écoutait sans prendre de notes, lui posant de rares questions pour la relancer, tandis qu'un magnétophone caché enregistrait l'intégralité du monologue.

Ah ! si le croqueur de nez du Président avait pu être Keanu Reeves, songea Ahriman avec malice. Il s'imaginait la terreur de sa patiente en apprenant la nouvelle. Elle serait persuadée que si le destin n'avait pas placé le chef de la nation en travers du chemin de Keanu, c'est son propre nez qui aurait été mutilé.

Tant pis... L'humour caché dans le mécanisme de l'univers n'était pas aussi drolatique que celui du psychiatre.

— Docteur, vous ne m'écoutez pas.

— Mais bien sûr que si !

— Non, vous étiez dans la lune, et je ne vous paie pas ces honoraires exorbitants pour que vous rêvassiez ! répliqua fermement la dame.

Cinq ans auparavant, elle et son mari mollasson avaient à peine de quoi se payer des frites avec leurs Big Mac. À présent, ils étaient devenus aussi exigeants et pédants que s'ils étaient nés milliardaires.

D'ailleurs, cette obsession phobique sur Keanu Reeves, tout comme le désir de reconnaissance que son mari à tête de carpe cherchait à assouvir grâce aux urnes, était le résultat de leur soudaine réussite financière. Ils étaient à la fois rongés de culpabilité à l'idée d'avoir gagné tant d'argent avec si peu d'efforts, et secrètement minés par la peur que cette fortune si rapidement acquise puisse aussitôt disparaître.

— Vous ne vous trouvez pas dans un conflit d'intérêts, par hasard ? s'inquiéta-t-elle brusquement.

— Pardon ?

— Un conflit d'intérêts, à cause d'un autre patient, que vous m'auriez caché ? Vous ne connaissez pas K... K... Keanu, au moins, docteur ?

— Non, non. Bien sûr que non.

— Parce que si vous le connaissiez et que vous me l'ayez dissimulé, ce serait une grosse faute d'éthique. Une faute très grave. Qui me dit que vous n'en êtes pas capable ? Comment savoir ? En fait, je sais si peu de chose sur vous.

Plutôt que de tirer son Taurus Millenium de son étui d'épaule pour donner une leçon de politesse à cette stupide parvenue, Ahriman opta pour une offensive de charme et la persuada bientôt, avec force paroles mielleuses, de reprendre ses divagations fantaisistes.

L'horloge murale indiquait qu'il lui restait à peine une demi-heure avant de la renvoyer dans le monde extérieur, où sévissait le terrible Keanu. Ensuite, Ahriman serait libre de régler le problème de Skeet et de Rougeaud.

Par endroits, le vernis des carreaux mexicains avait tout à fait disparu.

– C'est là où je voyais des taches de sang, expliqua Bernardo Pastore. Pendant mon séjour à l'hôpital, des amis ont tout nettoyé, vidé la chambre et vendu les meubles. Quand je suis revenu, il n'y avait plus aucune tache… seulement moi, je continuais à en voir. Durant toute une année, j'ai frotté tous les jours. Mais ce n'était pas des taches dont je cherchais à me débarrasser. C'était de mon chagrin. Quand je l'ai compris, j'ai arrêté de frotter.

Les premiers jours, dans l'unité de soins intensifs, Pastore avait lutté contre la mort, sombrant fréquemment dans l'inconscience. Ses blessures et son visage gonflé ne lui permettaient pas de parler. Quand il put finalement s'exprimer pour accuser Ahriman, celui-ci avait eu le temps d'établir un alibi, témoins à l'appui.

Pastore s'avança vers la fenêtre et contempla le ranch.

– Je l'ai vu, il était juste là. Là, en train de nous observer. Ce n'était pas un rêve, ni une hallucination que j'aurais eue après avoir été abattu, comme ils l'ont prétendu…

Pour garder le microphone à portée du fermier, Dusty le rejoignit à la fenêtre.

– Et personne n'a voulu vous croire ?

– Certains m'ont cru. Mais un seul était vraiment important. Un flic. Il a commencé à travailler sur l'alibi d'Ahriman… peut-être qu'il a trouvé quelque chose, parce qu'il s'est sérieusement fait taper sur les doigts. Ensuite ils ont clos l'enquête, et ils ont mis le type sur un autre dossier.

– Vous croyez que ce policier accepterait de nous rencontrer ?

– Possible. Après toutes ces années, je pense qu'il voudra bien. Je vais l'appeler et lui parler de vous.

– Si vous pouviez arranger un rendez-vous pour ce soir, ce serait parfait. On va être pas mal pris demain avec Chase Glyson et les anciens élèves de l'école Little Jackrabbit.

– Tout ce que vous faites ne servira à rien, répliqua Pastore en regardant par la fenêtre, peut-être vers son passé, peut être vers son futur. C'est un mystère, mais Ahriman est intouchable.

– On verra bien.

Malgré la lumière grise, assombrie par la couche de poussière sur les carreaux, les épaisses chéloïdes de Pastore semblaient rouges de colère.

Comme s'il sentait le regard de Martie posé sur lui, le fermier la dévisagea.

– Ne me regardez pas. Je vais vous donner des cauchemars, Mrs. Rhodes.

– Sûrement pas à moi. J'aime votre visage, Mr. Pastore. J'y vois de la sincérité. Et puis, une fois que l'on a rencontré Mark Ahriman, plus grand-chose ne peut vous donner de mauvais rêves.

— Ça, c'est bien vrai, répondit Pastore, en se tournant à nouveau vers la fenêtre.

Dehors, l'après-midi tirait à sa fin.

Dusty éteignit le magnétophone.

— Ils pourraient m'enlever la plupart de ces cicatrices, reprit Pastore. Les toubibs voudraient aussi refaire une opération sur ma mâchoire. Ils disent qu'ils peuvent l'arranger. Mais qu'est-ce que ça peut me faire, aujourd'hui ?

Ni Dusty ni Martie ne surent lui répondre. Pastore n'avait pas plus de quarante-cinq ans ; il lui restait de longues années à vivre. Pourtant, personne ne pourrait le convaincre qu'il y en aurait de belles parmi toutes celles qui l'attendaient, personne, sauf lui.

Jennifer habitait à trois kilomètres et demi du bureau. Qu'il pleuve ou qu'il vente, elle faisait toujours le trajet à pied, car la marche était un élément aussi indispensable à son régime que le tofu, les pousses de soja et les extraits de ginkgo biloba.

Le psychiatre la pria de lui rendre un service : déposer sa voiture chez le concessionnaire Mercedes pour une vidange et une rotation des pneus.

— Ils vous ramèneront avec leur minibus.

— Oh ! ce n'est pas la peine, je rentrerai à pied.

— Mais ça fait presque quinze kilomètres.

— Vraiment ? C'est super !

— Et s'il pleut ?

— Les prévisions ont changé. Il pleuvra demain, pas aujourd'hui. Mais vous, comment allez-vous rentrer ?

— Je vais aller flâner un peu à la librairie Barnes et Nobles, mentit Ahriman, et ensuite j'ai rendez-vous avec un ami pour boire un verre. Il me ramènera chez moi.

Il consulta sa montre.

— Vous n'avez qu'à partir plus tôt aujourd'hui... disons dans un quart d'heure. Comme ça vous pourrez être chez vous à l'heure habituelle, même avec les quinze kilomètres à pied. Et prenez trente dollars dans la caisse. Vous pourrez vous arrêter dans ce restaurant que vous aimez bien – le Green Acres, je crois – si vous avez envie de dîner.

— Vous pensez vraiment à tout, docteur.

En quinze minutes, Ahriman aurait le temps de sortir par l'entrée de devant à l'insu des espions du pick-up, de passer par le bâtiment voisin et de gagner le parking, derrière, où l'attendait sa Chevrolet El Camino 1959.

Les manèges et les paddocks étaient déserts. Les chevaux étaient à l'abri dans les écuries, en prévision de la tempête qui approchait.

Quand Martie s'arrêta à côté de la voiture de location, le ranch de brique ne lui parut plus aussi romantique et pittoresque qu'à son arrivée. Telles bon nombre de constructions du Nouveau-Mexique, celle-ci avait donné l'impression d'avoir surgi du désert par magie. À présent, les murs usés en terre cuite ne dégageaient pas plus de charme qu'un tas de boue. La maison ne semblait plus surgir de terre mais s'effondrer, s'enfoncer, pour se fondre dans la glaise dont elle était née et disparaître à tout jamais, comme si elle n'avait jamais existé, comme si personne n'avait jamais connu l'amour et le bonheur entre ses murs.

— Je me demande dans quoi on s'engage, dit Dusty tandis que Martie les conduisait loin du ranch. Qui est vraiment Ahriman... en dehors des apparences ?

— Tu ne fais pas uniquement allusion à ses relations, à l'institut, et à tous ces gens qui le protègent.

— Non.

Il parlait tout doucement, sur un ton solennel, comme s'il touchait à un sujet sacré.

— Qui est ce type, au-delà des réponses toutes faites qu'on connaît ?

— Un psychopathe, un narcissique aigu, d'après Closterman, répondit-elle, tout en sachant que c'étaient d'autres mots qu'il cherchait.

Le chemin privé gravillonné qui menait du ranch à la route goudronnée s'étendait sur plus d'un kilomètre et demi, franchissant le plateau puis descendant à travers les collines. Sous un austère ciel d'albâtre, dans les dernières lueurs de cette journée hivernale, les feuillages vert sombre des armoises paraissaient tachetés d'éclats d'argent. Pas un souffle de vent ne remuait les amarantes, aussi figées que les étranges formations rocheuses, semblables à des ossements à demi enterrés de monstres préhistoriques.

— Et si Ahriman se promenait dans ce désert, reprit Dusty, tu crois que des milliers de serpents à sonnettes sortiraient de leurs repaires pour le suivre docilement ?

— J'ai mon compte de récit d'épouvante, chéri.

Pourtant, Martie n'avait aucun mal à s'imaginer Ahriman debout devant la fenêtre de Dion Pastore, après les coups de feu, tranquille malgré l'arrivée des coyotes, se tenant au milieu des prédateurs comme s'il avait exigé et obtenu une place d'honneur dans leur meute, appuyant son visage contre la moustiquaire, humant le parfum capiteux du sang tandis que les loups de prairie grognaient en sourdine et agaçaient leurs dents contre les mailles du filet.

Au détour d'un virage serré, alors que la route descendait le versant incliné d'une colline, quelqu'un avait disposé une herse, un ustensile hérissé de pointes utilisé par les policiers dans les courses-poursuites lorsque le véhicule en fuite était trop rapide.

Martie vit le piège trop tard. Quand elle freina, les deux pneus avant éclataient déjà.

Le volant devint fou entre ses mains. Elle lutta pour reprendre le contrôle de la voiture.

La herse cloutée rebondit sous les châssis, crépitant comme un serpent de métal blessé, fouettant la carrosserie d'avant en arrière, et trouva de nouveau du caoutchouc où planter ses crocs. Les deux pneus arrière éclatèrent à leur tour.

Les quatre pneus à plat dérapaient en se déchiquetant sur la pente recouverte de graviers. La Ford semblait glisser sur un lac glacé. La voiture partit en travers.

– Accroche-toi ! cria-t-elle inutilement.

Devant eux, un nid-de-poule.

La Ford eut un soubresaut, s'inclina, sembla hésiter un instant puis se retourna.

Ils firent au moins deux tonneaux, d'après Martie, peut-être trois. Elle avait d'autres soucis que de les compter, surtout lorsqu'ils quittèrent la route et dévalèrent un vallon aride sur une dizaine de mètres en une chute étonnamment lente. Le pare-brise éclata. Des morceaux de la carrosserie furent arrachés dans des hurlements métalliques. Enfin, la Ford s'immobilisa sur le toit.

67.

L'odeur âcre de l'essence ramena Martie à elle plus efficacement que si elle avait respiré des sels. Puis elle entendit le gargouillis d'un tuyau rompu.

– Ça va ?

– Ça va, répondit Dusty.

Il se débattait avec sa ceinture de sécurité en pestant. La boucle résistait, ou il était trop désorienté pour trouver le poussoir.

La tête en bas, retenue par sa propre ceinture, le volant au-dessus de son crâne, Martie était elle aussi quelque peu déboussolée.

– Ils vont venir.

– Le pistolet ! s'écria Dusty.

Le sac de Martie avait quitté le siège, elle ne le sentait plus entre sa hanche et la portière.

Instinctivement, elle regarda vers le plancher. Malheureusement, celui-ci occupant à présent la place du toit, le sac pouvait difficilement s'y trouver.

Les doigts tremblants, elle atteignit la boucle de sa ceinture, parvint à se dégager de l'enchevêtrement récalcitrant des sangles et se laissa glisser sur le plafond.

Des voix. Lointaines, mais qui se rapprochaient.

Ces gens-là n'étaient pas des secouristes, elle l'aurait parié.

Avec des contorsions d'anguille, Dusty parvint à s'extirper de sa ceinture de sécurité pour se recroqueviller sur le plafond.

— Où est-il ?

— Je n'en sais rien.

Elle parlait avec peine, car l'odeur d'essence rendait la respiration de plus en plus difficile.

À l'intérieur de la voiture retournée régnait une lumière lugubre. Au-dehors, le ciel saturé de nuages devenait crépusculaire. Le pare-brise éventré, encombré par les broussailles qui tapissaient le fond de la combe, ne laissait presque pas passer de jour.

— Là ! s'exclama Dusty.

Au même moment, elle vit le sac, près de la vitre arrière. Elle rampa sur le plafond pour l'atteindre.

Il s'était ouvert, laissant s'échapper un peu de son contenu. Martie écarta un poudrier, un peigne, un tube de rouge à lèvres et quelques autres objets pour attraper le sac à main, alourdi par l'arme.

Au-dessus de leurs têtes, des cailloux tintèrent sur le châssis de la voiture, détachés de la pente par les pas des hommes qui descendaient du chemin gravillonné.

Martie regarda à gauche, puis à droite, par les fenêtres qui s'ouvraient au ras du sol, s'attendant à voir d'abord apparaître leurs pieds.

Elle s'efforçait de rester silencieuse et de deviner au bruit de leurs pas de quel côté ils arriveraient, mais les vapeurs d'essence rendaient sa respiration bruyante. Dusty suffoquait, lui aussi, et leurs halètements désespérés étaient plus effrayants encore que le bruit des cailloux rebondissant sur le châssis.

Ploc ! ploc ! Ce n'était pas son cœur, il était beaucoup plus sonore. Soudain quelque chose d'humide toucha sa joue, la faisant sursauter. Elle leva les yeux vers le sol de la voiture. L'essence suintait à travers le plancher !

Martie regarda derrière elle et constata que le carburant s'écoulait à trois ou quatre autres endroits dans la Ford retournée. Les gouttelettes accrochaient le peu de lumière qui filtrait et luisaient dans leur chute comme des perles.

Le visage de Dusty. Ses yeux agrandis par la conscience soudaine de leur situation désespérée.

Ceux de Martie étaient irrités jusqu'aux larmes par les émanations nocives. Le visage de son mari se brouillait. Elle lut pourtant sur ses lèvres, plus clairement qu'elle n'entendit sa voix affaiblie :

— Ne tire pas.

Si par miracle le coup de feu ne déclenchait pas d'explosion, un ricochet se chargerait de produire l'étincelle fatale.

Passant un revers de main sur ses yeux ruisselants, Martie aperçut par la fenêtre la plus proche une paire de bottes de cow-boy. Puis quelqu'un se mit à secouer une portière entêtée qui refusait de s'ouvrir.

La Chevrolet El Camino lie-de-vin 1959 avait été personnalisée avec une grande élégance : un capot à persiennes, des pare-chocs moulés d'un bloc, une calandre tubulaire redessinée, une capote de toit mue par air comprimé, le tout posé sur des suspensions surbaissées McGaughly's Classic Chevy.

Le Dr Ahriman attendait, assis au volant. Il était garé dans la rue, de manière à surveiller la sortie du parking desservant l'immeuble où se trouvait son cabinet.

Le passe-montagne se trouvait bien sous le siège du conducteur. Il avait vérifié avant de mettre le contact. Brave Cedric, on pouvait compter sur lui.

Sous son bras gauche, le psychiatre sentait peser le minipistolet 9 mm dans son holster. Loin de le déranger, cette sensation était plaisante, douillette. Pan ! pan ! et adieu.

La Mercedes de Jennifer arrivait. La jeune femme s'arrêta à la caisse uniquement pour saluer le gardien ; la vignette mensuelle collée sur le pare-brise suffisait pour passer. La barrière bicolore se releva, et l'automobile put avancer jusqu'au boulevard.

Derrière elle, le pick-up s'arrêta brutalement au guichet, dans le frémissement de ses nombreuses antennes.

Jennifer tourna à gauche.

Les deux détectives s'attardèrent au guichet. Dans leur effervescence, ils avaient sans doute négligé de se munir de monnaie. Lorsqu'ils atteignirent la rue, la Mercedes tournait à l'autre bout, et ils faillirent la perdre de vue.

Ahriman avait craint que Skeet et son acolyte, voyant Jennifer seule, ne décident de rester sur le parking jusqu'à ce que leur véritable proie réapparaisse — ou que mort par déshydratation s'ensuive. S'ils n'avaient pas préparé leur monnaie pour payer à la sortie, c'était peut-être justement parce qu'ils discutaient de l'opportunité de filer une voiture ne transportant pas celui qu'ils cherchaient. Mais ils avaient fini par mordre à l'hameçon, comme il s'y attendait.

Ahriman ne les suivit pas. Connaissant la destination de Jennifer, il se rendit chez le concessionnaire Mercedes par son propre itinéraire, en empruntant un ou deux raccourcis.

L'El Camino, mue par un gros Chevy 350, était souple et puissante. Ahriman se plaisait à sillonner Newport Beach à vive allure, l'œil sur les agents de la circulation et la main sur l'avertisseur, au cas où un piéton aurait eu l'audace de s'avancer sur un passage clouté.

Il se gara dans la rue du concessionnaire, face à l'entrée de l'atelier, et attendit plus de quatre minutes avant de voir apparaître la Mercedes suivie du pick-up. Jennifer descendit la rampe du garage avec son véhicule, tandis que la camionnette s'arrêtait un peu plus loin, à quelques voitures de l'El Camino.

Avec la cellule de camping qui leur bouchait la vue à l'arrière du pick-up, Skeet et son compagnon d'aventure pouvaient difficilement identifier celui qui stationnait derrière eux. Ils auraient pu inspecter la rue en regardant dans leurs rétroviseurs latéraux, mais comme ils se prenaient pour la fine fleur de la filature, Ahriman les soupçonnait de ne pas envisager la possibilité d'être eux-mêmes sous surveillance.

Le colt compact passa sous la ceinture de Martie et se nicha au creux de ses reins plus facilement qu'elle ne l'aurait cru.

Elle ramena son pull par-dessus et remit sa veste de tweed en place. Déjà la portière du conducteur cédait avec un grincement furieux de tôle tordue.

Un homme leur ordonna de sortir.

Aspirant désespérément l'air saturé de vapeurs toxiques, les poumons en feu, Martie rampa sur le plafond, atteignit la portière et retrouva l'air libre.

Un autre inconnu l'attrapa par le bras gauche et la mit debout sans ménagement. Il la traîna derrière lui sur quelques mètres et la poussa avec violence. Elle chancela et atterrit durement sur le sol sablonneux, en partie dans un buisson épineux.

Elle ne chercha pas le pistolet tout de suite. Aveuglée par ses larmes, elle s'efforçait en vain de maîtriser sa respiration. Sa gorge à vif la brûlait et un goût âcre lui emplissait la bouche. Ses narines étaient comme écorchées ; les effluves d'essence avaient pénétré jusque dans ses sinus, investissant leurs cavités pour y déclencher un mal de tête lancinant.

Elle entendit qu'on traînait Dusty hors de la voiture et qu'on l'envoyait à terre à son tour.

Ils restèrent tous deux assis à l'endroit de leur chute, inspirant à grandes goulées désordonnées. L'air pur leur fut d'abord insupportable. Ils suffoquèrent, haletèrent un moment, avant de parvenir à emplir leurs poumons.

À travers les larmes qui lui brouillaient la vue et déformaient les contours, Martie distinguait deux hommes. L'un d'eux les surveillait. Il tenait un objet à la main, sans doute une arme. L'autre tournait autour du véhicule accidenté. Deux hommes grands. Vêtements sombres, visages encore flous.

Quelque chose voltigeait devant son nez. Des moustiques. Des nuées de moustiques. Froids. Non, pas des moustiques… de la neige. Il s'était mis à neiger !

Elle respirait mieux, mais pas encore normalement. Sa vue s'éclaircissait au fur et à mesure que les larmes s'asséchaient. Elle sentit qu'on l'attrapait par les cheveux, qu'on la pressait de se remettre debout.

— Allons, grogna l'un des inconnus avec impatience. Si vous nous retardez, je vous fais sauter la cervelle et je vous laisse là.

Martie prit la menace au sérieux et commença à gravir la pente que la voiture avait dévalée.

Quand Jennifer apparut au bout de la rue, quittant la concession Mercedes à pied, les deux limiers restèrent médusés. Ils étaient préparés à une poursuite motorisée, mais ni le frêle Skeet ni son camarade rondelet ne disposaient de la forme physique nécessaire à une filature à pied prolongée.

Pour ne rien arranger, Jennifer marchait comme si elle avait à ses trousses les chiens de l'enfer et une demi-douzaine de représentants d'assurances décidés. La tête haute, les épaules en arrière, la poitrine conquérante et les hanches balancées, elle fendait l'air frais de l'après-midi en femme décidée à faire le tour du pays avant la nuit.

Elle portait le même tailleur-pantalon qu'au bureau, mais elle avait troqué ses talons hauts pour des chaussures de marche. Toutes ses affaires à l'abri dans son sac à dos, elle gardait les mains libres pour balancer les bras en rythme, à la manière d'une marcheuse olympique. Elle avait attaché ses cheveux en arrière ; sa queue-de-cheval dansait joliment dans son dos tandis qu'elle rentrait au petit trot vers l'écurie.

Les vitres de l'El Camino étaient légèrement teintées, et Jennifer ne connaissait pas la voiture. En passant de l'autre côté de la rue, elle ne jeta pas même un regard vers le psychiatre.

Jennifer tourna à l'angle de la rue et s'engagea dans une longue avenue qui montait en pente douce.

Tac ! tac ! tac ! faisait sa queue de cheval bondissant sur sa nuque. Ses muscles fessiers, tendus au maximum, semblaient d'acier.

Les détectives en herbe démarrèrent, avec force gesticulations, et firent demi-tour dans la rue en passant devant la voiture d'Ahriman sans même lui accorder un regard. Ils tournèrent eux aussi au coin, puis se garèrent de nouveau le long du trottoir.

Une centaine de mètres plus loin, au carrefour suivant, Jennifer prit à droite, pour se diriger vers l'ouest.

Juste avant qu'elle disparaisse, le pick-up la suivit.

435

Ahriman leur laissa une avance raisonnable, puis les suivit à son tour.

À nouveau, la camionnette bringuebalante s'arrêta sur le bas-côté de la route, à une centaine de mètres derrière Jennifer.

La rue montait sur environ un kilomètre. Les deux détectives avaient apparemment l'intention d'attendre que la secrétaire parvienne en haut de la pente, de la rattraper, puis de s'arrêter à nouveau : de progresser ainsi par petits sauts de puce jusqu'à ce qu'elle arrive à destination.

Le Green Acres, la Mecque culinaire des adorateurs de pousses de soja, était encore à six kilomètres. Ahriman ne voyait aucune raison de suivre plus longtemps la progression laborieuse de la camionnette. Il doubla le pick-up, dépassa Jennifer et continua vers le restaurant.

Ces deux détectives amateurs l'amusaient énormément – Sherlock Holmes et Watson sans les habits ni le savoir-faire. Ces doux idiots avaient un certain charme. Ahriman regrettait presque de devoir les tuer : il aurait aimé les garder comme deux singes apprivoisés pour égayer un après-midi monotone.

D'un autre côté, cela faisait longtemps qu'il n'avait pas eu l'occasion de dérober lui-même et sans intermédiaire une vie humaine. Il se réjouissait d'avance à l'idée de mettre la main à la pâte, pour ainsi dire.

Des flocons laineux semés par la toison argentée du ciel tombaient tout droit dans l'air immobile du crépuscule. Chaque touffe d'armoise, chaque amarante gelée se tricotait déjà un petit pull-over blanc.

Quand ils arrivèrent en haut du talus, Martie avait retrouvé sa vision normale. Sa respiration restait laborieuse mais se régularisait. Elle crachait parfois une salive âcre, chargée de fumée et d'essence, sans plus suffoquer toutefois.

Une BMW bleu nuit était à l'arrêt sur la route du ranch. Les portes étaient ouvertes, le moteur tournait et des nuages de vapeur sortaient du pot d'échappement. Les gros pneus neige étaient équipés de chaînes.

Martie se retourna pour jeter un coup d'œil vers l'épave de la Ford au fond du vallon, espérant qu'elle exploserait. Dans ces grands espaces plats et désertiques, le bruit de la détonation pourrait parvenir jusqu'au ranch. Ou peut-être Bernardo Pastore, jetant un coup d'œil par la fenêtre au moment opportun, apercevrait-il les lueurs du feu derrière la colline, comme un SOS ?

Espoirs vains, elle le savait bien.

Malgré la semi-pénombre, elle distinguait parfaitement les pistolets-mitrailleurs des deux hommes, munis de chargeurs doubles. Elle ne connaissait pas grand-chose à ce type d'arme, juste qu'il suffisait de pointer grosso modo le canon vers la cible et d'arroser le périmètre au maximum. Des armes déjà redoutables entre les mains de mauvais tireurs. Alors entre les mains d'experts...

Ces deux types semblaient des produits d'un laboratoire de clonage, référence génétique : « Brutes présentables ». Ils étaient beaux, propres sur eux et presque mignons avec leurs vêtements d'hiver Timberland. Mais ils formaient un couple impressionnant : leurs cous étaient si épais qu'il aurait fallu un câble de treuil pour les étrangler, et leurs épaules si larges qu'ils auraient pu porter des chevaux sur leurs dos.

Le blond ouvrit le coffre arrière de la BMW et ordonna à Dusty d'y monter.

— Et n'essaie pas de faire le malin, de m'assommer à la sortie avec une clé à molette par exemple, parce que je te pulvériserai le crâne avant que tu aies le temps de lever le bras !

Dusty jeta un coup d'œil à Martie... ils savaient tous les deux que ce n'était pas le moment de sortir le colt — pas avec les deux pistolets-mitrailleurs braqués sur eux. Leur atout n'était pas le colt, mais l'effet de surprise. Un piètre avantage, certes, mais un avantage tout de même.

Lassé d'attendre, le blond s'avança et d'un violent coup de pied faucha Dusty, qui tomba à terre.

— Dans le coffre, j'ai dit ! hurla-t-il.

Dusty hésitait à laisser Martie seule avec eux. Malheureusement il n'avait guère le choix. Il se releva donc et grimpa dans la malle.

Martie pouvait le voir, recroquevillé sur le côté, le visage pâle, roulant des yeux pour voir ce qui se passait au-dehors. Il se tenait dans la même position que les victimes des boucheries de la Mafia sur les couvertures des journaux à scandale. Il ne manquait plus au tableau que le regard fixe de la mort, et les taches de sang.

Comme pour lui tisser un linceul, la neige s'engouffra dans le coffre, posant ses premiers fils blancs sur les paupières et les cils de Dusty.

Martie eut la sensation atroce qu'elle ne le reverrait plus jamais.

Le blond claqua le capot du coffre et le verrouilla. Il fit le tour de la voiture, ouvrit la porte côté conducteur et s'installa au volant.

L'autre homme poussa Martie sur le siège arrière et se glissa rapidement à ses côtés, derrière le conducteur.

Les deux tueurs se déplaçaient avec une grâce athlétique, et leurs visages ne ressemblaient pas à ceux de classiques gros bras. Pas une cicatrice, le teint frais, le front haut et les pommettes saillantes, le nez patricien et le menton carré : une jeune héritière aurait facilement pu présenter l'un ou l'autre à papa-maman sans crainte d'être privée d'argent de poche ou de voir sa dot réduite aux petites cuillères du service en argent. Ils se ressemblaient tellement que seule la coloration des cheveux — blond pour l'un, roux cuivré pour l'autre —

dissimulait leur véritable nature de clone. Quelques traits psychologiques les différenciaient également.

Des deux, le blond paraissait être le plus colérique. Encore échauffé par l'hésitation de Dusty à monter dans le coffre, il engagea la première d'un geste brusque, malmenant le malheureux levier, et démarra dans un crissement furieux de gravier. Ils s'éloignèrent du ranch, en direction de la nationale.

Le rouquin sourit à Martie et leva les sourcils comme pour lui signifier qu'il trouvait son associé un peu pénible, par moments. Il tenait le pistolet-mitrailleur d'une main, pointé vers ses pieds. Il paraissait absolument certain que Martie ne lui opposerait aucune résistance.

Elle n'avait en effet aucune chance de lui arracher son arme ni de lui porter un coup efficace. Il était si grand et si fort qu'il lui aurait aussitôt bloqué la respiration d'un coup de coude ou écrabouillé le visage contre la vitre.

Martie avait plus que jamais besoin de Bob la Banane – en chair et en os, ou même en esprit. Et de sa hache de pompier.

Ils allaient sans doute rejoindre la nationale, au sud. Mais, à l'étonnement de Martie, ils quittèrent la route du ranch et se dirigèrent vers l'est, empruntant une piste en terre visible seulement par le sillon qu'elle creusait parmi les armoises, les buissons de mesquite et les cactus.

Si ses souvenirs étaient exacts – entre le jaune pâle de la carte routière et ce qu'elle avait vu du paysage en quittant Santa Fe – on ne trouvait que des terres désertiques dans cette direction-là.

Les flocons qui s'abattaient en cascade obstruaient le faisceau des phares. Une ville aurait pu passer inaperçue. Leur destination, toutefois, n'était sans doute pas une grande métropole, plutôt un cimetière rempli de tombes anonymes.

– Où va-t-on ? demanda-t-elle.

Elle jugeait opportun de leur poser des questions chargées d'angoisse. C'était dans l'ordre normal des choses et cela pouvait endormir leur vigilance.

– Dans la cachette des amoureux, répondit le conducteur, et ses yeux cherchèrent les siens dans le rétroviseur, espérant y apercevoir un éclair de terreur.

– Qui êtes-vous ?

– Nous ? Nous sommes le futur, répondit encore le blondinet.

Le rouquin à côté de Martie esquissa à nouveau un sourire en coin accompagné d'un haussement de sourcils, comme pour se moquer de cette réplique quelque peu théâtrale.

La BMW avait ralenti depuis qu'ils avaient quitté la route du ranch, néanmoins ils roulaient encore bien vite pour un terrain aussi accidenté. Ils rebondirent durement sur un nid-de-poule. Le pot d'échappement et le réservoir cognèrent le sol dans un fracas de métal, engendrant une nouvelle secousse dans l'habitacle. Ni Martie ni le rouquin ne portaient de ceinture ; sous le choc, ils furent soulevés de leurs sièges et déséquilibrés vers l'avant.

Profitant de l'occasion, Martie passa sa main droite derrière son dos et la glissa sous son pull. Elle tira le colt de sa ceinture tandis que les cahots les ballottaient.

Lorsque la voiture se stabilisa, Martie avait dissimulé l'arme à côté d'elle, contre sa cuisse. Sa veste déboutonnée traînait dessus. Son propre corps la cachait au rouquin.

L'arme du conducteur devait être posée sur le siège passager, à portée de main.

Le rouquin tenait toujours son pistolet-mitrailleur dans la main droite, entre ses genoux, le canon dirigé vers le plancher.

Il fallait agir. Une action dirigée par l'intelligence et la conscience morale. Martie était sûre de son intelligence. Quant à la morale, si le meurtre n'était pas acceptable, l'autodéfense l'était certainement.

Mais ce n'était pas encore le bon moment.

Le timing. Aussi important dans un duel que dans un ballet.

Elle avait entendu cette phrase quelque part. Malheureusement, en dépit de ses visites au club de tir, où elle n'avait ouvert le feu que sur des silhouettes en papier, elle ne connaissait rien à la danse ni aux duels, qu'ils se déroulent au soleil ou sous la neige.

— Vous n'allez pas vous en tirer comme ça, articula-t-elle, laissant percer une terreur non feinte, pour achever de les convaincre qu'elle était à leur merci.

Sa remarque amusa le conducteur. Il s'adressa à son associé, feignant de douter.

— Tu crois qu'on va s'en sortir comme ça, Zachary ?

— Bien sûr, fit le rouquin.

Il leva à nouveau les sourcils et haussa les épaules.

— Zachary, reprit le conducteur, comment appelle-t-on ce genre d'opération ?

— Un simple « niquer et jeter après usage ».

— Compris, ma belle ? Avec « simple », souligné trois fois. Pour nous, ce n'est pas la mer à boire. Une promenade. Une partie de plaisir.

— Tu sais, Kevin, remarqua Zachary, pour moi, c'est « niquer » qui est souligné trois fois.

Kevin rit.

— Je sais, ma belle, comme c'est toi qui vas te faire niquer, et toi et ton mari qui allez partir à la poubelle, c'est normal que ça te choque. Mais pour nous cela n'a rien d'exceptionnel, pas vrai, Zachary ?

— Non, il n'y a pas de quoi en faire toute une histoire.

— Et pour les flics, ce sera pareil. Dis-lui donc où elle va se retrouver, Zachary.

— Au pays des Orgasmes, avec moi !

— Tu es vraiment taré, vieux, mais si ça t'amuse. Bon, et après ?

— Dans un vieux puits indien, annonça Zachary en se tournant vers Martie, et Dieu seul sait sa profondeur !

— Il n'y a plus aucun Indien par là-bas depuis au moins trois siècles. Plus personne pour boire l'eau.

— On ne voudrait pas contaminer une source d'eau potable, expliqua Zachary. C'est passible d'une amende.

— Personne ne retrouvera vos corps. Pour tout le monde, l'explication sera qu'après l'accident vous êtes partis dans le désert à la recherche de secours. Vous vous êtes alors perdus dans la tempête et avez fini par mourir de froid.

La voiture ralentissait. Dehors, des formes étranges apparaissaient dans la neige, basses et ondulantes. Elles se reflétaient, pâles dans la lumière des phares, flottant et disparaissant comme des vaisseaux fantômes dans le brouillard. Des ruines usées par le temps, des fragments de bâtiments, des murs de pierres sèches et de brique : les restes d'un village depuis longtemps abandonné.

Au moment où Kevin arrêta la voiture et tira le frein à main, Martie se tourna vers Zachary et lui enfonça si violemment le colt dans les côtes que son visage se contracta de douleur.

Ses yeux révélèrent une nature sans peur et sans pitié, mais certainement pas dénuée d'intelligence. Sans qu'elle prononce un mot, il lâcha le pistolet-mitrailleur, qui tomba entre ses pieds.

— Qu'est-ce qui se passe ? demanda Kevin, son instinct immédiatement en éveil.

Le conducteur chercha Martie dans le rétroviseur.

— Mets les mains derrière toi et pose-les sur l'appuie-tête, espèce de connard !

Kevin hésita.

— *Et tout de suite !* hurla Martie, avant que je tire dans les tripes de ce débile et que je te fasse exploser le cervelet ! Les mains sur l'appuie-tête, bien en vue !

— On a un petit pépin, confirma Zachary.

L'épaule droite de Kevin s'affaissa : il avançait doucement la main vers sa mitraillette posée sur le siège passager.

— J'AI DIT : LES MAINS DERRIÈRE LA TÊTE, PETIT ENCULÉ ! rugit Martie.

Elle fut choquée par le propre son de sa voix — ce n'était pas la voix d'une femme qui cherchait à impressionner son monde, mais celle d'une psychotique — ce qu'elle devait être, folle… la peur absolue, la terreur primale… son esprit n'avait pas supporté…

Se redressant sur son siège, Kevin passa les deux mains derrière sa nuque et s'agrippa à l'appuie-tête.

Le colt enfoncé dans ses côtes, Zachary se comportait très

sagement. Il savait que Martie tirerait avant qu'il ait pu tenter quoi que ce soit.

— Quand vous êtes descendus de l'avion, vous n'aviez que des bagages à main, s'étonna Kevin.

— La ferme ! Je réfléchis.

Martie n'avait envie de tuer personne, pas même ces deux déchets humains… Mais comment faire ? Comment réussir à sortir de la voiture tous ensemble sans leur laisser la possibilité de contre-attaquer ?

Kevin n'en revenait toujours pas :

— Que des bagages à main… Où vous avez eu cette arme ?

Deux personnes à surveiller. Des dizaines de mouvements simultanés pour sortir de l'habitacle. Autant de moments de déséquilibre, de vulnérabilité.

— D'où vous l'avez sortie ? insista-t-il.

— Je l'ai sortie du trou du cul de ton pote. Maintenant ferme-la !

Si elle descendait côté conducteur, elle devrait tourner le dos à l'un des deux, au moins pendant un instant. Mauvais choix.

Il fallait sortir en douceur côté passager. Obliger Zachary, le pistolet sur le flanc, à rester coller à elle, pendant qu'elle garderait un œil sur Kevin, à l'avant.

Les essuie-glaces arrêtés, un fin voile de neige commençait à recouvrir la vitre. Le mouvement descendant des flocons lui donnait le tournis.

Ne regarde pas dehors !

Elle croisa les yeux de Zachary.

Il vit son indécision.

Elle faillit détourner le regard mais se rendit compte du danger et enfonça le colt encore plus violemment dans son flanc, jusqu'à ce que ce soit lui qui baisse les yeux.

— Si ça se trouve, ce n'est même pas un vrai, lâcha Kevin. C'est peut-être un jouet.

— C'est un vrai, précisa aussitôt Zachary.

Il allait être très délicat de sortir de la voiture à reculons. Elle pouvait se prendre les pieds sur le bas de caisse, ou rester accrochée à la portière par ses vêtements — et tomber à la renverse…

— Vous n'êtes que des peintres en bâtiment, lança Kevin.

— Erreur, je suis conceptrice de jeux vidéo.

— Quoi ?

— Le peintre en bâtiment, c'est mon mari.

Et une fois sortie de la voiture, quand Zachary la suivrait, plaqué contre elle sous la menace du pistolet, son corps lui boucherait un instant la vue sur Kevin au passage de la portière.

La seule solution intelligente était de leur tirer dessus maintenant, tant qu'elle avait encore le dessus. Seulement Bob la Banane ne lui avait pas dit que choisir quand l'intelligence et la morale entraient en collision frontale.

— Je crois que notre miss ne sait plus trop quoi faire, annonça Zachary à son partenaire.

— Alors, on est dans une impasse, répondit Kevin.

Il fallait faire quelque chose. S'ils la croyaient incapable de prendre une décision, d'agir d'une façon radicale, ils agiraient à sa place.

Une idée. Une idée. Vite !

68.

Une scène d'hiver, figée dans une boule de verre : les douces silhouettes arrondies d'anciennes ruines indiennes, les armoises argentées, une BMW bleu nuit et, à l'intérieur, une femme et deux hommes, un troisième invisible dans le coffre — deux tueurs et leurs deux futures victimes. Rien ni personne ne bouge, tout est aussi immobile que l'Univers vide avant le big bang, excepté la neige — une tempête de neige sans vent — qui continue de tomber, comme si une main de géant venait d'agiter la boule, et c'est toute la neige d'un hiver arctique qui s'abat sur eux, blanche, fine et incessante.

Martie parla enfin.

— Zachary, tu restes tourné vers moi et, avec ta main gauche, tu ouvres ta portière. Toi, Kevin, tu gardes les deux mains sur l'appuie-tête.

Zachary manipula la poignée.

— Fermée à clé.

— Ouvre-la.

— Peux pas. C'est la sécurité enfant. Elle s'ouvre à l'avant.

— Où est le bouton de déverrouillage, Kevin ?

— Sur le tableau de bord.

Si elle lui permettait d'enclencher la manette, sa main s'approcherait du pistolet-mitrailleur.

— Laisse tes mains sur l'appuie-tête, Kevin, ordonna-t-elle.

— Vous travaillez sur quel genre de jeux vidéo ? demanda Kevin pour la distraire.

Martie ignora la question.

— Tu as un canif sur toi, Zachary ? demanda-t-elle.

— Un canif ? Non.

— Dommage. Si tu remues ne serait-ce qu'un cil, je te colle deux balles dans les tripes. Ce sont des pointes creuses… Ça va être de la vraie bouillie là-dedans. Tu n'auras jamais le temps d'atteindre l'hôpital vivant et tu regretteras de ne pas avoir un couteau sur toi pour te charcuter toi-même.

Tout en se glissant à reculons sur la banquette, pour se placer entre les deux appuie-tête des sièges avant, Martie garda le pistolet braqué sur le rouquin. L'effet était toutefois moins intimidant que si elle avait pu maintenir le canon appuyé sur son ventre.

— Au cas où tu aurais encore des illusions poursuivit-elle, je t'informe qu'il s'agit d'un pistolet simple action, et qu'il n'y a pas dix livres de tension sur la gâchette, juste quatre petites livres et demie… Ça part tout seul, à cette pression-là. Le canon ne bouge pas d'un iota, aucune chance que je te rate !

Ayant une vue incomplète sur la partie avant de l'habitacle, Martie se pencha et se souleva de la banquette, les jambes fléchies, les pieds écartés, prenant appui contre le dos du siège passager tout en se contorsionnant pour rester face à Zachary et continuer à braquer son arme vers lui. C'était une position disgracieuse – disgracieuse et risquée –, mais elle n'avait pas trouvé d'autre solution pour surveiller simultanément Zachary et la main de Kevin.

Elle n'osait pas se pencher davantage pour désenclencher elle-même le bouton de fermeture centralisée des portes. Elle se retrouve-rait en équilibre instable et perdrait complètement de vue Zacchary.

Un Hobbit enfermé dans une voiture avec deux Orques en colère. Quelles étaient leurs chances d'en sortir tous les trois vivants ? Infinitésimales.

Soit le Hobbit gagnait et passait au niveau suivant, soit la partie était terminée.

Pour surveiller le siège avant, Martie devait détourner la tête, tout en gardant Zachary dans la zone périphérique de sa vision.

— Si j'entends un seul petit bruit, si du coin de l'œil je vois un seul petit mouvement, tu es un homme mort.

— Si j'étais à ta place, ma belle, j'aurais déjà tiré depuis un bout de temps, fit remarquer Zachary.

— Eh bien, je ne m'appelle pas Zachary, espèce de sous-merde ! S'il te reste une once d'intelligence, tiens-toi tranquille en remerciant Dieu de te laisser une chance de survivre.

Son cœur battait la chamade dans sa poitrine. Tant mieux. Plus le sang affluait dans son cerveau, plus elle pensait clairement.

Elle tourna la tête et se pencha pour regarder devant.

La mitraillette de Kevin était bien posée sur le siège passager, à portée de main – tout près. Un gros chargeur. Trente coups.

— Kevin, avec ta main droite, tu appuies doucement sur le déver-rouillage des portes, « "doucement" souligné trois fois », et puis tu reviens mettre bien gentiment ta main sur l'appuie-tête.

— Reste calme. Ne panique pas… Je ne voudrais pas recevoir un pruneau pour rien.

— Je ne suis pas du genre à paniquer, répondit-elle. Sa voix égale la surprit.

Si elle était calme en apparence, à l'intérieur elle tremblait comme une souris à l'ombre des ailes d'un hibou.

— Je vais faire exactement comme tu dis.

Kevin abaissa lentement sa main droite.

Martie jeta un rapide coup d'œil vers Zachary, qui avait levé les mains à hauteur de son visage pour lui montrer ses bonnes intentions – les mains en l'air, c'était pourtant si simple… pourquoi n'y avait-elle pas pensé elle-même ! – puis elle reporta son attention vers le siège avant.

La main de Kevin amorçait sa descente vers le bouton de déverrouillage.

— Moi, j'aime bien jouer à Carmageddon. Tu connais ?

— Je t'aurais plutôt vu dans King pin !

— Hé, ça bouge pas mal aussi, Carmageddon !

— Doucement, maintenant, intima-t-elle alors qu'il appuyait sur le bouton.

Ce qui se passa ensuite sembla résulter d'un accord télépathique entre les deux hommes.

Les portes se déverrouillèrent dans un cliquetis métallique.

Au même instant, Zachary ouvrit la porte et roula à l'extérieur. Du coin de l'œil, Martie le vit ramasser au passage son pistolet laissé sur le plancher de la voiture.

Pendant que Martie appuyait deux fois sur la détente en direction du rouquin, sentant qu'au moins l'un des coups avait atteint sa cible, Kevin plongea sur le côté et saisit son arme.

Tandis que la deuxième déflagration résonnait encore comme un coup de canon dans l'espace confiné de la voiture, Martie se jeta à terre, hors de vue de Kevin, visa le dos du siège et tira au jugé, en ligne horizontale. Un, deux, trois, quatre. Impossible de savoir si les balles avaient traversé la structure molletonnée du siège.

Martie était exposée à tous les assauts… devant et au-dessus d'elle. Rien n'empêchait Kevin de tirer à son tour à travers le siège. Et il avait une trentaine de balles à disposition. S'il n'était pas touché, il pouvait aussi se relever et tirer par-dessus le siège. Et, par la portière ouverte, Zachary attendait avec sa deuxième mitraillette…

Il fallait partir.

Agir. Agir. Vite !

Elle venait à peine de tirer sa quatrième balle qu'elle se ruait déjà hors de la voiture.

N'osant perdre de temps en tentant d'ouvrir la portière droite derrière elle, elle se précipita vers celle que Zachary avait laissée

444

ouverte, sans savoir ce qui l'attendait dehors. Il ne lui restait plus qu'une balle dans son pistolet.

Pas de tirs de barrage. Zachary – *Pour moi, c'est "niquer" qui est souligné trois fois* – ne l'attendait pas l'arme au poing. Il était touché, à terre, mais pas encore mort. Il avait pris au moins une balle dans le dos et luttait comme un ours blessé pour se redresser sur ses pattes.

Martie aperçut ce qu'il cherchait. Son pistolet-mitrailleur. Lorsqu'il était tombé, l'arme avait atterri trois mètres plus loin, sur la fine couche de neige.

Martie n'était plus que mécanismes de survie. Le catéchisme et la civilisation s'étaient effacés devant la furie de son cœur. Elle donna un coup de pied dans les côtes de Zachary. Celui-ci poussa un grognement, tenta de l'attraper par les jambes, puis retomba face contre terre.

Le cœur de Martie battait si fort que sa vision sursautait au rythme de ses pulsations et se rétrécissait à chaque nouvelle contraction des ventricules. Sa gorge était nouée par la peur. L'air s'engouffrait bruyamment dans ses poumons comme des morceaux de glace, puis ressortait en cliquetant. Elle s'élança vers le pistolet et l'empoigna, s'attendant à tout moment à être soulevée de terre et renversée par l'impact puissant d'un salve de balles dans le dos.

Dusty, enfermé à clé dans le coffre, l'appelait et tapait des poings contre les parois.

Étonnée d'être toujours en vie, Martie lâcha le colt et fit volte-face, brandissant sa nouvelle arme à deux mains, plissant les yeux sous la neige, cherchant sa cible. Mais Kevin ne se trouvait pas face à elle. La porte côté conducteur était fermée. Elle ne le voyait pas à l'intérieur de la voiture.

Peut-être était-il tombé mort sur le siège avant ?

Peut-être pas.

Les dernières lueurs s'éteignaient dans le ciel hivernal. Il n'avait plus sa couleur d'albâtre, mais plutôt un ton de cendres et, à l'est, de charbon pur. Les flocons de neige étaient bien plus lumineux que les cieux obscurs : des flocons de lumière, les dernières miettes du jour secouées et jetées par la nuit impatiente.

Dans la lumière des phares, les épais rideaux de neige étaient translucides et trompeurs. Leurs plis semblaient dissimuler des ombres et des silhouettes.

Martie tomba à genoux ivre de gratitude envers son instinct de survie. Elle constituait aussi une cible moins importante. Elle scrutait les ténèbres ainsi que la zone éclairée par les phares, guettant un mouvement autre que celui, perpétuel et parfaitement vertical, des incessants flocons.

Zachary était allongé face contre terre, immobile. Mort ? Inconscient ? Feignant de l'être ? Dans le doute, mieux valait le garder à l'œil.

Dans le coffre, Dusty continuait à l'appeler, d'une voix chargée d'angoisse, tentant à présent de percer le dossier de la banquette arrière à coups de pied.

— Tais-toi ! cria-t-elle. Je vais bien. Ne fais pas de bruit. J'en ai eu un, peut-être deux, je ne sais pas. Tais-toi, j'essaie d'écouter.

Dusty se tut immédiatement. En contrepoint des battements affolés de son cœur qui résonnaient dans tout son corps, Martie se rendit compte que la voiture tournait au ralenti. Un ronronnement régulier, d'une fréquence sourde et grave.

Mais ce bruit étouffé suffisait à masquer ceux, éventuels, que faisait Kevin, s'il était allongé dans la voiture, blessé.

Martie essuya la dentelle neigeuse qui s'accumulait sur ses cils, se redressa un peu et scruta les lieux en plissant les yeux : la porte côté passager était ouverte. Elle ne l'avait pas remarqué ! Blessé ou pas, Kevin était dehors, et il l'attendait quelque part.

Le Dr Ahriman arriva au Green Acres bien avant l'innocente Jennifer et les deux neveux idiots de miss Marple. Il décida d'acheter une petite collation à emporter, pour se caler jusqu'au dîner, qui promettait d'être tardif – selon la suite des événements.

Le décor à base d'épis de maïs heurta sa sensibilité d'esthète. Le psychiatre ressentit une petite secousse électrique sur le lobe frontal, comme si un médecin invisible venait de lui donner une petit coup de marteau pour tester ses réflexes. Un plancher de chêne, des nappes à carreaux campagnardes, des rideaux en coton rayé… D'horribles panneaux en pâte de verre, représentant des épis de blé, de maïs, des haricots verts, des carottes, des brocolis et autres produits de l'abondante et généreuse dame Nature séparaient les tables en une succession d'alcôves. Quand Ahriman s'aperçut que les serveuses portaient des salopettes-shorts en jean, des chemises de bûcheron à damier rouge et blanc et de petits chapeaux en paille pas plus grands que des calottes, il faillit prendre ses jambes à son cou.

Debout à côté de la caisse, il parcourut la carte, qui lui parut plus répugnante que toutes les photos d'autopsie qu'il ait jamais vues. La logique aurait voulu qu'un restaurant proposant des plats aussi repoussants mît la clé sous la porte en moins d'un mois, mais il y avait foule, alors que ce n'était pas encore l'heure de pointe. Des clients, rouge pivoine sous l'effort, se gavaient d'énormes salades vertes luisant de sauce yaourt, de bols fumants de soupe végétarienne, d'omelettes aux blancs d'œufs accompagnés de biscottes aux fibres, de hamburgers végétaux aussi appétissants que des mottes de tourbe, et de montagnes gluantes de gratin de pommes de terre au tofu.

Sous le choc, Ahriman fut tenté de demander à la serveuse pourquoi le restaurant n'allait pas jusqu'au bout du concept, jusqu'à la conclusion logique de cette aberration idéologico-culinaire : aligner les clients en rangs d'oignons devant des mangeoires, ou bien éparpiller leurs repas par terre, pour qu'ils puissent paître tranquilles, pieds nus, bêlant et meuglant à leur guise.

Le psychiatre préférait sentir la faim le tenailler plutôt que de commander le moindre plat. Il se tourna avec espoir vers les grands cookies, présentés en emballage individuel, près de la caisse. Un panneau écrit à la main proclamait fièrement qu'ils étaient « Faits maison et entièrement naturels ». Croquants pomme-rhubarbe. Non. Rochers coco-soja. Non. Sablés carotte-gingembre. Non. À la vue de la quatrième et dernière sorte de gâteau, il fut si excité qu'il avait déjà sorti son porte-monnaie avant de s'apercevoir qu'il ne s'agissait pas de cookies aux pépites de chocolat *normaux*, mais de morceaux de caroube avec du lait de chèvre et de la farine de seigle.

— Si cela ne vous convient pas, annonça l'hôtesse, je peux vous proposer ceci.

Elle sortit à regret un panier de barres chocolatées sous cellophane, caché derrière un présentoir de fruits secs.

— Ça ne se vend pas très bien. On va bientôt les arrêter.

Elle tenait le panier du bout des doigts, et rougissait comme si elle lui proposait des vidéos pornographiques.

— Des barres chocolat-noix de coco.

— Avec du vrai chocolat et de la vraie noix de coco ? demanda-t-il, méfiant.

— Oui. En revanche, je peux vous assurer qu'elles ne contiennent ni beurre, ni margarine, ni graisses végétales saturées.

— C'est dommage, mais je les prends quand même.

— Toutes ? Il y en a neuf !

— Oui, les neuf, c'est très bien, dit-il en renversant impatiemment sa monnaie sur le comptoir. Et aussi une bouteille de jus de pomme, si vous n'avez vraiment rien de mieux.

Les barres chocolat-noix de coco coûtaient trois dollars pièce, mais l'hôtesse fut tellement soulagée de s'en débarrasser qu'elle lui laissa le lot pour dix-huit dollars. Ahriman s'en retourna vers sa voiture, d'humeur allègre, surpris du retournement inattendu de la situation.

Il s'était garé de façon à jouir d'une bonne vue sur l'entrée du parking et du restaurant. Installé au volant, avachi sur son siège, il en était à sa deuxième friandise quand Jennifer fit son apparition dans la lumière tombante de fin d'après-midi.

Son allure était aussi rapide, ses enjambées aussi longues et impressionnantes qu'au début de la randonnée, ses bras se balançaient de part et d'autre de ses flancs avec autant d'énergie. Sa queue-de-cheval sautillait joyeusement. Elle n'avait pas l'air d'avoir transpiré. Elle trottina vers l'entrée du restaurant, les yeux brillants, visiblement impatiente de s'installer devant sa pâtée et son fourrage.

Juste derrière elle, répandant une fumée bleuâtre, aussi discret

447

qu'un vieux renard arthritique et flatulent sur la piste d'un jeune lapin, le pick-up, avec son caisson blanc de camping-car, pénétra sur le parking au moment précis où sa proie à la queue-de-cheval poussait les portes du restaurant dans un dernier roulement de croupe et disparaissait. Les détectives en herbe se garèrent près d'Ahriman. Un peu trop près au goût de ce dernier, mais, de toute façon, ils ne l'auraient pas remarqué s'il avait été assis au milieu d'un char de carnaval couvert de fleurs avec un chapeau en forme de banane sur la tête.

Ils attendirent quelques minutes, délibérant sans doute sur la suite des opérations, puis Rougeaud sortit de la voiture, s'étira et entra dans le Green Acres, laissant Skeet seul dans la cabine.

Peut-être pensaient-ils que Jennifer était venue retrouver le psychiatre ici, pour un petit tête-à-tête romantique parmi les écuelles de bouillie de son et de potimarron vapeur.

Et s'il allait jusqu'au pick-up, songea un instant Ahriman, ouvrait la portière et activait Skeet en prononçant le sésame : *Dr Yen Lo* ? Si tout se passait bien, il pourrait le ramener à sa voiture et partir avec lui avant le retour de l'autre idiot à lunettes.

C'était sans compter sur le cerveau poreux et imbibé de drogues de Skeet. S'il y avait un hic, Rougeaud le coincerait la main dans le sac.

Il ne pouvait quand même pas aller jusqu'à la camionnette et abattre Skeet de sang-froid ! Avec la nuit tombante, une foule de clients poursuivant leur quête de l'insipide et du diététiquement correct emplissait le parking. Les témoins étaient des témoins, qu'il s'agisse de gourmets ou de vulgaires philistins.

Le rougeaud réapparut et rejoignit le pick-up. Deux minutes plus tard, Skeet et lui entraient ensemble dans le restaurant, l'air bien décidés à s'en mettre plein la panse tout en continuant à surveiller Jennifer.

L'humeur du psychiatre virait au beau fixe. Il était certain d'avoir une occasion d'abattre les deux hommes, dans un cadre plus propice et plus intime, avant la fin de la nuit. Ensuite, il ferait un repas somptueux, digne d'un prédateur. Il avait l'intention de tirer les dix balles du chargeur, que cela fût nécessaire ou non, juste histoire de profiter de l'instant.

L'averse tant annoncée n'était finalement pas venue. Les nuages, à présent, s'écartaient pour révéler un crépuscule étoilé. Une vision agréable, un signe de bon augure. Il aimait les étoiles. Il avait voulu devenir astronaute, autrefois.

Il en était à la moitié de la troisième barre chocolatée lorsqu'une fausse note menaça soudain d'assombrir sa bonne humeur. À une cinquantaine de mètres se trouvait une magnifique Rolls Royce blanche avec des vitres teintées, des jantes en titane et la petite statuette ad hoc sur le nez du capot. Comment quelqu'un d'assez riche pour s'offrir une Rolls, et d'assez raffiné pour choisir de se déplacer

448

ainsi, pouvait venir de son plein gré dîner au Green Acres ? C'était une aberration ! Cette civilisation était décidément en plein déclin ! Le capitalisme effréné avait dispensé ses richesses si largement que des végétariens parvenus venaient mâcher des racines et de l'herbe à chat en équipage princier dans un McDonald's-pissenlits.

À la vue de cette voiture dans un tel endroit, Ahriman eut envie d'envoyer sa Silver Cloud de collection au compresseur hydraulique de la casse la plus proche. Il détourna le regard et se jura de ne plus poser les yeux sur cette beauté blanche. Pour se changer les idées après ce spectacle affligeant, il démarra sa voiture, inséra dans l'auto-radio une vieille compilation de Spike Jones et reporta son attention sur son biscuit.

Des trois côtés, le village fantôme. Des siècles en arrière, des feux et des bougies auraient brûlé, des lanternes en mica auraient repoussé la nuit. À présent, plus rien ne résistait à l'obscurité froide peuplée de spectres. Peut-être s'agissait-il simplement de formes neigeuses, peut-être d'esprits.

Au sud, derrière Martie, disparaissant à moitié dans la nuit, s'élevaient des murs de torchis usés et écroulés, hauts de deux étages par endroits, et de moins d'un mètre à d'autres, percés de ce qui avait dû être des fenêtres, noires comme des puits. Des portes vides menaient à des pièces souvent sans toit, jonchées de débris, habitées à la belle saison par les scorpions et les tarentules.

À l'est, à peine plus visibles malgré la lumière des phares, de hautes cheminées en pierre se dressaient au-dessus de fondations arrondies : d'anciens fours à pain, ou des forges.

Au nord, les murailles basses et courbes étaient en grande partie dissimulées par la masse de la BMW.

Curieusement, de grands peupliers des marais poussaient au milieu des ruines. Outre le puits profond dont Zachary avait parlé, il devait y avoir une nappe d'eau sous la surface, à portée de racines.

Kevin tentait peut-être de prendre Martie à revers, passant de ruine en ruine, d'arbre en arbre. Il fallait le débusquer. Mais Martie était terrifiée à l'idée de le traquer — et d'être traquée — dans ce lieu étrange.

Courbée en deux, elle revint en hâte vers la voiture et se recroquevilla près de la roue arrière côté conducteur.

Par la portière arrière, le plafonnier répandait une lumière pâle. Martie se mit à plat ventre et se risqua à regarder sous la voiture. Pas de Kevin.

De l'autre côté de la BMW, la fine couche de neige, indirectement éclairée par les phares, était incandescente. Au ras du sol, il parut à Martie que la blancheur intacte avait été foulée. Les traces s'éloignaient du véhicule.

Martie se remit à genoux, se pencha vers la lumière qui filtrait de l'habitacle et examina le pistolet. Elle ne voulait pas avoir de surprises au moment de s'en servir, si elle y était contrainte. La vue du chargeur rallongé lui donna des frissons. Considérant le grand nombre de munitions, elle en déduisit que l'arme était automatique ; elle doutait de sa capacité à maîtriser un engin aussi puissant. D'autant qu'elle avait les mains froides et les doigts engourdis.

Elle ferma la porte arrière et s'y adossa, observant Zachary. Il était allongé à plat ventre, immobile. S'il simulait l'inconscience, en attendant qu'elle baisse sa garde, il faisait preuve d'une patience hors du commun.

Avant de s'occuper de Kevin, Martie devait s'assurer que son compère n'était plus dangereux. Après réflexion, elle fonça vers lui et planta le canon de la mitraillette dans son cou.

Pas le moindre mouvement.

Elle écarta le col molletonné de sa parka et posa ses doigts glacés sur sa gorge pour prendre son pouls. Rien.

La tête de Zachary était penchée sur le côté. Martie lui souleva une paupière. Même dans cette lumière blafarde, la fixité du regard ne trompait pas.

Un éperon de culpabilité lui transperça le cœur et l'esprit. Elle ne serait plus jamais la même. Elle avait pris la vie d'un autre. Les circonstances ne lui avaient guère laissé d'alternative – tuer ou être tuée. Mais bien que cet homme ait choisi de servir le mal, et de le servir bien, la gravité de ses propres actes pesait à Martie. Elle était soudain devenue quelqu'un d'autre, une autre Martie qui venait de rétrocéder d'échelon – de combien, elle n'aurait su les compter – sur l'échelle de la valeur humaine. Une certaine innocence l'avait quittée, perdue à jamais.

Toutefois, sa culpabilité cohabitait avec un sentiment de satisfaction intense et égoïste. Oui, elle était satisfaite de s'en être si bien tirée jusqu'à présent, d'avoir augmenté leurs chances de survie, à Dusty et à elle, et d'avoir fait voler en éclats l'assurance des deux tueurs, imbus de leur pouvoir. Un frisson d'indignation vertueuse la traversa, revivifiant et terrifiant à la fois.

De retour à la voiture, elle se releva une nouvelle fois jusqu'à la vitre du conducteur pour scruter l'habitacle. La porte passager était ouverte. Kevin parti. Du sang salissait le siège.

À nouveau accroupie sous la vitre, elle réfléchit à ce qu'elle avait vu. Au moins l'une des quatre balles tirées à travers le siège avait dû le toucher. Il n'y avait pas beaucoup de sang, mais cela suffisait pour qu'il souffre. Un bon point pour elle.

Les clés de la voiture étaient sur le contact. Arrêter le moteur, ouvrir le coffre et libérer Dusty ? Au moins ils seraient deux contre un.

Non. Kevin attendait peut-être qu'elle vienne prendre les clés. Il tenait peut-être le tableau de bord dans sa ligne de mire, à travers la portière ouverte côté passager. Et en admettant qu'elle parvienne à récupérer les clés, elle constituerait une cible facile, debout derrière la voiture, à farfouiller dans la serrure pour ouvrir le coffre.

Bien que cette idée lui fît froid dans le dos, la meilleure solution était de battre en retraite vers le sud. Une fois sous le couvert des bâtiments délabrés et des peupliers, elle contournerait la clairière, approcherait la voiture par le côté opposé, où Kevin se tenait à l'affût. Si elle dessinait une boucle assez large, elle pourrait se retrouver dans le dos du tireur.

Évidemment, il ne resterait pas forcément à son poste d'observation. Profitant de l'ombre des maisons abandonnées et des arbres, il risquait de se déplacer vers l'est, puis le sud, dessinant une boucle pour la prendre à revers.

S'ils se traquaient mutuellement dans ce labyrinthe de peupliers et de murs en torchis, les chances de survie de Martie étaient faibles. Elle ne pourrait plus compter sur l'effet de surprise. Et même si Kevin était blessé, c'était un professionnel entraîné à ce genre de chasse, alors qu'elle n'était qu'un amateur. Or, quoi que l'on en dise, la chance ne souriait pas toujours aux amateurs.

Elle ne souriait pas non plus aux indécis. *Action !*

C'était sûrement aussi le leitmotiv de Kevin, endoctriné par les spécialistes militaires ou paramilitaires qui l'avaient formé, et sans doute par des années d'expérience extrême. Soudain, elle sut qu'il bougeait. Kevin ne s'attendait certainement pas qu'une conceptrice de jeux vidéo, épouse d'un peintre en bâtiment, se lance à sa poursuite avec la hardiesse d'une lionne marchant droit sur sa proie. Supposition peut-être fondée, peut-être pas…

Martie se convainquit qu'elle ne devait ni le contourner pour tenter de le prendre à revers, ni attendre qu'il apparaisse, mais le traquer en suivant ses traces dans la neige fraîche.

Elle n'osa pourtant pas traverser la lumière des phares. Autant se tirer une balle pour lui économiser ses munitions !

Toujours accroupie, elle se dirigea vers l'arrière de la voiture, s'éloignant des faisceaux lumineux. Arrivée au pare-chocs, elle hésita, puis s'élança derrière la BMW.

Le rougeoiement des feux arrière était bien moins puissant que l'éclat des phares, mais les flocons de neige viraient au sang en traversant leurs halos. Les nuages de fumée qui s'échappaient du pot formaient une brume pourpre.

Ce brouillard recouvrait et aveuglait Martie. Elle fonça tête baissée dans la brume écarlate, la peur au ventre – un baptême du sang. Puis, brusquement, elle se retrouva hors du nuage, à l'air libre, à découvert et vulnérable.

Maintenant qu'il s'agissait de le mettre en action, son plan courageux lui semblait totalement suicidaire. Même recroquevillée au sol, elle offrait une cible de choix. Ne pouvant plus faire marche arrière, elle s'élança sur les traces qui s'éloignaient de la BMW.

Des empreintes de pas et des gouttes de sang déjà à moitié recouvertes de neige indiquaient que Kevin était parti vers les ruines circulaires situées à quinze mètres de là.

Lorsque Martie se trouvait de l'autre côté de la voiture, la masse du véhicule l'empêchait de voir cette ancienne construction. Maintenant qu'elle la distinguait, la ruine lui apparut dans tout son mystère. Un mur de deux mètres de haut disparaissait dans une courbe obscure. On devinait la silhouette d'un dôme. Difficile d'estimer le diamètre de l'édifice depuis ce seul point de vue, mais il devait atteindre au moins dix ou quinze mètres. Des escaliers, flanqués d'un muret décoratif, menaient au toit, et sans doute à l'entrée. La conclusion logique était que la plus grande partie du bâtiment devait se situer sous terre.

Une kiva.

Ce nom lui revint à l'esprit. Elle l'avait entendu dans un documentaire. La kiva, chambre souterraine des cérémonies, centre spirituel du village.

Martie s'empressa de s'éloigner de la voiture pour s'enfoncer dans l'ombre. Des torrents de neige recouvraient les traces de seconde en seconde. La piste restait toutefois visible, car les empreintes de pas s'étaient amollies et élargies en traînées, et les gouttes de sang formaient de larges flaques.

Le cœur de Martie jouait du tam-tam. Ses tympans vibraient à l'unisson. Elle suivit la piste jusqu'aux escaliers, redoutant que Kevin ne l'attende dans l'obscurité ronde et lisse de la chambre souterraine. Mais elle constata avec soulagement qu'il avait hésité devant les marches, laissant son sang rougir la neige, et qu'il avait continué sa route le long du mur circulaire.

Martie avançait furtivement vers l'obscurité croissante, au-delà du dernier reflet des phares, dos au mur, cramponnée à son pistolet-mitrailleur, le doigt crispé sur la gâchette. La nuit opaque n'était troublée que par la robe de neige phosphorescente étalée sur le sol et par la chute des flocons lumineux.

Étouffé par les bâtiments et par les écheveaux de neige, le moteur de la voiture devint peu à peu inaudible, un son rêvé. Quelque chose qui ressemblait au silence s'installa autour de Martie. Elle guettait un bruit de sa proie, un pas lourd, une respiration irrégulière. Rien.

Malgré l'obscurité, elle continuait à suivre les traces de Kevin : non plus ses empreintes, mais son sang déroulé en lacet noir sur la neige vierge, telle une écriture pressée qui formait inlassablement le même mot, le même appel, à la plus grande satisfaction de sa poursuivante.

Martie s'en voulait de ressentir de la joie à la vue du sang d'un autre. Pourtant elle ne put réprimer une bouffée de fierté à la pensée de ses talents de tireuse. Une fierté, se rappela-t-elle, qui pouvait encore lui valoir quelques balles dans le dos.

Elle avançait centimètre par centimètre, en crabe, jetant des coups d'œil par-dessus son épaule, au cas où son agresseur aurait fait le tour du bâtiment pour la surprendre par-derrière. Alors qu'elle était occupée à scruter l'obscurité menaçante dans son dos, son pied heurta quelque chose. Elle tourna la tête et aperçut une forme sombre, trop géométrique pour être une tache de sang. Et puis il y avait eu ce bruit métallique, si reconnaissable.

Elle s'immobilisa, de peur d'avoir été entendue, mais aussi par pure incrédulité. N'osant croire à sa chance, elle s'accroupit enfin pour toucher l'objet qu'elle avait heurté.

Le deuxième pistolet-mitrailleur.

Elle avait à peine assez des deux mains pour maîtriser le premier ! Elle poussa donc la deuxième arme sur le côté… Kevin ne risquait pas de surgir derrière elle, c'était déjà ça.

Dix mètres plus loin, elle aperçut sa large silhouette recroquevillée, les jambes écartées, lignes sombres sur le sol blanc. Il était avachi contre le mur de la kiva, comme après une journée de marche éreintante.

Martie resta debout, juste hors de sa portée, sa mitraillette pointée sur lui, attendant que ses yeux s'acclimatent à l'obscurité quasi totale. La tête de Kevin était penchée vers la gauche, ses bras pendaient sur ses flancs.

Aucun nuage de vapeur ne sortait de sa bouche.

Mais il y avait si peu de lumière… Elle ne distinguait pas le nuage de sa propre haleine.

Finalement, elle s'approcha de lui, s'agenouilla et posa délicatement ses doigts froids sur sa gorge, comme elle l'avait fait pour Zachary. S'il vivait encore, elle n'avait pas le droit de partir et de le laisser mourir seul. De toute façon, elle ne pourrait pas appeler les secours à temps, et elle n'oserait pas s'y risquer, car on l'aurait aussitôt arrêtée pour meurtre. Mais elle devait rester à ses côtés, en témoin, en veilleur, parce que personne, y compris un homme de cette espèce, ne devait mourir seul.

Elle sentit un pouls irrégulier. Une vague de chaleur monta dans ses doigts.

Tel un diablotin monté sur ressorts, la main de l'homme vola vers elle et lui saisit le poignet.

Elle recula d'un bond, tomba à la renverse et appuya sur la gâchette. Sous la force de l'impact, l'arme soubresauta dans sa main et les balles arrosèrent les hautes branches d'un peuplier.

Le temps se distordait dans le coffre de la BMW, les secondes devenaient aussi longues que des minutes et les minutes duraient des heures.

Martie lui avait dit de rester silencieux, pour qu'elle puisse entendre d'éventuels bruits, dehors. « J'en ai eu un, avait-elle dit. J'en ai eu un, peut-être deux. »

Ce « peut-être » terrifiait Dusty. Ces deux petits mots étaient comme un milieu de culture dans une boîte de Petri, sauf qu'au lieu de générer des bactéries ils engendraient la peur. Or Dusty avait déjà atteint son seuil de tolérance. Son organisme ne résisterait pas à une nouvelle dose.

Dès que les deux affreux avaient refermé la porte du coffre sur lui, il avait fouillé à tâtons le petit espace, surtout le long de la porte, à la recherche d'une manette de déverrouillage. Il n'y en avait pas.

Dans un compartiment latéral, il avait trouvé quelques outils. Un combiné pied-de-biche-clé à molette-manivelle de cric. Mais même si la porte du coffre pouvait être forcée, il fallait exercer la contrainte de l'extérieur, pas de l'intérieur.

D'abord la pensée de la savoir seule avec eux, puis les coups de feu, et maintenant ce silence de mort. Juste le cliquetis du moteur, vibrant doucement sous ses pieds. Attendre, attendre, fou de peur. C'était insoutenable.

Allongé sur le côté, Dusty fit courir le pied-de-biche sur le pourtour du panneau qui soutenait la banquette arrière. Il fit sauter les agrafes, tordit les bords du panneau, réussit à passer les doigts de l'autre côté, et, avec un effort considérable, l'arracha et l'aplatit sur le plancher du coffre.

Il mit le pied-de-biche de côté, roula sur le flanc, ramena ses genoux sur sa poitrine, autant que le permettait ce petit espace, et se servit de ses pieds comme bélier pour défoncer le dossier de la banquette arrière. Il revint à la charge une fois, deux fois, trois fois, à bout de souffle, son cœur battant à se rompre... mais cela ne l'empêcha pas d'entendre la nouvelle rafale de coups de feu, le staccato dur et hideux d'une arme automatique au loin, taca-taca-taca-tac.

Elle avait dit qu'elle avait peut-être eu les deux. Peut-être...

Martie n'avait pas de mitraillette. C'était donc l'une de ces ordures qui avait tiré.

Dusty retint sa respiration, guettant de nouveaux bruits. Pas de tirs en réponse.

Il donna à nouveau des coups de pied, encore plus violents, jusqu'à entendre un craquement de plastique ou de fibre de verre. Quelque chose avait bougé. Un étroit ruban de lumière pâle éclaira sa nuit. La lumière du plafonnier ! Il pivota sur lui-même, plaqua ses épaules contre le dossier et appuya de toutes ses forces.

Le mourant avait épuisé ses dernières forces pour saisir le poignet de Martie. Peut-être dans l'intention de la blesser, peut-être pour lui réclamer toute son attention. Quand elle tomba sur le dos et lâcha une dizaine de coups sur le peuplier, la main de Kevin se desserra et lâcha la sienne.

Des morceaux de branches tombèrent en pluie sur le mur et atterrirent dans la neige avec un bruit mou. Martie se releva aussitôt sur les genoux, face à son assaillant, tenant l'arme à deux mains cette fois. Elle braqua la mitraillette sur lui.

Les derniers débris de branches tombèrent. Martie parvint à calmer sa respiration, et, dans le silence qui suivit, Kevin parvint à articuler quelques mots.

— Qui êtes-vous ?

Elle pensa qu'il délirait dans ses derniers instants, le cerveau embrumé par sa forte hémorragie.

— Cherchez plutôt à faire la paix avec vous-même, lui répondit-elle doucement.

Elle ne trouvait rien d'autre à dire en la circonstance. C'était le seul conseil valable qu'elle aurait pu donner, même à un saint – un conseil d'autant plus valable que cet homme-là était bien éloigné de la sainteté.

Quand il retrouva son souffle pour parler à nouveau, elle comprit qu'il ne délirait pas. Sa voix était aussi usée qu'un reste d'étoffe vieux de plusieurs millénaires.

— Qui êtes-vous vraiment ?

Martie distinguait à peine la faible lueur de ses yeux.

— À qui... a-t-on affaire ?

Martie fut traversée d'un frisson. Elle se souvenait de Dusty lui posant pratiquement la même question, à propos d'Ahriman, juste avant de prendre le virage fatal sur la route du ranch.

— Qui êtes-vous... vraiment ? répéta Kevin.

Il toussa, s'étranglant sur quelque chose d'épais qui remontait dans sa gorge. L'air frais s'altéra de l'odeur âcre et cuivrée de son dernier souffle, puis un flot de sang déborda de ses lèvres.

À l'instant de sa mort, il n'y eut pas un remous dans la neige, pas un rayon de lune pour l'éclairer, ni le moindre mouvement dans les frondaisons. Il en serait de même, songea Martie, pour sa propre mort, lorsque son heure viendrait : le monde indifférent continuerait à tourner tranquillement, attendant le miracle de l'aube nouvelle.

Comme dans un rêve, elle se releva et, les os glacés, l'esprit confus, contempla le mort, incapable de trouver une réponse à sa dernière question.

Elle rebroussa chemin et revint sur ses pas. À un moment, prise de vertige, elle dut interrompre sa marche pour s'appuyer contre le mur.

Lorsqu'elle approcha de la voiture en ligne courbe, pour éviter la lumière, Martie serrait toujours le pistolet dans ses deux mains, troublée par un sentiment bizarre : un être dangereux rôdait encore dans les parages... Mais quand elle comprit que cette créature inquiétante hantant la nuit n'était autre qu'elle-même, elle baissa son arme.

La clairière, la BMW tournant au ralenti, les ruines tout autour... Le monde tournoyait et se dissolvait dans les flocons.

Dusty s'était libéré. Il avait suivi les traces de pas et de sang qui disparaissaient sous la neige.

Quand elle l'aperçut, Martie laissa tomber son arme.

Ils se retrouvèrent au pied des escaliers de la kiva et tombèrent dans les bras l'un de l'autre.

Il était son ancre. Le monde ne pouvait se dissoudre ou disparaître dans un tourbillon tant qu'il serait à ses côtés, car Dusty lui semblait aussi solide et éternel que les montagnes. Peut-être était-ce aussi une illusion, tout comme les montagnes et le reste de l'univers, mais elle s'accrocha à cette bouée avec l'énergie des naufragés.

69.

Bien après la tombée de la nuit, Skeet et Rougeaud sortirent du Green Acres. Remontant leurs pantalons sur leurs ventres rebondis, délogeant à coups de cure-dents des restes persistants du repas, ils se pressèrent vers leur véhicule : un véritable danger écologique qui démarra en crachant un nuage d'huile brûlée ! Ahriman aurait juré que l'odeur s'infiltrait à travers les portes fermées de sa voiture.

À peine une minute plus tard, Jennifer sortit elle aussi du restaurant, aussi souple et robuste qu'une jeune pouliche revigorée par sa ration d'avoine. Elle s'étira, assouplissant tour à tour sa croupe, ses grassets, ses jarrets et ses boulets, puis reprit au petit trot le chemin de sa maison, la crinière au vent, rêvant sans doute d'un lit de paille fraîche dans une écurie propre, et d'une bonne pomme croquante avant d'aller dormir.

Infatigables et indécrottables, les détectives la suivirent. L'obscurité et l'allure lente de la pouliche rendaient leur tâche difficile.

Skeet et son acolyte risquaient bientôt de s'apercevoir que la fille n'avait pas du tout rendez-vous avec le psychiatre et que leur vraie proie leur avait échappé depuis longtemps. Ahriman décida néanmoins de ne pas les suivre. Une fois de plus, il les doubla et partit se garer devant la résidence de Jennifer, sous le dais d'une grande érythrine flamboyante qui le protégeait des lueurs des lampadaires.

En d'autres circonstances, Martie et Dusty auraient immédiatement appelé la police. Là, ils n'y pensèrent même pas.

Dusty se souvenait du visage raccommodé de Bernardo Pastore. Il se rappelait aussi la frustration du fermier lorsqu'il demandait justice pour la mort de son fils et de sa femme.

L'idée de revenir sur les lieux du drame avec des policiers faisait frissonner Dusty : les simples faits ne suffiraient sûrement pas à les convaincre que l'institut Bellon-Tockland, dans sa quête assidue de la paix mondiale, engageait régulièrement des tueurs professionnels.

Avaient-ils sérieusement enquêté sur le prétendu suicide de Valerie-Marie Padilla, la fillette de cinq ans ? Non. Quelqu'un avait-il été puni ? Non.

Carl Glyson, accusé à tort, condamné en deux temps, trois mouvements, mort poignardé en prison. Sa femme, Terri, morte de trop de honte, d'après Zina. Quelle justice pour eux ?

Et Susan Jagger. Elle s'était donné la mort, mais était-elle maîtresse de son geste ?

Difficile, voire impossible de convaincre même les plus honnêtes des policiers. Quant à la petite fraction des corrompus, ils travailleraient jour et nuit à faire accuser des innocents et à enfouir plus profondément la vérité.

Dusty et Martie firent une inspection rapide des ruines voisines à l'aide d'une lampe torche puissante trouvée dans la BMW. Ils n'eurent pas de mal à situer l'ancien puits dont les deux tireurs avaient parlé. Cette cavité naturelle creusée dans la roche volcanique avait été élargie à la main, consolidée par un ouvrage de maçonnerie et entourée d'un muret en pierre.

La torche n'éclairait pas le fond du puits. Des flocons de neige tournoyaient tels des papillons dans le rayon de lumière puis disparaissaient dans le trou noir, d'où montait une odeur lointaine de moisi.

Dusty et Martie traînèrent le corps de Zachary jusqu'au puits et le firent basculer par-dessus le muret. Ils l'entendirent ricocher sur les parois escarpées, ses os éclatant comme des coups de feu. La chute dura si longtemps que Dusty se demandait si elle s'arrêterait jamais.

Le corps heurta le fond avec un bruit inhabituel. Sans doute l'eau n'était-elle plus aussi pure qu'autrefois, épaissie par des siècles de sédimentation, et peut-être par les restes macabres d'autres nuits meurtrières.

Après le claquement de l'impact, Dusty et Martie entendirent des remous lugubres, comme si un monstre aquatique remontait à la surface pour dévorer ou examiner le cadavre. Il était plus probable cependant que, dans sa chute, le corps ait crevé des poches de gaz dissimulées dans cette soupe nauséabonde, car celle-ci se mit à bouillonner furieusement.

Dusty avait l'impression d'être en enfer, et Martie aussi, à en juger par son visage révulsé. L'enfer sur terre se trouvait à quelques kilomètres de Santa Fe, et la tâche qui les attendait était celle des damnés.

L'effort qu'ils durent accomplir pour se débarrasser du deuxième cadavre les éprouva tous les deux, et pas seulement physiquement. Kevin avait perdu plus de sang que Zachary : plusieurs litres, qui formaient une flaque semi-congelée autour de sa peau et de ses vêtements. Il empestait, devenu sans doute incontinent dans ses derniers moments. C'était un paquet lourd et collant, aussi peu coopératif dans la mort qu'il l'était de son vivant.

Le plus affreux fut lorsqu'ils éclairèrent avec la torche son cadavre affalé contre le mur de la kiva, puis le traînèrent tant bien que mal à la lumière froide des phares. Sa barbe et sa moustache étaient rouges, ses dents tachées de sang, la neige recouvrait sa peau devenue grise. Ses yeux vitreux reflétaient une terreur pure et aiguë, comme si dame la Mort s'était penchée sur lui pour l'embrasser, et qu'il avait aperçu, à travers les trous béants de ses orbites, un vide insondable.

Le travail des damnés n'était pas terminé cependant.

Ils œuvrèrent dans un silence macabre, n'osant ni l'un ni l'autre prononcer un mot. Parler aurait rendu leur tâche impossible, ils s'en seraient détournés avec horreur.

Ils jetèrent Kevin dans le puits. Lorsqu'il toucha le fond avec un bruit encore plus pâteux que son partenaire, les horribles bouillonnements reprirent. Dans l'imagination de Dusty, c'étaient les victimes de Kevin et de Zachary qui les accueillaient, des figures cauchemardesques en pleine décomposition mais encore animées du désir de vengeance.

Le sol du Nouveau-Mexique était aride, mais son sous-sol contenait un réservoir d'eau si vaste qu'on n'en connaissait qu'une petite partie. Cette mer secrète se nourrissait de rivières souterraines, qui drainaient l'eau des hauts plateaux du centre des États-Unis et des Rocheuses. Elle abritait des cavernes merveilleuses, sculptées par l'écoulement incessant des flots dans les fissures du calcaire, et sans doute des réseaux entiers de cavités encore inconnus, aussi vastes que des villes. Si des navires fantômes patrouillaient dans cet océan secret, avec pour équipage les âmes errantes des morts, peut-être ces deux nouvelles recrues les rejoindraient-elles et passeraient le reste de l'éternité à ramer à bord d'une galère, ou à hisser les voiles poussiéreuses d'un galion pourrissant, poussé par un vent d'outre-tombe, sous un ciel de pierre, en route vers des ports inconnus, quelque part sous Albuquerque, Portales, Alamogordo ou Las Cruces.

Un océan s'étendait sous leurs pieds, mais, à la surface, Dusty et Martie ne disposaient pas d'une seule goutte d'eau pour laver le sang de leurs mains. Ils ramassèrent de pleines poignées de neige pour récurer leurs doigts gelés et douloureux. Leur peau rougit puis blanchit de froid, et cependant ils frottaient toujours, de plus en plus violemment, non plus pour nettoyer le sang mais pour se purifier.

Se sentant tout d'un coup sur le point de basculer dans la folie, Dusty leva les yeux de ses mains meurtries et chercha Martie du regard. Elle était agenouillée, le visage luisant de dégoût, les cheveux noirs couverts d'une fine dentelle blanche. À l'aide d'un savon de neige dure et glacée elle récurait ses paumes avec tant de fureur qu'elle les avait blessées.

Il lui serra les poignets, la forçant à lâcher le bloc de neige incrusté de glace.

— Ça suffit, lui dit-il.

Elle acquiesça.

— Je frotterai toute la nuit si je pouvais effacer cette heure de ma vie, répondit-elle d'une voix tremblante d'horreur et de gratitude.

— Je sais, répondit-il. Je sais.

Cinquante minutes plus tard — le temps d'écouter à la radio deux émissions d'avant-guerre de Phil Harris et Alice Faye, les repères temporels d'Ahriman qui patientait dans sa voiture —, la pouliche Jennifer arriva chez elle au petit trot, prête à être rafraîchie et brossée.

Tels deux lads timorés, Skeet et Rougeaud la suivaient de près. Ils se garèrent dans le parking de la résidence et regardèrent Jennifer disparaître à l'intérieur du bâtiment.

De son poste d'observation à l'ombre du grand arbre, Ahriman guettait les guetteurs, se félicitant en silence de sa patience plus qu'humaine. Un bon stratège devait connaître aussi bien les vertus de l'action que de l'attente, même si cette dernière mettait les nerfs à rude épreuve.

À l'évidence, Martie et Dusty avaient imprudemment confié la protection de Skeet à ce quidam tout rouge. Non content de remporter la partie, le psychiatre verrait donc sa patience récompensée par la mort de ces deux olibrius.

Il connaissait à présent suffisamment les deux détectives en herbe pour prévoir avec certitude la suite des événements : trop frustrés et agacés, ceux-ci n'auraient pas le courage de poursuivre leur surveillance. Ils allaient enfin reconnaître qu'ils s'étaient fait mener en bateau. En outre, avec leur ventre plein de goulasch à la rhubarbe et de ragoût de patates douces, ils se sentaient mous et engourdis. Ils se languissaient de leurs maisons douillettes, de leur bon vieux fauteuil de relaxation avec repose-pied inclinable, et des feuilletons les plus débiles que l'industrie pétaradante et asservissante de la télévision américaine fût capable de produire.

C'est à ce moment-là, lorsqu'ils seraient retranchés dans leur isolement relatif illusoirement sûr, que le chasseur frapperait. Ahriman espérait seulement que Martie et Dusty vivraient assez long-temps pour identifier les restes et pleurer toutes les larmes de leurs corps.

Le psychiatre fut légèrement surpris quand le rougeaud aux lunettes de myope sortit du pick-up, ouvrit le hayon arrière et en fit descendre un chien. Cette nouvelle donnée nécessitait peut-être un changement de stratégie de dernière minute.

L'homme entraîna le chien jusqu'à un carré de gazon aménagé dans la résidence. Après maints reniflements et faux départs, la bête accomplit enfin ce que l'on attendait de lui.

Ahriman le reconnut. C'était le golden retriever timide et affec-tueux de Dusty et Martie. Quel était son nom, au juste ? Varney ? Volley ? Vomi ? Non, Valet.

Pas de changement de stratégie, finalement. Ah si, une variation minime : penser à garder une balle pour tuer le chien.

Valet reprit sa place à l'arrière du pick-up, et le rougeaud myope se réinstalla au volant.

Ahriman se préparait à les suivre tranquillement, mais la camion-nette ne bougea pas.

Au bout de quelques instants, Skeet sortit de l'habitacle, muni d'une torche et d'une chose bleue non identifiable, et se mit à fouiller le carré de pelouse où le chien avait fait ses besoins.

Il trouva ce qu'il cherchait. La chose bleue se révéla être un sac en plastique dans lequel il enveloppa sa précieuse récolte. Il ferma la poche par un double nœud et la déposa dans une jolie poubelle en cèdre qui se trouvait près du véhicule.

Félicitations, Mr. et Mrs. Caulfield. Même si votre fils est un crétin fumeur de dope, sniffeur de coke et bouffeur d'acide, même si son cerveau indolent et délirant possède moins de jugeote qu'une carpe, dans l'échelle de la respectabilité il sera toujours un rang au-dessus de ceux qui laissent traîner les crottes de leur chien sur la voie publique.

Le pick-up sortit du parking de la résidence, dépassant la voiture du psychiatre pour se diriger vers l'est.

Comme la rue était longue et rectiligne, offrant une excellente visi-bilité, et que la camionnette s'éloignait lentement, Ahriman se permit une petite espièglerie : au lieu de prendre aussitôt le pick-up en chasse, il bondit hors de l'habitacle, courut jusqu'à la poubelle récupérer le sac bleu et se dépêcha de réintégrer sa voiture avant de perdre de vue son gibier.

Pendant les interrogatoires de fond qu'il avait menés avec Skeet et qui représentaient une partie non négligeable du processus de programmation, le psychiatre avait appris une anecdote savoureuse sur Holden Caulfield père : quand la mère de Skeet et de Dusty avait mis son époux à la porte, pour le remplacer par le Pr Derek Lampton, le psychiatre fou, les deux frères avaient manifesté leur joie en collectant toutes les crottes de chien du quartier, qu'ils avaient ensuite expédiées par pli anonyme au dogmatique professeur de littérature.

Le Dr Ahriman ne savait pas encore quoi faire de sa récolte, toutefois, en y réfléchissant un peu, il lui trouverait bien une utilisation amusante – une petite touche parfumée de poésie et de symbolisme pour accompagner l'une des nombreuses morts qui allaient suivre.

Il avait posé le sac bleu à ses pieds. Le paquet était fermé avec le plus grand soin : il ne s'en échappait pas la moindre odeur désagréable.

Sûr que sa discrétion en matière de filature le rendait quasi invisible aux yeux des babby-sitters de Valet, le psychiatre n'hésitait pas à suivre de près leur camionnette. Il avançait confiant et serein dans la nuit qui promettait d'être pleine d'aventures : il lui restait encore cinq barres chocolatées, et dix balles dans son pistolet.

Malgré la fatigue physique et nerveuse, malgré la confusion de son esprit, Martie réussit à traverser l'heure suivante en se répétant que les tâches qui leur restaient à accomplir étaient d'ordre purement domestique. Ils remettaient simplement de l'ordre, ils faisaient le ménage. Elle détestait jouer les fées du logis mais elle se sentait toujours mieux une fois qu'elle savait son petit monde propre et net.

Ils jetèrent les deux mitraillettes dans le puits.

Bien que la découverte des corps fût improbable, Martie voulait aussi se débarrasser du colt .45, qui pouvait être identifié grâce aux balles fichées dans les deux cadavres. Quelqu'un de l'institut connaissait peut-être l'endroit où les deux tueurs comptaient se débarrasser d'elle et de Dusty ? Peut-être viendrait-il les chercher ici quand il s'apercevrait de leur disparition ? Martie ne voulait pas courir de risque inutile.

Il ne fallait pas jeter le colt dans le puits. Si les cadavres étaient retrouvés, l'arme incriminerait Dusty. En revanche, des kilomètres de terre désolée s'étendaient jusqu'à Santa Fe, un no man's land où l'objet suspect pouvait se perdre à jamais.

Il n'y avait que peu de sang sur le siège avant de la BMW, mais suffisamment pour poser un problème. Dusty récupéra deux chiffons dans la boîte à outils du coffre. Il humidifia le premier avec une poignée de neige et nettoya le cuir au mieux.

Martie garda le second chiffon pour la suite des opérations.

À l'avant, au pied du siège passager, elle découvrit son magnétophone ainsi que son sac à main. Les minicassettes contenant les enregistrements de Chase Glyson et de Bernardo Pastore étaient toujours dedans.

De toute évidence, Kevin ou Zachary avaient fouillé la voiture à la recherche de ces pièces pendant que Martie était assise près de la voiture renversée, suffoquant et pleurant sous l'effet des émanations d'essence. Les cassettes aussi auraient fini dans le puits.

Il n'y avait pas de vent pour l'instant, ni de rafales aveuglantes de neige, mais la visibilité restait faible ; ils n'étaient pas certains de retrouver le chemin du retour jusqu'au ranch.

Heureusement, la piste était clairement délimitée par les armoises et les cactus qui la bordaient. Moins de six centimètres de neige étaient tombés, formant une couche régulière qui n'obstruait pas le chemin de terre. Équipée de pneus neige et de chaînes, la BMW ne craignait pas le mauvais temps.

Dusty et Martie reprirent la route en direction du ranch jusqu'à l'endroit où la Ford de location était partie en tonneaux en contrebas. En se guidant à la lumière de la torche, ils rejoignirent le véhicule à pied.

Celui-ci était retourné et penché vers l'avant, juste assez pour qu'ils puissent ouvrir le coffre et en extraire leurs deux valises. Ils en prirent chacun une, abandonnant dans la voiture le petit camion en plastique de Fig et quelques menues affaires qui avaient été éjectées du sac à main au moment du choc. L'intérieur de l'épave empestait encore l'essence, et ils ne voulaient ni l'un ni l'autre tenter le destin.

Un peu plus loin, avant de rejoindre la nationale, Dusty arrêta la voiture. Martie s'éloigna de la route sur une vingtaine de mètres et découvrit un endroit où enterrer le colt. Le sol sablonneux n'avait pas gelé. Elle creusa facilement avec les mains, déposa l'arme dans le trou et le recouvrit de terre. Enfin elle camoufla la cache avec un caillou de la taille d'une boîte à sucre.

Ils se retrouvaient maintenant sans arme et sans défense. Et leurs ennemis étaient plus nombreux que jamais.

Martie se sentait trop épuisée pour y penser. Sa seule obsession était de ne plus jamais avoir à appuyer sur une gâchette. Demain ou après-demain elle changerait peut-être d'avis. Le temps guérirait ses blessures... Non, guérir serait impossible. Mais peut-être qu'elle s'endurcirait.

Le ménage était terminé. Martie retourna dans la voiture des morts, et Dusty roula jusqu'à Santa Fe.

La Pacific Coast Highway, cap au sud, entre Corona Del Mar et Laguna Beach. Une circulation faible. Les habitants de la côte étaient tous à table ou bien au chaud chez eux. Quelques bribes de nuages filaient vers l'est, les dernières.

Froides étoiles, lune de glace. Une silhouette ailée. L'oiseau de nuit traque sa proie.

Pas question de critiquer ses compositions poétiques. Ce soir, il laisserait de côté ses exigences obsessionnelles en matière artistique.

462

Pour l'heure il était prédateur plus qu'artiste, bien que l'un n'exclue pas l'autre.

Ahriman se sentait libre comme un rapace nocturne fraîchement sorti du nid, vibrant d'un sang neuf.

Il n'avait tué personne depuis l'époque où il avait proposé des petits-fours empoisonnés à son père et crevé le cœur de Viveca à la perceuse électrique. Depuis plus de vingt ans, il se contentait d'utiliser les autres, donnant la mort par procuration via leurs mains obéissantes.

Évidemment, l'homicide télécommandé présentait infiniment moins de risques que l'action directe. En tant que membre éminent de la société qui avait beaucoup à perdre, Ahriman avait appris à affiner sa sensibilité, à jouir pleinement de son pouvoir sur les autres êtres humains, à préférer le plaisir de les contraindre à tuer à celui de perpétrer lui-même le meurtre. Le psychiatre n'était pas peu fier d'avoir atteint ce degré de sophistication. À ce point, il ne s'agissait plus d'affinage de la sensibilité mais de distillation pour une pureté exquise et totale.

En toute honnêteté il ne pouvait nier cependant ressentir parfois une pointe de nostalgie pour le bon vieux temps où il mettait la main à la pâte. Un vrai sentimental… L'idée de se replonger dans l'horreur animale de l'ultraviolence le rajeunissait de vingt ans. Juste pour cette nuit, alors. Un seul petit moment de faiblesse, en souvenir de l'ancien temps. Ensuite, vingt ans d'abstinence. Promis !

Devant lui, le pick-up tourna à droite sans s'embarrasser du clignotant. Il quitta la nationale et prit une route qui traversait une portion encore sauvage de la côte pour mener à un parking desservant la plage.

La tournure des événements surprit Ahriman. Il s'arrêta sur le bas-côté et éteignit ses phares.

Le pick-up avait disparu.

À cette heure tardive, surtout par une fraîche nuit de janvier, Skeet et le Rougeaud seraient sûrement les seuls à entreprendre une promenade sur la plage. Si Ahriman les filait, même ces deux nigauds s'en rendraient compte.

Il attendrait dix minutes. S'ils ne revenaient pas, il serait obligé de se rendre jusqu'au parking.

Une plage déserte n'était pas un si mauvais endroit pour les occire, après tout.

70.

De jour, Santa Fe les avait enchantés. Mais, par cette nuit enneigée, les rues leur paraissaient sinistres.

Martie ressentait davantage les effets de l'altitude que lors de son précédent passage. L'air était un bouillon trop insipide pour nourrir ses globules rouges. Elle se tenait voûtée, un vide au creux de la poitrine, comme si ses poumons ratatinés refusaient de se gonfler dans cette atmosphère appauvrie. Son corps semblait s'alléger et vouloir flotter. Elle avait l'impression désagréable qu'à ces hauteurs la gravité diminuait et ne la retenait plus au sol.

Toutes ces impressions étaient très subjectives. En vérité, elle voulait quitter Santa Fe parce qu'elle y avait découvert des aspects de sa personnalité qu'elle aurait préféré ignorer. Plus elle s'éloignerait de cette ville, plus elle aurait de chances de se réconcilier avec elle-même.

D'ailleurs, il était risqué pour eux de rester là, ne serait-ce que le temps d'attendre le premier vol du matin. Peut-être que personne ne remarquerait la disparition de Kevin et Zachary avant des heures. En revanche, il ne faisait aucun doute qu'un membre de l'institut attendait le compte rendu de leur mission, qu'ils auraient déjà dû communiquer. Bientôt un groupe se mettrait à leur recherche, puis à la poursuite de Martie et Dusty.

— Albuquerque ? suggéra Dusty.

— C'est loin ?

— À peu près cent kilomètres.

— Tu crois qu'on peut y arriver ?

Un vent puissant s'était enfin levé et fouettait la neige avec régularité, préparant la venue du blizzard. Sous son commandement, des armées blanches chargeaient violemment à travers les hauts plateaux.

— Il y aura peut-être moins de neige en descendant.

— C'est plus grand que Santa Fe ?

— Six ou sept fois plus grand. Ils auront du mal à nous retrouver avant demain matin.

— Il y a un aéroport ?

— Un grand.

— Alors allons-y.

Les essuie-glaces balayèrent la neige, et Santa Fe disparut peu à peu derrière eux.

Le Dr Ahriman patientait au bord de la Pacific Coast Highway. Soudain, un vent venu des terres souffla à travers les longues herbes. La voiture oscillait plus fortement que sous la pression des rares véhicules passant en trombe sur la chaussée. Un bon vent contribuerait à camoufler les claquements des coups de feu, en les distordant suffisamment pour que d'hypothétiques témoins peinent à en décrire la provenance.

Le psychiatre hésitait toutefois à se rendre sur la plage. Que trafiquaient ces deux débiles, là-bas, au beau milieu de la nuit, par ce temps de chien ?

Et s'ils faisaient partie de ces dingues qui entretenaient leur forme en se baignant dans l'eau glacée ? Le club des ours polaires, ils s'appelaient. Et si ces deux-là étaient des ours polaires qui aimaient se baigner à poil ?

À l'idée de se retrouver nez à nez avec Skeet et son acolyte nus comme des vers, l'estomac plein de chocolat du psychiatre se retourna. L'un était un squelette ambulant, l'autre un gros beignet bien gras.

Ahriman doutait qu'ils soient homosexuels, néanmoins, il ne pouvait jurer de rien. Un rendez-vous romantique sur le parking de la plage – pourquoi pas ?

S'il les découvrait enfermés dans leur voiture, en train de se grimper dessus comme des singes sans poil, devait-il les tuer ou leur accorder un sursis ?

Quand les corps seraient retrouvés, la police et les médias concluraient qu'ils avaient été assassinés à cause de leur goût sexuel. C'était agaçant. Ahriman n'avait rien contre les homosexuels. Il ne donnait en aucune façon dans la bigoterie. Il était bon joueur lorsqu'il choisissait ses proies, il défendait l'égalité des chances pour tous.

Il est vrai qu'il avait fait souffrir plus de femmes que d'hommes. Toutefois, il s'apprêtait en ce moment même à rééquilibrer la balance.

Dix minutes plus tard, ne voyant pas revenir la camionnette, le médecin fit taire ses appréhensions. En joueur intrépide, il ralluma ses phares et s'engagea sur la route en direction du parking.

Le pick-up était l'unique véhicule en vue.

Seule la lune éclairait le parking, mais Ahriman voyait nettement que la cabine de la camionnette était déserte.

S'il s'agissait d'une idylle, ils avaient peut-être déménagé à l'arrière. Ahriman se rappela le chien. Il grimaça de dégoût. Non, pas devant le chien...

Il se gara, laissant deux emplacements vides entre les véhicules. Il fallait attaquer sans attendre. La police pouvait patrouiller dans cet endroit plusieurs fois par nuit pour décourager l'organisation de beuveries adolescentes. Si les policiers relevaient son numéro d'immatriculation, le Dr Ahriman aurait un gros problème dès le lendemain matin, une fois les corps découverts. Il s'agissait de frapper au plus vite, puis de disparaître avant que les flics ou n'importe quel témoin gênant arrivent sur les lieux.

Le psychiatre enfila son passe-montagne, sortit de sa voiture et ferma les portes à clé. Il aurait pu gagner quelques précieuses secondes au retour s'il les avait laissées ouvertes. Hélas, jusque dans ce coin magnifique de la Gold Coast californienne, dans ce brave comté d'Orange où le taux de criminalité était bien moindre qu'ailleurs, il se trouvait des personnes indignes de confiance.

Le vent était délicieux : frais sans être glacé, turbulent sans être gênant. Il étoufferait et déformerait certainement le bruit des coups de feu. En outre, l'habitation la plus proche se situait à plus d'un kilomètre au nord.

Lorsqu'il entendit le grondement des vagues qui se brisaient, Ahriman comprit qu'elles aussi, comme le vent, conspiraient avec lui. Dans ce monde déchu, la nature tout entière était son alliée. Il fut envahi par un doux sentiment d'harmonie.

Après avoir retiré le Taurus PT-111 Millenium de l'étui qu'il portait à l'épaule, le psychiatre s'avança d'un pas décidé jusqu'au pick-up. Il jeta un coup d'œil dans la cabine pour s'assurer qu'elle était vide. Puis il appuya une oreille emmitouflée contre le hayon arrière et fut soulagé de n'entendre aucun bruit bestial.

Il s'éloigna de quelques pas, inspecta la nuit et aperçut une lueur bizarre sur la plage, une cinquantaine de mètres plus loin. La lumière de la lune révéla deux hommes penchés, s'activant à une tâche mystérieuse, à faible distance de la ligne du ressac.

Ramassaient-ils des coques ? Le psychiatre n'avait aucune idée de la façon dont se pêchaient les coques, parce qu'il s'agissait d'un travail, et que le travail n'éveillait guère son intérêt. Certains individus étaient nés pour travailler, d'autres pour jouer, et Ahriman savait dans quel camp la cigogne l'avait déposé.

Des marches en béton bordées d'une rampe métallique descendaient le long de la digue jusqu'à la plage. Mais il ne voulait pas approcher les deux hommes par la grève ; ils le verraient arriver de loin et risquaient de subodorer ses mauvaises intentions.

Ahriman se dirigea donc vers le nord, s'enfonçant à travers le sable et les herbes maritimes. Il restait à une bonne distance du bord de la digue, pour éviter que ses proies n'aperçoivent sa silhouette se découper dans le ciel.

Ses chaussures italiennes fabriquées sur mesure se remplissaient de sable. Elles sortiraient de cette expédition si élimées qu'il n'aurait plus qu'à les mettre à la poubelle.

La lune sur le sable. Traces blanches sur mes chaussures noires. Dois-je blâmer la lune ?

Il aurait bien aimé avoir le temps de changer de vêtements. Il portait son costume depuis le début de la journée, et celui-ci était affreusement froissé. L'apparence compte pour beaucoup dans toute stratégie ; le jeu n'est plus le même sans la tenue adéquate. Heureusement, l'éclairage lunaire lui donnerait l'air plus élégant qu'il ne l'était.

466

Quand il estima avoir parcouru cinquante mètres, il se rapprocha du bord de la digue. Skeet et son collègue se tenaient juste à sa hauteur, à seulement cinq mètres en contrebas, face à la mer.

Le chien était avec eux. Lui aussi regardait vers le Pacifique. La brise qui soufflait vers Ahriman empêchait l'animal de détecter sa présence.

Le psychiatre les observa, essayant de deviner à quoi ils jouaient.

Skeet manipulait une lampe équipée d'un obturateur de sémaphore et d'un système optique qui permettait de changer la couleur du rayon. Apparemment, il envoyait des signaux en direction de l'océan.

Le deuxième larron, lui, brandissait dans sa main droite une parabole équipée d'un petit micro unidirectionnel et d'une poignée semblable à celle d'un pistolet. De sa main gauche, il tenait un casque, appuyant l'un des écouteurs contre son oreille, comme s'il distinguait des conversations par-dessus le bruit assourdissant du vent.

Très mystérieux.

Ahriman se rendit compte que la lampe et le micro n'étaient pas dirigés vers des bateaux, en mer, mais vers le ciel nocturne.

De plus en plus mystérieux.

Détestant se trouver face à une énigme, il faillit rebrousser chemin. Il était trop échauffé cependant pour ne pas passer à l'action. Faisant taire ses hésitations, il descendit rapidement le remblai. Le sable fuyait silencieusement sous ses pas.

Il aurait pu leur tirer dans le dos. Seulement, depuis que lui était venu ce fantasme dans le magasin de jouets anciens, il sentait une envie irrésistible de tirer dans les boyaux de quelqu'un. Et puis tirer dans le dos n'était pas drôle, on ne profitait ni des yeux ni de l'expression terrifiée de la victime.

Il marcha hardiment vers eux et leur fit face. Ils étaient interloqués. Il pointa son Millenium vers le rougeaud à lunettes et haussa la voix pour couvrir le bruit du vent et des vagues.

— Qu'est-ce que vous fichez ?

— Les extraterrestres, répondit-il.

— On est en contact avec eux, ajouta Skeet.

Présumant que ces deux drogués planaient trop pour lui fournir une miette d'information sensée, Ahriman visa le copain de Skeet et lui tira deux balles dans le ventre. Sous l'impact, celui-ci tomba à la renverse, mort ou mortellement touché, lâchant dans sa chute le casque et la parabole.

Le psychiatre se tourna vers Skeet et lui tira également deux balles dans le ventre. Skeet s'effondra comme un squelette de laboratoire soudain délivré de sa potence.

Étoiles, coups de feu. Deux morts où commença la vie. L'océan et l'écume.

La rapidité d'exécution était primordiale. Pas le temps de faire de la poésie. Deux coups de plus dans la poitrine de Skeet agonisant : blam ! blam ! Il était fini.

— Ta mère est une pute, ton père est un imposteur, ton beau-père a de la merde à la place du cerveau, exulta Ahriman.

Pivoter, viser. Blam ! blam ! Deux balles de plus pour son copain idiot, juste pour faire un compte rond. Le psychiatre ne savait hélas rien de sa famille à lui et ne pouvait donc épicer sa mort d'une épitaphe pittoresque.

L'odeur âcre de poudre le réjouissait. Malheureusement l'éclairage fluctuant de la lune mettait mal en valeur le sang et les ravages de la chair déchiquetée.

Peut-être avait-il le temps de prélever quelques souvenirs avec son canif ?

Il se sentait tellement rajeuni. Revigoré. Décidément, la mort était bien l'intérêt principal de la vie.

Il lui restait encore deux balles.

Le golden retriever, d'ordinaire si calme, gémissait et couinait, osant même lâcher quelques aboiements. Il avait reculé vers l'eau : il n'attaquerait pas. Ahriman lui avait réservé la neuvième et la dixième balle.

Le bruit de la huitième détonation résonnant encore dans ses oreilles, il tourna l'arme vers le chien. Il avait pratiquement appuyé sur la gâchette quand il se rendit compte que les aboiements n'étaient pas dirigés contre lui, mais signalaient une autre présence derrière lui, sur la digue.

Il se retourna et vit une figure étrange debout sur le remblai, en train de l'observer. Dans un instant d'égarement il crut qu'il s'agissait de l'un des extraterrestres que Skeet et son compère essayaient de contacter.

Ensuite il reconnut le tailleur blanc cassé St. John, brillant sous le clair de lune, les cheveux blonds et l'attitude arrogante propre aux nouveaux riches.

Ce matin même, dans son cabinet, en proie à une crise de paranoïa, elle l'avait accusé de faute professionnelle, d'être en conflit éthique. *Docteur, vous êtes sûr de ne pas connaître le K-K-Keanu, n'est-ce pas ?*

Sur le moment, il avait cru dissiper ses soupçons absurdes. À l'évidence, cela n'avait pas été le cas.

Ahriman, plus que quiconque, aurait pu s'en douter. C'était l'objet de l'une de ses spécialisations psychiatriques, et c'était aussi le sujet de son prochain best-seller, *Ne crains rien car je suis avec toi.* Les obsessionnels et les phobiques graves — et elle appartenait aux *deux* catégories — étaient hautement imprévisibles et, dans le pire des cas, sujets à des comportements totalement irrationnels. En bref, un gros pépin dans des chaussures à six cents dollars.

En fait, elle était pieds nus et tenait ses chaussures à la main. Devant cette sage précaution, Ahriman se sentit ridicule d'avoir abîmé ses chaussures italiennes.

Il n'avait jamais vu sa voiture auparavant, mais maintenant il savait qu'elle conduisait une Rolls blanche.

Pendant qu'il s'amusait comme un fou à suivre ces détectives à la noix, cette hallucinée le suivait *lui*, espérant le surprendre en réunion secrète avec Keanu Reeves. Quel manque de clairvoyance ! Il en était mortifié.

Le psychiatre absorba tous ces faits stupéfiants en deux secondes. À la troisième, il leva le pistolet et tira sur la femme l'une des balles destinées au chien.

La faute au vent, à l'angle ou à la distance, ou encore au choc que lui causait sa présence, il la rata.

Elle se mit à courir. Loin de la digue et hors de sa vue.

Malgré son regret de partir sans tuer le chien ni récolter de souvenirs sur les cadavres, Ahriman s'élança à la poursuite de sa patiente keanuphobe. Il avait hâte de lui prodiguer un traitement complet et définitif.

Arrivé au pied de la digue, il ne courait plus. Aucune plante ne stabilisait l'escarpement sableux creusé par l'érosion. L'ascension fut plus difficile que la descente : le sable glissait sous ses pieds, il en fut presque réduit à ramper.

Son costume était fichu.

La keanuphobe courait loin devant, légère comme une gazelle. Au moins, elle ne possédait pas d'autres armes que ses talons aiguilles. S'il parvenait à l'attraper, il ferait bon usage de la dernière balle du chargeur et, s'il la ratait, même à bout portant, il aurait toujours l'avantage de sa taille et de sa force pour la rouer de coups puis l'étouffer.

Elle avait l'air de s'en rendre compte. Quand elle atteignit le bitume du parking, elle accéléra l'allure, tandis que le psychiatre se démenait encore dans le sable mou. L'écart entre eux s'élargit. Pourquoi avait-il mangé ces quatre maudites barres chocolat-noix de coco ?

La Rolls Royce blanche était garée en haut de la route, tournée vers le parking. Quand le psychiatre posa le pied sur le bitume, elle s'installait au volant.

Le moteur démarra en rugissant.

Il était toujours à soixante mètres derrière.

Les phares s'allumèrent.

Cinquante mètres.

Elle enclencha la marche arrière. Les pneus crissèrent lorsqu'elle enfonça l'accélérateur au plancher.

Ahriman s'arrêta et braqua son arme des deux mains. Il prit une position de tir exemplaire : la tête et le torse bien de face, la jambe droite maintenant l'équilibre, la jambe gauche légèrement fléchie, la taille droite…

La distance était trop grande. La Rolls s'éloignait déjà. Elle disparut derrière le sommet de la colline, reculant à toute vitesse pour rejoindre la Pacific Coast Highway. Inutile de tirer à présent.

« Le temps est l'essence de toute chose », disait Anonyme, le poète peut-être le plus cité de l'histoire. *Fais demi-tour, ô temps, repars en arrière !* écrivait Elizabeth Akers Allen. Ahriman aurait bien aimé posséder une horloge magique capable de réussir ce prodige. Delmore Schwartz n'avait jamais rien écrit de plus vrai que : « Le temps est un feu qui nous consume », et le psychiatre avait peur de griller, même si les exécutions ne se faisaient pas à la chaise électrique en Californie. « Le temps, un fou jetant de la poussière au vent », disait Tennyson. Ahriman imaginait ses propres cendres éparpillées... Il faut que je me calme songea-t-il, que j'adopte l'attitude d'Edward Young : « savoir défier le temps ». Et pourquoi pas ces mots de Henry Wadsworth Longfellow : « Les bardes sublimes dont l'écho des pas résonne dans les couloirs du Temps... » Non, ils n'ont absolument aucun rapport avec la situation... Malheureusement Ahriman avait un QI supérieur à la moyenne, et on l'avait gavé de références culturelles depuis sa tendre enfance : toutes ces pensées ainsi qu'une foule d'autres mitraillaient son esprit égaré pendant qu'il courait vers sa voiture, démarrait et sortait en trombe du parking.

Quelques instants pour rejoindre la nationale, et la Rolls avait disparu.

Cette tête de linotte milliardaire habitait avec son huître de mari dans la ville voisine de Newport Coast, mais rentrerait-elle immédiatement chez elle ? Si le psychiatre avait vraiment sous-estimé la progression galopante de sa phobie, comme cela semblait être le cas, elle risquait de ne plus vouloir y retourner de sa vie, de peur que Keanu Reeves ou l'un de ses hommes – son propre psychiatre, par exemple, qui venait de lui tirer dessus – ne l'y attendent.

Quoi qu'il arrivât, Ahriman ne l'aurait pas suivie chez elle. Elle et son mari devaient avoir une foule d'employés de maison qui seraient autant de témoins potentiels, sans parler du dispositif de sécurité.

Le psychiatre arracha donc son passe-montagne et rentra chez lui, pied au plancher.

71.

Sur le chemin du retour, les observations poétiques sur le temps cessèrent de jaillir de la mémoire suractivée du psychiatre. Durant les cinq premières minutes du trajet, ses lèvres écumaient d'obscénités vicieuses – toutes adressées à la keanuphobe ; il jurait de l'humilier, de la torturer, de la mutiler, de la démembrer de toutes les façons possibles et imaginables. Cet énervement était quelque peu immature et guère digne de lui, il s'en rendait bien compte, néanmoins, il avait besoin d'extérioriser sa colère.

Pendant la deuxième moitié du voyage, il médita deux points essentiels pour la suite des événements : allait-elle appeler la police pour signaler les deux meurtres ? Et, si oui, quand passerait-elle à l'acte ? Elle était tellement paranoïaque qu'elle soupçonnait peut-être l'affreux Keanu de contrôler la police, depuis les flics du coin jusqu'aux pontes du FBI. Dans ce cas, elle se tairait, ou du moins hésiterait un long moment, rongée d'angoisse.

Peut-être prendrait-elle la fuite, peut-être même quitterait-elle le pays en attendant d'avoir trouvé la réponse à ses interrogations ? Avec un demi-milliard de dollars à sa disposition, elle pouvait aller loin, et il serait difficile de la retrouver.

À la pensée de sa possible disparition, une bouffée de panique monta en Ahriman, des gouttes de sueur glacées descendirent le long de sa nuque. Ses amis haut placés l'aideraient à dissimuler les preuves qui le liaient à toute la série de crimes innommables commis par ceux qui agissaient sous son contrôle. Mais c'était tout à fait différent – et beaucoup plus risqué – de quémander leur protection pour un meurtre qu'il avait lui-même commis. C'était la raison même pour laquelle il se tenait si tranquille depuis vingt ans. Les gouttes de sueur dégoulinaient maintenant le long de sa colonne vertébrale.

Doté d'une confiance en soi inébranlable, le psychiatre n'avait jamais ressenti un trouble semblable. Il devait rapidement retrouver son sang-froid.

Il était le maître de la mémoire, le seigneur des mensonges ; il pouvait affronter n'importe quelle situation. Bon, d'accord, il venait de rencontrer quelques petits problèmes, mais quoi ? un peu d'adversité de temps en temps pimente la vie.

Le temps d'arriver à son garage immense aux allures labyrinthiques, il était redevenu tout à fait maître de ses émotions.

Il sortit de sa voiture et constata avec consternation le sable éparpillé sur les sièges et répandu sur la moquette.

Un échantillon de sable ou de terre constituait une preuve tout à fait recevable dans un procès. Il suffisait que le premier enquêteur venu compare la taille et la composition des grains avec ceux trouvés sur les lieux des meurtres pour l'incriminer.

Ahriman laissa la clé sur le contact. Il récupéra seulement le sac bleu contenant le chef-d'œuvre de Valet et le sac du Green Acres, à moitié rempli de barres chocolatées. Il les déposa précautionneusement sur le sol en granit du garage.

Puis il se débarrassa rapidement de ses chaussures abîmées, retira ses chaussettes, son pantalon et sa veste de costume et en fit un tas. Il mit de côté son portefeuille, le mini 9 mm et l'étui, qu'il rangea avec les deux sacs. Il enleva sa cravate constellée de sable et sa chemise blanche qui rejoignirent le tas – excepté toutefois l'épingle à cravate en or vingt-quatre carats.

Même ses sous-vêtements étaient pleins de sable ! Ahriman se déshabilla complètement et ajouta son slip et son T-shirt au tas de rebuts.

À l'aide de sa ceinture, il noua ensuite les vêtements en un paquet serré et plaça le tout sur le siège de la voiture.

Une petite quantité irritante de sable restait coincée dans ses poils. Il l'épousseta du mieux qu'il put.

Nu, à l'exception de sa montre, tenant à la main les objets rescapés de la voiture, le psychiatre prit l'ascenseur jusqu'à sa suite privée du troisième étage.

Il appuya sur le panneau de sécurité pour ouvrir le coffre dissimulé dans la cheminée et y déposa le Taurus PT-111 Millenium à côté du bocal contenant les yeux de son père. Après réflexion, il y ajouta aussi le sac bleu.

Il s'agissait d'un stockage temporaire. Dès qu'il aurait un jour ou deux de libre, il réfléchirait au meilleur moyen de faire disparaître l'arme qui l'incriminait ; quant à la crotte, il en aurait peut-être besoin dès le lendemain matin.

Après avoir enfilé une robe de chambre en soie vert pâle ornée de revers noirs et fermée par une large ceinture du même coloris, Ahriman téléphona à l'étage inférieur et pria Cedric Hawthorne de se présenter immédiatement dans son salon privé.

Lorsque Cedric arriva quelques instants plus tard, Ahriman l'activa avec le nom d'un majordome douteux trouvé dans un vieux roman policier de Dorothy Sayers. Il lui fit ensuite répéter son haïku personnel.

La politique du psychiatre excluait la programmation de ses employés. Cependant, pour préserver au mieux son intimité, il jugeait vital de disposer d'un contrôle absolu sur les deux membres clés du personnel de maison. Mais il n'en profitait pas pour les exploiter. Les deux employés étaient bien payés, bénéficiaient d'une bonne couverture sociale, d'une retraite confortable, et prenaient régulièrement des vacances. Il est vrai qu'il avait implanté en chacun d'eux une restriction d'airain qui les empêchait de grignoter en cuisine ses friandises préférées.

Il expliqua succinctement à Cedric le travail à accomplir. Celui-ci devait prendre la voiture du médecin et se rendre au dépôt de l'Armée du Salut le plus proche pour y laisser les vêtements imprégnés de sable. De là, ayant fait le plein d'essence, il conduirait tranquillement jusqu'à Tijuana, de l'autre côté de la frontière mexicaine, juste après San Diego. Il se rendrait dans un quartier particulièrement dangereux de la ville, et, s'il n'avait pas encore réussi à se faire voler la voiture, il la laisserait garée, portes ouvertes et clé sur le contact, pour être sûr de sa disparition. Ensuite il continuerait à pied jusqu'au grand hôtel le plus proche, où il s'arrangerait pour louer une voiture. Il serait revenu à Newport Beach bien avant l'aube – comme il n'était pas encore 20 heures, Ahriman estimait qu'il pourrait être là pour 3 heures du matin. De retour dans le comté d'Orange, il rendrait la voiture de location à l'aéroport et rentrerait en taxi. Puis il se coucherait, dormirait deux heures, et s'éveillerait reposé, sans garder aucun souvenir de son expédition nocturne.

Certaines étapes de sa mission seraient délicates, étant donné l'heure tardive à laquelle Cedric arriverait au Mexique, mais, avec les cinq mille dollars que lui confia Ahriman dans un sac-banane, il pourrait parer à tout imprévu. Sécurité supplémentaire, l'argent liquide laissait moins de traces.

– J'ai compris, annonça Cedric.

– J'espère te revoir vivant, Cedric.

– Merci, monsieur.

Après le départ du maître d'hôtel vers son aventure mexicaine, le psychiatre appela Nella Hawthorne et la convoqua immédiatement dans le salon où il venait de recevoir son mari.

Quand elle arriva, Ahriman l'activa avec le nom de la gouvernante machiavélique du domaine de Manderley dans *Rebecca*, de Daphné Du Maurier. Il lui ordonna de faire disparaître jusqu'à la moindre trace de sable qui restait dans le garage, de creuser un trou profond dans un parterre derrière la maison et d'y enterrer tout ce qu'elle aurait balayé. Lorsque ces tâches seraient achevées, elle devrait oublier qu'elle les avait effectuées.

– Ensuite, retourne dans tes quartiers et attends mes instructions, commanda Ahriman.

– J'ai compris.

Cedric en route et Nella à ses occupations, le psychiatre se rendit dans son bureau aux lambris délicatement sculptés situé au deuxième étage. Son ordinateur ne mettait que sept secondes pour sortir du plan de travail, mais Ahriman tapotait impatiemment sur la table en attendant qu'il se positionne et s'allume.

L'appareil était en réseau avec l'ordinateur du cabinet. Ahriman accéda aux dossiers de ses patients et trouva les coordonnées de la keanuphobe. Elle avait laissé deux numéros de téléphone : portable et domicile.

Ahriman détestait appeler depuis son propre téléphone, cependant, il était trop tard pour s'inquiéter de laisser des traces. Il essaya de joindre la dame sur son portable.

Il reconnut sa voix dès qu'elle décrocha, après quatre sonneries.

— Allô !

Ses soupçons se confirmaient : apparemment dans un état d'hébétude paranoïaque, elle errait en voiture, essayant vainement de prendre une décision à propos du meurtre dont elle venait d'être le témoin.

Comme il aurait aimé qu'elle soit programmée !

La conversation serait délicate. Pendant qu'il donnait ses instructions aux Hawthorne et réglait divers détails, le psychiatre réfléchissait déjà à la meilleure façon d'approcher sa patiente. Une seule stratégie lui avait paru susceptible de fonctionner.

— Allô ! répéta-t-elle.

— Vous savez qui je suis, dit-il.

Elle ne répondit rien, car elle reconnaissait sa voix.

— Avez-vous parlé à quelqu'un de… l'incident ?

— Pas encore.

— Bien.

— Mais je le ferai. Ne vous faites pas d'illusion.

Gardant son calme, Ahriman lui demanda :

— Vous avez vu le film *Matrix* ?

La question était superflue. Elle avait vu tous les films avec Keanu Reeves au moins vingt fois, dans l'intimité de sa salle de projection privée.

— Bien sûr que je l'ai vu ! Si vous m'aviez écoutée pendant les séances, vous ne poseriez même pas la question. Mais vous étiez dans la lune, comme d'habitude !

— Ce n'est pas qu'un film.

— Ah oui ? Et qu'est-ce que c'est alors ?

— La réalité, répondit le psychiatre en faisant appel à tous ses talents de comédien pour charger ce mot de solennité.

Elle resta silencieuse.

— Comme dans le film, contrairement à ce que vous croyez, nous ne sommes pas au début d'un nouveau millénaire. Nous sommes en fait en l'an 2300… et l'humanité est réduite à l'esclavage depuis des siècles.

Elle ne répondait toujours rien, mais sa respiration s'accélérait de plus en plus, signe souvent annonciateur de délire paranoïaque.

— Et comme dans le film, continua le psychiatre, ce monde que vous prenez pour réel n'est pas réel. Il ne s'agit que d'une illusion, d'une tromperie, d'une réalité virtuelle. Une matrice étonnamment détaillée, créée par un ordinateur malveillant pour vous rendre docile.

Son silence semblait pensif plutôt qu'hostile, et sa respiration basse et rapide encourageait le psychiatre à poursuivre.

— En vérité, vous et des millions d'autres êtres humains, à l'exception de quelques rebelles, êtes enfermés dans des cocons, nourris par intraveineuses, reliés à l'ordinateur que vous fournissez en énergie bioélectrique et gavés des fictions de la matrice.

Elle ne disait toujours rien.

Il attendait.

Elle aussi.

Finalement, il reprit :

— Ces hommes que vous avez vus sur la plage tout à l'heure… ce n'étaient pas des hommes. C'étaient des machines, la police de la matrice, exactement comme dans le film.

— Vous devez croire que je suis complètement folle, intervint-elle.

— Bien au contraire. Nous vous avons repérée dans votre cocon ; vous commencez à remettre en question la véracité de cette réalité virtuelle. Vous êtes une rebelle potentielle. Nous voulons vous aider à vous libérer.

Elle ne soufflait mot, mais sa respiration haletante rappelait celle de ces petits chiens semblables à des serpillières sur pattes en train de rêver d'un biscuit.

Si, ainsi qu'Ahriman le soupçonnait, elle se trouvait déjà dans un état de paranoïa aiguë, le scénario qu'il venait de lui décrire avait de quoi la séduire. Le monde semblait soudain moins confus. Alors qu'auparavant elle percevait des ennemis de tous côtés, animés de motifs multiples, parfois inexplicables et souvent contradictoires, à présent elle pouvait se concentrer sur un seul et unique : l'ordinateur géant et malfaisant qui contrôlait le monde et ses émissaires les robots. Son obsession de Keanu, qui était passée de l'amour à la terreur, l'avait souvent déroutée et perturbée, parce qu'il ne lui paraissait pas normal d'attacher autant d'importance à un acteur. Maintenant, elle comprenait peut-être qu'il n'était pas simplement une star du cinéma mais aussi l'Être élu, celui qui délivrerait l'humanité des machines, le héros suprême. Il se révélait donc digne de son intense intérêt. Sa paranoïa lui avait déjà suggéré que la réalité, acceptée par l'immense majorité de l'humanité, n'était qu'une imposture ; que la vérité était bien plus étrange et plus effrayante que cette chimère dont la plupart se contentaient. Voilà que son psychiatre confirmait tous ses soupçons. La paranoïa logique, ordonnée et rassurante qu'il lui proposait devait lui sembler irrésistible.

Finalement elle dit :

— Vous semblez sous-entendre que K… K… Keanu est mon ami, mon allié. Or je sais maintenant qu'il est… dangereux.

— Vous l'aimiez autrefois.

— Oui. Seulement depuis j'ai vu la vérité.

— Non, assura le psychiatre. Vos sentiments d'origine étaient plus justes. Votre intuition vous suggérait qu'il était un être spécial, digne d'adoration, et c'est vrai. La terreur qu'il vous a inspirée ensuite a été implantée en vous par l'ordinateur, qui veut vous garder dans votre cocon pour produire de l'énergie.

Lorsque Ahriman s'écoutait parler, lorsqu'il entendait la compassion et la sincérité vibrant dans sa voix, il se faisait l'impression d'être devenu à son tour un illuminé.

La femme s'était de nouveau murée dans le mutisme. Elle n'avait pas raccroché toutefois.

Ahriman lui laissa le temps d'assimiler tout ce qu'il venait de lui expliquer. Il ne devait pas lui laisser croire qu'il voulait à tout prix lui vendre son concept.

Pendant ce temps, il laissait ses pensées errer à leur gré, songeant au menu de son dîner, à l'éventualité de commander un nouveau costume d'Ermenegildo Zegna, réfléchissant à la meilleure utilisation possible de ce sac de crottes ou encore s'extasiant sur le bonheur sans pareil de presser une gâchette et le triomphe aussi magnifique qu'inattendu de Capone à Fort Alamo.

— Il va me falloir un peu de temps de réflexion, articula enfin sa patiente.

— Bien sûr.

— N'essayez pas de me retrouver.

— Allez où vous voudrez dans la réalité virtuelle de la matrice, répondit Ahriman. En vérité, vous resterez prisonnière du même cocon.

Il y eut un silence, chargé d'intenses calculs.

— Vous avez probablement raison, concéda-t-elle.

Sentant qu'elle commençait à adhérer au scénario qu'il lui présentait, le psychiatre décida de porter un grand coup :

— J'ai l'autorisation de vous dire que l'Élu ne vous considère pas comme une simple recrue potentielle…

Son silence fébrile fut suivi de la même respiration sourde et rapide, bien que cette fois-ci il y eût dans ses halètements canins une note subtile d'érotisme.

— Keanu aurait un intérêt personnel pour moi ? souffla-t-elle au bout d'un moment.

Pour la première fois, elle n'avait pas bégayé en prononçant le nom de l'acteur.

Lisant là un signe de progrès, Ahriman formula soigneusement sa réponse :

— Je vous ai dit tout ce que j'avais le droit de dire sur ce sujet. Prenez donc la nuit pour réfléchir à tout cela. Je serai à votre disposition dans mon cabinet toute la journée de demain ; appelez-moi quand vous serez prête.

— Si je vous appelle…

— Cela va sans dire, convint-il.

Elle raccrocha.

— Au revoir, sale connasse pétée de tunes au QI de mollusque ! lâcha Ahriman en reposant le combiné. Et ça, c'est seulement mon diagnostic professionnel.

Elle téléphonerait, c'était couru d'avance ! Il saurait bien la convaincre alors d'un rendez-vous en tête à tête : une petite séance de programmation et le tour était joué.

Après un petit passage houleux, le maître des souvenirs serait de nouveau en sécurité sur son trône.

Avant d'appeler Nella Hawthorne pour commander le dîner, Ahriman releva son courrier électronique et découvrit deux messages cryptés en provenance de l'institut au Nouveau-Mexique. Il les décoda et, après les avoir lus, les effaça définitivement du disque dur.

Le premier, arrivé le matin même, répondait à celui qu'il avait envoyé la veille au soir. Mr. et Mrs. Dustin Rhodes seraient placés sous surveillance dès leur arrivée à l'aéroport de Santa Fe. Leur voiture de location les attendait déjà, équipée d'un émetteur qui permettrait de les suivre à la trace. Par ailleurs, Curly, du département maintenance, tenait à faire savoir au Dr Ahriman que lui et sa fiancée s'étaient rencontrés grâce à leur enthousiasme mutuel pour *Apprenez à vous aimer.*

Le deuxième message datait de quelques heures à peine, et le ton en était plus laconique. Durant toute la journée, Mr. et Mrs. Rhodes avaient interrogé toutes sortes de personnes à propos des affaires Glyson et Pastore, et ils semblaient recueillir le soutien des gens inter-viewés. Ils allaient donc rester dans la région de Santa Fe pour toujours, ou du moins jusqu'à ce que l'Univers implose et redevienne le petit pois qu'il était au temps zéro du big bang.

Ahriman se sentait soulagé de voir qu'il pouvait compter sur ses collègues pour défendre ses propres intérêts, mais il était chagriné d'avoir à arrêter la partie en cours – une si belle partie ! Elle comptait parmi les plus importantes de sa vie. Pour mener à bien sa stratégie complexe, il devait disposer d'au moins un membre du trio Rhodes & Cie – deux, c'était encore mieux – or tous trois étaient morts, ou en passe de l'être.

Il n'avait pas reçu la confirmation des deux exécutions à Santa Fe ; elle tomberait bientôt, sans doute avant qu'il aille se coucher.

Enfin, tant que lui-même restait un joueur dans l'âme, tant que la passion du jeu ne le quittait pas… Un petit accroc n'avait que peu d'incidence, au fond ; l'essentiel était de pouvoir continuer à jouer. Il y aurait toujours une nouvelle partie en perspective et, demain, mille idées auraient traversé son esprit pour en concevoir une autre, encore plus ambitieuse, encore plus exaltante…

Consolé, il téléphona à Nella Hawthorne à l'étage inférieur et commanda son dîner : deux hot-dogs au chili avec des oignons hachés et du fromage râpé, un paquet de chips, deux bouteilles de soda et une tranche de forêt-noire.

Quand il revint dans sa suite, il découvrit que Cedric, en employé modèle, s'était rendu plus tôt dans la journée chez le concessionnaire auto, et qu'il avait retiré les achats de la matinée du coffre de la Mercedes. Il les avait posés sur le bureau de la chambre à coucher : la Ferrari Johnny Lightning et la boîte de jeu, parfaitement conservée, de Gunsmoke Dodge City.

Ahriman s'assit à son bureau, ouvrit la boîte et examina quelques-unes des petites figurines en plastique. Des hommes de loi et des bandits armés. Une fille de saloon. Les détails superbes excitaient son imagination, comme c'était presque toujours le cas des œuvres du défunt Louis Marx.

Le psychiatre admirait ceux qui portaient une grande attention aux détails, ainsi qu'il y veillait toujours lui-même. Un vieux proverbe traversa son esprit fertile : « Le diable est dans les détails. » Il trouva cela exagérément drôle. Il ne pouvait plus s'arrêter de rire.

Puis il se rappela une variante du même aphorisme : « Dieu est dans les détails. » Ahriman avait beau être un joueur plutôt qu'un croyant, cette phrase mit fin à son hilarité. Pour la deuxième fois de la soirée, et de sa vie entière, des gouttes glacées roulèrent le long de sa nuque.

Il fronça les sourcils, se remémorant cette longue journée pleine de rebondissements, essayant de se rappeler un détail crucial qu'il aurait négligé ou mal compris, à l'instar de sa stupide erreur au sujet de la Rolls blanche garée sur le parking du Green Acres.

Ahriman se rendit dans la salle de bains et se lava plusieurs fois les mains avec beaucoup de savon liquide. Il brossa la peau à l'aide d'une brosse à ongles à poils doux depuis le bout des doigts jusqu'aux poignets, prêtant une attention toute particulière pour les plis des articulations.

Il ne pensait pas que la keanuphobe appellerait la police pour accuser son psychiatre d'avoir tué deux hommes. Et, selon toute vraisemblance, personne d'autre ne l'avait vu à proximité de la plage. Mais si les flics arrivaient à l'improviste, Ahriman ne pouvait se permettre d'avoir des traces de poudre sur les mains ; elles pourraient apparaître dans des tests de labo, et prouver qu'il avait fait feu sur quelqu'un pendant la soirée.

Hormis ce point, il ne voyait pas d'autres détails à régler.

Après s'être séché les mains, Ahriman se rassit devant le bureau de sa chambre. Il plaça le *marshal* Dillon et un affreux armé d'un pistolet en un face-à-face meurtrier.

— Pan ! pan ! pan ! fit-il, et, d'une pichenette, il fit voler le *marshal* mort qui ricocha violemment sur le mur, six ou sept mètres plus loin.

Marshals *et fines gâchettes. Duels au soleil couchant. Les vautours attendent.*

Il se sentait nettement mieux.

Le dîner arriva.

La vie était belle.

La mort aussi, pour celui qui la donnait à autrui.

Martie et Dusty quittèrent les hauts plateaux désertiques autour de Santa Fe pour d'autres plateaux moins élevés, sept cents mètres plus bas, à Albuquerque ; un voyage d'une heure et demie pour parcourir les cent kilomètres qui séparaient les deux villes. La tempête diminuait en intensité au fur et à mesure de la descente, toutefois, à Albuquerque, la neige tombait toujours aussi dru.

Ils trouvèrent un motel convenable. À la réception, ils payèrent en liquide, craignant qu'on ne retrouve leur trace avant le matin s'ils payaient avec une carte de crédit.

Ils déposèrent leurs valises dans la chambre, puis reprirent la BMW pour l'abandonner dans une petite rue un kilomètre plus loin, dans un endroit où elle ne risquait pas d'attirer l'attention avant plusieurs jours. Dusty avait proposé de s'en débarrasser seul, pendant que Martie attendrait dans la chambre d'hôtel chauffée, mais la jeune femme avait refusé de se séparer de lui.

Elle utilisa le deuxième chiffon pour essuyer le volant, le tableau de bord, les poignées de porte et les divers endroits qu'ils avaient pu toucher.

Dusty préféra ne pas laisser les clés sur la voiture. Si des jeunes la volaient pour faire un tour et l'abandonnaient dans un ravin, les flics se mettraient en rapport avec les propriétaires, et l'institut orienterait immédiatement sa traque sur Albuquerque. Dusty verrouilla les portes et jeta les clés dans une bouche d'égout.

Ils retournèrent à pied vers le motel, main dans la main, sous la neige. La nuit était froide, pas glaciale ; le blizzard qui s'était levé sur les hauts plateaux ne parvenait pas jusqu'à la ville.

Avant cette journée funeste, la promenade aurait pu paraître amusante, romantique, même. Ce soir-là, la neige était pour Dusty intimement liée à la mort. Il avait le pressentiment qu'il en serait désormais ainsi pendant le reste de sa vie ; il était condamné à passer les mois d'hiver sous le doux climat de la côte californienne.

Dans une épicerie de nuit, ils achetèrent du pain de mie, un paquet de fromage, un bocal de moutarde, des chips au maïs et de la bière.

Ils parcouraient les rayons pour choisir leurs articles. Habituellement, cette occupation rendait Dusty impatient. Mais, tout à coup, il fut submergé par l'émotion, si heureux d'être en vie et d'avoir Martie à ses côtés que ses jambes cédèrent sous lui. Il tomba à genoux, succombant à la gratitude, et dut s'appuyer contre les rayonnages et faire semblant de lire l'étiquette d'une boîte de ragoût le temps que passe son trouble.

Apparemment, personne ne remarqua quoi que ce soit ; seule Martie ne fut pas dupe. Debout à côté de lui, une main posée sur sa nuque, imitant elle aussi le geste d'un consommateur attentif à la composition des aliments, elle lui chuchota :

— Je t'aime tant, mon cœur.

De retour dans leur chambre, Dusty fit le numéro vert d'une compagnie aérienne. Il restait quelques places sur le premier vol du matin ; il les réserva et pria l'employée de ne pas les débiter sur sa carte bleue.

— Je préfère payer en liquide quand je les récupérerai.

Ils prirent des douches très longues et très chaudes. Les savons miniatures fondirent dans leurs paumes bien avant qu'ils aient fini de se laver.

Dusty découvrit une écorchure recouverte de sang coagulé derrière son oreille droite. Peut-être avait-il reçu un coup pendant que la voiture dégringolait.

Ils étalèrent une serviette de bain sur le lit en guise de nappe et se préparèrent des sandwiches. Ils avaient gardé les bouteilles de bière au frais dans une corbeille à papier remplie de neige.

Les sandwiches et les chips n'étaient ni bons ni mauvais. Simplement de la nourriture. Du carburant pour pouvoir continuer à avancer. La bière était censée les aider à dormir, si possible.

Ni l'un ni l'autre n'avait beaucoup parlé pendant le trajet depuis Santa Fe ; ils n'avaient toujours pas grand-chose à dire. Dans les années à venir, à supposer qu'il leur restât plus de quelques heures à vivre, ils évoqueraient rarement ce qui s'était passé là-haut dans les ruines indiennes. La vie était trop courte pour ressasser les cauchemars plutôt que les rêves.

Ils regardèrent la télé en mangeant.

Les informations les accablèrent d'images d'avions de combat. Des explosions dans la nuit, de l'autre côté de la planète.

Sur le conseil d'experts en relations internationales, une alliance des nations les plus puissantes de la terre tentait une fois de plus d'amener deux factions militaires à la table des négociations en bombardant des infrastructures civiles — ponts, hôpitaux, centrales électriques, magasins de location de vidéocassettes, canalisations d'eau potable, églises, baraques à sandwiches... À entendre le présentateur du journal, aucun membre de la classe politique ni des médias ne remettait en question la morale de l'opération. Les experts discutaient simplement pour déterminer combien de milliers de tonnes d'explosifs devraient être larguées, et dans quel emballage high-tech, pour provoquer une révolte populaire contre le gouvernement en place et éviter ainsi une véritable guerre.

— Pour le vendeur de sandwiches, dit Martie, c'est déjà la guerre.

Dusty éteignit la télévision.

Quand ils eurent mangé et bu chacun deux bières, ils s'allongèrent sous les couvertures en se tenant la main dans l'obscurité.

La nuit précédente, le sexe était l'affirmation de la vie. Cette nuit, son ode aurait semblé blasphématoire. Ils ne désiraient que rester l'un près de l'autre.

— Tu crois qu'il y a une issue ? demanda Martie au bout d'un moment.

— Je ne sais pas, lui répondit Dusty en toute honnêteté.

— Ces gens de l'institut… j'ignore ce qu'ils veulent, ils n'avaient rien contre nous avant qu'on arrive ici. Ils s'en sont pris à nous uniquement pour protéger Ahriman.

— Mais maintenant, il y a le problème de Kevin et de Zachary.

— À mon avis, ce sont des gens pragmatiques. Pour eux, c'est juste une note de frais. On n'a aucun renseignement sur eux. On ne met pas en danger leur baraque.

— Et alors ?

— Alors… si Ahriman venait à mourir, je me demande s'ils ne nous laisseraient pas en paix.

— Possible.

Ils se turent.

Dehors, la nuit était si calme que Dusty pouvait presque entendre tomber les flocons de neige.

— Tu pourrais le tuer ? demanda-t-il enfin.

Elle mit longtemps à répondre.

— Je ne sais pas. Tu pourrais, toi ? de sang-froid ? t'approcher de lui et appuyer sur la gâchette ?

— Peut-être.

Elle resta à nouveau silencieuse, toutefois, Dusty savait qu'elle ne s'était pas endormie.

— Non, dit-elle finalement. Je ne crois pas que je pourrais. Le tuer, je veux dire. Ni lui ni personne d'autre. Une fois me suffit.

— Je sais que tu ne tiens pas à le faire. Mais je crois que tu en serais capable. Et moi aussi.

À sa propre surprise, il s'entendit lui parler de l'illusion d'optique qui l'avait fasciné enfant : le dessin de la forêt qui, par un simple changement de perspective, se transformait en une métropole grouillante.

— Il y a un rapport ? interrogea-t-elle.

— Ouais. Parce que ce soir, ce dessin c'était moi. J'avais toujours cru savoir exactement qui j'étais. Et, à cause d'un simple petit changement de perspective, je suis devenu quelqu'un d'autre. Alors, lequel est le vrai moi ?

— Ils sont tous les deux vrais, déclara-t-elle. Et c'est bien comme ça.

Ces simples paroles suffirent à rassurer Dusty car il mesurait sa valeur en tant qu'être humain à l'aune de Martie. Elle était la seule personne sur terre à avoir ce pouvoir sur lui, mais il ne le lui dirait jamais, parce qu'il ne pourrait jamais trouver les mots justes pour lui expliquer ce sentiment.

Plus tard, alors qu'il était sur le point de s'endormir, Martie murmura :

— Il doit y avoir une issue. Il faut peut-être changer de perspective.

Elle avait sans doute raison. Il devait exister une issue à tout cela. Pourtant il ne la trouvait ni dans le monde réel ni dans celui des rêves.

72.

L'avion traversait la lumière bleue de l'aube pour les emmener loin d'Albuquerque. Martie se sentait vieille et fatiguée. Elle n'avait plus, dans ses bagages, son petit camion de pompiers avec son pistolet, et son corps était raide et douloureux des efforts de la veille. Pendant que Dusty lisait *Apprenez à vous aimer* pour essayer de mieux comprendre leur ennemi, elle contemplait, le front appuyé contre le hublot, la ville enneigée qui disparaissait rapidement sous eux. Le monde lui était devenu si étranger… il aurait aussi bien pu s'agir d'Istanbul ou de quelque autre capitale exotique.

Il y avait un peu moins de soixante-douze heures, en sortant Valet pour sa promenade matinale, elle avait été effrayée par sa propre ombre. Sur le moment, cette petite bizarrerie l'avait fait rire. Sa meilleure amie était toujours en vie. Elle-même n'avait encore jamais mis les pieds à Santa Fe. Ce matin-là, elle croyait que la vie suivait une partition préétablie, mystérieuse et inconnue des mortels, et elle discernait dans chaque événement quotidien des signes, des fragments de sens… tout cela était tellement rassurant. Les indices qui lui apparaissaient à présent étaient si différents, si troublants de complexité.

Elle s'était attendue à faire de terribles cauchemars. Contre toute attente, elle avait dormi d'un sommeil tranquille.

Bob la Banane n'était pas apparu dans ses rêves, ni pendant ses moments de veille, alors qu'elle scrutait l'obscurité à la recherche de sa silhouette rassurante, avec son casque de métal et les bandes fluo striant sa veste.

482

Cela lui aurait fait tellement de bien de le voir, ne serait-ce qu'en rêve... Elle se sentait abandonnée, comme si elle avait trahi sa confiance.

À l'idée de retrouver la Californie, avec toute sa cohorte d'horreurs, Martie avait plus que jamais besoin du soutien des deux hommes de sa vie pour garder espoir.

Le psychiatre recevait rarement de patients en fin de semaine. Ce vendredi-là, il n'y avait que Martie et Dusty Rhodes sur son agenda ; le couple ne viendrait évidemment pas au rendez-vous.

— Tu devrais faire attention, lança Ahriman à son propre reflet dans la glace de la salle de bains. Ton cabinet va finir par couler, si tu continues à tuer tous tes patients !

Ayant réussi à surmonter les crises successives des deux derniers jours et à s'en sortir avec la queue et les deux cornes intactes – un peu d'humour satanique de saison –, Ahriman arborait une humeur splendide. De plus, il avait trouvé une solution pour relancer la partie qui la veille lui paraissait bloquée dans une impasse totale et il tenait une idée absolument exquise pour utiliser le contenu odorant du sac bleu.

Il enfila un autre costume Zegna, un ensemble noir élégamment coupé, avec des revers à la toute dernière mode et une veste à deux boutons. Il avait si fière allure dans la glace à triples panneaux de son dressing qu'il envisagea de sortir sa caméra vidéo pour garder une trace de cet instant magique. Son élégance était digne de cette journée historique.

Il avait promis à la keanuphobe qu'il se tiendrait à sa disposition toute la journée dans son cabinet en attendant qu'elle se décide à rejoindre la rébellion contre l'ordinateur maléfique. Il ne devait pas décevoir cette cinglée pleine au as.

Pour la deuxième journée consécutive, il décida d'emporter un pistolet. Le danger était minime depuis l'hécatombe survenue chez ses ennemis potentiels, néanmoins, il vivait une époque violente.

Bien que le Taurus PT-111 Millenium ne soit pas immatriculé à son nom – comme toutes ses autres armes, celle-ci lui était parvenue par les bons soins de l'institut –, Ahriman jugeait préférable de ne pas s'en servir une seconde fois. Maintenant que le revolver était lié au meurtre de ces deux idiots, il constituait une pièce à conviction brûlante. À démonter de part en part et à faire disparaître avec la plus grande discrétion.

Dans son coffre à armes dissimulé derrière les rayonnages du salon, le psychiatre choisit un Beretta 380 modèle 85F, un revolver élégant, pesant près d'une livre, équipé d'un chargeur de huit cartouches. Il s'agissait également d'un engin non immatriculé ; impossible de remonter jusqu'au propriétaire.

Il se munit d'une mallette en cuir Murle Cross, dans laquelle il mit le sac bleu, le paquet de barres chocolatées du Green Acres et le magnétophone dont il se servait pour dicter ses notes. En attendant l'appel de la keanuphobe, il réviserait la stratégie de la partie en cours et rédigerait un nouveau chapitre de *Ne crains rien car je suis avec toi*.

Dans le bureau, il vérifia son courrier électronique et fut surpris de constater qu'il n'avait toujours pas reçu confirmation de l'exécution des Rhodes au Nouveau-Mexique. Perplexe mais pas encore inquiet, il envoya à l'institut un court message crypté demandant des précisions sur l'affaire.

Il monta dans sa Rolls Royce de collection, une Silver Cloud.

La voiture lui inspira plusieurs haïkus sur le trajet.

Ciel bleu, nuage d'argent. Carrosse des rois, des reines. Et un sac de crottes dans la boîte à gants.

Le psychiatre était en verve et d'humeur joyeuse ; il en résulta un deuxième poème humoristique, juste avant d'arriver à son cabinet.

Nuage d'argent, bitume noir. Aveugle à canne blanche au passage clouté. Taquiner ou épargner ?

Il choisit de laisser l'aveugle traverser la rue sans incident. De toute façon, la Rolls de collection était comme neuve, et l'idée d'abîmer, ne serait-ce que légèrement, sa belle carrosserie lui était insupportable.

Ils piquaient sur la Californie à angle abrupt ; Dusty soupçonnait qu'ils ne faisaient qu'entamer une longue descente qui se prolongerait sous terre bien après que l'avion se fut tranquillement posé sur la piste d'atterrissage. Derrière le vernis de cette journée ensoleillée, c'étaient des endroits sombres et inconnus qui les attendaient.

Armé de son seul savoir, Dusty devait affronter Ahriman. Il ne se faisait aucune illusion à son sujet et n'escomptait entendre ni des aveux ni même des explications de la bouche du psychiatre. Tout au plus pouvaient-ils espérer que Mark Ahriman leur révèle par inadvertance un élément de sa personne qui leur donnerait un petit avantage sur lui, ou qui du moins les aiderait à comprendre ses motivations ou celles du mystérieux institut au Nouveau-Mexique.

— En plus, je ne crois pas qu'Ahriman se soit vraiment heurté à l'adversité. La vie ne lui a pas donné beaucoup de fil à retordre. À en juger par ce que j'ai lu dans ce livre stupide, il correspond tout à fait au portrait que le Dr Closterman nous en a fait : un grand narcissique.

— Et très imbu de sa personne, ajouta Martie, à qui Dusty avait lu des passages d'*Apprenez à vous aimer*.

— Il est puissant, il a des relations et il est malin. Mais il n'est peut-être pas aussi fort qu'il en a l'air. Si on parvient à le faire chanceler, à l'intimider, si on se plante devant lui et qu'on le secoue comme un prunier, il ne perdra pas complètement les pédales, bien sûr, seulement il risque de faire une bêtise, de nous révéler quelque chose qu'il ne devrait pas. Étant donné notre situation, le moindre avantage, si minime soit-il, est bon à prendre.

Une fois qu'ils eurent récupéré leur voiture au parking de l'aéroport, ils se rendirent à Newport Beach, vers l'immeuble où se trouvait le cabinet du Dr Ahriman. Martie l'avait surnommé la « tour de Cirith Ungol », du nom d'un haut lieu du mal dans *Le Seigneur des anneaux*.

Dans l'ascenseur qui les menait au quatorzième étage, Dusty eut la sensation que son estomac s'enfonçait, comme si la cabine descendait au lieu de monter. Il faillit refuser d'en sortir et demander à redescendre au rez-de-chaussée. Puis il eut une idée.

Le Dr Ahriman était assis à son bureau, en train de faire une pause gâteau, quand son ordinateur émit un petit ping ! Une vue du hall d'accueil, filmée par la caméra de sécurité, remplit l'écran, comme chaque fois que quelqu'un passait la porte du cabinet.

Il jeta un coup d'œil à sa Rolex… ils n'avaient que six minutes de retard sur leur rendez-vous.

De toute évidence, ça s'était mal passé au Nouveau-Mexique.

Diverses icônes du système de sécurité s'étaient affichées en bas de l'écran. Le psychiatre cliqua sur celle qui représentait un pistolet.

Un détecteur de métaux dernier cri indiqua que les deux sujets avaient une petite quantité de métal sur eux – pièces de monnaie, clés et autres menus objets – mais pas en masse suffisante pour qu'il puisse s'agir d'une arme à feu.

Il cliqua sur une autre icône, en forme de squelette, celle-ci.

Le couple, qui parlait à Jennifer devant la vitre de la réception, se trouvait en fait dans l'alignement des canons à rayons X dissimulés entre les lamelles d'une bouche d'aération sur le mur de droite, qui transmettaient leurs images radiographiques sur l'écran d'Ahriman.

Ces deux-là avaient d'excellents squelettes. Une structure osseuse solide, des articulations souples, et ils se tenaient parfaitement droits. Si leur talent était à la hauteur de leurs prédispositions physiques, ils auraient pu faire un bon couple de danseurs.

Les radiographies révélaient d'autres objets, flottant comme en apesanteur autour de ces assemblages osseux – des boutons, des fermetures Éclair métalliques, mais pas de couteaux dissimulés dans les manches ou les jambes.

Quelques petits objets en fouillis dans le sac à main de Martie restaient difficiles à identifier : un couteau à cran d'arrêt se trouvait peut-être parmi eux. Comment savoir ?

La troisième icône représentait un nez. Ahriman avala sa dernière bouchée de gâteau et cliqua dessus.

Elle activait un détecteur olfactif qui échantillonnait l'air de la réception. Le système, programmé pour reconnaître les composants chimiques de trente-deux corps explosifs différents, pouvait détecter la présence ne serait-ce que de trois molécules suspectes par centimètre cube d'air. Résultat négatif. Les visiteurs ne transportaient pas de bombe.

Sachant que Dusty et Martie n'avaient guère d'expérience en matière d'explosifs, il était peu probable, en effet, qu'ils aient l'audace de se présenter chez lui avec une ceinture de grenades sur le ventre. Mais le psychiatre avait affaire de temps en temps à des patients beaucoup plus instables que les Rhodes. C'est pourquoi il avait jugé utile de faire installer ce système de sécurité digne de Fort Knox.

D'aucuns auraient jugé que ces précautions élaborées relevaient de la pure paranoïa. Pour Ahriman, cela traduisait un simple souci du détail, la volonté de ne rien laisser au hasard.

Son père lui avait souvent répété l'importance cruciale d'un système de sécurité. Ce grand metteur en scène avait équipé ses bureaux de production avec le nec plus ultra de l'époque en matière de système d'alarme et de détection. Il devait se protéger des crises d'hystérie de starlettes évincées, des colères d'acteurs lunatiques furieux de constater la disparition de leurs scènes au montage, ou du juste courroux d'un critique apprenant que la fripouille qui avait cassé les jambes de sa pauvre mère avait été payée par le réalisateur.

Assuré, à présent, que les Rhodes ne représentaient nul danger immédiat, et qu'il aurait tout le loisir de les activer avant qu'ils puissent tenter quoi que ce soit, Ahriman sonna Jennifer pour lui annoncer qu'il était prêt à les recevoir. Sans se lever de sa chaise, il déverrouilla la serrure électronique de la porte de la réception, qui bascula lentement sur ses gonds motorisés.

Ahriman cliqua sur l'icône représentant une paire d'écouteurs.

Martie et Dusty pénétrèrent dans le bureau. Ils avaient l'air en colère, mais semblaient moins agressifs qu'il ne l'aurait cru. Quand il leur indiqua les deux petites chaises face à son bureau, ils y prirent place docilement.

La porte se referma derrière eux.

— Docteur, commença Martie, nous n'avons aucune idée de ce que vous trafiquez, mais nous savons que c'est moche, malsain et que ça pue à plein nez. Nous voulons des explications.

Ahriman consulta l'écran de son ordinateur pendant qu'elle parlait. D'après l'absence de champs électriques basse tension émis d'ordinaire par les micros émetteurs à commande vocale, elle ne portait pas de mouchard sur elle

— Un instant, s'il vous plaît, dit-il en cliquant sur une icône de microphone.

— Ça suffit, lança Dusty, agacé, nous n'allons pas rester planter là pendant que vous...

— Chut ! répliqua le psychiatre en portant un doigt devant sa bouche. Ce ne sera pas long. Juste un instant, je vous prie, je voudrais le silence. Le silence total.

Ils se regardèrent pendant qu'Ahriman étudiait les données de l'écran.

— Martie, annonça finalement Ahriman, cette pièce est truffée de microphones extrêmement sensibles. Ils détectent en ce moment même le bruit caractéristique d'un moteur de magnétocassette en train de tourner. Je vois que votre sac à main est ouvert et que vous le tenez légèrement incliné vers moi. Auriez-vous un appareil de cette sorte dans votre sac, Martie ?

Prise de court, elle sortit le dictaphone.

— Posez-le sur le bureau, s'il vous plaît.

Elle se pencha et lui donna le dictaphone.

Ahriman l'éteignit et en retira la minicassette.

— Vous avez la cassette, d'accord ! lança Martie avec colère. Mais nous en avons une meilleure, espèce de salaud. Nous en avons une avec Susan Jagger…

— Raymond Shaw, articula le médecin.

— J'écoute, répondit Martie, se raidissant légèrement sur sa chaise.

Comme Dusty se tournait, perplexe, vers sa femme, Ahriman enchaîna immédiatement :

— Viola Narvilly.

— J'écoute, répliqua Dusty, dans une attitude identique à celle de sa femme.

Tenter d'activer deux sujets simultanément était délicat mais pas impossible. S'il s'écoulait plus de six secondes entre l'énonciation complète de leurs haïkus d'accès, ils redeviendraient pleinement conscients. Ahriman devait passer de l'un à l'autre, tel un jongleur faisant tourner des assiettes en équilibre sur des baguettes.

Il s'adressa à Martie :

— *Portées par le vent d'ouest…*

— Vous êtes l'ouest et le vent d'ouest.

Puis à Dusty :

— *L'éclair jaillit…*

— Vous êtes l'éclair.

À Martie encore :

— *… les feuilles mortes s'envolent…*

— Les feuilles sont vos instructions.

À Dusty :

— *… et le cri perçant d'un héron…*

— Ses cris sont vos instructions.

Une dernière fois à Martie :

— *… et se rassemblent à l'orient.*

— Je suis l'orient.

Et il termina avec Dusty :

– ... *traverse la nuit.*

– Je suis la nuit.

Martie était assise, la tête légèrement penchée en avant, les yeux rivés sur ses mains qui serraient son sac.

Tête baissée, magnifique. Se ferait sauter la cervelle... si on lui en donnait l'ordre.

Ce n'était pas un grand haïku, il fallait le reconnaître. Néanmoins le psychiatre lui trouvait un certain charme.

La tête inclinée dans une attitude d'étonnement, Dusty semblait absorbé par la contemplation de sa femme.

Évidemment, elle ne s'intéressait pas vraiment à son sac à main, et son mari n'était pas vraiment conscient de sa présence... ils n'attendaient tous les deux qu'une seule chose : des instructions.

Parfait.

Ravi, Ahriman se renfonça dans son fauteuil et s'émerveilla une fois encore du coup de pouce que lui donnait le destin. Le jeu qu'il avait entièrement restructuré le matin même allait maintenant pouvoir se dérouler en grande partie selon la stratégie d'origine. Tous ses problèmes étaient résolus.

Mis à part, certes, la keanuphobe. Mais, à présent que l'univers entier semblait se plier aux désirs du psychiatre, il s'attendait à une conclusion heureuse dans l'affaire de la milliardaire illuminée, et cela avant la fin de la journée.

Comment ce couple improbable, formé d'un peintre en bâtiment et d'une conceptrice de jeux vidéo, avait pu survivre à son odyssée au Nouveau-Mexique ? Il avait des milliers de questions à leur poser ; il aurait pu passer la journée entière à explorer ce mystère : comment, en partant de rien, ou presque – les quelques cartes distribuées par le hasard étaient finalement peu de chose –, avaient-ils pu deviner tout ce qu'ils savaient de lui ?

Si toutefois l'attention aux détails était importante, il ne fallait pas perdre de vue le grand prix final. Il s'agissait de mener à son terme la partie la plus ambitieuse que le psychiatre eût jamais conçue. À l'origine, Ahriman avait eu l'intention de s'amuser un peu avec Martie, avant de l'expédier, ainsi que Dusty, à Malibu. À présent, l'impatience le gagnait ; il ne voulait plus attendre des mois, des semaines, ou ne serait-ce qu'une heure supplémentaire pour voir son projet se réaliser.

Dans le fond, et malgré leur intelligence, Martie et Dusty ne dépasseraient jamais le commun des mortels. C'étaient des personnes ordinaires au possible, qui tentaient désespérément de s'élever au-dessus de leur rang social – comme tous les gens du peuple, même s'ils refusaient de le reconnaître –, des travailleurs honnêtes rêvant d'un avenir bien trop grand pour eux. Certes, le spectacle de leur combat pathétique pouvait être divertissant, toutefois leur agitation se révélait à peine plus réfléchie que les derniers exploits du détective Skeet et de son copain Rougeaud. Les Rhodes étaient intéressants non en eux-mêmes mais pour la façon dont ils pouvaient être utilisés.

Avant que la keanuphobe appelle ou fasse irruption dans le cabinet pour tout compliquer, Ahriman devait donner ses instructions à Martie et à Dusty, les remonter tels des automates et les envoyer à leur balade meurtrière, la dernière manche de la partie.

— Martie et Dusty, je m'adresse à vous deux maintenant. Je vais vous indiquer vos missions simultanément, pour gagner du temps. Vous avez compris ?

— Je dois comprendre ? demanda Martie, alors même que Dusty ajoutait :

— C'est ce que vous voulez ?

— Dites-moi si vous avez compris ce que je viens de dire.

— J'ai compris, répondirent-ils d'une seule voix.

Penché vers eux, ivre de plaisir, le psychiatre savourait ce moment, ne regrettant même pas l'occasion perdue de culbuter Martie.

— Plus tard dans la journée vous allez faire une promenade en voiture du côté de Malibu…

— Malibu, murmura Martie.

— C'est cela, Malibu. Vous connaissez l'adresse. Vous allez tous les deux rendre une petite visite à la mère de Dusty, Claudette, et à son mari, ce petit crétin avare et imbu de lui-même, le Pr Derek Lampton.

— D'accord, dit Dusty.

— Oui, je sais que vous connaissez les lieux, répéta le psychiatre avec amusement, puisque vous avez vécu des années sous le même toit que cette raclure de chiottes. Donc, quand vous arriverez à Malibu, si Claudette ou l'autre tête de nœud est parti faire une course, vous attendrez qu'ils se trouvent tous les deux à la maison.

Traiter Derek Lampton de tous les noms constituait une vengeance bien puérile, évidemment… Mais c'était tellement jouissif…

Avec une excitation croissante, Ahriman continua :

— En fait, vous devrez attendre aussi le retour de leur fils, votre teigne de demi-frère, Derek Junior, qui, entre nous, est en passe de devenir une aussi grande plaie pour l'humanité que son paternel. Débile Junior sera sûrement là quand vous arriverez, puisque, comme vous le savez, il n'est pas scolarisé et fait ses études à la maison. Votre beau-père a des théories très personnelles sur l'éducation des enfants, des théories bonnes à foutre aux chiottes… Vous en savez quelque chose, puisque toi et Skeet lui avez servi de cobayes. Bref, ils doivent tous être présents avant que vous passiez à l'action. Vous les coupez tous en morceaux, mais sans les tuer immédiatement. Il faudra les mutiler et les démembrer dans l'ordre suivant : d'abord Claudette, ensuite Junior, et enfin ce sac à merde de Lampton. Il doit y passer en dernier pour qu'il voie bien tout ce que vous ferez à Claudette et à

Junior. Martie, je t'ai montré mercredi dernier la photo d'une fille dont le corps démembré avait servi à une composition cocasse, et je te demande de bien te souvenir de cette image. Une fois que vous aurez découpé Claudette, vous la réarrangerez exactement de la même façon, avec une petite variante, toutefois, en ce qui concerne ses yeux...

Ahriman s'arrêta, se rendant compte qu'il s'était laissé emporter par l'excitation. Il prit plusieurs inspirations et but une longue gorgée de soda à la cerise.

— Je suis désolé, il faut que je revienne en arrière un instant. J'ai oublié un détail. Avant d'aller à Malibu, vous vous arrêterez dans un garde-meubles à Anaheim pour récupérer une mallette d'outils chirurgicaux. Ainsi qu'une scie à autopsie avec plusieurs lames de rechange, dont quelques lames crâniennes assez aiguisées pour ouvrir n'importe quelle tête, y compris la sale caboche de Lampton. Vous trouverez également deux minipistolets-mitrailleurs Glock .18 avec des chargeurs de rechange...

En ce qui concerne ses yeux...

Ces mots qu'il avait prononcés tout à l'heure lui revinrent tout d'un coup, sans qu'il sache encore pourquoi.

En ce qui concerne ses yeux...

Il se leva d'un seul coup de sa chaise et la repoussa derrière lui.

— Martie, regarde-moi.

Après une courte hésitation, elle redressa la tête et leva les yeux vers lui.

Ahriman se tourna rapidement vers son mari :

— Dusty, pourquoi regardes-tu Martie depuis tout à l'heure ?

— Pourquoi je regarde Martie depuis tout à l'heure ? dit Dusty, répondant à la question par une autre question, comme il était censé le faire dans son état actuel.

— Dusty, regarde-moi. Regarde-moi en face.

Dusty détourna les yeux de sa femme et regarda le psychiatre.

Martie fixait à nouveau ses mains.

— Martie ! la rappela à l'ordre Ahriman.

Obéissante, elle leva de nouveau les yeux.

Ahriman observa attentivement Martie, étudia ses yeux, puis ceux de Dusty, passant de l'un à l'autre, encore et encore, jusqu'à ce que finalement, d'une voix moins assurée qu'il n'aurait voulu, il articule :

— Pas de mouvements oculaires.

— Sans blague, lâcha Dusty en se levant.

Leur attitude changea dans l'instant. Disparue, l'expression vitreuse. Disparue aussi la soumission.

Les spasmes de mouvements oculaires étaient impossibles à imiter... ils ne s'y étaient même pas risqués.

Martie bondit à son tour sur ses pieds.

— Qui êtes-vous, au juste ? Quelle sorte de monstre répugnant et pathétique ?

Le psychiatre n'appréciait guère ce ton, voire pas du tout. Il entendait la haine, le mépris. Personne ne lui parlait de cette manière. Ce manque de respect était intolérable.

Il tenta de reprendre le contrôle.

— Raymond Shaw.

— Raymond Shaw mes fesses.

Dusty commençait déjà à faire le tour du bureau.

Sentant arriver un pic de violence potentielle, Ahriman retira le Beretta de son étui.

La vue de l'arme arrêta les Rhodes.

— Vous n'avez pas pu être déprogrammés, insista le psychiatre. C'est impossible.

— Pourquoi ? interrogea Martie. Parce que cela ne s'est jamais produit ?

— Qu'est-ce que vous avez contre Derek Lampton ? s'enquit Dusty.

Personne n'exigeait des réponses du Dr Ahriman — en tout cas, pas plus d'une fois au cours de son existence ! Il brûlait de tirer sur ce type mal habillé, stupide, ridicule, ce peintre en bâtiment de rien du tout, de lui loger une balle entre les deux yeux, de lui faire sauter la tête pour de bon et voir sa cervelle tapisser les murs.

Mais tirer des coups de feu ici engendrerait de multiples tracas, évidemment. La police et son cortège de questions sans fin. Les journalistes. Ainsi que des taches sur son tapis persan qui ne partiraient peut-être jamais.

Pendant un instant, Ahriman crut que des membres de l'institut l'avaient trahi.

— Qui vous a reprogrammés ?

— Martie l'a fait pour moi, annonça Dusty.

— Et Dusty m'a libérée à son tour.

Ahriman secoua la tête.

— Vous mentez. Ce n'est pas possible. Vous mentez tous les deux !

Le psychiatre perçut une note de panique dans sa propre voix. Une bouffée de honte le gagna aussitôt… Il était Mark Ahriman, l'unique descendant du célèbre metteur en scène, encore plus reconnu dans sa propre discipline que son père ne l'avait été à Hollywood ; il était un marionnettiste — le plus grand de tous —, pas une marionnette.

— Nous en savons pas mal sur vous, déclara Martie.

— Et nous allons en savoir encore plus, promit Dusty. Avec tous les détails horribles.

Les détails. À nouveau le même mot, celui qui hier soir déjà lui avait semblé de mauvais augure.

Les croyant programmés et activés, il avait baissé la garde et en avait trop dit. Ils avaient maintenant un avantage sur lui et finiraient bien par trouver le moyen de l'utiliser pour contre-attaquer. Un point pour l'adversaire.

— On va découvrir ce que vous avez contre Derek Lampton, jura Dusty. Et quand on le saura, ce sera un clou supplémentaire enfoncé dans votre cercueil !

— Je vous en supplie, répliqua le psychiatre, en feignant une grimace de douleur. Épargnez-moi ces clichés. Si vous voulez vraiment essayer de m'intimider, ayez d'abord la gentillesse d'aller vous cultiver un peu, le temps d'améliorer votre niveau général et d'étendre votre vocabulaire, puis revenez me voir avec des métaphores moins éculées.

Voilà qui allait mieux. Il était sorti, un instant, de la peau de son personnage. Son rôle était exigeant, complexe, cérébral et tout en finesse. De tous les acteurs oscarisés ayant brillé dans les mélos de son père, aucun n'aurait pu s'y plonger aussi profondément et avec autant de brio que lui. Étant donné les circonstances, il paraissait normal de l'oublier un peu… mais le maître de la mémoire était de retour !

Il était temps, en réponse à leur coup de bluff pathétique, de leur donner une leçon digne de ce nom et de remettre les pendules à l'heure.

— Pendant que vous mènerez votre croisade pour me traîner en justice, vous devrez sans doute retourner habiter quelque temps chez papa-maman. Il se trouve que votre petite bonbonnière est partie en flammes mercredi soir.

Les deux pauvres petites choses restèrent plantées sur place comme des benêts, ne sachant s'il disait vrai ou s'il mentait, et quelle pouvait être, dans la seconde hypothèse, l'intérêt d'un tel mensonge.

— Votre merveilleuse collection de meubles trouvés aux puces… disparue, partie en fumée, j'en ai bien peur. Et cette cassette si compromettante dont vous parliez tout à l'heure, ce message de Susan — envolée, elle aussi. C'est bien le drame des incendies. Les assurances ne remboursent jamais les objets qui possédaient une valeur sentimentale…

Ils le croyaient maintenant. Sur leurs visages s'afficha l'expression ahurie des exilés qui ont perdu tous leurs biens.

Ahriman en profita pour tirer une nouvelle salve.

— Et cet idiot aux gros yeux à qui vous avez confié Skeet. Comment s'appelle-t-il, au fait ?

Ils échangèrent un regard…

— Fig, répondit Dusty.

Le psychiatre leva les sourcils.

— Fig ?

— Foster Newton.

— Ah, je vois [1]. Eh bien, ce bon vieux Fig est mort. Quatre balles, deux dans le ventre, deux dans la poitrine.

— Où est Skeet ? bredouilla Dusty, pris d'angoisse.

— Mort également. Lui aussi a pris quatre balles, deux dans le ventre et deux dans la poitrine. Pareil. Skeet et Fig. C'était bien agréable, j'en ai eu deux pour le prix d'un.

Quand Dusty fit à nouveau un mouvement pour contourner le bureau, Ahriman leva son Beretta vers son visage, le tenant à bout portant. Martie dut saisir le bras de son mari pour l'arrêter.

— Malheureusement, ajouta le psychiatre, je n'ai pas pu tuer votre chien. Cela aurait donné une charmante petite touche dramatique, en prémices de la scène de la révélation finale, ici même. Un moment digne de *Lassie*. Mais la vie en ce bas monde n'est pas aussi docile qu'au cinéma.

Le grand Dr Ahriman était de retour, et au meilleur de sa forme ! Il brûlait d'envie de sauter de joie et de s'autocongratuler d'une tape dans le dos, cependant, cela n'aurait pas convenu au personnage.

De grandes émotions bouillonnaient dans le cœur de ces deux représentants de la plèbe ; comme chez tous leurs semblables, les émotions prenaient le pas sur l'intellect. La présence du Beretta les contraignait pourtant à réfréner leurs pulsions... petit à petit, ils se rendaient compte que ce pistolet n'était pas la seule arme du médecin. Si le psychiatre reconnaissait aussi volontiers le meurtre de Skeet et de Fig – dans l'intimité, certes, de son cabinet privé –, cela signifiait qu'il ne craignait pas de devoir en répondre devant un tribunal, et qu'il se savait intouchable... À contrecœur, déçus et amers, ils en arrivaient à cette conclusion honnie : malgré toute l'énergie qu'ils mettraient à le combattre, Ahriman les écraserait grâce à son intelligence supérieure, à son mépris pour toutes les règles autres que les siennes, et à son talent exceptionnel pour le mensonge. En fait, ce Beretta constituait l'arme la moins redoutable de son arsenal.

Le psychiatre leur laissa encore un moment de réflexion, le temps que la vérité traverse au goutte-à-goutte les tristes pores de leur matière grise, puis décida de porter le coup de grâce.

— Je crois que vous devriez partir, maintenant. Auparavant je vais vous donner quelques petits conseils, pour que la partie soit un peu plus équilibrée.

— La partie ? répéta Martie.

Le mépris et le dégoût contenus dans sa voix n'atteignaient plus le psychiatre.

— Vous et vos amis, qu'est-ce que vous voulez, au juste ? demanda Dusty, la voix étouffée par un trouble grandissant. Pourquoi cet... institut ?

---

1. Fig Newton : gâteau semblable au Figolu. *(N.d.T.)*

– Oh ! vous imaginez sûrement l'intérêt de pouvoir éliminer un gêneur empêchant un gouvernement de mener à bien ses grandes réformes. Ou de contrôler quelqu'un susceptible de les faire avancer. Et parfois aussi... une bombe posée par un fanatique d'extrême droite, puis, la semaine suivante, par un fanatique d'extrême gauche, un massacre commis par un forcené, un train qui déraille, ou encore une fuite de pétrole, une catastrophe écologique... ce genre de choses... Tout cela donne lieu à une incroyable couverture médiatique qui focalise l'attention de la nation sur un problème particulier, et permet aux législateurs de faire passer des lois pour assurer la stabilité de la société. Cela nous permet d'éviter de tomber dans les extrêmes politiques.

– Ce sont des gens comme vous qui nous délivrent des extrémistes ? ironisa Dusty.

Ignorant délibérément son sarcasme, Ahriman poursuivit :

– Quant aux conseils que je voulais vous donner, les voici : à partir d'aujourd'hui, ne dormez jamais tous les deux en même temps. Ne vous séparez pas l'un de l'autre. Couvrez-vous mutuellement. Et souvenez-vous que n'importe qui dans la rue, n'importe qui dans une foule peut être l'une de mes marionnettes.

Ils hésitaient visiblement à partir. Leurs cœurs battaient à se rompre, et dans leurs têtes se bousculaient la colère, le chagrin et le désarroi : ils attendaient une résolution ici et maintenant, comme le réclamait toujours le bas peuple, qui ne pouvait concevoir de stratégie à long terme. Ils se montraient incapables de concilier leur besoin ardent de catharsis émotionnelle avec la froide réalité de leur position de faiblesse.

– Allez ! ordonna Ahriman en leur indiquant la porte d'un geste de son Beretta.

Ils partirent, ils n'avaient pas d'autre possibilité.

Dans l'image transmise par la caméra de sécurité sur son écran d'ordinateur, Ahriman les vit traverser la réception et franchir la porte qui menait au couloir de l'immeuble.

Plutôt que de ranger le Beretta dans son étui, il le posa sur le bureau, à portée de main, et s'assit pour réfléchir à ce dernier rebondissement ainsi qu'à ses conséquences sur la partie.

Il devait apprendre comment ces deux péquenots avaient découvert qu'ils étaient programmés, et comment ils étaient parvenus à se déprogrammer. Leur étonnante autolibération semblait plus tenir du miracle pur et simple que de l'exploit personnel.

Malheureusement, il était presque impossible d'en apprendre davantage à ce sujet sans les droguer à nouveau, sans reconstruire leurs chapelles mentales et recharger leurs programmes – c'est-à-dire tout recommencer de zéro et organiser trois laborieuses séances d'imprégnation. Chat échaudé craint l'eau froide. Ils seraient trop méfiants à présent, trop conscients de la frontière ténue qui séparait réalité et fiction dans ce monde moderne, pour le laisser mener à bien l'opération, aussi malin fût-il.

Ahriman devrait vivre le restant de ses jours avec ce mystère.

Il était plus important de les empêcher de commettre de nouveaux dégâts que de savoir comment ils s'étaient libérés.

De toute façon, le psychiatre n'accordait que peu de valeur à la vérité. C'était une chose molle et amorphe, qui changeait trop souvent de forme devant vos yeux. Ahriman avait passé sa vie entière à la modeler aussi facilement qu'un potier transforme un tas de terre en vase.

Le pouvoir valait largement la vérité. La vérité ne tuerait jamais ces gens ; le pouvoir, correctement utilisé, les écraserait et les balaierait à jamais du plateau de jeu.

Il sortit le sac bleu de la mallette, le déposa au milieu du bureau et l'étudia pendant quelques minutes.

Le jeu pouvait être conclu en quelques heures seulement. Il savait où Martie et Dusty se rendraient en sortant d'ici. Les personnages principaux étaient encore en place, et à la merci de l'habile stratège qu'il se vantait d'être.

On va découvrir ce que vous avez contre Derek Lampton. Et quand on le saura, ce sera un clou supplémentaire enfoncé dans votre cercueil.

Quelle naïveté désespérante ! Après tout ce qu'ils avaient enduré, ils croyaient toujours en un monde aussi ordonné qu'un roman policier. Des indices, des preuves, la vérité même ne leur seraient d'aucun secours ici… parce que des puissances plus fondamentales étaient en jeu.

Espérant que la keanuphobe ne se présenterait pas pendant son absence, le psychiatre remit son Beretta dans son étui d'épaule, prit l'ascenseur jusqu'au rez-de-chaussée, sortit de l'immeuble, traversa la rue et entra dans l'un des restaurants du centre commercial. Depuis un téléphone public, il composa le même numéro qu'il avait contacté mercredi soir pour organiser l'incendie.

Occupé. Il dut ressayer quatre fois avant d'entendre une sonnerie.

— Allô !

— Ed Mavole, annonça Ahriman.

— J'écoute.

Après l'avoir fait réciter le haïku d'accès, le psychiatre commença :

— Dis-moi si tu es seul.

— Je suis seul.

— Sors de chez toi. Prends beaucoup de monnaie. Rends-toi à une cabine publique assez isolée. Dans un quart d'heure, rappelle ce numéro.

Il indiqua la ligne directe de son cabinet, qui ne passait pas par Jennifer.

— Dis-moi si tu as compris.

— J'ai compris.

Ahriman ramena son interlocuteur à un état de conscience normale en comptant jusqu'à dix.

— Désolé, j'ai fait un faux numéro, annonça-t-il ensuite.

Il raccrocha.

De retour à son quatorzième étage, Ahriman traversa avec circonspection le hall d'accueil, de peur que la keanuphobe ne l'y attende, un talon aiguille dans chaque main.

Jennifer leva la tête de son bureau, derrière la vitre de sa guérite, et agita la main avec entrain.

Il répondit à son signe mais se pressa de rejoindre son bureau, avant qu'elle puisse se lancer dans une tirade enthousiaste sur les bienfaits physiques que lui apportait sa consommation quotidienne d'écorce de pin liquide.

Une fois devant son bureau, il sortit le Beretta de son étui et le posa à portée de main.

Il prit une bouteille de soda à la cerise dans le réfrigérateur et la but accompagnée d'un biscuit. Il lui fallait du sucre.

Il était à nouveau en plein dans l'action. Il avait traversé un petit moment difficile, mais il sortait tout revigoré de la crise. Toujours optimiste, Ahriman savait qu'une deuxième victoire spectaculaire aurait lieu dans quelques heures, et il en piaffait d'impatience.

Souvent, les gens lui demandaient son secret pour paraître aussi jeune, svelte et plein d'énergie jour après jour, malgré une vie aussi active que la sienne. Sa réponse était toujours identique : il restait jeune parce qu'il savait s'amuser dans la vie.

Quand le téléphone sonna, il fallut activer à nouveau le sujet :

— Ed Mavole.

— J'écoute.

Après le haïku habituel, Ahriman ordonna :

— Tu vas te rendre directement dans un garde-meubles à Anaheim.

Il lui indiqua l'adresse de l'entrepôt, le numéro de la consigne qu'il avait louée sous une fausse identité et la combinaison pour ouvrir la serrure.

— Tu y trouveras entre autres deux petits pistolets-mitrailleurs Glock .18 et plusieurs chargeurs de trente-trois cartouches chacun. Prends l'un des deux pistolets et... quatre chargeurs, cela devrait suffire.

Avec cinq occupants — au lieu de trois — à maîtriser dans la maison de Malibu et seulement une personne — au lieu de deux — pour les abattre, il n'était plus possible de prendre possession des lieux discrètement. Ni de se ménager le loisir de démembrer les victimes une à une et de recomposer leurs restes en tableaux à l'ironie caustique, selon le plan de jeu originel. Il y aurait tellement de coups de feu que la police ferait irruption alors que le travail ne serait qu'à moitié achevé. Et tout le monde savait que les flics n'avaient ni le sens de la fête ni le sens de l'humour.

Toutefois, son brave soldat aurait peut-être le temps de couvrir de ridicule Derek Lampton Senior comme il le méritait.

— Avec le pistolet et les quatre magasins, tu prendras une scie à autopsie et une lame crânienne. Non, plutôt deux lames, au cas où l'une se briserait.

Toujours veiller aux détails…

Il décrivit les outils, pour éviter tout risque de confusion, puis il indiqua comment se rendre chez Derek Lampton, à Malibu.

— Tue tous ceux que tu trouveras dans la maison.

Il dressa la liste de ceux qu'il pensait être présents.

— Mais s'il y en a d'autres, des voisins, un agent venu relever le compteur, peu importe, tue-les tous. Entre en force, passe rapidement de pièce en pièce, traque ceux qui s'enfuient et ne perds pas de temps. Ensuite, avant que la police n'arrive, découpe la calotte crânienne du professeur Lampton à l'aide de la scie d'autopsie.

Il décrivit la technique la plus appropriée à cette opération.

— Maintenant, dis-moi si tu as compris.

— J'ai compris.

— Tu retireras le cerveau et tu le mettras de côté. Répète après moi.

— Retirer le cerveau et le mettre de côté.

Le médecin contempla à regret le sac bleu sur son bureau. Il n'avait malheureusement pas le temps d'organiser un rendez-vous discret avec son tueur programmé pour lui confier les précieuses déjections de Valet.

— Il y a quelque chose que tu devras mettre dans le crâne vidé. Si les Lampton ont un chien, tu trouveras peut-être ton bonheur derrière la maison, sinon, il faudra officier toi-même.

Ahriman donna ses ultimes instructions – dont un ordre de suicide.

— Je comprends.

— Je t'ai confié un travail très important, et je suis convaincu que tu l'accompliras à la perfection.

— Merci.

— Je t'en prie.

En reposant le combiné, Ahriman regretta de n'avoir pas pu programmer les membres de la famille Lampton eux-mêmes – tous ces furoncles ambulants : l'insupportable Derek, sa pute de femme et leur fils dérangé. Cela aurait été si drôle de les avoir comme marionnettes… Malheureusement, ils le connaissaient trop bien, et toute leur méfiance se serait éveillée sitôt qu'ils l'auraient aperçu : impossible de les approcher suffisamment pour leur administrer les drogues et leur faire subir les trois longues séances de programmation nécessaires.

497

Il se sentait d'humeur gaie, toutefois. Le triomphe était à portée de main.

Un soda à la cerise. Un crétin mort à Malibu. Apprenez à vous aimer.

La perfection même. Le psychiatre porta un toast à son génie poétique.

73.

En Nouvelle-Angleterre ou sur l'île de Martha's Vineyard, la demeure aurait correspondu à la perfection au rêve américain. À l'aube d'un jour de Thanksgiving, après avoir traversé une rivière et des bois, on découvrait un monde où même les adultes croyaient au Père Noël, la quintessence d'une maison de grand-mère à la Walt Disney. Bien que la maison parfaite – et, à plus forte raison, la grand-mère sans défauts – fût une pure vue de l'esprit, cela n'empêchait pas une nation entière – ô combien sentimentale – de croire que toutes les grands-mères habitaient une demeure semblable à celle-ci, avec son toit en ardoise et sa petite rambarde ombragée, ses murs en bardeaux de cèdre, ses fenêtres et ses volets luisants de peinture marine blanche, sa grande terrasse couverte avec ses fauteuils à bascule en rotin blanc et sa balancelle, son gazon manucuré parsemé de parterres de fleurs ceints de petites clôtures blanches. Si la bâtisse idéale s'était trouvée à Cape Cod, on n'aurait pas été surpris de voir Norman Rockwell assis devant son chevalet dans le jardin, en train de peindre deux adorables enfants poursuivant une oie, son ruban rouge autour du cou à moitié dénoué, tandis qu'à l'arrière-plan un chien s'ébattait avec bonheur.

Cependant, ici, à Malibu, la demeure semblait déplacée, même au cœur de l'hiver. Perchée sur son petit promontoire dominant le Pacifique, cernée par les palmiers, avec son allée de marches qui menaient à la plage, elle était belle et gracieuse, certes, bien conçue et bien construite, mais déplacée. La grand-mère du lieu aurait eu les ongles vernis en bleu, les cheveux blond platine, les lèvres gonflées au collagène et les seins remodelés au silicone. La maison était une chimère reluisante, qui abritait des secrets bien plus sombres que sa façade. En la voyant apparaître devant lui, Dusty – qui rendait sa cinquième visite en douze ans, depuis qu'il avait quitté le foyer à dix-huit ans – éprouva encore une fois le même malaise, un frisson glacé qui lui traversait le cœur.

498

La maison en elle-même n'y était pour rien, évidemment. Il ne s'agissait que de pierres et de bois.

Quand ils sortirent de voiture pour gravir les marches du perron, il mumura :

— Voici ma tour de Cirith Ungol.

Il n'osait pas songer à leur maisonnette de Corona Del Mar. S'il n'en restait que des cendres, comme le prétendait Ahriman, Dusty ne se sentait pas prêt à affronter une telle épreuve. Ce n'était qu'une maison, bien sûr, un bien matériel remplaçable. Néanmoins, lorsqu'on a vécu heureux et aimé dans un lieu, et qu'on en garde de tendres souvenirs, on ne peut s'empêcher de pleurer sa perte.

Il n'osait pas non plus penser à Skeet ni à Fig. Si Ahriman disait vrai, s'il les avait tués tous les deux, le cœur de Dusty, et le monde entier avec lui, s'assombrirait pour rester voilé jusqu'à la fin de sa vie. La perte de son frère, qu'il aimait tant malgré ses bizarreries, le laissait muet de stupeur. Il s'étonnait de constater à quel point la mort de Fig l'affligeait également : cet ouvrier taciturne et appliqué était, certes, un peu particulier, mais d'une nature généreuse et douce ; il laisserait un vide dans la vie de Dusty, à la mesure de leur amitié étrange et profonde.

Mrs. Rhodes mère leur ouvrit la porte, et, comme toujours, Dusty fut interloqué et désarmé devant sa beauté. À cinquante-deux ans, elle en paraissait trente-cinq, et à trente-cinq ans, elle attirait tous les regards sitôt qu'elle franchissait le seuil d'une maison. Et il ne faisait aucun doute qu'elle garderait le même pouvoir à quatre-vingt-cinq ans. Le père de Dusty, le deuxième des quatre maris de Claudette, disait d'elle : « Depuis sa naissance, elle est si belle qu'on en mangerait. Chaque jour que Dieu fait, le monde entier la regarde en salivant. » L'observation était si juste et si concise qu'il s'agissait sûrement d'une citation que Trevor avait reprise à son compte. Bien que ces paroles puissent paraître un peu crues, elles disaient la vérité pure. Trevor faisait référence à une beauté qui n'a rien à voir avec le désir sexuel, une beauté idéale, si pénétrante qu'elle touchait l'âme. Les femmes comme les hommes, les nouveau-nés comme les centenaires, tous étaient attirés par Claudette et voulaient être près d'elle. Lorsqu'ils la contemplaient, on lisait dans leur regard quelque chose qui s'approchait de l'extase, ou de l'espoir pur, une fascination presque enfantine. Un mystère de la nature car l'amour que lui portaient tous ces gens n'était ni mérité ni réciproque. Les yeux de Claudette ressemblaient à ceux de Dusty, gris-bleu, mais plus gris que bleus. Dusty n'avait jamais vu en eux ce qu'un fils désirait voir dans les yeux d'une mère. Pas plus qu'elle ne lui avait laissé entrevoir qu'elle attendait, ou accepterait, l'amour dont — enfant et maintenant encore — il l'aurait comblée.

— Sherwood ! lança-t-elle sans l'embrasser ni lui tendre la main.

Serait-ce la nouvelle mode chez les jeunes de débarquer chez les gens sans prévenir ?

— Maman, tu sais bien que je ne m'appelle pas Sherwood…

— Sherwood Penn Rhodes. C'est pourtant dans ton état civil.

— Tu sais très bien que je l'ai officiellement fait changer…

— Oui, quand tu avais dix-huit ans et que tu étais rebelle, et encore plus stupide que maintenant.

— Tous mes amis m'appellent Dusty depuis que je suis tout petit.

— Tes amis ont toujours été les cancres de la classe. Tu as toujours choisi les mauvaises graines, de façon si systématique que tu semblais le faire exprès. Réfléchis un peu ! Comment pouvions-nous oser te présenter à des gens cultivés sous le nom de Dusty Rhodes ?

— C'était exactement le but recherché !

— Bonjour, Claudette, dit Martie, que Mrs. Rhodes mère avait jusque-là ignorée.

— Ma chère Martie, ne pouvez-vous pas user de votre bonne influence sur ce garçon pour l'obliger à reprendre un nom d'adulte ?

Martie sourit.

— J'aime bien Dusty, répondit-elle – le garçon et le prénom.

— Martine, voilà un nom de vraie personne, affirma Claudette.

— J'aime bien que les gens m'appellent Martie.

— Oui, je sais. Quel dommage ! Vous n'êtes pas un très bon exemple pour Sherwood.

— Dusty, insista-t-il.

— Pas chez moi, répliqua Claudette.

Chaque fois qu'il sonnait à cette porte, quel que soit le temps écoulé depuis sa dernière visite, Dusty recevait le même accueil distant – si on ne lui reprochait pas forcément son prénom, il avait droit à de longs commentaires sur ses vêtements d'ouvrier ou sa coiffure peu élégante, ou encore à un interrogatoire serré quant à la possibilité de trouver un « vrai » travail au lieu de continuer à repeindre des maisons. Une fois, Claudette l'avait même retenu sur le perron pendant cinq longues minutes, qui parurent une heure à Dusty, pour l'entretenir de la crise politique en Chine. Elle finissait toujours par l'inviter à entrer, mais il n'était jamais vraiment sûr qu'elle lui permettrait de passer le seuil.

Un jour, Skeet était revenu très excité d'un film qui défendait l'idée que les anges gardiens n'avaient pas le droit de connaître l'amour romantique ni d'autres sentiments profonds : ils devaient rester purement rationnels, afin de pouvoir servir l'humanité. Skeet avait enfin trouvé la raison expliquant pourquoi leur mère, dont même les anges enviaient la beauté, puisse être plus froide qu'un verre de citronnade sans sucre par une chaude journée d'été.

Enfin, ayant retiré Dieu sait quel avantage psychologique de cette pause obligée sur le perron, Claudette recula, invitant sans un mot ses visiteurs à entrer dans la maison.

— L'un de mes fils se présente avec un… invité, quasiment à minuit, l'autre avec sa femme, et aucun des deux ne téléphone pour me prévenir ! À quoi bon vous avoir fait suivre des cours d'éducation civique et de bonnes manières ! Apparemment, c'était de l'argent jeté par les fenêtres.

Dusty supposa que le deuxième fils en question était Junior, celui qui avait quinze ans et qui habitait ici ; mais lorsque Martie et lui pénétrèrent dans la maison, Skeet descendit l'escalier quatre à quatre pour les accueillir. Il semblait plus pâle, plus maigre aussi, et de larges ombres cernaient ses yeux, cependant, il était bel et bien vivant.

— Aïe ! aïe ! lâcha-t-il quand Dusty le serra dans ses bras.

Il poussa d'autres cris de douleur en enlaçant Martie.

— Nous pensions que tu étais…, bredouilla Dusty

— On nous a dit que tu étais…, reprit Martie.

Avant qu'ils aient le temps d'exprimer leur pensée, Skeet releva son pull et son maillot de corps, arrachant une grimace de dégoût à sa mère, et leur exposa son torse nu.

— Des blessures par balles ! annonça-t-il avec une sorte de fierté teintée d'incrédulité.

Quatre gros bleus et de vilaines marques noires entourées d'auréoles qui se chevauchaient couvraient son ventre et sa poitrine squelettiques.

— Des blessures par balles ? répéta Dusty, soulagé de voir son frère aussi joyeux.

— Enfin, rectifia Skeet, ç'aurait été des blessures par balles si moi et Fig…

— Fig et moi, corrigea sa mère.

— Ouais, si Fig et moi on n'avait pas mis des gilets pare-balles.

Dusty dut s'asseoir. Martie aussi était secouée. Mais ils étaient venus ici poussés par un sentiment d'urgence, et ce n'était pas le moment de l'oublier.

— Qu'est-ce que vous faisiez avec des gilets pare-balles ?

— Heureusement que vous n'avez pas voulu les prendre au Nouveau-Mexique, dit Skeet. Moi et Fig – Fig et moi, reprit-il après avoir jeté un regard coupable vers sa mère – on s'est dit : autant se rendre utiles, alors on a décidé de suivre le Dr Ahriman.

— Vous avez fait quoi ?

— On a suivi Ahriman avec le camion de Fig…

— J'ai exigé qu'ils le rentrent dans le garage, précisa Claudette. Je ne souhaitais pas que l'on voie cet engin devant ma maison.

— C'est un camion assez cool, dit Skeet. Bref, par sécurité on a mis les gilets, et on l'a suivi ; je ne sais pas comment il a fait, mais il a réussi à retourner la situation. On croyait l'avoir perdu ; on était sur la plage en train d'essayer d'établir un contact avec l'un des vaisseaux mères

extraterrestres quand il est arrivé tranquillement et nous a tiré dessus
– quatre balles chacun !

– Doux Jésus, murmura Martie.

Dusty tremblait, submergé par des émotions trop nombreuses pour
être nommées ou démêlées. Il remarqua toutefois que les yeux de
Skeet étaient clairs et brillants ; il ne les avait pas vus si alertes depuis
plus de quinze ans, depuis ce jour où ils avaient empaqueté et envoyé
des crottes de chien à Holden Caulfield père.

– On n'est même pas allés voir les flics. Ça n'aurait pas servi à
grand-chose.

– Il portait un passe-montagne, on n'aurait pas pu formellement
l'identifier. En tout cas on l'a bien reconnu. Il ne nous a pas dupés.

Skeet arborait un sourire rayonnant, comme si Fig et lui avaient
joué une bonne blague au psychiatre.

– Il a tiré deux fois sur Fig, puis quatre fois sur moi ; ça ressemblait
à des coups de marteau dans le ventre, impossible de respirer. J'étais
presque inconscient, j'avais envie d'aspirer de l'air, mais je me suis
retenu. Même avec le bruit du vent il aurait pu m'entendre et voir que
je n'étais pas vraiment mort. Fig faisait le macchabée aussi. Avant de
se retourner et de tirer sur lui deux balles de plus, Ahriman m'a dit :
« Ta mère est une pute, ton père un imposteur, et ton beau-père… a de
la merde à la place du cerveau. »

– Je n'ai jamais rencontré ce colporteur d'inepties de supermarché,
répliqua Claudette d'un ton glacial.

– Moi et Fig – Fig et moi – on savait qu'Ahriman était parti vite fait,
mais on est restés allongés là, parce qu'on avait peur. Pendant un long
moment, on n'a pas pu bouger. Comme si on était sonnés. Vous voyez
ce que je veux dire ? Et ensuite, quand on a pu se relever, on est venus
directement ici pour savoir pourquoi il a traité maman de putain.

– Vous êtes allés à l'hôpital ? s'inquiéta Martie.

– Non, je vais bien, répondit Skeet en baissant enfin son pull.

– Tu pourrais avoir une côte fêlée ou une hémorragie interne.

– C'est exactement ce que je lui ai dit, expliqua Claudette, seulement c'est une tête de mule. Tu connais Holden, Sherwood. Il a
toujours eu plus d'enthousiasme que de bon sens.

– Ce serait une bonne idée d'aller à l'hôpital et de te faire examiner
tant que les blessures sont encore visibles, conseilla Dusty. Ce serait
une preuve recevable, si jamais on arrive à traîner cet enfoiré devant la
justice.

– « Bâtard », reprit Claudette, ou « enfant de salaud », suffit amplement, Sherwood. Les grossièretés inutiles ne m'impressionnent pas. Si
tu crois que le mot « enfoiré » me choque, tu te trompes. Sache simplement que dans cette maison William Burroughs n'a jamais été considéré comme un véritable écrivain et ce n'est pas aujourd'hui que ça va
commencer.

502

– J'adore ta mère, annonça Martie à Dusty.

Claudette plissa les yeux presque imperceptiblement.

– Comment c'était, le Nouveau-Mexique ? demanda Skeet.

– Un vrai enchantement, répondit Dusty, laconique.

Au bout du couloir, la porte battante qui menait à la cuisine s'ouvrit sur Derek Lampton. Il marcha vers eux, les épaules en arrière, le dos droit comme une planche, la poitrine bombée. Malgré le caractère militaire de sa démarche, il donnait l'impression de s'approcher d'eux en catimini.

Skeet et Dusty l'avaient surnommé le Lézard pratiquement dès le premier jour de son arrivée. Toutefois, Lampton ressemblait plus exactement à un vison, avec son corps compact, lisse et sinueux, ses cheveux aussi épais et brillants qu'une fourrure, et ses yeux noirs, rapides et alertes, prêts à attaquer le poulailler dès que le fermier aurait le dos tourné. Ses mains, qu'il ne tendit ni à Dusty ni à Martie, se divisaient en doigts courts, anormalement palmés et terminés par des ongles légèrement pointus, pareils aux pattes d'une fouine, animal de la même famille que le vison, du reste.

– Quelqu'un est mort et vous procédez à la lecture du testament ? lança Lampton, persuadé d'être spirituel et ne voyant pas d'autres paroles de bienvenue à offrir aux visiteurs.

Il inspecta Martie de la tête aux pieds, s'attardant sur le renflement de ses seins sous son pull-over. Il examinait toujours aussi ouvertement les femmes attirantes. Quand il rencontra enfin ses yeux, il montra ses petites dents blanches et pointues. C'était censé être un sourire – peut-être même, à ses yeux, un sourire de séduction.

– Sherwood et Martine étaient réellement au Nouveau-Mexique, annonça Claudette à son mari.

– Ah bon ? s'étonna Lampton, levant les sourcils.

– Je vous l'avais bien dit ! insista Skeet.

– C'est vrai, confirma Lampton, s'adressant à Dusty plutôt qu'à Skeet. Il nous avait raconté ça, mais avec tellement de détails picaresques que nous avons pensé qu'il s'agissait moins d'un fait réel que de l'un de ses délires schizophrènes.

– Je n'ai jamais eu de délires schizophrènes, répliqua Skeet, parvenant à introduire une sorte de fermeté dans son ton.

Il restait cependant incapable de regarder Lampton dans les yeux et gardait les yeux rivés au sol tandis qu'il protestait.

– Allons, Holden, ne sois pas sur la défensive, lança Lampton en signe d'apaisement. Je ne te juge pas quand je parle de tes délires schizophrènes, pas plus que je ne jugerai Dusty à propos de son aversion pathologique pour toute forme d'autorité.

– Je n'ai pas d'aversion pathologique pour l'autorité, répondit Dusty malgré lui tout en s'efforçant de garder un ton calme, amical, même. Je m'insurge simplement, et c'est bien légitime, lorsqu'une bande d'élitistes s'octroient le droit de nous dire comment nous comporter et comment penser. J'éprouve de l'aversion pour tous ces spécialistes autoproclamés qui se croient supérieurs aux autres.

— Sherwood, gronda Claudette, tu ne donnes aucun poids supplémentaire à tes arguments en usant inconsciemment d'oxymorons tels que des « spécialistes autoproclamés ».

Avec une voix posée et un visage remarquablement sérieux, Martie intervint :

— En fait, Claudette, il ne s'agissait pas vraiment d'un oxymoron. C'était une métonymie pour laquelle il a préféré le terme « autoproclamés » à celui, plus vulgaire mais plus exact, de « trous-du-cul arrogants ».

S'il avait jamais eu le moindre doute quant à la pérennité de ses sentiments pour Martie, Dusty, cette fois, était certain qu'il l'aimerait pour l'éternité.

Ignorant la remarque de sa belle-fille, Claudette se tourna vers Skeet :

— Derek a tout à fait raison, Holden, sur les deux points. Il ne te juge pas. Ce n'est pas son genre. Et d'autre part, oui, tu as des délires schizophrènes. Si tu es incapable de voir la vérité en face, tu ne guériras jamais.

Franchir la porte était déjà une épreuve en soi, mais le plus difficile était de dépasser le vestibule.

— Holden a cessé de prendre ses médicaments, annonça Derek Lampton à Dusty, son regard glissant sur Martie pour s'arrêter à nouveau sur ses seins.

— Tu m'avais donné sept sortes de médicaments différents, protesta Skeet. Quand je les ai avalés, je n'ai même plus faim pour le petit déj !

— Tu ne pourras jamais te rendre compte de ton potentiel, sermonna Claudette, tant que tu n'auras pas accepté d'affronter ta condition.

— Moi, je crois qu'il aurait dû arrêter ses médicaments depuis longtemps, intervint Dusty.

Lampton leva les yeux des seins de Martie.

— Holden ne risque pas de guérir si des amateurs commencent à lui donner des conseils farfelus !

— Son père aussi a voulu le guérir jusqu'à ce qu'il ait neuf ans et, depuis, vous avez marché dans ses traces tête baissée ! Dusty esquissa un sourire et poursuivit d'un ton léger qui ne dupait personne : Or, pour l'instant, tout ce que je vois, c'est beaucoup de chimie pour pas beaucoup d'effet.

Skeet se réveilla tout à coup.

— Maman, tu savais que papa ne s'appelait pas vraiment Holden Caulfield ? Son nom était Sam Farner, et il l'a fait changer.

Claudette battit des paupières d'incrédulité.

— Encore un de tes délires, Holden.

— Non, c'est vrai. J'en ai la preuve chez moi. C'est peut-être ce qu'Ahriman voulait dire, quand il l'a traité d'imposteur.

Claudette montra Dusty du doigt.

— Tu l'encourages à arrêter son traitement et voilà où ça le mène.

Puis elle se tourna vers Skeet, furieuse :

— Cet Ahriman m'a traitée de putain. Dois-je comprendre, Holden, que, d'après toi, cette description me sied aussi bien qu'imposteur sied à ton père ?

Un bourdonnement pénible se mit à résonner dans la tête de Dusty. Déjà ? D'ordinaire, il n'était pris de ce mal qu'après une demi-heure de présence dans cette maison.

— Derek, intervint-il, voulant ramener la conversation au sujet le plus urgent, pourquoi Mark Ahriman ressentirait-il tant d'animosité envers vous ?

— Parce que je l'ai démasqué, que j'ai mis à nu sa vraie nature.

— Et quelle est sa nature ?

— C'est un charlatan.

— Et quand avez-vous mis à nu cette vraie nature ?

— Je le fais tout le temps, dès que j'en ai l'occasion, répondit Lampton, ses yeux de vison luisant d'une joie sinistre.

Claudette s'avança vers son mari, lui entoura la taille de son bras et l'embrassa d'un air enjoué.

— Quand des personnes aussi bêtes que ce Mark Ahriman se font piquer par l'esprit caustique de mon Derek, susurra-t-elle, ils ne l'oublient pas de sitôt !

— Comment l'avez-vous démasqué ? demanda Martie.

— Des articles que j'ai publiés dans deux des meilleures revues en la matière, répondit Lampton, où je démontais ses théories fumeuses et sa prose verbeuse.

— Mais pourquoi ?

— J'étais atterré de voir le nombre de psychologues qui commençaient à le prendre au sérieux. Ce n'est pas un intellectuel, c'est un imposteur, au pire sens du terme.

— Et c'est tout ? demanda Martie. Quelques articles ?

Les dents pointues de Lampton brillèrent. Les coins de ses yeux se plissèrent. C'était une manifestation d'hilarité, mais elle donnait l'impression qu'il venait d'apercevoir une souris et qu'il avait hâte de la déchiqueter.

— Quelle misère, miss Claudy ! Je vois qu'ils ne savent pas ce que ça fait de se trouver sous les salves de Derek Lampton.

— Moi je sais, affirma Skeet, mais ni sa mère ni son beau-père ne parurent l'entendre.

Comme si Lampton avait fait preuve d'humour ou de malice,

Claudette laissa échapper un petit gloussement de jeune fille, qui exprimait autant d'allégresse que le crissement d'un serpent à sonnettes.

— Quelle misère, miss Claudy ! répéta Lampton, claquant des doigts et se déhanchant, croyant sans doute imiter les dernières manières à la mode. Des articles dans deux revues spécialisées, reprit-il, et une guérilla assez intelligemment menée, je dois dire.. ainsi qu'un papier parodique pour « Bookend », la dernière page du *New York Times* littéraire…

— Oui, une petite merveille de méchanceté, renchérit Claudette. Irrésistible !

— … De plus, j'ai fait une critique de son dernier livre pour l'une des plus grandes agences de presse, et l'article a été publié dans plus de cinquante journaux à travers tout le pays. J'ai gardé toutes les coupures. Quand on pense que ce livre consternant est sur la liste des best-sellers du *Times* depuis soixante-dix-huit semaines !

— Vous parlez d'*Apprenez à vous aimer* ? s'enquit Martie.

— De la psychologie de supermarché, déclara Lampton. Qui a sans doute fait plus de mal au cerveau des Américains qu'aucun autre livre depuis une décennie.

— Soixante-dix-huit semaines, répéta Dusty. C'est beaucoup ?

— Pour ce genre de livre, c'est une éternité, oui ! répliqua Lampton.

— Votre dernier livre est resté combien de temps sur les têtes de gondole ?

Lampton changea brusquement de point de vue.

— Je ne compte pas vraiment. Le succès populaire n'est pas un but en soi. L'important, c'est d'abord la qualité de l'ouvrage, son impact sur la société, son pouvoir d'aider les gens.

— Entre douze et quatorze semaines, il me semble, avança Dusty.

— Oh non, plus longtemps que ça ! protesta Lampton.

— Alors quinze.

Se débattant entre la fierté de son score et le piège qu'il venait lui-même de se tendre, Lampton se tourna vers Claudette pour qu'elle vienne à son secours — et c'est ce qu'elle fit, en épouse exemplaire.

— Vingt-deux semaines sur la liste des best-sellers du *Time*. Derek ne prête pas attention à cela, mais moi, oui. J'en suis fière. Vingt-deux semaines en course, c'est un chiffre excellent pour un ouvrage de fond.

— Là est le problème, évidemment, se lamenta Lampton. Ces inepties pseudoscientifiques auront toujours plus de succès que le travail sérieux. Cela n'aide absolument personne, mais c'est facile à lire.

— Or le public américain, ajouta Claudette, est si paresseux et si ignorant qu'il a besoin d'un vrai soutien psychologique.

— On parle du dernier livre de Derek, *Soyez votre meilleur ami*, précisa Dusty à l'intention de Martie.

— Moi, je n'ai pas pu le finir, intervint Skeet.

— Tu possèdes le QI pour aller jusqu'au bout, lui répondit Claudette. Seulement, quand tu ne prends pas tes médicaments, tes problèmes d'assimilation et de concentration reviennent au galop, et tu n'es même plus capable de lire ton propre nom. Chez toi, la médication doit précéder l'éducation.

Jetant un coup d'œil vers le salon, Dusty se demanda quel était le pourcentage de visiteurs qui parvenaient au-delà du vestibule.

Skeet réussit à rassembler un peu de courage.

— Je n'ai aucun problème pour finir mes romans d'*heroic fantasy*, dit-il, avec ou sans médicaments.

— Tes histoires de fées et de magiciens, répliqua Lampton, font partie de ton problème, Holden, pas de ton traitement.

— Et la guérilla ? demanda Dusty.

Tous le regardèrent avec perplexité.

— Vous avez parlé d'une guérilla intelligemment menée contre Mark Ahriman, rappela Dusty.

Lampton fit à nouveau son sourire de voleur de poules déchiqueteur de souris.

— Venez, je vais vous montrer.

Il les conduisit au premier étage.

Valet attendait en haut de l'escalier, sans doute intimidé par la passe d'armes qui se déroulait dans le vestibule.

Martie et Dusty s'arrêtèrent sur le palier pour le caresser, lui gratter le bas du dos et le frotter derrière les oreilles. En retour ils eurent droit à une volée de coups de queue et à un léchage en règle.

S'il avait eu le choix, Dusty aurait préféré passer le reste de la journée assis par terre avec Valet. Excepté l'accolade douloureuse de Skeet – Aïe ! aïe ! –, l'accueil que leur réservait le chien était la seule manifestation vraiment chaleureuse depuis qu'ils avaient appuyé sur la sonnette.

Lampton frappa à une porte au bout du couloir.

— Venez, venez, lança-t-il à l'adresse de Dusty et de Martie, tout aux retrouvailles avec Valet.

Bien que Dusty n'eût entendu aucune invitation à entrer, Lampton poussa la porte et pénétra dans la pièce ; quand ils l'eurent rattrapé, ils entrèrent à sa suite.

C'était la chambre de Junior. Dusty n'y était pas entré depuis environ quatre ans ; Derek Lampton Junior avait alors onze ans. À l'époque, la décoration murale était d'inspiration sportive, des affiches de stars du basket-ball et du foot recouvraient les murs.

À présent, murs et plafond étaient laqués de noir, absorbant toute la lumière, de sorte que la chambre paraissait sombre malgré les trois cents watts d'éclairage. Le lit à barreaux de fer était noir, les draps et le couvre-lit noirs, le bureau et la chaise, noirs, les rayonnages de la bibliothèque aussi... Le beau plancher en érable poncé qui habillait presque tous les sols de la maison avait été peint en noir également. Les seules taches de couleur provenaient des tranches des livres rangés sur les étagères, et de deux drapeaux de taille réelle agrafés au plafond : la croix gammée noire sur fond rouge qu'Adolf Hitler avait tenté de planter sur la terre entière, et le drapeau à marteau et faucille de l'ex-Union soviétique. Quatre ans auparavant, des livres sur l'histoire du sport, des biographies de sportifs, des manuels sur le tir à l'arc et des romans de science-fiction remplissaient les rayons. Aujourd'hui, ils avaient été remplacés par des ouvrages sur Dachau, Auschwitz, Buchenwald, les goulags soviétiques, le Ku Klux Klan, Jack l'Éventreur, divers tueurs en série contemporains et quelques fanatiques poseurs de bombes.

Junior, quant à lui, était vêtu de tennis blanches, de chaussettes blanches, d'un pantalon blanc chiné et d'une chemise blanche. Il était allongé sur son lit, en train de lire un livre dont la couverture montrait un amas de corps humains en décomposition. Blancs sur la literie en satin noir, Junior semblait léviter au-dessus du lit, tel un maître yogi.

— Salut, frérot, comment ça va ? demanda maladroitement Dusty.

Il ne savait jamais trop quoi dire à son demi-frère, qui était pratiquement un étranger pour lui. Il avait quitté — fui, pour être exact — la maison douze ans plus tôt. Junior n'avait alors que trois ans.

— Est-ce que j'ai l'air d'un moribond ? répliqua Junior d'un air maussade.

À vrai dire, le garçon paraissait en pleine forme, débordant de vie, comme chargé d'une énergie surnaturelle puisée directement dans l'au-delà et qui l'illuminait de l'intérieur. À l'inverse de son père, il n'avait pas cet air de vison sournois. Le destin l'avait pourvu de tous les gènes de sa mère, il avait été doté d'un corps et d'un visage parfaits. Plastiquement, c'était l'enfant de la famille le plus réussi. Si un jour il lui prenait l'envie de monter sur scène, de prendre un micro et de pousser la chansonnette, il lui suffirait de chanter juste pour avoir plus de succès qu'Elvis, les Beatles et Ricky Martin réunis. Les filles, et même les garçons, se jetteraient sur lui en hurlant et en pleurant, et bon nombre d'entre eux seraient ravis de s'ouvrir les veines pour lui offrir leur sang.

— Qu'est-ce que c'est que ça ? demanda Dusty en indiquant les murs noirs et les drapeaux au plafond.

— À ton avis ? demanda Junior.

— Du post-gothique ?

— Les gothiques sont des nuls. C'est pour les bébés.

— On dirait que tu te prépares à partir pour le pays des morts, remarqua Martie.

— Tu brûles, répondit Junior.

— Mais à quoi ça sert ?

Junior posa son livre.

— À quoi sert tout le reste ?

— Parce qu'on meurt tous, tu veux dire ?

— C'est la raison même de notre existence, non ? rétorqua Junior. On y pense. On la regarde arriver aux autres. On s'y prépare. Et puis, un jour, on doit faire le grand saut et disparaître.

— Qu'est-ce que c'est que ça ? répéta Dusty, s'adressant cette fois-ci à son beau-père.

— La plupart des garçons adolescents traversent de la même façon que Derek une période de fascination intense pour la mort. Ils croient tous avoir des pensées plus profondes à ce sujet que n'importe qui d'autre avant eux, expliqua Lampton.

Il parlait de son fils comme si celui-ci ne l'entendait pas.

Lorsque Dusty et Skeet étaient sous sa coupe, il agissait pareillement, devisant devant eux comme s'ils étaient d'intéressants spécimens de laboratoire qui ne comprenaient pas un traître mot de ce qu'il disait.

— Le sexe et la mort. Les deux grands problèmes de l'adolescence. Les filles et les garçons, mais plus particulièrement les garçons, sont obsédés par ces deux questions. Ils traversent des phases récurrentes où ils sont limite psychotiques. Cela provient d'un déséquilibre hormonal, et la meilleure solution consiste à les laisser se plonger dans leur obsession, car la nature se chargera bien vite de rééquilibrer la balance.

— Je ne me souviens pas d'avoir été obsédée par la mort, s'étonna Martie.

— Vous l'étiez, répondit Lampton avec autant d'aplomb que s'il l'avait connue enfant, simplement vous sublimiez cette obsession en d'autres intérêts : les poupées Barbie, le maquillage…

— Le maquillage est la sublimation d'une obsession morbide ?

— C'est l'évidence même ! répondit Lampton avec une satisfaction pédante. Le rôle du maquillage est de défier les effets du temps, et le temps ne signifie rien d'autre que la mort.

— En revanche, j'ai un peu de mal à faire le lien avec les poupées Barbie, ironisa Dusty.

— Réfléchis ! insista Lampton. Qu'est-ce qu'une poupée sinon l'image d'un cadavre ? Immobile, sans respiration, raide, sans vie. Les petites filles qui jouent à la poupée jouent avec des cadavres et apprennent à ne pas craindre excessivement la mort.

— Je me souviens d'avoir été obsédé par le sexe, reconnut Dusty, mais…

— Le sexe est un mensonge, proclama Junior. Le sexe est un déni.

Les gens se tournent vers le sexe pour éviter le fait principal de la vie, c'est-à-dire la mort. Vivre, ce n'est pas créer. Vivre, c'est mourir !

Lampton gratifia son fils d'un sourire béat. Quelques secondes de plus et les boutons de sa chemise éclataient sous l'effet de son torse bombé de fierté.

— Derek a choisi de se plonger dans la mort pendant un certain temps, afin de dépasser la peur de son propre caractère mortel. Il s'y prend bien plus tôt que la plupart des gens. C'est une technique d'accélération de la maturation mentale parfaitement acceptable.

— Moi, je n'ai pas encore dépassé cette peur, nota Martie.

— Vous voyez ? dit Lampton, lisant dans sa remarque une preuve de son argument. L'année dernière, c'était le sexe, comme toujours avec les garçons de quatorze ans. L'année prochaine… ce sera de nouveau le sexe, quand il aura émergé de son cercueil.

Dusty songea qu'après une année entière passée dans cette chambre noire Junior risquait plutôt de faire la une des journaux, et sûrement pas parce qu'il aurait gagné un concours d'orthographe.

Lampton s'adressa au garçon :

— Dusty et Martie s'intéressent à notre opération guérilla contre Mark Ahriman.

— Ce sale type ? daigna s'intéresser Junior. Tu veux lui en remettre un coup ?

— Pourquoi pas, répliqua Lampton en se frottant les mains.

Junior roula hors du lit, se leva en s'étirant et sortit de la pièce. En passant devant Martie il lui dit :

— Pas mal, tes seins.

Lampton prit un air radieux :

— Vous avez vu ? Il est déjà en train de sortir de sa phase d'obsession morbide. Sans en être encore tout à fait conscient, bien entendu.

Par le passé, Dusty et Martie avaient eu envie de kidnapper l'enfant, de le cacher avec eux dans un endroit reculé et de l'élever eux-mêmes, pour lui donner la chance de mener une vie normale. Un simple coup d'œil suffit à Dusty pour constater que Martie éprouvait toujours le même désir de s'en aller loin d'ici, mais sans Junior cette fois.

Ils suivirent le garçon jusqu'au bureau de Lampton, où les attendaient Claudette, Skeet et Foster Newton.

Fig se tenait devant la fenêtre et regardait le jardin au-dehors.

— Salut, Fig ! lança Dusty.

Il se retourna.

— Salut.

— Comment ça va ? s'inquiéta Martie.

Fig remonta sa chemise pour leur montrer sa poitrine et son ventre, moins pâles et moins maigres que ceux de Skeet, mais marqués d'hématomes tout aussi laids.

— Cette matinée est des plus pénibles, estima Claudette en grima-çant de dégoût.

— Je vais bien, dit Fig, qui avait pris l'allusion pour lui et désirait la rassurer.

— Tu nous as sauvé la vie, dit Martie.

— Le camion de pompiers ?

— Oui.

— Et il a sauvé la mienne aussi, ajouta Skeet.

Fig secoua négativement la tête.

— Pas moi, les gilets.

Junior s'installa au bureau de son père, devant l'ordinateur. Lampton se planta dans son dos et regarda par-dessus son épaule.

— C'est parti !

Dusty et Martie se placèrent derrière eux. Junior s'affairait à la rédaction d'une critique incendiaire et enlevée d'*Apprenez à vous aimer*.

— Maintenant, annonça Lampton, nous allons l'envoyer sur la page « critiques des lecteurs » du site Amazon.com. Nous avons déjà écrit et envoyé plus de cent cinquante dénonciations de ce livre en utilisant des noms et des adresses e-mail différents.

Dusty revit en pensée le visage d'Ahriman tel qu'il leur était apparu pendant la confrontation dans son bureau – un masque glacé de haine et de cruauté.

— À qui appartiennent ces noms et ces adresses ? demanda-t-il, inquiet de savoir de quels maux le psychiatre avait pu accabler ces innocents.

— Aucun souci, répondit Lampton, quand nous utilisons des noms de personnes existantes, il s'agit d'attardés qui n'ont pratiquement jamais ouvert un livre de leur vie. Pas le genre de types à visiter le site d'Amazon et découvrir la supercherie.

— De toute façon, ajouta Junior, la plupart du temps on invente tout simplement les noms et les adresses. C'est encore mieux.

— Comment pouvez-vous faire ça ? demanda Martie.

— Le Net est liquide, dit Junior.

Perplexe, Dusty tenta une hypothèse :

— Difficile de faire le tri entre la réalité et la fiction ?

— C'est mieux que ça. La réalité et la fiction n'ont pas d'importance. Tout est pareil, tout se rejoint dans le même flot.

— Alors comment peux-tu savoir la vérité sur quoi que ce soit ?

— Peu importe. L'intérêt, c'est ce qui bouge, pas ce qui est vrai.

— Je suis certain que sur le site d'Amazon la moitié des critiques dithyrambiques consacrées au livre stupide d'Ahriman ont été rédigées par Ahriman lui-même, renchérit Lampton. Je connais des romanciers qui passent plus de temps à ça qu'à écrire leurs livres. On tente simplement de redresser la balance.

— Vous avez vous-même envoyé des critiques favorables pour *Soyez votre meilleur ami* ? demanda Martie.

— Moi ? Non, bien sûr que non, assura Lampton. Quand un livre est sérieux, il vit sa vie tout seul.

Certes, certes. Durant des heures, des jours entiers, ces pattes de fouine avaient sans doute pianoté sans relâche, produisant des articles autocongratulatoires à un rythme si effréné que le clavier avait dû se bloquer plus d'une fois.

— Après ça, leur promit Junior, on va vous montrer ce qu'on peut faire sur divers sites concernant Ahriman.

— Derek est un petit génie de l'ordinateur, se vanta Derek père. Il traque Ahriman partout sur le Web, partout. Il n'y a pas un barrage de sécurité, pas une architecture interne qui lui résiste !

Dusty se détourna de l'écran.

— Je crois que nous en avons assez vu.

Saisissant le bras de Dusty à deux mains, Martie attira son mari à l'écart. Tous les deux portaient le même masque d'horreur sur le visage.

— Avant que Susan vende sa maison à Ahriman, elle voulait me la montrer. Spectaculaire, comme un décor d'opéra wagnérien. Il fallait que je la voie, disait-elle. Donc je l'ai retrouvée là-bas, le jour de sa première rencontre avec Ahriman. Je suis arrivée alors qu'ils terminaient la visite. On a un peu discuté, tous les trois…

— Oh ! bon Dieu. Tu arrives à te rappeler… ?

— C'est ce que j'essaie de faire. Mais je ne sais plus. Peut-être avons-nous parlé de son livre. Si cela fait soixante-dix-huit semaines qu'il est sur la liste des meilleures ventes, à l'époque, sa parution était toute récente… Et si j'ai compris à ce moment-là de quel genre de livre il s'agissait… peut-être que j'ai parlé en passant de Derek…

Essayant d'amortir la conclusion douloureuse vers laquelle se précipitait Martie, Dusty intervint :

— C'est bon, Martie, arrête-toi tout de suite. N'y pense même pas. Ahriman aurait poursuivi Susan de toutes les manières. Belle comme elle était, il l'avait en vue avant même que tu ne fasses ton apparition.

— Peut-être.

— C'est certain.

Lampton s'était tourné vers eux pour écouter.

— Vous avez réellement rencontré ce psychologue de comptoir ?

Martie se tourna vers Derek Senior et le fixa d'un regard qui aurait dû lui glacer les sangs, si jamais il en coulait encore dans ses veines. Elle déclara :

— À cause de vous, on est tous morts.

Attendant la chute de ce qu'il croyait être une blague, Lampton retroussa les lèvres sur ses petites dents pointues.

— Morts, à cause de vos jalousies puériles, acheva Martie.

Telle une Walkyrie radieuse volant au secours de son chevalier blessé, Claudette apparut aux côtés de Lampton.

— Il n'y a absolument rien de puéril là-dedans. Vous ne comprenez rien au monde des théoriciens, Martine. Vous ne comprenez rien aux intellectuels.

— Ah oui ? releva Martie en se hérissant.

Sa question était chargée de tant de haine que Dusty fut soulagé que Martie ne soit plus en possession du colt.

— La compétition entre Derek et ses pairs, déclara Claudette, n'a rien à voir avec l'ego ou l'intérêt personnel. C'est une question d'idées. Des idées qui donnent forme à la société, au monde, au futur. Pour que ces idées soient testées, modifiées, prêtes à fonctionner, elles doivent résister à des défis et à des débats de tout genre, dans toutes les arènes possibles et imaginables.

— Oui, dans le courrier des lecteurs d'Amazon.com, par exemple, répliqua Martie d'un ton cinglant.

Claudette ne se laissa pas démonter.

— La bataille des idées est une guerre bien réelle, et non une compétition puérile, ainsi que vous le sous-entendez !

Valet sortit à reculons de la pièce et les observa depuis le couloir.

Se joignant à Dusty et à Martie tout en se postant préventivement derrière eux, Skeet trouva le courage de dire :

— Martie a raison.

— Quand tu n'as pas tes cachets, Holden, ton jugement est inopérant. Je ne voudrais pas de toi comme allié, répliqua Lampton.

— Moi, je veux bien de lui, lança Dusty.

Engagée sur ce terrain, Claudette semblait plus humaine qu'elle ne l'avait jamais été dans les souvenirs de Dusty.

— Vous croyez que la vie, ce sont les jeux vidéo, le cinéma, la mode, le foot, le jardinage et Dieu sait quoi encore qui occupe vos journées… mais la vie ce sont les idées. Ce sont les gens comme Derek. En travaillant sur les idées, ils déterminent la marche des événements. Ils donnent forme aux gouvernements, à la religion, à la société, à chaque minuscule détail de notre culture. La plupart des gens sont des fainéants volontaires, qui passent leurs journées en futilités, absorbés par des fadaises, et qui vivent leur vie sans jamais se rendre compte que Derek, que des gens comme Derek, font le monde, et règnent sur eux par le seul pouvoir des idées.

Dans cette confrontation détestable avec Claudette, qui pour Dusty (et sûrement pour Skeet) tournait à une bataille rangée aux dimensions mythiques, Martie était leur vaillant chevalier, brandissant sa lance et affrontant le dragon dans un face-à-face épique. Skeet s'était placé derrière elle et avait posé les mains sur ses épaules ; Dusty résistait à l'envie de se réfugier à son tour derrière son demi-frère.

– « Soyez votre meilleur ami », rétorqua Martie, et « apprenez à vous aimer », c'est ça, des idées déterminantes pour la société ?

– Il n'y a aucune comparaison possible entre mon livre et celui d'Ahriman, objecta Lampton.

Mais, après la défense énergique de sa femme, ses propos paraissaient bien fades.

Claudette vint se placer devant Derek, semblant vouloir le protéger de son corps contre l'adversité. Il s'avéra qu'elle voulait aussi se frotter les fesses contre lui.

– Derek fait un travail sérieux, richement documenté, rigoureux et fondé sur des considérations psychologiques profondes. Ahriman, lui, ne fait que vomir une soupe pseudopsychologique de bas étage.

Dusty n'avait jamais vu sa mère baisser son masque de glace pour révéler sa nature sexuelle. Il espérait ne plus jamais la revoir dans cet état. Ce qui excitait Claudette n'était pas le monde des idées, mais les idées comme pouvoir. Le pouvoir était son véritable aphrodisiaque. Pas le simple pouvoir des généraux, des politiciens et des boxeurs, ni même le pouvoir primaire des tueurs en série, non, le pouvoir de ceux qui influencent les généraux, les politiciens, les ministres, les enseignants, les avocats, les réalisateurs de films. Le pouvoir de la manipulation. Dans ses narines palpitantes et ses yeux brillants, il lisait maintenant une pulsion érotique aussi froide et terrifiante que le baiser mortel d'une veuve noire.

– Vous n'avez toujours rien compris, fulminait Martie. Pour défendre *Devenez votre meilleur ami*, vous avez brûlé notre maison. C'est comme si vous aviez gratté l'allumette de vos propres mains. Pour défendre ce livre, vous avez tiré sur Skeet et Fig. Vous croyez que ce qu'ils vous ont raconté est un délire schizophrène, or c'est la vérité vraie, Claudette. Ces blessures sont réelles, les balles l'étaient aussi. Votre conception stupide, ridicule, idiote de ce qui fait ou non débat, votre idée du harcèlement comme discussion raisonnable, c'est ça qui a incité le tueur à presser la gâchette. Voilà la mise en pratique de vos théories, voilà votre remodelage du monde ! Vous êtes peut-être prête à mourir pour le « travail sérieux et richement documenté » de Derek, avec son verbiage psychonarcissique… moi pas !

De son poste d'observation devant la fenêtre, Fig annonça :

– Une Lexus.

Claudette n'avait pas encore craché de flammes, mais elle bouillonnait visiblement de l'intérieur.

– C'est tellement facile de tenir des raisonnements fallacieux quand on n'a jamais suivi un cours de psycho à l'université. Si Ahriman brûle des maisons et tire sur des gens, c'est un aliéné, un psychopathe, et Derek a raison de l'attaquer de toutes les manières possibles. Je trouve même cela courageux de sa part.

Décidant d'être le meilleur ami de lui-même, Lampton déclara :

514

— J'avais toujours perçu dans ses écrits une vue sociopathe du monde. Je me doutais qu'il y avait un certain danger à m'opposer à lui, mais les gens engagés se doivent de prendre des risques.

— Oui, bien sûr, dit Martie. Appelons tout de suite le Pentagone, pour qu'ils vous préparent une médaille d'honneur. Pour votre courage au champ de bataille théorique et au clavier de l'ordinateur. Pour votre utilisation valeureuse de faux noms et d'adresses électroniques bidons.

— Vous n'êtes plus la bienvenue chez moi, annonça Claudette.

— La Lexus s'engage dans l'allée, prévint Fig.

— Et même s'il y en avait cent, qu'est-ce que vous voulez que ça me fasse ? lança Claudette, sans quitter Martie des yeux. Tous les idiots de ce quartier BCBG possèdent soit une Lexus, soit une Mercedes.

— Elle se gare, poursuivit Fig, imperturbable.

Martie et Dusty rejoignirent Fig à la fenêtre.

La porte conducteur de la Lexus s'ouvrit, et un grand et bel homme aux cheveux sombres en descendit. Eric Jagger, l'ex-mari de Susan.

— Oh ! mon Dieu ! articula Martie.

En utilisant Susan, Ahriman avait pu atteindre Martie. Avec ou sans un diplôme de psychologie, Dusty était capable de prévoir la suite des événements.

Eric se pencha vers la banquette arrière pour attraper quelque chose.

En utilisant Susan, Ahriman avait également pu accéder à Eric, le programmer et lui ordonner de quitter sa femme. Susan se retrouvait seule et vulnérable, accessible à tout moment aux désirs du psychiatre. Aujourd'hui Ahriman avait besoin qu'Eric lui rende un nouveau service, une tâche un peu plus difficile que de quitter la maison de sa femme.

— Une scie sauteuse, annonça Fig.

— Non, une scie à autopsie, corrigea Dusty.

— Avec des lames crâniennes, ajouta Martie.

— Et un gros pistolet, compléta Fig.

Eric entrait en scène.

74.

La mort, comme tout le monde, se mettait à la page : le corbillard et son attelage de chevaux noirs avaient laissé la place à une Lexus couleur argent. La robe noire avec sa célèbre capuche avait disparu au profit d'une paire de mocassins ornés de glands, d'un pantalon noir et d'un pull-over Jhane Barnes.

Les gilets en Kevlar se trouvaient à l'arrière du pick-up, et le pick-up se trouvait dans le garage. Skeet et Fig étaient, de ce fait, aussi vulnérables que les autres – de toute façon, cette fois-ci, le tireur viserait la tête.

— Un pistolet ? répondit Lampton à la question de Martie. Ici, vous voulez dire ?

— Non, bien sûr que non, ne soyez pas ridicule ! s'agaça Claudette, apparemment en quête d'un autre sujet de discorde, Nous n'avons évidemment pas de pistolet ici !

— Dommage. Ç'aurait été une vraie bonne idée, répliqua Martie.

Dusty attrapa Lampton par le bras.

— Le toit du perron, derrière la maison. Vite ! On peut l'atteindre en passant par la chambre de Junior ou par la chambre principale…

— Mais pourquoi ? bredouilla Lampton le Lézard en clignant des yeux de confusion.

Son nez, pris d'un tic nerveux, semblait tenter de flairer la nature réelle du danger.

— Dépêchez-vous ! intima Dusty. Allez, tout le monde sur le toit du perron ! On foncera ensuite dans le jardin jusqu'à la plage et, une fois là-bas, on trouvera refuge chez un voisin.

Junior franchit le premier l'encadrement de la porte du bureau et disparut dans un sprint, jugeant, de toute évidence, que se faire peur avec l'idée de la mort était amplement suffisant pour l'instant.

Dusty prit le fauteuil à roulettes du bureau de Lampton et s'élança dans le couloir en direction de l'escalier en poussant le fauteuil devant lui tandis que le reste de la troupe s'enfuyait dans la direction opposée.

Excepté Skeet. Le garçon le suivait, dévoué mais inutile.

— Qu'est-ce que je peux faire ?

— Nom de Dieu, tire-toi, gamin !

— Skeet, par ici ! Viens me donner un coup de main ! lança Martie.

Elle non plus n'était pas partie. Elle se tenait à côté d'un imposant buffet Sheraton mesurant près de deux mètres de long qui trônait au milieu du large couloir, en face des escaliers. D'un large mouvement circulaire du bras, elle balaya vases et chandeliers d'argent qui encombraient le plateau ; les bibelots atterrirent au sol dans un grand fracas. Elle avait compris comment Dusty comptait utiliser le fauteuil du bureau, néanmoins, elle jugeait visiblement plus opportun d'utiliser l'artillerie lourde.

Ensemble, les trois comparses décollèrent le buffet du mur du couloir et le placèrent debout en équilibre en haut des marches.

– Maintenant, fais partir Skeet d'ici ! ordonna Dusty.

Sa voix résonnait d'une terreur bien plus intense qu'après leurs tonneaux, lorsque, coincés dans la voiture de location, ils entendaient les tueurs descendre le remblai dans leur direction ; Martie avait le colt en sa possession à ce moment-là… à présent, ils n'avaient rien d'autre qu'un malheureux buffet pour se protéger !

Martie attrapa Skeet par le bras. Il tenta de résister mais elle se montra la plus forte.

En bas, une rafale de mitraillette explosa les carreaux de la porte d'entrée, soulevant une gerbe d'éclats de bois dans le hall et tapissant les murs d'une myriade de cratères.

Dusty se plaqua au sol derrière le buffet et observa l'enfilade de marches.

Le conseiller financier défonça ce qui restait de la porte d'entrée et fit irruption dans la maison à la façon d'un commando – apparemment, Harvard avait inclus dans son MBA des cours de close-combat et de maniement d'armes lourdes ! Eric posa la scie d'autopsie sur la desserte de l'entrée, attrapa à deux mains son petit pistolet-mitrailleur Glock et arrosa copieusement les pièces du rez-de-chaussée sur cent quatre-vingts degrés.

L'arme était équipée d'un énorme chargeur, peut-être bien un trente-trois coups, toutefois, on n'avait pas encore inventé la balle à génération spontanée, si bien qu'à la fin de son arc de cercle la minimi-traillette d'Eric était vide.

Il portait une collection de chargeurs de rechange coincés dans sa ceinture. Avec des gestes maladroits, il se démena pour éjecter le chargeur vide.

Il fallait à tout prix l'empêcher de fouiller le rez-de-chaussée, songea Dusty, car, de la cuisine, il risquait d'apercevoir les autres sauter du toit et se sauver vers la plage…

– Ben Marco ! cria-t-il.

Eric leva la tête vers le haut des escaliers, mais ne se figea pas. Son regard ne devint ni fixe ni hagard. Il se débattait toujours avec son pistolet-mitrailleur dont le maniement ne lui était, de toute évidence, guère familier.

– Bobby Lembeck ! cria encore Dusty.

Le chargeur vide tomba sur le sol du hall d'entrée dans un tintement métallique.

Peut-être le sésame d'activation ne provenait-il pas d'*Un crime dans la tête* ? Peut-être était-ce un nom issu du *Parrain* ou de *Rosemary's Baby* ou bien de *La Maison de Winnie l'ourson* ? Comment savoir ? De toute façon, il n'avait pas le temps d'énumérer les noms des personnages de tous les livre à succès des cinq dernières années.

— Johnny Iselin !

Après avoir inséré un nouveau chargeur dans la petite mitraillette de poing, Eric le verrouilla d'un grand coup de sa paume.

— Wen Chang !

Eric balança une giclée de huit ou dix coups qui vinrent trouer le plateau en merisier massif du dessus du buffet. Tac ! tac ! tac ! Trop nombreux pour les compter. Les balles traversèrent les tiroirs puis le dessous du buffet, et finirent leur course dans le mur du couloir derrière Dusty, fusant au-dessus de sa tête, avec dans leur sillage une pluie de débris de bois. Des balles à haute vélocité avec une chemise faite dans un métal extrêmement dur, peut-être même équipées de pointes en Téflon.

— Jocelyn Jordan ! cria Dusty dans le silence macabre qui suivit la tempête de feu qui avait résonné sous son crâne.

Il avait lu une bonne partie du roman et survolé le reste, en s'arrêtant sur les noms, attentif à celui qui le ferait réagir. Il se souvenait de chacun d'eux. Sa mémoire eidétique était un véritable don de la nature, ça et le bon sens qui l'avait poussé à devenir peintre en bâtiment au lieu de faire partie de l'élite intellectuelle de ce monde. Mais le roman de Condon était truffé de personnages, principaux et secondaires, tels que Viola Narvilly, qui n'apparaissait pas avant la page 300... Il n'aurait peut-être pas le temps de les énumérer tous avant qu'Eric les truffe de plomb...

— Alan Melvin !

Cessant le feu, Eric grimpa les marches.

Il monta rapidement, apparemment pas le moins du monde dérangé par les restes du buffet qui se dressaient face à lui en haut de l'escalier. Il avançait tel un robot. Ce qu'il était plus ou moins devenu, en fait : un robot vivant, une machine de chair et de sang.

- Ellie Iselin ! cria encore Dusty, pris d'une peur panique et néanmoins conscient du ridicule qu'il y avait à quitter ce monde en scandant des noms à tue-tête comme un candidat allumé d'un quiz-show dans une épreuve contre la montre – Nora Lemmon !

Visiblement insensible à Nora Lemmon, Eric poursuivait son ascension. Dusty se releva, poussa le meuble de toutes ses forces et plongea le plus loin possible des marches, pour s'abriter derrière un mur, alors qu'une rafale s'abattait sur le malheureux buffet Louis XVI qui dégringolait du haut des escaliers.

Eric poussa un juron. Il était toutefois impossible de savoir si le buffet l'avait blessé ou simplement repoussé vers l'entrée. Les escaliers étant plus larges que le meuble, il avait pu éviter le projectile...

Adossé au mur du couloir qui donnait sur l'escalier, Dusty n'osait pas avancer la tête pour jeter un coup d'œil sur le palier. Non seulement il n'avait jamais suivi de cours de psychologie à la faculté mais il n'avait pas bénéficié non plus d'une formation en magie appliquée : impossible pour lui d'arrêter les balles avec les dents.

Seigneur ! Tandis que le tonnerre de bois résonnait encore dans la cage d'escalier, Martie accourait de l'autre bout du couloir – elle était pourtant supposée avoir fui avec les autres ! – en poussant un gros meuble de classement monté sur roulettes qu'elle avait réquisitionné dans le bureau de Lampton.

Dusty lui lança un regard noir. Qu'est-ce qu'elle croyait, nom de Dieu ? qu'Eric allait manquer de munitions avant qu'ils lui aient jeté à la figure tous les meubles de la maison ?

Il attrapa le classeur à roulettes, poussa Martie hors de la ligne de feu, et, utilisant les cent trente centimètres de tiroirs métalliques comme écran, vint de nouveau se placer en haut des escaliers.

Eric avait atterri dans le hall d'entrée avec le buffet, la jambe gauche coincée sous le meuble. Il tenait encore son pistolet à la main et tira une salve en direction des marches.

Dusty entendit les balles siffler de tous côtés. Elles allèrent se perdre dans le plafond, perçant çà et là conduits et tuyaux derrière le plâtre. Pas une seule n'atteignit le classeur.

Son cœur battait la chamade, les balles semblaient ricocher contre les parois de sa poitrine.

Il jeta avec précaution un nouveau coup d'œil vers le hall. Eric avait dégagé sa jambe et se tenait debout. Malgré son air de robot implacable, il avait tout de même l'air très fâché…

– Eugenie Rose Cheyney !

Eric ne boitait pas le moins du monde mais jurait comme un charretier en avançant vers les marches. Le classeur métallique était deux fois moins volumineux que le buffet ; il pourrait l'éviter facilement tout en tirant de plus belle.

– Ed Mavole !

– J'écoute.

Eric s'arrêta net aux pieds des marches. Le regard meurtrier s'effaça de son visage, laissant place à une vacuité lointaine, entre l'attente et la soumission : sujet activé.

Le sésame était bien *Ed Mavole*, seulement Dusty ignorait le haïku de programmation. D'après Ned Motherwell, il y avait en librairie des rayons entiers de bouquins consacrés au haïku. En supposant que Dusty ait eu tous les recueils achetés par Ned à portée de main – ce qui n'était pas le cas –, les bons vers n'y figuraient peut-être pas…

En bas, dans l'entrée, Eric cligna des yeux, puis émergea de sa torpeur pour reprendre ses intentions meurtrières.

– Ed Mavole ! répéta Dusty.

Une fois de plus, Eric se figea et répondit :

– J'écoute.

Le plan était laborieux, mais il avait le mérite de fonctionner… prononcer le nom magique autant de fois que nécessaire pour garder Eric en mode activé, descendre les marches, s'emparer de son arme, plaquer Eric au sol, lui asséner un bon coup de crosse sur le crâne, juste assez fort pour l'assommer sans le plonger dans un coma à vie, et puis l'attacher avec ce qui se trouvait dans les parages. Peut-être qu'en revenant à lui Eric ne serait plus un robot programmé pour tuer. Dans le pire des cas, ils pourraient le laisser ligoté, acheter tous les livres publiés sur le haïku, se préparer des litres de café bien corsé et lui lire les recueils in extenso jusqu'à l'obtention d'une réponse.

Dusty poussa le meuble métallique sur le côté…

— Oh non, chéri, ne tente pas ça. C'est trop risqué, lança Martie.

Eric avait retrouvé son regard de tueur.

— Ed Mavole !

— J'écoute.

Dusty descendit rapidement les marches. Eric le regardait fixement mais semblait incapable de comprendre ce qui se préparait. Avant d'avoir parcouru un tiers des escaliers Dusty, cria de nouveau : « Ed Mavole » et Eric Jagger répliqua : « J'écoute. » Arrivé aux deux tiers de l'escalier, Dusty cria encore une fois le sésame ; de nouveau la voix blanche d'Eric lui répondit en écho. Dusty avait rejoint leur assaillant. Il fixa l'intérieur du canon qui lui sembla aussi large qu'un tunnel de chemin de fer, agrippa l'arme d'une main et la détourna de son visage. D'un geste sec, il arracha le Glock .18 des mains molles d'Eric et lui asséna dans la poitrine un grand coup d'épaule qui le fit tomber à terre.

Emporté dans son élan, Dusty tomba aussi, roula sur des débris de verre et de bois que les balles avaient arrachés à la porte d'entrée de la maison, effrayé à l'idée d'appuyer involontairement sur la gâchette. Il termina sa chute au pied de la desserte en demi-lune qui ornait le hall d'entrée, se cognant le front contre l'entretoise qui reliait les trois pieds. Par bonheur, il ne se tira ni dans la cuisse, ni dans l'entrejambe, ni même ailleurs.

Quand Dusty fut de nouveau sur ses pieds, il vit qu'Eric s'était déjà relevé. Le type semblait étonné mais toujours en colère et prêt à tuer.

— Ed Mavole ! lança Martie tout en descendant les escaliers.

Soudain, on se serait cru dans un des jeux vidéo de Martie : « Le peintre en bâtiment contre le conseiller financier. »

Cette pensée aurait pu prêter à sourire si Dusty n'avait vu surgir Junior en haut des marches, une arbalète dans les mains, armée et pointée sur eux.

— Non ! cria-t-il.

Tchac !

Le carreau d'une arbalète, plus courte et plus épaisse qu'une flèche d'arc, est quasiment invisible en vol, en raison de son extrême vélocité. Comme par magie, il apparut dans la poitrine d'Eric, semblant jaillir de son cœur tel un lapin d'un chapeau. Une petite rose de sang fleurissait à l'endroit où s'enfonçait la hampe lisse de la flèche.

Eric tomba à genoux, la lueur meurtrière s'éteignant dans ses yeux. Il contempla avec étonnement le hall d'entrée, apparemment surpris de se trouver là. Puis il vit Dusty, battit des paupières d'un air encore plus stupéfait, et s'écroula, mort pour de bon.

Martie voulut empêcher Dusty de gravir l'escalier, mais il la repoussa et monta les marches quatre à quatre, une douleur palpitante au front, à l'endroit où il s'était cogné. Sa vision était brouillée, pourtant le coup sur la tête n'y était pour rien. Il voyait tout flou parce que les hormones de la colère inondaient son cerveau, parce que son cœur pompait autant de fureur que de sang. Le garçon au visage angélique lui apparaissait maintenant à travers un voile rouge sinistre, comme si des yeux de Dusty coulaient des larmes de sang.

Junior tenta de se servir de l'arbalète comme bouclier, mais Dusty la saisit par le manche et, en dépit d'un écrou qui lui meurtrissait la paume, lui arracha l'arme des mains. Il jeta l'arbalète par terre et continua d'avancer, forçant le garçon à reculer jusqu'à l'emplacement vide du buffet. Il attrapa alors Junior par le col et le projeta contre le mur avec tant de force que sa tête rebondit contre le plâtre telle une balle de tennis.

— Espèce de sale petite merde !

— Il avait une arme !

— Je lui avais déjà pris, hurla Dusty, en aspergeant le garçon de postillons.

— Je n'avais pas vu ! se défendit Junior.

Et ils se répétèrent les mêmes phrases inutiles, deux fois, trois fois, jusqu'à ce que Dusty l'accuse avec tant de violence que ses paroles résonnèrent jusqu'au bout du couloir comme une malédiction divine :

— Non, tu l'as vu ! Tu le savais et tu l'as fait quand même !

Claudette arriva alors. Elle se fraya un chemin entre eux, les força à se séparer et affronta Dusty, ses yeux plus durs que jamais, d'un gris impénétrable et minéral, brillants de colère. Pour la première fois de sa vie, son visage avait perdu sa beauté éblouissante : il n'était plus qu'un masque hideux de bête féroce.

— Laisse-le tranquille, laisse-le, je te dis ! Ne t'avise plus de le toucher !

— Il a tué Eric.

— Il nous a sauvés ! On serait tous morts sans son intervention !

Claudette avait la voix suraiguë, les lèvres pâles et la peau grise, pareille à une déesse de pierre qui aurait soudain pris vie, une harpie rageuse qui remodelait à sa convenance la dure réalité.

— Il a eu le cran et la présence d'esprit de le faire. Il nous a sauvés !

Lampton apparut à son tour et déversa des torrents de mots

apaisants, des flots de platitudes, un méli-mélo sirupeux de psycho-logie de bas étage, aussi inexorable et visqueux qu'une marée noire s'échappant des soutes éventrées d'un pétrolier. Il parlait, parlait, tandis que sa femme poursuivait sa défense farouche et stridente de son fils bien-aimé. Leurs paroles se superposaient en un magma informe, comme s'ils s'évertuaient à dissimuler des taches gênantes.

Dans le même temps, Lampton essayait de récupérer le Glock que Dusty tenait encore, sans s'en rendre compte, dans sa main droite. Quand il comprit ce que voulait Lampton, il lâcha l'arme.

— Il vaut mieux appeler la police, déclara Lampton.

Bien que les voisins s'en soient probablement déjà chargés, Lampton partit s'acquitter de cette nouvelle mission avec empressement.

Skeet s'approcha avec circonspection. Il vint se placer hors de portée de sa mère tout en s'arrangeant pour se poster tout à côté de Dusty. Fig se tenait à distance, au bout du couloir, les observant comme s'il avait affaire à une bande d'extraterrestres.

Aucun d'entre eux n'avait écouté les conseils de Dusty : ils étaient restés dans la maison – ou alors ils avaient fait demi-tour une fois arrivés sur le toit de la terrasse. Lampton et Claudette devaient avoir vu Junior charger l'arbalète dans l'intention de se mêler à la bataille, et ils n'avaient apparemment rien fait pour l'en dissuader. À moins qu'ils n'aient craint de s'en mêler. Tout parent normalement doté de bon sens ou d'amour véritable pour son enfant lui aurait confisqué l'arbalète et, si nécessaire, l'aurait traîné loin du lieu de l'affrontement par la peau du cou. Peut-être l'idée d'un jeune garçon terrassant avec une arme primitive un homme armé d'un pistolet-mitrailleur – une incarnation perverse du mythe du bon sauvage de Rousseau, si cher aux universitaires lettrés – leur avait-elle paru trop séduisante pour ne pas y succomber. Dusty n'avait plus l'espoir de comprendre le fonc-tionnement bizarre de ces gens... et il était las à la simple idée d'essayer.

— Il a tué un homme, rappela Dusty à sa mère.

Pour lui, aucune logorrhée, aucune protestation véhémente ne changerait jamais cette vérité fondamentale.

— C'était un fou, un aliéné, un forcené armé, insista Claudette.

— Je lui avais pris son arme.

— C'est ce que tu prétends.

— C'est la vérité. J'allais maîtriser la situation.

— Tu ne maîtriseras jamais rien. Tu as abandonné tes études, raté ta vie, tu repeins des maisons pour gagner ton pain !

— Si la réussite sociale dépendait de la satisfaction des clients, répliqua Dusty, incapable de se contenir, je serais en couverture de *Times Magazine*, et Derek serait en prison, en train de payer pour tous ces gens dont il a fichu la vie en l'air !

– Tu n'es qu'un petit ingrat.

Désespéré, au bord des larmes, Skeet supplia :

– Arrêtez ça. Arrêtez ça tout de suite. Si vous commencez sur ce terrain, ça ne finira jamais !

Skeet avait raison. Dusty avait passé tant d'années à baisser la tête et à endurer, à rester distant et toutefois correct, il avait accumulé tant de douleurs non expiées, tant d'humiliations non réparées, qu'il résistait mal à la tentation de redresser tous ces affronts en un seul et terrible coup. Il voulait éviter ce plongeon fatal, mais tout se passait comme si sa mère et lui étaient enfermés dans un tonneau au sommet des chutes du Niagara, sans autre solution que le grand saut.

– Je sais ce que j'ai vu ! insista Claudette. Et ce n'est pas toi qui vas me faire changer d'avis. Surtout pas toi, « Dusty ».

S'il laissait passer cela, il ne pourrait plus jamais se regarder en face.

– Tu n'étais pas là. Tu n'as rien vu du tout !

Martie s'était approchée. Elle prit la main de Dusty, la serra fortement et déclara :

– Claudette, il n'y a que deux personnes ici qui ont vu ce qui s'est passé. Dusty et Moi.

– J'ai tout vu ! déclara Claudette avec colère. Personne ne peut me dire ce que j'ai vu ou pas. Pour qui me prenez-vous ? Je ne suis pas une vieille gâteuse délirante à qui on peut expliquer quoi penser et quoi voir !

Derrière sa mère, Junior eut un sourire. Ses yeux rencontrèrent ceux de Dusty et soutinrent effrontément son regard.

– Tu as perdu la raison ou quoi ? lança Claudette à Dusty. Tu es prêt à fiche en l'air la vie de ton frère pour une peccadille ?

– Tu trouves qu'un meurtre est une peccadille ?

Claudette le gifla, fort, agrippa sa chemise à pleines mains et le secoua :

– Ne-me-fais-pas-ça.

– Je ne veux pas fiche sa vie en l'air, maman. Loin de là. Mais il a besoin d'être aidé. Tu ne le vois pas ? Il faut que quelqu'un s'occupe de lui.

– Je t'interdis de le juger, Dusty.

Elle prononça les deux syllabes de son prénom avec un tel venin, une tel mépris…

– Une année d'études ne fait pas de toi un docteur en psychologie, tu sais. Ni quoi que ce soit d'autre, d'ailleurs, à part un loser.

– Maman, je t'en prie…, implora Skeet, qui pleurait vraiment, maintenant.

– Silence ! lança Claudette en se tournant vers son cadet. Toi, tu te tais et c'est tout. Tu n'as rien vu du tout, et tu n'as pas intérêt à dire le contraire. De toute façon, personne ne te croira, dans l'état où tu es.

Martie tira sur le bras de Skeet pour l'éloigner de la bagarre. Dusty jeta alors un coup d'œil en direction de Junior. Le garçon observait Skeet avec un amusement satisfait.

Pour Dusty, c'était comme si quelqu'un avait tout d'un coup appuyé sur un interrupteur et fait la lumière dans une zone jusque-là obscure de son cerveau. Les Japonais appellent ce phénomène le *satori* : un moment d'illumination soudaine. C'était un mot qu'il avait retenu de son année passée à l'université.

Satori ! Junior avait le beau visage et la grâce de sa mère. Junior était intelligent – on ne pouvait le nier. Étant donné l'âge de Claudette, il serait son dernier enfant, et le seul, par conséquent, susceptible de combler ses hautes aspirations. Il représentait pour elle la dernière chance de devenir, plus qu'une femme d'idées où l'épouse d'un homme d'idées, la mère d'un homme d'idées. Dans son esprit – assez éloigné, somme toute, de la réalité –, Junior lui offrait la dernière opportunité d'être associée à des concepts qui changeraient le monde, car les grandes pensées échafaudées par ses trois premiers maris s'étaient révélées peu fiables et enclines à exploser comme des ballons de baudruche à la moindre pique.

Derek lui-même, malgré son succès, était un *chupaflor*, et non l'aigle tant attendu, Claudette le savait. Dusty était, à ses yeux, trop entêté pour jamais réaliser son potentiel, Skeet trop fragile. Quant à Dominique, son premier enfant, morte depuis longtemps, la question ne se posait même plus. Dusty n'avait jamais connu sa demi-sœur dont il n'avait vu qu'une photo, peut-être la seule qui existait d'elle, avec son gentil petit visage innocent. Junior constituait désormais le dernier espoir de Claudette, et elle voulait à tout prix croire que le cœur et l'esprit de l'adolescent étaient aussi beaux et purs que son joli minois.

Alors qu'elle continuait à malmener Skeet, Dusty demanda, presque malgré lui :

– Comment est morte Dominique, maman ?

La question, dangereuse dans ce contexte, fit taire Claudette aussi efficacement que si un coup de feu venait d'éclater dans la maison.

Dusty rencontra son regard. Il ne se transforma pas en statue de pierre comme elle l'aurait voulu. La honte, au lieu de lui faire détourner les yeux, l'obligeait à soutenir le regard de sa mère. La honte... Il avait toujours su la vérité... d'abord par simple intuition, ensuite par déduction logique. Il la connaissait depuis qu'il était enfant, mais il avait refusé de la regarder en face et n'en avait jamais parlé... La honte d'avoir laissé sa mère et le père pompeux de Skeet, puis Derek Lampton, accomplir leur travail de sape. Si Dusty avait déterré plus tôt le secret de la mort de Dominique, il aurait pu les faire chanceler sur leur piédestal, et peut-être rendre la vie de Skeet moins difficile.

– Tu as dû avoir le cœur brisé, reprit Dusty, quand ton premier enfant est né trisomique. Tu mettais tant d'espoirs en elle, et la réalité était si triste.

— Qu'est-ce que tu essaies de faire ?

Sa voix s'était adoucie, néanmoins, la colère restait la plus forte.

Le couloir paraissait se rétrécir, et le plafond s'abaisser au-dessus de leurs têtes.

— Ensuite, un deuxième drame… Morte dans son berceau. Le syndrome de la mort subite du nourrisson. Cela a dû être extrêmement pénible… les rumeurs, l'enquête médicale, l'attente pour déterminer la cause du décès.

Martie hoqueta, comprenant tout d'un coup où les menait cette conversation.

— Dusty…, articula-t-elle, comme pour lui dire : peut-être que tu ne devrais pas…

Dusty n'avait pas eu le courage d'en parler à l'époque où cela aurait pu aider Skeet. À présent il était décidé, pour obliger Claudette à soigner Junior.

— Un de mes premiers souvenirs d'enfance, maman… J'avais cinq ans et demi, presque six… quelques semaines après que tu fus revenue de l'hôpital avec Skeet. Tu es né prématurément, Skeet. Tu le savais ?

— Je crois, murmura Skeet d'un air mal assuré.

— Ils ne pensaient pas que tu survivrais, pourtant tu l'as fait. Quand ils t'ont ramené de l'hôpital, tout le monde estimait que des séquelles cérébrales apparaîtraient un jour ou l'autre. Ça n'a pas été le cas, bien sûr.

— Il y a eu mes difficultés d'apprentissage, rappela Skeet.

— Peut-être, concéda Dusty. À supposer qu'elles aient été réelles.

Claudette dévisageait Dusty de la même façon qu'elle aurait regardé un serpent : elle voulait l'écraser du pied avant qu'il puisse se déplier et attaquer, mais elle n'osait aucun geste, de peur de précipiter ce qu'elle craignait par-dessus tout.

— Ce jour-là, quand j'avais cinq ans et demi, presque six, tu étais d'une drôle d'humeur, maman. Une humeur si étrange que même un petit garçon était obligé de comprendre que quelque chose de terrible allait se passer. Tu avais sorti la photo de Dominique.

Elle leva le poing, prête à le frapper à nouveau, mais sa main resta suspendue en l'air, incapable de porter le coup.

D'une certaine façon, Dusty accomplissait l'acte le plus difficile de sa vie, et en même temps celui-ci était d'une facilité effrayante. Il est facile de sauter d'un toit si l'on ne pense pas aux conséquences de la chute. Or, des conséquences, il y en aurait.

— C'était la première fois que je voyais cette photo, je découvrais que j'avais eu une sœur. Tu l'as gardée sur toi toute la journée. Tu n'arrêtais pas de la regarder. En fin d'après-midi, j'ai trouvé la photo qui traînait par terre, dans le couloir, devant la chambre du bébé.

Claudette abaissa le poing et se détourna de Dusty.

Il vit sa propre main avancer, comme si elle appartenait à quelqu'un de plus courageux que lui, et prendre le bras de sa mère pour l'arrêter et l'obliger à lui faire face.

Junior s'avança d'un air protecteur.

– Si tu comptes t'interposer, ramasse ton arbalète et charge-la, avertit Dusty. Il n'y a pas d'autre façon de m'arrêter.

La violence contenue dans ses yeux était plus féroce encore que la rage de sa mère. Junior recula.

– Quand je suis entré dans la chambre, poursuivit Dusty, tu ne m'as pas entendu venir. Skeet était dans son berceau. Et toi tu tenais un oreiller au-dessus de lui. Tu es restée comme ça très longtemps. Et puis, lentement, tu as baissé l'oreiller vers son visage. C'est à ce moment-là que j'ai parlé. Je ne me rappelle plus ce que j'ai dit mais tu as su que j'étais là, et tu as… arrêté. À l'époque, je n'avais pas compris ce qui avait failli arriver. Plus tard… des années plus tard, j'ai compris, seulement je refusais de l'accepter.

– Oh ! mon Dieu, souffla Skeet, d'une voix aussi faible que celle d'un enfant. Mon Dieu.

Dusty croyait au pouvoir de la vérité, cependant il n'était pas certain que cette révélation ferait plus de bien que de mal à Skeet. À l'idée des dégâts qu'il était peut-être en train de causer, il était littéralement au supplice. Lorsqu'il sentit une vague de nausée lui soulever l'estomac, il eut la conviction que, s'il parvenait à vomir quelque chose, ce serait du sang.

Claudette serrait si fort les dents que les muscles de ses mâchoires en tremblaient.

– Il y a quelques minutes, maman, je t'ai demandé si pour toi le meurtre était une peccadille, et tu n'as même pas buté sur ma question. Ça paraît bizarre, parce que ça, c'est vraiment une idée intéressante. Qui mérite débat plus que toutes les autres.

– Tu as fini ?

– Pas tout à fait. Après toutes les conneries que j'ai supportées pendant toutes ces années, je mérite qu'on me laisse dire ce que j'ai à dire. Je connais tes pires secrets, maman, je les connais tous. J'ai souffert à cause d'eux, on a tous souffert, et on va continuer…

Claudette écarta violemment la main de Dusty qui tenait son bras. Elle y laissa deux profondes griffures.

– Et si Dominique n'avait pas été trisomique ! cria-t-elle. Et si je ne lui avais pas épargné cette vie au rabais à laquelle elle était condamnée, et qu'elle était encore vivante, ici, avec nous, tu ne trouves pas que ce serait pire ? Infiniment pire ?

Ses paroles devenaient de moins en moins compréhensibles, et leur volume sonore augmentait de plus en plus. Dusty n'avait aucune idée de ce dont elle parlait.

Junior se rapprocha de nouveau de sa mère. Ils se prirent la main, chacun paraissant puiser dans l'autre une force étrange.

Désignant l'homme mort, étalé dans le hall au rez-de chaussée, elle continua :

— La trisomie était au moins un fait tangible ! Mais elle aurait pu paraître normale, et, une fois grande, devenir exactement comme son père !

Le père de Dominique était le premier mari de Claudette, un certain Lief Reissler, psychologue et son aîné de plus de vingt ans. Un être froid avec des yeux pâles et une petite moustache. Il n'avait heureusement joué aucun rôle dans la vie de Dusty et de Skeet. Cependant, malgré sa froideur, ce n'était pas un monstre.

Dusty ne comprenait toujours pas. Claudette s'expliqua avant qu'il la questionne. Après les trois jours éprouvants qu'il venait de vivre, Dusty se croyait vacciné contre la surprise. En une seule phrase, sa mère le fit chanceler sur ses jambes.

— Et si elle avait ressemblé à Mark Ahriman ?

Elle continua, mais c'était maintenant superflu…

— Vous dites qu'il met le feu à des maisons, qu'il tue des gens, que c'est un psychopathe, que ce forcené mort dans l'entrée a un lien avec lui. Et vous voudriez de sa fille comme demi-sœur ?

Elle porta la main de Junior à ses lèvres et la baisa. Une manière de lui dire qu'elle était heureuse de lui avoir épargné le fardeau de cette sœur problématique.

Lorsque Dusty avait affirmé connaître tous ses secrets, Claudette avait cru qu'il en savait plus que la prétendue mort subite de Dominique, en fait due à un étouffement violent sous un oreiller.

Devant la réaction de Dusty et de Martie, elle comprit qu'elle venait de se trahir. Plutôt que de se réfugier dans le silence, elle tenta de se justifier.

— Lief était stérile. Nous n'aurions jamais pu avoir d'enfants. J'avais vingt et un ans, Lief en avait quarante-quatre. Il aurait pu être un père idéal, avec ses connaissances énormes, ses intuitions de génie, ses théories du développement émotionnel. Sa philosophie de l'éducation enfantine était particulièrement brillante.

Oui, ils avaient tous eu leurs philosophies de l'éducation, leurs intuitions de génie et le même intérêt soutenu pour la manipulation sociale. « La médication précède l'éducation », et autres foutaises…

— Mark Ahriman avait à peine dix-sept ans. Il s'était inscrit à l'université juste après son treizième anniversaire et quand je l'ai rencontré, il avait déjà obtenu son doctorat. Il stupéfiait tous les autres étudiants. Un génie presque impossible à mesurer. Personne n'aurait voulu de lui comme père pour élever un enfant. C'était un fils à papa de Hollywood, arrogant et gâté. Mais quels gènes !

— Il savait que l'enfant était de lui ?

– Oui, pourquoi ? Ni l'un ni l'autre n'étions très attachés aux conventions.

Le bourdonnement dans la tête de Dusty, qui accompagnait toutes ses visites ici comme les musiques lancinantes des supermarchés, résonnait encore plus sinistrement que d'habitude.

– Quand Dominique est née trisomique… comment tu as réagi, maman ?

Elle fixa la main de Dusty qu'elle avait griffée jusqu'au sang, puis releva les yeux vers lui et répondit tranquillement :

– Tu sais très bien comment j'ai réagi.

Elle prit la main de Junior et y déposa un nouveau baiser. Cette fois, il semblait dire qu'elle ne regrettait pas d'avoir enduré tous ces enfants déficients, maintenant qu'elle l'avait, lui.

– Je ne te demande pas comment tu t'es comportée avec Dominique, précisa Dusty, mais comment tu as pris la nouvelle de son handicap. Telle que je te connais, les oreilles d'Ahriman ont dû en entendre de belles. Je parie que tu l'as humilié d'une façon qu'aucun fils à papa n'aurait pu imaginer, même dans ses pires cauchemars.

– Il ne s'est jamais rien produit de pareil dans ma famille, répondit Claudette.

Elle confirmait qu'Ahriman avait bien été la cible de sa rage absolue.

Martie ne pouvait plus se contenir.

– Donc, il y a trente-deux ans, vous l'humiliiez et vous tuiez son enfant…

– Il a été ravi d'apprendre qu'elle était morte.

– J'en suis absolument convaincue, maintenant que je connais le personnage. Mais il n'empêche que vous l'avez humilié, et je doute qu'il ait apprécié… Ensuite, des années plus tard, paraît Junior, l'enfant parfait…

Junior sourit, sans scrupules, comme si Martie venait de lui faire un vrai compliment.

– … et l'homme qui vous a donné cet enfant parfait, celui-là même qu'Ahriman n'avait pu vous donner, voilà qu'il se moque d'Ahriman de toutes les façons possibles et imaginables, qu'il le rabaisse, l'incendie dans toutes les réunions publiques, tente de ridiculiser son travail par une propagande mesquine sur Amazon.com. Et vous n'avez pas levé le petit doigt pour l'en empêcher ?

Claudette devint pivoine. En pointant son manque de discernement, Martie ravivait sa colère.

– Au contraire, je l'ai encouragé. Pourquoi pas ? Ce Mark Ahriman est aussi incapable de faire un bon livre qu'un bon bébé. Pourquoi mériterait-il plus de succès que Derek ? Pourquoi mériterait-il de vivre quoi que ce soit de bon ?

– Vous êtes stupide.

Martie savait que cette insulte blesserait Claudette plus que toute autre.

— Stupide *et* ignorante.

Skeet, affolé par la verdeur de Martie, essaya de la tirer en arrière pour la protéger.

Martie lui prit la main et la serra fortement, comme Claudette serrait celle de Junior. Seulement Martie ne puisait pas sa force en Skeet, elle lui en donnait.

— Ne t'inquiète pas, mon joli, lui souffla-t-elle. Puis elle repartit à l'attaque : Claudette, vous n'avez aucune idée de ce dont est capable Ahriman. Vous ne savez rien de lui. C'est un monstre sanguinaire, impitoyable...

— Je sais...

— Non, vous ne savez pas ! Vous lui avez ouvert la porte, et il est entré dans nos vies à tous. Il n'aurait même pas daigné me regarder si je n'avais pas eu de lien avec vous. Sans vous, rien de ce cauchemar ne me serait arrivé, et je n'aurais pas eu à... – elle jeta un regard pitoyable vers Dusty ; il sut qu'elle pensait aux deux morts du Nouveau-Mexique – ... faire ce que j'ai fait.

Claudette ne se laissait intimider ni par des arguments virulents ni par les faits.

— À vous entendre, on dirait que vous êtes la seule à rencontrer des problèmes. Mais c'est la vie, comme on dit. Je suis sûre que vous avez déjà entendu ça quelque part, même dans votre milieu. Oui, c'est ça la vie, « Martie ». Elle est dure pour tout le monde. Et pour votre gouverne, je vous rappelle que ma maison vient juste d'être criblée de balles.

— Il vaudrait mieux vous y habituer, répliqua Martie, parce que Ahriman ne va pas s'arrêter en si bon chemin. Il enverra quelqu'un d'autre, puis quelqu'un d'autre après lui. Il les enverra par dizaines. Des inconnus mais aussi des gens qu'on connaît depuis toujours et en qui l'on a confiance. Ils surgiront là où on les attend le moins, et Ahriman nous les enverra jusqu'à ce que l'on soit tous morts.

— Je ne comprends pas un mot de ce que vous racontez, lâcha Claudette avec agacement.

— Assez ! Taisez-vous ! Taisez-vous tous ! hurla Derek, depuis le hall d'entrée, à côté du corps d'Eric. Les voisins ne doivent pas être là, parce que personne n'a appelé la police. Alors avant que les flics arrivent, je vais vous dire ce qui s'est passé. Vous êtes chez moi, et c'est moi qui décide. J'ai essuyé l'arme. Je l'ai remise dans sa main. Dusty, Martie, si vous voulez vous opposer à nous, faites, seulement ce sera la guerre ouverte entre nous, et je ferai tout mon possible pour vous briser. Vous dites que votre maison a brûlé ? Je dirai que vous avez perdu au jeu, que vous avez des dettes et que vous avez vous-mêmes mis le feu pour récupérer l'argent de l'assurance.

Dusty était atterré par ces accusations grotesques. Dans le fond, cependant, elles ne l'étonnaient pas vraiment…

— Mais enfin, Derek, quel intérêt pour qui que ce soit ?

— Pour brouiller les pistes, répondit Lampton. Et embrouiller les flics. Ce type était le mari de ton amie, Martie ? Je dirai aux flics qu'il est venu tuer Dusty parce que Dusty couchait avec Susan.

— Pauvre crétin, dit Martie. Susan est morte. Elle…

Claudette se joignit avec enthousiasme à la conspiration.

— Alors je dirai qu'avant d'ouvrir le feu Eric a avoué le meurtre de Susan. Qu'il l'a tuée parce qu'elle couchait avec Dusty. Je vous avertis tous les deux, on brouillera les pistes tant et si bien que personne ne s'apercevra plus de l'existence de mon fils et pensera encore moins à l'accuser de meurtre. Il n'a fait que nous sauver la vie.

Dusty ne se rappelait pas avoir traversé un miroir magique ni bu une potion maléfique. Tout était pourtant inversé et distordu, les mensonges passaient pour des faits, la vérité n'avait plus droit de cité.

— Claudette, viens avec moi, insista Lampton. Toi aussi, Junior. Dans la cuisine. Vite. Il faut qu'on se parle avant que la police arrive. On doit mettre au point ce que l'on va dire.

Le garçon lança un sourire supérieur à Dusty, et partit derrière sa mère, sa main toujours dans la sienne. Ils se dirigèrent vers les escaliers et disparurent.

Dusty se rapprocha de Fig, toujours immobile au bout du couloir.

— Eh ben…, lâcha Fig.

— Tu comprends mieux pourquoi Skeet est comme ça ?

— Pour sûr.

— Où est Valet ? demanda Dusty. Le chien, comme Toto dans *Le Magicien d'Oz*, le ramènerait dans un monde où les méchantes sorcières n'existaient pas.

— Le lit, répondit Fig, en indiquant la porte entrouverte qui menait à la chambre à coucher des maîtres de maison.

Le lit d'inspiration Louis XVI était assez haut pour que Valet puisse se faufiler dessous. Il fut trahi par sa queue, qui dépassait d'un pan du couvre-lit.

Dusty fit le tour du lit, s'agenouilla et souleva le tissu.

— Tu crois que tu pourrais me faire une petite place ?

Valet couina comme pour l'encourager à se joindre à lui.

— Ils finiraient bien par nous trouver de toute façon, assura Dusty. Allez, viens, mon gars, sors de là. Viens te faire gratter le ventre.

Valet se laissa persuader de ramper jusqu'à l'air libre, toutefois il était encore trop effrayé pour exposer son ventre à qui que ce soit.

Martie vint s'asseoir à leurs côtés. Le chien se serrait entre ses maîtres.

— Je commence à remettre en question l'idée d'avoir une famille. Peut-être vaut-il mieux qu'on en reste là – toi, moi et Valet.

530

Le chien avait l'air d'accord.

— En arrivant ici, poursuivit Martie, j'avais l'impression d'avoir touché le fond, mais regarde où on en est maintenant. Dedans jusqu'au cou, et c'est de pis en pis. En plus, je suis complètement sonnée. Je sais ce qui est arrivé à Éric, et pourtant je ne ressens rien.

— Moi je suis plus que sonné.

— Qu'est-ce que tu vas faire ?

Dusty secoua la tête.

— Aucune idée. À quoi bon réfléchir ? Le gosse est déjà quasiment un héros. Quoi qu'on dise. C'est couru d'avance. La vérité est trop compliquée pour tenir la route.

— Et Ahriman dans tout ça ?

— J'en ai froid dans le dos, Martie.

— Moi aussi.

— Qui pourrait nous croire ? C'était déjà difficile avant tout ça. Alors maintenant que Claudette et son Lézard se sont mis à inventer tous ces trucs dingues juste pour « brouiller les pistes »... Si on commence à parler de lavages de cerveau, de suicides provoqués et de tueurs programmés... ça ne fera que donner du poids à leurs mensonges.

— Et si notre maison a vraiment brûlé – si Ahriman ou l'un de ses hommes y a mis le feu – ça se retournera contre nous. Quel est notre alibi ?

Surpris, Dusty cligna des yeux.

— Le Nouveau-Mexique, bien sûr.

— Et qu'est-ce qu'on faisait là-bas ?

Il ouvrit la bouche pour répondre... puis la referma sans un mot.

— Si on parle du Nouveau-Mexique, on va retomber sur le problème Ahriman. On a des preuves – ces choses qui sont arrivées à des gens là-bas, il y a longtemps. Seulement, comment raconter tout ça sans que Kevin et Zachary... resurgissent ?

Ils restèrent un moment silencieux, à caresser le chien. Puis Dusty déclara :

— Je pourrais le tuer. Hier soir, tu m'as posé la question, et j'ai dit que je ne savais pas. Mais maintenant je sais.

— Moi aussi, je pourrais le faire.

— On le tue, et tout s'arrête.

— À supposer que l'institut ne s'en prenne pas à nous.

— Tu as entendu Ahriman, ce matin. Tout ça n'a rien à voir avec eux. C'est purement personnel. Et on sait à quel point.

— Si tu le tues, tu passeras le reste de ta vie en prison.

— Possible.

— C'est sûr ! Aucun juge n'acceptera une défense abracadabrante du genre : je l'ai tué parce que c'était un laveur de cerveaux malfaisant.

— Dans ce cas, ça sera dix ans à l'asile. C'est toujours mieux que la prison.

— Encore faudrait-il qu'ils nous mettent dans le même asile.

Valet leva les yeux et les regarda comme pour dire : « Et moi ? »

Le bruit d'une course retentit dans le couloir du premier étage. Fig fit irruption dans la chambre, les lunettes de travers et le visage encore plus rouge que d'habitude.

— Skeet !

— Quoi, Skeet ? demanda Martie, se levant d'un seul bond.

— Parti.

— Où ça ?

— Voir Ahriman.

— Quoi ?

— Le pistolet.

Dusty s'était levé.

— Arrête ton style télégraphique, Fig ! Des phrases !

Fig dodelina de la tête et s'étira.

— Il a pris le pistolet. Celui du mort. Et un chargeur plein. Et la Lexus aussi. Disait qu'il devait le faire. Sinon personne serait en sécurité.

— On pourrait appeler les flics, leur demander de l'intercepter ? proposa Martie.

— Leur dire qu'il est parti avec un pistolet-mitrailleur pour tuer un citoyen éminent ? Dans une voiture volée ? Si on leur raconte ça, il est mort.

— Alors il faut qu'on y arrive avant lui, déclara-t-elle. Fig, tu surveilles Valet. Il y a des gens ici qui pourraient le tuer juste pour le plaisir.

— Me sens pas trop en sécurité moi-même, objecta Fig.

— Les autres savent où est parti Skeet ?

— Non. Savent même pas qu'il est plus là.

— Tu leur dis qu'il s'est bourré de cachets ce matin, et qu'il est devenu tout bizarre d'un seul coup. Il a pris le pistolet et a dit qu'il allait à Santa Barbara pour s'expliquer avec des gens qui lui ont vendu de la mauvaise came.

— Pas très crédible. C'est pas Rambo, Skeet, rétorqua Fig.

— Peu importe, Lampton va adorer. Ça contribuera à brouiller les pistes.

— Et moi, qu'est-ce que je fais ? Je mens aux flics ?

— Tu ne dis pas un mot. Tu es un expert en la matière ! Tu te contentes d'annoncer la nouvelle à Lampton, et tu le laisses se débrouiller. Dis-lui aussi qu'on est partis à la poursuite de Skeet. À Santa Barbara.

Sous les cris de protestation de Claudette et de Lampton, Martie et Dusty enjambèrent le cadavre et la desserte renversée dans le hall d'entrée, et quittèrent la maison. Sitôt le seuil franchi, ils entendirent les échos des sirènes au loin.

Ils sortirent de l'allée et prirent la nationale vers le sud. Ils roulèrent sur près d'un kilomètre avant de croiser la première voiture de police qui fonçait à tombeau ouvert vers la maison des Lampton.

Ils étaient dedans jusqu'au cou, et ça n'allait pas en s'arrangeant.

75.

Dans son bureau du quatorzième étage, le psychiatre travaillait à son nouveau livre. Il peaufinait une anecdote amusante à propos de l'une de ses malades, une phobique tellement effrayée par la vue de la nourriture qu'elle était passée de soixante-dix kilos à quarante-trois en un rien de temps. Elle vivotait dans un état proche de la mort depuis un petit moment lorsque le docteur, découvrant la clé de son problème, l'avait guérie in extremis. L'histoire n'était pas franchement drôle, évidemment, plutôt sombre et un brin dramatique : juste ce qu'il fallait pour lui assurer un bon passage télévisé sur « Dateline », en présence de la patiente reconnaissante, pendant la promotion de son livre.

Le psychiatre n'était toutefois pas aussi concentré que d'ordinaire sur son travail. Cette affaire de Malibu ne cessait de lui revenir à l'esprit. Il calcula le temps nécessaire à Eric pour passer au garde-meubles et se rendre chez les Lampton et estima que le premier coup de feu serait donné vers 12 h 45, voire 13 heures.

Ahriman était également un peu distrait par la pensée de la keanu-phobe, qui n'avait toujours pas téléphoné. Mais il n'était pas inquiet outre mesure. Elle appellerait bientôt. Il n'y avait pas plus prévisible que les phobiques ou les obsessionnels.

Le Beretta .380 était posé à l'angle intérieur droit de son bureau, à portée de main.

Il paraissait peu probable que la keanuphobe descende en rappel du toit et se projette à travers les vitres, en brandissant une mitrailleuse et en balançant des grenades, néanmoins, il ne fallait pas la sous-estimer. Les femmes qui avaient donné le plus de fil à retordre à Ahriman portaient toutes des tailleurs élégants et classiques ainsi que de coûteuses chaussures italiennes. Beaucoup d'entre elles étaient les épouses de longue date de vieux producteurs de cinéma et de puissants agents. Elles arboraient un air aussi tranquille que n'importe quelle douairière bostonienne descendant en ligne directe de la toute première cargaison de colons américains. Elles étaient raffinées et aristocrates. Moyennant quoi, elles auraient pu déguster votre cœur sur un lit de salade, accompagné d'une terrine de vos rognons, le tout arrosé d'un verre de merlot grand cru.

Ayant réussi à trouver un traiteur livreur qui croyait encore aux bienfaits du beurre, de la mayonnaise et de toutes les graisses animales saturées, Ahriman se réjouissait de déjeuner à son bureau. Près de son assiette se trouvait le sac bleu, son ventre rebondi surmonté d'un nœud insolant. Le psychiatre n'était nullement dérangé par la proximité de son contenu, bien au contraire. C'était là un rappel savoureux du trésor que la police découvrirait à l'intérieur du crâne décalotté de Derek Lampton.

À 13 h 15, il avait terminé son déjeuner et débarrassé son bureau des assiettes et des emballages, mais il ne s'était pas remis à son livre. Il avait pourtant tant d'anecdotes à raconter... des histoires d'anorexiques, toutes plus savoureuses les unes que les autres.

Sur son sous-main en cuir de Corinthe incrusté de pétales en ivoire synthétique, le sac bleu trônait comme un diadème.

Ahriman aurait bien aimé pouvoir assister à l'humiliation de Lampton. À moins qu'un journal de la presse à scandale ne fasse particulièrement bien son travail, il risquait de ne jamais voir une seule photo satisfaisante de sa déchéance. Les photographies de crânes ouverts farcis d'excréments faisaient très rarement la une du *New York Times*, ou même de l'*USA Today*.

Heureusement, le psychiatre avait une solide imagination. Puisant son inspiration dans le sachet bleu devant lui, il n'eut aucun mal à se figurer une série de tableaux particulièrement réalistes et picaresques.

13 h 30. Eric en avait terminé avec la phase d'attaque. Il devait maintenant s'affairer, en amateur consciencieux, à sa première opération à crâne ouvert. En fermant les yeux, Ahriman entendait le bourdonnement électrique de la lame à autopsie. Étant donné la densité extrême du crâne de Lampton, recommander à Eric de se munir d'une lame de rechange avait été une sage précaution. Dans le cas où les Lampton ne possédaient pas de chien, Ahriman espérait que l'alimentation quotidienne de sa marionnette comprenait un petit déjeuner riche en fibres.

Son plus grand regret était d'avoir dû abandonner le plan de jeu original : Dusty, Skeet et Martie torturaient puis tuaient Claudette et les deux Derek, père et fils. Avant de se suicider, les trois émissaires de la justice divine rédigeaient une longue lettre accusant Derek Senior et sa femme d'avoir fait subir des sévices innommables à Skeet et à Dusty enfants et d'avoir violé à plusieurs reprises Martie et Susan Jagger en

534

les droguant au Rohypnol. Ahriman aurait peut-être même sélectionné cette dernière pour faire partie de son équipe de tueurs, si elle n'avait pas commencé à faire la maligne avec sa caméra vidéo. Le bilan total aurait été de sept morts, plus les éventuels domestiques et visiteurs, le minimum sur l'échelle du massacre afin de bénéficier d'une couverture médiatique nationale. Toutefois, étant donné la réputation de Derek, qui passait pour un grand gourou de la psychologie pour tous, ces sept morts seraient couverts par les médias avec autant de conscience professionnelle et d'enthousiasme qu'une explosion tuant deux cents inconnus.

Tant pis ! Cette partie se concluait quelque peu en demi-teinte, avec moins de panache que prévu, mais Ahriman savourait tout de même cet instant. Comme il n'avait aucun moyen de récupérer le cerveau de Lampton, peut-être pourrait-il faire couler le sac bleu dans la résine et le conserver pour commémorer sa victoire.

Bien que les capacités de concentration et de raisonnement de Skeet se soient considérablement accrues et éclaircies durant ces deux jours sans drogues, il ne disposait pas des facultés mentales suffisantes pour diriger une centrale nucléaire, ni même pour en balayer le plancher sans craindre de déclencher un second Tchernobyl. Heureusement, il en avait conscience. Le gamin avait donc l'intention de profiter du trajet entre Malibu et Newport Beach pour réfléchir soigneusement, étape par étape, à son plan d'attaque contre Ahriman.

Skeet était dans un état émotionnel désastreux. Il pleurait, sanglotait sans parvenir à s'arrêter. Les larmes qui brouillaient sa vue rendait son trajet sur la Pacific Coast Highway particulièrement dangereux. Pendant la saison des pluies, de soudaines coulées de boue risquaient d'envahir la chaussée. Quand ce n'étaient pas des rochers de la taille d'une semi-remorque qui, arrachés à la falaise, tombaient au beau milieu du trafic. Tous ces dangers exigeaient de la part des conducteurs des réflexes de chat aux aguets. Pis encore, en ce début d'après-midi sur la quatre voies, les automobilistes fonçaient vers le sud à cent trente kilomètres à l'heure, en dépit de la limitation officielle à cent. À cette vitesse, une crise incontrôlable de sanglots pouvait entraîner des conséquences cataclysmiques.

Sa poitrine et son ventre étaient meurtris par l'impact des quatre balles arrêtées par le gilet en Kevlar. Des crampes aiguës, qui n'avaient rien à voir avec ces hématomes, mais tout avec le stress et la peur, tordaient son estomac. Et, pour couronner le tout, il avait la migraine, comme chaque fois qu'il voyait sa mère, y compris quand personne ne se faisait transpercer par une flèche d'arbalète.

Cependant, la douleur qui le torturait le plus n'était pas physique. La maison de Dusty et de Martie avait disparu ; que sa propre maison ait brûlé ne lui aurait pas fait plus mal. Dusty et Martie étaient les meilleures personnes au monde, absolument les meilleures. Ils ne méritaient pas de tels ennuis. Leur merveilleuse petite maison partie en flammes, Susan morte, Eric aussi, et leur vie à tous plongée dans la peur.

La douleur l'assaillit à nouveau à la pensée de sa mère – sa propre mère – si ravissante, tenant un oreiller au-dessus de son visage de bébé. Lorsque Dusty lui avait jeté ça en pleine figure, elle n'avait même pas tenté de nier qu'elle voulait le tuer. Skeet savait qu'il était un adulte raté, qu'il était un raté depuis son enfance. À présent, il découvrait qu'il était né raté en puissance si bien que sa mère s'était sentie autorisée à l'étouffer dans son berceau.

Il ne faisait pas exprès d'être aussi nul. Il avait toujours voulu retrouver le droit chemin, réussir dans la vie pour que son frère Dusty puisse être fier de lui. Mais chaque fois il avait foncé droit dans le mur sans même s'en rendre compte. Oui, il causait bien des soucis à Dusty... et cela le rendait encore plus malheureux.

Entre ses douleurs à la poitrine et au ventre, ses crampes en série à l'estomac, sa migraine, son chagrin, sa vision brouillée, le stress de rouler à cent trente kilomètres-heure, ainsi qu'une vague angoisse au sujet de son permis de conduire retiré depuis des années, Skeet arriva à Newport Beach un peu avant 15 heures sans avoir réfléchi une seule seconde à la meilleure tactique à employer pour approcher le psychiatre.

– Je suis vraiment un raté, marmonna-t-il en se garant derrière l'immeuble qui abritait le cabinet d'Ahriman.

Tellement raté que ses chances de traverser le parking, monter jusqu'au quatorzième, pénétrer dans le bureau d'Ahriman et réussir à exécuter cette ordure étaient trop infimes pour qu'on puisse les évaluer. Autant essayer de calculer le poids d'un poil de cul d'une puce ! pesta-t-il intérieurement.

Il subsistait toutefois un point positif dans tout cela. Si, en dépit de toutes les probabilités, il parvenait à tuer le psychiatre, il ne finirait sans doute pas ses jours en prison, contrairement à ce qui attendait Dusty ou Martie au cas où ils appuieraient sur la gâchette. Étant donné son passé de toxicomane, son épais dossier d'évaluations psychiatriques guère reluisantes, et son historique de docilité pathologique plutôt que de violence, Skeet se retrouverait sûrement dans un établissement spécialisé, avec l'espoir d'être un jour relâché. À condition toutefois qu'il reste quelque chose de lui après quinze années supplémentaires de gavage chimique.

Le Glock .18 avait un long chargeur, mais il réussit à le coincer sous sa ceinture et à le recouvrir de son pull. Heureusement, ce genre de vêtement se portait large, et Skeet le portait encore plus large que la mode ne l'exigeait. Il l'avait acheté plusieurs années auparavant.

Comme il n'avait cessé de maigrir, le pull était maintenant trop grand de deux tailles.

Il sortit de la Lexus et pensa à emporter les clés avec lui. S'il les laissait sur le contact, quelqu'un pourrait voler l'auto et faire de lui un complice.

Le ciel était bleu, l'air doux. Pas un souffle de vent. C'était une chance, car il avait l'impression que la moindre petite brise l'aurait emporté.

Le jeune homme fit des allées et venues devant la voiture, observant son pull-over sous tous les angles, penchant la tête d'un côté puis de l'autre pour essayer de détecter le contour du pistolet. L'arme était parfaitement dissimulée.

Juste au moment où il s'était décidé à entrer dans l'immeuble et à accomplir l'acte fatidique, ses yeux se remplirent à nouveau de larmes. Il recommença à faire les cent pas devant la voiture, le temps de sécher ses pleurs sur la manche de son pull. Il y aurait probablement un vigile à l'entrée du bâtiment... ses soupçons seraient vite éveillés en voyant arriver un jeune type tout maigre au teint grisâtre, portant des vêtements deux fois trop grands pour lui et pleurant à chaudes larmes.

Quelques emplacements plus loin, une femme sortit d'une Rolls Royce blanche. Sa main s'immobilisa sur la portière et dévisagea Skeet ouvertement. Les yeux du jeune homme étaient maintenant assez secs pour que sa vision ait retrouvé une relative clarté. Il s'agissait d'une jolie femme blonde, très élégante, vêtue d'un tailleur en maille rose – de toute évidence une personne ayant réussi socialement et une citoyenne modèle. Elle semblait trop bien élevée pour rester plantée là à fixer un parfait inconnu sans raison : il devait donc avoir l'air aussi louche que s'il brandissait un fusil d'assaut et portait des cartouchières en bandoulière.

Si cette femme en tailleur rose le trouvait inquiétant à vingt mètres de distance, le vigile de la sécurité allait sans doute l'asperger de gaz lacrymogène, l'assommer d'un coup de matraque électrique et le clouer au sol sitôt qu'il passerait la porte d'entrée. Il allait encore tout faire rater.

L'idée de décevoir une fois de plus Dusty et Martie, les seules personnes qui l'avaient jamais réellement aimé, lui était insupportable. S'il ne pouvait pas même faire ça pour eux, alors il valait mieux sortir le pistolet de son pull tout de suite et se tirer une balle dans la tête.

Malheureusement il n'était pas plus capable de suicide que de vol... Excepté mardi, quand il avait sauté du toit des Sorenson. Cependant, d'après ce qu'il avait cru comprendre, il ne s'agissait peut-être pas d'une idée à lui.

Il fit semblant de ne pas remarquer le regard insistant de la femme en rose. Prenant un air bien trop heureux de vivre pour pouvoir être un tireur fou, il se mit à siffloter *What a Wonderful World* parce que c'était la première chose qui lui venait à l'esprit, traversa le parking d'un pas léger et entra dans l'immeuble sans se retourner.

Ahriman n'avait pas l'habitude qu'on lui impose son emploi du temps. Il était de plus en plus irrité par le retard de la keanuphobe. Il ne doutait pas qu'elle marchait à fond dans son histoire d'ordinateur maléfique ; son obsession ne lui en donnait pas le choix. Mais de toute évidence cette idiote n'avait pas un brin de savoir-vivre, ni de respect pour la valeur du temps d'autrui. La grossièreté typique des nouveaux riches ! Incapable de se concentrer sur son travail d'écriture, et dans l'impossibilité de quitter son bureau pour aller jouer avec ses figurines, le Dr Ahriman se contenta de composer des haïkus à partir de l'humble matériau qui se trouvait devant lui.

Mon petit sac bleu. Mon Beretta, sept cartouches. Est-ce que je la tue ?

C'était affreusement nul. Certes, il y avait les dix-sept syllabes de rigueur, et toutes les autres contraintes techniques étaient respectées. Il n'empêche : les vers constituaient un excellent exemple pour expliquer que la technique pure n'avait pas valu son immortalité à William Shakespeare.

Mon arme à sept coups. Ma petite keanuphobe. Tue, tue, tue, tue, tue.

Tout aussi affreux, mais plus jouissif.

Le vigile, beaucoup plus grand que Skeet et qui portait des vêtements, eux, parfaitement ajustés, était assis derrière le bureau de l'accueil. Penché sur un livre, il ne leva même pas les yeux.

Skeet consulta le tableau des locataires pour localiser le bureau d'Ahriman, avança vers les ascenseurs et appuya sur le bouton d'appel en s'appliquant à regarder toujours droit devant lui. Il s'était dit que le garde, un professionnel hautement qualifié, sentirait d'instinct un regard inquiet se poser sur lui.

L'un des ascenseurs arriva rapidement. Trois petites vieilles qui ressemblaient à des oiseaux et trois grands et beaux Sikhs en turban sortirent de la cabine ; les deux groupes prirent aussitôt des directions différentes.

Déjà tendu et apeuré, Skeet se troubla davantage à la vue des vieilles dames et des Sikhs. Fig lui avait appris que les chiffres 3 et 6 étaient mystérieusement liés à la présence secrète d'extraterrestres sur notre planète. Et voilà qu'il voyait un double 3 et un 6 réunis. C'était sûrement mauvais signe.

Deux personnes s'engagèrent à la suite de Skeet dans l'ascenseur. Un livreur qui poussait un chariot à roulettes contenant trois colis. Et, derrière lui, la femme en tailleur rose.

Skeet appuya sur le bouton du quatorzième étage. Le livreur

enfonça celui du neuvième. La femme en rose n'appuya sur aucun bouton.

En entrant dans l'immeuble, Dusty repéra immédiatement Skeet, qui montait dans un ascenseur au fond de l'entrée. Martie l'aperçut aussi.

Il voulut appeler son frère, mais un vigile était assis à proximité, et la dernière chose à faire était d'attirer son attention.

Ils se hâtèrent sans courir. Les portes de la cabine se refermèrent avant qu'ils aient parcouru la moitié du hall.

Les autres ascenseurs ne se trouvaient pas à leur niveau. Deux montaient, deux descendaient. Parmi ces derniers, le plus proche se trouvait au cinquième étage.

— Les escaliers ? proposa Martie.

— Quatorze étages ? Non. Sans façon – il montra du doigt le tableau lumineux qui indiquait la progression de l'ascenseur du cinquième vers le quatrième –, ça ira plus vite comme ça.

Le livreur descendit au neuvième étage ; sitôt les portes refermées, la femme en rose appuya sur le bouton « arrêt ».

— Vous n'êtes pas mort, annonça-t-elle.

— Pardon ?

— Vous avez pris quatre balles dans le ventre hier au soir sur la plage, et vous revoilà frais comme un gardon.

— Vous étiez là ? lâcha Skeet, ébahi.

— Je suis sûre que vous le savez.

— Non, vraiment, je ne vous avais pas vue.

— Pourquoi n'êtes-vous pas mort ?

— Des gilets pare-balles.

— Ça m'étonnerait.

— C'est pourtant vrai. Nous étions sur les traces d'un homme très dangereux, bredouilla Skeet, se rendant compte que ses paroles sonnaient faux, comme s'il essayait de l'épater.

Pourquoi pas, d'ailleurs ? La dame était jolie, et Skeet sentait quelque chose se réveiller dans son bas-ventre, une sensation qu'il n'avait pas connue depuis longtemps.

— Ou bien tout était faux ? Une mise en scène pour me leurrer ?

— C'était pas une mise en scène. Les bleus sur mon ventre et ma poitrine me font drôlement mal.

— Quand on meurt dans la matrice, déclara-t-elle, on meurt pour de vrai.

— Tiens, vous aussi vous avez aimé ce film ?

— On meurt pour de vrai, continua-t-elle, sauf si on est une machine.

Skeet commençait à la trouver un peu bizarre, et son intuition se confirma lorsqu'elle sortit un pistolet du sac à main blanc qui pendait à son épaule gauche. Il était muni de ce qu'on appelle au cinéma un silencieux, mais Skeet savait que le terme exact, et plus approprié, était réducteur de bruit.

— Qu'est-ce que vous avez sous ce pull ? demanda-t-elle.

— Moi ? sous mon pull ? rien.

— Foutaises. Levez votre pull très doucement.

— Oh, là, là, gémit-il d'un air misérable à l'idée qu'il avait encore tout raté. Vous faites partie de la sécurité, vous êtes une pro, c'est ça ?

— Vous êtes avec Keanu ou contre lui ?

Skeet était sûr de n'avoir pris aucune drogue depuis trois jours, pourtant tout cela commençait sérieusement à lui rappeler des épisodes qui avaient suivi l'absorption de certains cocktails hallucino-gènes particulièrement mémorables.

— Eh bien, je suis avec lui quand il fait des trucs cool, de science-fiction, et je suis contre lui quand il fait des niaiseries comme *Les Vendanges de feu*.

— Pourquoi s'arrêtent-t-ils si longtemps au neuvième ? s'interrogea Dusty, observant d'un air perplexe l'indicateur d'étage de l'ascenseur de Skeet.

— On prend les escaliers ? proposa à nouveau Martie.

Après s'être attardé au troisième étage, l'ascenseur qu'ils atten-daient descendit brusquement au deuxième.

— Peut-être qu'on peut encore le rattraper.

Le petit pistolet-mitrailleur qu'elle avait confisqué à Skeet ne tenait pas tout entier dans son sac à main. L'extrémité du chargeur dépassait, mais cela ne semblait pas la déranger outre mesure.

Braquant toujours son arme sur lui, elle relâcha le bouton d'arrêt et appuya sur celui du quatorzième étage. L'ascenseur se remit immédia-tement en route.

— Je croyais que les silencieux étaient interdits ? hasarda Skeet.

— Ils le sont, bien sûr.

— Vous l'avez eu grâce à votre travail dans la sécurité ?

— Grand Dieu, non. Je vaux cinq cents millions de dollars, et quand on vaut ce prix-là, on peut avoir tout ce qu'on veut.

Il ne savait pas si elle mentait ou non ; cela ne changeait presque rien, de toute façon.

Malgré la beauté de cette femme, il y avait quelque chose dans ses yeux verts, ou dans son attitude, ou dans les deux peut-être, qui effrayait Skeet. Ils dépassaient le treizième étage quand le jeune homme comprit pourquoi cette femme en rose lui donnait froid dans le dos ; d'une manière qu'il n'aurait pu définir, elle lui rappelait sa mère.

540

À l'instant précis où ils arrivaient au quatorzième étage, Skeet sut qu'il était un homme mort.

Quand les portes de l'ascenseur s'ouvrirent, Martie entra rapidement dans la cabine et appuya sur le 14.

Dusty la suivit de près, repoussant deux autres personnes qui tentaient de les suivre :

— Désolé. C'est une urgence, lança-t-il à l'une d'entre elles qui insistait.

Martie avait pressé le bouton de fermeture des portes aussitôt après celui du quatorzième, et elle gardait son pouce appuyé dessus.

L'un des hommes cligna des yeux de surprise, et l'autre commença à protester. Les portes se fermèrent avant qu'ils puissent discuter.

Sitôt qu'ils sortirent de la cabine et posèrent les pieds dans le couloir, Skeet demanda :

— Où va-t-on ?

— Ne faites pas l'innocent. C'est énervant. Vous savez très bien où nous allons. Avancez.

Elle semblait vouloir le guider vers la gauche, alors il obéit, non parce qu'elle avait une arme, mais parce qu'il avait passé toute sa vie à aller là où on lui disait. Elle lui emboîta le pas, enfonçant l'extrémité du silencieux dans son dos.

Le long couloir couvert de moquette étouffait leurs pas. Les plafonds isolés absorbaient leurs voix. Aucun bruit ne filtrait à travers les murs. Comme s'ils étaient seuls sur terre.

— Et si je m'arrête là ? demanda Skeet.

— Je vous abats tout de suite, assura-t-elle.

Skeet continua.

En passant devant les portes qui donnaient sur le couloir, le jeune homme lut les noms gravés sur les plaques de cuivre. Il s'agissait, pour la plupart, de médecins, spécialistes dans un domaine ou dans l'autre, néanmoins, il repéra aussi deux avocats. Cela lui parut bien pratique. S'il parvenait, par miracle, à survivre aux prochaines minutes, il aurait sans aucun doute besoin de plusieurs médecins qualifiés et d'un bon avocat pour le sortir de cette mauvaise passe.

Ils arrivèrent à une porte dont la plaque de cuivre indiquait DR MARK AHRIMAN. PSYCHIATRE.

— Ici ? hésita-t-il.

— Oui, répondit-elle.

Au moment où Skeet poussait la porte, la femme en rose lui tira dans le dos. Si, malgré le silencieux, il y eut une détonation, il ne l'entendit pas. La douleur fut si terrible, si fulgurante, qu'il n'aurait pas entendu une fanfare défiler dans le couloir. Son esprit était focalisé sur la douleur. Il n'imaginait pas qu'une balle puisse faire aussi mal sans la protection d'un gilet en Kevlar. Dans un même mouvement, elle le poussa violemment en avant. Il atterrit dans le hall d'accueil du Dr Ahriman.

Ping !
L'ordinateur d'Ahriman annonça un visiteur ; et l'écran afficha le hall d'accueil.

Le psychiatre abandonna la contemplation de son sac bleu pour pivoter vers l'écran. Avec une stupeur qu'il n'avait pas ressentie depuis des années, il vit Skeet, titubant comme un homme ivre, faire son entrée, alors que la porte du couloir se refermait lentement derrière lui.

Une large tache de sang maculait le devant de son pull jaune, ce qui en soi n'avait rien d'extraordinaire après qu'il eut reçu quatre balles à bout portant dans le ventre et la poitrine. Il s'agissait peut-être du même pull-over. Toutefois l'angle de la caméra ne permettait pas de distinguer s'il y avait quatre trous dans le tissu imprégné de sang. Skeet battit des bras, tenta de se raccrocher à un objet invisible et tomba face contre terre.

Le psychiatre avait entendu parler de chiens, séparés accidentelle-ment de leurs maîtres, qui avaient parcouru des centaines, voire des milliers de kilomètres pour les retrouver, traversant des terres inhospi-talières sous la pluie et la neige, la grêle et un soleil de plomb, souvent blessés, pour enfin, des semaines plus tard, se présenter devant leur porte, accueillis dans la joie, les larmes et la stupéfaction par ceux qu'ils ne voulaient pas perdre. En revanche, Ahriman n'avait jamais entendu parler d'un homme criblé de balles, laissé mort sur une plage déserte, se relevant pour parcourir à pied une dizaine de kilomètres en — il dut vérifier l'heure à sa montre — presque dix-huit heures, traver-sant une zone densément peuplée pour monter quatorze étages dans un ascenseur, entrer en titubant dans le bureau de celui qui l'avait abattu et tendre vers lui un doigt accusateur. Il y avait quelque chose de louche là-dessous.

Ahriman cliqua sur l'icône de sécurité en forme de pistolet. Le détecteur de métaux indiqua que Skeet n'était pas armé.

Étalé par terre, le garçon ne se trouvait pas dans le champ des rayons X ; impossible de le radiographier.

Jennifer sortit de sa guérite et se tint debout au-dessus du jeune homme. Elle semblait hurler. Ahriman n'aurait su dire si c'était à cause de l'état du blessé, ou parce que la vue du sang heurtait sa sensi-bilité de végétarienne.

Il activa le micro. Elle hurlait, oui, mais pas très fort — à peine plus qu'un râle, comme si elle n'arrivait pas à inspirer assez profondément pour pousser un cri à faire trembler les vitres.

Alors que Jennifer tombait à genoux à côté de Skeet, sans doute pour détecter quelque manifestation de vie, Ahriman cliqua sur l'icône en forme de nez pour déclencher le détecteur olfactif. N'importe quel être normalement constitué aurait jugé loufoque l'idée que ce garçon, avec ses quatre balles dans le ventre, ait profité de sa randonnée de dix-huit heures pour se procurer des explosifs et fabriquer une bombe, qui se trouverait à présent sanglée à son torse. Néanmoins, soucieux des détails selon ses principes, Ahriman attendit le rapport de son système. Pas d'explosifs.

Jennifer se releva et disparut hors du champ de la caméra.

Elle avait sans doute l'intention d'appeler la police et les secours.

Il appuya sur l'Interphone.

— Docteur, docteur, mon Dieu, il y a…

— Oui, je sais. Un homme a été abattu. N'appelez surtout pas la police ni les secours, Jennifer. Je m'en charge. Vous avez compris ?

— Mais il saigne beaucoup. Il…

— Calmez-vous, Jennifer. N'appelez personne. Je m'occupe de tout.

Moins d'une minute s'était écoulée depuis l'arrivée titubante de Skeet. Il lui restait une minute supplémentaire, deux au plus, avant que Jennifer s'affole devant sa réticence à appeler les secours et ne le fasse elle-même.

La vraie question était la suivante : si un homme avec quatre graves blessures par balles pouvait réapparaître dix-huit heures plus tard, pourquoi un deuxième ne pourrait-il en faire autant ?

Malgré son imagination débordante, Ahriman ne parvenait pas à se représenter Skeet et son compère quittant la plage bras dessus, bras dessous, se soutenant tels deux pirates ivres regagnant le navire après une nuit de débauche… Toutefois, si l'un d'eux était parvenu jusqu'ici, le deuxième pouvait aussi réussir cet exploit… et se tenait peut-être tapi quelque part dans l'ombre, nourrissant probablement de très mauvaises intentions.

L'attente la plus terrible fut au sixième étage. L'ascenseur s'arrêta, et Martie eut beau appuyer sur le bouton de fermeture des portes, celles-ci s'ouvrirent tout de même.

Une femme corpulente et décidée, des boucles gris acier entourant son visage de docker travesti, insista pour entrer dans la cabine, bien que Dusty lui eût barré le passage en invoquant la priorité aux urgences.

— Quelle urgence ?

Elle posa un pied dans l'ascenseur, déclenchant la cellule de sécurité qui empêchait la porte de se refermer.

— Où ça, une urgence ?

— Crise cardiaque. Quatorzième étage.

— Vous n'êtes pas des médecins.

— On n'est pas en service.

— Les médecins ne sont jamais aussi mal habillés, même quand ils ne sont pas en service. De toute façon, je vais au quinzième, je vois pas en quoi je vous retarde.

— C'est bon, montez, allez, vite ! capitula Dusty.

Quand elle fut rentrée et que les portes se furent refermées, elle appuya sur le bouton du douzième avec un regard triomphant.

Dusty était furieux.

— C'est mon frère qui est là-haut, ma petite dame ; s'il lui arrive quoi que ce soit maintenant, je vous ouvre le ventre comme un poisson et je vous vide de vos boyaux !

Elle le dévisagea de la tête aux pieds avec un mépris évident.

— Mythomane, lâcha-t-elle.

Ramassant au passage son Beretta, Ahriman se dirigeait vers le hall lorsque la pensée du sac bleu le stoppa net. Il était toujours posé sur le bureau, au milieu de son sous-main.

Quoi qu'il puisse se produire, la police ferait tôt ou tard son apparition. Si Skeet n'était pas tout à fait mort, Ahriman avait l'intention de l'achever avant que les autorités arrivent. En découvrant un cadavre baignant dans une mare de sang en plein milieu de son hall d'accueil, les flics auraient certainement des tas de questions à lui poser.

Ils inspecteraient aussi les lieux, ne serait-ce que d'un rapide coup d'œil. Si le moindre détail éveillait leurs soupçons, ils laisseraient un homme sur place le temps de se procurer un mandat de perquisition et de pouvoir fouiller à leur aise.

La police n'étant pas autorisée à inspecter ses dossiers médicaux, il n'avait pas grand-chose à craindre. Sauf s'ils trouvaient le Beretta, ou le sachet bleu.

Le pistolet n'était pas immatriculé. Cela ne suffirait jamais à l'envoyer en prison, cependant il ne voulait pas fournir de prétexte à leur suspicion. Avec leur curiosité clinique, ils risquaient de le garder à l'œil pendant des jours, ce qui serait très dérangeant.

Le sac de crotte n'était pas compromettant en soi, néanmoins, sa présence dans son bureau serait jugée… bizarre. Indéniablement bizarre. Quand les flics tomberaient dessus, ils lui demanderaient sûrement pourquoi il l'avait amené dans son cabinet. Aussi malin fût-il, Ahriman ne parvenait pas à trouver une seule explication plausible.

Il retourna en vitesse à son bureau, ouvrit un tiroir et jeta le sac dedans. Et s'ils obtenaient un mandat de perquisition ? Ils trouveraient le sachet non plus sur la table, mais dans le tiroir, où il paraîtrait tout aussi incongru… N'importe où dans ce bureau, y compris dans la poubelle, la présence de ce sac d'excréments de chien restait étrange et difficile à expliquer.

Toutes ces considérations traversèrent l'esprit du médecin en quelques secondes à peine, car il avait gardé sa vivacité d'enfant prodige. Mais il dut malgré tout se répéter que « le temps est un fou semant la poussière au vent ».

Vite, vite.

Il fallait également qu'il se débarrasse du pistolet et de son étui d'épaule. Autant faire d'une pierre deux coups et liquider la poche bleue par la même occasion. Ce qui voulait dire emporter avec lui le sac en plastique…

En raison de considérations diverses, entre autres des considérations esthétiques visant à la sauvegarde de son image, Ahriman ne voulait pas que Jennifer l'aperçoive en train de transporter le sac de déjections canines. De plus, le sachet ne ferait que l'encombrer si jamais il devait s'occuper du compère de Skeet. Comment l'avait appelé Dusty, au fait ? Fig. Voilà. Le sac bleu risquait de le gêner si ce Fig était tapi quelque part et qu'il faille s'occuper de son cas.

Vite, vite.

Il hésita à glisser le sac dans une poche intérieure de sa veste. L'idée qu'il puisse éclater et abîmer son magnifique costume Zegna était insoutenable. Il le rangea donc soigneusement dans son étui d'épaule vide.

Ravi de ses bons réflexes et persuadé de n'avoir négligé aucun détail fatal, Ahriman se rendit à la réception, son arme dissimulée dans son dos.

Dans l'encadrement de la porte du fond se tenait Jennifer, tremblante, les yeux élargis d'horreur.

— Il saigne, docteur, il saigne vraiment beaucoup.

Un idiot s'en serait aperçu. Il ne pouvait pas saigner à ce débit depuis dix-huit longues heures, et encore moins avoir fait tout ce chemin dans cet état.

Le psychiatre s'agenouilla près de Skeet. Les yeux rivés sur la porte du couloir, il chercha son pouls. Le petit camé était encore en vie, cependant son pouls était faible. Il serait facile à achever.

Mais d'abord Fig. Ou peut-être un autre. En tout cas il y avait quelqu'un qui l'attendait dehors.

Ahriman s'avança jusqu'à la porte, y colla son oreille et attendit.

Pas un bruit.

Avec précaution, il ouvrit le battant et passa la tête dans l'entrebâillement.

Personne.

Il franchit le seuil en tenant la porte ouverte et regarda à gauche, puis à droite.

Personne en vue sur toute la longueur du couloir.

Visiblement, Skeet n'avait pas été abattu ici, sinon les coups de feu auraient été immédiatement remarqués. Personne n'avait bougé dans le bureau d'en face, celui du psychologue pour enfants – l'horripilant Dr Moshlien, un rustre doublé d'un sombre crétin dont les thèses sur les origines de la délinquance juvénile étaient aussi loufoques que ses cravates.

Le mystère de l'apparition de Skeet resterait peut-être entier et priverait Ahriman de sommeil pendant de longues nuits à venir. Mais l'essentiel, pour l'heure, c'était de faire le ménage.

Il allait retourner dans son cabinet et demander à Jennifer d'appeler la police et les secours, après tout. Pendant qu'elle téléphonerait, il se pencherait sur Skeet. Sous couvert de lui prodiguer les premiers soins, il lui fermerait la bouche et lui pincerait le nez pendant environ une minute et demie, ce qui dans son état critique devrait suffire à l'occire pour de bon. Vite !

Ensuite retourner dans le couloir. Aller dans la réserve de produits d'entretien et y cacher le pistolet, l'étui et la poche bleue derrière les piles de papier toilette. Il récupérerait tout ça plus tard, quand la police serait partie.

« Défier les rouages du temps. »

Vite, vite.

Il rebroussait chemin vers son cabinet quand il s'aperçut soudain qu'il n'y avait pas une goutte de sang sur la moquette du couloir. Elle aurait pourtant dû être généreusement aspergée lors de l'arrivée de Skeet, vu les flots qu'il déversait en ce moment dans le hall. Alors même que son esprit de prédateur, vif comme l'éclair, parvenait à assimiler la signification de ce détail étrange, le psychiatre entendit la porte de Moshlien s'ouvrir derrière lui. Il frémit, appréhendant le rituel : « Dites, Ahriman, vous avez un moment ? », suivi inévitablement par un torrent d'âneries.

Aucun mot ne vint, mais des balles. Ahriman n'entendit pas une seule détonation, cependant il les sentit toutes, l'une après l'autre, trois au moins, le heurter violemment dans le dos, le transpercer en diagonale depuis ses reins jusqu'à son épaule droite.

Avec moins de grâce qu'il n'aurait aimé, il fit quelques pas titubants dans le couloir et rentra dans le hall. Il s'écroula, écrasant à moitié Skeet dans sa chute. Puis il roula sur lui-même, dégoûté, pour s'éloigner de ce camé. Il se retrouva sur le dos, les yeux levés vers l'entrée de son cabinet.

Devant lui se dressait la keanuphobe, appuyée contre l'encadrement de la porte, tenant à deux mains un pistolet équipé d'un silencieux.

— Vous êtes l'une de ces machines, déclara-t-elle. C'est pour ça que vous ne m'écoutiez jamais pendant les séances. Les machines se contrefichent des vraies personnes comme moi.

Ahriman reconnut dans ses yeux un élément effrayant qu'il avait négligé jusque-là : elle faisait partie des miss Je-sais-tout, cette catégorie de filles qui voyaient à travers tous ses masques et tous ses mensonges. Passé ses quinze ans, quand la nature lui avait donné son beau visage d'adulte, les miss Je-sais-tout ne parvenaient plus à percer sa façade, et il avait cessé de les craindre. Voilà que ça recommençait...

Il voulut lever le Beretta et faire feu à son tour, mais il s'aperçut qu'il était paralysé.

Elle tendit son pistolet vers son visage.

Elle était réelle et en même temps fictive, elle était vérité et mensonge. Un objet de dérision mortellement sérieux. Elle était toutes choses possibles, mais restait un mystère pour elle-même : la quintessence d'un être de son époque. Elle était une crétine parvenue affublée d'un mari ennuyeux à mourir, et elle était aussi Diane, déesse de la Lune et de la Chasse... c'était sur sa lance de bronze que Minette Luckland s'était empalée, dans son manoir de Scottsdale, après avoir tué son père d'un coup de pistolet et sa mère à coups de marteau.

Comme cela lui avait paru amusant, à l'époque ! Ce n'était plus drôle du tout à présent !

Ma Diane fortunée. Emporte-moi jusqu'à la lune. Dansons parmi les étoiles.

Sirupeux. Mièvre. Romantisme déliquescent. Lieux communs indignes.

Ma Diane fortunée. Je te hais, te hais, te hais. Te hais et te hais.

— Allez-y, dit-il.

La déesse vida le chargeur sur son visage. Une pluie de pétales, songea le psychiatre, ses chers pétales s'évanouissant dans la lune et les fleurs. Et le feu.

En sortant de l'ascenseur, Martie aperçut, au fond du couloir, une femme debout dans l'embrasure de la porte d'entrée du cabinet d'Ahriman. Au tailleur Chanel rose, elle reconnut celle qui s'était embarquée avec Skeet dans l'ascenseur de la réception. La femme s'avança d'un pas et disparut à l'intérieur d'un bureau.

Martie se mit à courir, Dusty sur ses talons, et elle pensa tout à coup au Nouveau-Mexique, la terre des enchantements – et aux deux morts gisant au fond d'un ancien puits indien. Elle pensa à la pureté des flocons de neige – et aux mares de sang qu'ils dissimulaient. Au visage de Claudette – et à son cœur de glace. À la beauté des haïkus – et à l'usage monstrueux qui en avait été fait. À la splendeur des hauts feuillages verts – et aux araignées qui naissent à l'ombre de feuilles recroquevillées. Aux choses visibles et aux choses invisibles. Aux choses révélées et aux choses cachées. À cet éclat de couleur rose, printanier et joyeux, et aux reflets sinistres qu'il projetait, au poison qu'il semblait distiller.

Toute l'horreur qu'elle redoutait confusément se concrétisa

lorsqu'elle poussa la porte du cabinet d'Ahriman et découvrit les corps baignant dans leur sang.

Le psychiatre était étendu sur le dos. Il n'avait plus de visage. Des volutes d'une fumée infecte s'élevaient de ses cheveux calcinés, sa chair était déchiquetée par de terribles cratères, ses mâchoires avaient implosé, ses yeux étaient deux flaques rouges, et, sur sa joue déchirée et béante, on devinait un demi-sourire diabolique.

Skeet, tombé face contre terre, offrait une vision moins spectaculaire, et pourtant plus réelle. Le garçon baignait dans une mare de sang ; il semblait si frêle qu'on aurait dit un amas de haillons flottant dans une mer cramoisie

En le voyant, Martie fut prise d'épouvante, bouleversée bien au-delà de ce qu'elle aurait cru. Skeet était cet éternel enfant, plein de candeur mais faible et autodestructeur. Il n'avait cessé de chercher à achever le meurtre avorté de sa mère. Martie l'avait toujours aimé, cependant ce n'était que maintenant qu'elle s'apercevait à quel point il lui était cher — et maintenant seulement qu'elle comprenait pourquoi. Malgré tous ses défauts, Skeet possédait une belle âme, généreuse et douce, et, tout comme son frère qu'elle chérissait, son cœur était pur. Dans un monde où les cœurs purs se faisaient plus rares que les diamants, Skeet était un joyau, fendu peut-être, mais véritable. Elle n'osait se baisser pour le toucher, de peur de découvrir que la pierre était irrémédiablement brisée.

Sans prêter garde au sang, Dusty tomba à genoux et posa les mains sur le visage de son frère. Il toucha ses yeux fermés, tâta son cou, et, d'une voix que Martie n'avait jamais entendue, il poussa un cri déchirant :

— Nom de Dieu ! Une ambulance ! Quelqu'un, vite !

Jennifer apparut à la porte de son bureau.

— Je les ai appelés. Ils arrivent. Ils sont en route.

La femme en rose se tenait debout à côté du comptoir vitré de la réception. Sur le rebord, elle avait déposé deux armes, dont le Glock .18 que Skeet avait récupéré sur le corps d'Eric.

— Jennifer, dit-elle, ce serait peut-être une bonne idée de ranger tout ça dans un coin tranquille en attendant la police, vous ne trouvez pas ? Vous leur avez téléphoné ?

— Oui. Ils arrivent aussi.

Méfiante, Jennifer contourna le comptoir et retourna derrière la vitre de la réception pour récupérer les pistolets. Elle les déposa sur son bureau.

Martie était incapable de pensées claires… Skeet agonisant à ses pieds, la vision d'horreur du visage mutilé d'Ahriman, tout ce sang partout… impossible pour elle de comprendre ou d'imaginer ce qui s'était passé. Skeet avait-il abattu Ahriman ? Ou était-ce Ahriman qui avait tiré sur Skeet ? Qui avait tiré le premier ? Et combien de coups ?

La configuration des corps n'offrait aucune explication plausible. Et le calme inquiétant de cette femme en rose, comme si elle assistait quotidiennement à des duels sanglants, semblait indiquer qu'elle aussi avait joué un rôle.

La femme s'éloigna vers un coin relativement épargné par les éclaboussures de sang, sortit un portable de son sac à main et composa un numéro.

Lointain, mais se rapprochant, le hurlement aigu des sirènes, déformé par la distance et la topographie, avait quelque chose d'effrayant et d'étrangement préhistorique, organique plus que mécanique – le cri d'un ptérodactyle.

Jennifer trotta jusqu'à la porte d'entrée, l'ouvrit en grand et y plaça une petite cale en caoutchouc pour l'empêcher de se refermer.

– Aidez-moi à dégager ces chaises jusqu'au bout du couloir, lança-t-elle en se tournant vers Martie. Quand les secours arriveront, ils auront besoin de place pour manœuvrer.

Martie était soulagée de pouvoir agir. Elle avait l'impression de se trouver au bord d'un précipice menacé d'éboulement. Aider Jennifer, c'était reculer d'un pas vers la terre ferme, loin du vide.

La femme en rose éloigna un instant le téléphone de sa bouche pour faire un compliment à Jennifer.

– Votre présence d'esprit est plutôt impressionnante, mademoiselle.

La secrétaire lui jeta un regard étrange.

– Euh… merci.

Lorsque les deux femmes eurent fini de déplacer les chaises et les tables vers l'extrémité la plus proche du couloir, les multiples sirènes s'étaient déployées en un crescendo cacophonique, puis s'étaient tues, l'une après l'autre. Les secours devaient maintenant se trouver dans les ascenseurs.

La femme en rose parlait dans son portable.

– Ça suffit, Kenneth. Ne paniquez pas comme ça. Au prix où sont vos honoraires, je vous pensais un peu moins émotif ! Une vraie lavette ! Je vais avoir besoin du meilleur avocat sur la place en matière de défense criminelle, et tout de suite. Alors reprenez-vous et faites ce que je vous dis. Exécution !

Quand elle eut raccroché, elle lança un sourire à Martie.

Ensuite elle tira une carte de visite de son sac à main, et la tendit à Jennifer.

– Je suppose que vous êtes au chômage technique à partir de maintenant. J'aurais besoin de quelqu'un d'aussi compétent que vous, alors, si ça vous intéresse…

Jennifer hésita, puis prit la carte.

Agenouillé dans le sang, lissant fiévreusement les cheveux de Skeet sur son front pâle, Dusty lui parlait tout bas, sans savoir si le gamin l'entendait. Il lui parlait des jours anciens, de ce qu'ils faisaient quand ils étaient petits, de leurs farces d'écoliers, de leurs découvertes, de leurs projets d'escapades, de tous les rêves qu'ils avaient partagés.

Martie entendit des bruits de pas précipités dans le couloir, sans doute le bruit des bottes des pompiers secouristes. Pendant un court et merveilleux instant de folie, elle crut que lorsqu'ils apparaîtraient sur le seuil, parmi eux, il y aurait Bob la Banane.

76.

Et le chaos engendra le chaos. Trop de visages inconnus, trop de voix mêlées, policiers et secouristes négociant rapidement, mais bruyamment, les limites de leurs territoires respectifs, se partageant les morts et les vivants.

Le désarroi de Martie ne fit qu'augmenter lorsqu'elle apprit que c'était la femme en rose qui avait abattu Skeet et Ahriman. Celle-ci reconnut les faits, demanda à être arrêtée, et refusa d'en dire plus, sauf pour se plaindre de la puanteur des cheveux brûlés d'Ahriman.

Skeet était étendu sur un brancard, sans vie pour des yeux inexpérimentés, et entouré de quatre secouristes musclés, tout de blanc vêtus. À la lumière des néons du couloir, leurs uniformes semblaient auréolés, comme s'il s'agissait de morts revenus sur terre pour aider leur prochain – des anges modernes ayant troqué leurs ailes contre des blouses d'infirmiers. L'un d'entre eux partit en sprint bloquer l'ascenseur, un autre tirait le brancard, le troisième le poussait, tandis que le quatrième courait à leurs côtés, tenant la perfusion à bout de bras. Ils emportèrent Skeet rapidement et sans heurt. Martie avait l'impression que les roues du chariot et les pieds des infirmiers ne touchaient pas le sol. Les anges volaient dans le couloir, non pour convoyer un blessé vers l'hôpital, mais pour servir d'escorte à une âme immortelle en partance pour un très long voyage.

Ayant été innocenté par Jennifer – et par la confession succincte de la femme en rose –, Dusty fut autorisé à accompagner son frère. Il saisit Martie par les épaules et l'attira contre lui. Il la tint fortement serrée un instant, puis l'embrassa et courut rejoindre le brancard.

Elle le regarda s'éloigner jusqu'à la cage des ascenseurs puis disparaître. Elle baissa les yeux et se rendit compte que Dusty avait laissé des empreintes de sang sur ses épaules. En proie à un tremblement incontrôlable, elle croisa les bras sur sa poitrine, les mains posées sur les marques rouges, comme si le contact avec ces empreintes humides la maintenait en relation avec Skeet et Dusty, afin qu'elle puise de la force en eux et leur offre la sienne en retour.

On demanda à Martie de rester sur les lieux du crime. La police de Malibu avait – tardivement – pensé à contacter celle de Newport, les deux équipes avaient établi un lien entre ce règlement de comptes à coups de revolver et la mort par flèche d'Eric Jagger. Cela faisait de Martie et de Dusty des témoins oculaires dans au moins l'une des affaires. Un inspecteur chargé de questionner Dusty était en route pour l'hôpital. Martie allait subir immédiatement un premier interrogatoire.

Tout en se reprochant mutuellement de contaminer les lieux du crime, le photographe de la police, les experts du labo, les représentants du juge et autres enquêteurs recueillirent des preuves avec minutie et méthode, en dépit des aveux spontanés de la femme en rose. Celle-ci pouvait se rétracter par la suite, ou bien accuser la police de l'avoir intimidée.

Jennifer fut interrogée à son bureau, mais Martie dut suivre deux enquêteurs polis et discrets dans le bureau d'Ahriman. L'un d'entre eux se percha près d'elle sur le canapé, l'autre s'installa dans le fauteuil qui lui faisait face.

Elle retrouvait la jungle de boiseries sculptées de ses cauchemars – le territoire de l'homme feuille. Elle sentait encore sa présence, bien qu'il fût mort. Croisant à nouveau les bras, les mains sur chaque épaule, elle recouvrit de ses doigts les traces rouges qu'avaient laissées les mains de Dusty.

La voyant faire, les enquêteurs lui demandèrent si elle voulait se laver les mains. Ils ne pouvaient comprendre… Elle leur répondit non de la tête.

Et puis, tel le vent emportant les feuilles mortes dans son haïku, son histoire sortit en un long et unique souffle. Elle ne leur cacha aucun détail, aussi fantastique et improbable fût-il. À une exception près : elle négligea de raconter la rencontre avec Kevin et Zachary, par ce crépuscule enneigé

Elle prévoyait leur incrédulité ; et, en effet, leurs yeux se plissèrent et leurs bouches s'ouvrirent d'étonnement à plusieurs reprises. Mais bientôt de nouveaux éléments vinrent étayer son récit et renforcer sa crédibilité.

Ray Closterman avait entendu l'un des tout premiers bulletins radio annonçant le massacre et avait quitté son bureau, à quelques kilomètres de là, pour se rendre sur les lieux. Martie apprit qu'il était dans le couloir, en train de parler à la police, car l'un des deux enquêteurs fut appelé pour l'entendre. À son retour, le policier semblait troublé, du moins assez pour lui révéler que le témoignage de Closterman corroborait sa version des faits.

Et puis il y avait le problème du Beretta chargé, retrouvé dans la main du cadavre d'Ahriman. Une vérification rapide auprès de l'ordinateur central révéla que le pistolet n'était répertorié sur aucun registre, et qu'Ahriman n'avait, officiellement, jamais acheté cette arme, ni aucune autre. Par ailleurs, le comté d'Orange ne lui avait jamais délivré de permis de port d'arme. Son image de citoyen éminent, respectueux des lois, en prit un coup.

Mais ce qui sembla convaincre les flics qu'ils tenaient là un cas de bizarrerie sans précédent dans les annales criminelles de la Californie du Sud, ce fut la découverte, dans le magnifique étui d'épaule fabriqué sur mesure, d'un sac contenant des excréments. Sherlock Holmes lui-même aurait peiné à trouver une explication rationnelle à cette trouvaille étonnante. Les policiers supposèrent tout de suite qu'ils avaient affaire à un cas de perversion sexuelle. La poche bleue fut étiquetée, empaquetée et expédiée au laboratoire pour analyse, tandis que les policiers lançaient des paris sur l'espèce et le sexe de l'auteur de l'échantillon.

Martie ne pensait pas être en état de conduire. Une fois dans sa voiture, cependant, elle se débrouilla très bien et se rendit directement à l'hôpital. Elle ne se lava les mains que lorsqu'elle eut retrouvé Dusty dans la salle d'attente des soins intensifs et appris que Skeet avait survécu à une intervention chirurgicale de trois heures. Il était inconscient, dans un état critique, mais il s'accrochait à la vie.

Malgré cette nouvelle, Martie fut prise d'angoisse dans les toilettes des dames et hésita à rincer complètement le sang sur ses mains. Elle avait peur qu'en effaçant ce lien avec Skeet il ne se retrouve seul et démuni, incapable de puiser sa force en elle. Cette attitude irrationnelle la surprit. Toutefois, quand on avait rencontré le diable sur sa route – et survécu à cette rencontre –, on avait peut-être de bonnes raisons de devenir superstitieux. Martie termina son nettoyage en se répétant que le diable était mort maintenant.

Peu après 11 heures, plus de sept heures suivant son arrivée à l'hôpital, Skeet reprit conscience. Il s'exprimait avec cohérence, mais restait très faible. On leur permit de le voir pendant deux ou trois minutes seulement. C'était assez pour ce qu'ils avaient à lui dire, la même phrase que toutes les familles viennent répéter à tous les blessés du monde, cette simple phrase qui guérit mieux que tous les mots des médecins : « Je t'aime. »

Cette nuit-là, ils dormirent chez la mère de Martie, qui posa devant eux des bols remplis de soupe aux légumes et du pain maison. Quand ils arrivèrent à l'hôpital le lendemain matin, l'état de Skeet était passé de critique à simplement sérieux.

Devant l'hôpital, deux équipes de télévision et les photographes de presse guettaient leur sortie. C'est alors qu'ils comprirent l'ampleur qu'allait prendre leur histoire dans les médias.

Une fois obtenu le mandat de perquisition, il fallut trois jours aux policiers pour procéder à une fouille approfondie de la vaste maison de Mark Ahriman. Leur seule découverte notable par son étrangeté fut la gigantesque collection de jouets du psychiatre. Au bout d'une demi-journée, l'enquête piétinait.

La demeure tentaculaire était automatisée et équipée d'un système de sécurité élaboré. Des policiers spécialistes en informatique forcèrent le code d'accès, qui permettait à Ahriman seul d'accéder aux multiples fonctions du système d'automation. Ils découvrirent bientôt six coffres-forts secrets, de tailles diverses.

Les combinaisons décodées, le premier coffre – encastré dans le bureau en bois sculpté – ne révéla que des archives financières.

Le deuxième, dans le salon de la suite privée, contenait cinq pistolets, deux pistolets-rafaleurs automatiques, et une mitraillette Uzi. Aucune de ces armes n'était immatriculée au nom du psychiatre, et aucune n'avait été achetée chez un armurier déclaré.

Le troisième coffre était habilement dissimulé dans la cheminée de la chambre à coucher. Les policiers y découvrirent un Taurus PT-111 Millenium avec un chargeur vide, qui semblait avoir récemment servi.

Les criminologues, ainsi que les mordus de cinéma, furent bien plus intéressés par la deuxième trouvaille : un bocal scellé sous vide, contenant une paire d'yeux humains flottant dans une solution de formol. Une étiquette collée sur le couvercle proposait au lecteur un haïku soigneusement écrit à la main.

> *Les yeux de mon père.*
> *Roi des larmes, à Hollywood.*
> *Moi, je préfère rire.*

Le battage médiatique se transforma en tempête.

Dusty et Martie ne pouvaient plus demeurer chez Sabrina, car sa maison fut assiégée par les journalistes.

Le troisième jour des fouilles, la police trouva une mine de vidéocassettes cachées dans un coffre non répertorié par le système informatique. Un entrepreneur était venu rapporter à la police comment il avait discrètement construit la cache à la demande d'Ahriman. Les cassettes constituaient les trophées chéris du psychiatre, des souvenirs de ses parties les plus dangereuses et les plus torrides ; il avait inclu le spectacle de ses ébats avec la candide Susan, filmé depuis le bonsaï.

La tempête médiatique devint un ouragan.

Ned Motherwell s'occupait seul de l'entreprise de peinture, pendant que Dusty et Martie s'abritaient chez leurs amis, changeant régulièrement d'hôtes pour fuir les nuées de flashes et de micros.

Le seul événement qui relégua en deuxième page des journaux les extravagances du Dr Ahriman fut l'agression sauvage et outrageante contre le président des États-Unis, lors d'une collecte de fonds à Bel-Air. L'agresseur, une grande star du cinéma, fut abattu par des agents des services secrets pendant que leurs collègues se chargeaient de récupérer le nez présidentiel tombé sur la pelouse. Vingt-quatre heures plus tard, on découvrit que la star avait rencontré Mark Ahriman et sortait d'une cure de désintoxication dans une clinique dont le médecin était actionnaire.

L'ouragan médiatique était devenu le cyclone du siècle.

Au bout d'un certain temps, le cyclone s'essouffla. Il ne pouvait résister à cette loi fondamentale régissant la marche de ce drôle de monde : tout scandale, aussi énorme, atroce et sans précédent soit-il, laisse place à un nouveau scandale, plus frais, donc plus sensationnel.

Vers la fin du printemps, Skeet sortit de sa convalescence. Il n'avait jamais été aussi gras depuis des années. La femme en rose lui versa spontanément, sans même être menacée de poursuites, un million sept cent cinquante mille dollars – impôts déduits – en dommages et intérêts. Sa santé retrouvée, le jeune homme décida de prendre quelques mois de vacances, abandonnant la peinture en bâtiment pour voyager un peu et réfléchir à son avenir.

Avec Fig Newton, ils mirent au point un itinéraire qui, depuis Roswell, au Nouveau-Mexique, les mènerait à d'autres sites intéressants, sur la trace des ovnis. Maintenant que Skeet avait récupéré son permis, Fig et lui pouvaient se relayer au volant de son camping-car flambant neuf.

La femme en rose prétendit qu'elle avait été la victime de lavages de cerveau et d'agressions sexuelles répétées de la part de Mark Ahriman et plaida la légitime défense. Skeet, maintint-elle, s'était malencontreusement trouvé sous le feu de son tir. Après des débats intenses et tumultueux dans le bureau du procureur du district, elle fut accusée de meurtre et relâchée sous caution. Quelques mois plus tard, au début de l'été, les plus malins pariaient déjà qu'elle ne serait jamais jugée. Et si, par hasard, elle se retrouvait devant un tribunal, il serait bien difficile à un jury de la condamner : elle venait de faire un passage émouvant dans le talk-show le plus célèbre du pays, l'« Oprah Winfrey Show ». Oprah l'avait embrassée, et déclaré : « Tu es un exemple pour nous tous, ma chérie », tandis que tous les téléspectateurs sanglotaient à qui mieux mieux.

Derek Lampton Junior fut un héros national pendant une semaine et fit des démonstrations de tir à l'arbalète à la télévision. Quand on lui demanda le métier qu'il choisirait plus tard, Junior répondit : « astronaute ». On le prit au sérieux, car c'était un excellent élève... il avait des prédispositions pour les sciences et prenait déjà des cours pour devenir pilote.

Au milieu de l'été, l'institut Bellon-Tockland, à Santa Fe, se vit inno-center de tout lien avec les expériences bizarres de Mark Ahriman. La rumeur rapportant qu'il avait été leur employé ou qu'il entretenait des relations avec eux fut définitivement discréditée. « C'était un psycho-pathe, déclara le directeur de l'institut. Ce narcisse pathétique était un psychologue de comptoir qui espérait renforcer sa crédibilité en prétendant être rattaché à notre institution prestigieuse et à son immense travail pour la paix mondiale. » Les activités de l'institut furent commentées en long, en large et en travers, mais aucun journal, depuis le *New York Times* jusqu'au *National Enquirer*, ne put en expli-quer la teneur exacte.

Martie annula le contrat qu'elle avait signé pour adapter *Le Seigneur des anneaux* en jeu vidéo. Elle adorait toujours Tolkien ; simplement elle avait envie d'un projet plus ancré dans la réalité. Dusty lui proposa du travail comme peintre en bâtiment. Elle accepta pour une période temporaire. Sa tâche était suffisamment physique pour lui donner de délicieuses crampes dans les bras et les épaules, et lui laissait le temps de réfléchir.

La soudure du nez du Président fut une réussite en matière de chirurgie plastique.

Ned Motherwell réussit à vendre trois haïkus à une revue littéraire.

Les deux bulletins de Loto que Dusty avait achetés à Skeet étaient perdants.

De temps en temps, pendant l'été, Martie et Dusty se rendaient dans des cimetières. Valet adorait explorer les dédales entre les pierres tombales. Ils en fréquentaient trois. Dans le premier, ils déposaient des fleurs sur la tombe de Bob la Banane. Dans le deuxième, ils en apportaient à Eric et à Susan Jagger. Et, dans le troisième, ils en lais-saient à Dominique, la demi-sœur que Dusty n'avait jamais connue.

Claudette prétendait avoir perdu la seule photo existante de sa fille nouveau-née. C'était peut-être vrai. Peut-être aussi ne voulait-elle pas la donner à Dusty.

Chaque fois qu'il évoquait le visage doux et aimable de sa sœur sur cette photo, Martie se demandait dans quelle mesure cette enfant aurait pu offrir une rédemption à Claudette. En offrant ses soins et sa protection à un être si innocent, peut-être sa mère aurait-elle été trans-formée par l'apprentissage de la compassion et de l'humilité. Il était difficile d'imaginer qu'une enfant trisomique, fruit de l'union contre nature d'Ahriman et de Claudette, pût constituer une bénédiction cachée. Cependant l'Univers résultait de desseins bien plus étranges et complexes que ce couple. Et, à bien y réfléchir, tous semblaient avoir un sens.

Au début du mois de juillet, après cent semaines sur la liste des meilleures ventes du *New York Times*, *Apprenez à vous aimer* figurait toujours en cinquième position dans sa catégorie.

Au mois d'août, Skeet et Fig téléphonèrent du fin fond de l'Oregon. Ils venaient de prendre une photo de Big Foot, qu'ils envoyaient immédiatement par express.

La photo était floue mais intrigante.

À la fin de l'été, Martie s'était enfin décidée à accepter ce que Susan Jagger lui léguait dans son testament. La somme issue de la vente de tous ses biens, y compris la maison de la presqu'île de Balboa, était conséquente. Martie refusa d'abord d'utiliser le moindre sou : l'argent lui semblait taché de sang. Puis elle songea qu'elle pourrait l'employer pour réaliser son vieux rêve, pour remonter le temps et reprendre la voie qu'elle avait abandonnée par erreur. Susan ne pouvait plus revenir en arrière et devenir la violoniste de ses rêves d'enfant ; il paraissait finalement honorable et juste que son cadeau permette à Martie de redonner à sa vie une bonne impulsion.

Martie était une élève studieuse : au bout de quelques années seulement, ils purent fêter son diplôme de vétérinaire ainsi que l'ouverture quasi simultanée de sa clinique pour animaux et d'un refuge pour chiens et chats maltraités. Il ne restait plus grand-chose de son héritage, mais elle n'avait pas de gros besoins.

La fête se déroula dans leur maison de Corona Del Mar, reconstruite sur les cendres de l'ancienne et en tous points semblable à elle. Jusqu'au choix des couleurs : Sabrina, qui s'était pourtant adoucie avec l'âge, les trouvait toujours aussi clownesques.

Dans la famille de Dusty, seul Skeet fut invité. Il vint avec sa femme, Jasmine, et son fils de trois ans, Foster, surnommé par tous Chupaflor.

Fig et sa femme, Primrose, la sœur aînée de Jasmine, apportèrent des centaines d'exemplaires de la nouvelle brochure de l'agence de voyages que Skeet et Fig avaient créée. La Strange Phenomena Tours prospérait. Si vous rêviez de marcher dans les traces de Big Foot, de visiter tous les lieux d'enlèvements extraterrestres sur le continent américain, de passer la nuit dans des maisons hantées, ou de suivre la piste d'Elvis, qui errait à travers le pays depuis sa prétendue mort, seul Strange Phenomena Tours proposait des voyages organisés à la mesure de votre curiosité.

Ned Motherwell arriva à la fête avec sa petite amie, Spike, et des copies dédicacées de son dernier recueil de haïkus. Comme il le disait lui-même, la poésie ne rapportait pas gros, pas assez pour laisser tomber la peinture en bâtiment, mais elle procurait malgré tout certaines satisfactions. En outre, son gagne-pain lui offrait une source d'inspiration : son nouveau livre s'intitulait *Échelles et pinceaux*.

Luanne Farner, la grand-mère de Skeet, qu'il avait retrouvée au cours de ses pérégrinations avec Fig, fit le voyage depuis Cascade, dans le Colorado. Elle apporta du gâteau maison à la banane. C'était une vieille dame charmante. Cependant, sa plus grande qualité était de ne ressembler en rien à son fils, Sam Farner, alias Holden Caulfield père.

Roy Closterman et Brian vinrent avec Charlotte, leur labrador noir. Il y avait quantité d'autres chiens. Des friandises de la boulangerie des Trois Chiens furent proposées aux invités à quadrupèdes ; Valet se montra un hôte généreux, y compris avec les biscuits à la caroube.

Chase et Zina Glyson arrivèrent en avion de Santa Fe, chargés de piments rouges et d'autres délices du Sud-Ouest. Les parents de Chase avaient été réhabilités, leur réputation et leur mémoire restaurées. Plus un seul élève de la Little Jackrabbit School ne gardait de faux souvenirs de harcèlement sexuel.

Tard dans la nuit, après le départ des invités, les trois Rhodes réussirent à faire rentrer quatre jambes, quatre pattes et une queue dans leur immense lit. En raison de son âge avancé, Valet avait enfin acquis un droit de jouissance sur certaines pièces du mobilier – lit compris.

Martie était étendue sur le dos, Valet couché sur ses pieds. Elle sentait les battements de son cœur de chien contre ses chevilles. Dusty était près d'elle, couché sur le côté, et elle sentait également le rythme plus lent de son cœur.

Il posa un baiser sur son épaule. Dans l'obscurité chaude et soyeuse, elle chuchota :

— J'aimerais tant que ça dure toujours.

— À mon avis, c'est ce qui va se passer.

— J'ai tout ce dont j'ai toujours rêvé, moins une amie chère et mon père. Tu sais quoi ?

— Je suis tout ouïe…

— J'adore ma vie… mais pas parce que c'est un rêve. Au contraire, elle est tellement réelle. Tous nos amis, tout ce que nous faisons… c'est tellement vrai. Tu comprends un peu ce que je veux dire ?

— Je comprends tout ce que tu veux dire, lui assura-t-il.

Cette nuit-là, elle rêva de Bob la Banane. Il portait sa veste de pompier noire à bandes fluo, mais il ne surgissait pas des flammes. Ils se promenaient tous les deux dans une prairie en haut d'une colline, sous un ciel d'été. Il lui dit à quel point il était fier d'elle, et elle s'excusa de n'être pas aussi brave que lui. Non, c'était elle la véritable héroïne, protestait-il, elle qui faisait preuve d'un vrai courage. Dans les années à venir, ses mains généreuses et fortes apporteraient soins et réconfort aux êtres les plus innocents de ce monde, et rien ne pouvait lui faire davantage plaisir.

Quand, au milieu de la nuit, Martie sortit de ce rêve, la présence qu'elle sentit dans l'obscurité de la chambre paraissait aussi réelle que les ronflements de Valet, aussi réelle que Dusty, endormi à ses côtés.